DWEUD EICH DWEUD

A Guide to Colloquial and Idiomatic Welsh

Ceri Jones

Argraffiad cyntaf—2001

ISBN 1 85902 790 3

Dymuna'r cyhoeddwyr gydnabod cymorth Adrannau Cyngor Llyfrau Cymru.

Argraffwyd yng Nghymru gan
Wasg Gomer, Llandysul, Ceredigion

Un yw Cymru ac un yw'r Gymraeg
o dan y mân wahaniaethe

Islwyn Ffowc Elis

Contents

Introduction
    Areas of Study   ix
    Different Registers of Welsh   xi
    Explanatory   xiii

Acknowledgements   xvi

Dweud eich Dweud:
A Guide to Colloquial and Idiomatic Welsh

Appendices
    Introduction   171
    1   The Present Tense   172
    2   The Future-Present Tense   175
    3   The Future Tense   178
    4   The Simple Past Tense   179
    5   The Imperfect Tense   182
    6   The Imperfect Habitual Tense   186
    7   The Perfect Tense   187
    8   The Pluperfect Tense   187
    9   The Conditional Tense   188
    10 The Imperative   190
    11 The Subjunctive Mood   193
    12 The Impersonal   194
    13 Miscellaneous Verbal Forms   195
    14 Nouns and Adjectives   201
    15 Pronouns   203
    16 Prepositions   209
    17 Mutations   211
    18 Place Names   213
    19 Personal Names   214
    20 Dialects   216
    21 The Use of English in Welsh   220
    22 Broydd Cymru   222

Bibliography   225
English-Welsh Reference Index   229

Contents

Introduction ... ix

Aa...s of Glossary ... ix

...the Register of Welsh ... xi

Explanation ... xiii

Acknowledgements ... xiv

Dwaud sion Cewad
A Guide to Colloquial and Idiomatic Welsh

Appendices

Introduction ... 171
1. The Present Tense ... 172
2. The Future-Present Tense ... 175
3. The Future Tense ... 176
4. The Simple Past Tense ... 179
5. The Imperfect Tense ... 182
6. The Imperfect Habitual tense ... 185
7. The Perfect Tense ... 181
8. The Pluperfect Tense ... 187
9. The Conditional Tense ... 183
10. The Imperative ... 190
11. The Subjunctive Mood ... 185
12. The Impersonal ... 191
13. Masculine & Verbal Forms ... 195
14. Numerals & Adjectives ... 201
15. Pronouns ... 202
16. Prepositions ... 208
17. Mutations ... 211
18. Place Names ... 213
19. Personal Names ... 214
20. Dialects ... 218
21. The Use of English in Welsh ... 220
22. Srived Verbi ... 222

Bibliography ... 228
English-Welsh Reference Index ... 243

INTRODUCTION

The purpose of this work is to provide the student of Welsh with a guide to the variations and complexities of the colloquial and idiomatic language. It is also hoped that it will appeal to the Welsh speaker who wishes to improve his or her familiarity with the language.

It is assumed that the reader will have a knowledge of basic grammar and vocabulary. However, as with the study of all languages, the biggest leap a learner can make is from learning Welsh at home or in the classroom to using the language as a means of communication in normal everyday settings: the purpose of this book is to make that leap as easy as possible.

Colloquial and idiomatic language reflects the culture of the communities that use the language as their medium of everyday discourse. For example, in spoken Welsh there are numerous idioms for gossip, drunkenness and illegitimate children, but there is an almost complete absence of xenophobic and racist vocabulary. However, this book is not intended to provide a comprehensive coverage of the vagaries and idiosyncrasies of colloquial and idiomatic Welsh nor a complete overview of all the possible registers of the language. Such a book would extend to several volumes and would be difficult to digest for the vast majority of readers. Rather, this guide covers the most salient points of the colloquial and idiomatic language that will be encountered by the enthusiastic student in most everyday situations.

Areas of Study

1. Pronunciation

It is assumed that the reader will be familiar with the pronunciation of Welsh. However, there is guidance in the corpus of the book about how the pronunciation of various letters can vary, most commonly in the dialects. Welsh is generally a more fluid medium than English, as is exemplified by the system of mutations, and native Welsh speakers are more prone to change an original word and to use local and everyday varieties than their English-speaking counterparts.

2. Shades of meaning

In addition to its common meaning, a word can also have a variety of meanings that can be misleading to those with an unsure grasp of the language. For example, the common meaning of **cael** is *to get, to receive*, but it can also mean *to be allowed to, to be permitted*, together with *to find*, although the latter can only be used figuratively.

Words can also have a different meaning in the dialects to that of the standard language. For example, **sefyll** means *to stand*, but in South Wales (but generally not in North Wales or in the standard language) it can also mean *to stay, to wait*.

Many words also have a distinct meaning in domestic circles that they do not have in a more formal context. For example, the standard meaning of **cyw** is *chick*, but in a domestic situation it can also be used as a term of endearment that equates approximately with *dear* or *love* when addressed to a small child or animal. However, **cyw** in this domestic sense is strictly confined to the colloquial language and would be inappropriate in a formal context, such as in a school or hospital report.

Nevertheless, the greater part of the vocabulary in the guide is for the advanced student and it is assumed that it will supplement existing word power: the ace of spades is no good if the rest of the pack is missing.

3. Idioms

An idiom is a group of words whose meaning cannot be predicted from the constituent parts. Unlike proverbs (see below), they are often dependent on the wider context to give them meaning. They cannot usually be translated verbatim but rather the meaning has to be conveyed using an idiom similar in meaning and tone. Two of the most authoritative and comprehensive books available on idioms in Welsh are the two volumes by R. E. Jones *Llyfr o Idiomau Cymraeg* (Abertawe, Gwasg John Penry, 1975) and *Ail Lyfr o Idiomau Cymraeg* (Abertawe, Gwasg John Penry, 1987), but both are aimed at fluent Welsh speakers.

The idioms included in this guide are a distinctly Welsh way of saying something whilst those that translate directly into English, or are so close in sentiment that the meaning is immediately clear, have been omitted. For example, **llenwi'r bwlch** means *to fill the gap* and is used in exactly the same context as the English equivalent and translates directly. Therefore, provided the reader has a competent dictionary this idiom should not cause a problem and is excluded from the guide.

Welsh has a very rich variety of idioms, but this guide only includes those in common everyday circulation. For example, **taro deuddeg** (literally *to hit twelve*) means *to hit the mark* and is immediately recognisable to all educated Welsh speakers. However, the more esoteric **cywion Alis** or **plant Alis** (literally *Alice's children*) means *English people* but is not in common circulation and is thus not included. If someone were to say **yr oedd llawer o blant Alis yn y dre ddoe** *there were a lot of English people in town yesterday*, the response from the majority of Welsh speakers would be **pwy ydi Alis?** *who's Alice?*

Idioms derived from religion and agriculture are very common in Welsh, as in other languages. However, idioms deleted from the 1988 edition of the Bible have been excluded unless they are still used in everyday speech (see, for example, **cronglwyd**). Similarly, agricultural idioms that refer to redundant agricultural practices, or practices remote from the experience of the majority of the Welsh-speaking population, have also been excluded. However, agricultural idioms will be more familiar to Welsh speakers in some parts of Wales than others. For example, the idiom **(methu) gwneud rhych na gwellt o rywbeth**, literally *(to fail) to make out a furrow or grass of something* but meaning *(to fail) to make head or tail of something*, is used by the North Wales writer Robin Llywelyn and is in keeping with the context of his novels, but its use by a street-wise teenager from urban South Wales in a novel by John Owen would be incongruous.

The use of idioms in speech adds colour and interest to the language. However, Welsh learners are advised not to overuse them. For example, **y mis du**, literally *the black month*, means *November* and all educated Welsh speakers will be familiar with it and it is respectable enough to be used on the television news. Nevertheless, it should not be used to the exclusion of the more standard **(mis) Tachwedd**.

4. Proverbs and Sayings

A proverb or saying is a succinct way of expressing, often metaphorically, a common experience or piece of wisdom. Proverbs differ from idioms in that they are self-contained phrases and do not depend on additional information to give them meaning. The most authoritative and comprehensive guide to Welsh proverbs is *Diarhebion Cymraeg/Welsh Proverbs* by J.J. Evans (Llandysul: Gwasg Gomer, 1965).

However, the proverbs included in this guide are only the most common sayings still in use in everyday discourse. It must also be borne in mind that proverbs can often contain archaic language that has survived fossilised into everyday use.

5. Set phrases

There are a number of set phrases in Welsh that are commonly used by Welsh speakers continuously and although there are other ways of saying the same thing, the set phrase tends to be employed. For example, the set phrase **amser a ddengys** means *time will tell* and is used in all the different registers of Welsh throughout Wales. There are other acceptable ways of saying this, such as **bydd amser yn dangos** etc., but generally native speakers will use **amser a ddengys** in preference.

6. Slang

Slang is generally found only in the spoken language, and although it may be used in a literary context for artistic effect, for example in the work of Dafydd Huws and Gwenlyn Parry, it is generally not employed in the standard language. For example, **dwyn** *to steal* is used in court and news reports, while the South Wales words **dwgyd** and **jwgyd**, also *to steal*, would only be used in the spoken language, as an alternative to **dwyn**.

Slang can be restricted to a particular geographic area, such as the Caernarfon slang of North Wales, and therefore equates with the dialects (see below), or it can be found throughout Wales.

Common slang words that are found in the majority of standard dictionaries are not included here. For example, **crachach** *snobs*, **gwalch** *rascal* and **hen gono** *old fogey* can be found in most competent dictionaries and to avoid duplication they are not included in the guide. Similarly, slang that is a direct translation of English, for example **yr hen ast** *the old bitch,* is not included.

A substantial part of slang in Welsh is derived from religious contexts and although sexually-based slang does exist it is far less common in Welsh than in English. Nevertheless, two points need to be borne in mind concerning slang. First, the inclusion of obscenities in the guide is to inform and not to offend. Second, learners need to be very careful about the use of slang and different words can have different degrees of strength. As a general rule, slang words, particularly the more risqué, are best avoided until learners are well-versed in the language.

7. Dialects

In Appendix 20 there is broad-brush portrait of Welsh dialects and an awareness of the differences is essential for all who wish to improve their familiarity with the colloquial and idiomatic language. A staple part of popular Welsh culture is the linguistic difference within Wales, most notably between the **Gogs** (*North Walians*) and the **Hwntws** (*South Walians*), and this is evident in numerous novels, plays, films and television programmes.

Nonetheless, it is important that dialect differences are not overstressed. All spoken varieties of Welsh are variations of the same basic core, and the difference between the spoken Welsh of North and South Wales is generally akin, for example, to the difference between the spoken English of England and the United States. Certain forms of pronunciation, words, phrases and sayings may differ but they are still part of the same language.

8. Grammatical Variations in Colloquial and Idiomatic Welsh

There are fundamental differences between the different registers of Welsh in the morphology of the language and there is extensive coverage of this topic in the Appendices. However, this guide is not a comprehensive coverage of the grammar of contemporary Welsh and the reader may wish to have a good grammar to hand, although this is not essential.

9. Miscellaneous Words about Wales and Welsh Culture

No language lives in a vacuum and there are a large number of words in everyday Welsh which refer to a particular place or event that is etched on the Welsh psyche. However, culturally-weighted words of this type have only been included when they become generic in nature (see, for example, **brad** and **Tryweryn**).

Different Registers of Welsh

'**Mae yna wahanol fathau o iaith, on'does, ac mae gwahanol lefelau iddi hefyd**' *There are various kinds of language, aren't there, and there are different levels to it as well* (John Owen in *Golwg*, 23 January 1997:14).

As John Owen suggests, there are different registers of Welsh that are appropriate for different occasions. People do not use the same language with a pet animal as they do with a bank manager and a letter to a building society will be very different from a letter to a friend. The following registers are the main divisions of Welsh, although they are, by necessity, simplifications. However, it is important not to exaggerate the differences between literary Welsh and the forms outlined below: all are variations of the same basic core.

(i) Literary Welsh

This type of Welsh is used in the Bible and most forms of highbrow literature and is heard for example in religious services, university lectures and very occasionally on the television news. Forms include **y maent hwy** *they are* and **ichwi** *to you* and the educated Welsh speaker will be familiar with them. However, many of the more obscure literary forms are becoming redundant and the 1988 edition of the Bible, for example, has discarded wholesale much of the subjunctive mood found in earlier editions. Similarly, in this guide archaic spellings, such as **myned** instead of **mynd** *to go* and **dywedyd** instead of **dweud** *to say*, have not been included.

The use of highly literary Welsh is appropriate when a sense of gravitas and importance is required to elevate a subject matter. It is significant that John Davies's monumental history of Wales *Hanes Cymru* (London, Penguin Books, 1990) uses this type of Welsh, and this approach was supported by the translators of the New Testament which appeared in 1975. They state in the introduction (author's translation)

> it was not judged sensible to accept forms such as **chi, nhw, fedra i ddim** etc. Doubtless there is a place for a version of the Bible that includes oral forms like these, but in the opinion of those who produced this translation there is a place as well, with every justification, for a version that equates to the significant corpus of good literature, be it poetry or prose, which has been written in Welsh this century. This translation has been produced not only to keep the dignity of the Scriptures and the language as read on ceremonial occasions, but also (and principally perhaps) to keep the link between the Bible and contemporary literature. Others may, quite appropriately, produce a translation which is a lot closer to the spoken language, but that translation would be alien, in all the essence of its literary style, to virtually all the literature of the language (Llundain, Y Gymdeithas Feiblaidd Frytanaidd a Thramor, 1975).

Literary Welsh is the medium for official publications and the like. One authority has stated that '[bureaucratic] language being what it is, it was almost inevitable that standard literary Welsh would serve as a basis for all official translations unless the particular context, such as a slogan or dialogue, demanded a more colloquial turn of phrase' (Berwyn Prys Jones, 1988: 176). The test appears to be the more formal the context, the more literary the language to use.

(ii) Official Welsh

Although this type of Welsh is difficult to define, it has been described as '**[Cymraeg] anffurfiol Cymro diwylliedig, Cymraeg cylchgrawn a phapur newydd, a Chymraeg nofelau cyfoes**' *the informal [Welsh] of the cultured Welsh speaker, the Welsh of the magazine and newspaper, and the Welsh of contemporary novels* (D. Geraint Lewis, 1995: 11).

Official Welsh uses more informal forms, such as **maen nhw** and **i chi**, rather than the literary **y maent hwy** *are* and **i chwi** *to you*, when the context demands an informal approach. This would be appropriate in a newspaper editorial, a magazine article or in a contemporary novel, as D. Geraint Lewis has identified above. Controversy often exists about the parameters of official Welsh and whether it should include English, literary and dialect forms. However, at present the controversies about a standard language, such as those aired about **Cymraeg Byw** in the 1970s (see entry), have largely subsided although they do recur from time to time such as in the debate about the use of English in the Welsh language media.

The greatest discrepancy between literary Welsh and official Welsh is found in grammatical variations rather than in vocabulary, and extensive coverage of these differences can be found in the Appendices.

When words vary according to the dialect, then the one favoured in the Bible is used as the standard form. Thus, for example *out* and *with* are **mas** and **gyda** in South Wales and **allan** and **(h)efo** in North Wales respectively. As the Bible employs **allan** and **gyda**, these then are the words favoured in official Welsh. There is a common assumption that literary and official Welsh favours the dialects of North Wales but this has no definite statistical foundation. If it is the case, it would reflect the influence of literary scholars from North Wales who were involved with the translation of the Bible in the sixteenth and seventeenth centuries.

(iii) Colloquial Welsh

Colloquial Welsh is not used in high status literary Welsh, and its use in official Welsh is carefully controlled and is only pertinent when the need demands it. However, in the everyday spoken language colloquial Welsh is all-pervasive.

The lack of use of the colloquial language in the literary and official language is the result of several factors. First, the colloquial word or phrase may not have the degree of decorum or gravitas that the literary language requires. All slang exists at the colloquial level and many words and phrases may be totally inappropriate in formal contexts. Second, in official Welsh a colloquial word or phrase may not have the objectivity that neutral documents such as the Highway Code and the like require. Third, colloquial words often have a limited geographic range and may be unknown in another part of the country.

However, colloquial forms should not be regarded with condescension; no dialect is more 'correct' or literary than another and Welsh writers have never been reluctant to use local variations. For example, Caradog Prichard's novel **Un Nos Ola Leuad** (Caernarfon, Gwasg Gwalia, 1961) is written almost entirely in the Arfon dialect of North Wales, while the Dyfed dialect can be found in the hymns of the eighteenth century writer William Williams Pantycelyn.

This tolerance of the dialects is marked in the attitude towards them in formal speech situations. It is barely commented on when a government minister has a strong North Walian accent or when a person who reads the weather on television has a strong Pembrokeshire accent. This is very different to the English situation where government ministers and public announcers almost invariably use Received Pronunciation, although this situation is changing. Welsh dialects do not have the same class stigma that many English dialects have and this reflects the homogenous nature of Welsh-speaking society from a class point of view until recent times.

An important factor in any discussion about colloquial Welsh is the growth of second language Welsh-medium education in the Anglicised parts of Wales. Pupils may be exposed to a number of dialects through their teachers and this is not counterbalanced by a strong indigenous dialect at home or in the wider community. This can result in a hybrid language developing with a mixture of dialect forms and which is heavily influenced by English. One writer has drawn attention to this (author's translation)

I believe that we have to accept that a number of young Welsh speakers have accents which, to the older generation and inhabitants of rural areas in particular, sound harsh and English. Linguistic patterns have changed, and the important thing is to speak Welsh correctly and comprehensibly. Alun Owens's Flintshire accent is just as acceptable as Catrin Evans's Swansea Valley accent, although, to some people, it is less "Welsh" (Geraint Ellis in Barn, July/August 1996: 17).

Welsh speakers are now more aware of the various different dialect forms through the influence of radio and television and the comparative ease of travel within Wales. However, it is open to question to what extent some of the more esoteric dialect forms, such as the **calediad** in the dialect of the Swansea Valley (see Appendix 20), are surviving.

The following two forms of Welsh are not included in the guide but they are referred to here in order to provide a full picture of the different registers of the language.

(iv) Bratiaith

This means 'debased language' and this form of Welsh is characterised by the extensive use of English words, the use of English idioms and the lack of Welsh ones, unsure grammar and the use of English constructions and syntax. This type of Welsh is seldom seen in print, but in speech it is very common and is often exacerbated by the wholesale importation of English sentences into a Welsh conversation and by a limited range of domains for conversation in the language. The reasons for this type of language are complex but it is beyond the remit of this study to discuss them here.

(v) Wenglish

This is the version of English spoken in the industrial valleys of South Wales and is characterised by a Welsh intonation, the use of Welsh words and phrases, and the use of Welsh constructions. For example, a speaker might say *whare teg, works hard he does*. Here, **whare teg** *fair play* is clearly a Welsh idiom, whilst the second part of the sentence is a translation of **gweithio yn galed mae e**. It is said that Welsh is still spoken in the Valleys, but through the medium of English.

The English spoken in 'British Wales' (see Appendix 22) is in many respects indistinguishable from much of the English spoken in the rest of the United Kingdom, although the dialect spoken in Cardiff and environs shows traces of the **Gwenhwyseg** dialect, most notably in the long **'a'**.

Use of the Different Registers of Welsh

The use of the different registers of Welsh, namely the literary, the official, the dialects, together with **bratiaith** and Wenglish, can all be heard in different circumstances by different people for different purposes. They are employed simultaneously as the occasion demands.

The older generation is more likely to be familiar with a particular dialect, idioms and, because of the strong influence of religion in the recent past, the literary language. However, they are likely to be less familiar with official Welsh because of the lack of education in the language in the past and the opportunity to use Welsh in the workplace.

Conversely, the younger generation is more likely to speak a **bratiaith**, particularly in Anglicised areas. This is often the result of being brought up in a family where close relatives do not speak Welsh and, in many areas, where the use of the language at a community level is weak. In conjunction with this, the influence of reading and religion has declined and has been replaced by the all-pervasive English-language media. One consequence, as one commentator has noted in North Wales, is the distinct lack of idiomatic expressions in the spoken dialect of the young (Anna E. Roberts, 1988: 121). However, due to the gradual increase in the use of Welsh in official domains, the younger generation is more prepared and comfortable with using the language in the workplace.

A person will also use different registers of Welsh according to circumstances. For example, somebody working through the medium of Welsh will be familiar with the use and conventions of official Welsh. However, in dealing with the public that person will also have to be familiar with the local dialect, with the **bratiaith** of many speakers and, if he or she lives in South Wales, with the Wenglish of the Valleys. If that person also goes to chapel or enjoys literature he or she will also be familiar with the conventions of literary Welsh.

Explanatory

(i) The guide is ordered according to the Welsh alphabet, which is different from the English version

A, B, C, Ch, D, Dd, E, F, Ff, G, Ng, H, I, (J), L, Ll, M, N, O, P, Ph, R, Rh, S, T, Th, U, W, Y

a, b, c, ch, d, dd, e, f, ff, g, ng, h, i, (j), l, ll, m, n, o, p, ph, r, rh, s, t, th, u, w, y

(ii) The following abbreviations and references are used

W	Welsh
E	English
LW	Literary Welsh (this also includes official Welsh, unless the abbreviation OW is used to notify a divergence from the literary language)
CW	Colloquial Welsh
NW	North Wales
SW	South Wales
Arfon	North West Wales (this area also includes Caernarfon town, unless the abbreviation Caern. is used to denote a specific form unique to the town, and Anglesey, unless there is a specific reference to a form unique to the island)
Powys	Northern Mid Wales
Dyfed	West Wales
Pembs	Pembrokeshire
Glam	Glamorgan and Gwent
lit	literal, literally

The divisions of colloquial Welsh can be illustrated as follows (this corresponds with the map of the dialects in Appendix 20)

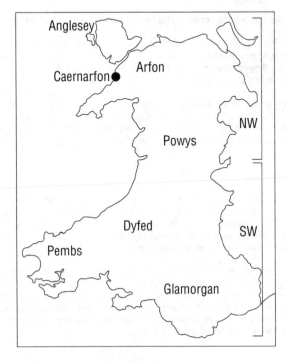

(iii) If no abbreviation follows, then the word, saying etc., is acceptable in all registers of Welsh throughout Wales. If two or more abbreviations are used, then the word is common in two or more registers. For example

ofn LW CW **ofon** SW *fear*

Ofn is acceptable in literary Welsh (and thus the official language) and colloquial Welsh throughout Wales. However, the form **ofon** is confined to the spoken language of South Wales and is not acceptable in the written literary or official language and is not used in North Wales.

(iv) Frequently a word is acceptable in literary, official and colloquial Welsh, but has a particular geographic distribution. For example

Cadno LW SW **llwynog** LW NW *fox*

Cadno is acceptable in literary and official Welsh, but is generally used in South Wales. Similarly, **llwynog** is acceptable in literary and official Welsh, but is generally used in North Wales. For the most part, illlustrative examples are not given when only geographical differences are alluded to.

(v) The etymology of a word is generally not pursued. However, occasionally the origins are illustrated if it helps clarify the meaning. For example

Bachan (< **bachgen**) CW *mate*

Here **bachan** is a colloquial Welsh corruption of **bachgen** *boy*.

(vi) Idioms, sayings etc., are listed under the first element if it is a noun or verb-noun. For example, **hel atgofion** *to reminisce* is found under **hel**. However, if an idiom etc. starts with one of the following, it is listed under the first relevant noun or verb-noun

(a) if it begins with the definite article, eg **y Glas** *the Bill* (the police) is listed under **glas**;

(b) if it begins with a preposition, eg **dan sylw** *in mind, in question, under scrutiny* is listed under **sylw**;

(c) if it begins with a pronoun, eg **pawb at y peth y bo** *each to their own* is listed under **peth**;

(d) if it begins with an adjective or adverb, eg **mawr hyderu** *to greatly hope* is listed under **hyderu**;

(e) if it begins with one of the following common verbs (or a version or form of them)

bod	codi	mynd
bwrw	dod	tynnu
cael	gwneud	

Idioms etc. are only listed under the definite article, a preposition etc. when they specifically relate to them.

(vii) Wherever possible, all the English translations of the idioms, sayings etc. have been cross-referenced with *Geiriadur Prifysgol Cymru*. In a limited number of entries there is no definitive translation and the author has sought the most appropriate form according to tone and syntax. However, translation is not an exact science and is open to interpretation and frequently idioms, for example, cannot be adequately translated.

(viii) The most standard form of the idiom, saying etc. has been used wherever possible. However, any spoken language is prone to change and the forms included must not be seen as cast in stone. For example, the idiom **pydru arni**, *to carry on, to keep at something*, is most commonly used in this form, but there is nothing amiss with the playwright Gwenlyn Parry using the version **pydru ati** (see entry).

Use of Illustrative Material

(ix) Throughout the guide extensive use of contemporary Welsh writing has been used to illustrate the range of idioms, dialects, proverbs etc. All the material employed has been published since 1960, although the greater part has been published within the last decade or so. It includes quotations from newspapers, magazines, novels, plays, short stories, current affairs analyses, autobiographies, travelogues and a limited number of histories. A very limited number of quotations have been taken from academic sources.

(x) A number of the works quoted are considered by many to be major pieces of literature, such as the novels of Robin Llywelyn and Caradog Prichard. Nevertheless, the aim has been to collate material from a wide range of popular culture, irrespective of its artistic quality. The vast majority of quotations are by writers who have close links with the Welsh broadcasting industry and much of the material has been published in conjunction with a film, a television programme or a radio series. A number of the books quoted have also been subsequently made into radio and television series and, in a limited number of cases, into films.

(xi) The writers quoted come from the length and breadth of Wales and no area is unrepresented, although there appears to be a paucity of contemporary writers from North-east Wales and Mid Wales. The geographical distribution of writers quoted marginally favours North Wales, but this reflects the preponderance of contemporary writers from that part of the country rather than any innate prejudice of the author against the South.

(xii) The overwhelming majority of material quoted has been written by native Welsh speakers for Welsh speakers and translations and books aimed specifically at Welsh learners have not been used. All the English versions of the quotations have tried to replicate the tone and syntax of the original Welsh. Similarly, as this book attempts to convey the spoken language, poetry and songs have not been used as artistic licence often allows the writer to employ words and phrases that are not commonly found in popular speech.

(xiii) All the quotations are exactly as found in the original and artistic licence often permits a writer to use his or her own idiosyncratic system of spelling and grammar. It must also be borne in mind that the majority of quotations relate to the spoken language and that people do not speak in grammatically correct, perfect sentences. This is particularly relevant in the context of creative writing in Welsh, where authors are far more prone to using regional forms than their English or American counterparts, for example. *It must be borne in mind therefore that the quotations are for illustration only and many contain idiosyncratic forms and spelling that would not be acceptable in the standard written language.*

(xiv) Welsh literature has influenced the spoken language since its earliest days. Much quoted lines include the elegiac **a gwedi elwch tawelwch fu** *after the rejoicing there was silence*, from *The Gododdin* attributed to Aneirin in the sixth century; **a fo ben bid bont** *who will be a leader will be a bridge*, from *The Mabinogi* recorded in the medieval period; the romantic lament **mieiri lle bu mawredd** *brambles where there was once greatness* penned by Evan Evans (Ieuan Fardd) in the eighteenth century; and the idiosyncratic **na no nefar!** popular with Arthur Picton in a situation comedy on television. However, space does not permit the inclusion of literary quotations in this guide as they need to be seen in their historical context: this subject deserves a book in its own right.

Acknowledgements

The author is grateful to the following

(a) for comments and contributions

Gwen Ayling, Gareth Bevan, Cennard Davies, Patrick Donovan, Berian Edwards, Margaret Edwards, Chris Gentle (maps), Rhisiart Hincks, Meirion Wyn Jones, Robert Owen Jones, Cerys Picton Jones (née Edwards), Thomas Glyn Jones, Ceri Lewis, Robert Wood

(b) for permission to quote from the appropriate publications

Simon Brooks *(Barn, Tu Chwith)*, Alan Edmunds *(Wales on Sunday)*, Neil Fowler *(The Western Mail)*, Carolyn Hitt *(Sbec, Television Wales)*, Glyn Evans *(Y Cymro)*, Dylan Iorwerth *(Busnes i Fusnes, Golwg)*, Tudur Huws Jones *(Yr Herald)*, W.J. Jones *(Y Dinesydd)*, D Peter Roberts *(Cambrian News)*, Welsh Books Council *(Llais Llyfrau)*

(c) for permission to quote from work published by the appropriate press

Cyhoeddiadau Mei, Christopher Davies (Publishers) Ltd, Gwasg Carreg Gwalch, Gwasg Gwalia, Gwasg Gee, Gwasg Gomer, Gwasg Gwynedd, Gwasg Taf, Gwasg y Lolfa, Hughes a'i Fab, Multilingual Matters, Oxford University Press, Penguin, University of Wales Press

(d) for permission to quote from published work

Martin J. Ball, Ann Beynon, Linda Brown (Theatr Bara Caws), John Davies, Marion Eames, Lyn Ebenezer, Jane Edwards, Sonia Edwards, Siôn Eirian, Islwyn Ffowc Elis, Meirion Evans, Valmai Evans, Tweli Griffiths, Rhun Gruffydd, Eleri Hopcyn, Guto Harri, Dafydd Huws, Dylan Iorwerth, Aled Islwyn, Aled Jenkins, Geraint H. Jenkins, Angharad Jones, Berwyn Prys Jones, Christine Jones, Dafydd Glyn Jones, Dic Jones, Harri Pritchard Jones, Rhodri Ellis Jones, T. Llew Jones, Geraint Lewis, Robyn Léwis, Alan Llwyd, Dewi Llwyd, Miriam Llywelyn, Robin Llywelyn, Gareth Miles, Mihangel Morgan, John Ogwen, Rhiain Phillips, Meic Povey, Betsan Powys, Gwenda Richards, Anna E. Roberts, Eigra Lewis Roberts, Elfed Roberts (Llys yr Eisteddfod), Huw Roberts, Margiad Roberts, Wiliam Owen Roberts, Dafydd Rowlands, Wil Sam, Nansi Selwood, Beth Thomas, Peter Wynn Thomas, R. S. Thomas, Rhiannon Thomas, David Thorne, Iolo M Ll Walters (Cyd-Bwyllgor Addysg Cymru), Dafydd Wigley, Dewi Wyn Williams, Robin Williams, Rhydwen Williams, Eirug Wyn

Quotations from the New Welsh Bible © The British and Foreign Bible Society 1988, used with permission.

Dweud eich Dweud

A Guide to Colloquial and Idiomatic Welsh

A a

Pronunciation

1 In colloquial Welsh an initial **'a'** is dropped in a limited number of words

amynedd	>	'mynedd *patience*
arhoswch	>	'rhoswch *wait*

'**Rhoswch funud**' *Wait a second* (John Gwilym Jones, 1976: 21) (* these forms should not be mutated further (eg **amynedd** > '**mynedd** > **fynedd**) but this does occasionally happen in colloquial Welsh, eg '**fawr o fynadd**' *not much patience* (Angharad Tomos, 1991: 68))

2 In Powys a long **'a'** can be pronounced as a long **'e'**

bach	>	bech *small*
fy nhad	>	fy nhed *my father*

'**Odd Ifan Griffis a Nhed yn ffrindie**' *Ifan Griffis and my father were friends* (Francis Thomas in Beth Thomas and Peter Wynn Thomas (eds.), 1989: 122) (* to speak with this accent is known as **siarad yn fain**)

3 In Glamorgan a long **'a'** can also be pronounced as a long **'e'**

da	>	de *good*
tân	>	tên *fire*

'**Bore dê, Mrs Hopcyn. Dewch y'mlên at y tên 'ma i dwymo 'ch trêd**' *Good morning, Mrs Hopcyn. Come forward to the fire to warm your feet* (Edgar ap Lewys, 1977: 57)

4 In South Wales **'a'** is occasionally pronounced as an **'o'** before **'w'** in a limited number of words

mawr	>	mowr *big*
mawredd	>	mowredd *heavens above*

'**Ond mowredd, beth nethech chi â Mari**' *But heavens above, what would you do with Mari* (May Williams in Gwyn Griffiths (ed.), 1994: 82)

5 In South Wales **'ae'** can be pronounced as a long **'a'**

cae	>	ca' *field*
cael	>	ca'l *to have*
traeth	>	tra'th *beach*

'**os gelen ni gâl rw de mâs ar y câ 'da Mam wedyn**' *if we could get some tea out on the field with Mam afterwards* (Martha Williams in Beth Thomas and Peter Wyn Thomas (eds.), 1989: 137) (*this is often rendered **câ**, **câl**, and **trâth**, as in the above example).

6 In North Wales **'ai'** when it is a final unaccented syllable can be pronounced as an **'a'**

cwpanaid	>	'panad *cuppa*
tamaid	>	tamad *a bit*

'**Y wraig 'di honna efo chi? 'Ta'r tamad ...**' *Is that the wife with you? Or the bit on the side ...* (Dewi Wyn Williams, 1995: 14)

7 In Glamorgan **'ai'** when it is a final unaccented syllable can be pronounced as an **'a'**

cymaint	>	cyma'nt *so much*
tamaid	>	tamad *a bit*

'**Ond da chi, Gwilym pidwch â gofitio cyma'nt**' *But I beg of you, Gwilym, don't worry so much* (Nansi Selwood, 1993: 122)

8 In a very limited number of words in North Wales **'ai'** when it is a final unaccented syllable can be pronounced as an **'i'**

cymaint	>	cymint *so much*
eraill	>	erill *others*

'**mi o'dd gin i gymint o ofn**' *I was so frightened* (Angharad Jones, 1995: 31)

9 In North Wales the final **'ai'** can be pronounced as an **'a'** in a limited number of verbal forms

buasai hi	>	basa hi *she would*
meddai hi	>	medda hi *she said*

'**Fasa neb yn 'i sens yn chwara 'ma**' *Nobody with any sense would play here* (Gwenlyn Parry, 1992: 27)

10 In South Wales the **'ai'** when it is a final unaccented syllable can be pronounced as an **'e'**

cadair	>	cader *chair*
defaid	>	defed *sheep*
noswaith	>	nosweth *evening*

'**yn Llambed y nosweth cyn 'ny**' *in Lampeter the evening before that* (Geraint Lewis, 1995: 21)

11 In South Wales the final **'ai'** can be pronounced **'e'** in a limited number of verbal forms

byddai ef	>	bydde fe *he would*
gallai ef	>	galle fe *he could*

'**Ti fydde'n ennill bob blwyddyn**' *You'd win every year* (Geraint Lewis, 1995: 26)

12 In North Wales the **'au'** at the end of words can be pronounced as a single **'a'**

bagiau	>	bagia *bags*
crystiau	>	crystia *crusts*

'**bagia o grystia a brechdanna**' *bags of crusts and sandwiches* (Caradog Prichard, 1961: 74)

13 In South Wales the **'au'** at the end of words can be pronounced as a single **'e'**

dechrau	>	dechre *to start*
eisiau	>	isie *to want*
rheolau	>	rheole *rules*

'**A ma isie ti fod yn siwr o 'ny o'r dechre cynta. Ma rheole**' *And you want to be sure of that from the very beginning. There are rules* (Sion Eirian, 1995: 24)

14 In South Wales the **'au'** found in a limited number of monosyllabic words can be pronounced **'ou'**

dau	>	dou *two*
hau	>	hou *to sow*
haul	>	houl *sun*

'**yn fy watsho i'n hou**' *watching me sow* (Dic Jones, 1989: 201)

A (verbal particle) **1** in LW a question is preceded by the particle **a** '**A yw'n gyfreithlon iacháu ar y Saboth?**' *Is it lawful to heal on the Sabbath?* (Mathew 12:10). **2** in OW and CW it is common for **a** to be elided, but it has not completely disappeared and is frequently retained for emphasis and interrogative clauses '**A oes rhaid crafu'r pot i ddod o hyd i gynulleidfa bob amser?**' *Is it necessary to scrape [the bottom of] the pot to get an audience every time?* (*Television Wales*, 24 February 1996: 15); '**Nid oedd [hi] yn siŵr a oedd wedi ei chlywed ai peidio**' *[She] was not sure if she had heard her or not* (Eigra Lewis Roberts, 1985: 65).

A *which, who* (relative pronoun) **1** in LW **a** is invariably retained '**Y dreth bwysicaf, a'r drymaf, oedd y Dreth Dir a basiwyd yn 1693**' *The most important tax, and the heaviest, was the Land Tax which was passed in 1693* (Geraint H. Jenkins, 1983: 58.) **2** in OW and CW **a** is usually omitted '**Er mwyn dial - dial ar y dewin greodd hi ...**' *For the sake of revenge - revenge on the magician who created her ...* (Angharad Jones, 1995: 73) (* for idiomatic use of the form **a fu** see Appendix 4.02(iii)).

A *and* **1 a** becomes **ac** before vowels **gwlyb ac oer** *wet and cold* (* for **a chan, a chennyf** etc. see Appendix 13.06(vi)). **2 a** becomes **ac** before a number of important words: **fe** (verbal particle), **fel, felly, mai, meddai, megis, mewn, mi** (verbal particle), **mor, mwyach, ni(d)** '**Ac nid oes gan y caethwas le arhosol yn y tŷ**' *And the slave does not have a permanent place in the house* (John 8:35) (* when **ni(d)** is reduced to '**d** in OW and CW (eg **nid oedd** > '**doedd**), **ac** should still be used, but it is common to see just **a**, eg '**A doedd hi ddim yn ardal arbennig o dlawd hyd y gwn i**' *And it wasn't a particularly poor area as far as I know* (Angharad Tomos, 1985: 50)). **3 a** becomes **ac** before **mae**, due to the influence of the LW form **y mae** '**Ac ma natur yn galler bod yn greulon weithe, on'd yw hi?**' *And nature can be cruel sometimes, can't it?* (Eirwyn Pontshân, 1982: 41) (* this is frequently ignored in CW, eg '**A mae hi'n saffach 'i byta nhw na'u cadw**' *And it's safer to eat them than to keep them* (Wil Sam, 1995: 78)). **4 a** is used with the infinitive verb in a number of set expressions where English would use *to*, and the following are some of the more common examples (a) **a bod yn onest** *to be honest* '**Er, sgin i fawr o awydd mynd, 'chwaith, a bod yn onast efo chdi**' *Though, I don't feel like going much, either, to be honest with you* (Dewi Wyn Williams, 1995: 62); (b) **a dweud y gwir** *to be honest, to tell the truth* '**Mae rhywun yn tristáu yn fwy na dim, ac â dweud y gwir sut oedd rhywun i wybod nad oedd neb yn y fflat ar y pryd**' *One is saddened more than anything, and to be honest how was one to know that there was no one in the flat at the time* (*Yr Herald*, 30 April 1994: 5); (c) **a dweud y lleiaf** *to say the least* '**Wedi'r syrffed ar astudio ac arholiadau, wnes i ddim gweithio'n galed iawn yn y coleg, a dweud y lleia**' *After getting fed up with studying and exams, I didn't work very hard at college, to say the least* (Islwyn Ffowc Elis in Eleri Hopcyn (ed.), 1995: 27).

Â *with* **â** is used extensively with a number of prepositions to indicate movement, eg **allan â fi** *out I*

go, **i lawr â nhw** *down with them* etc., and the tense has to be deduced from the context '**Cododd gliced drws Rhif Tri, ac i mewn â fo**' *He raised the door latch of Number Three, and in he went* (Eirug Wyn, 1994: 72).

Ab (in personal names) see Appendix 19.01, 19.03.

Aber see Appendix 18.02.

Abergweun see Appendix 18.02.

Abythdi (< **obeutu**) SW *about* '**Wy'n cachu'n hunan. 'Sdim whare abythdi'r peth**' *I'm shitting myself. There's no playing about with the thing* (John Owen, 1994: 153).

Ac *and* (before vowels, see also **a**) **ac ati** LW NW *and so on* '**I'r diawl â ieithoedd tramor, cerddoriaeth, llên, addysg gorfforol, hanes ac ati**' *To hell with foreign languages, music, literature, physical education, history and so on* (*Golwg*, 8 February 1996: 8).

Acer NW *acre* '**Faint ydi maint y Prys Mawr?**' ... '**Can acar, ynte?**' *How big is Prys Mawr [Farm]?* ... '*A hundred acres, isn't it?*' (Simon Jones, 1989: 65).

Acha (< **ar uchaf**) West Glam *on* '**O'n i'n napod joci unweth. A'dd hwnnw fel sgerbwd. Mwy o gig acha pwmp beic, myn yffarn i!**' *I knew a jockey once. And he was like a skeleton. More meat on a bike pump, bloody hell!* (Dafydd Rowlands, 1995: 94).

'Achan (< **bachan** < **bachgen**) SW *mate* '**Diawl, Abba, 'achan, i beth wyt ti'n poeni fan'na, 'achan, dere draw i'r Klondike, 'achan!**' *Bloody hell, Abba, mate, why are you worrying there, mate, come over to the Klondike, mate!* (Dic Jones, 1989: 61).

Ache (< **achau**) **ers ache** SW *for a long time, for ages* '**Ma' O'Neill wedi bod ar y dôl ers ache**' *O'Neill has been on the dole for ages* (Twm Miall, 1990: 79)

Achlod *shame* (yr) **Achlod annwyl** Arfon *goodness me, heavens above* '**Un mater sydd angen dirfawr sylw yw'r cylchlythyr posh a ddanfonodd Dŵr Cymru i bob preswylfod yn ystod y tridiau diwethaf. Achlod annw'l, y fath wastraff ar bapur**' *One matter that greatly needs attention is the posh circular sent by Welsh Water to every abode during the last three days. Heavens above, such a waste of paper* (*Golwg*, 8 September 1994: 7).

Achos *cause* **o achos** *because* '**Y staff nurse oedd yn rhannu'r bwyd. Roedd hithau'n ifanc ond o achos cyfrifoldeb oedd arni fel staff nurse edrychai yn llawer hŷn**' *The staff nurse used to divide up the food. She was young but because of the responsibility on her shoulders as a staff nurse she looked a lot older* (Simon Jones 1989: 191) (* **o achos** is commonly abbreviated to **achos** in CW, eg '[**Maen nhw'n] ei chael hi'n anodd i ddeud un dim wrth neb, achos dydyn nhw ddim yn medru rilacshio**' *[They] find it hard to say anything to anyone, because they can't relax* (Twm Miall, 1988: 26)).

Achub *to save, to seize* **1 achub y blaen ar rywun** *to beat someone* (to something) '**Mi fyddwn i'n dod adra o lyfrgell y Blaenau amal i nos Wener yn crio am fod rhywun wedi achub y blaen arna i a'r llyfr**

yr o'n i wedi rhoi 'mryd arno wedi diflannu oddi ar y silff' *I'd come home from Blaenau library many a Friday night crying because someone had beaten me to it and the book that had taken my fancy had disappeared from the shelf* (Eigra Lewis Roberts in Eleri Hopcyn (ed.), 1995: 75). **2 achub y cam** *to right a wrong* **'Clyw yma'r cedor, a clyw yn iawn ... mi wna i rwbath i achub cam hwnna, dallt - rwbath!'** *Listen here, wanker, and listen well ... I'll do anything to right his wrong, understand - anything!* (Gwenlyn Parry, 1992: 38). **3 achub y cyfle** *to seize the opportunity, to take the opportunity* **'Yn wir, 'roeddwn wedi penderfynu, ar y daith rhwng Abertawe a Phenarth, y byddwn yn achub ar y cyfle i fynegi fy edmygedd o'i waith'** *Indeed, I'd decided, on the trip between Swansea and Penarth, that I would seize the opportunity to express my admiration for his work* (Alan Llwyd, 1994: 152).

Achwyn LW SW **conan** SW **cwyno** LW NW *to complain*

Adar *birds* **adar o'r unlliw (a hedant i'r unlle)** (lit *birds of the same colour (fly to the same place)*) proverb *birds of a feather flock together* **'Nyrs odd y fodan 'ma. Gwallt coch fath finna. Adar o'r unlliw ia?'** *This girl was a nurse. Red hair like me. Birds of a feather innit?* (Dafydd Huws, 1978: 79).

Adeg **1** *period, time* **'Hogan ifanc oeddwn i radag honno, wsti'** *I was a young girl at that time, you know* (Caradog Prichard, 1961: 44). **2** *during* **"Ry'n ni wedi cwrdd o'r blân, on'd y'n ni?' meddai Mary. 'Ydyn, Meistres Mary, adeg Gŵyl Mabsant llynedd"** *'We've met before, haven't we?' asked Mary. 'We have, Mistress Mary, during the Mabsant festival last year'* (Nansi Selwood, 1987: 132). **3 ar adegau** *at times* **'Oddi ar iddi fod ym Mryn-mawr, fe dyfodd Lisa yn ddieithr iddi ar adegau'** *Since she had been in Bryn-mawr, Lisa had become distant to her at times* (Marion Eames, 1969: 117).

Aderyn *bird* **aderyn brith** (lit *spotted bird*) CW *a shady character* **'Dim ond 37 oed oedd yr aderyn brith pan fu farw o drawiad ar ei galon ym mis Gorffennaf'** *The shady character was only 37 years old when he died after a heart attack in July* (Lyn Ebenezer, 1996: 62).

Adfer (lit *to restore*) movement established in the 1970s aimed at building a Welsh-speaking heartland in **Y Fro Gymraeg** (see Appendix 22) by attracting Welsh-speakers from Anglicised urban areas **'Roeddwn i'n meddwl fod mudiad Adfer wedi colli'i gic flynydde'n ôl'** *I thought that Adfer had lost its kick years ago* (Penri Jones, 1982: 133).

Adnabod LW **'nabod** OW CW *to know* (a person or place), *to recognise*

Adref **1** *home(wards)* **'Diolcha ei bod ar ei ffordd tuag adref'** *She is grateful that she is on her way home* (Mihangel Morgan, 1992: 10) (* **adref** *home(wards)* is often confused in CW with **gartref** *at home*, eg **'Dw i isio i chdi sgwennu at Bilw'n deud na dw i ddim adra, 'mod i 'di mynd'** *I want you to write to Bilw saying that I'm not at home, that I've gone* (Jane Edwards, 1993: 68). The use of **adref** here is not acceptable in LW or OW). **2 (bwrw/taro etc.) hyd**

adref *to (hit/knock etc.) home* **'mae'r ailadrodd fel tabwrdd yn curo'r neges hyd adref'** *the repetition hits the message home like a drum* (Gwyn Thomas, 1976: 67).

Adwy *breach, gap, pass* **dod i'r adwy** (lit *to come to the pass*) *to come to the rescue, to step in* **'Ond fe ddaeth grŵp drama cymunedol Harris i'r adwy'** *But Harris's community drama group came to the rescue* (Golwg, 27 October 1994: 29).

Addo *to promise* **addo môr a mynydd** (lit *to promise sea and mountain*) *to promise the earth* **Mae e erioed wedi addo môr a mynydd i bawb, ond mae e'n gwneud y nesaf peth i ddim** *He's always promised the earth to everyone, but he's done next to nothing* (* see also **gaddo**).

Aet ti, âi ef etc. see Appendix 5.08(v).

Aeth ef, aeth hi etc. see Appendix 4.05(iv).

Af fi/i, ei di etc. see Appendix 2.06-2.07.

Aflwydd *misfortune* **(beth/ble etc.) aflwydd ... ?** CW *(what/where etc.) on earth ... ?* **'Ar adegau anodd, gofynnaf: 'Beth aflwydd oedd ar fy mhen i?"** *At difficult times, I'd ask: 'What on earth has got into me?'* (Dafydd Wigley, 1992: 12).

Afon *river* the definite article, **y** *the*, is traditionally not placed before the names of rivers in Welsh **'Mae chwarter y bobl sy'n pysgota gyda chyryglau ar Afon Tywi ger Caerfyddin yn mynd i roi'r gorau iddi'** *A quarter of the people who fish with coracles on the River Tywi near Carmarthen are going to give it up* (Golwg, 23 September 1993: 7) (* exceptions are **Y Fenai** *the Menai Straits*, **Yr Iorddonen** *the river Jordan*).

Afradu LW SW **gwastraffu** LW CW *to waste* (* see also **bradu**)

Afu LW SW **iau** LW NW *liver*

Affliw NW *shred* **affliw o ddim (byd)** NW *absolutely nothing* **'Roedd y gwanwyn yn cynnig rhywbeth i'r ffarmwrs, ac i lot o bobol eraill, ond doedd o ddim yn cynnig affliw o ddim i ni'** *The spring offered something to the farmers, and to a lot of other people, but it offered absolutely nothing to us* (Twm Miall, 1988: 9).

Ag *with* (before vowels, see also **â**) **y (diawl/ffŵl etc.) ag ef** see **y (5)**.

Agor **1** *to open* **'Agorodd gil y drws'** *He opened the door ajar* (Wiliam Owen Roberts, 1987: 201). **2** *to dig* (ditch, grave etc.) **'Mae e siwr o fod yn gwpod y gwaniath rhwng acor bedd a acor rhych!'** *He's bound to know the difference between digging a grave and digging a furrow!* (Dafydd Rowlands, 1994: 101). **3 agor ceg** (lit *to open mouth*) *to yawn* **'Ochneidiodd Ruth yn gysglyd, gan agor ei cheg yn llydan'** *Ruth sighed sleepily, yawning widely* (Wiliam Owen Roberts, 1990: 199). **4 ar agor** *open* **'Fel arfer, ar agor y byddai drws y persondy'** *Usually the vicarage door would be open* (Nansi Selwood, 1987: 188).

Agoriad LW NW **allwedd** LW SW *key* (see also **'goriad**)

Agos *close* **1 agos ati** *close to the mark* **"Ga' i ddim y'n banio o'r clwb 'te?'** 'Cael dy 'neud yn lywydd anrhydeddus yn agosach ati"** *'I won't be banned from the club then?' 'Be made honourable president is closer to the mark'* (Geraint Lewis, 1995: 71).
2 agos i'm lle *close to the mark* **'Dwi'n dy nabod di yn rhy dda. Mynd heb ddim dy hun er mwyn rhoi mwy i'r lleill ynte? ... Mi fetia' i 'mod i'n agos iawn i'm lle'** *I know you too well. Go without anything yourself in order to give more to the others isn't it? ... I bet that I'm close to the mark* (Theatr Bara Caws, 1995: 78).

Agosach OW CW **nes** LW CW *closer, nearer*

Agosaf OW CW **nesaf** LW CW *closest, nearest* (see also **nesaf** for difference in meaning)

Angel *angel* **angel pen ffordd, diawl pen pentan** (lit *angel on the highway, devil on the hearth*) proverb *an angel abroad, and a devil at home* **'Angel pen ffordd, diawl pen pentan: mae trais yn y cartref yn drosedd'** *An angel abroad, and a devil at home: violence in the home is a crime* (*Golwg*, 21 September 1995: 23).

Angen *need* **1 mae angen arnaf** *I need* **'Dyna'r ymadrodd ynte: mae angen dyn ar fenyw fel mae angen beic ar bysgodyn'** *That's the saying then: a woman needs a man like a fish needs a bike* (*Barn*, November 1996: 27) (* also in OW and CW **dw i angen**, eg **'Rydw i angen help efo 'ngŵr'** *I need help with my husband* (Huw Roberts, 1981: 34); **angen** operates in a similar fashion to **eisiau**, see Appendix 13.03-13.04). **2 mewn angen** *in need* **Yr oedd y plant mewn angen** *The children were in need*

Angladd LW CW **cynhebrwng** LW NW *funeral*

Ai 1 to introduce a question with an emphatic element **'Ai dyna'i gyd sy'n neud ni'r Cymry yn wahanol?'** *Is that all that makes us Welsh different?* (Geraint Lewis, 1995: 23) (* **ai** is frequently dropped in OW and CW, eg **'Mudo wyt ti, Gwen?'** *Moving are you, Gwen?* (Eigra Lewis Roberts, 1985: 209)). **2 ai** *if* (to introduce an emphatic clause) **'Fe ofynnais iddo ai yno y byddai rhagor? Cefais ateb da'** *I asked him if he would be there any more? I got a good answer* (Lyn Ebenezer, 1996: 97) (* see also **mai (2)** and **taw (2)**). **3 a ... ai ... ... or ...** **'Nid oedd [hi] yn siŵr a oedd wedi ei chlywed ai peidio'** *[She] was not sure if he had heard her or not* (Eigra Lewis Roberts, 1985: 65). **4 ai e?** NW *is it?* (interrogative particle at the end of statements) **'Clustfeinio o'r cysgodion ai e?'** *Eavesdropping from the shadows is it?* (Robin Llywelyn, 1994: 72).

Âi ef, â hi etc. see Appendix 5.08(v).

Ail *second* **1 am yn ail** *alternate(ly)* **'Stwffio pres yn y wan-arm-bandit a'r jiwc-bocs am yn ail yr oedd Osmond'** *Osmond was stuffing money alternately into the one-arm-bandit and the juke-box* (Twm Miall, 1988: 127). **2 bob yn ail** *alternate(ly)* **'Yn cwt golchi fyddwn ni'n cael bath, bob yn ail ddydd Sadwrn'** *We would have a bath in the wash shed, on alternate Saturdays* (Jane Edwards, 1989: 34). **3 cael ail** NW *to be disappointed* **'Ydw i wedi gwneud smonach**

ohoni? Ydw i wedi cael ail go iawn?' *Have I made a mess of it? Have I had a real disappointment?* (Dafydd Huws, 1990: 11). **4 heb ei ail** (lit *without its second*) *without equal, without par* **'Yr oedd Clwyd Jones a'i wraig hefyd yn weithwyr heb eu hail ac yn hynod o gefnogol i'm hymdrechion'** *Clwyd Jones and his wife were also workers without equal and very supportive of my efforts* (Elwyn Jones, 1991: 160).

Allan 1 *out* **'Heb yngan gair fe aeth [hi] allan i'r buarth'** *Without uttering a word [she] went out into the yard* (Marion Eames, 1969: 120). **2** *on(wards)* (time) **'Bu agos i Greta ddweud wrtho am goginio'i giniawau'i hun o hynny allan, ond ymataliodd'** *Greta nearly told him to cook his own dinners from then on, but she refrained* (Islwyn Ffowc Elis, 1990(ii): 21).

Allwedd LW SW **agoriad** LW NW *key*

Am *for* (see also Appendix 16.02) **1** before a verb, **am** also means *to want* **'Mae Mati a minnau am fynd i'r dref ddydd Mercher'** *Mati and me want to go to town Wednesday* (Kate Roberts, 1976: 226). **2 am hir** NW *for a long time* **'Mi sefis i am hir yn sbio ar siop 'ma'** *I stood for ages looking at this shop* (Wil Sam, 1995: 77). **3 am** (ffŵl, lembo etc.) CW *talk about* (*fool, idiot etc.*) **'Pardwn? ... Dyna chi ... chitha hefyd a llawar ohonyn nhw. (Rhoi'r ffôn i lawr) Am ddynas'** *Pardon? .... That's right ... you too and lots of them.* (Puts the phone down) *Talk about a bloody woman* (Wil Sam, 1997: 24) (* this is an abbreviation of **sôn am** (rhywbeth), see **sôn (3)**). **4 am y (rhywbeth) â mi** *the other side of (something) to me* **'Tra'i bod hi yng nghanol y bwrlwm hwn, am y ffordd â hi, heb yn wybod iddi, yn yr un bloc o fflatiau, mae Marcello Mastroianni yn byw'** *While she's in the middle of all this activity, the other side of the way to her, without her knowing, in the same block of flats, lives Marcello Mastroianni* (Mihangel Morgan, 1993(i): 9). **5 amdani** (a) *about it* **'Y gwir amdani yw nad y mwstwr lan llofft oedd yn mynd ar fy nerfau ... ond y ffaith fod bywyd bob amser yn mynd yn ei flaen mewn stafell arall'** *The truth about it is not the noise upstairs that's getting on my nerves ... but the fact that life is always going on in another room* (Mihangel Morgan, 1993(ii): 123); (b) *it is* (following a noun, adjective and verb-noun) **'Ein gwaith ni yw cael y gorau a allwn i'n hetholwyr ac i Gymru; os oes angen bargeinio i gael hynny, bargeinio amdani'** *Our job is to get the best we can for our electorate and for Wales; if bargaining is needed to get that, bargaining it is* (Dafydd Wigley, 1993: 85). **6 dim amdani hi** *nothing for it* **'Ond doedd dim amdani bellach, rhaid oedd dilyn ei drwyn gan nad oedd arian ganddo'** *But there was nothing for it now, he had to follow his nose as he didn't have any money* (Wiliam Owen Roberts, 1987: 125).

Amau 1 *to doubt* **'Fydda i'n ama weithia os ydi Now yn cofio 'mod i'n feichiog o gwbwl'** *I doubt sometimes if Now remembers that I'm pregnant at all* (Margiad Roberts, 1994: 46). **2** *to suspect* **'Cefais gynnig y swydd, gyda chymorth effeithiol, distaw, 'rwy'n amau, y pennaeth personél ar y pryd'** *I was* *offered the job, with the quiet, effective support, I suspect, of the head of personnel at the time* (Dafydd Wigley, 1992: 102) (* for emphasis also **drwg amau**, eg **'Mi fydda' i'n drwg ama pawb sy'n deud 'Mae 'na bethau mewn bywyd'** *I suspect everyone who says things like 'There are things in life'* (Wil Sam, 1995: 150)). **3 dw i'n amau dim** CW *I don't doubt it* **'Dwi'n amau dim nad oedd yn crwydro o gwmpas coridorau S4C yn canu ei gân enwoca'** *I don't doubt it that he was walking around S4C's corridors singing his most famous song* (*Golwg*, 14 September 1995: 3).

Ambell *few, occasional* **1 ambell (i) (ddyn/ferch etc.)** *the odd (man/girl etc.), some (man/girl etc.) or other* **'Mi roedd ambell i athro yn cael cythraul o amser yn ysgolion Llundain yr adeg honno'** *The odd teacher used to have a hell of a time in London's schools at that time* (Gwenlyn Parry in Eleri Hopcyn (ed.), 1995: 47). **2 ambell un** *the odd one (or two)* **"Fyddai hyd yn oed Berwyn ddim mor lloerig â saethu Annes Dafydd yn gelain o flaen y Plasty Arlywyddol a thri camera teledu!' 'Mae rhai ynfytach.' 'Ambell un"** *'Even Berwyn wouldn't be so mad as to shoot Annes Dafydd dead in front of the Presidential Palace and three television cameras!' 'Some are more mad.' 'The odd one or two'* (Gareth Miles, 1995: 88).

Ambwyti (< **obeutu**) SW *about* **"Na beth wi'n lico ambwti ti'** *That's what I like about you* (Geraint Lewis, 1995: 83).

Ambythdi (< **obeutu**) SW *about* **'ma'r busnes llysieuol 'ma'n rhywbeth wy' moyn meddwl ambythdi'** *this vegetarianism business is something I want to think about* (John Owen, 1994: 48).

Amcan *estimate, guess, idea* **bwrw amcan** *to estimate, to guess* **'Y cwbwl y gellir ei wneud yw bwrw amcan yn ôl syniadau am ddatblygiad y Gymraeg'** *All that one can do is guess according to ideas about the development of the Welsh language* (Gwyn Thomas, 1976: 22).

Amdan see Appendix 16.02 (note).

Aml *frequent, often* **1 aml i (ddyn/ferch etc.)** *many a (man/girl etc.)* **'Arferem rannu ein diddordeb yn Hedd Wyn yn un peth, a threulais aml i awr yn ei gwmni'** *We used to share our interest in Hedd Wyn for one thing, and I spent many an hour in his company* (Alan Llwyd, 1994: 69). **2 gan amlaf** *most often, usually* **'Yn Affrica mae ffilm yn cael ei hystyried yn ffordd dda o dynnu sylw at ragrith a llygredigaeth a gan amlaf defnyddir hiwmor du i gyfleu hyn'** *In Africa film is considered a good way of drawing attention to hypocrisy and corruption and usually black humour is used to express this* (*Sbec TV Wales*, 21 May 1994: 13). **3 yn amlach na heb** NW *more often than not* **'Fel arfer mae pethau mawr yn dod at ddynion, yn chwilio amdanyn nhw yn aml, a dydi'r profiad ddim yn beth braf yn amlach na heb'** *Usually great things come to men, looking for them frequently, and the experience is not a good thing more often than not* (Gwyn Thomas in Eleri Hopcyn (ed.), 1995: 94). **4 yn amlach na pheidio** *more often than not* **'Mae'n llawer gwell yn y**

prynhawn, ganol yr wythnos - y pryd hynny mae'r sinemâu'n hanner gwag, yn amlach na pheidio' *It's a lot better in the afternoon, in the middle of the week - at those times the cinemas are half empty, more often than not* (Mihangel Morgan, 1993(i): 64).

Amlwg *obvious* **dod i'r amlwg** *to come to the fore* **'Dôi fy ystyfnigrwydd cynhenid i'r amlwg bob tro'** *My innate stubbornness would come to the fore every time* (Alan Llwyd, 1994: 313).

Amrantiad *twinkling* **1 ar amrantiad** *in a flash, in a twinkling* **'Ond unwaith yr ydach chi mewn lle fel yna, waeth ichi gario ymlaen efo'ch gwaith er ei fod yn brofiad od iawn bod â'ch bywyd o'ch blaen a chithau'n sylweddoli y gall o ddod i ben ar amrantiad'** *But once you're in a place like that, you might as well carry on with your work although it can be a very odd experience to have your life in front of you and you realise that it could come to an end in a flash* (Rhun Gruffydd in Dylan Iorwerth (ed.), 1993: 86). **2 mewn amrantiad** *in a flash, in a twinkling* **'Nid oes un dim yn sicr yn y busness sgwennu 'ma: gall gwaith misoedd fynd i'r gwellt mewn amrantiad'** *Not one thing is certain in this writing business: months' work can be ruined in a flash* (Dafydd Huws, 1990: 255).

Amser *time* **1 amser a ddengys** (lit *time will show*) *time will tell* **'Amser a ddengys a fydd yr addewid cynnar yn cael ei wireddu'** *Time will tell if the early promise is realised* (*Golwg*, 28 January 1993: 26). **2 pob amser** *all the time, every time* **'Doedd hi byth yn gwenu, gwgai bob amser ac roedd hi'n llawer rhy barod i roi clatsien'** *She never smiled, she scowled all the time and she was far too ready to strike a blow* (Mihangel Morgan, 1992: 12). **3 unwaith yn y pedwar amser** (lit *once in the four seasons*) *once in a blue moon* **'Wel mi ddylai unrhyw Gymro gwerth ei halen ei throi hi am Bortmeirion o leiaf unwaith yn y pedwar amser'** *Well, every Welshman worth his salt should head for Portmeirion once in a blue moon* (*Barn*, March 1995: 19).

Anad *before* **1 yn anad dim** *above all* **'Gwraidd fy ngwahanolrwydd yw rhyddid yr unigolyn. Dyna pam yr wyf yn Geidwadwr yn anad dim'** *The root of my distinctiveness is the freedom of the individual. That is why I am a Conservative above all* (Elwyn Jones, 1991: 233). **2 yn anad neb** *more than anyone* **'Ceisiais ddangos hynny i'r Cymry eu hunain, yn anad neb'** *I tried to show that to the Welsh themselves, more than anyone* (Alan Llwyd, 1994: 312).

Anadl *breath* **1 â'm hanadl yn fy nwrn** (lit *my breath in my fist*) *out of breath* **'ro'dd e a'i ana'l yn 'i ddwrn. Do'dd e ddim yn gallu gweud beth o'dd yn bod'** *he was out of breath. He couldn't say what was wrong* (Nansi Selwood, 1987: 258). **2 anadl einioes** *the breath of life* **'Cymry'r werin oedd y rhain, yn tynnu anadl einioes o bridd y llechweddau ysgithrog o gylch y Gader, a mawn y rhostiroedd'** *These were ordinary Welsh people, drawing the breath of life from the soil of the rugged hillsides around Cadair Idris, and the peat of the moorlands* (Marion Eames, 1969: 115).

Anal (< **anadl**) SW *breath* **'O'dd Dan yn pwyso'n drwm yn erbyn yr hers, yn trial ca'l ei ana'l'** *Dan was leaning heavily against the hearse, trying to get his breath* (Dafydd Rowlands, 1995: 23).

Andros 1 andros o (dda/wael etc.) NW *terribly (good/bad etc.)* **'Cafodd ei hesgusodi rhag dod eleni, a dwi'n siŵr ei bod hi'n andros o falch am hynny'** *She was excused from coming this year, and I'm sure she'll be terribly pleased about that* (Angharad Tomos, 1991: 12). **2 andros o (gur pen/storm etc.)** NW *hell of a (headache/storm etc.)* **'Andros o storm fydd hi hefyd'** *It will be a hell of a storm as well* (Eigra Lewis Roberts, 1980: 103). **3 (beth/ble etc.) andros...?** NW *(what/where etc.) on earth...?* **'Pwy andros oedd Ellis 'ta?'** *Who on earth was Ellis then?* (Angharad Tomos, 1991: 61).

Anelu *to aim* **ei hanelu hi am rywle** *to head for somewhere* **'Pan fydd y tywydd yn ddigon braf fe fydd ef a'i ffrindiau'n ei hanelu hi at lannau môr y Gorllewin'** *When the weather is fine enough he and his friends head for the seashores of the West* (*Busnes i Fusnes*, Autumn 1992: 9).

Anfodd *unwillingness* **o'm hanfodd** *against my will, unwilling(ly)* **'Daeth y datganiad o'i geg heb ffanffer na ffrils, ac edrychai'n ddryslyd, fel petai'r geiriau wedi dod allan o'u hanfodd, fel petai ganddynt eu meddwl eu hunain'** *The statement came out of his mouth without a fanfare or frills, and he looked confused, as though the words had come out unwillingly, as though they had a mind of their own* (Angharad Jones, 1995: 116).

Anhwylus SW **cwla** NW **sâl** LW NW **tost** LW SW *ill, sick*

Anniben LW SW **blêr** LW NW *messy, untidy*

Annibendod LW SW **blerwch** LW NW *messiness, untidiness*

Annwyl *dear* **o'r annwyl** *goodness me, heavens above* **"O'r annwyl,' ebe Harri. ''Dydech chi ddim yn nabod ein cymdogion ni''** *'Goodness me,' said Harri. 'You don't know our neighbours'* (Islwyn Ffowc Elis, 1990(ii): 129)

Anos LW CW **anoddach** CW *harder*

Anosaf LW CW **anodda(f)** LW CW *hardest*

Anrhydedd *honour* **er anrhydedd** *in honour* **'Mae'r llenor John Rowlands wedi cael ei ddyrchafu i Gadair Bersonol yn Adran Gymraeg Prifysgol Cymru, Aberystwyth - teitl er anrhydedd i ysgolheigion disglair'** *The writer John Rowlands has been promoted to the Personal Chair at the Welsh Department at the University of Wales, Aberystwyth - a title in honour of distinguished scholars* (*Golwg*, 3 October 1996: 4).

Anti (<E *auntie*) CW *auntie* **'Fydd e'n iawn i fi fentyg y car Anti Bran?'** *Will it be OK for me to borrow the car Auntie Bran?* (Margiad Roberts, 1994: 102).

Antur *enterprise, venture* **ar antur** *at random* **'Y gêm oedd agor Y Geiriadur Mawr ar antur, gadael i'r bys ddisgyn ar air heb edrych, a gweld wedyn pwy fyddai'r cyntaf i gynganeddu'r gair hwnnw'** *The game was to open Y Geiriadur Mawr at random,*

let one's finger fall on a word without looking, and then see who'd be the first to alliterate that word (Alan Llwyd, 1994: 58).

Ap (in personal names) see Appendix 19.01, 19.03.

Aped (< **ateb**) *mynd i'w aped to die* **'Oni fuasai wedi bod yn destun llawenydd o'r radd flaenaf pe byddem wedi medru ad-dalu'r gymwynas, trwy sefyll yn [is-etholiad De] Cilgwri a hel y llywodraeth alaethus hon i'w haped?'** *But would it not have been the subject of rejoicing of the first order if we had been able to repay the favour, by standing in [the South] Wirral [by-election] and sending this lamentable government to its death?* (*Barn*, Februrary 1997: 13).

Ar *on* **1 ar (ddod/fynd etc.)** *about to (come/go etc.)*: see **min** (1). **2 mae (arnaf/arnat etc.) rhywbeth i rywun** *(I/you etc.) owe someone something* **'Mae ar bawb unedau ynni imi ac mae arna inna unedau ynni i bawb'** *Everybody owes me energy units and I myself owe everybody energy units* (Robin Llywelyn, 1992: 45) (* the prepositions **ar** and **i** in the above phrase can only be used in the order indicated). **3 mae (pethau etc.) yn (anodd/hawdd etc.) arnaf** *(things etc.) are (easy/difficult etc.) for me* **'Ac yna cofiodd fod y ferch ifanc ar ffo ... byddai pethau'n ddrwg arni hi, ac arno yntau o ran hynny'** *And then he remembered that the girl was fleeing ... things would be bad for her, and for him for that matter* (Wiliam Owen Roberts, 1987: 118).

Aradr LW CW **arad** CW *plough*

Araf *slow* **1 yn araf bach** *very slowly* **'Yna ara bach fe ymwthiodd blaen y wawr i'r ffurfafen ac yn raddol dadorchuddiwyd ysblander yr olygfa o'n blaen'** *Then very slowly the early dawn pushed itself into the sky and slowly the splendour of the view before us was uncovered* (R. Emyr Jones, 1992: 62). **2 yn araf deg** *gradually, slowly* **'[Yr oedd] y geiriau canlynol yn dechrau rhowlio'n ara deg i fyny'r sgrin ...'** *The following words [were] starting to slowly roll up the screen ...* (Robin Llywelyn, 1992: 5). **3 yn araf deg yr aiff dyn yn bell** (lit *slowly a man will go far*) proverb *slow but sure wins the race* see **pwyll** (2).

Arbennig *special* in CW **arbennig o dda** *especially good* is often abbreviated to just **arbennig 'Mae John Owen yn sgrifennwr arbennig'** *John Owen is an especially good writer* (*Television Wales*, 11 May 1996: 15).

Arf *weapon* **gorau arf, arf dysg** (lit *the best weapon, the weapon of education*) proverb in praise of education (the following example is a pun on the above) **'Fy hoff ddihareb Gymraeg ydi gorau arf, arf drud ac rydw i wedi ffeindio fod modd cynyddu cryn dipyn ar allforion yr hen wlad yma trwy werthu ambell daflegryn neu ddau'** *My favourite Welsh proverb is the best weapon, the expensive weapon and I've found the way to increase significantly exports from Wales is via selling the odd missile or two* (*Western Mail*, 23 May 1995: 9).

Arfaeth *intention* **yn yr arfaeth** *in preparation, intended* **'Ni ellir anghytuno o gwbl â'r amcanion bras [i'r mesur iaith], ond ymatebwyd yn groch am nad**

oedd sicrhau [i'r iaith] statws cyfartal cyfreithiol yn yr arfaeth' *One could not disagree at all with the broad aims [of the language bill], but it was responded to vehemently because it did not guarantee equal legal status [to the language] as intended* (Robert Owen Jones, 1997: 422).

Arfer *habit, custom* **1 arfer** is used extensively with the habitual past (see Appendix 5.02(iv)). **2 dod i arfer â rhywbeth** *to come to terms with something, to get used to something* '**Ar ôl iddyn nhw ddod i arfer hefo fi, oedden nhw'n iawn**' *After they got used to me, they were alright* (Television Wales, 10 May 1997: 10). **3 yn ôl fy arfer** (lit *according to my custom*) *as is my custom* '**Wna i byth anghofio dod adre o'r gwaith un diwrnod a mynd i'r parlwr gynta i ddweud helo wrth Bigw yn ôl fy arfer i gael y gorchwyl hwnnw drosodd cyn setlo i lawr**' *I'll never forget coming home from work one day and going first to the parlour to say hello to Bigw as was my custom in order to get that chore over before settling down* (Angharad Tomos, 1991: 91).

Arffed LW SW **côl** LW SW **glin** LW NW *lap*

Argian (< euphemism for **arglwydd**; see also '**rargian**) **1** NW *goodness me, heavens above* (exclamation of anger, surprise etc.) '**oedd hi yn oer, argian oedd**' *it was cold, goodness it was* (Robin Llywelyn, 1992: 14). **2 argian annwyl** NW *goodness me, heavens above* (exclamation of anger, surprise etc.) **Argian annwyl, oes 'na raid i mi fynd draw i Bwllheli heno?** *Heavens above, do I really have to go over to Pwllheli tonight?* **3 argian Dafydd** NW *goodness me, heavens above* (exclamation of anger, surprise etc.) **Argian Dafydd, be' 'ti'n disgwyl i mi wneud?** *Heavens above, what do you expect me to do?* **4 argian fawr** NW *goodness me, heavens above* (exclamation of anger, surprise etc.) '**"Di hi ddim yn gwbod 'lly?' medda Brend pan oeddan ni allan o'r entri. 'Argian fawr, nacdi'**' *'She doesn't know then?' asked Brend when we were out of the entrance. 'Goodness me, no'* (Jane Edwards, 1989: 35).

Arglwydd *Lord* **1 Arglwydd annwyl** (lit *dear Lord*) CW *God* (exclamation of anger, surprise etc.) **Arglwydd annwyl, wyt ti'n credu hynny?** *God, do you believe that?* **2 Argwlydd bach** (lit *dear Lord*) CW *Jesus Christ* (exclamation of anger, surprise etc.) '**Ond Arglwydd bach, gesh i sioc ar 'y nhin pan esh i mewn**' *But Jesus Christ, I had a shock there and then when I went in* (Dafydd Huws, 1990: 52). **3 Arglwydd Grist (o'r maddau)** (lit *Lord Jesus (of the mercies))* NW *Jesus Christ* (exclamation of anger, surprise etc.) '**Arglwydd Grist o'r madda, ma 'na betha di-ddim yn y byd 'ma**' *Jesus Christ, there are some useless things in this world* (Twm Miall, 1988: 116). **4 Arglwydd Dafydd** (lit *Lord David*) CW *Good God* (exclamation of anger, surprise etc.) **Arglwydd Dafydd, am be' 'chi'n malu r̂wan?** *God, what are you prattling on about now?* **5 Arglwydd Mawr** (lit *Great Lord*) CW *Good God* (exclamation of anger, surprise etc.) '**Be sy wedi digwydd? Pam na ddeudwch chi rywbeth? Ydych chi isio ... Arglwydd Mawr! Meredydd!**' *What's happened? Why don't you say something? Do you want ... Good God! Meredydd!* (Alun Jones, 1979: 52).

Argoel *sign* **(yr)** **argoel (fawr)** NW *goodness me, heavens above* '**Argol, paid â bod yn wirion Sam**' *Heavens above, don't be stupid Sam* (Penri Jones, 1994: 79) (* see also '**rargoel**).

Arlliw *tint, shade, trace* **dim arlliw o sôn** *not the slightest mention* '**Yr oedd cyfrinachau o hyd, wrth gwrs, - nid oedd arlliw o sôn am yr iselder, na'r hunanladdiad**' *There were still secrets, of course, - there was not the slightest mention of the depression, or the suicide* (Alun Jones, 1979: 49).

Arllwys LW SW **tywallt** LW NW *to pour* **1 arllwys y glaw** LW SW *to pour with rain* '**Y noson y clywodd Jini fod Hedd Wyn wedi'i ladd, mae'n debyg ei bod yn crio ar y stryd yn Llan Ffestiniog, a hithau'n arllwys y glaw ar y pryd**' *The night that Jini heard that Hedd Wyn was killed, it's likely that she was crying on the street in Llan Ffestiniog, and it was pouring with rain at the time* (Alan Llwyd, 1994: 18). **2 arllwys fy nghwd** (lit *to pour (out) my bag*) SW *to give vent to my grievances* '**Wedi i Ianto gwpla'i frecwast fe nath Wil esgus i ga'l e ma's i'r ardd a fe ddechreuws arllws 'i gwd iddo fe**' *After Ianto had finished his breakfast Will made an excuse to get him out into the garden and he started to give vent to his grievances to him* (Meirion Evans, 1997: 88).

Arnaf fi/i, arnat ti etc. see Appendix 16.03.

Aroglau LW NW **gwynt** LW SW **sawr** LW CW *smell* (* occasionally in CW **arogl** is used instead of **aroglau**, eg '**Dyna'r peth cynta fyddai'n taro dieithryn neu gwsmer neu gyfaill a alwai yn y cwt. Yr arogl. Arogl coed**' *That's the first thing that would hit a stranger or customer or friend calling in the shed. The smell. The smell of timber* (Eirug Wyn, 1994: 11))

Arogleuo LW NW **gwyntio** LW SW **sawru** LW SW *to smell* (* see also **ogleuo**)

Aros **1** *to stay, to wait* '**Mae o isio inni fynd i lawr i aros ato fo**' *He wants us to go down and stay with him* (Wiliam Owen Roberts, 1990: 179). **2** CW *to stand, to tolerate* '**Roeddwn i'n dweud wrthat ti mai hen ddyn annifyr oedd o. Fedra i mo'i aros o**' *I told you that he was a miserable old man. I can't stand him* (Alun Jones, 1979: 114). **3 aros ar fy nhraed** (lit *to stay on my feet*) *to stay up* (overnight) '**Arhosais ar fy nhraed drwy'r nos, ac erbyn wyth o'r gloch y bore 'roeddwn wedi llunio awdl gyfan**' *I stayed up all night, and by eight o'clock in the morning I had written a whole ode* (Alan Llwyd, 1994: 80). **4 aros funud bach** (lit *wait a quick minute*) CW *wait a second* '**Arhoswch funud bach,' meddai Seus. 'Mi setlwn ni broblem Caradog i ddechra**' *'Wait a second,' said Seus. 'We'll settle Caradog's problem to start with'* (Penri Jones, 1994: 63). **5 aros yn stond** *to stand stock still* '**Aeth [ef] ar hyd y llwybr yn araf tuag at y ffordd fawr, ac arhosodd yn stond pan ddaeth o fewn cyrraedd i'r ffordd**' *[He] went along the footpath slowly towards the main road, and he stood stock still when he came within reach of the road* (Alun Jones, 1979: 182). **6 hir yw pob aros** proverb *every wait is a long one* '**Os mai hir yw pob aros i ambell un y mae eraill yn methu ag aros yn hir**' *If every wait is a long one for some* *people others are unable to wait for long* (*Y Cymro*, 11 May 1994: 5).

Arswyd *horror, terror* **1 arswyd y byd** (lit *terror of the world*) CW *goodness me, heavens above* **'Arswyd y byd, paid cwrdd ag e! Smo ti'n gweld na all e ddim â godde dim yn agos idd i gro'n e?'** *Heavens above, don't touch him! Can't you see he can't stand anything close to his skin?* (Islwyn Ffowc Elis, 1974: 73). **2 codi arswyd ar rywun** *to terrify someone* **''Roedd pla o wiberod yn Llŷn fy machgendod, a chodent arswyd arnaf'** *There was a plague of adders in the Llŷn Peninsula of my childhood, and they terrified me* (Alan Llwyd, 1994: 31). **3 o'r arswyd** (lit *of the terror*) SW *goodness me, heavens above* **'O'r arswyd. Odi Doctor Mathews yn dod 'te?'** *Heavens above. Is Doctor Mathews coming then?* (Islwyn Ffowc Elis, 1974: 74). **4 yr arswyd (fawr)** (lit *the (great) terror*) SW *goodness me, heavens above* **'Yr arswyd fawr! Dwyawr i drwsio mymryn o dwll mewn olwyn'** *Heavens above! Two hours to fix a tiny hole in a wheel* (Islwyn Ffowc Elis, 1990(i): 78).

Arth *bear* **(adeg/oes etc.) yr arth a'r blaidd** (lit *the (period/age etc.) of the bear and the wolf*) *the stone age, the dark ages* (rhetorical name for a remote historical period) **"Sut ydach chi, Edward?' holodd ei fam yng nghyfraith fel pe wedi bod yn rihyrsio'r cwestiwn ers oes yr arth a'r blaidd'** *'How are you, Edward?' his mother-in-law asked as though she had been rehearsing the question since the dark ages* (Wiliam Owen Roberts, 1990: 42).

'Aru see Appendix 4.07(iv).

Asgwrn *bone* **1 asgwrn y gynnen** *the bone of contention* **'Down yn awr at asgwrn fy nghynnen gyda'r canol [gwleidyddol] - pleidleisio cyfrannol'** *Let us come to my bone of contention with the [political] centre - proportional representation* (Elwyn Jones, 1991: 94). **2 asgwrn i'w grafu â rhywun** (lit *a bone to scrape with someone*) *a bone to pick with someone* **"Roeddwn i 'di ama oddi wrth ddisgrifiad Mos mai'r un un oedda chi.' Plygodd i lawr i wisgo'i jeans cyn ychwanegu fod ganddo asgwrn i'w grafu efo hi'** *'I suspected from Mos's description that you were the same one.' She bent down to put her jeans on before adding that he had a bone to pick with her* (Jane Edwards, 1993: 93).

Asiffeta Arfon *for goodness' sake* **'A ddifféns, be gythral ydach chi'n neud? Asiffeta! Fysa dy nain wedi taclo hwnna, Harri!'** *And defence, what the hell are you doing? For goodness' sake! Your gran would have tackled him, Harri!* (Alun Ffred and Mei Jones, 1990: 36).

Ataf fi/i, atat ti etc. see Appendix 16.04.

Atal *to stop* **atal dweud** *to stammer, to stutter* **"Dw i ddim yn mynd i neud fy *National Service*,' medda fo hefo rhyw atal deud'** *'I'm not going to do my National Service,' he said with a bit of stammering* (Jane Edwards, 1989: 57).

Aur *gold* **nid aur popeth melyn** (lit *everything yellow (is) not gold*) proverb *all that glitters is not gold* (the following example is a pun on the above) **'Aur yw popeth melyn i'r Bancar'** *All that shines is gold to the Banker* (*Television Wales*, 3 August 1996: 13).

Awd see Appendix 12.04(i).

Awenau *reins* **awenau** can be used figuratively to denote being in charge, most commonly in the following two phrases **1 dal yr awenau** (lit *to hold the reins*) *in charge, in control* **'Tybiaf mai'r rheswm am y sioe fawr yw dangos i bobl pwy sy'n dal yr awenau'** *I suppose the reason for the big show is to show to people who is in charge* (Tweli Griffiths, 1993: 211); **2 cymryd yr awenau** (lit *to take the reins*) *to take charge, to take control* **"Oherwydd,' meddai [hi], 'gwelais fod y wlad mewn cymaint o drafferth a bod anfoesoldeb yn rhemp; rhaid i rywun gymryd yr awenau. Roedd rhywun yn gorfod gwneud rhywbeth pendant'** *'Because,' [she] said, 'I saw that the country was in such trouble and that immorality was widespread; someone had to take charge. Someone had to do something definite'* (Mihangel Morgan, 1993(i): 146).

Awn i, aet ti etc. see Appendix 5.08(v).

Awr *hour* **1 awr gron/gyfan** (lit *round hour*) *whole hour* **'Bu yno â'i ben yn y llyfr am awr gron'** *He was there with his head in the book for a whole hour* (Eirug Wyn, 1994: 16). **2 awr wan** (lit *weak hour*) *weak moment* **Prynais i'r sigaréts mewn awr wan** *I bought the cigarettes in a weak moment*. **3 yn awr** see **nawr**.

Awydd *desire* **1 codi awydd arnaf i wneud rhywbeth** LW NW *to make me feel like doing something* **'Drwy fynd â phlentyn i'r cylch meithrin lleol, yn aml mae awydd yn codi ar y rhieni i fynd ati i ddysgu Cymraeg'** *By taking a child to the local playgroup, frequently the parents feel like going about learning Welsh* (*Golwg*, 24 November 1994: 11). **2 mae gennyf awydd gwneud rhywbeth** LW NW *I feel like doing something* **'Mae gen i awydd gwneud rhywbeth. Rydw i wedi blino gyrru'** *I feel like doing something. I'm tired of driving* (Angharad Tomos, 1991: 84) (* this can be reduced down to just **awydd**, eg **awydd peint o gwrw?** *fancy a pint of beer?*).

B b

Bac (<E *back*) Glam *back, rear* (of building, street etc.) **'penderfynodd Dad fynd mas trwy ddrws y ffrynt a mynd rownd y bac i fynd lan i ystafell y rhagddywededig chwaer'** *Dad decided to go out through the front door and round the back to go up to the room of the aforementioned sister* (John Owen, 1994: 101).

Bach 1 *little, small* **"Shgwlwch ar yr un bach, Richard'** *Look at the little one, Richard* (Nansi Selwood, 1987: 201) (* see Appendix 17.05(i)). **2** CW *love* (term of familiarity for person or animal etc.) **'Reit o, bach. Cera di'** *Right-o, love. You go* (John Owen, 1994: 114). **3 (gair/sgwrs etc.) bach** CW *a quick (word/chat etc.)* **"Dwy eisie gair bach â ti, gan dy fod di'n newydd'** *I want a quick word with you, as you're new* (Bernard Evans, 1990: 66).

Bachan (< **bachgen**) CW *mate* **'Uffach, ma' dychymyg 'da'r bachan 'ma ôs!'** *Hell, that boy's got an imagination, hasn't he!* (Meic Povey, 1995(i): 39).

Bachu *to hook; to catch, to grab, to seize* **1 bacha hi o 'ma** NW *clear off, get away from here* **Dw i wedi cael llond bol ohona chdi, bacha hi o 'ma 'nei di!** *I've had enough of you, get away from here will you!* **2 bachu (ar) y cyfle** *to seize the opportunity, to take the opportunity* **'Er mawr syndod iddo, gwrthododd cynghorwyr sirol o ardal Dwyfor fachu ar y cyfle'** *To his great surprise, county councillors from Dwyfor refused to grab the opportunity* (Dafydd Wigley, 1993: 62). **3 ei bachu hi** CW *to hotfoot it, to scarper off* **'[Yr oedd] fy mam yn llawn pryder gan fod rhywun wedi ei bachu hi i'n tŷ ni a dweud fy mod i wedi syrthio o ben clogwyn'** *[My mother] was full of worry as someone had hotfooted it to our house and said that I'd fallen from the top of a cliff* (Gwyn Thomas in Eleri Hopcyn (ed.), 1995: 82).

Bad LW Glam **cwch** LW CW *boat*

Bad (<E *bad*) **ddim yn bad** CW *not bad, OK* **Wel, 'roedd rhaid i mi ddweud, 'doedd pethau ddim yn bad yno** *Well, I must say, things weren't bad there.*

Baglau SW *legs* **baglau brain** (lit *crow's legs*) SW *like a spider's* (very untidy handwriting) **'Yr oedd iddo nib da, neu o leiaf un a siwtiai fy sgrifen baglau brain i i'r dim'** *It had a good nib, or at least one that suited my spider's writing to a tee* (Dic Jones, 1989: 156).

Baglu *to stumble* **ei baglu hi** *to hotfoot it, to scarper off* **'O'dd neb wedi dyall ond Wil, ond cheson nhw ddim cyfle i ofyn iddo fe am eglurhad achos o'dd e wedi'i baglu 'ddi'** *Nobody had understood but Will, but they didn't get a chance to ask him for an explanation because he'd scarpered off* (Dafydd Rowlands, 1995: 88).

Bai *fault* **1 ar fai** *at fault* **'nage nhw o'dd ar fai'** *they weren't at fault* (John Owen, 1994: 157) (* see also **cwympo, disgyn** and **syrthio**). **2 (bwrw/gosod/taro** etc.) **y bai ar rywun** *to put the blame on someone* **'Ond ddylen ni ddim taro'r bai i gyd ar Percy'** *But we shouldn't put all the blame on Percy* (Dafydd Rowlands, 1995: 91). **3 mae'r bai arnaf i** *I'm at fault* **'Yr oedd bai mawr arni hi ei hun'** *She was greatly at fault herself* (T. Glynne Davies, 1974: 252). **4 heb ei fai, heb ei eni** (lit *without fault, without birth*) proverb *nobody is perfect* **'Olreit mae pob un ohonom yn methu weithiau ar lefel bersonol ac, wrth gwrs, mae'n rhaid maddau hynny. Fel y basa Ifas yn deud: 'Heb ei fai, heb ei eni''** *Alright all of us fail sometimes on a personal level and, of course, one has to forgive that. As Ifas would say: 'Nobody is perfect'* (*Golwg*, 1 February 1996: 7).

Baladr see **pen** (16).

Balans (<E *balance*) CW *balance* **'O'dd hi ddim yn siwrne hir [i'r arch]; cwpwl o lathidi a gweud y gwir. Ond o'dd hi'n siwrne gymhleth. O'dd y balans yn rong i ddechre'** *It wasn't a long journey [for the coffin]; a couple of yards to tell you the truth. But it was a complicated journey. The balance was wrong to start with* (Dafydd Rowlands, 1995: 23).

Balch *proud* **dw i'n falch** CW *I'm glad, I'm pleased* **'Rydan ni'n falch iawn o gymryd rhan yn y cynllun hwn'** *We're very pleased to take part in this scheme* (*Yr Herald*, 30 April 1994: 3).

Balog NW *zip/fly* (on trousers) **'dyma Harri'n rhoid i fasgiad ar lawr, a dyma fo'n agor i falog a tynnu'i bidlan allan'** *Harri put his basket on the ground, and then he opened his flies and pulled his knob out* (Caradog Prichard, 1961: 8).

Ballu (< **pethau felly**) **a ballu** (< **a phethau felly**) NW *and so on* **'Doeddan nhw ddim yn edrych ar y programs Cymraeg - Y Dydd a Heddiw a ballu, dim ond ar y pethau Saesneg'** *They didn't use to look at the Welsh programmes - Y Dydd and Heddiw and so on, only the English stuff* (Twm Miall, 1988: 165).

Ban *corner* **pedwar ban byd** *all four corners of the world* **'Yr hyn y mae'r golygydd, Dylan Iorwerth, wedi llwyddo i'w wneud yw casglu ynghyd argraffiadau sawl gohebydd sydd wedi teithio i bedwar ban byd'** *What the editor, Dylan Iorwerth, has succeeded in doing is to gather the impressions of a number of correspondents who have travelled to all four corners of the globe* (*Llais Llyfrau*, Summer 1994: 12).

Ba'n (< **bachan** < **bachgen**) SW *mate* **'Corff yw corff, ba'n!'** *A body's a body, mate!* (Dafydd Rowlands, 1995: 13).

Bant (< **i bant**) SW **i ffwrdd** LW NW **ymaith** LW SW *away*

Bapa (<E *babe*) **yr hen fapa** SW *big baby* (derogatory) **'O yffarn! Paid â bod shwd fapa, w!'** *Oh hell! Don't be such a big baby, mate!* (Dafydd Rowlands, 1995: 100).

Bara *bread* **1 bara beunyddiol** *daily bread* (usually figuratively) **'[Roedd] 'nhad yn chwarel yn ennill ei fara beunyddiol'** *My father [used to] earn his daily bread in the quarry* (Gwenlyn Parry in Eleri Hopcyn (ed.), 1995: 37). **2 bara menyn** *piece of bread and butter* '**Torrodd [ef] bentwr o fara menyn y gallai unrhyw nafi ymfalchïo ynddynt**' *[He] cut a pile of bread and butter that any navvy would be proud of* (Eigra Lewis Roberts, 1985: 86).

Bardd *poet* **1 bardd cocos** (lit *cockles poet*) *rhymester* '**un enghraifft arall ydoedd hyn o anallu papurau Fleet Street i wahaniaethu rhwng bardd cadeiriol a bardd cocos yng nghyswllt diwylliant Cymraeg**' *this was another example of the inability of Fleet Street papers to differentiate between chaired poets and rhymesters in the context of Welsh culture* (Dafydd Huws, 1990: 108). **2 bardd talcen-slip** *rhymester* '**Mae gan y gyfres [radio] lwyddiannus hon gasgliad o feirdd talcen slip talentog**' *This [radio] series has got a collection of talented rhymesters* (*Western Mail*, 23 April 1994: (Weekender) 4).

Barlys LW SW **haidd** LW NW *barley*

Barn *judgement* **pawb â'i farn** *each to their own* '**Gwrandwch arna i, am bob un y mae'r harnis wedi'i arbad, mi fedra i enwi dau sy'n ei melltithio hi. Pawb ei farn, hwnna ydio**' *Listen to me, for everyone that the car safety belt has saved, I can name two who curse it. Each to their own, that's what it is* (Wil Sam, 1987: 116).

Barrug LW NW **llwydrew** LW SW *(ground)frost*

Baswn i, baset ti etc. see Appendix 9.02-9.03.

Bawn i, byddet ti etc. see Appendix 11.04-11.05.

Be' (< **beth**) CW *what* **1 be' 'di be'** (< **beth ydyw beth**) CW *what's what* '**Gyrru'r joli lot ohonoch chi i'r Armi f'aswn i, i chi gael gweld be ydi be. Ia, myn diawl i!**' *Send the jolly lot of you to the army, I would, so that you can see what's what. Yeah, bloody hell!* (Angharad Tomos, 1982: 24). **2 be' sy'?** (< **beth sydd yn bod?**) CW *what's the matter?* '**Mae dy law bach di'n crynu, Ifan. Ifan, be sy?**' *Your little hand is shaking, Ifan. Ifan, what's the matter?* (Robin Llywelyn, 1995: 44). **3 be' sy' matar?** NW *what's the matter?* '**Be' sy' matar arnoch chi, Mam, mi dach chi fel 'tasa chi isio iddo fo waethygu ...**' *What's the matter with you, Mam, it's as though you want it to get worse ...* (Meic Povey, 1995(i): 18). **4 i be'** (< **i beth**) CW *why* '**Llandudno? I be wyt ti isio mynd i fan'no?**' *Llandudno? Why d'you want to go there?* (Margiad Roberts, 1994: 109).

Becso SW *to worry* '**Paid becso nawr, Dan. O leia ti'n fyw**' *Don't worry about it now, Dan. At least you're alive* (Dafydd Rowlands, 1995: 48).

Bechingalw (< **beth ydych chi'n ei galw**) CW *what-do-you-call-it, what's-its-name* '**Dyw'r bechingalw 'ma ddim yn gweithio**' *The what's-its-name here doesn't work* (Mihangel Morgan, 1993(ii): 83).

Bechod (< **pechod**) **1** NW *shame* "**Llais da sgynno fo'n gweiddi 'de?**' '*Oedd* **gynno fo, cradur, bechod. Heddwch i'w lwch o**" *'He's got a good voice for shouting then?' 'Had a good voice, poor thing, shame. Peace to his ashes'* (Robin Llywelyn, 1992: 46). **2 bechod dros rywun** NW *poor someone* '**Wel, bechod drosto fo. Anlwcus fuodd o, ac am

unwaith yn ei hanes roedd chydig o lwc wedi dŵad i ran Gregor Marini**' *Well, the poor thing. He was unlucky, and for once in his life a bit of luck had come Gregor Marini's way* (Robin Llywelyn, 1994: 96). **3 bechod o beth** NW *a great shame* '**Ddeudodd 'na rwbath bod** *Helo Bobol!* **yn dŵad i ben yr yr Hydref. Bechod o beth. Honna oedd yn ffefret i!**' *He said something like* Helo Bobol! *was finishing in the Autumn. A great shame. That was my favourite!* (Dafydd Huws, 1990: 101). **4 mae gen i bechod dros rywun** NW *I feel sorry for someone* '**Ac am ryw reswm, mi wn ei fod o'n ddiffuant. Mae gen i bechod drosto fo bron**' *And for some reason, I know that he's sincere. I feel almost sorry for him* (Sonia Edwards, 1993: 14).

Befo (< **beth a fo**) see **hidio** (1) and **waeth** (1).

Behafio (<E *behave*) CW *to behave* '**Ond wedi rhyw ddau fis o fyhafio ac o rinjan dannadd wrth weld y chwarelwyr yn cael eu cam-drin, mi ecsblodiodd Taid ac mi ddechreuodd o fynd rownd y chwaral i bregethu Comiwnyddiaeth**' *But after two months of behaving and grinding [his] teeth while seeing the quarrymen being mistreated, Taid exploded and he started to go around the quarry preaching Communism* (Twm Miall, 1988: 88).

Beichio (crio/llefain/wylo etc.) *to sob* '**Torrodd y merched allan i feichio crio**' *The girls burst out sobbing* (Rhiannon Davies Jones, 1977: 35).

Beirniadu *to criticise* **beirniadu'n hallt** *to severely criticise* '**Cafodd polisïau addysg y llywodraeth eu beirniadu'n hallt**' *The government's education policies were severely criticised* (*Yr Herald*, 23 April 1994: 9).

Bellach 1 *by now* '**Mae hwn yn arholiad sydd wedi bod yn hyrwyddo'r Gymraeg ledled Cymru ers rhai blynyddoedd bellach**' *This is an exam which has been promoting the Welsh language throughout Wales for several years now* (*Barn*, March 1994: 56). **2** *any more* (negative) '**Mae'n deg dweud hefyd ... na fyddai bellach mor hawdd i'n gwrthwynebwyr ei wthio trwy'r Senedd**' *It's fair to say as well ... that it wouldn't be as easy any more for our opponents to push it through Parliament* (Dafydd Wigley, 1993: 219). **3** NW *yet* '**Ydach chi wedi atab llythyr Robat Jones Lerpwl bellach?**' *Have you replied to Robert Jones from Liverpool's letter yet?* (Wil Sam, 1995: 50).

Bendith *blessing* **1 bendith (arnat)** (sneezing) '**Ar ôl i mi disian, dywedodd fy mrawd 'bendith'**' *After I sneezed, my brother said 'bless you'.* **2 bendith (y) nefoedd** (lit *(the) heaven's blessing*) CW *for goodness' sake, for heaven's sake* '**Lle ma' dy dad? A chod odd'ar y llawr 'na bendith nefoedd iti: ma'r ffrog 'na'n lân bora 'ma!**' *Where's your dad? And get up off that floor for goodness' sake: that dress was clean this morning!* (Meic Povey, 1995(ii): 30). **3 bendith (y) tad** (lit *God's blessing*) CW *for goodness sake, for heaven's sake* '**[Roedd ei] mam yn bloeddio o waelod y grisiau am i rywun ei ateb, bendith y tad**' *[Her] mother [was] shouting from the bottom of the stairs for someone to answer her, for goodness' sake* (Jane Edwards, 1993: 9).

'Bennu (< **dibennu**) SW *to finish* **'Ti di bennu'r drinc 'na nawr?'** *You finished that drink now?* (Sion Erian, 1995: 17).

Berchen see Appendix 15.10(v).

Berfa LW NW **whilber** SW *wheelbarrow*

Berffro see Appendix 18.02.

Berw 1 *boiling* **'[Yr oedd y] llestri wedi eu rhannu a'r cawl yn ferw'** *The plates [had] been divided out and the soup was boiling* (Dic Jones, 1989: 48). **2** *heat* (of a meeting etc.) (figuratively) **'Roedd hi'n ddigon addas i'w gweld ym merw'r trafod am ddyfodol darlledu'** *It was appropriate enough to see her in the heat of the meeting about the future of broadcasting* (*Golwg*, 1 June 1989: 27). **3 berw gwyllt** *seething, tumultuous* **'Ond hanner canrif yn ôl roedd RAF Llandwrog yn ferw gwyllt [â gweithgareddau]'** *But fifty years ago RAF Llandwrog was seething [with activity]* (*Golwg*, 1 June 1989: 13).

Berwi 1 *to boil* **"Tasa ti'n llofrudd, 'tasa ti wedi berwi deg o blant yn fyw, wnawn i fyth'** *If you were a murderer, if you'd have boiled ten kids alive, I never would* (Meic Povey, 1995(i): 27). **2** CW *to go on, to jabber on* **'Ac wedyn mi chwythodd Cen Cipar o rwla a landio wrth y bwrdd bwyd a dechra berwi am wyntoedd a chorwyntoedd y gorffennol'** *And then Cen Cipar blew in from somewhere and landed by the food table and started babbling on about winds and hurricanes of the past* (Margiad Roberts, 1994: 20). **3 berwi o rywbeth** *to be crawling with something* **'dydw i'n poeni dim am y malwod ... [ma'r toilet-allanol yn] berwi ohonyn nhw'** *I don't worry at all about the slugs ... [the outside toilet] is crawling with them* (Margiad Roberts, 1994: 86).

Betws, Bet's-y-Coed see Appendix 18.02.

Beth *what* **1 beth sydd yn bod arnaf?** *what's the matter with me?* **'Be' sy'n bod ar y ddau ohonoch chi?'** *What's the matter with the two of you?* (Meic Povey, 1995(i): 39). **2 i beth** *why* **'[Mae'r papur] yn cario hanesion newyddiadurwyr drwy'r byd sy'n cael eu harteithio, eu carcharu a'u lladd. I beth?'** *[The paper] carries stories about journalists throughout the world who are tortured, jailed and killed. Why?* (Gwenda Richards in Dylan Iorwerth (ed.), 1993: 45) (* see also **be**').

Bethma (< **y peth yma**) **1** NW *dodgy, so-so* **'Rydyn ni wedi cyrraedd amser go bethma yn y flwyddyn'** *We've reached a fairly dodgy time of the year* (*Golwg*, 10 December 1992: 3). **2** NW *thingumajig, what-not* **"Dyna hi ylwch, ma' hi wedi meddwi.' 'O ... nac ydwi, ddim ... ma' isio mwy na llond jwg i 'mhethma i"** *'Here she is look, she's drunk.' 'Oh ... I'm not, no ... you need more than a jug-full for my what-not* (Gwenlyn Parry, 1992: 20).

Beunydd *daily, every day* **beunydd beunos** *all day and all night, all the time* **"Rydw i'n gwaredu ac yn gwrido wrth feddwl am y peth beunydd beunos'** *I'm amazed and blush thinking about the thing all the time* (Alan Llwyd, 1994: 157).

Bia (< **piau**) CW *to own* **'Paul oedd bia'r car'** *Paul owned the car* (Islwyn Ffowc Elis, 1990(i): 142) (* see Appendix 15.10(iv)).

Bid see Appendix 10.01-10.02.

Biff (<E *beef*) NW *beef* **'Ewch, wir, i mo'yn y bîff 'na; 'rydw i bron â marw eisie bwyd'** *Go, really, and fetch that beef; I'm just about starving* (Islwyn Ffowc Elis, 1990(ii): 147).

Bildings (<E *buildings*) NW *farm buildings* **Maen nhw am addasu'r bildings ar gyfer fisitors** *They want to adapt the farm buildings for tourists.*

Bisged(en) LW CW **bisgïen** SW *biscuit*

Bishi (<E *busy*) SW Powys *busy* **'Ry'ch chi wrthi'n fishi yn paratoi, sbo?'** *You're busy at it preparing, I suppose?* (Harri Pritchard Jones, 1994: 42).

Bita (< **bwyta**) SW *to eat* **'Cyn dachre bita, fe droiodd y ffarmwr ato a gweud: 'Wel, fe gei di Twm ddachre'** *Before starting to eat, the farmer turned to him and said: 'Well, you Twm can start'* (Morgan John in Gwyn Griffiths (ed.), 1994: 26).

Blaen *front* **1 ac yn y blaen** *and so on, etcetera* **'Lladratawyd llyfrau, darluniau, eiddo personol fel modrwyau a thlysau, poteli gwin, ac yn y blaen'** *Books, pictures, personal property like rings and jewellery, wine bottles and so on, were stolen* (Gareth Miles, 1995: 12) (* **ac yn y blaen** is abbreviated to **ayyb**). **2 ar y blaen** *in front, in the lead* **'Roedd gan Gymru y record waetha' o ran yfed wythnosol ac roedden ni ymhell ar y blaen o ran meddwi'** *Wales had the worst record from the point of view of weekly drinking and we were far in the lead from the point of view of drunkenness* (*Golwg*, 6 April 1989: 15). **3 blaen(au) fy (nhafod/nhraed/(e)sgidiau etc.)** *the tip(s) of my (tongue/toes (lit feet)/shoes etc.)* **'Wrth sefyll ar flaenau'i sgidiau, gallai Emyr gyrraedd yn hawdd'** *By standing on the tips of his shoes, Emyr could reach easily* (Bernard Evans, 1990: 40). **4 cael y blaen ar rywbeth/rywun** *to get in front of something/someone* **'A phan ddaru nhw gyrraedd y lle darllan llithoedd roeddan nhw'n lefel pegins, ond dyma Meri'n rhoi cam bras ymlaen a chael y blaen ar John'** *And when they reached the place where Biblical lessons are read they were level-pegging, but then Meri made a great stride forward and got in front of John* (Caradog Prichard, 1961: 74). **5 dod yn fy mlaen** *to get better, to get on, to persevere* **'Shwd mae'r gwaith newy'n dod yn ei flân?'** *How's the new work getting on?* (Dafydd Huws, 1990: 149). **6 (diwrnod/wythnos etc.) o'r blaen** *the (day/week etc.) before, the other (day/ week etc.)* **'Unwaith yn unig y bûm yno o'r blaen'** *I had only been there once before* (Alan Llwyd, 1994: 100). **7 rhag blaen** *immediately, straightaway* **'Ffonia dy dad, a gofyn iddo fo ddŵad adra rhag blaen'** *Phone your dad, and ask him to come home straightaway* (Meic Povey, 1995(i): 7).

'Blaw (< **heblaw**) CW *beside(s)* **'Oedd byth cweit ddigon sobor i wneud dim. 'Blaw hel merchaid'** *He was never quite sober enough to do anything. Besides chase girls* (Meic Povey, 1995(ii): 19).

Blawd LW CW **can** LW Glam **fflŵr** SW *flour*

Ble'na see Appendix 18.02.

Blêr LW NW **anniben** LW SW *messy, untidy*

Blerwch LW NW **annibendod** LW SW *messiness, untidiness*

Blew *hair* **blew** refers to any hair on the body other than on the head (and also refers to any fur on an animal and the small bones of a fish) **'Gin ti flew ar dy goesa'** *You've got hair on your legs* (Jane Edwards, 1989: 11).

Blewyn *a hair* **1 blewyn (bach)** CW *love* (term of familiarity for a person or animal etc.) **"Dyn drwg wyt ti Henri.'** **'Tendia di be wyt ti'n ddeud blewyn"** *'You're a bad man Henri.'* *'You watch what you're saying mate'* (Wil Sam, 1995: 67). **2 blewyn glas** *a blade of grass* **'mi fyddwn ninna'n byw dan gyrffiw y porthi nes daw 'na flewyn glas i'r golwg unwaith eto ...'** *we'll be living under a grazing curfew until a blade of grass comes into view once again ...* (Margiad Roberts, 1994: 183). **3 cystal pob blewyn** (lit *every hair as good*) *every inch as good* **'Gallai [hi] fynd i'r Hengwrt yn [y dillad hynny] wedyn ac edrych cystal bob blewyn â Lowri Vaughan'** *[She] could go to Hengwrt in [those clothes] then and look every inch as good as Lowri Vaughan* (Marion Eames, 1969: 14). **4 di-flewyn-ar-dafod** (lit *without hair on tongue*) LW SW *without mincing words* **'Ffordd gyfrwys o ddweud dy fod ti'n rhy dew oedd hyn'na, Liwsi, meddwn i yn ddiflewyn-ar-dafod'** *That's a sly way of saying you're too fat, Lucy, I said without mincing words* (Mihangel Morgan, 1994: 12). **5 heb flewyn ar dafod** (lit *without hair on tongue*) LW NW *without mincing words* **'Mi ddysgodd fi hefyd i ddweud fy marn heb flewyn ar dafod'** *He taught me too to state my opinion without mincing words* (Gwenlyn Parry in Eleri Hopcyn (ed.), 1995: 44). **6 i'r blewyn** (lit *to a hair*) *to a tee, exactly* **'Roedd yr hen werthwyr penwaig yn deall y grefft i'r blewyn'** *The old herring-sellers understood the craft to a tee* (Mary Wiliam, 1978: 108). **7 tynnu blewyn o drwyn rhywun** (lit *to pull a hair from someone's nose*) *to get at someone, to get one's own back at someone* **'Yn amlwg, fe lwyddais i dynnu blewyn o drwyn y cenedlaetholwr pybyr'** *Obviously, I succeeded in getting at the staunch nationalist* (*Y Cymro*, 22 June 1994: 2). **8 tynnu blewyn cwta** *to draw the short straw* **'Paid â phoeni. Dan ni wedi meddwl am hynny! Tynnu blewyn cwta! Dyna'r ffordd hawsa'** *Don't worry. We've thought about that! Draw the short straw! That's the easiest way* (Vivian Wynne Roberts, 1995: 9).

Blin 1 LW NW *angry* **'Mi es i i deimlo'n reit flin wrth feddwl fod y diawliaid yma i gyd wedi dŵad i gael eu hentyrtenio ar fy nhraul i'** *I started to feel really angry thinking that these buggers had all come to be entertained at my expense* (Twm Miall, 1988: 65). **2 bod yn flin dros rywun** SW *to feel sorry for someone* **'Dath y Weithwraig Cymdeithasol i'w nôl hi wedyn i fynd â'i i'r ysbyty a 'nôl i'r Hostel. Wy'n flin iawn, iawn drosti'** *The Social Worker came to fetch her afterwards to take her to the hospital and back to the Hostel. I'm very, very sorry for her* (John Owen, 1994: 185). **3 mae'n flin gyda fi** SW *I'm sorry* **'Ma'n flin 'da fi orfod sôn wrthoch chi am hyn'** *I'm sorry to have to mention this to you* (Nansi Selwood, 1987: 118).

Blodau *flowers* **ym mlodau fy nyddiau** (lit *in the flowers of my days*) *in my prime* (art only) **'Dywedid yn aml wrth Ibn al Khatib ei fod yr un ffunud â'i dad pan oedd hwnnw ym mlodau'i ddyddiau'** *It was frequently told to Ibn al Khatib that he was the spitting image of his father when he was in his prime* (Wiliam Owen Roberts, 1987: 20).

Blodyn (lit *flower*) CW *love* (term of familiarity for a person or animal etc.) **'Ti 'di cl'wad am ddŵr yn troi'n win, do - wel dyna dy blydi coffi di'n troi'n wisgi, blodyn'** *'You've heard about water turning into wine, haven't you - well here's your bloody coffee turned into whisky, love* (Gwenlyn Parry, 1992: 24).

Blondan (<E *blonde*) NW *blonde girl* **"Pawb run fath, syr,' meddai'r flondan yn hy'** *'Everyone's the same, sir,' said the blonde girl boldly* (Robin Llywelyn, 1992: 128).

Blydi (<E *bloody*) CW *bloody* (intensifying adjective) **'Be' sy'n gneud athrawon yn bobol mor blydi sbesial?'** *What makes teachers such bloody special people?* (Sonia Edwards, 1993: 29).

Blynydde, blynyddoedd see Appendix 14.03.

Blys LW NW *craving, lust* **1 codi blys arnaf wneud rhywbeth** LW NW *to make me feel like doing something* **'Mi roedd mynd yno yn codi blys dod adra i wneud rwbath arna' i'** *Going there made me feel like coming home and doing something* (Wil Sam, 1995: 15). **2 mae gennyf flys wneud rhywbeth** LW NW *I feel like doing something* **'A be amdana ti? Sgin ti flys ymuno?'** *And what about you? Do you feel like joining?* (Jane Edwards, 1993: 95).

Bo see Appendix 11.02-11.03.

Bobo (< **pob**) Glam *each (one)* **'Dere bobo beint i ni Maggie, nei di?'** *Bring each one of us a pint Maggie, will you?* (Dafydd Rowlands, 1995: 15).

Bocs *box* **bocs bara** (lit *bread box*) CW *guts, stomach* **'Fe ga's ddwrn de 'da Wil reit yn 'i focs bara nes bod e'n plygu'n ddou'** *He got a right fist from Wil right in his guts so that he was bent over double* (Meirion Evans, 1996: 23).

Boch chwi, byddoch chwi etc. see Appendix 11.02-11.03.

Bod 1 *to be, to exist* **'Doedd 'na ddim bai arnat ti nac arna' i - dim ond arni hi, am ei bod hi'n bod'** *You weren't at fault nor was I - only her, because she exists* (Sonia Edwards, 1993: 23) (* the phrase *going to be a doctor/actor* etc. often omits **bod** altogether, see **mynd** (8)). **2** *that* **'Be sy'n lyfli abythdi fe yw 'i fod e'n meddwl fel Cymro er nagyw'r iaith 'da fe'** *What's lovely about him is that he thinks like a Welshman although he can't speak the language* (John Owen, 1994: 73) (* see Appendix 17.08(i)). **3 i fod** (a) *supposed to* **'Ac fel y digwyddai, roedd hi i fod i gasglu siec yr wythnos y bore hwnnw'** *And as it happened, she was supposed to collect the weekly cheque that morning* (Mihangel Morgan, 1993(ii): 113); (b) *supposed to be* **'Nid fa'ma wyt ti i fod 'sti'** *You're not supposed to be here you know* (Gwenlyn Parry in Eleri Hopcyn (ed.), 1995: 50). **4 (mae) rhywbeth yn bod ar rywun** *(there is) something wrong with* someone '**Mi ddechreuais i boeni am y peth, oherwydd roeddwn i'n meddwl fod yna rywbeth mawr yn bod arna i**' *I started to worry about the thing, because I thought that there was something very wrong with me* (Twm Miall, 1988: 153).

Bodloni *to satisfy* **bodloni i'r drefn** *to buckle down, to conform* '**Wrth iddo nesu am Finafon gwelodd fwg yn codi o simnai rhif pump. Katie Lloyd yn ei chell, wedi ei gorfodi i bledio'n euog i bechod na wyddai beth ydoedd ei hun. Y rhyfeddod o ddynes y cawsai ef gip arni yn bodloni i'r drefn**' *As he approached Minafon he could see smoke rising from number five's chimney. Katie Lloyd in her cell, forced to admit a sin that he himself didn't know what it was. The strange woman he had glimpsed conforming* (Eigra Lewis Roberts, 1985: 107).

Bodd *pleasure, will* **1 o'm bodd neu o'm hanfodd** *willingly or unwillingly* '**os oedd gwlad fach am wrthryfela yn erbyn grym y meistr, rhaid oedd iddi, o'i bodd neu o'i hanfodd, chwilio am gymorth gan yr ochr arall**' *if a small country wants to fight against the might of a master, she has to, willing or unwillingly, look for support from the other side* (Rhodri Ellis Jones in Dylan Iorwerth (ed.), 1993: 35). **2 wrth fy modd** *very happy, very pleased* '**mae Southall wrth ei fodd yn cymryd ei le arferol [yn y tîm pêl-droed]**' *Southall is very pleased to take his usual place [in the football team]* (*Sbec TV Wales*, 21 May 1994: 11) (*also in the plural **wrth ein/eich/eu boddau**, eg '**Mae'r grŵp wrth eu boddau hefo'r bywyd braf, yr arian mawr sy'n dod yn sgîl cael record yn y siartiau Saesneg**' *The group is very pleased with the high life, the big money that comes in the wake of having a record in the English charts* (*Golwg*, 30 May 1996: 23)) (** note also the form **wrth fodd calon rhywun**, eg '**Maddeuwch i mi os nad yw agweddau ar y testun hwn wrth fodd calon pawb**' *Forgive me if the aspects of this subject are not to everyone's complete satisfaction* (Mary Wiliam, 1978: 64)).

Boddfa (< **boddi**) **boddfa o chwys** *dripping with sweat* '**Roedd y bachgen yn foddfa o chwys wrth gario'r can i fyny llechwedd y ffridd**' *The boy was dripping with sweat while carrying the can up the mountain pasture slope* (Simon Jones, 1989: 17).

Boddran (<E *bother*) CW *to bother* '**Wel smo Nia yn mo'yn boddran 'da ti chwaith**' *Well Nia doesn't want to bother with you either* (Mihangel Morgan, 1994: 84).

Boed see Appendix 10.01-10.02.

Bogail LW SW *belly button, navel* **1 (bwrw/hollti/torri etc.) fy mogail eisiau gwneud rhywbeth** (lit *to (cast/rip/break etc.) my belly button wanting to do something*) SW *dying to do something* '**Wedd na wnifeintoedd bron bwrw'u bogel ishe gwbod pryd wedd y diwrnod mowr**' *There were I dunno how many just about desperate wanting to know when the big day was* (Wyn Jones in Christine Jones and David Thorne (eds.), 1992: 35). **2 o'm bogail** (lit *of my navel*) SW *natural* '**Mae Deian yn ddi-jê o'i fogel**' *Deian is a natural D.J.* (*Golwg*, 18 March 1993: 27).

Boi (<E *boy*) **1** *bloke, lad* (term of familiarity for a boy or man) '**roedd Mengistu yn llwyddo i roi'r argraff i**

ymwelwyr tramor ei fod yn foi iawn' *Mengistu succeeded in giving the impression to foreign visitors that he was a good bloke* (Tweli Griffiths, 1993: 106). **2 fel y boi** (lit *like the boy*) CW *excellent, very well* '**Âth e i weld doctor?' 'Mae o fel y boi rŵan!**' *'He went to see a doctor?' 'He's excellent now!'* (Meic Povey, 1995(i): 30).

Bois (<E *boys*) **1** SW *lads* (term of familiarity) '**Wel, nawr 'te bois**' *Well, now then lads* (Edgar ap Lewys, 1977: 23). **2 bois bach** SW *goodness me, heavens above* '**Bois bach, wneith rhywun siarad â fi plîs ...**' *Heavens above, will someone speak to me please ...* (*Golwg*, 23 March 1995: 8).

Bol LW NW **bola** SW *stomach* **1 bol buwch** (lit *cow's stomach*) *pitch black* '**Erbyn y dôi'r adeg i ni fynd yn ôl i'n tŷ ni, byddai'n dywyll fel bol buwch y tu allan yn y gaeaf**' *When the time came for us to go back to our house, it would be pitch black outside in the winter* (Alan Llwyd, 1994: 34). **2 bol y clawdd** (lit *stomach of the hedge*) *the middle of the hedge* '**arferwn fynd â'm 'togs' gyda mi i'r cae, newid ym mola'r clawdd, gadael fy nillad gwaith o dan stacan, mynd ar gefn beic yr holl ffordd i Aberteifi, chwarae'r gêm, a dychwelyd heb i Nhad wybod dim am y peth**' *I used to take my 'togs' with me to the field, change in the middle of the hedge, leave my work clothes under a haystack, go on the bike all the way to Cardigan, play the game, and return without my Dad knowing anything about the thing* (Dic Jones, 1989: 126). **3 (bwrw/torri) fy mol** (lit *to (cast/break) my stomach*) NW *to pour my heart out* '**Mi es i i deimlo mor dipresd ar ddechrau'r ail wythnos, fel y bu'n rhaid i mi fynd i weld Yncl Dic a thorri mol**' *I began to feel so depressed at the start of the second week that I had to go and see Uncle Dic to pour my heart out* (Twm Miall, 1988: 61). **4 (bwrw/hollti/torri etc.) fy mol eisiau wneud rhywbeth** (lit *to (cast/split/break etc.) my stomach wanting to do something*) NW *dying to do something* '**Tom ar dorri'i fol isio gair efo chdi ... Be' ddeud'ist ti?**' *Tom's just about desperate to speak to you ... What did you say?* (John Gwilym Jones, 1976: 12).

Bolaheulo LW SW **torheulo** LW NW *to sunbathe*

Bolgi CW *glutton, pig* (someone who thinks continuously about food, and eats continuously) '**Wel myn uffar i'r bolgi hunanol**' *Well bloody hell the selfish pig* (Robin Llywelyn, 1992: 40).

Bolon (< **boddlon**) SW *content, willing* '**A wy'n moyn i ti ddod 'da fi os ti'n folon**' *And I want you to come with me if you're willing* (Meirion Evans, 1997: 82).

Bôm ni, boch chwi etc. see Appendix 11.02-11.03.

Bôn *stem, trunk* (tree) **1 (cryfder/nerth) bôn braich** (lit *(strength) of an arm stem*) *physical force* '**Bet yn ffônio i ofyn os o'n i isio tatws. 'Na, ma' ganddon ni lond cae,' medda finna, jyst 'mod i'n gorfod mynd yno hefo pwcad a rhaw a bôn braich bob tro y bydda'i angan rhai**' *'Bet phoned to ask if I wanted some potatoes. 'No, we've got a field-full,' I said, just that I've got to go there with a bucket and spade and use physical force every time I want some* (Margiad Roberts, 1994: 171). **2 bôn clawdd** *the middle of a hedge* ''**Roedd y ddwy yn cysgu'n yr**

haul ym môn clawdd ar ochor lôn, ac ni sylweddolais, oherwydd trwch y tyfiant haf, mai gwiberod oedden nhw' *The two were sleeping in the sun in the middle of the hedge at the side of a lane, and I didn't realise, because of the thickness of the summer undergrowth, that they were adders* (Alan Llwyd, 1994: 31). **3 bôn fy (nghlustiau/ngwallt etc.)** *the base of my (ears/hair etc.), the roots of my (ears/hair etc.)* '**yr oedd gwybed mân yn dechrau pigo Paul ym môn ei wallt**' *small gnats were beginning to pick at Paul at the roots of his hair* (Islwyn Ffowc Elis, 1990(i): 59). **4 o'r bôn i'r brig** *from top to bottom* '**Wele Radio Cymru am newid patrwn darlledu sain unwaith yn rhagor, o'r bôn i'r brig**' *Well Radio Cymru wants to change the sound broadcasting pattern once again, from top to bottom* (*Golwg*, 8 June 1995: 9). **5 yn y bôn** *basically* '**Yn y bôn, roedd rhaid inni gredu**' *Basically, we had to believe* (Guto Harri in Dylan Iorwerth (ed.), 1993: 63).

Bonclust CW *blow* (to the ears) '**Wedes i wrtho hi, twel, ond o'dd hi'n palli credi. Ath hi'n crac y jiawl, a roddodd hi fonclust i fi**' *I told her, you see, but she refused to believe it. She went bloody mad, and she gave me a blow to the ears* (Twm Miall, 1990: 141).

Bondigrybwyll (< *na bo ond ei grybwyll*) CW *blooming* (light pejorative adjective) '**swm a sylwedd holl ddychymyg y sianel [deledu] Gymraeg oedd ... beth arall ond y Cyngerdd Mawreddog bondigrybwyll**' *the sum total of all the imagination of the Welsh [television] channel was ... what else but a blooming Grand Concert* (*Golwg*, 4 March 1993: 27).

Boneddigion *gentlemen* **boneddigion a boneddigesau** (lit *gentlemen and ladies*) *ladies and gentlemen* (note the word order in Welsh) '**"Nawr 'te, foneddigion a boneddigesau,' meddai Watcyn Philip**' *'Now then, ladies and gentlemen,' said Watcyn Philip* (Nansi Selwood, 1987: 35).

Bônt hwy, byddont hwy etc. see Appendix 11.02-11.03.

Bopa 1 SW *auntie* '**Rodd Bopa Marged yn diodde'n arw o'r gwynecon**' *Auntie Marged used to suffer terribly from arthritis* (Edgar ap Lewys, 1977: 57). **2** Glam *effeminate man, poof* **Jiwcs, mae'r ddyn 'na shwd gyment o fopa** *God, that bloke is such a poof.*

Bora (< *bore*) NW *morning* '**[Mi ddaeth] Cen Cipar yma bora 'ma ac yn deud wrthaf i am isda i lawr gynta, cyn iddo fo ddeud y newyddion wrthaf i**' *Cen Cipar [came] here this morning and told me to sit down first, before he told me the news* (Margiad Roberts, 1994: 128).

Bord SW *table* '**O'n nhw yn y Lamb & Flag, yn ishte wrth y ford yn y bar - y ford arferol, wrth gwrs**' *They were in the Lamb and Flag, sitting by the table in the bar - the usual table of course* (Dafydd Rowlands, 1995: 13).

Bore *morning* **1 bore oes** *childhood* '**Ffrindia penna, Tom! Ffrindia bora oes!**' *Best friends, Tom! Childhood friends!* (Meic Povey, 1995(i): 16). **2 o fore gwyn tan nos** *from dawn to dusk* '**Pam ddylen i**

ishte yn tŷ fel gwitw, a fynte'n galafantan o fore gwyn tan nos?' *Why should I sit in the house like a widow, and he's galavanting from dawn to dusk* (Dafydd Rowlands, 1995: 16). **3 yn fore** *early* '**Mi oedd pawb wedi codi'n fora**' *Everyone had got up early* (Meic Povey, 1995(ii): 57). **4 yn y bore bach** LW SW *first thing in the morning, in the early morning* '**Yn y bore bach, clywid sŵn ieir a cheiliogod**' *In the early morning, the sound of hens and cockerels could be heard* (Nansi Selwood, 1987: 171).

Bostio LW CW **bragan** SW **brolio** NW LW *to boast*

Botwm *button* **1 botwm bol** NW *belly button, navel* '**Mae gormod o edrych ar ein botwm bol addysg ein hunain yng nghyd-destun addysg Gymraeg**' *There's too much educational navel-gazing in the context of Welsh language education* (*Golwg*, 16 May 1996: 6). **2 ddim yn (malio/poeni etc.) botwm corn** *not to (care/worry etc.) a jot, not (to care/worry etc.) at all* '**Trodd Ibn i rythu arno. Ond doedd y sawl a gerddai heibio'n malio'r un botwm corn**' *Ibn turned to stare at him. But the people who walked past didn't care less* (Wiliam Owen Roberts, 1987: 102).

Bownd (<E *bound*) **yn bownd o (ddigwydd/fynd etc.)** *bound to (happen/go etc.)* '**Byddai gelynion Cymru'n bownd o fanteisio ar yr achlysur**' *Wales's enemies would be bound to take advantage of the occasion* (Gareth Miles, 1995: 85).

Brachga Glam *to ride* '**Fe sy ora 'da'r ceffyla ac ma' fe'n dda i ofalu am y plant pan fyddan nhw'n brachga**' *He's the best with the horses and he's good at looking after the children when they go riding* (Nansi Selwood, 1993: 71).

Brad *treachery* **Brad y Llyfrau Gleision** (lit *Treachery of the Blue Books*) reference to a Victorian educational report highly critical of the Welsh and the Welsh language [the 3 volumes were bound in blue covers] which has become synonymous with mistreatment of the Welsh language '**Cyd-destun y ddadl oedd Brad y Llyfrau Gleision, pan ddaeth galwadau ar i ferched Cymru fod yn 'lanach' na merched Lloegr**' *The context of the argument was the Treachery of the Blue Books, when Welsh girls were called upon to be 'purer' than English girls* (*Golwg*, 20 April 1995: 3).

Bradu (< *afradu*) SW *to waste* '**o'dd Dan wedi darbwyllo'r tri arall eu bod nhw ishws wedi bratu hanner awr o amser llymeitan yn Nhafarn y Garreg**' *Dan persuaded the other three that they had already wasted half an hour drinking in Tafarn y Garreg* (Dafydd Rowlands, 1995: 42).

Braf *fine, nice, pleasant* **(hamddenol/hapus etc.) braf** *nice and (happy/leisurely etc.)* '**Yr oeddwn wedi mynd i lawr yn hamddenol braf y prynhawn dydd Gwener**' *I'd gone down nice and leisurely the Friday afternoon* (Elwyn Jones, 1991: 100) (* see also Appendix 17.05(iii)).

Bragan (<E *brag*) SW **brolio** LW NW **bostio** LW CW *to boast*

Bragu LW CW **macsu** Dyfed *to brew*

Braich *arm* **1 fraich ym mraich** *arm in arm* 'Sywlodd ar ... [ddau] gariad fraich ym mraich yn sgwrsio'n frwd' *He noticed ... [two] lovers arm in arm chatting fervently* (Robin Llywelyn, 1994: 14). **2 (o) hyd braich** *at arm's length* 'Ar y dechrau yr oedd i'w weld yn greadur od braidd ac yn ddigon hoff o'i gwmni'i hun ac yn un a ddymunai gadw pawb arall hyd braich' *At the start he appeared a somewhat odd creature and fond enough of his own company and one who liked to keep everyone else at arm's length* (Mihangel Morgan, 1994: 33).

Braidd 1 *almost, nearly* 'Ma 'na rai pobol am 'u bowyd yn hwtro'u merched ar rywun, braidd cyn i farce'r cewyn fynd o'u penole' *There are some people who push their daughters for their life on to someone, almost before the nappy marks have left their backsides* (Wyn Jones in Christine Jones and David Thorne (eds.), 1992: 41). **2** *hardly, scarcely* 'Braidd symudodd [y bag] yn y mymryn gwynt a chwythai y pnawn hwnnw' *[The bag] hardly moved in the little wind that blew that afternoon* (Wiliam Owen Roberts, 1987: 135). **3** *rather, somewhat* 'Mi dwi wedi blino braidd, rhaid cyfaddef' *I'm somewhat tired, must admit* (Robin Llywelyn, 1994: 90). **4 braidd yn (anodd/gryf etc.)** *somewhat (hard/strong etc.)* 'Dôdd dim byd cynllwyngar yn 'i edrychiad, ond 'falle braidd yn ddiniwed' *There was nothing scheming in his look, but [it was] perhaps somewhat harmless* (Edgar ap Lewis, 1986: 37). **5 o'r braidd** *hardly, scarcely* 'O'r braidd yr oedden ni'n nabod ein gilydd' *We hardly knew each other* (Mihangel Morgan, 1994: 94).

Brân *crow* **1 mae brân i bob brân** (lit *there is a crow for every crow*) *there's somebody for everybody* (marriage) 'Mae e mor hyll a hithau mor hyfryd. Mae'n amlwg fod 'na frân i bob brân' *He's so ugly and she's so lovely. It's obvious that there's somebody for everybody.* **2 y frân wen** (lit *the white crow*) *fairy-tale figure that tells parents about children's misdemeanours* (cf *the fairies*) '"Pwy ddeudodd?" "Y Gannwyll glywodd -" "Pryd glywodd o?" "Brân wen arall?" "Mi fasa fo'n clwad cyn pawb arall yn basa?"' *'Who said?' 'Y Gannwyll heard -' 'When did he hear?' 'Other fairies?' 'He would hear before anyone else wouldn't he?'* (Wiliam Owen Roberts, 1987: 139).

Bras *coarse, thick* **1 bras (ddarllen/nodi etc.)** *to roughly (read/note etc.)* 'Ni fu ganddo erioed ryw lawer i'w ddweud wrth wyddoniaeth neu wyddonwyr, er iddo fras ddarllen dehongliadau Maimonides o Cordoba' *He never had very much to say on science or scientists, although he'd roughly read the conclusions of Maimonides of Cordoba* (Wiliam Owen Roberts, 1987: 126). **2 yn fras** *approximately, basically, roughly* 'Yn fras, amcan y Mesur oedd rhwystro ymchwil ar embryo' *Basically, the purpose of the Bill was to prevent research on an embryo* (Dafydd Wigley, 1993: 212).

Bratiaith *see Introduction.*

Brathu LW NW **cnoi** SW *to bite*

Braw *fright, terror* **codi braw ar rywun** *to frighten someone* 'Bu'n rhan o'r cyfnod pan deledid dramâu yn fyw, a chyfnod pan fyddai gofyn perfformio heb stopio, gyda'r gost o orfod ail-wneud yn codi braw ar yr actorion' *It was part of the period when plays were televised live, and a period when it was necessary to do a performance without stopping, with the cost of having to re-do frightening the actors* (Lyn Ebenezer, 1986: 22).

Brawd *brother* **brawd mogu yw tagu** (lit *the brother of smothering is strangling*) SW *proverb it's all the same, six of one and half a dozen of the other* 'Dyw hi ddim yn edrych ar 'i hôl 'i hunan o gwbl. O'dd hi mor dene. San i ddim yn dweud ei bod hi'n anorecsig, ond brawd mogu yw tagu ife' *She doesn't look after herself at all. She was so thin. I wouldn't say that she was anorexic, but it's all the same isn't it* (John Owen, 1994: 183) (* **mogu** < **mygu**).

Brechdan 1 *sandwich* 'Cymerodd lwnc o'r coffi llugoer a chodi'r frechdan yn ei law' *He took a gulp of the lukewarm coffee and lifted up the sandwich in his hand* (Robin Llywelyn, 1994: 41). **2** NW *piece of bread and butter* 'Torrwch frechdan i Ruth' *Cut a piece of bread and butter for Ruth* (Wil Sam, 1995: 123). **3 brechdan pump** (lit *five sandwich*) CW *knuckle sandwich* (punch) 'I wneud petha'n waeth, roedd o'n cerdded i fyny ata i'n aml ac yn dweud - 'Doro frechdan bump i mi yn 'y ngwynab'' *To make things worse, he used to walk up to me frequently and say - 'give me a knuckle sandwich in my face'* (Twm Miall, 1988: 122). **4 hen frechdan** (lit *old sandwich*) CW *effeminate man, poof* Duwcs, be' ma'r hen frechdan 'na isho rŵan? *Heavens above, what does that old poof want now?* **5 mor wan â brechdan** (lit *as weak as a sandwich*) CW *as weak as a kitten, very weak* 'Mi lwyddais i i godi o'r gwely ond fedrwn i ddim sefyll ar fy nhraed; ro'n i'n wan fel brechdan' *I succeeded in getting up out of bed but I couldn't stand up; I was as weak as a kitten* (Twm Miall, 1990: 87).

Brenin *king* **brenin mawr** (lit *great king*) (a) CW *God* 'Rodd y go' yn gwbod y bydde'r Brenin Mowr yn gwrando ar 'i weddi fe' *The blacksmith knew that God would be listening to his prayer* (Eirwyn Pontshân, 1982: 12); (b) CW *goodness me, heavens above* 'Brenin Mawr! Beth nesaf os gwn i?' *Heavens above! What next I wonder?* (Huw Roberts, 1981: 28)

Brensiach (annwyl) (< **Brenin Mawr (annwyl)**; euphemism for God) CW *goodness me, heavens above* 'Brensiach annwyl, paid a'u rhoid nhw i'r ci, Elin bach' *Heavens above, don't give them to the dog, Elin love* (Caradog Prichard, 1961: 156).

Brêns (<E *brains*) CW *brains* '"Ma' isie i ni ail-ganfod ein gorffennol." "Ma' isie i ti ail-ganfod dy frêns gynta"' *'We need to rediscover our past.' 'You need to rediscover your brains first'* (Geraint Lewis, 1995: 34).

Brest *chest* **o'r frest** *off the cuff* 'Yn gyntaf yr oeddwn yn credu yn fy achos a gallwn draethu o'r frest yn gwbwl ddi-ffuant' *Firstly I believed in my case and I could talk off the cuff totally sincerely* (Elwyn Jones, 1991: 31).

Bresych LW CW **cabetsh** SW *cabbage*

Breuddwyd *dream* **breuddwyd gwrach (yn ôl ei hewyllys)** (lit *a witch's dream (according to her will)* *wishful thinking* '**Ond go brin y byddai ein Sianel [deledu] hoff am wneud unrhyw beth i danseilio'r breuddwyd gwrach Ewropeaidd, sydd mor boblogaidd ymhlith y 'bobl sy'n cyfrif**" *But it is unlikely that our favourite [television] Channel wants to do anything to undermine the European wishful thinking, which is so popular among 'the people who count'* (*Golwg*, 29 August 1996: 7).

Bri *distinction, fame* **1 mewn bri** *in fashion, in vogue* '**Yr oedd y dull hwn mewn bri yn y pumdegau a'r chwedegau**' *This style was in vogue in the fifties and sixties* (*Barn*, September 1994: 53). **2 o fri** *famous, of renown* '**Ac yna mi welais i raglen goginio ar BBC2 gan rhyw ddyn oedd yn gogydd o fri**' *And then I saw a cooking programme on BBC2 by some bloke who was a famous cook* (Margiad Roberts, 1994: 228).

Brig *crest, top* **1 ar y brig** *at the top* (usually only figuratively except in SW) '**byddem ein dau ar frig y rhestr yn y pynciau hyn pan ddôi arholiadau neu brofion heibio**' *the two of us would be at the top of the list in these subjects when exams or tests came by* (Alan Llwyd, 1994: 44). **2 brig y nos** *dusk, nightfall* '**ma'n rhaid 'i fod e'n rhwpath pwysig, iddyn nhw groesi'r mynydd frig nos**' *it must be something important for them to cross the mountain at nightfall* (Nansi Selwood, 1987: 209). **3 brig yr hwyr** *dusk, nightfall* "**Hylo! Beth sy' wedi dod â ti ma mor gynnar?' gofynnes, oherwydd rhan fynycha tua brig yr hwyr rodd e'n arfer cyrradd**' *'Hello! What's brought you here so early?' I asked, because for the most part he used to arrive around nightfall* (Edgar ap Lewys, 1977: 12). **4 dod i'r brig** *to come to the fore* '**Hefyd roedd hwn yn rhyfel lle daeth teledu byw i'r brig**' *Also this was a war where live television came to the fore* (Aled Jenkins in Dylan Iorwerth (ed.), 1993: 73).

Brigo *to branch, to sprout* **1 brigo i'r cof** (lit *to spring to the memory*) *to spring to mind* '**Roeddwn wrthi'n archwilio posibiliadau rhyw atgof oedd gennyf o deledu du a gwyn fy mebyd a fynnai frigo i'r cof bob hyn-a-hyn**' *I was at it researching the possibilities of a vague memory I had of my childhood black and white television which kept springing to mind every so often* (Dafydd Huws, 1990: 104). **2 brigo i'r meddwl** *to spring to mind* '**A thrwy'r amser yn ystod y ffilm, o'dd y delwedde 'ma o Sharon yn mynnu brigo i'n feddwl i**' *And all the time during the film, the images of Sharon kept springing to my mind* (John Owen, 1994: 152). **3 brigo i'r wyneb** *to appear, to crop up* '**yr oedd dail a choed yn allweddol yng nghelfyddyd y bobl, yn atgof o'r grefydd baganaidd sy'n dal i frigo i'r wyneb mewn ambell fan**' *leaves and trees were essential in the people's art, a reminder of the pagan religion that still crops up in the odd place or two* (Dylan Iorwerth, 1993: 124).

Brigo (< **barugo**) NW *to get frosty* '**Ond mae o'n ddigon gwir, pur anamal y gwneith hi rewi yma; ac mi wnes inna basio mai wedi brigo'n reit drwm yr oedd hi**' *But it's true enough, it very rarely freezes here; and I thought that it had got really frosty* (Margiad Roberts, 1994: 23).

Brith 1 *spotted* '**[Yr oedd y] baw yn strempiau hir, brith ar y marmor du**' *The shit [was] in long streaks, splattered on the black marble* (Sonia Edwards, 1995: 9). **2** *scattered* '**Roedd cyrff yn frith ar fin y ffordd o'r maes awyr**' *The bodies were scattered along the edge of the road from the airport* (Betsan Powys in Dylan Iorwerth (ed.), 1993: 27). **3** *greying* (hair) '**fe gymerodd y gŵr gwallt brith byr ato o'r eiliad gyntaf**' *The man with the short greying hair took to him from the very beginning* (Wiliam Owen Roberts, 1990: 62). **4** *full* '**Mewn Cymraeg ysgafndroed a choeth, lluniodd yr awdur glasur [o lyfr] sy'n frith o linellau brathog**' *In light and elegant Welsh, the author fashioned a classic [book] that's full of biting lines* (*Golwg*, 22 March 1990: 25).

Bro *native area* **1 bro** has emotive connotations that other words, such as **ardal** *area*, do not have '**Roedd hyd yn oed coethi'r cŵn o gefnau'r tai i'w glywed yn wahanol i gyfarth cŵn ei fro ei hun**' *Even the noise of the dogs from the backs of the houses sounded different from the barking of the dogs in his home area* (Robin Llywelyn, 1994: 26). **2 Y Fro Gymraeg** see Appendix 22.

Broga LW SW **llyffant** LW NW *frog*

Brolio LW NW **bragan** SW **bostio** LW CW *to boast*

Bron *almost* **1 bron â bod** *almost, just about, virtually* '**Penwythnos gwaetha 'mywyd i bron â bod drosodd**' *The worst weekend in my life just about over* (John Owen, 1994: 112). **2 bron â (gwneud rhywbeth)** *almost (do something), just about (to do something)* '**Bues i bron â gweud 'tho Îfs am y penwythnos ond bob tro delen i'n agos, stopen i**' *I almost told Îfs about the weekend but every time I'd come close, I'd stop* (John Owen, 1994: 95). **3 bron iawn** NW *almost, just about* "**Ydach chi bron â gorffen?' 'Do. Bron iawn**" *'Have you almost finished?' 'Yes. Just about'* (Angharad Jones, 1995: 107). **4 bron yn (dair blwydd oed/hapus etc.)** *almost (three years old/happy etc.)* '**Trodd ei ben rownd ac roedd ei lais bron yn gyfeillgar**' *He turned his head round and his voice was almost friendly* (Marion Eames, 1969: 127). **5 o'r bron** (a) *completely* '**Ma fe a'i dylwyth - Pabyddion y'n nhw o'r bron!**' *He and his family - they're all Catholics!* (Nansi Selwood, 1987: 128); (b) *consecutively, one after the other* '**byddai'n dda ganddi gael merch y tro 'ma ar ôl cael pedwar mab o'r bron**' *she'd like to have a girl this time after having four boys one after the other* (Nansi Selwood, 1987: 232).

Brwnt 1 LW SW *dirty* '**Ond mae'r pentre' ei hun wedi mynd i edrych yn frwnt**' *But the village itself has gone to look dirty* (*Golwg*, 8 February 1996: 6). **2** NW *bullying, nasty, spiteful* '**Hen gythraul brwnt oedd Now Bach Glo bob amsar, hyd yn oed pan fydda fo heb gael diod**' *Now Bach Glo was a nasty old bugger all the time, even when he hadn't had a drink* (Caradog Prichard, 1961: 122) (* see also **budr**).

Brych (lit *afterbirth*) CW *dickhead* '**Ti'n chwara fatha brych!**' *You're playing like a dickhead!* (Dafydd Huws, 1990: 64).

Bryd *mind, will* **1 (gosod/rhoi** etc.**) fy mryd ar rywbeth** *to (set/put* etc.*) my mind on something* '**Roeddwn wedi rhoddi fy mryd ar gael gweld y Stadiwm Olympaidd yn y ddinas**' *I'd put my mind on being able to see the Olympic Stadium in the city* (R. Emyr Jones, 1992: 82). **2 mynd â'm bryd** *to take my fancy* '**Roedd y dyn ar ei gwrcwd yn edrych trwy wydrau ar y traeth. Nid adar oedd yn mynd â'i fryd ond llwyth arall o gannabis yn cyrraedd Cymru**' *There was a man squatting looking through his binoculars at the beach. Birds didn't take his fancy but another load of cannabis reaching Wales did* (*Golwg*, 3 November 1988: 17).

Bryntni LW SW **budreddi** LW NW *dirtiness*

Brys *haste, hurry* **ar frys** *in a hurry* '**Oedd Mr. Lewis ar frys i adael?**' *Was Mr. Lewis in a hurry to leave?* (Meic Povey, 1995(i): 43).

Brysio LW CW **hastu** SW *to hurry*

Bu ef bu hi etc. see Appendix 4.01-4.02.

Buarth LW NW **clos** LW Dyfed **iard** LW CW *farmyard*

Buaswn i, buaset ti etc. see Appendix 8.02-8.03.

Budr LW CW **budur** CW **1** LW NW *dirty* '**Mae'r afon fach yn fudr**' *The small stream is dirty* (Sonia Edwards, 1995: 16). **2** SW *easygoing, entertaining* '**Bachan budur yw Dai**' *Dai's an entertaining bloke* (Rhydwen Williams, 1969: 79) (* this meaning is most commonly used in the sense of *a bit of lad*, as in the above example) (* see also **brwnt**).

Budreddi LW NW **bryntni** LW SW *dirtiness*

Budd *benefit* **er budd (rhywbeth/rhywun)** *for the benefit (of something/someone)* '**mae lot wedi newid ers y Saithdegau a'r rhan fwyaf o'r newidiau er budd y cenedlaetholwyr**' *a lot has changed since the Seventies and most of the changes are to the benefit of the nationalists* (*Golwg*, 3 October 1996: 6).

Bûm i, buest ti etc. see Appendix 4.01-4.02.

Busnesa LW CW **busnesan** SW **busnesu** NW *to be nosey*

Bustach (*lit steer*) CW *oaf* '**Gobeithio na welai mohonot ti byth eto'r bustach, meddyliodd**' *I hope I never see you again you oaf, he thought* (Alun Jones, 1979: 16).

Bw (*lit boo*) **heb (ddweud/ynganu** etc.**) na bw na be**' (*lit without (saying/uttering* etc.*) boo or what*) CW *without (saying/uttering* etc.*) a sound, without (saying/uttering* etc.*) a word* '**A chyn iddo gael cyfle i ddweud na bw na be, dyma hi'n neidio ato fo**' *And before he had a chance to say a word, she jumped at him* (Wiliam Owen Roberts, 1987: 119).

Bwbach (*lit bugbear*) NW *fool, idiot* '**Mi gaeth hi fynd at yr hen fwbach John Cae Pistyll yna**' *She can go to that old idiot, John from Cae Pistyll* (Ieuan Parry, 1993: 23).

Bwcwl (<E *buckle*) **dod â rhywbeth i fwcwl** (*lit to bring something to a buckle*) LW SW *to bring something to a successful conclusion* '**O ganlyniad mae inni gyfle hanesyddol ... i ddod â thasg hir-ohiriedig sefydlu cenedl Gymreig i fwcwl**' *As a result we have a*

historical opportunity ... to bring to a successful conclusion the long-delayed task of establishing the Welsh nation (*Barn*, September 1995: 11).

Bwch *he-goat* **bwch dihangol** *scapegoat* '**Pan âi pethau'n ddrwg 'roedd tuedd gan bennaeth y cwmni ym Merthyr i chwilio am fwch dihangol**' *When things went wrong there was a tendency by the company manager in Merthyr to look for a scapegoat* (Dafydd Wigley, 1992: 111).

Bwchio CW *to fuck* '**Wel sôn am fwchio. Roeddan wrthi ym mhobman: ar ben bwrdd, yn y bath, yn y sbens, yn yr hows bach...**' *Well talk about fucking. They were at it everywhere: on top of the table, in the bath, in the cupboard, under the stairs, in the toilet...* (Twm Miall, 1990: 72).

Bwgan *bugbear* **bwgan brain** *scarecrow* '**[Mae] Now wedi bod yn gwneud bwgan brain i'w roi yn y cae**' *Now has been making a scarecrow to put in the field* (Margiad Roberts, 1994: 148).

Bwganod *bugbears* **codi bwganod** (*lit to raise bugbears*) *to scaremonger* '**Mae yna bobol yn mynd i gael eu harestio lle nad oedden nhw'n meddwl eu bod nhw mewn unrhyw ffordd yn troseddu ... nid codi bwganod yw hyn, mae'n bryder go iawn**' *There are people who are going to be arrested who didn't think they were in any way committing a crime ... this isn't scaremongering, it's a very real fear* (*Golwg*, 13 October 1994: 5).

Bwriad *intention* **o fwriad** *intentionally* '**Y teulu Kinck a ddechreuodd y ffasiwn yn y flwyddyn 1869. Nid o fwriad, mae'n wir, ond fel canlyniad annisgwyl i orwedd yn farw ar ystyllod** *morgue* **Paris**' *The Kinck family started the fashion back in 1869. Not intentionally, it's true, but as an unexpected consequence to lying dead on the planks of the Paris morgue* (*Tu Chwith*, volume 4 1995/1996: 42).

Bwrw 1 *to hit* '**A'r drosedd fawr anfaddeuol yn 'yn hanes i o'dd bwrw'r Sarjant**' *And the great unforgivable crime in my life was hitting the Sergeant* (Eirwyn Pontshân, 1973: 101). **2** *to cast, to throw* '**Bwrw dy fara ar wyneb y dyfroedd**' *Cast your bread upon the waters* (Ecclesiastes 11:1). **3 a bwrw** *assuming* '**Beth ynteu sydd ar dy feddwl, Stotig, a bwrw fod gen ti un?**' *What then is on your mind, Stotig, assuming that you've got one?* (Robin Llywelyn, 1995: 59). **4 bwrw (amser/y Nadolig** etc.**)** *to spend (time/Christmas* etc.*)* '**Dwi wedi penderfynu ei weld o fory felly mi fydd rhaid inni gael llety i fwrw'r nos**' *I've decided to see him tomorrow so I'll have to get accommodation to spend the night* (Robin Llywelyn, 1992: 123) (* **bwrw'r Sul** can mean *to spend the weekend*, but in contemporary practice it now usually means *to spend Sunday*). **5 bwrw (annwyd/hiraeth** etc.**)** *to cast off (a cold/ homesickness* etc.*)* '**ar hyn o bryd, mae'n dda gen i ga'l cyfle i fwrw 'mlino**' *at the moment, I am pleased to have the opportunity of casting off my tiredness* (Nansi Selwood, 1987: 91). **6 bwrw ati** *to set about* '**Yn sgîl buddugoliaeth Gwynfor 'roedd yn amlwg fod yn rhaid bwrw ati i'w helpu gyda pha beth bynnag a ellid er mwyn yr achos**' *In the wake of Gwynfor's victory it was obvious that one had to set* about helping him with whatever one could for the sake of the cause (Dafydd Wigley, 1992: 61). **7 bwrw (blew/croen etc.)** to shed (fur/skin etc.) **'Caiff yr iâr ddial ar y ceiliog weithiau, oherwydd tua diwedd yr haf, pan fydd adar yn bwrw'u plu, bydd y ceiliog yn edrych bron mor ddi-liw â'r iâr'** The hen gets revenge on the cockerel sometimes, because towards the end of the summer, when the birds are shedding their feathers, the cockerel looks as colourless as the hen (R.S. Thomas, 1995: 47). **8 bwrw (cesair/eira/glaw etc.)** to (hail/snow/rain etc.) **'Mae hi'n dal i fwrw glaw'** It's still raining (Mihangel Morgan, 1992: 74) (* **bwrw glaw** to rain is often reduced to just **bwrw**, eg **'Ddaru ni ddim canu wrth y bedd - roedd hi'n bwrw gormod'** We didn't sing by the grave - it was raining too much (Angharad Tomos, 1991: 131)). **9 bwrw drwyddi** NW to go on, to jabber on **'Gallai [hi] eistedd yn ôl yn ei chwmni a bwrw trwyddi, heb orfod mesur ei geiriau, fel efo hon drws nesaf'** [She] could sit back in her company and jabber on, without having to measure her words, as with her nextdoor (Eigra Lewis Roberts, 1985: 112). **10 bwrw (ebol/llo etc.)** to (foal/calve etc.) **'Yr oedd yr haul yn llifo i fewn dros ddrws y Sied Isaf lle'r oedd llo bach du a gwyn a fwriwyd rhyw ddeuddydd ynghynt yn cysgu'** The sun was pouring in through the door of the Lower Shed where a small black and white calf born two days earlier was sleeping (Dic Jones, 1989: 256). **11 bwrw (haearn/plwm etc.)** to cast (iron/lead etc.) **'Yn ochor y ffenest, ar y mur tu allan, roedd peipen haearn bwrw yn dŵad i lawr'** By the side of the window, on the outside wall, there was a cast iron pipe coming down (Robin Llywelyn, 1994: 28). **12 bwrw iddi** to set about **'Fy mwriad ar ôl gadael Bangor oedd bwrw iddi i gwblhau fy ngwaith ymchwil'** My intention after leaving Bangor was to set about finishing my research work (Alan Llwyd, 1994: 77). **13 bwrw ymaith** to cast off **'Y tu allan i furiau'r mynachlog roedd elusendy lle y gallai pererinion, teithwyr a masnachwyr orffwyso a bwrw ymaith lwch a blinder y daith'** Outside the walls of the monastery was an almshouse where the pilgrims, travellers and tradespeople could rest and cast off the dust and weariness of the journey (Wiliam Owen Roberts, 1987: 111). **14 bwrw ymlaen** to carry on, to persevere **'a ddylen ni fod wedi bwrw ymlaen i ffilmio neu roi'r camera i lawr a helpu?'** should we have carried on filming or put the camera down and helped? (Rhun Gruffydd in Dylan Iorwerth (ed.), 1993: 84). **15 ei bwrw hi am rywle** SW to head for somewhere **'Yn 1904 gadawodd llanc un ar hugain oed ei fferm ar lannau Bae Ceredigion a'i bwrw hi am Ganada'** In 1904 a twenty-one-year-old lad left his farm on the shores of Cardigan Bay and headed for Canada (Sbec TV Wales, 20 May 1995: 15).

Bwyall LW CW **bwyallt** NW axe

Bwyf i, byddwyf i etc. see Appendix 11.02-11.03.

Bwygilydd on end **'roeddwn i a'm ffrindiau'n treulio oriau bwygilydd yn chwarae yng Nghoed Cwmbowydd'** my friends and I used to spend hours on end playing in Coed Cwmbowydd (Gwyn Thomas in Eleri Hopcyn (ed.), 1995: 98) (* **bwygilydd** is most

frequently used in reference to time, as in the above example).

Bwyta to eat **1 bwyta geiriau** (lit to eat words) SW to mumble **'Roedd hi'n anodd deall pob dim a ddywedai Wil. I ddechrau, roedd yn rhyw fwyta'i eiriau'** It was difficult to understand everything Wil used to say. To start with, he would mumble (Bernard Evans, 1990: 30). **2 bwyta gwellt fy ngwely** (lit to eat the straw of my bed) CW to look famished, to look like I need a good square meal **'Ro'n i'n falch o'i gweld hi, cofia di, er 'i bod hi'n edrach fel tasa hi'n byta gwellt 'i gwely'** I was pleased to see her, you know, although she looked as though she needed a good square meal (Jane Edwards, 1993: 80).

Bwytu (< obeutu) SW about **'Dwi'n credu i Da-cu briodi nôl bwytu 1880'** I think Granddad married back in about 1880 (Charles Ladd in Gwyn Griffiths (ed.), 1994: 12).

Byd world **1 amryw byd** numerous people, several people, several things **'Yr oedd y capel yn rhan bwysig o fywydau amryw byd yn y gymdeithas'** Chapel was an important part of the lives of numerous people in society (Gwyn Thomas in Eleri Hopcyn (ed.), 1995: 93). **2 (beth/ble etc.) fyd fynnaf** CW (whatever/wherever etc.) I want **'[Yr oedd hi mor] rhydd â'i rhieni i fynd ar eu gwyliau, i wneud fel fyd fynnen nhw, heb falio'r un iot'** [She was as] free as her parents to go on holiday, to do as they wanted, without caring one iota (Jane Edwards, 1993: 99). **3 (beth/ble etc.) yn y byd ...?** CW (what/where etc.) on earth ...? **'Yr oedd y goleuadau a'r trydan meddai, i gyd wedi methu ac ni wyddai beth yn y byd i'w wneud'** The lights and the electricity so he said had all failed and he didn't know what on earth to do (Mihangel Morgan, 1994: 33). **4 byd o les** a world of good **'Mae'n rhaid bod y moddion a wnaethai ei thad o rysáit a gawsai gan hen wraig yng Ngelli-gaer, wedi gwneud y byd o les iddi'** The medicine her father had made from the recipe that he had received from the old woman in Gelli-gaer must have done her the world of good (Nansi Selwood, 1993: 110). **5 (cyfoethog/cyfforddus/hapus etc.) fy myd** (well/comfortably/happily etc.) off **'Mae Libyaid heddiw, fodd bynnag, yn gyfforddus eu byd ac yn derbyn gwasanaethau addysg a iechyd o'r safon uchaf yn rhad ac am ddim'** The Libyans today, however, are comfortably off and receive education and health services of the highest standard for free (Tweli Griffiths, 1993: 19). **6 cyntaf byd gorau byd** (lit first of the world best of the world) proverb the sooner the better **'Roeddwn i'n meddwl mynd ddydd Gwenar. 'Cynta byd gorau byd' medda'r hen air yntê, Tom?'** I was thinking of going Friday. Cynta byd gorau byd as the old proverb says, eh Tom? (Eirug Wyn, 1994: 142). **7 (dim clem/diben etc.) yn y byd** (no idea/purpose etc.) whatsoever **'Roedd y bechgyn yn ifanc a dibrofiad ond gwyddwn fod rhaid iddynt ddysgu oddi wrth eu camgymeriadau eu hunain i ddod yn ffermwyr da, ac nad oedd o ddiben yn y byd pregethu wrthynt'** The boys were young and inexperienced but I knew that they had to learn from their mistakes to become good farmers, and there was no point whatsoever *preaching at them* (Simon Jones, 1989: 183). **8 gwyn fy myd** (a) LW *(I am) blessed* **'Gwyn eu byd y rhai sy'n dlodion yn yr ysbryd'** *Blessed are the poor in spirit* (Matthew 5:3); (b) LW CW *lucky me* **'Gwyn dy fyd 'Stiniog, am droi allan ar hyd y blynyddoedd bobol mor wahanol'** *Lucky you 'Stiniog, for turning out such different people over the years* (Elwyn Jones, 1991: 28). **9 y byd a'i bethau** (lit *the world and its things*) *the world and his wife* **'Dyna un peth da am Gaerdydd - roedd 'na ryw hen gono wastad yn fodlon malu cachu efo chi, a rhoi ei farn ei hun ar y byd a'i betha'** *That's one good thing about Cardiff - there was always some old fogey happy to bullshit with you, and give his own opinion about the world and his wife* (Twm Miall, 1990: 136). **10 y byd a'r betws** (lit *the world and the church*) *the world and his wife* **'Trist yw sylweddoli bod yr Harri Webb a fedrai ddoethinebu am oriau am y byd a'r betws yn fud'** *It's sad to realise that the Harri Webb who could pontificate for hours on the world and his wife is mute* (*Barn*, February 1995: 16). **11 y byd (mawr) crwn i gyd** (lit *the whole (big) round world*) *the whole wide world* **'Ni allai [hi] feddwl am dynged waeth na honno yn y byd crwn i gyd'** *[She] couldn't think of a worse fate than that in the whole wide world* (Jane Edwards, 1993: 44). **12 yn y byd** (used to reinforce superlatives) see Appendix 14.14(ii).

Bydd, bydda, bydded etc. see Appendix 10.01-10.02.

Byddaf i, byddi di etc. see Appendix 3.01-3.03.

Byddet, byddai ef etc. see Appendix 6.01-6.02.

Byddigions (< **boneddigion**) CW *gentry* **'Ac, wrth gwrs, Saesneg oedd iaith y byddigions o'n cwmpas oedd yn rhoi gwaith i bobl Dolgellau'** *And, of course, English was the language of the gentry around us who used to give work to Dolgellau people* (Marion Eames, 1995: 6).

Byddwn i, byddet ti etc. see Appendix 6.01-6.02.

Byddwyf i, byddych ti etc. see Appendix 11.02-11.03.

Byr *brief, short* **ar fyr** *shortly, soon* **"Ble ma Tomos Siencyn?' 'Mae e 'da fi o hyd,' atebodd Richard, 'ond mae ynte wedi priodi ers blwyddyn a'i wraig yn erfyn plentyn ar fyr"** *'Where's Tomos Siencyn?' 'He's still with me,' replied Richard, 'but he's been married a year and his wife is expecting a child soon'* (Nansi Selwood, 1987: 129).

Byrder *brevity, shortness* **ar fyrder** *quickly, shortly, soon* **'Ni fûm yno. Nid af ar fyrder chwaith'** *I have not been there. I will not go there soon either* (*Y Cymro*, 18 May 1994: 4).

Bys *finger* **1 bys yn y brywes** (lit *finger in the soup*) *finger in the pie* **'Ac, wrth gwrs, fel y byddai rhywun yn ei ddisgwyl gyda Huw Jones a'i fys yn y briwes, profodd Sain yn llwyddiant mawr'** *And, of course, as one would expect with Huw Jones with his finger in the pie, Sain proved a great success* (*Y Cymro*, 11 May 1994: 10). **2 bys yn y potes** (lit *finger in the soup*) *finger in the pie* **'Erbyn y bore wedyn yr oedd y Wasg, a Dafydd Wigley, sydd bob amser â'i fys ym mhob potas, wedi cael y stori'** *By the following morning the press, and Dafydd Wigley,*

who's always got his finger in every pie, had got hold of the story (Elwyn Jones, 1991: 189). **3 codi bys bach** (lit *to lift the little finger*) *to have a drink, to have a tipple* **'[Yr oedd yn ddigon] tebyg iddo godi ei fastwn unwaith yn ormod mewn rhyw ocsiwn neu'i gilydd ar ôl bod yn codi'i fys bach sawl gwaith yn ormod'** *[It was] typical [enough] of him to raise his baton once too often in some auction or other after having a tipple several times too many* (Dic Jones, 1989: 41). **4 (dodi/gosod etc.) fy mys ym myw y peth** *to (put/place etc.) my finger on it* (figuratively) **'roedd [y teimlad yn] gymysg efo rhyw fath o hiraeth a dipreshon. Roeddwn i'n ei chael hi'n anodd i roi fy mys ym myw y peth'** *[the feeling] was mixed with some sort of longing and depression. I found it hard to put my finger on it* (Twm Miall, 1988: 126). **5 pawb â'i fys lle bo'i ddolur** (lit *everyone has his finger where his pain is*) *proverb everyone is concerned about their own problems* (the following example is a pun on the above) **'Pawb â'i fys lle bo'i ddileit! Tydi'r hen Feethoven fyddar ddim chwartar yr artist ag ydi Wagner'** *Everyone is concerned about his own delight! Old deaf Beethoven isn't a quarter the artist that Wagner is* (Gareth Miles, 1995: 40).

Byswn i, bysat ti etc. see Appendix 9.03(ii).

Byt see Appendix 10.05.

Bŷt (<E *buddy*) Glam *mate* **'Digon o siarad, bŷt, dere i'r ysgol fory, o cê?'** *Enough talking, mate, come to school tomorrow, OK?* (John Owen, 1994: 173).

Byti (<E *buddy*) Glam *mate* **'Ddim yn hawdd, byti, ddim yn hawdd!'** *Not easy, mate, not easy!* (John Owen, 1994: 83).

Byti (< **obeutu**) SW *about* **'Hypocondriac, 'na beth yw e! Wastod yn conan byti rwbeth'** *Hypochondriac, that's what he is! Always complaining about something* (Meic Povey, 1995(i): 40).

Byth 1 *ever, never* (future only) **'Paid byth, byth â symud 'n llyfrau i byth eto'** *Don't ever, ever move my books ever again* (Mihangel Morgan, 1992: 20) (***byth** can be used in the past with imperfect habitual (negative only), eg **'Arferai taid ddweud nad ydoedd byth yn breuddwydio'** *My grandfather used to say that he never dreamt* (Angharad Tomos, 1982: 14)). **2 am byth** *for ever* **'Mi gei di berfformiad heno nei di gofio am byth'** *You'll have a performance tonight that you'll remember for ever* (Gwenlyn Parry, 1992: 6). **3 byth a beunydd** *for ever and a day* **'O, mi dwi wedi hen arfer hefo'i strancia fo! Roedd o byth a beunydd wedi blino'** *Oh, I've got used to his tricks! He was tired for ever and a day* (Meic Povey, 1995(i): 39). **4 byth a hefyd** *for ever and a day* **'Roedden ni'n tri byth a hefyd yn cynnal cystadlaethau o bob math'** *The three of us were for ever and a day holding all sorts of competitions* (Eigra Lewis Roberts in Eleri Hopcyn (ed.), 1995: 74). **5 byth bythoedd** *for ever and ever, never ever* **'Dydi hi byth rhy hwyr. Byth bythoedd rhy hwyr'** *It's never too late. Never ever too late* (Jane Edwards, 1989: 39). **6 (gwaeth/gwell etc.) byth** *even (worse/better etc.)* **'Ond i Lyn roedd un profiad 'yn waeth byth'** *na chwarae'r bagpipes a hynny oedd*

y dawnsio gwerin' *But for Lyn there was one experience 'even worse' than playing the bagpipes and that was the folk-dancing* (*Television Wales*, 10 February 1996: 9) (* also the mutated form **fyth** can be used, eg **'Ac mi fydd hi'n waeth fyth eto pan ddaw hi'n amser gwerthu'r ŵyn 'ma, os bywian nhw tan hynny'** *And it'll be even worse when the time to sell the lambs comes again, if they live till then* (Margiad Roberts, 1994: 50)).

Bythdi (< obeutu) SW *about* **'Wel gwranda, wy'n gorfod mynd neu bydd Dad yn cintach bythdi'r bil ffôn 'to'** *Well listen, I've got to go or Dad will be moaning about the phone bill again* (John Owen, 1994: 173).

Byw *to live* **1 byw** is never conjugated in LW and only very occasionally in CW **'Ma' pob dyn fywiodd wedi deisyfu plentyn'** *Every man who has lived has wanted a child* (Meic Povey, 1995(ii): 45). **2 byw** is also used very occasionally to mean *life* in CW instead of the more common noun **bywyd 'Ac heb os nac oni bai, hi oedd y ferch brydfertha a welodd o'n ei fyw erioed'** *And without doubt, she was the most beautiful girl he had ever seen in his life* (Wiliam Owen Roberts, 1987: 115). **3 byw a bod** (lit *to live and be*) *to exist* (in the sense of continually being somewhere) **'Tua deng mlynedd yn ôl, a minnau'n fachgen ysgol a oedd yn byw a bod gwleidyddiaeth ryngwladol, fe'm cythruddwyd gan ... Radio Cymru'** *About ten years ago, when I was a schoolboy who lived for international politics, I was infuriated by ... Radio Cymru* (*Llais Llyfrau*, Summer 1994: 12). **4 byw o'r fawd i'r genau** (lit *to live from the thumb to the mouth*) *to live from hand to mouth* **'Wst ti mai poeni am fory ydi achos pob cynnen yn y byd? Dwi 'di dysgu byw o'r fawd i'r genau ers i chdi ddŵad i 'myd'** *Did you know that worrying about tomorrow is the cause of every conflict in the world? I've learnt to live from hand to mouth since you came into my world* (Robin Llywelyn, 1994: 139). **5 byw tali** *to live together* (before/instead of marriage) **'Peth dyfara nes i rioed oedd mynd â Belinda - y fodan buesh i'n byw talu efo hi yn Grangetown stalwm - i weld Nain'** *The most regrettable thing I ever did was to take Belinda - the girl I was living with in Grangetown ages ago - to see*

Gran (Dafydd Huws, 1990: 16) (* **tali** (< E talley) is sometimes spelt **talu**, as in the above example). **6 byw yn fras** *to live it up* **'Yr hyn oeddwn i'n ei awgrymu, neu yn ei honni â dweud y gwir, fod sefyllfa lle bod un garfan o Gymry Cymraeg yn 'byw yn fras ar lawer saig o fwyd' yn paratoi rhaglenni [teledu] ar gyfer carfan arall o Gymry Cymraeg sydd yn methu cael dau ben llinyn ynghyd, yn sefyllfa afiach a chwbl annheg'** *What I was suggesting, or claiming to tell the truth, was that the situation where one group of Welsh speakers 'lives it up on many a meal' preparing [television] programmes for another group of Welsh speakers who can't make ends meet, is an unhealthy and totally unfair situation* (*Golwg*, 10 October 1996: 9). **7 (dod/mynd etc.) i fyw at rywun** *to (come/go etc.) and live with someone* **'Fuodd rhaid i fi symud i fyw at Nain a Taid'** *I had to move and live with my grandparents* (Angharad Jones, 1995: 114). **8 yn fy myw** (lit *in my life*) *for the life of me* **'Ond fedrwn i yn fy myw gysgu, efo'r lleuad run fath ag orains mawr ar ffenast y to yn sgleinio arnaf fi'** *But I couldn't sleep for the life of me, with the moon just like a large orange on the roof window shining at me* (Caradog Prichard, 1961: 18). **9 yn fyw ac yn iach** *alive and well* **'Mae nepotistiaeth yn fyw ac yn iach yn ein sefydliadau Cymraeg'** *Nepotism is alive and well in our Welsh language institutions* (*Golwg*, 17 March 1994: 3).

Byw *quick* (of candle/eye/nail) **1 at y byw** *to the quick* **"Chrynis di fi, sti,' meddai [hi] wrth Llinos, oedd yn gorweddian ar y gwely yn cnoi ei hewinedd at y byw'** *'You frightened me, you know', [she] said to Llinos, who was lying on the bed biting her nails to the quick* (Jane Edwards, 1993: 16). **2 (edrych/syllu etc.) i fyw llygaid rhywun** (lit *to (look/stare etc.) to the quick of someone's eye*) *to (look/ stare etc.) someone right in the eye* **'Suddodd Arthur yn ôl i'w gadair a syllodd i fyw llygaid yr Ysgrifennydd'** *Arthur sank back into his chair and stared right in the eyes of the Secretary* (Ieuan Parry,1993: 10).

Bywyd *life* **bywyd bras** *high life* **'Cafodd hoffter y ddau o fywyd bras ei feirniadu'n llym droeon'** *The two's fondness of the high life was severely criticised numerous times* (Tweli Griffiths, 1993: 77).

C c

Pronunciation

The first vowel can disappear in colloquial Welsh after '**c**' in the combination '**cal**' and '**cel**' in a very limited number of words

caledu	>	cledu	to harden
celwyddau	>	clwyddau	lies

'**Ti'n gallu palu c'lwyddau weithiau, Megan**' *You can tell lies sometimes, Megan* (Mihangel Morgan, 1993(ii): 31)

Cabetsh SW **bresych** LW CW *cabbage*

Caclwm see **gwylltio** (1).

Cacwn *wasps* **1 cacwn wyllt** (lit *wasp wild*) CW *absolutely furious* '**Aeth Miss John yn gacwn wyllt a bu bron iddi gael gwasgfa**' *Miss John became absolutely furious and she almost fainted* (Mihangel Morgan, 1994: 73) (* **cacwn** here can also be used adverbially, eg '**Roedd Gwen wedi clywed fod dynion ambiwlans yn flin cacwn bob wythnos Steddfod**' *Gwen had heard that the ambulancemen were very angry every Eisteddfod week* (Jane Edwards, 1993: 58)). **2 (blin/dig etc.) fel cacwn** (lit *(angry/annoyed etc.) like a wasp*) NW *very (angry/annoyed etc.)* '**A fanna ro'n i yng Nghlwb y Cardiff High Old Boys yn Ystum Taf yn flin fatha cacwn**' *And there I was very angry in Cardiff High Old Boys' Club in Llandaff North* (Dafydd Huws, 1990: 80).

Cacynen LW CW **gwenynen farch** LW NW **picwnen** LW SW *wasp*

Cachgi CW *coward, shit-head* '**Cachgi llwfr ydi o yn cynffona i'r crach**' *He's a cowardly shit-head toadying to the snobs* (Theatr Bara Caws, 1995: 82).

Cachiad CW *shit* **mewn cachiad (nico)** (lit *in a (goldfinch's) shit*) CW *in a flash, in a jiffy* '**Arglwydd mawr! Os clywiff Joni Bach y Co-op y ddou 'na'n canu yn ei angladd e, nidiff e mas o'r coffin miwn cachad, myn yffarn i!**' *Heavens above! If Joni Bach Co-op hears those two singing at his funeral, he'll jump out of his coffin in a flash, bloody hell!* (Dafydd Rowlands, 1995: 21).

Cachu CW *to shit* **1 mae hi wedi cachu arna i** (lit *it's shit on me*) CW *I'm buggered, I'm for the chop, I've had it* '**Nath Siân dim byd ond troi ar ei sowdwl am y gegin. O'dd hi'n amlwg bod hi wedi cachu arna**' *Siân did nothing but turn around and head for the kitchen. It was obvious that I was buggered* (Dafydd Huws, 1990: 144) (* this is a corruption of another idiom, see **canu** (11)). **2 cachu planciau** (lit *to shit planks*) CW *to shit bricks* '**Fuesh i'n cachu plancia am wsnos, ofn iddyn nhw i gyd ffendio allan na mwydro o'n i am Hwal Gwynfryn**' *I was shitting bricks for a week, worried that they would all find out that I was bullshitting about Hywel Gwynfryn* (Dafydd Huws, 1990: 80). **3 mynd i gachu** (lit *to go and shit*) CW *to go and get lost, to go and get stuffed* **Dw i wedi cael llond bol ohona chdi a dy fwydro! Dos i gachu, 'nei di!** *I've had enough of you and your bullshit! Go and get lost, will you!*

Cachwr CW *shit-head* '**O'dd gin Nain Nefyn fab oedd yn byw yn Stockport, Manchester. Cachwr llwyr oedd byth yn dod i gweld hi**' *Nain from Nefyn had a son who used to live in Stockport, Manchester. A total shit-head who never used to come and see her* (Dafydd Huws, 1990: 129).

Cad *battle* **1 cad** usually refers to a figurative battle, most commonly in the phrase **maes y gad** (lit *the field of battle*), whilst **brwydr** refers to a more conventional battle '**Ond dyna fo, ma' pobol y concrit a'r dybl glesing wedi anghofio am yr ymrafael yn erbyn byd natur ers blynyddoedd, ac wedi cefnu ar faes y gad**' *But there you go, the concrete and double glazing people have forgotten about the quarrel against nature years ago, and have retreated from the field of battle* (Margiad Roberts, 1994: 129). **2 ar flaen y gad** (lit *at the front of the battle*) *at the forefront* '**Hi oedd ar flaen y gad cyn belled ag yr oedd datblygu cysylltiadau rhwng Siapan ac Ewrop yn y cwestiwn**' *She was at the forefront as far as developing links between Japan and Europe were in question* (Mihangel Morgan, 1993(ii): 29). **3 i'r gad** (lit *to the battle*) *to battle, unto the fray* (usually figuratively) '**I'r Gad!! Dyma ystyr mewn bywyd, i hyn ges i 'ngeni. Cymru 'di 'mywyd i, a diolch byth am gael bod yn ifanc yn y chwyldro newydd, tanllyd yma**' *To battle!! Here's meaning in life, I was born for this. Wales is my life, and thank goodness for being young in this, the new, fiery revolution* (Angharad Tomos, 1985: 84).

Cadach poced LW NW **ffunan boced** Anglesey **hances (boced)** LW NW **hancsiar** Dyfed **macyn** LW SW **neisied** LW Glam **nicloth** Dyfed *handkerchief*

Cadernid *strength* **cadernid Gwynedd** (lit *the stronghold of Gwynedd*) rhetorical name for Gwynedd '**Hawddamor a chyfarchion ichwi o gadernid Gwynedd, o ganol Eryri ac o fewn tafliad carreg i'r Fenai dlawd ei hun!**' *Blessings and greetings to you from Gwynedd, from the centre of Snowdonia and from within a stone's throw from the Menai itself!* (Wiliam Owen Roberts, 1990: 89) (* this set phrase is based on (a) the mountains giving the area the appearance of a natural fortress, (b) Gwynedd was the last independent Welsh principality in the Middle Ages and (c) the area is a stronghold of the Welsh language).

Cadi (< **Catrin**) **cadi ffan** NW *effeminate man, poof* '**mi ddysga i i'r cadi ffan bach yna faint sy tan Sul - unrhyw ddiwrnod**' *I'll teach that little poof how long it is till Sunday - any day* (Gwenlyn Parry, 1979: 51).

Cadno LW SW **llwynog** LW NW *fox*

Cadw 1 *to keep* '**Rodd y Brenin Mowr, ma'n rhaid, wedi penderfynu cadw John at ryw bwrpas arbennig**' *God, it must have been, had decided to keep John for some special purpose* (Eirwyn Pontshân, 1982: 50). **2** NW *stop* (imperative only)

'**Cadw dy ddathlu'r ffwlbart**' *Stop your celebrating you idiot* (Robin Llywelyn, 1992: 39). **3 cadw ar glawr** LW SW *to record* '**Nid oes gennyf amheuaeth erbyn hyn nad gwaddolion ... ydynt, wedi eu cadw ar glawr o flwyddyn i flwyddyn**' *I have no doubt by now that they were not endowments ... recorded from year to year* (Dic Jones, 1989: 179). **4 cadw draw** *to keep off* '**Credid bod hofran ceit uwchlaw'r cartref wedi nos yn cadw ysbrydion drwg draw**' *It was believed that hovering a kite above the home after dark kept evil spirits off* (*Golwg*, 29 September 1994: 14). **5 cadw'r ddysgl yn wastad** (lit *to keep the bowl flat*) *to keep things on an even keel* '**Elinor Jones fydd yn trïo cadw'r ddysgl yn wastad rhwng y ffeministiaid a'r moch siofinistaidd**' *Elinor Jones will be trying to keep things on an even keel between the feminists and the chauvinist pigs* (*Golwg*, 19 May 1994: 19). **6 cadw mewn cysylltiad** *to keep in touch* '**Wy wedi siarsio Gogs bod yn rhaid iddo fe gadw mewn cysylltiad 'da 'i grwt bach yn Gaernarfon**' *I've told Gogs that he's got to keep in touch with his lad in Caernarfon* (Dafydd Huws, 1990: 255). **7 cadw (mwstwr/sŵn etc.)** *to make a (din/noise etc.)* "**Reit 'te,' sibrytws Wil. 'Sdim ishe catw sŵn, reit? A pawb i gatw'i ben**" *'Right then,' whispered Wil. 'There's no need to make a noise, right? And everyone to keep their head'* (Dafydd Rowlands, 1995: 105). **8 cadw noswyl** (lit *to keep an evening*) *to finish work for the day* '**Nos drannoeth, a'r ffarm wedi cadw noswyl, eisteddai Cymdeithas Gydweithredol Lleifior yn yr offis**' *The following evening, and the farm having finished work for the day, the Lleifior Co-operative Association sat in the office* (Islwyn Ffowc Elis, 1990(ii): 183). **9 cadw reiat** *to cause a disturbance, to riot* '**Ma fo'n flin fatha cacwn pan ma rheini 'di bod yn cadw reiat**' *He's really angry when they've been causing a disturbance* (Dafydd Huws, 1978: 68).

Cae *field* **1 cae nos** (lit *night field*) CW domestic term for bed and sleep (cf *land of Nod*) '**Mae'n hen bryd i ti fynd i'r cae nos, cariad**' *It's high time you went to bed, love*. **2 cae sgwâr** (lit *square field*) CW domestic term for bed and sleep (cf *land of Nod*) '**Mae dy frawd wedi mynd i'r cae sgwâr, a dyna le dylet ti fod hefyd**' *Your brother's gone to bed, and that's where you should be as well*.

Caead LW NW **clawr** LW SW *cover*

Cael 1 *to have, to receive* '**Mi oedd ynta wedi cael llond ceubal hefyd**' *He'd had a gutsful as well* (Gwenlyn Parry, 1979: 47). **2** *to be able to, to be allowed to* '**Wedi'r cwbwl, y fo aeth i'r ffos. Ac roedd Piff yn fwy na balch o gael mynd i'w dynnu fo oddi yno**' *After all, it was him who went into the ditch. And Piff was more than happy to be able to pull him from it* (Margiad Roberts, 1994: 81) (* **cael** here is used far more extensively in Welsh than its counterpart in English, eg '**Ac i ti gael dallt, dim ond i'r ysgol sentral aeth Arthur**' *And for you to understand, Arthur only went to central school* (Alun Ffred and Mei Jones, 1990: 13)). **3** *to find* (figuratively only) '**Dwi'n dal yn ei chael hi'n anodd i gredu'r peth**' *I still find it hard to believe the thing* (Margiad Roberts, 1994: 24). **4 ar gael** *available* '**Rhywbeth** arall fydd ar gael yn y siop yw cardiau cyfarch Celtaidd**' *Another thing that will be available in the shop are Celtic greeting cards* (*Yr Herald*, 23 April 1994: 10). **5 cael a chael** *touch and go* '**Ges i bàs gin Wil Califfornia i'r steshon a cael a chael fuodd hi wedyn imi ddal trên nos**' *I got a lift off Wil California to the station and it was touch and go afterwards for me to catch the night train* (Robin Llywelyn, 1992: 9). **6 cael hyd i rywbeth/rywun** *to find something/someone* '**Roeddwn i a Peter Farrell wedi cael hyd i fan reit wrth draed rhes o blismyn cyhyrog sarrug yr olwg**' *Peter Farrel and I had found a spot right by a row of mean-looking muscular policemen* (Gwenda Richards in Dylan Iorwerth (ed.), 1993: 54). **7 ei chael hi** *for it, get it* (rebuke) '**Anfynych y byddai'r hen frawd yn mentro i bolitics yn y pulpud, ond pan fentrai, Comiwnyddiaeth ddi-dduw fyddai'n ei chael hi bob tro**' *The old comrade would infrequently venture into politics at the pulpit, but when he did, Godless Communism would be for it every time* (Islwyn Ffowc Elis, 1990(i): 101).

Caet ti, câi ef etc. see Appendix 5.08(i).

Caeth *bound, captive, strict* **1 caeth i rywbeth** *addicted to something* '**Ac roedd y tri ohonyn nhw'n gaeth i'r cyffur**' *And the three of them were addicted to the drug* (Mihangel Morgan, 1994: 129). **2 caeth-gyfle** *dilemma, impasse* '**Cywilyddiodd pawb at ei hunanoldeb o feddwl fod ei fab hyna' yn y fath gaeth gyfla o hyd**' *Everyone was ashamed by his selfishness considering that his oldest son was still in the same impossible situation* (*Golwg*, 20 December 1990: 22).

Caeth o, caethon ni etc. see Appendix 4.05 (i).

Caf i, cei di etc. see Appendix 2.06(i).

Cafflo SW *to cheat* '**Shwd fyddwn ni'n gwbod 'i fod wedi dringad y position? Gall gafflo'n net**' *How would we know that he's climbed the position? He could easily cheat* (D. Tegfan Davies in Christine Jones and David Thorne (eds.), 1992: 45).

Caib *mattock* **1 caib a rhaw** see **gwaith (2) 2 yn gaib dwll** NW *totally drunk, totally pissed* '**odd y barman 'na mor stiwpid a dal i syrfio fo a fynta'n gaib dwll ers oria**' *that barman was so stupid to keep serving him when he'd been totally pissed for hours* (Dafydd Huws, 1978: 39).

Cal(a) *knob, penis, willy* '**Gesh i 'ngyrru lawr i Ysbyty'r Heath Caerdydd, yn syth bin, do, i gael X-ray ar 'y nghala, 'nghwd a 'ngherrig**' *I was driven down to the Heath Hospital in Cardiff, straightaway, wasn't I, to have an X-ray on my knob, my groin and my testicles* (Dafydd Huws, 1990: 52).

Calchen *piece of limestone* (**gwelw/gwyn etc.**) **fel y galchen** (lit *(pale/white etc.) like a piece of limestone*) CW *as white as a sheet* '**O'dd Ifans y Plismon fel y galchen erbyn hyn**' *Evans the Policeman was as white as a sheet by now* (Dafydd Rowlands, 1995: 70).

Calediad see Appendix 20.09(i).

Calon *heart* **1 calon y gwir** *heart of the matter, the real truth* '**Ac dywedodd galon y gwir am fy mhenderfyniad i dderbyn y Gadair [yn yr Eisteddfod] yn ei lythyr yn Y Cymro**' *And he told the real truth about my decision to accept the Chair [in the Eisteddfod] in his letter to Y Cymro* (Alan Llwyd, 1994: 118). **2 codi calon rhywun** (lit *to raise someone's heart*) *to cheer someone up* "**Na beth wi'n licio ambwti ti, Double-Top. Y ffordd ti'n gallu codi calon rhywun**' *That's what I like about you, Double-Top. The way you can cheer someone up* (Geraint Lewis, 1995: 83). **3 (gofid/poen etc.) calon** (lit *the heart (worry/pain etc.)*) *great (worry/pain etc.)* '**bu'r crynodeb o'r ymddygiadau mewn tafarnau yng Nghaerdydd ac yn ystod yr Eisteddfod yn ofid calon i mi**' *The summary of the behaviour in pubs in Cardiff and during the Eisteddfod was a great worry to me* (Dafydd Huws, 1978: 43).

Calyn (< **canlyn**) NW *to follow* **calyn rhywun** NW *to have a relationship with someone, to go out with someone* '**Chlywish i ddim gair o'i phen [am y peth] pan oeddan ni'n calyn**' *I didn't hear her utter a word [about the thing] when we were going out with each other* (Dafydd Huws, 1990: 70).

Call *sensible, wise* **1 calla dawo** (< **(y) callaf a dawo**) NW *silence is the best, it's wisest to be quiet* '**Roeddyn nhw wedi cael y ddadl yma o'r blaen, felly calla dawo oedd hi**' *They'd had this argument before, so it was best to be quiet* (Jane Edwards, 1993: 26). **2 ddim yn gall** (lit *not sensible*) NW *not all there, nuts* '**Ddylwn i ddim fod wedi goddiweddyd. 'Ti'm yn gall.' 'Mae hynny'n gwneud dwy ohono ni**' *I shouldn't have overtaken. 'You're nuts.' 'That makes two of us'* (Angharad Tomos, 1991: 6) (* see also **chwarter** and **hanner (1)**).

Cam 1 *step* '**Gwyddai [hi]'n union beth oedd wedi digwydd heb fynd gam yn nes at y tŷ**' *[She] knew exactly what had happened without going a step nearer the house* (Mihangel Morgan, 1992: 13). **2** *crooked* '**Dyn bach o ran corff oedd yr ustus, a'i goesau'n gam**' *The magistrate was a small-bodied man, and his legs [were] crooked* (Marion Eames, 1969: 125). **3** *wrong* (before a noun) '**byddent wedi dioddef pob math o gam**' *they would have suffered every type of wrong* (Edgar ap Lewys, 1986: 78). **4 ar gam** (a) *wrongly* '**Roedd y bownsar clwb nos 41 oed o'r Rhondda wedi'i garcharu ar gam am chwe blynedd**' *The 41-year-old night club bouncer from the Rhondda was jailed wrongly for six years* (Golwg, 19 May 1994: 5); (b) *not straight, wonky* '**A gan bod Sam a Percy yn fyrrach o dipyn na'r tri arall, o'dd y coffin ar gam i gyd**' *And since Sam and Percy were quite a bit shorter than the other three, the coffin was all wonky* (Dafydd Rowlands, 1995: 23). **5 cael cam** *to suffer an injustice* '**Mae rhieni'n pryderu fod eu plant yn cael cam oherwydd diffyg meddygon Cymraeg eu hiaith**' *The parents are worried that their children are suffering an injustice because of the lack of Welsh-language doctors* (Yr Herald, 21 May 1994: 1). **6 cam bras** *a great stride* '**A phan ddaru nhw gyrraedd y lle darllan llithoedd roeddan nhw'n lefel pegins, ond dyma Meri'n rhoi cam bras ymlaen a chael y**

blaen ar John**' *And when they arrived at the place to read Biblical lessons they were level-pegging, but then Meri took a great stride forward and got in front of John* (Caradog Prichard, 1961: 74) (* note the plural form most commonly used **camau breision** *great strides*, eg '**A hithau, er y rhyfel, wedi gwneud camau breision allan o'i chadarnle yn y maes glo, yr oedd sylwedd i'r honiad mai'r Blaid Lafur oedd Plaid y Cymry**' *And there was substance to the claim that the Labour Party was the Party of the Welsh people as it had, since the war, made great strides out of its stronghold in the coalfield* (John Davies, 1990: 638)). **7 cam wrth gam** *step by step* '**Gydag iddi wenu ymlaciodd yntau, a daeth tuag ati, gam wrth gam**' *As she smiled he relaxed, and came towards her, step by step* (Islwyn Ffowc Elis, 1990(ii): 156). **8 cam gwag** (lit *empty step*) (a) *a false step* '**[Roedd] Llyr yn dechra gweiddi crio ar ôl cymryd cam gwag dros ymyl y fainc a tharo'i dalcan ar y llawr**' *Llyr [was] starting to bawl after taking a false step over the edge of the bench and banging his forehead on the floor* (Margiad Roberts, 1994: 223); (b) *disappointment* '**Bu'r Blaid Lafur yn hynod garedig yn cynnig i ni lwyfan mor hawdd i ymosod arnynt. Ar wahân i fethiant y Swyddfa Gymreig i gynhyrchu Cynllun Economaidd credadwy, 'roeddent hefyd yn cael cam gwag o hyd**' *The Labour Party was exceptionally kind to offer us such an easy platform to attack them. Apart from the failure of the Welsh Office to produce a credible Economic Policy, they were still a disappointment* (Dafydd Wigley, 1992: 91). **9 gwneud cam â rhywun** *to do someone an injustice* '**Ti'n gwneud cam â hi dw i'n meddwl**' *You're doing her an injustice I think* (Mihangel Morgan, 1993(ii): 26). **10 yn gam neu'n gymwys** *rightly or wrongly* '**Mae digon o dystiolaeth yn ei ysgrifau ei fod, ers y tridegau, yn credu, yn gam neu'n gymwys, mai'r ffordd ymlaen tuag at ryddid Cymru oedd y ffordd a droediwyd gan Gandhi**' *There is enough evidence in his essays, since the '30s, that he believed, rightly or wrongly, that the way forward towards freedom for Wales was the way trodden by Gandhi* (Barn, March 1994: 7).

Camagara Arfon *fanny* (derogatory term for female genitalia) "**Ffiw hogia!' me fi pan ddoth y gola'n dôl, 'pam na fysa chi'n warnio fi? O'n ddim yn barod i weld fodan handi felna yn dangos 'i chamagara i gyd**' '*Phew lads!' I said when the lights came back on, 'why hadn't you warned me? I wasn't ready to see a good-looking girl like that show off all her fanny'* (Dafydd Huws, 1978: 94).

Camfa LW CW **sticil** SW *(foot)stile*

Camgymeriad LW CW **camsyniad** LW SW *mistake*

Camp *achievement, feat, sport* **1 tan gamp** *excellent* '**byddai Islwyn yn gwneud model tan gamp**' *Islwyn would make an excellent model* (Angharad Tomos, 1982: 24). **2 tipyn o gamp** (a) *quite an achievement* '**Fel y dywedodd un sylwebydd ar y pryd, roedd troi gwlad a dderbyniai'r fath gyfoeth o olew yn genedl o dlodion yn dipyn o gamp, hyd yn oed i Gadaffi**' *As one commentator said at the time, turning a country that had received such wealth from oil into a nation of poor people was quite an* achievement, even for Gadafi (Tweli Griffiths, 1993: 35); (b) CW *hardly likely* **'Wyt ti'n bwriadu mynd i weld y gêm pêl-droed?' 'Y fi? Gêm pêl-droed? Tipyn o gamp!!'** *'Do you intend going to see the football match?' 'Me? A football match? Hardly likely!!'*

Camsyniad LW SW **camgymeriad** LW CW *mistake*

Can LW Glam **blawd** LW CW **fflŵr** SW *flour*

Candryll *fragmented, shattered* **candryll (o'm cof)** NW *absolutely furious* **'Ond cyn gynted ag y crybwyllwyd iddo ymddiheuro ar ei ran aethai ei dad yn gandryll o'i go"** *But as soon as it was mentioned to him to apologise on his behalf his dad became absolutely furious* (Eigra Lewis Roberts, 1985: 93).

Canfed *hundredth* **ar ei ganfed** (lit *on its hundredth*) *a hundredfold, hand over fist, very successful(ly)* **'Yn ôl pob golwg mae'r asiantaethau Saesneg yn llwyddo ar eu canfed'** *By all accounts, the English agencies are succeeding hand over fist* (Golwg, 20 July 1989: 7).

Canlyn *to follow* **canlyn rhywun** CW *to have a relationship with someone, to go out with someone* **'Glywsoch chi am yr hogan 'na o'n i'n 'i chanlyn o gyffinia Llangefni?'** *Did you hear about that girl I was going out with from the Llangefni area?* (Jane Edwards, 1989: 74).

Canlyniad *result* **o ganlyniad** *as a result* **'mae wyth o swyddi athrawon yn cael eu colli o ganlyniad i doriadau gwario'** *eight teachers' jobs are being lost as a result of spending cuts* (Golwg, 24 March 1994: 5).

Cannwyll *candle* **cannwyll fy llygad** (lit *the pupil of my eye*) *the apple of my eye* **"rwy'n tybio, am mai ef, ei hŵyr cyntaf, oedd cannwyll ei llygad'** *I suppose, because he, her first grandchild, was the apple of her eye* (Dic Jones, 1989: 43).

Cant *hundred* **cant a mil** (lit *hundred and thousand*) CW *a hundred and one* (figuratively) **'Fydda i wedi adrodd cant a mil o betha cyn diwadd nos'** *I'll have told a hundred and one things before the end of the evening* (Jane Edwards, 1989: 42).

Cantoedd (< **cant**) **ers cantoedd** *for a long time, for ages* **'mae Bro Delyn yn ardal lle mae'r ffin iaith yn bod ers cantoedd'** *Bro Delyn is an area where the language border has been in existence for ages* (Golwg, 25 July 1991: 20).

Cantref *hundred* (medieval administrative unit) **Cantre'r Gwaelod** *mythical city under the seas; rhetorical name for anywhere under water* **'Dim mwy o olchi dillad hefo llaw. Dim mwy o sefyll 'dat fy ffera' mewn dŵr yn yr hen Gantre'r Gwaelod 'na byth eto'** *No more washing clothes by hand. No more standing up to my ankles in water in that old Cantre'r Gwaelod ever again* (Margiad Roberts, 1994: 156).

Canu 1 *to sing* **'Y tu ôl iddi safai dyn yn canu'** *Behind her stood a man singing* (Marion Eames, 1969: 95). **2** *to play a musical instrument* **'Onid oedd hi'n gallu canu'r piano?'** *Couldn't she play the piano?* (Mihangel Morgan, 1992: 47) (* due to the influence

of English, **chwarae** *to play* is commonly used here as well). **3** *to ring* **'A byddai [hi] wedi cysgu ymlaen am oriau petai'r ffôn ddim wedi canu dros y lle'** *[She] would have slept on for hours if the phone hadn't rung loudly* (Jane Edwards, 1993: 9). **4** *to compose poetry* **'Erbyn ei amser o ... roedd dull y Gogynfeirdd o ganu'n tynnu tua'i derfyn'** *By his time ... the Gogynfeirdd style of composing poetry was drawing to a close* (Gwyn Thomas, 1976: 149) (***Gogynfeirdd** *medieval Welsh poets*). **5** *poetry* **'[Yn Llyfr Taliesin] fe geir canu chwedlonol, canu crefyddol a chanu proffwydol'** *[In the book of Taliesin] there is mythical poetry, religious poetry and prophetic poetry* (Gwyn Thomas, 1976: 28). **6 cân di bennill mwyn i'th nain, ac fe gân dy nain i tithau** (lit *sing a gentle verse to your grandmother, and she'll sing to you*) *proverb you scratch my back, and I'll scratch yours* **'Cân di bennill fwyn i'th nain, fe gan dy nain i tithau' meddai'r hen Gymry a wyddai'n dda am ddefnyddio ffafrau i ennill mantais'** *'You scratch my back and I'll scatch yours' the old Welsh used to say, and they knew well about using favours to gain an advantage'* (Y Cymro, 2 November 1994: 3). **7 canu clodydd rhywbeth/rhywun** *to sing something/someone's praise* **'A mwy nag unwaith clywais D.J Evans, Awelfa, yn canu clodydd y gystadleuaeth honno'** *And more than once I heard D.J. Evans of Awelfa singing the praises of that competition* (Dic Jones, 1989: 59). **8 canu grwndi** *to purr* (cat) **'[Yr oedd y gath yn] rhwbio ei hun o amgylch fy ngoesau a chanu grwndi mawr a rhoi andros o groeso adref i mi'** *[The cat used to] rub himself around my legs and purr a lot and give me an enormous welcome home* (Elwyn Jones, 1991: 216). **9 canu'n iach** *to say goodbye* **"Galwch heibio unrhyw dro,' meddan nhw wrthan ni a ninna'n canu'n iach'** *'Call by any time,' they said to us as we said goodbye* (Robin Llywelyn, 1992: 37). **10 canu'r corn** *to sound the horn* (car) **'Canodd rhywun gorn tu cefn iddi a brecio'n swnllyd'** *Somebody sounded a horn behind her and braked noisily* (Jane Edwards, 1993: 38). **11 mae hi wedi canu arnaf** (lit *it's rung for me*) CW *I'm finished, it's over for me* **'Ac mi fydd hi wedi canu arnan ni i gael mynd i nunlla am hir iawn wedyn, bydd!'** *And it'll be over for us to able to go anywhere for a very long time afterwards, won't it!* (Margiad Roberts, 1994: 20) (* this refers to a bell ringing at work: once the bell was rung, all work for the day stopped). **12 mynd i ganu** (lit *to go and sing*) CW *to go and get lost, to go and get stuffed* **"Mae Metron ishe chi,' gwaeddodd Jenni. 'Dudwch wrthi am fynd i ganu'** *'Matron wants you,' shouted Jenny. 'Tell her to go and get stuffed'* (Lyn Ebenezer, 1986: 16).

Caran *heron* **yr hen garan** (lit *the old heron*) Pembs *poor thing* **'Wel we' Mam, 'rengaran, we' mochyn bach 'da ni 'efyd'** *Well, Mam, the poor thing, used to have ... we used to have a small pig as well* (Elizabeth John in Beth Thomas and Peter Wynn Thomas (eds.), 1989: 132).

Caraitsh NW **caretsh** SW **moron** LW CW *carrots*

Carco LW SW **gofalu** LW CW *to care*

Carcus LW SW **gofalus** LW CW *careful*

Cardi (<E *Cardigan*) CW person from Ceredigion '**Ma Duw wedi rhoi i'r Cardi y ddawn o droi'r geiniog fach yn ddwy. Bwrw dy fara ar wyneb y dyfroedd, ontefe, ond gofala neud yn siwr gynta fod y teid yn dod mewn'** *God has given the Cardi the skill of making a bob or two. Cast your bread on the waters, innit, but be careful to make sure first that the tide is coming in* (Eirwyn Pontshân, 1982: 30) (* **Cardis** have a reputation for being parsimonious, as the above quotation suggests).

Caretsh SW **caraitsh** NW **moron** LW CW *carrots*

Cariad *love, boyfriend, girlfriend* **mewn cariad** *in love* '**Hy, ti'n swnio fel tasa chdi mewn cariad hefo fo**' *Huh, you sound like you're in love with him* (Jane Edwards, 1993: 43).

Caridym Arfon *down-and-out, lay-about* '**Y cari-dyms bach diwerth! Y moch bach disafonau!**' *The useless little lay-abouts! The mannerless little pigs!* (Dafydd Huws, 1978: 40).

Cario *to carry* **1 cario clecs** LW SW *to tell tales* **Yr unig beth mae hi'n ei wneud drwy'r dydd yw cario clecs am bobl eraill** *The only thing she does all day is tell tales about other people.* **2 cario straeon** LW NW *to tell tales* '**Yli - ti'n gwbod sut ma' actorion am gario straeon, dwyt?**' *Look - you know what actors are like for telling tales, don't you?* (Gwenlyn Parry, 1992: 15).

Carlam *gallop* **ar garlam** *at a gallop, at full speed* '**Mae fy meddwl yn mynd ar garlam**' *My mind is going at full speed* (Angharad Tomos, 1982: 14).

Carn *handle, hilt* **i'r carn** (lit *to the hilt*) *to the core* '**Yr oedd Jean Jones yn Gymraes i'r carn**' *Jean Jones was a Welshwoman to the core* (Elwyn Jones, 1991: 144).

Carreg *stone* **carreg ateb** (lit *answer stone*) *echo* ' '**Can we feed the chickens?**' '**Tshicins,' medda Llyr fel carrag atab wedyn**' *'Can we feed the chickens?' 'Tshicins,' Llyr said like an echo afterwards* (Margiad Roberts, 1994: 157).

Cart LW SW **cert** LW SW **trol** LW NW *cart* **bant â'r cart** (lit *off with the cart*) SW *off we go* '**Y pnawn hwnnw daeth Sarjant Goch heibio celloedd Llong a chanfod fod y plismon** *bant â'r cart*' *That afternoon Sergeant Goch went past Llong's cells and saw that the policeman had gone off* (Robin Llywelyn, 1995: 121).

Carthu 1 carthu (beudy/sied etc.) *to clear out (a cowhouse/shed etc.)* '**Ar ôl cinio, mi gei di aros yn tŷ i ddarllan, tra bydda i'n carthu'r beudy**' *After lunch, you can stay in the house to read, while I muck out the cowshed* (Caradog Prichard, 1961: 162). **2 carthu (fy ngwddf/fy nglust etc.)** *to clear (my throat/ear etc.)* '**Stwffiodd [e] yr hances yn ôl ar ôl gorffen carthu'i ffroenau**' *[He] stuffed the handkerchief back after finishing clearing his nostrils* (Aled Islwyn, 1994: 104).

Caru *to love* in the conditional tense **carwn i, caret ti** etc. also means *I would like, you would like* etc. '**Carwn feddwl fod gan y Cymro Cymraeg hefyd yr hawl i'r wybodaeth honno yn ei iaith ei hun**' *I*

would like to think that the Welsh speaker also has the right to that knowledge in his own language (Dewi Llwyd in Dylan Iorwerth (ed.), 1993: 139).

Cas *disagreeable, nasty* **mae'n gas gen i** *I hate* '**Yr oedd yn gas gen i'r dyn o'r dechrau**' *I hated the man from the beginning* (Elwyn Jones, 1991: 48) (* this construction is more common in CW than the use of **casáu** *to hate*).

Cas e, cas hi see Appendix 4.05(i).

Caseg *mare* **caseg eira** (lit *snow mare*) *snowball* (used figuratively to imply accumulation) '**mae'r addysgwr Cennard Davies wedi gweld y mudiad yn tyfu fel 'caseg eira' ym Morgannwg Ganol**' *the educationalist Cennard Davies has seen the movement 'snowball' in Mid Glamorgan* (Golwg, 24 November 1994: 11).

Cast NW *trick* **anodd tynnu cast o hen geffyl** (lit *[it is] difficult to take a trick from an old horse*) NW proverb *you can't teach an old dog new tricks* (the following example is a pun on the above) '**Mi elli di siarad rŵan, pws.' 'O, sori. Anodd tynnu cast o hen gwrcyn**' *'you can speak now, puss.' 'Oh, sorry. It's hard to teach an old cat new tricks'* (Gwenlyn Parry, 1992: 56).

Castellnewy' see Appendix 18.02.

Castiau NW *antics, tricks* **gwneud castiau** NW *to be naughty, to play tricks* '**Mi glywch chi am ysbrydion yn gneud rhyw gastiau felna weithia**' *You hear about ghosts playing tricks like that sometimes* (Twm Miall, 1988: 78).

Cath *cat* **1 (gadael/gollwng etc.) y gath allan o'r cwd** *to (let/drop etc.) the cat out of the bag* '**Hanner awr yn ddiweddarach roedd y gath o'r cwd a hanes cyfarfyddiad Wali a Gwen yn rhan o chwedloniaeth Bryncoch**' *Half an hour later the cat was out of the bag and the story of Wali and Gwen's meeting [was] part of the mythology of Bryncoch* (Alun Ffred and Mei Jones, 1990: 32). **2 mynd fel cath i gythraul** (lit *to go like the cat to [the] devil*) *to go hell for leather* '**Dyna sut fydda i'n gweld pobol yr oes yma, rhuthro yma ac acw fel cath i gythral**' *That's how I see people these day, rushing hell for leather here and there* (Jane Edwards, 1993: 33). **3 yn wan fel cath** (lit *weak as a cat*) *as weak as a kitten, very weak* '**Oeddan ninna ar ein cythlwng ac yn wan fel cathod**' *We were starving as well and very weak* (Robin Llywelyn, 1992: 43).

Cathe, cathod see Appendix 14.03.

Cau *to close* **1 ar gau** *closed* '**Fel arfer, ar agor y byddai drws y persondy, ond heddiw roedd ar gau**' *Usually, the door of the vicarage would be open, but today it was closed* (Nansi Selwood, 1987: 188). **2 cau dy ben** SW *shut up, shut your mouth* "**Dim rhyfedd bo' ti yn y gwely trwy'r dydd. Safio dy nerth.' 'Ca' dy ben**" *'No wonder you're in bed all day. Saving your strength.' 'Shut up'* (Geraint Lewis, 1995: 9). **3 cau dy geg** CW *shut up, shut your mouth* "**Eirlys Gwyn - gwdi-gwdi! Eirlys Preis - gwdi-gwdi!' 'Cau dy geg, Roger Preis!**" *'Eirlys Gwyn - goody-goody! Eirlys Gwyn - goody-goody!' 'Shut up,*

Roger Preis!' (Angharad Jones, 1995: 79). **4 cau dy lap** SW *to shut up* **'Se ti ond yn gwybod faint o waith sy'n mynd mewn i redeg Clwb Rygbi Cwmbrain, se ti'n cau dy lap'** *If you only knew how much work went into running Cwmbrain Rugby Club, you'd shut up* (Geraint Lewis, 1995: 7). **5 cau hi** CW *shut it* (threat) **'cau hi a dos i neud panad inni'** *shut it and go and make us a cuppa* (Robin Llywelyn, 1992: 34). **6 cau pen y mwdwl** (lit *to close the top of the haycock*) SW *to finish things off* **'Ond i gau pen y mwdwl - i jecio fod pethau'n mynd yn iawn - daeth y Meistr i [faes yr eisteddfod] ar y dydd Gwener'** *But to finish things off - to check that things were going OK - the Master came to [the eisteddfod field] on the Friday* (*Barn*, September 1995: 15). **7 cau'r (drws/ffenestr etc.) yn glep** *to slam the (door/window etc.) shut* **"Ydach chi'n sylweddoli fod diwadd y byd gerllaw?' 'Ydw, am hannar dydd union os na fydd cinio'n barod ar bwrdd o'u blaena nhw,' medda fi wrtho fo a chau'r drws yn glep yn ei wynab'** *'Do you realise that the end of the world is nigh?' 'Yes, at midday exactly if lunch isn't ready on the table for them,' I told him and slammed the door shut in his face* (Margiad Roberts, 1994: 82).

'Cau (< *nacáu*) NW *to fail, to refuse* **'[Roedd y] mulod yn 'cau mynd neu'n 'cau stopio'** *The mules were refusing to go or refusing to stop* (Robin Llywelyn, 1992: 35).

Cawd see Appendix 12.04(ii).

Cawl (lit *soup*) CW *mess* **'Oni bai am eich cydymdeimlad chi, fe fyddwn i wedi gwneud cawl ofnadwy o bethau heno'** *Were it not for your sympathy, I would have made an awful mess of things tonight* (Mihangel Morgan, 1993(i): 48).

Cawlio CW *to mess up* **'mae rhywun wedi marw neu wedi priodi neu wedi'i chawlio hi'n gythgam'** *someone's died or married or messed it up awfully* (Islwyn Ffowc Elis, 1990(i): 62).

Cawn i, caet ti etc. see Appendix 5.08(i).

Cawsom ni, cawsoch chwi etc. see Appendix 4.05(i).

Cebyst (lit *tether*) **(beth/ble etc.) gebyst ...?** NW *(what/where etc.) on earth ...?* **'Sut gebyst mae gwneud rhwybeth newydd a ffres o ddefyndd felly ...?'** *How on earth does one make something new and fresh of such material then ...?* (*Golwg*, 28 January 1993: 26).

Cedor *pubic hair* **cedor (lama)** (lit *(lama) pubic hair*) Caern *wanker* **"Callia'r cedor lama uffar,' medda Bob ond odd o'n rhy hwyr'** *'Calm down you bloody wanker,' said Bob but it was too late* (Dafydd Huws, 1978: 26).

Cefais i, cefaist ti etc. see Appendix 4.05.

Cefn LW CW **cefen** SW **cewn** Pembs *back* **1 ar gefn fy ngheffyl** (lit *on the back of my horse*) CW *on my high horse* **'Roedd Tom ar gefn ei geffyl. Ond nid oedd Fflur yn awyddus i drafod gwleidyddiaeth eto'** *Tom was on his high horse. But Fflur wasn't keen to discuss politics again* (Penri Jones, 1982: 75). **2 ar gefn fy ngheffyl (gwyn)** (lit *on the back of my (white) horse*) *on top of the world* **'I'w**

groesawu daeth Francisco Datini a oedd wedi cysgu'n sownd fel baban trwy'r cyfan, ac yr oedd ar ben ei geffyl gwyn' *Francisco Datini, who had slept soundly through the lot, came to welcome him, and he was on top of the world* (Wiliam Owen Roberts, 1987: 52). **3 bod ar gefn rhywun** (lit *to be on someone's back*) CW *to have sex with someone* **'Yn aml iawn, roedd [y plentyn yn] deffro yn y nos ac yn gofyn i'w fam am ddiod o bop a biscet, pan oeddwn i ar ei chefn hi'** *Frequently, [the child] would wake up in the middle of the night and ask his mam for a drink of pop and a biscuit, when I was having sex with her* (Twm Miall, 1990: 125). **4 bod yn gefn i rywbeth/rywun** *to be supportive of something/someone* **'Diolch yn fawr i chi'ch dau. Rydach chi'n gefn mawr i rywun'** *Thanks very much to the both of you. You've been very supportive to someone* (Alun Ffred and Mei Jones, 1990: 26). **5 cael fy nghefn ataf** *to regain my strength* **'Oedd Sam, ein llwdwn ni, wedi cael ei gefn ato erbyn hyn'** *Sam, our young animal, had got his strength back by now* (Robin Llywelyn, 1992: 42). **6 cefn dydd golau** *in broad daylight* **'Tybed ai dim ond y fi glywodd sgrech y dylluan gefn dydd golau ganol y pnawn'** *I wonder if it was only me who heard the owl's cry in broad daylight in the middle of the afternoon* (*Golwg*, 11 May 1995: 19). **7 cefn (gaeaf/nos etc.)** *middle of the (winter/night etc.)* **'[Roedd rhaid] halltu'r cig a'i gadw'n ddiogel hyd nes y byddent yn chwannog o'i fwyta gefn gaeaf'** *[It was necessary] to salt the meat and keep it safe until they wanted to eat it in the middle of the winter* (Wiliam Owen Roberts, 1987: 107). **8 cefn gwlad** (lit *back country*) *rural area* (usually *rural Wales*) **'Ond pam felly, fod cefn gwlad mewn cymaint o argyfwng?'** *But why then, is rural Wales in such crisis?* (*Television Wales*, 23 September 1995: 10). **9 cefn (wrth) gefn** *back to back* **'Agorodd [hi] wardrob, ac yno crogai siwtiau Paul yn gefn-gefn'** *[She] opened a wardrobe, and there hung Paul's suits back to back* (Islwyn Ffowc Elis, 1990(ii): 138). **10 wrth gefn** *in reserve* **'[Yr oedd] digon o amser wrth gefn ganddo i sefyll i'w herio'** *He had enough time in reserve to stand and challenge her* (Jane Edwards, 1993: 110).

Ceffyl *horse* **1 ceffyl blaen** (lit *lead horse*) CW *high flier* **'Mae'n awyddus iawn, yn mwynhau ei hun. Hi ydy'r ceffyl blaen'** *She's very keen, enjoying herself. She's the high flier* (Meic Povey, 1995(ii): 45). **2 ceffyl da yw ewyllys** (lit *will(power) is a good horse*) proverb *where there's a will there's a way* **"Be' ma'r diawl gwirion yn drio'i 'neud, Huw? Crogi 'i hun yn gyhoeddus, ia?' ... 'Ceffyl da 'di 'wyllys, Sam. Mi est ti hefo'i wraig o, do?"** *'What's the stupid bugger trying to do, Huw? Hang himself in public, or what?' ... 'Where there's a will there's a way, Sam. You went with his wife, didn't you?'* (Sonia Edwards, 1994: 115).

Ceg *mouth* **1 ceg gam** *sneer* **'O'n i'n gneud 'y ngora glas i guddiad 'y ngheg gam'** *I was doing my best to hide my sneer* (Dafydd Huws, 1990: 77). **2 ceg yn geg** (lit *mouth in mouth*) CW *intimate(ly)* (conversation) **'Mae Gwen Elis, Minafon, efo hi ...**

Mae hi'n byw ac yn bod yma 'sti ... y ddwy geg yn geg am oria' *Gwen Elis, Minafon, is with her ... She's always here you know ... the two chat for hours* (Eigra Lewis Roberts, 1985: 26). **3 hen geg** NW *an old gossip* **'Rwy'n bob dim ond yn hen geg'** *I'm everything but an old gossip* (Aled Islwyn, 1994: 16).

Cega NW *to mouth off, to prate* **cega ar rywun** NW *to get at someone, to moan at someone* **'ma' hi'n braf cael cwmni oedolyn yn y tŷ yn lle 'mod i'n cega ar y plant a siarad hefo fi'n hun trwy'r amser'** *it's nice to have an adult's company in the house instead of me getting at the children and talking to myself all the time* (Margiad Roberts, 1994: 81).

Ceibo (< ceibio) **shwd mae hi'n ceibo?** (lit *how's the digging?*) SW *how are things?* **"Shwd mai'n ceibo?' medda fo, wedi iddo fo ista i lawr. 'Go lew"** *'How's it going?' he said, after he'd sat down. 'Alright'* (Twm Miall, 1990: 173).

Ceiliog *cockerel* **fel ceiliog wedi torri'i grib** (lit *a cockerel having broken its crest*) *crestfallen* **'Aeth Terence fel ceiliog wedi torri'i grib i agor y drws'** *Terence went, crestfallen, to open the door* (Islwyn Ffowc Elis, 1990(i): 282).

Ceilioges NW *bitch, cow* (derogatory term for a woman) **'Peidiwch â mynd yn bric pwdin iddi, 'ngwas i, ma'r geiliogas mor ddig'wilydd'** *Don't become a skivvy for her, mate, the cocky woman is so shameless* (Twm Miall, 1990: 161).

Ceilliau *testicles* **(disgleirio/sgleinio etc.) fel ceilliau ci** (lit *to (shine etc.) like a dog's testicles*) CW *the dog's bollocks* (figuratively) **'Bath! Yn syth ar ôl dŵad 'nôl o daith dinboeth ... golchi 'i hogla hi hefo Radox. Tollti 'i bechoda i gyd lawr gwtar ... wedyn dŵad yn lân i'r gwely ac yn sgleinio fel ceillia milgi ... ac yn dda i uffar o ddim ... 'Sori cariad ... dwi fel cadach llestri ..."** *Bath! Straight after coming back from a hard tour ... wash off its smells with Radox. Pour his sins down the gutter ... then come up to bed the dog's bollocks ... and is good for bloody nothing ... 'Sorry love ... I'm like a dish cloth ...'* (Gwenlyn Parry, 1992: 48).

Ceiniog *penny* **1 ceiniog las** (lit *silver penny*) *brass farthing* (figuratively) **'Roedd Ann Clwyd yn awyddus i gyfarfod â Barzani i weld a wyddai beth oedd wedi digwydd i'r £57 miliwn yr oedd Jeffrey Archer wedi eu codi i'r Kurdiaid. Doedd gan Barzani ddim syniad. Doedd dim sôn am yr un geiniog las yn Kurdistan'** *Ann Clwyd was keen to meet Barzani to see if he knew what had happened to the £57 million Jeffrey Archer had raised for the Kurds. Barazani didn't have a clue. There wasn't the mention of a single brass farthing in Kurdistan* (Tweli Griffiths, 1993: 155). **2 ceiniog a dimai** (lit *penny and half-penny*) (a) *cheap and nasty, two-bit* (most common meaning) **'mae Mandy yn slafio'n rhan amser mewn rhyw ffatri geiniog a dima'** *Mandy is slaving away part-time in some two-bit factory* (Golwg, 22 June 1995: 11); (b) *a fair bit, a lot* **'Mi gostiodd hon geiniog a dima' ... Ma'n siŵr 'i bod hi'n werth cyflog mis i 'nhad druan ...'** *This cost a fair bit ... I'm sure that it was worth a month's salary to poor dad ...* (Angharad Jones, 1995: 134).

Ceith o, ceith hi etc. see Appendix 2.06(i).

Celen i, celet ti etc. see Appendix 5.08(i).

Celfi LW SW *dodrefn* LW NW *moddion tŷ* Pembs *furniture*

Celwydd *lie* **celwydd golau** *white lie* **'roedd yn rhyfedd cymaint a allai ychydig o gelwydd golau a dychymyg ei wneud i ddeffro sgwrs'** *it was amazing how much a bit of a white lie and imagination could do to liven up a chat* (Angharad Tomos, 1982: 42).

Celwyddgi *liar* **"Gwranda, wy'n gwbod dy fod ti'n ypsét nawr ond plis, gad i fi esbonio.' 'Esbonio bod 'yn ffrind gore i'n gelwyddgi?"** *'Listen, I know that you're upset now, let me explain.' 'Explain that my best friend is a liar?'* (John Owen, 1994: 110).

Cemist (<E *chemist*) CW *chemist* **Yli, mae'r cemist wedi cau ers peth amser rŵan** *Look, the chemist has been closed for a while now.*

Cenedl *nation* **cenedl heb iaith, cenedl heb galon** *proverb a nation without a language, a nation without a heart* (commonly stated in reference to the decline of the Welsh language) **Mae llawer o bobl yn dysgu'r Gymraeg y ffordd hyn oherwydd eu bod nhw'n credu'r ddiarheb 'cenedl heb iaith, cenedl heb galon'** *A lot of people learn Welsh around here because they believe the proverb 'a nation without a language, a language without a heart'.*

Cenedlaethol *national* **y Genedlaethol** (< yr **Eisteddfod Genedlaethol**) *the National Eisteddfod* **'Ma'r Genedlaethol yn wahanol, hefo rhwbath ar gyfar pawb'** *The National Eisteddfod is different, with something for everyone* (Jane Edwards, 1993: 32).

Cenhedlaeth *generation* **y genhedlaeth sy'n codi** *the younger generation* **'Ond drwy ofynion y Cwricwlwm Cenedlaethol, y gobaith yw bydd y genhedlaeth sy'n codi yn fwy parod i wneud hynny'** *But as a result of the requirements of the National Curriculum, the hope is that the younger generation will be more prepared to do that* (Golwg, 2 May 1996: 6).

Cenllysg LW NW *cesair* LW SW *hail(stones)*

Cer, cerwch see Appendix 10.05.

Cerdded **1** *to walk* **'Tra'n cerdded i fyny ac i lawr y cwm rhwng y gwartheg a'r defaid, byddaf yn ymwybodol o'r llu a fu yma o'm blaen'** *Whilst walking up and down the valley between the cattle and the sheep, I am aware of the host of people who have been here before me* (Simon Jones, 1989: 9). **2** *to run* (physical sensation) **'Mi fydd ias oer yn 'y ngherdded i weithie wrth gofio fel yr amheues i ddoethineb Henri'** *A shiver runs over me sometimes when I remember how I doubted Henri's wisdom* (Islwyn Ffowc Elis, 1990(ii): 105). **3 ar gerdded** *afoot* **'Ond mae 'na chwyldro ar gerdded ym Mhortmeirion heddiw'** *But there is a revolution afoot in Portmeirion today* (Barn, March 1995: 17).

Cer'ed (<cerdded) CW *to walk* **'Be 'di'r gêm? ... Cerad i mewn i gwt, i siop dyn hollol ddiarth i chi fel tasach chi bia'r lle'** *What's the game? ... Walk into a*

shed, into a bloke's shop who's totally unknown to you as though you own the place (Wil Sam, 1995: 72).

Cernod CW *blow* (to the ears) **"Na. Ma' un gair cystel â chant. Beth bynnag rwyt ti'n moin nawr. Na,' meddai i gan gwnnu'i llaw lan fel gwelwch chi rhywun yn cisho arbed 'i hunan rhag cêl cernod'** *'No. One word is as good as a thousand. Whatever you want now. No,' she said raising her hand up like you see someone who's trying to save themselves from getting a blow to the ears* (Edgar ap Lewys, 1977: 8).

Cert LW SW *cart* LW SW **trol** LW NW *cart*

Ces i, cest ti etc. see Appendix 4.05(i).

Cesail *armpit* **(o) dan fy nghesail** (lit *under my armpit*) *under my arm* **'Roedd sôn y byddai ganddo'i ysbïwr yn cadw llygad pwy fyddai'n taro i fewn i'r Swyddfa Bost â phecyn dan ei gesail'** *There was talk that he'd have his spy keep an eye on who would pop into the Post Office with a packet under his arm* (Golwg, 19 May 1994: 14).

Cesair LW SW **cenllysg** LW NW *hail(stones)*

Cesen i, ceset ti etc. see Appendix 5.08(i).

Cesim i see Appendix 4.05(v).

Ceso i, ceso ti etc. see Appendix 4.05(i).

Cetyn 1 cetyn LW NW **pib** LW SW *smoker's pipe* **'Fuon ni ddim yn hir yn cael hyd i Tincar Saffrwm achos yn ei gwt o'n smocio'i getyn oedd o'** *We weren't long finding Tincar Saffrwm because he was smoking his pipe in his shed* (Robin Llywelyn, 1992: 97). **2** SW *short period, spell* **'Wedi whilmentan getyn fe ffindws Wil y menig yn y cwtsh dan stâr'** *After searching about for a spell Wil found the gloves in the cupboard under the stairs* (Meirion Evans, 1996: 13).

Cetho i see Appendix 4.05(v).

Ceubal CW *guts, pot belly* **'ar nos Sadwrn mi fyddai sawl potelaid o win coch wedi mynd i'w geubal wrth iddo goginio'** *on Saturday night several bottles of red wine would have gone to his pot belly as he cooked* (Vivian Wynne Roberts, 1995: 115).

Cewn Pembs **cefen** SW **cefn** LW CW *back*

Cewn ni see Appendix 2.06(i).

C'fyrddin see Appendix 18.02.

Ci *dog* **1 ci** can be used figuratively for anyone who blindly or treacherously follows others, most commonly in the form **ci bach** **'Ond beth am y gwleidyddion hynny sy'n credu mai bod yn gi bach ffyddlon i'r arweinyddiaeth yw eu hunig gyfrifoldeb?'** *But what about those politicians who believe that being a faithful little lapdog to the leadership is their only responsibility?* (Golwg, 10 October 1996: 9). **2 ci drain** (lit *thorn dog*) NW man who has his hands all over a woman **'Deffra'r ci drain! Deffra, ti'n 'y nghl'wad i! Deffra'r hwrgi hurt!'** *Wake up, you pervert!' Wake up, d'you hear me! Wake up, you stupid shagger!* (Gwenlyn Parry, 1992: 49). **3 ci rhech** see **rhech**.

Ciando NW *bed* **"Wel, nos dawch rŵan,' meddai Gregor. 'Dwi am y ciando.' 'Ciando!' meddai Adam yn wawdlyd. 'Pam na ddeudi di 'gwely' fatha pawb arall, crinc?"** *'Well, good night now,' said Gregor. 'I'm heading for the ciando.' 'Ciando!' said Adam mockingly. 'Why don't you say 'bed' like everyone else, you bore?'* (Robin Llywelyn, 1994: 51).

Cicio *to kick* **1 cicio dros/yn erbyn y tresi** (lit *to kick over/against the traces*) *to throw off restraint* **'Fel arfer, bydden i'n cico yn erbyn y tresi'n uffernol, ond ma'n rhaid fi weud, os oes cynnig am wythnos o seibiant o'r teimlad 'ma bod pethe'n cwmpo o 'nghylch i, myfi a ddihangaf megis Arthur draw dros y don'** *Usually, I'm only too happy to throw off restraint, but I've got to say, if I have an offer of a week's break from the feeling that things are falling down all around me, I shall escape like King Arthur across the seas* (John Owen, 1994: 167). **2 trwy gicio a brathu mae cariad yn magu** proverb *through kicking and biting love grows* **'Drwy gicio a brathu: Ydy'r dyddiau melys ar ben i Menna a Derek?'** *Through kicking and biting: Are the sweet days over for Menna and Derek?* (Sbec TV Wales, 15 July 1995: 11).

Cig 1 *meat* **'Reit 'te ble ma'r cig?'** *Right then where's the meat?* (Margiad Roberts, 1994: 78). **2** *flesh* **'sylweddolais beth mewn gwironedd a fu farw - bachgen, brawd, gŵr o gig a gwaed'** *I realised what in fact had died - a boy, a brother, a man of flesh and blood* (Angharad Tomos, 1991: 119). **3** CW *cannabis resin* **Pam wyt ti'n cadw'r cig 'na yn y cwdyn bach plastig 'na o'r banc?** *Why do you keep that grass in that little plastic bag from the bank?*

Cil *corner, recess* **cil fy llygad** *the corner of my eye* **'Pan agorish i gil yn llygad o'dd Twm wrthi'n sgwennu rwbath ar ei ddesg'** *When I opened the corner of my eye Tom was at it writing something on his desk* (Dafydd Huws, 1990: 193).

Cildwrn *small sum* (can be, by implication, a bribe) **'Mae gynnoch-chi wyneb Maer ... Cant neu ddau at y capel a rhywbeth tebyg i'r hospital a rhyw gil-dwrn i - '** *You've got a cheek Mayor ... A hundred or two to the chapel and something similar to the hospital and some small sum to -* (Islwyn Ffowc Elis, 1974: 16).

Cilydd 1 note the following forms **gyda'n gilydd** *with each other*, **gyda'ch gilydd** *with each of you*, **gyda'i gilydd** *with it/him/her/them*. **2** (ar ôl/erbyn etc.) **ei gilydd** *(after/against etc.) each other* **'[Yr oeddynt yn] taro'n erbyn ei gilydd yn eu brys wrth garlamu hyd y coridorau fel petai angau ei hun wrth eu sodlau'** *[They were] banging against each other in their haste as they strode along the corridors as though death itself was at their heels* (Jane Edwards, 1993: 60). **3 at ei gilydd** *on the whole* **'mi fum yn mwynhau bywyd yr ysgol at ei gilydd'** *I enjoyed school life on the whole* (Elwyn Jones, 1991: 21). **4** (casglu/crynhoi etc.) **at ei gilydd** *(to collect/gather etc.) together* **'Hel dy betha at 'i gilydd!'** *Gather your things together!* (Wiliam Owen Roberts, 1987: 23). **5 fel ei gilydd** *alike* **'ychydig oriau yn unig a dreuliais yn 'ninas wen y gogledd', fel y gelwir**

[Helsinki] gan ymwelwyr a thrigolion fel ei gilydd' *I only spent a few hours in 'the white city of the north', as [Helsinki] is called by tourists and the inhabitants alike* (R. Emyr Jones, 1992: 76). **6** mynd i'w gilydd *to curl up, to shrink* '**ma' Mam wedi nychu, ac yn edrach fel tasa hi wedi colli dwy neu dair modfadd o'i thaldra ac wedi mynd i'w gilydd**' *Mam's gone feeble and looks as though she's lost two or three inches in height and has shrunk* (Margiad Roberts, 1994: 63). **7** neu'i gilydd *or other* '**Mae gen i gof am y ddau ohonom yn adrodd mewn rhyw 'steddfod neu'i gilydd yn Llan Ffestiniog, a byddai'r ddau ohonom yn ennill yn bur aml**' *I remember the two of us reciting in some Eisteddfod or other in Llan Ffestiniog, and the two of us would win fairly frequently* (Alan Llwyd, 1994: 16).

Cipolwg *glance, glimpse* **bwrw cipolwg dros rywbeth** *to (have a) look over something, to (have a) glance over something* '**Ta waeth, mae Wil Sam yn 75 eleni ... Cystal esgus â'r un felly i fwrw cipolwg ar ei waith yn y theatr**' *Anyway, Wil Sam is 75 today ... As good an excuse as any to glance over his work in the theatre* (*Barn*, September 1995: 31).

Cisys Dyfed **da-da** NW **fferins** NW **loshin** SW **melysion** LW CW **minciag** Powys **neisis** Pembs **pethau da** NW **taffins** Glam *sweets*

Clamp (< E *clamp*) **clamp o (dŷ/fynydd etc.)** CW *a huge (house/mountain etc.)* '**Bid a fo am hynny, clamp o gymwynas oedd cyhoeddi'r llyfr hwn**' *Be that as it may, publishing this book was a huge bonus* (*Llais Llyfrau*, Summer 1994: 15).

Clangaea' (< **Calangaeaf**) CW *Halloween* '**Wen nhw'n meddwl lot mwy am y ffair C'lan Geia ... na'r pryd wedd y ffermwyr yn cymeryd gwas ffarm ymlân**' *They used to think a lot more about the Halloween fair ... that was the time that farmers used to take on a farm labourer* (speaker in Christine Jones and David Thorne (eds.), 1992: 78).

Clapiog (lit *lumpy*) NW *poor* (in reference to reading, language etc) '**Caeodd ddrws yr ystafell yn araf ar ei ôl, a'i chyfarch yn ei Gymraeg clapiog, 'Wel, dyma fi wedi dal ti yn y ffau!**'' *He closed the room door slowly, and greeted her in his poor Welsh, 'Well, I've caught you in the lair!'* (Penri Jones, 1982: 112).

Clasgad (< **casgliad**) SW *collection* '**Achos weta'i hyn 'thot ti - netho' nhw ddim clasgad yn festri Gosen, myn jawl i!**' *Because I'll say this to you - they didn't make a collection in Gosen vestry, bloody hell!* (Dafydd Rowlands, 1994: 90).

Clasgu (< **casglu**) SW *to collect* '**ei hobi ynte - cretwch chi ne bido - o'dd clasgu poteli sent**' *his hobby - believe it or not - was collecting scent bottles* (Dafydd Rowlands, 1994: 92).

Clatsh SW *at once* '**Jawch ariod, mi allech dyngu i fod e newydd brynu'r Banc ag wedi dyfaru clatsh**' *Hell, you would swear that he'd just bought the Bank and had regretted it at once* (Wyn Jones in Christine Jones and David Thorne (eds.) 1992: 38).

Clatshen SW *blow, hit* '**Doedd hi byth yn gwenu, gwgai bob amser ac roedd hi'n llawer rhy barod i roi clatsien**' *She never used to smile, she frowned all the time and she was always too ready to give [someone] a hit* (Mihangel Morgan, 1992: 12).

Clatsho SW *to fight* **clatsho (bant/ymlaen)** SW *to carry on, to fight on* '**Itha reit!' medda Gari. 'Clatshwch bant, bois!**'' *'Quite right,' said Gari. 'Carry on, boys!'* (Dafydd Huws, 1990: 73).

Clau (< **glanhau**) SW *to clean* '**A wedyn wên nw'n dala'r mochyn, a we'r bwtshwr yn 'i waedu fe, a chwedyn ôn nw'n cario'r dŵr berw mâs a clau'r mochyn**' *And then they would hold the pig, and the butcher would bleed him, and then they'd carry boiling water out and clean the pig* (Elizabeth John in Beth Thomas and Peter Wynn Thomas (eds.), 1989: 132).

Clawdd *embankment, hedge* **Clawdd Offa** *Offa's Dyke* (Dark Ages fortification dividing England and Wales); **Clawdd Offa** is used more frequently in Welsh than in English in reference to the border (and hence England) '**Dw i'n siŵr fod pawb yn teimlo tosturi dros y trueniaid o Lerpwl a Maenceinion yn ei heglu hi'n ôl dros Glawdd Offa efo'n fideos o dan eu breichiau**' *I'm sure everyone feels pity for the poor souls from Liverpool and Manchester hot-footing it over Offa's Dyke with our videos under their arms* (*Wales on Sunday*, 26 February 1995: 17).

Clawr LW SW **caead** LW NW *cover* **ar glawr** LW SW *available* '**Yn ofer y chwiliech [am y gair 'cyfrifiadur'] yng Ngeiriadur y Brifysgol, am y rheswm syml nad oedd y gair yn bod pan weithiai'r staff ar y llythyren 'C' yn ôl yn y 60au - neu o leiaf nid oedd digon o enghreifftiau ohono ar glawr i gyfiawnhau ei gynnwys**' *You would search in vain [for the word 'computer'] in the University [of Wales] Dictionary, for the simple reason that the word did not exist when the staff worked on the letter 'C' in the 60s - or at least there were not enough examples of it available to justify its inclusion* (*Western Mail*, 23 May 1998: (Magazine) 40).

Cleber *to gossip* '**Grinda, Megan fach. Ma holl gleber gwag y Cynghorwyr Torïedd 'ma amboutu 'Lles ardal Cwmderi 'ma' yn ddigon i'n hala i'n grac**' *Listen Megan love. All this empty gossip from these Tory Councillors about this 'Welfare of the Cwmderi area' is enough to drive me mad* (Robyn Léwis, 1993: 49).

Clebran *to gossip* '**Y diwyrnod dan sylw o'dd Annie'n pwyso'n erbyn reilins Nymbyr 3 ac yn clepran gyda Deborah**' *The day in question Annie was leaning against the railings of Number 3 and gossiping with Deborah* (Dafydd Rowlands, 1995: 16).

Clec NW *bang* **wedi cael clec** (lit *had a bang*) NW *bun in the oven* (crude reference to pregnancy) '**Roeddwn i'n meddwl am funud ei bod hi'n mynd i ddweud ei bod hi wedi cael clec ... Mi ddechreuais i banicio'n ddiawledig oherwydd doeddwn i ddim wedi twtshad ynddi hi**' *I thought for a minute she was going to say that she'd got a bun in the oven ... I started to panic terribly because I hadn't touched her* (Twm Miall, 1988: 148).

Cledu (< **caledu**) CW *to harden* "Dydi'ch clustie chi ddim wedi'u tiwnio i'r math yma o siarad, Harri, mae'n hawdd gweld. Wel, peidiwch â gadael iddo'ch poeni chi. Mi g'ledwch iddo, fel yr ydw inne wedi c'ledu' *Your ears haven't tuned to this type of talk, Harri, it's easy to see. Well, don't let it worry you. You'll harden to it, like I've hardened* (Islwyn Ffowc Elis, 1990(i): 264).

Cleisiau *bruises* **cleisiau byw** (lit *living bruises*) CW *black and blue, bruised all over* 'Dechreuodd ei wefus waedu, ac roedd ei gorff eisoes yn gleisiau byw drosto' *His lip started bleeding, and his body was already black and blue all over* (Wiliam Owen Roberts, 1987: 54).

Clem 1 'does dim clem gen i CW *I haven't got a clue* 'Gobeithio bod chi'n gwbod lle mae o, achos sgin i ddim clem' *Hope you know where he is, because I haven't got a clue* (Theatr Bara Caws, 1996: 30).
2 (pe)tawn i'n glem NW *well I never* "Pwy?' 'Dic Pŵal.' 'Wel, 'tawn i'n glem, mae o wedi cael gwaith yno, felly" *'Who?' 'Dic Powell.' 'Well I never, he's got a job there, then'* (Eigra Lewis Roberts, 1985: 60).

Clemau 1 SW *faces* (figuratively) 'Ond alle Wil ddim ateb hyd yn o'd 'se fe ishe achos o'dd e'n neud shwd gleme yn troi'r cawl berw rownd 'i dafod' *But Wil couldn't answer even if he wanted to because he was making such faces turning the boiling soup around in his mouth* (Meirion Evans, 1996: 43).
2 pawb â'i glemau SW *each to their own* "Fel'na ma'nhw wedi ca'l eu geni,' mynte Percy, o'dd miwn llawn cydymdeimlad â phobol od. 'Allan nhw ddim help!' 'Pob un â'i gleme, ontefe Percy bach?' ebe Wil' *'That's how they're born,' said Percy, who was full of sympathy for odd people. 'They can't help it!' 'Each to their own, isn't it Percy bach?' said Wil* (Dafydd Rowlands, 1995: 76).

Clemio LW SW Powys *to be starving* 'Fy mola i oedd e, wi'n credu. Wi bwtu clemio' *It was my stomach, I think. I'm just about starving* (Geraint Lewis, 1995: 62).

Clên NW *fine, nice, pleasant* 'Pobol glên oedda nhw hefyd' *They were nice people as well* (Caradog Prichard, 1961: 105) (* note the comparative form **cleniach** *nicer*, eg 'Mae yna si bydd Clinton rywfaint yn gleniach na Bush tuag at Cuba' *There's a rumour that Clinton will be a bit nicer than Bush to Cuba* (*Golwg*, 21 January 1993: 3)).

Clennig (< **calennig**) CW *New Year's gift* "Nghlennig i! 'Nghlennig i! A blwyddyn newydd dda i chi i gyd' *My New Year's gift! My New Year's gift! And a happy new year to you all* (Simon Jones, 1989: 69) (* see also **hel** (6)).

Clir *clear* note the comparative form **cliriach** *clearer* 'Mae gweld y cyfan o fy mlaen ar bapur fel hyn yn fy helpu i weld pethau'n gliriach' *Seeing everything in front of me on paper like this helps me to see things clearer* (Sonia Edwards, 1993: 77).

Clo *lock* **1 ar glo** *locked* "Roedd y drws ar glo' *The door was locked* (John Gwilym Jones, 1979(ii): 73).

2 dan glo *under lock and key* 'Wedi blynyddoedd llychlyd yng nghelloedd tywyll archif S4C, daw cyfres o dair rhaglen [deledu] i'r golwg wedi cyfnod hir dan glo' *After several dusty years in the dark archive cells of S4C, a series of three [television] programmes have come into view after a long period under lock and key* (*Television Wales*, 23 September 1995: 9).

Cloch *bell* **uchel fy nghloch** *full of myself* 'roedd Llafur a Phlaid Cymru yn uchel eu cloch yn sgil eu llwyddiant hwy' *Labour and Plaid Cymru were full of themselves in the wake of their success* (*Y Cymro*, 11 May 1994: 3).

Clod *praise* **1 er clod i rywbeth/rywun** *to something/someone's credit* 'Amlwg nagodd hi'n credu ond, er clod iddi, derbyniodd hi'r peth gyda chymint o ras ag o'dd yn bosib' *Obvious she didn't believe it but, to her credit, she accepted the thing with as much grace as possible* (John Owen, 1994: 176).
2 pob clod i rywbeth/rywun *all credit to something/someone* 'Gem o berfformiad, a phob clod i bawb sy'n gysylltiedig â'r criw' *Gem of a performance, and all credit to everyone who was associated with the crew* (Theatr Bara Caws, 1995: 27).

Cloeau, cloeon see Appendix 14.03.

Cloffi *to be lame, to falter* **cloffi rhwng dau feddwl** (lit *to falter between two minds*) *to be hesitant, to hesitate* 'Mae defnyddio iaith o'r fath yn awgrymu fod y Bwrdd yn cloffi rhwng dau feddwl ac yn gwahodd ymateb gwangalon' *Using such language suggests that the Board is hesitant and is inviting a weak-willed response* (*Y Cymro*, 10 May 1995: 5).

Cloi (< **clau**) SW *fast, quick* 'Dere w. Autograph gloi' *Come here mate. Autograph quick* (Dafydd Huws, 1978: 52).

Clorian LW NW **tafol** LW SW (*weighing) scales* **yn y glorian** LW NW *in the balance* "Mae gennoch chi hawl i opiniwn arall. Ond yr ydw i'n siomedig fod teulu Lleifior wedi dangos cyn lleied o ymddiried yn eu hen feddyg teulu -' 'A bywyd 'y ngwraig yn y glorian, ellwch chi ddim disgwyl i hynny sefyll ar y ffordd" *'You've got a right to another opinion. But I'm disappointed that the Lleifior family have shown so little trust in their old family doctor -' 'With my wife's life in the balance, you can't expect that to stand in the way'* (Islwyn Ffowc Elis, 1990(i): 211).

Cloriannu LW NW **tafoli** LW SW *to weigh up*

Clos LW Dyfed **buarth** LW NW **iard** LW CW *farmyard*

Clou (< **clau**) SW *fast, quick* 'Wel, na ... sdim raid ti riteg. Cered yn weddol glou' *Well, no ... you don't have to run. Walk fairly quickly* (Dafydd Rowlands, 1995: 30).

Clust dost LW SW **pigyn clust** LW NW *earache*

Clusten CW *blow* (to the ears) 'Wedi cysidro am sbelan, mi drawais i ar syniad go lew. Beth petawn i'n rhoi clustan go hegar i 'mhen efo mwrthwl?' *After considering [things] for a spell, I hit upon quite a good idea. What if I were to give a good blow to my head with a hammer?* (Twm Miall, 1988: 41).

Clwt *rag* **1** ar y clwt *out of work* 'Felly, rydwi bellach yn swyddogol yn Ddiwaith. Ar y Dôl, ar y clwt, yn segur' *So, I am now officially Unemployed. On the dole, out of work, idle* (Angharad Tomos, 1982: 21). **2** clwt o dir *a patch of land* 'Pan fydda i wedi gwella a dechre gweithio eto, rydw i am brynu clwt o dir' *When I've got better and started to work again, I want to buy a patch of land* (Islwyn Ffowc Elis, 1974: 93).

Clwyd *LW* Glam **gât** *LW CW* **giât** *LW NW* **iet** *Dyfed* **llidiart** *LW NW gate*

Clwydo *to roost* **mynd i glwydo** (lit *to go and roost*) *CW to go to bed* 'Mi fydda i'n gweddïo i'r Fam Forwyn a Sant Nicholas bob bora ar doriad gwawr a phob nos cyn inni fynd i glwydo' *I pray to the Virgin Mother and Saint Nicholas every morning at daybreak and every night before we go to bed* (Wiliam Owen Roberts, 1987: 48).

Clwyddau (< celwyddau) *CW lies* 'I chi gael rhoi perswâd arni i ddeud mwy o glwydda, fel ddaru'r athrawes fach 'na?' *For you to try and persuade her to tell more lies, like that little teacher?* (Meic Povey, 1995(ii): 24).

Clymu *to tie* **(mae angen etc.) clymu fy mhen** (lit *it is necessary etc.) to tie my head together*) *SW my head needs looking at* (stupidity) 'Yffarn, Percy, os ti'n cretu'r stori 'na, ma' ishe clymu dy ben di!' *Bloody hell, Percy, if you believe that story, your head needs looking at!* (Dafydd Rowlands, 1995: 34).

Clyw *hearing* **trwm fy nghlyw** *hard of hearing* 'Roedd hi'n drwm ei chlyw, ac fe fyddai'n darllen llawer' *She was hard of hearing, and would read a lot* (Islwyn Ffowc Elis in Eleri Hopcyn (ed.), 1995: 21).

Clywed 1 *to hear* 'Mae'n ddrwg gin i glwad am Pererin Byd' *I'm sorry to hear about Pererin Byd* (Robin Llywelyn, 1992: 111). **2** *to feel, to sense* 'A dyma fi'n rhoi fy mraich am ei chanol hi ac yn ei chlwad hi'n feddal ac yn gynnas drwy'i chrys' *And I put my arm around her middle and felt her soft and warm through her shirt* (Robin Llywelyn, 1992: 30). **3** clywed ar fy nghalon (lit *to feel on my heart*) *to feel instinctively* 'Cerdded diystyr fu crwydro Gregor y pnawn hwnnw a fyntau'n clywed ar ei galon mor fawr ac mor unig y mae'r byd yn gallu bod' *Gregor's wandering was meaningless walking that afternoon and he felt instinctively how big and how lonely the world could be* (Robin Llywelyn, 1994: 176). **4** clywed aroglau *to smell* 'Nid dathlu Calan oeddan ni heddiw ond dathlu gorffan byta'r twrci. Neb isio clywad ogla tyrci' *We're not celebrating New Year's Day but celebrating finishing the turkey. Nobody wants to smell turkey* (Margiad Roberts, 1994: 9). **5** clywed (blas) *to taste* 'Dim ond ar ôl gwaith caled mewn lle poeth, yn y bore, cyn i'r byd hanner deffro y mae blas paned i'w glywed go-iawn' *Only after hard work in a hot place in the morning, before the world has half woken up, is the taste of a cuppa really to be tasted* (Gwyn Thomas in Eleri Hopcyn (ed.), 1995: 87). **6** cyntaf clyw hynny yw (lit *who first smells is it*) *CW who smelt it dealt it* (breaking wind) "Ti 'di dechra'i gwllwng nhw'r sglyfath?' 'Gwllwng be?' 'Gwllwng be o ddiawl?' 'Cynta clyw!'" *'You been dropping them, you dirty*

bugger?' 'Dropping what?' 'Dropping what, bloody hell?' 'Who smelt it dealt it!' (Wiliam Owen Roberts, 1987: 79).

Cnaf *CW rascal* 'Cnafon drwg ydyn nhw. Tasa 'na ddim trefn, mi fyddan yn fwy na bodlon mynd nôl i fyw'n y coed' *They're little rascals. If there wasn't any order, they would be more than happy to go back and live in the trees* (Wiliam Owen Roberts, 1987: 38).

Cnaea' (< cynhaeaf) *CW harvest* 'Ond ma 'na rhyw seilej neu wair neu g'naea ŷd neu ddefaid ac ŵyn neu rhyw fuchod a lloua neu rwbath yn dragywydd, does' *But there's [always] some silage or hay or harvest wheat or lambing sheep or calving cows or something [happening] continuously, isn't there* (Margiad Roberts, 1994: 238).

C'narfon see Appendix 18.02.

Cnau (< glanhau) *SW to clean* 'O'dd hi newydd fod yn cna tŷ Twm Tweis, jobyn o'dd hi'n neud unweth yr wthnos. O'dd hi'n cna tŷ y Parch Simon Joseph 'ed' *She'd just been cleaning Twm Tweis's house, a chore she used to do once a week. She used to clean the Reverend Simon Joseph's house as well* (Dafydd Rowlands, 1995: 44).

Cnawes (< cenawes) *CW bitch, cow* (derogatory term for a woman) "Rydw i eisiau gwaith,' cyfaddefais. "Run fath â thair miliwn o'ch tebyg,' meddai'n wamal. 'Rhen g'nawes. *'I want work,' I admitted. 'The same as three million people like you,' she said frivolously. The old bitch* (Angharad Tomos, 1982: 18).

Cnesu (< cynhesu) *NW to (get) warm* 'Tyd i'r tŷ, Morys bach, gael ichdi gnesu o flaen tân' *Come into the house, Morys love, so that you can get warm in front of the fire* (Robin Llywelyn, 1995: 42).

Cneuen *nut* cyn iached â chneuen (lit *as healthy as a nut*) *CW as fit as a fiddle* "Trawiad ar y galon - roeddwn yn swyddfa Syr Osborne pan ddigwyddws y peth.' "Rargian! Hen fachgen clyfar, halan y ddaear, ond roedd o cyn iached â'r gneuen" *'Heart attack - I was in Sir Osborne's office when the thing happened.' 'Bloody hell! A clever old bloke, salt of the earth, but he was as fit as a fiddle'* (Penri Jones, 1982: 55) (* also **iach fel cneuen**, eg 'Sdim yn mynd i ddigwydd imi! Dwi'n iach fel cneuen, dwi'n bwriadu byw i fod yn naw deg' *Nothing's wrong with me! I'm as fit as a fiddle, I intend to live to be ninety* (Meic Povey, 1995(i): 15)).

Cnoi 1 *to chew* 'y'ch chi'n llyncu'ch bwyd heb 'i gnoi e' *you swallow your food without chewing it* (Meirion Evans, 1996: 35). **2** cnoi *SW* brathu *LW NW to bite* 'Ci mawr du. Unwaith, pan oedd ar ei ffordd adre, roedd Teifi wedi'i chnoi' *A big black dog. Once, when she was on her way home, Teifi had bitten her* (Mihangel Morgan, 1992: 12). **3** beth sy'n dy gnoi di? (lit *what's chewing you?*) *what's eating you? what's the matter with you?* 'Ac mi roedd 'na ddagra'n 'i llygaid hi. 'Be sy'n dy gnoi di?' 'Dim byd" *And there were tears in her eyes. 'What's the matter with you?' 'Nothing'* (Wiliam Owen Roberts, 1987: 116). **4** cnoi cil *to chew the cud* 'Ma Alwyn o'r

farn fod addoli a chnoi cil yn debyg iawn i'w
gilydd' *Alwyn is of the opinion that worshipping and
chewing the cud are very similar to each other* (Jane
Edwards, 1982: 29). **5 cnoi cil dros rywbeth** (lit *to
chew the cud over something*) *to mull over something*
**'Yn ystod y pum niwrnod cyn hedfan i Nairobi,
ro'n i wedi cnoi cil dros y berthynas rhwng y
personol a'r gwrthrychol'** *During the five days
before flying back to Nairobi, I'd mulled over the
relationship between the personal and the objective*
(Betsan Powys in Dylan Iorwerth (ed.), 1993: 26).

Co' (< **Cofi**) **1 co' bach** Caern *love* (term of familiarity
for person or animal etc.) **'Siarada drosta dy hun
co bach, medda fi wrth in hun. O'dd o wedi
'ngyrru fi'n soldiwr'** *Speak for yourself mate, I said
to myself. He was testing my patience* (Dafydd
Huws, 1990: 61). **2 Co' dre** Caern *person from
Caernarfon town* **'Co dre oedd o sti!'** *He was a
Caernarfon lad you know!* (Gwenlyn Parry, 1979: 91).
3 Co' wlad Caern *person from the rural hinterland of
Caernarfon* **'Caernarvon and Denbigh yn Susnag
fyddan ni'n gael yn dre bob amsar ond o'n i'n
meddwl bysa fo'n dallt yn well 'swn i'n deud
Herald achos na co' wlad oedd o, ia?'** *We'd get the
Caernarvon and Denbigh in English in Caernarfon all
the time but I'd thought he'd understand better if I'd
said* The Herald *as he was bloke from rural
Caernarfon, wasn't he?* (Dafydd Huws, 1990: 91).
4 yr hen go' Caern *the old man* (father) **'Dyna
laddodd yr hen go 'cw, 'sdi. Trigian y dydd o'r
blydi petha yma'** *That's what killed the old man up
there, you know. Sixty a day of these bloody things*
(Dewi Wyn Williams, 1990: 34).

'Co (< **rhacw**) SW *(over) there* **'Co ni off 'to. Shgwl,
wnest ti ddigon o annibendod'** *There we are off
again. Look, you made enough of a mess* (Meirion
Evans, 1996: 29).

Coau see **cof** (1) (note).

Coblyn *goblin* **1 (beth/ble etc.) goblyn ...?** NW *(what/
where etc.) on earth ...?* **'Nolan? Pwy goblyn ydi
hwnnw?'** *Nolan? Who on earth is that?* (Western
Mail, 23 May 1995: 9). **2 coblyn o (gur pen/storm
etc.)** NW *hell of a (headache/storm etc.)* **'fan'no
byddan ni'n mynd ar ein gwyliau. Goblyn o ddim
byd yno chwaith'** *we'd go there on our holidays .
Bugger all there though* (Wil Sam, 1995: 10).
3 (mynd/rhedeg etc.) fel y coblyn NW *to (go/run
etc.) like hell* **'Ac ar y gair dyma 'na fan bwtsiar o
Flaenau Ffestiniog yn gyrru fel y coblyn'** *And then
immediately afterwards a butcher's van from Blaenau
Ffestiniog drove past hell for leather* (Miriam
Llywelyn, 1994: 62).

Coc *cock* **coc oen** (lit *lamb's cock*) CW *dickhead*
(derogatory term for a (young) man who thinks he
knows everything) **'Mi fasa hi'n gorfod bod yn wallgo'
i dwtsiad y coc oen yna!'** *She'd have to be mad to
touch that dickhead!* (Angharad Jones, 1995: 89).

Cocwyllt CW *sex-mad* **'oedd Wendy'n ifanc ac
yntau'n gocwyllt amdani bob eiliad o'r dydd a'r
nos'** *Wendy was young and he was sex-mad about
her every minute of the day and night* (Androw
Bennet, 1994: 30).

Cocls see **meddw** (3).

Cocyn *cock* **cocyn hitio** *Aunt Sally, punch bag, target*
**'Peth gwahanol iawn oedd bod yn ymgeisydd
seneddol, yn ceisio 'ngwerthu fy hun fel y dyn
gorau i'r etholaeth, ac yn gocyn hitio i ddicter tair
plaid arall'** *A very different thing was being a
parliamentary candidate, trying to sell myself as the
best man for the constituency, and being a punch bag
for the anger of three other political parties* (Islwyn
Ffowc Elis in Eleri Hopcyn (ed.), 1995: 32).

Coch (lit *red*) *blue, risqué* **'fe fydd [y gyfres deledu] yn
cynnwys iaith goch a themâu caletach yn
ymwneud â chyffuriau a rhyw'** *[The television
series] will contain risqué language and harder
themes concerning drugs and sex* (Golwg, 1
December 1994: 5).

Cochen CW *ginger* (red-haired girl/woman) **'Lle ma'r
gochan fach 'na fydd yn arfar dŵad efo chdi?'**
*Where's that ginger-haired lass that usually comes
with you?* (Sonia Edwards, 1995: 23).

Cochi *to redden* **cochi at fy nghlustiau** (lit *to redden to
my ears*) *to blush, to go bright red* **"Dw i ddim yn dy
weld ti'n iawn yn yr haul.' A dyna fi'n cochi at 'y
nghlustiau a mynd yn annifyr i gyd'** *'I can't see you
very well in the sun.' I went bright red and felt all
uncomfortable* (Jane Edwards, 1989: 57).

Cochl *cloak, mantle* **(o) dan gochl rhywbeth** *under the
cover of something* **'[Yr oedd y mudiadau] rhyddid
yn cael eu ffurfio dan gochl *perestroika*'** *[The]
freedom [movements] were formed under the cover of
perestroika* (Dylan Iorwerth, 1993: 115).

Cochyn CW *ginger* (red-haired boy/man) **'Roedd y
cochyn yn dal yno. Roedd Padi hefo fo hyd y
diwedd'** *Ginger was still there. Padi was with him to
the end* (Eirug Wyn, 1994: 180).

Cod, coda, codwch see Appendix 10.05.

Codi 1 *to raise, to rise* **'Cododd canran y di-waith i
15.3% erbyn 1983'** *The percentage of unemployed
rose to 15.3% by 1983* (Dafydd Wigley, 1993: 118).
2 *to build* **'Dy'ch chi ddim yn meddwl codi lle mawr
fel Llancaeach, ytych chi?'** *You're not thinking
about building a big place like Llancaeach, are you?*
(Nansi Selwood, 1987: 41). **3** *to get up* **'Iesu mawr!
Padi! ... 'nghodi i am dri [yn y bore] i ofyn am
linell o farddoniaeth ...!'** *Jesus Christ! Padi! ...
getting me up at three [in the morning] to ask for a
line of poetry* (Eirug Wyn, 1994: 186). **4** *to bring up, to
raise* **'Mi rydan ni'n cofio'n iawn amdanyn nhw,
cofiwch - y rheini a'n cododd ni - yn cofio'n iawn
wedi iddyn nhw hen fynd'** *We remember them well,
you know - those who brought us up - remember
them well after they've long since gone* (Robin
Llywelyn, 1994: 174). **5** *to collect, to pick up* **'Gellwch
godi unrhyw un o'r llyfrau hyn'** *You can pick any
one of these books* (Barddas, July/August 1992: 7). **6**
to charge (money) **'Y ... faint 'dach chi'n godi am
singl i ... i Fangor'** *Err ... how much do you charge
for a single to ... to Bangor?* (Margiad Roberts, 1994:
216). **7 codi allan** NW *to get out and about , to leave
the house* **"Wyddost ti fod Mati Huws wedi codi
allan?' holodd Magi. 'Nac 'di rioed. Welis i ddim**

golwg ohoni drwy'r ha'" *'Did you know that Mati Huws is out and about?' asked Magi. 'No really. I didn't see a glimpse of her all summer'* (Eigra Lewis Roberts, 1985: 7). **8 codi (mwstwr/sŵn/twrw etc.)** *to make a (din/noise etc.)* **'Mae'n gywilydd i chi godi twrw fel hyn'** *It's a disgrace that you make a noise like this* (Penri Jones, 1982: 106).

Codiad 1 *increase, rise* **'O, gwych, Tom - codiad cyflog!'** *Oh, great, Tom - a pay-rise* (Penri Jones, 1982: 132). **2** *erection* (sexual) **'Roedd Steffan yn chwarae â'i bidlen. Roedd ganddo fe godiad mawr'** *Steffan was playing with his knob. He had a big erection* (Mihangel Morgan, 1993(ii): 88). **3 ar fy nghodiad** (lit *on my getting up*) *first thing* (in the morning after getting up) **'Bora wedyn o'n i lawr yn Mountstuart Square ar 'y nghodiad'** *The following morning I was down in Mountstuart Square first thing* (Dafydd Huws, 1990: 246).

Coed *trees* **cael/dod â rhywun at ei goed** (lit *to have/take someone to their trees*) *to bring someone to their senses* **'Ond ddaru o'm byd 'mond dechra chwerthin yn afreolus nes i mi feddwl y basa'n rhaid i mi daflud pwcedad o ddŵr oer ar ei ben o i'w gael o at ei goed'** *But he didn't do anything but start to laugh madly until I thought that I'd have to throw a bucket of cold water over his head to bring him to his senses* (Margiad Roberts, 1994: 35).

Coedio *to timber* **ei choedio hi** *to hotfoot it, to scarper off* **'yr oedd [ef] yn troi i'r ffordd fawr ac yn ei choedio hi tua Phenerddig'** *[He] turned to the main road and scarpered off towards Penerddig* (Alun Jones, 1979: 11).

Coedd (<cyhoedd) **ar goedd (gwlad)** *publicly* **'Mi ddyliwn ar goedd ymddiheuro iddo am beidio derbyn ei gyngor'** *I should publicly apologise to him for not accepting his advice* (Elwyn Jones, 1991: 45).

Coel *belief* **coel gwrach (ar ôl bwyta uwd)** (lit *a witch's belief (after eating porridge)*) *old wives' tale* **'[Rhoddodd hi flodyn] melyn dan fy ngên. 'Rwyt ti yn ei garu!' meddai wrth weld adlewyrchiad y melyn ar fy nghroen. 'Ti'm yn credu rhyw goel gwrach fel yna'"** *[She put] a yellow [flower] under my chin. 'You love him!' she said after seeing the yellow reflection on my skin. 'You don't believe old wives' tales like that'* (Angharad Tomos, 1991: 60).

Coelbren *lot* **bwrw coelbren** *to cast lots* **'Byddai merthyrdod wedi gwarantu anfarwoldeb go-iawn iddi, ond mae cyfaddawdu wedi bod yn gyfystyr â bwrw coelbren i gyfeiriad ebargofiant'** *Martyrdom would have guaranteed genuine immortality to her, but compromising has been synonymous with casting lots in the direction of oblivion* (Aled Islwyn, 1994: 149).

Coes *leg* **1 coes ganol** (lit *middle leg*) CW *knob, penis, willy* **'Ond sut ma sioc diwylliannol yn effeithio ar 'y nghoes ganol i?'** *But how does a cultural shock affect my knob?* (Dafydd Huws, 1990: 88). **2 coes glec** CW *peg leg, wooden leg* **"Dewch o 'ne!" medda hi a gafal yn yn llaw i. 'Fedra i ddim,' me fi. 'Gin i goes glec'"** *'Come on!' she said and grabbed my hand. 'I can't,' I said. 'I've got a peg leg'* (Dafydd Huws, 1990: 102). **3 yr hen goes** (lit *the old leg*) CW

old mate (term of familiarity for a girl) **'Helo, helo, falch o dy weld di, sut ma'i 'rhen goes, sut aeth hi?'** *Hello, hello, pleased to see you, how are you, old mate, how did it go?* (Angharad Tomos, 1985: 14).

Cof *memory* **1 (allan) o'm cof** LW NW *out of my mind* (anger etc.) **'Dwi'n deud wrtha chdi, dwi bron â mynd o 'ngho'!'** *I'm telling you, I'm just about going out of my mind!* (Margiad Roberts, 1994: 167) (* the plural of **cof** here in NW is **coau**, eg **'Pam ma pobol yn mynd o'u coau, dywad?'** *Why do people go out of their minds, then?* (Caradog Prichard, 1961: 172)). **2 ar fy nghof** (lit *on my memory*) *in my head* **'Ond oherwydd yr holl ymwneud â cherdd dant, y peth mawr i mi oedd bod gen i stôr o farddoniaeth Gymraeg ar fy ngof'** *But because of all the association with cerdd dant, the big thing for me was that I had a large store of Welsh poetry in my head* (Marion Eames, 1995: 11) (* **cerdd dant** *singing poetry with a harp*). **3 ar gof a chadw** *on record* **'Un o resymau Pegi Williams tros gyhoeddi llyfr oedd rhoi pethau ar gof a chadw'** *One of the reasons for Pegi Williams publishing a book was to put things on record* (Golwg, 11 January 1990: 23). **4 brith gof** *hazy memory, vague memory* **'Er i'w deulu ymadael ag Affrica, erys rhyw frith gof o liw ac ysbryd y cyfandir i Andy'** *Although his family left Africa, some vague memory of the colour and spirit of the continent remains for Andy* (Sbec TV Wales, 21 May 1994: 13). **5 (bwrw/gollwng/mynd etc.) dros gof** *to forget* **'Digon o amser i drafod peth fel'na, meddyliais innau, mor gachgiaidd â neb, mwy, ac ond yn rhy falch i fwrw'r syniad dros gof a mygu'r sgwrs'** *Enough time to discuss a thing like that, I thought, as shittily as anyone, more even, but too proud to forget the idea and ruin the conversation* (Rhydwen Williams, 1969: 7). **6 cof byw** *vivid memory* **'Ro'n nhw'n dwli ar y cardiau Nadolig. Mae gen i gof byw o rywbeth fydde'n digwydd bob tro wrth roi i'r plant'** *They doted on the Christmas cards. I've got a vivid memory of something happening every time while giving [them] to the children* (Golwg, 22 December 1988: 14). **7 cof fel gogo(r)** *memory like a sieve* **'[Ro'n i] wedi anghofio y grêps a'r da-da oedd Mam eisiau i mi eu rhoi i Bigw ar fwrdd y gegin. Mae gen i gof fel gogor'** *[I'd] forgotten the grapes and sweets Mam wanted me to give to Bigw on the kitchen table. I've got a memory like a sieve* (Angharad Tomos, 1991: 136). **8 er cof** *in remembrance* **'Bu farw Gwyneth, modryb fy ngwraig, ym mis Awst 1982, ac er cof amdani hi y lluniais y [cerddi]'** *Gwyneth, my wife's aunt, died in August 1982, and in remembrance of her I wrote the [poems]* (Alan Llwyd, 1994: 126). **9 er cyn cof** *since time immemorial* **'Roedd Elen wedi mynd â'r post i ffermdai'r fro ers cyn cof'** *Elen had taken the post to the neighbourhood farmhouses since time immemorial* (Bernard Evans, 1990: 65). **10 mae gennyf gof** *I remember* **'Mae gen i gof am y ddau ohonom yn adrodd mewn rhyw 'steddfod neu'i gilydd yn Llan Ffestiniog, a byddai'r ddau ohonom yn ennill yn bur aml'** *I remember the two of us reciting in some Eisteddfod or other in Llan Ffestiniog, and the two of us would win fairly frequently* (Alan Llwyd, 1994: 16). **11 mewn cof** *in* *mind* 'Yr hyn y dylem ei gadw mewn cof yw fod yna farddoniaeth yn gymysg â rhyddiaith' *What we should keep in mind is that there is poetry mixed up with the prose* (Gwyn Thomas, 1976: 76). **12 rhyw gof** *hazy memory, vague memory* 'Ac efallai fod rhyw gof gennyf am y syniad hwnnw mai Merthyr fyddai ffocws datblygiad y Blaid' *And perhaps I've got some vague memory about that idea that Merthyr would be the focus of Plaid Cymru's development* (Dafydd Wigley, 1992: 102).

Cofi Caern *person from Caernarfon* (see also **Co'**) **1 Cofi dre** Caern *person from Caernarfon town* 'Felly dyma ni'n mynd i'r ciosg yma i'w ffonio hi ... Linda, rïal Cofi dre" *So we went to this phone booth to phone her ... Linda, a real Caernarfon town girl* (*Golwg*, 20 March 1997: 26). **2 Cofi wlad** Caern *person from the rural hinterland of Caernarfon* 'Ond cofis wlad ydi Ben-a-Lun ylwch. Pobol sy wedi denig o'r ogla tail' *But people from rural Caernarfon are Ben-and-Lun you see. People who've escaped from the smell of horse shit* (Dafydd Huws, 1990: 79).

Cofio *to remember* **1** the imperative forms, **cofia** and **cofiwch**, are used extensively in NW as a stopgap to mean more than just *remember,* such as, for example, *bear it in mind, have regard, now, you know* 'Paid ti a mynd yn bell efo nhw cofia' *Don't you go far with them now* (Caradog Prichard, 1961: 33); 'Wel, fe gymer amser, cofiwch, ichi ddod dros eich profedigaeth' *Well, it will take time, you know, for you to get over your loss* (Islwyn Ffowc Elis, 1990(ii): 126). **2 cofio at rywun** *to send regards to someone* "Oedd o'n cofia ataf i?' 'Oedd.' 'Chwara teg iddo fo. Cofia finna ato fynta, wnei di - os weli di o 'mlaen i" *'Did he send his regards to me?' 'He did.' 'Fair play to him. Send my regards to him as well, will you - if you see him before me'* (Dewi Wyn Williams, 1995: 23).

Cofion *memories* **cofion (gorau)** *(best) regards* (in letter etc.) 'Pob lwc a Nadolig Llawen i chi a'r teulu. Cofion Wali' *Best of luck and Merry Christmas to you and your family. Regards Wali* (Ieuan Parry, 1993: 94).

'Cofn (< **rhag ofn**) CW *(just) in case* 'Paid ti â fflantian dillad y gwely 'na rwan, 'cofn i ti gael oerfel' *Don't shake about those bedclothes now, just in case you catch cold* (Sonia Edwards, 1995: 40).

Coffa *remembrance* **er coffa** *in rememberance* 'Gwnewch hyn er coffa amdanaf' *Do this in remembrence of me* (Gareth Miles, 1995: 19).

Cog *cuckoo* **(hapus) fel y gog** (lit *(happy) like the cuckoo*) CW *very happy* 'Rowland oedd yno a thywel glas o gwmpas ei ganol yn iach ac yn hapus fel y gog' *It was Rowland there with a towel around his middle, healthy and very happy* (Wiliam Owen Roberts, 1990: 184).

Còg Powys *lad* 'Ac wedi cael cyfeirio ato droeon fel 'Vaughan', 'còg Lleifior' a'r 'stiwdent', fe ddechreuodd Joni Watkin ei alw 'Y B.A." *And after having referred to him numerous times as 'Vaughan', 'the Lleifior lad' and 'the student', Joni Watkin started calling him 'The B.A.'* (Islwyn Ffowc Elis, 1990(i): 263).

Cogio CW *to pretend* "Gweud ta-ta wrth y boi,' meddai Mr Owen yng nghlust yr arth newydd ac yna ... dywedodd: 'Ta-ta boi', gan gogio bod y tedi'n siarad' *'Say ta-ta to the lad,' said Mr Owen into the new bear's ear and then ... he said: 'Ta-ta lad,' pretending that the teddy was speaking* (Mihangel Morgan, 1993: 85).

Côl LW SW **arffed** LW SW **glin** LW NW *lap*

Colbio CW *to hit* 'Wrth sylweddoli'r golled, fe gododd natur Ianto a dyma fe'n ymosod ar Joshua. Fe'i colbodd e, fe'i cicodd e, fe'i cleisodd e' *Upon realising his loss, Ianto lost his temper and he attacked Joshua. He hit him, he kicked him, he bruised him* (Eirwyn Pontshân, 1982: 45).

Coleg *college* **1 y Coleg ar y Bryn** (lit the *College on the Hill*) CW *University of Wales Bangor* 'Cefais raddau da iawn a byddwn yn mynd i'r Coleg ar y Bryn yr yr hydref' *I got very good grades and I would be going to Bangor in the Autumn* (John Ogwen, 1996: 102). **2 y Coleg ger y Lli** (lit the *College by the Sea*) CW *University of Wales Aberystwyth* 'Ei bwriad yw mynd i'r Coleg ger y Lli yn yr Hydref' *Her intention is to go to Aberystwyth in the Autumn* (*Y Dinesydd*, May 1995: 5).

Colfen Swansea area in SW *tree* "Chi'n gwpob le grocws e'i hunan?' 'Der mla'n, gwe'tho'ni.' 'Draw manco ... ar y golfen 'na' *'You know where he hung himself?' 'Come on, tell us.' 'Over there ... on that tree'* (Dafydd Rowlands, 1995: 52).

Coll *loss* **ar goll** *lost, missing* 'Ond does dim sôn, am wn i, am Saunders Lewis yn mynd ar goll o'r ysgol' *But there's no mention, as far as I know, of Saunders Lewis going missing from school* (Mihangel Morgan, 1994: 42).

Colled *loss* **ar fy ngholled** *worse off* 'mi oedd o ar ei golled ar ôl talu ei ddyledion' *he was worse off after payings his debts* (Gwenlyn Parry, 1995: 37).

Colli 1 *to lose* 'Collad fawr oedd colli Gladstone' *To lose Gladstone was a great loss* (Wil Sam, 1997: 29). **2** *to miss* (literally and figuratively) 'Ro'n i'n colli Gethin, colli malu cachu efo fo, a cholli gwrando arno fo'n canu' *I missed Gethin, missed talking crap with him, and missed listening to him singing* (Twm Miall, 1990: 173). **3 colli (ad)nabod rhywun** *to lose touch with someone* 'O'dd e'n neis siarad ag Îfs ar 'y mhen 'yn hunan, achos fel arfer ma'r lleill 'na hefyd a ma' hwnna'n achosi i ni golli nabod ar y'n gilydd mewn ffordd' *It was nice to speak to Îfs on my own, because usually the others are there as well and that causes us to lose touch with each other in a way* (John Owen, 1994: 79). **4 colli arnaf fy hun** LW NW *to become bewildered* 'Meddwl 'mod i'n dechra colli arnaf fy hun achos mi rois i'r tatws-yn-eu-crwyn i mewn yn y ffrij yn lle'r popdy' *Thought I'd started to go mad because I put the jacket potatoes in the fridge instead of the oven* (Margiad Roberts, 1994: 176). **5 colli dros rywbeth** *to spill over something* (drink etc.) 'Ffeindio'r rhif ffôn ... ond mae rhyw ffwl wedi colli paned trosto' *Found the phone number ... but some fool had spilt a cuppa over it* (*Busnes i Fusnes*, Autumn 1992: 4). **6 colli fy**

limpin NW *to become furious, to go mad, to lose one's temper* '**Roedd y dyfarnwr yn dechrau colli ei limpyn**' *The referee was starting to lose his temper* (Alun Ffred and Mei Jones, 1990: 17).

Conan SW **achwyn** LW SW **cwyno** LW NW *to complain*

Consyrn (<E *concern*) CW *concern* '**Fel mae dyn yn ymgyrchu mae dyn yn gweld mwy a mwy o beth sydd o gonsyrn i bobol**' *As one campaigns one sees increasingly what is of concern to people* (*Golwg*, 24 April 1997: 11).

Con(t) (<E *cunt*) **1** CW *bastard, cunt* "**Ro'i gweir iawn i hwn os tisho,' medda Sam Cei a gafal yn gôt armi Connolly. 'Tishio lab con?**" *'I'll really beat this one up if you want,' said Sam Cei grabbing hold of Connolly's army coat. 'You want a belt, cunt?'* (Dafydd Huws, 1978: 38). **2** Caern *mate* "**Su'mai con,' meddai'r boi tu ôl y ddesg, 'isio rhywbeth wyt ti?**" *'Haia mate,' said the bloke behind the desk, 'do you want something?'* (Robin Llywelyn, 1995: 65).

Conyn SW *knob, penis, willy* '**Yr hyn oedd e'n neud, chweld, bob tro odd y perchennog, Miss Tomos yn dod draw i nôl y rhent odd agor 'i gopis a thynnu'i gonyn mâs**' *What he used to do, you see, every time the owner, Miss Tomos came over to get the rent was open his flies and pull his knob out* (Eirwyn Pontshân, 1982: 25).

Copa 1 *summit, top* '**Wedi iddo gyrraedd copa bryncyn bychan, safodd i gael ei wynt ato**' *After arriving at the top of a small hillock, he stood to get his breath back* (Wiliam Owen Roberts, 1990: 51). **2** SW *head* '**Gwenodd [hi] pan gofiodd mai wrth gario Elisabeth y cafodd y dŵr poeth ddiwetha - merch fach 'te, â chopa o wallt trwchus**' *[She] smiled when she remembered that it was by carrying Elisabeth that she got indigestion last time - a small girl though, with a head of thick hair* (Nansi Selwood, 1987: 248). **3** *pob copa walltog* (lit *every hairy head*) *everybody* '**Pe baent wedi eu gadael ar ochr dywyll y lleuad a heb weld copa walltog ers dwy genedlaeth, ni fydda'r croeso'n gynhesach**' *If they had been left on the dark side of the moon and hadn't seen anyone for two generations, the welcome wouldn't have been warmer* (Dafydd Wigley, 1992: 49).

Copis(h) SW *zip/fly* (on trousers) '**Yr hyn oedd e'n neud, chweld, bob tro odd y perchennog, Miss Tomos yn dod draw i nôl y rhent odd agor 'i gopis a thynnu'i gonyn mâs**' *What he used to do, you see, every time the owner, Miss Tomos came over to get the rent was open his flies and pull his knob out* (Eirwyn Pontshân, 1982: 25).

Copsan (<E *copped*) *cael copsan* NW *to be caught (in the act)* '**Dach chi ofn i rywun arall droi i fyny i'ch stafall chi ne' rwbath? Dach chi ofn cael copsan yn y llorpia? Dan ni'n gwbod be oedd yn digwydd, Falentino**' *Are you frightened of someone else turning up at your room or something? Are you frightened of being caught on the job? We know what was happening, Valentino* (Gwenlyn Parry, 1992: 15).

Côr *choir* **côr meibion** *male voice choir* '**Efallai i Nhad sylweddoli, os yw trafod côr meibion yn anodd,** **fod cadw'r ddysgl yn wastad mewn côr cymysg yn waeth fyth**' *Perhaps my Dad realised, if handling a male voice choir was hard, that keeping things on an even keel in a mixed choir was even worse* (Dic Jones, 1989: 129).

Corddi *to agitate, to churn* **corddi'r dyfroedd** (lit *to churn up the waters*) *to stir things up* '**Ychydig fisoedd 'nôl bu Siôn Jobbins yn corddi'r dyfroedd Cymreig gan honni ... mai Aberystwyth sy'n haeddu teitl prifddinas Cymru**' *A few months ago Siôn Jobbins stirred Welsh matters up by claiming ... that Aberystwyth deserves the title of capital of Wales* (*Sbec TV Wales*, 10 June 1995: 4).

Corff *body* **yr Hen Gorff** (lit *the Old Body*) *the Calvinist Methodist Church* '**Chafodd y tylwyth, na 'nhad, na'r Hen Gorff, mo'u fordd eu hunain gyda 'mywyd i**' *Neither the family, nor my father, nor the Calvinist Methodist Church, got their own way with my life* (Islwyn Ffowc Elis in Eleri Hopcyn (ed.), 1995: 29).

Corlan LW CW **ffald** LW SW **lloc** LW SW *sheepfold*

Corn *horn, pipe* **ar gorn rhywbeth/rhywun** (a) *at something/someone's expense* "**Clyw yma'r cedor, a clyw yn iawn ... mi wna i rwbath i achub cam hwnna, dallt - rwbath!' 'Ond ddim ar fy nghorn i.' 'Dy gorn ditha hefyd**" *'Listen here you wanker, and listen well ... I'd do anything to right his wrong, understand - anything!' 'But not at my expense.' 'At your expense as well'* (Gwenlyn Parry, 1992: 38); (b) *as a result of something/someone, because of something/someone* '**Ceisiodd yr adolygydd hwn gollfarnu'r gwaith i gyd ar gorn rhyw lond dwrn o fympwyon personol**' *This reviewer tried to condemn the whole work as a result of a handful of personal whims* (Alan Llwyd, 1994: 241).

Corryn LW SW **pryf cop(yn)** LW NW *spider*

Corun *crown of the head* **o'm corun i'm sawdl** (lit *from my crown to my heel*) *from tip to toe* '**Mi gaeodd Anti Dil ei cheg o'r diwedd, ac mi blethodd hi ei breichia a sbio arna i fyny ac i lawr o'm corun i'm sowdl**' *Auntie Dil finally shut up, and she crossed her arms and looked me up and down from tip to toe* (Twm Miall, 1988: 158).

Cosfa *beating, thrashing* '**Ro'dd e'n ysu am ga'l cyfle i roi cosfa dda iddyn nhw**' *He was itching to have a chance to give them a good thrashing* (Nansi Selwood, 1987: 92).

Cosi LW NW **gwynegu** LW SW *to ache, to throb*

Costied a gostio see Appendix 10.04(iv).

Costi SW *to cost* '**Gydag** *accountants*, **chi'n ffaelu cael twl mas ohonyn nhw. Dyna'i gyd maen nhw'n ei weld yw faint mae e'n mynd i gosti**' *With accountants, you can't get a [single] tool out of them. All that they see is how much it's going to cost* (*Busnes i Fusnes*, October 1992: 9).

Cot(en) SW *beating, thrashing* '**Ond oedi 'nâth y gwalch wetyn a bu'n rhaid i'r bechgyn roi 'itha cot iddo fa**' *But the rascal hesitated afterwards and the lads had to give him quite a beating* (Nansi Selwood, 1987: 44).

Cotsan Arfon *bitch, cow, cunt* (derogatory term for a woman) **"Gotsan wirion,' medda Fferat dan 'i wynt'** *'Stupid cunt,' said Fferat under his breath* (Dafydd Huws, 1978: 40).

Cotsyn Arfon *bastard, dickhead, wanker* **'Duw! Dim dy bres di ydi o'r cotsyn!'** *God! It's not your money you wanker!* (Vivian Wynne Roberts, 1995: 41).

Cowt NW *yard* **'Wrth i ni adael cysgod y fynwent a chroesi cowt y capel mae hi'n oerach'** *As we leave the shadow of the graveyard and cross the chapel yard, it's colder* (Sonia Edwards, 1995: 11).

Crac SW *angry* **'Roedd Iolo yn grac nawr. Tynnodd y dryll o'i boced'** *Iolo was angry now. He pulled the gun out of his pocket* (Mihangel Morgan, 1993(ii)) 109).

Crachod *scabs* **codi hen grachod** (lit *to lift old scabs*) *to re-open old wounds* **'mae sawl un yn grediniol mai er mwyn osgoi unrhyw helynt posib yn sgil codi'r hen grachod y cymrodd [e] y goes'** *several people believe that in order to avoid any possible trouble in the wake of reopening old wounds [he] scarpered off* (Dafydd Huws, 1990: 251).

Cradur (< **creadur**) NW *love, poor thing* (sympathetic term of familiarity for a male person or animal etc.) **'Mae yntau'r hen gradur, fel pawb, yn chwilio am ffordd yn ôl'** *He too the poor thing, like everyone, is looking for a way back* (Robin Llywelyn, 1994: 140).

Cradures (< **creadures**) NW *love, poor thing* (sympathetic term of familiarity for a female person or animal etc.) **'Bedd 'rhen Fodlan Jôs, 'rhen gryduras'** *The grave of old Fodlan Jones, the poor thing* (Jane Edwards, 1989: 15).

Crafu LW CW **cripio** NW *to scratch* **1 crafu tin rhywun** (lit *to scratch someone's arse*) CW *to creep up to someone, to suck up to someone* **'Riport! ... Rio Tinto! ... titha wrth 'i ddesg o fora Llun yn crafu tin'** *Report! ... Rio Tinto! ... and you at his desk on Monday morning crawling* (Gwenlyn Parry, 1979: 63). **2 mynd i grafu** (lit *to go and scratch*) CW *to go and get lost, to go and get stuffed* **'A phob parch Double-Top, cer i grafu wnei di ...'** *And with all due respect Double-Top, get lost will you ...* (Geraint Lewis, 1995: 43).

Craig *rock* **1 craig** is used figuratively to denote something reliable (cf *rock-solid*) **'Dywedasai un o'i gyflogwyr, Mr Pritchard, un o berchenogion y cwmni, ei fod ef - Vic - yn graig'** *One of his employers, Mr Pritchard, one of the company's owners, had said that he - Vic - was rock-solid* (Mihangel Morgan, 1993(ii): 45). **2 craig o arian** (lit *rock of money*) CW *very rich* **'Ond am nad oeddan nhw'n graig o bres ac am y gwnâi hen un y tro, bu rhaid iddi fynd â honno'n ôl'** *But because they weren't very rich and the old one would suffice, she had to take that one back* (Jane Edwards, 1993: 118).

Cranc (lit *crab*) NW *miserable person* **"Dyna ni'n gyfartal, felly,' meddai'r cranc gwirion'** *'We're equal, then,' said the stupid miserable bugger* (Vivian Wynne Roberts, 1995: 79).

Crap *smattering* **crap ar (Gymraeg/wybodaeth etc.)** *grasp of (Welsh/information etc.)* **'Fyddwch chi fawr o dro'n cael crap ar eich ffordd o gwmpas canol Berlin a defnyddio Adwy Brandenburg fel pegwn bob tro'** *You won't be long getting a grasp of your way around the centre of Berlin by using the Brandenburg Gate as a marker every time* (Rhiain Phillips, 1995: 51).

Crasfa SW *beating, thrashing* **Cas y bois grasfa yn y pentre neithiwr** *The lads got beaten up in the village last night.*

Cratshiad NW *gutsful* **'Roedd pawb wedi cael cratshiad go-lew [o gwrw] erbyn stop tap'** *Everyone had had a real gutsful [of beer] by stop-tap* (Twm Miall, 1988: 127).

Creadur (lit *creature*) CW *love, poor thing* (sympathetic term of familiarity for a male person or animal etc.) **''Sdim tylwyth 'da fe, wi'n credu, y creadur'** *He hasn't got any family, I don't think, the poor thing* (Harri Pritchard Jones, 1994: 21).

Creadures (lit *creature*) CW *love, poor thing* (sympathetic term of familiarity for a female person or animal etc.) **'Treulio'r noson yn siarad am ei mam fuodd Barbie, a deud fel yr oedd iechyd y greaduras yn fregus iawn'** *Barbie spent the night talking about her mother, and said how the health of the poor thing was very fragile* (Margiad Roberts, 1994: 231).

Crempogen LW NW **ffroesen** LW SW **pancosen** LW SW *pancake*

Crïau (< **careiau**) **1** NW *shoelaces* **'Ro'n i wedi meddwl basa ti'n dŵad â phâr o grïa i mi o'r dre heno'** *I thought that you'd have brought me a pair o shoelaces from town tonight* (Wil Sam, 1995: 198). **2 tynnu'n grïau** (lit *to pull in laces*) NW *to pull to bits* **'Fel roedd hi'n tynnu'i hun yn grïai pwy gerddodd o siop y bwci â £15 yn ei law ond Mos'** *As she was pulling herself to bits who walked in from the bookie's shop with £15 in his hand but Mos* (Jane Edwards, 1993: 35).

Crib *comb, crest* **crib mân** (lit *small comb*) NW *toothpick/toothcomb* (figuratively) **'Am faint o wythnosau fuo Mam druan ar ei gliniau [yng nghanol y llanastr] yn mynd drwyddo efo crib mân, wn i ddim'** *For how many weeks poor Mam was on her knees [in the middle of the rubbish] going through it with a toothcomb, I don't know* (Angharad Tomos, 1991: 118).

Cribin LW NW **rhaca** LW SW *(garden) rake*

Cricath see Apprendix 18.02.

Crio LW NW **llefain** LW SW **wylo** LW CW *to cry*

Crinc NW *bore, misery* **'Roedd o'n gwisgo côt frown, ac roedd o'n f'atgoffa i o foi oedd yn dysgu gwaith coed i mi yn rysgol. Hen grinc annifyr oedd hwnnw hefyd'** *He used to wear a brown coat, and he reminded me of the bloke who used to teach me woodwork at school. He was a boring old misery as well* (Twm Miall, 1990: 70).

Cripio NW **crafu** LW CW *to scratch*

Crist *Christ* **1 Crist croes tân poeth (torri fy mhen a'm dwy goes)** (lit *Christ's cross hot fire (break my head and my two legs)*) CW *cross my heart and hope to die*

"A chymer di ofal na ddeudi di ddim wrth neb ein bod ni 'di bod 'ma. Ar dy lw?' 'Ar fy llw.' 'Crist croes.' 'Crist croes tân poeth, torri 'mhen a thorri 'nwy goes" *'And you take care not to tell anyone that we've been here. Swear?' 'I swear.' 'Cross your heart.' 'Cross my heart and hope to die'* (Jane Edwards, 1989: 16). **2 Crist croes tân poeth (ellwn i farw ar y groes)** (lit *Christ's cross hot fire (maybe I'll die on the cross))* CW cross my heart and hope to die **'A wyt ti'n gaddo y byddi di'n 'neud y gwaith 'na?' 'Crist croes tân poeth ellwn i farw ar y groes'** *'Do you promise that you'll do that work?' 'Cross my heart and hope to die'.*

Criw *crew* **criw Duw** (lit *God's crew*) CW *God squad* (religious fanatics) **'... a dyma 'na griw o genod plaen ar diawl yn troi rownd ac yn sbïo fel y fagddu arna fi am feiddio. 'Criw Duw ...' medda Frogit yn y'nghlust i'** *... and then this crew of bloody plain-looking girls turned round and looked blackly at me for trying. 'God squad ...' said Frogit in my ear* (Dafydd Huws, 1978: 61).

Croen *skin* **1 croen** is often used to describe someone's ethnic background, eg **pobl groenwyn** *white people,* **pobl groenddu** *black people* **'golchwyd corff morwr croenddu i'r lan wedi llongddrylliad allan yn y bae lawer blwyddyn yn ôl'** *the body of a black sailor was washed ashore after a shipwreck out in the bay many a year ago* (Dic Jones, 1989: 59). **2 croen gŵydd** (lit *goose skin*) *goose pimples* **'Nid dim ond Charles oedd yn noeth yn y llun hwnnw yn y castell yn Ffrainc; roedd y wladwriaeth yno hefyd, yn groen gwydd i gyd yn yr oerfel'** *It wasn't only Charles who was naked in that picture in the castle in France; the country was there as well, all goose pimples in the cold* (Golwg, 15 September 1994: 7). **3 yn iach fy nghroen** (lit *healthy my skin*) *unharmed, unhurt* **'Daeth Michael Howard, yr Ysgrifennydd Cartref, trwy'r helynt ynglŷn â'r gwasanaeth carchardai yn iach ei groen'** *Michael Howard, the Home Secretary, came through the trouble concerning the prisons service unharmed* (Barn, November 1995: 6) (* also **croeniach,** eg **'Anghofiwn ni am y gweddill ... y peth pwysica ydy'n bod ni'n gallu mynd o'ma'n groeniach'** *Let's forget about the rest ... the most important thing is that we can go from here all in one piece* (Wiliam Owen Roberts, 1987: 205)).

Croes *contrary* **1 mynd yn groes i rywbeth** *to go against something, to be contrary to something* **'A fydd hynny yn arwain at ddibrisio'r Gymraeg ac yn mynd yn groes i fwriad y sianel [deledu]?'** *Will that lead to devaluing the Welsh language and will it be contrary to the intention of the [television] channel?* (Golwg, 7 February 1991: 9). **2 tynnu'n groes** (lit *to pull contrary*) *to pull in opposite directions* **'Fe ddywedodd un aelod amlwg nad oedd 'neb yn gwybod' beth fyddai'n digwydd petai'r ddau gorff yn tynnu'n groes'** *One prominent member said that 'nobody knew' what would happen if the two bodies pulled in opposite directions* (Golwg, 25 February 1993: 4).

Croesi *to cross* **croesi'r bont** (lit *to cross the bridge*) idiom use in reference to someone becoming very competent at something; commonly used in reference to learning Welsh **'Y ffordd orau i groesi'r bont yw meistroli'r Gymraeg fel cyfrwng i gyflawni rhywbeth arall pwysicach [na chariad yn unig tuag at yr iaith]'** *The best way to cross the bridge is to master Welsh as a medium to express something more important [than just love of the language]* (Golwg, 24 August 1995: 26).

Crogi *to hang* **1 dros fy nghrogi** (lit *for my hanging*) *over my dead body* **'Awn i ddim ar gyfyl y 'Chernobyl diwylliannol' hwn dros fy nghrogi'** *I wouldn't go near this 'cultural Chernobyl' over my dead body* (Golwg, 31 March 1994: 29). **2 mynd i'm crogi** (lit *to go and be hanged*) CW *to go to hell* **'Beth bynnag mae Joanna yn mynd i briodi John - aeth hi i Dre Tywod efo fo ddoe - a chaiff Ffebi fynd i'w chrogi os nad yw hi'n fodlon'** *Anyway Joanna is going to marry John - she went to Tre Tywod with him yesterday - and Ffebi can go to hell if she isn't satisfied* (Mihangel Morgan, 1994: 11).

Cronglwyd LW *roof* **(o) dan gronglwyd rhywbeth/ rhywun** *under something/someone's roof* (figuratively) **'Dwi'n deud gwersyll ond toedd o fawr mwy na phabell a lle tân ar le gwastad dan gronglwyd y mynydd'** *I say campsite but it wasn't much more than a tent and a fire place on a flat place under the shelter of the mountain* (Robin Llywelyn, 1992: 18) (* this idiom has been replaced or adapted in the latest version of the Bible (see Genesis 19:8, Matthew 8:8), but it is still used in LW and CW).

Croten SW *girl* **"Beth na i os coda nw, mishtir?', gofinnodd y groten'** *'What shall I do if they get up, mister?', asked the girl* (Morgan John in Gwyn Griffiths (ed.), 1994: 27).

Crugyn (< **cryg**) **crugyn o (bethau/bobl etc.)** SW *a lot of (things/people etc.)* **'Wel, ma crigyn o bethe'n mynd mlân heblaw'r 'Pethe' cofia'** *Well, there are a lot of things going on apart from Welsh cultural things, remember* (Dafydd Huws, 1990: 83).

Crwn *round* **(diwrnod/munud etc.) crwn cyfan** (lit *whole round (day/minute etc.))* *a whole (day/minute etc.)* **'Arhosodd [e] felly am funud crwn, cyfan cyn agor un o'r bagiau'** *[He] waited then for a whole minute before opening one of the bags* (Eirug Wyn, 1994: 169).

Crwt(yn) SW *lad* **'Dwi'n cofio rhwy ddou grwt ifanc in yr eglwys, ddim pell o 'ma, wedi neud rhwbeth ma's o le'** *I remember some two young lads in the church, not far from here, having done something wrong* (Angharad Dafis, 1994: 47) (* note the plural form **cryts,** eg **'Dyna o'dd y drefen ar gownt cryts y pentre i gyd'** *That was the order from the point of view of all of the lads in the village* (Meirion Evans, 1996: 11)).

Crycmala (< **crydcymalau**) NW *arthritis, rheumatism* **'Yr hen gricmala yna ydi o, Betsan Parri, medda Gres Ifas'** *It's that old rheumatism, Betsan Parri, said Gres Ifas* (Caradog Prichard, 1961: 107).

Cryd cymalau LW NW **gwynegon** LW SW *arthritis, rheumatism*

Cryf *strong* **os na bydd gryf bydd gyfrwys** proverb *if not strong be cunning* **"Os na bydd gryf bydd gyfrwys,' meddwn i wrthyf fy hun yn gweld be oedd raid imi wneud'** *'If not strong be cunning,' I said to myself after I saw what I had to do* (Robin Llywelyn, 1992: 9).

Crymffast NW *big bloke, big lad* **'Yr oedd tŷ'r plismon dros y clawdd am y cae chwarae, - mi fyddai'n rheitiach i'r crymffast fod adra'n gwrando ar iaith ei blentyn nag yn treulio'i holl amser yn Mhenerddig'** *The policeman's house was over the hedge opposite the playing field, - it would be better if the big bloke was at home listening to his child's language than spending all his time in Penerddig* (Alun Jones, 1979: 25).

Cryts see **crwt(yn)**.

Cuddiad (< **cuddio**) NW *to hide* **'Gŵyr [hi] hi amdano fo'n sbio arni hi o'r blaen ond y tro yma nid yw hithau'n cuddiad rhag ei lygaid'** *[She] knows about him looking at her before but this time she does not hide from his eyes* (Robin Llywelyn, 1994: 24).

Cur *throbbing* **cur (yn y) pen** LW NW **pen tost** LW SW *headache* **"Mae gen i gur yn fy mhen,' meddai hi gan rwbio'i gwallt'** *'I've got a headache,' she said rubbing her hair* (Robin Llywelyn, 1994: 130).

Curfa LW SW *beating, thrashing* **Cas y dyn gurfa 'da'r lleidr** *The man got beaten up by the thief.*

'Cw (< **rhacw**) NW *(over) there* **'Weli di'r ffarm 'cw yn fan 'cw?'** *Do you see that farm over there?* (John Gwilym Jones, 1979(i): 27).

Cwar SW **chwarel** LW CW *quarry*

Cwarter (< **chwarter**) SW *quarter* **"... A cwarter o licyris olsorts.' 'OK.' 'Gwd boi!' Off â ti nawr 'te"** *'... And a quarter of Liquorice Allsorts.' 'OK.' 'Good boy! Off you go now then'* (Dafydd Rowlands, 1995: 30).

Cwarfod (< **cyfarfod**) NW *to meet* **'Mae o'n awyddus i'ch cwarfod chi'** *He's keen to meet you* (Meic Povey, 1995(i): 26).

Cwato SW *to hide* **'Fydde rhywun yn tyngu bo rhwbeth 'da ti i gwato!'** *Anyone would swear that you've got something to hide!* (Dafydd Huws, 1990: 56).

Cwbl LW CW **cwbwl** CW *all, total, whole* **wedi'r cwbl** *after all* **'Wedi'r cwbwl, dyn ifanc oedd o'** *After all, he was a young man* (Wiliam Owen Roberts, 1987: 123).

Cwcan SW *to cook* **Smo fi'n joio cwcan rhagor** *I don't enjoy cooking any more.*

Cwcio CW *to cook* **'Ac mi wylltiais i'n fwy fyth, achos er i mi gael rhyw wersi cwcio yn rysgol a dysgu sut i wneud blwmonj a smwddio hancas bocad, ddangosodd neb rioed i mi sut oedd trwshio stôf na injan golchi dillad!'** *And I got even more mad, because although I had some cooking lessons in school and learnt how to make a blancmange and iron a handkerchief, nobody ever showed me how to repair a stove or a washing machine* (Margiad Roberts, 1994: 209).

Cwch LW CW *bad* LW Glam *boat* **(bwrw/gyrru etc.) y cwch i'r dŵr** (lit *to (cast/drive etc.) the boat into the water*) *to cast off, to start things off* (usually figuratively) **'Er gwaethaf bylchedd y data, bu'r galw cyson a chynyddol am wybodaeth a defnyddiau tafodieithol o nifer o gyfeiriadau ... yn foddion i'n argyhoeddi bod angen bwrw'r cwch i'r dŵr'** *Despite the gaps in the data, the constant and increasing call for dialect information and material from a number of places ... was sufficient to convince us that it was necessary to start things off* (Beth Thomas and Peter Wynn Thomas, 1989: ix).

Cwd 1 *bag* **Beth sy gennyt ti yn y cwd 'na?** *What have you got in that bag?* **2** NW *balls* (male genitalia) **'gwna di hynny, gyfaill ac mi dorrwn ni dy ddwy law di, dy ddwy droed di a dy gŵd di a'u stwffio nhw i lawr dy gorn gwddw di!'** *do that mate, and we'll chop off your hands, your feet and your balls and stuff them down your throat!* (Wiliam Owen Roberts, 1987: 58). **3** NW *dickhead* **'Pe na bai'r cwd hwnnw wedi symud drws nesa, mi fyddai Tracey yn gweiddi [rhywbeth arall]'** *If that dickhead hadn't moved next door, Tracey would be shouting [something else]* (Eirug Wyn, 1994: 82).

Cwdyn (lit *small bag*) NW *dickhead* **'Dw i 'di sgorio pefectly legitimate gôl, y cwdyn'** *I've scored a perfectly legitimate goal, you dickhead* (Alun Ffred and Mei Jones, 1990: 16).

Cweir NW *beating, thrashing* **'Ddaru o roid cweir i Now?'** *Did he beat up Now?* (Caradog Prichard, 1961: 92).

Cweit (<E *quite*) CW *quite* **'Oedd byth cweit ddigon sobor i wneud dim. 'Blaw hel merchaid'** *He was never quite sober enough to do anything. Besides chase girls* (Meic Povey, 1995(ii): 19).

Cwestiwn *question* **yn y cwestiwn** *in question* **'Hi oedd ar flaen y gad cyn belled ag yr oedd datblygu cysylltiad rhwng Siapan ac Ewrop yn y cwestiwn'** *She was at the forefront as far as developing the links between Japan and Europe were in question* (Mihangel Morgan, 1993: 29).

Cwffio NW *to fight* **'Tir a gwartheg ydi achos y rhan fwya o gwffio a welwch chi'r ffordd yma'** *Land and cattle are the cause of most of the fighting you'll see in these parts* (Wiliam Owen Roberts, 1987: 27).

Cwla NW **anhwylus** SW **sâl** LW NW **tost** LW SW *ill, sick*

Cwlwm *knot* **cwlwm gwlwm** NW *knotted up* **'Dewisais [dei] cwlwm gwlwm coch'** *I chose a red knotted-up [tie]* (John Gwilym Jones, 1979(ii): 71).

Cwman *stoop* **yn fy nghwman** *stooping* **'Yn ei gwman ar gadair arall wrth y mur, a'r haul hwyr drwy'r ffenest ar ei wyneb melyn, eisteddai Lee Tennyson'** *Stooping on another chair by the wall, with the late sun through the window on his yellow face, sat Lee Tennyson* (Islwyn Ffowc Elis, 1990(i): 118).

Cwmni *company* **cwmni** is frequently used before a proper noun in LW and OW **'Wrth i fusnesau ymhobman dynnu'u traed atyn, mae cwmni Iceland o Lannau Dyfrdwy yn estyn eu hadenydd eto' *As businesses everywhere die, Iceland from Deeside is expanding again* (*Golwg*, 25 May 1995: 6).

Cwmsgwt CW archetypal non-existent Welsh village **"Ydw, fi'n eich cofio chi, nawr. O'ch chi'n dod o Gwmsgwt.' Wel, o Bensgwt o'n i'n dod, ond es i ddim i ddadlau'** *'Yes, I remember you now. You came from Cwmsgwt.' Well, I came from Pensgwt, but I didn't argue* (*Golwg*, 25 March 1993: 14).

Cwmws (< **cymwys**) SW *exact* **yn gwmws** (< **yn gymwys**) SW *exactly* **'Dim ond i ti neud yn gwmws fel 'dwy'n ei ddweud, yna fe fydd popeth yn iawn'** *Provided you do exactly as I say, then everything will be alright* (Bernard Evans, 1990: 45).

Cŵn *dogs* **1 cyn codi cŵn Caer** (lit *before the dogs of Chester get up*) NW *first thing in the morning, in the early morning* **'Ti'n cofio'r trip ysgol 'na i Lundain? ... cychwyn cyn codi cŵn Caer ... desu, guthon ni hwyl radag honno'** *You remember that school trip to London? ... starting first thing in the morning ... Jesus, we had a laugh then* (Gwenlyn Parry, 1979: 56). **2 mynd rhwng y cŵn a'r brain** (lit *to go between the dogs and the crows*) *to go to the dogs* **'Wel tra oedd e yn yr ysbyty, ac yntau'n anymwybodol o hyd, roedd ei dŷ e'n dechrau mynd rhwng y cŵn a'r brain'** *Well while he was in hospital, and still unconscious, his house started going to the dogs* (Mihangel Morgan, 1994: 110).

Cwna (lit *(bitch) on heat*) CW crude reference to a woman looking for sex **'O'dd o'n cysgu ar soffa yn ei thŷ hi, wedi llwyr ymlâdd ar ôl dobio pan gath o'i ddeffro gin rwbath yn mwytho'i gwd o. Mam y fodan yn cwna, ia!'** *He was sleeping on the sofa in her house, totally knackered after messing about, when he was woken up by something stroking his balls. The girl's mother was looking for a shag, wasn't she!* (Dafydd Huws, 1990: 140).

Cwnnad 1 SW *increase, rise* **Wi heb gâl cwnnad cyflog ers ache!** *I haven't had a pay-rise for ages!* **2** SW *erection* (sexual) **"Caled yw hi,' mo. 'Be?' me fi. 'Cala eliffant a chwnnad arni!"** *'It's hard,' he said. 'What?' I asked. 'An elephant's knob with an erection!'* (Dafydd Huws, 1990: 86).

Cwnnu (< **cychwynnu**) SW *to rise* **'Tra bod Dic Death yn ei gwnnu fe o'r gwter fe lwyddwyd i hwpo'r coffin i'r hers yn ddianap'** *While Dick Death picked him up out of the gutter he managed to push the coffin into the hearse without incident* (Dafydd Rowlands, 1995: 23).

Cwpla (< **cwblhau**) SW *to finish* **'Sa i wedi cwpla 'da ti 'to!'** *I haven't finished with you yet!* (Dafydd Huws, 1990: 39).

Cwrbits NW *beating, thrashing* **'Un dda oedd Mam ... Cofio hi'n dŵad i'r ysgol, 'chan, a rhoi cwrbitsh i'r sgŵlmastar am iddo roi cansan i'w hogyn bach'** *Mam was a good one ... [I] remember her coming to the school, mate, and beating up the teacher because he caned her little boy* (Jane Edwards, 1993: 47).

Cwrcwd *squatting, stooping* **ar fy nghwrcwd** *squatting* **'Eisteddodd yr hogyn bach ar ei gwrcwd yn y gorlan yn mwytho'r gath'** *The young boy sat squatting in the sheep-pen stroking the cat* (Wiliam Owen Roberts, 1987: 11).

Cwrdd LW SW *to meet* **cwrdd** is also used as a noun in SW to mean a church or chapel service **'Euthum i Gapel y Wig yn lle i Eglwys Llandysiliogogo, ac erbyn i mi gyrraedd yr eglwys yr oedd y gwasanaeth wedi hen gychwyn, felly arhosais yn y cyntedd wrthyf fy hun rhag tarfu ar y cwrdd'** *I went to Wig Chapel instead of Llandysiliogogo Church, and by the time I arrived at the church the service had long since started, so I waited in the entrance on my own so as not to disturb the service* (Dic Jones, 1989: 287).

Cwrdda (< **cwrdd â**) SW *to meet* **'Ac os o'dd Magi La La yn dost yn y toilet ar ôl bod yn smoco yn y festri, wel syrfo hi reit. Dyna beth o'dd yn dod am gwrdda heb weud wrthi hi'** *And if Magi La La was ill in the toilet after smoking in the vestry, well serves her right. That's what comes for meeting without telling her* (Meirion Evans, 1996: 48).

Cwrso SW *to chase* **'Dirywiodd y briodas yn arw rai misoedd cyn i mi gyrraedd Ariannin, pan ddarganfu Zuelma fod ei gŵr a'i mab yn cwrso'r un ferch'** *The marriage degenerated terribly some months before I reached Argentina, when Zuelma discovered that her husband and son were chasing the same girl* (Tweli Griffiths, 1993: 80).

Cwrw *beer* **yn fy nghwrw** (lit *in my beer*) CW *drunk* **''Se chi'n clywed Ned yn clepran yn 'i gwrw gallech feddwl fod 'na lewpard wedi ymgnawdoli'** *If you heard Ned chattering away drunk you'd think that a leopard had become flesh* (Edgar ap Lewys, 1977: 7).

Cwt 1 LW SW *queue* **'Wel ta p'un, 'ma ni mas yn un cwt hir i'r cae ysgol'** *Well anyway, we're here outside in one long queue into the school playing field* (John Owen, 1994: 51). **2 cwt** LW NW **cwtsh** SW *hut, shed* **'Dos i garthu cwt lloia'** *Go and clear out the cow shed* (Wil Sam, 1995: 207). **3 cwt** LW SW **cynffon** LW NW *tail* **'Rhwng bod e'n wlyb at 'i gro'n a bod e'n agos â sythu, fe ildiodd ynte yn diwedd 'ed a fe a'th sha thre a'i gwt rhwng 'i goese'** *Between being wet to the skin and being close to freezing, he gave in as well in the end and went home with his tail between his legs* (Meirion Evans, 1997: 58). **4 cwt mochyn** LW NW **twlc mochyn** LW SW *pigsty* **'Mae yna lanastr ofnadwy yma. Mae fel cwt mochyn'** *There's an awful mess here. It's like a pigsty* (Angharad Tomos, 1982: 15). **5 wrth gwt rhywbeth/rhywun** SW *behind something/someone* **'Arferai [y draenog] ein dilyn ar hyd y caeau, fel ci bach wrth ein cwt'** *[The hedgehog] used to follow us all over the fields, like a little puppy behind us* (Alan Llwyd, 1994: 31).

Cwtsh 1 SW *hug* **'[Y] gwir amdani yw ein bod ni i gyd angen cwtsh i gadw'r byd mawr cas rhag ein cipio i'r tywyllwch'** *[The] truth about it is is that we all need a hug to keep the nasty big wide world from snatching us into the darkness* (*Television Wales*, 23 November 1996: 15). **2 cwtsh** SW **cwt** LW NW *hut, shed* **'Wedi câl y weiyrles - Cossor odd hi - rhaid odd gosod yr erial ar hyd yr ardd. Torri lartshen, a rhoi honno wrth y cwtsh sinc'** *After getting the* *wireless - it was a Cossor - it was necessary to put the aerial up along the garden. I cut a larch tree, and put that by the zinc shed* (Eirwyn Pontshân, 1982: 72). **3 cwtsh dan stâr** SW *cupboard under the stairs* **'[Yr oedd ei] chreirau'n llenwi'r cwtsh dan stâr'** *[Her] relics filled the cupboard under the stairs* (Aled Islwyn, 1994: 54).

Cwtshio CW *to hug* **'O jiw, o'n i'n teimlo mor agos ati'n siarad. Mwy agos nag o'n i'n snogo a chwtsho a'r pethe erill'** *Oh God, I felt so close to her speaking. Closer than if I'd been snogging or hugging [her] and the other things* (John Owen, 1994: 45).

Cwyd see Appendix 10.05.

Cwympo LW SW *to fall; to fell* **cwympo ar fy mai** LW SW *to admit I'm wrong* **'Pan fyddai anghydfod rhwng gwahanol rai, diaconiaid y capel a gâi'r gwaith o unioni'r berthynas ac oni cheid cymodi ar ôl yr ymgynghori, yna diarddelid yr unigolyn o'r eglwys hyd oni fyddai'n cwympo ar ei fai'** *When there was a disagreement between different people, the chapel deacons had the job of rectifying the relationship and if there was not reconciliation after the counselling, then the individual was expelled from the church unless he admitted that he was wrong* (Robert Owen Jones, 1997: 307).

Cwyno LW NW **achwyn** LW SW **conan** SW *to complain*

Cybôl (< **cybolach**) NW *nonsense, rubbish* **'Fyddi di isio shampŵ a rhyw gybôl?'** *Do you want shampoo and other such nonsense?* (Alun Jones, 1979: 149).

Cyboli NW *to go on, to jabber on* **'Am be 'dach chi'n gyboli, dwch?'** *What are you jabbering on about, then?* (Twm Miall, 1988: 117).

Cychwyn *to begin, to start* **1 cychwyn allan** *to start off* **'Ond ddeudodd o ddim byd arall ond troi ar ei sawdl a cychwyn allan'** *But he didn't say anything else but turned around and started off* (Caradog Prichard, 1961: 191). **2 ei chychwyn hi** *to start off* **'Ei chychwyn hi wnaethon ni wedyn'** *We started off afterwards* (Robin Llywelyn, 1992: 41). **3 megis cychwyn** *just started* **'Er hynny, maent yn cydnabod mai megis cychwyn mae'r broses o gofnodi'r berthynas rhwng cynllunio ac iaith'** *Despite that, they recognise that the process of noting the relationship between planning and language has just started* (*Barn*, June 1997: 61). **4 y cychwyn cyntaf** *the very beginning* **'O'r cychwyn cyntaf bu gwrthwynebiad i'r cynllun yn Y Bala'** *From the very beginning there was opposition to the plan in Bala* (*Yr Herald*, 30 April 1994: 5). **5 y cychwyn un** *the very beginning* **'Ond phrynwn i ddim tŷ heb gael ei hanas o'r cychwyn un'** *But I wouldn't buy a house without having its history from the very beginning* (Alun Jones, 1979: 133).

Cyd (lit *joint* (adjective)) **ar y cyd** *jointly, together* **'Y patrwm newydd yw partneriaeth fel hwnnw i wella tre' Caergybi, lle mae'r Awdurdod yn gweithio ar y cyd gyda chyngorau a chyrff lleol'** *The new pattern is a partnership like the one to improve Holyhead town, where the Authority is working jointly with councils and local bodies* (*Golwg*, 24 March 1994: 10).

Cyd-dynnu â rhywun *to get on with someone* **'Ydi'ch gŵr a chithe'n cyd-dynnu?'** *Do your husband and yourself get on?* (Islwyn Ffowc Elis, 1990(ii): 60).

Cydiad (< **cydio**) NW *to grasp, to hold* **'[Roedden nhw] yn cydiad ynddo fo ac yn ei ysgwyd o'n fygythiol'** *[They were] holding him and shaking him threateningly* (Robin Llywelyn, 1992: 18).

Cyfa (< **cyfan**) NW *whole* (adjectivally only) **'Ond mi dorrais i dorth gyfa o frechdana'** *But I cut a whole loaf of sandwiches* (Margiad Roberts, 1994: 119).

Cyfadda (< **cyfaddef**) NW *to admit* **'Ydach chi'n cyfadda? Gwadu wnaethoch chi yn ystod y cyfweliad cyntaf ...'** *Do you confess [it]? You denied it during the first interview ...* (Meic Povey, 1995(ii): 34).

Cyfaill *friend* **cyfaill calon** (lit *heart friend*) *bosom friend, close friend* **Mae Matthew a Rhodri yn gyfeillion calon** *Matthew and Rhodri are close friends.*

Cyfan *all, total, whole* **1 ar y cyfan** *all in all, on the whole* **'Does dim llawer yn codi gwrychyn Iolo, ar y cyfan mae'n foi gweddol oddefgar'** *Not a lot annoys Iolo, on the whole he's a fairly tolerant lad* (*Sbec TV Wales*, 10 June 1995: 2). **2 wedi'r cyfan** *after all* **'Wedi'r gyfan, mae croesi'r Iwerydd am ganpunt yn fargen, siŵr o fod'** *After all, crossing the Atlantic for a hundred pounds is a bargain, I would imagine* (*Golwg*, 4 March 1993: 14).

Cyfeiliorn (lit *straying*) **ar gyfeiliorn** *astray* **'Be sy'n fy mhoeni i ydi gweld hogia ifanc fel chdi yn cael eu harwain ar gyfeiliorn, a hynny gan bobol a ddylai wybod yn well'** *What worries me is seeing young lads like you being led astray, and by people who should know better* (Theatr Bara Caws, 1995: 56).

Cyfer **1** SW Powys *acre* **'Ac o'n i'n gwybod am le bach ym Mhontshân o'r enw Pengelli - wyth cyfer o dir, a'r tŷ wedi adfeilio'** *And I knew of a little place in Pontshân called Pengelli - eight acres of land and the house fallen in* (Eirwyn Pontshân, 1973: 71). **2 ar gyfer** *for* **'So, ar ben popeth arall, wy' nawr yn gorfod ... ymarfer ar gyfer y ddrama'** *So, on top of everything else, I've now got to ... rehearse for the play* (John Owen, 1994: 31).

Cyfog LW NW *vomiting* **1 codi cyfog ar rywun** LW NW *to make someone (feel) sick, to make someone vomit* **'Roedd gwynt y bwyd yn coginio yn ddigon i godi cyfog arno'** *The smell of the food cooking was enough to make him feel sick* (Mihangel Morgan, 1993(ii): 38). **2 codi cyfog gwag ar rywun** LW NW *to make someone heave, to make someone retch* **'Wedyn, mi ddechreuodd o gael cyfog gwag, cyn iddo fo gau ei ffroenau efo'i fys a'i fawd. 'Sai'n galli godde arogl hŵd,' medda fo'** *Then he started to heave, before he closed his nostrils with his finger and thumb. 'I can't stand the smell of vomit,' he said* (Twm Miall, 1990: 88).

Cyfraith *law* **cyfraith y Mediaid a'r Persiaid** see **deddf**.

Cyfrif *account* **1 ar bob cyfrif** *by all means* **'Ewch efo Gwilym ar bob cyfrif, ond mi fuaswn i'n dweud ... gadwch lonydd i'r ddiod'** *Go with Gwilym by all* *means, but I would say ... leave the drink alone* (Islwyn Ffowc Elis, 1990(ii): 136). **2 ar unrhyw gyfrif** *on any account* (usually negative) **'Na, nid merch i'w diystyru oedd Fflur ar unrhyw gyfrif'** *No, Nia was not a girl to ignore by any account* (Penri Jones, 1982: 67).

Cyfryngi (< **cyfryngau** and **ci**) CW term (often used derogatorily) for anyone working in the media (cf *yuppie*) **'Oedd hi wedi cael ei ffordd ac wedi bachu un o'r cyfryng-gwn [fel cariad] yn Papajios stalwm'** *She'd got her way and had grabbed one of the cyfryngwn [as a boyfriend] in Papajios ages ago* (Dafydd Huws, 1990: 244).

Cyfryw *like, such* **1 a'r cyfryw** *and the like* **'Roeddwn yn mwynhau'r diodydd - y gwinoedd a'r cyfryw'** *I was enjoying the drinks - the wines and the like* (David Thorne, 1993: 203). **2 fel y cyfryw** *as such* **'Er nad oedd y Gymdeithas Gymreig yn y coleg yn un wleidyddol, fel y cyfryw, gofalwn y byddai siaradwr o'r Blaid yno bob blwyddyn'** *Although the Welsh Society in college was not a political one as such, I made sure that there would be a speaker from Plaid Cymru there every year* (Dafydd Wigley, 1992: 35). **3 y cyfryw (bobl/ddyn etc.)** *the said (people/ man etc.)* **'Fe wn i fod y siopwyr yn *dwli* ar wyliau crefyddol, ond y mae iws arall i'r cyfryw wyliau, coelier neu beidio'** *I know that shopkeepers* dote *on religious holidays, but there is a point to the said holidays, believe it or not* (*Barn*, March 1996: 63).

Cyfyng-gyngor *dilemma, impasse* **'Mae'r gyfres [deledu] hon yn gallu oedi uwchben y math o gyfyng-gyngor moesol y tuedda rhaglenni newyddion strêt i sglefrio drosto'** *This [television] series can pause over the type of moral dilemma that straight news programmes tend to skate over* (*Golwg*, 24 March 1994: 28).

Cyfyl (lit *proximity*) **ar gyfyl** *near* (negative only) **'Ni fyddai hi byth yn mynd ar gyfyl na chapel na llan'** *She would never go near a chapel or church* (T. Glynne Davies, 1974: 46).

Cyff *stock* **cyff gwawd** *laughing stock* **'Dywedodd Paul ei bod wedi'i wneud ef yn gyff gwawd yng ngŵydd ei gydnabod'** *Paul said that she had made him a laughing stock in the presence of his acquaintances* (Islwyn Ffowc Elis, 1990(ii): 21).

Cyffro 1 *commotion, excitement* **'Beth bynnag, roedd yna ddeuddeg mlynedd o wahaniaeth oedran rhyngddyn nhw, ond doedd hynny chwaith ddim yn rhwystro'r hen gyffro rhag corddi rywle'n ei stumog'** *However, there was some twelve years' age difference between them, but that didn't stop the old excitement stirring up somewhere in his stomach either* (Eirug Wyn, 1994: 43). **2** SW *to move* **'Fedre [y ci] ddim cyffro'i goesau ôl'** *[The dog] couldn't move his back legs* (Bernard Evans, 1990: 24).

Cylch *circle* **cylch meithrin** *nursery group, children's playgroup* **'Drwy fynd â phlentyn i'r cylch meithrin lleol, yn aml mae awydd yn codi ar y rhieni i fynd ati i ddysgu Cymraeg'** *By taking a child to the local playgroup, frequently the parents feel like going about learning Welsh* (*Golwg*, 24 November 1994: 11).

Cym, cymwch etc. see Appendix 10.05.

Cymaint *as many, so many* **cymaint a chymaint** *that much* **'Efallai nad oedd gen i, oherwydd rhesymau personol, gymaint â chymaint o raslonrwydd tuag at yr Almaen a'r Almaenwyr'** *Perhaps I didn't have, for personal reasons, that much affection for Germany and the Germans* (R. Emyr Jones, 1992: 91).

Cymer, cymerwch etc. see Appendix 10.05.

Cymêr (< **cymeriad**) CW *a character* **'Roedd o'n dipyn o gymêr, yn llawn straeon am ei amser yn y Rhyfel Byd Cynta'** *He was a bit of a character, full of stories about his time in the First World War* (Marion Eames in Eleri Hopcyn (ed.), 1995: 2).

Cymeriad *character* **cymeriad brith** *a shady character* **'Ond roedd y croeso ym Mhatagonia yr un mor gynnes ag yng Nghymru - a'r cymeriadau brith yr un mor niferus'** *But the welcome in Patagonia was just as warm as in Wales - and the shady characters just as numerous* (*Television Wales*, 21 December 1996: 4).

Cymharu *to compare* **o'i gymharu â (rhywbeth/ rhywun)** *compared to (something/someone)* **'Sa i'n thic, ond dwy'n ddim o'i gymharu â Llinos'** *I'm not thick, but I'm nothing compared to Llinos* (John Owen, 1994: 44).

Cymoedd *valleys* **y Cymoedd (glo)** (lit *the (coal) Valleys*) *the Valleys* (the industrial valleys of South Wales) **'Eto fe wydda fo'n iawn am gymo'dd y glo 'ma, wchi, a mi o'dd o'n dallt fel bydda'r glöwr yn dymuno cael ffoi o'r t'wllwch du'** *Yet he knew these Valleys well, you know, and he understood how the miner wanted to escape from the black darkness* (Meirion Evans, 1997: 30).

Cymoni LW SW **cymhennu** LW SW **tacluso** LW NW **teidio** CW **twtio** LW CW *to tidy*

Cymra, cymrwch etc. see Appendix 10.05.

Cymraeg *Welsh language* **1 Cymraeg a Chymreig** *in Welsh and pertaining to Wales* **''Roedd [hi] newydd gwblhau traethawd ar gomedi Cymraeg a Chymreig'** *[She] had just finished an essay on comedy in Welsh and pertaining to Wales* (Lyn Ebenezer, 1986: 40). **2 Cymraeg Byw** (lit *living Welsh*) *artificial type of Welsh from the 1960s and 1970s that attempted to marry LW and CW* **'Fersiwn tipyn bach yn fwy naturiol o'r hen 'Gymraeg Byw' ydyw'** *It is a bit more of a natural version of the old Cymraeg Byw* (*Llais Llyfrau*, Autumn 1995: 14) (* **Cymraeg Byw** was criticised (most notably by Ceinwen Thomas, 1979: 113-52) as advocating unknown forms, arbitrarily choosing colloquial forms, particularly those from South Wales, and for confusing the needs of Welsh speakers and Welsh learners. It was also rejected as the medium for official Welsh (see Berwyn Prys Jones, 1988: 177). It did, however, move Welsh second-language learning away from the rigidities of literary Welsh. For a fuller discussion, see Cennard Davies, 1988: 200-213, and Dafydd Glyn Jones, 1988: 147-150). **3 Cymraeg cerrig calch** (lit *limestone Welsh*) SW *pidgin Welsh*

'Miss Lewis o'dd athrawes Jonathan yn yr ysgol fach; merch o shir Gâr o'dd yn cretu bod Cwmrâg cerrig calch y cwm yn rwpeth o'dd hen bryd ca'l gwared arno fe' *Miss Lewis was Jonathan's teacher in primary school; a Carmarthenshire girl who thought that the valley's pidgin Welsh was something it was high time was got rid of* (Dafydd Rowlands, 1995: 21) (* limestone is full of holes). **4 Cymraeg llyfr** (lit *book Welsh*) CW *academic Welsh, literary Welsh* **'A Deu, ac mi oedd o'n medru sgwennu Cymraeg llyfr digon o ryfeddod hefyd, chwara teg iddo'** *And God, he could write literary Welsh amazingly enough as well, fair play to him* (*Llais Llyfrau*, Winter 1995: 12). **5 dim Cymraeg rhyngom** (lit *no Welsh between us*) *no communication between us* **'Fuo yna fawr o Gymraeg rhwng Mistyr Picton a fi am ryw ddwy neu dair blynadd wedyn'** *There wasn't much communication between Mr Picton and me for some two or three years afterwards* (Ieuan Parry, 1993: 82) (* see also **torri** (**5**)).

Cymro *Welshman* **gorau Cymro, Cymro oddi cartref** proverb *the best Welshman is a Welshman away from home* **"Gorau Cymro, Cymro oddi cartre' yw'r hyn a ddywedir yn go aml am Gymry alltud'** *'The best Welshman is a Welshman away from home' is said frequently about the Welsh in exile* (*Television Wales*, 10 February 1996: 15).

Cymru *Wales* **1** the definite article, **y** *the*, is often placed in front of **Cymru** when talking about a particular type of Wales, eg **y Gymru gyfoes** *contemporary Wales*, **y Gymru sydd ohoni** *the Wales in which we live* **'mae cymeriadau cry' iawn yn y Gymru gyfoes'** *there are very strong characters in contemporary Wales* (*Golwg*, 8 February 1996: 17). **2 Cymru a Lloegr** *England and Wales* (note word order in Welsh) **'Mae panel o ffermwyr o bob rhanbarth o Gymru a Lloegr wedi bod yn trafod y ffordd orau o fynd ati i gadw safonau'** *A panel of farmers from every part of England and Wales have been discussing the best way of going about maintaining standards* (*Western Mail*, 13 June 1995: (Country and Farming) 12).

Cymrwch see Appendix 10.05.

Cymryd *to take* **1 cymryd arnaf** (a) *to pretend* **'Ond wnes i'm cymryd arnaf 'mod i wedi clywad'** *But I didn't pretend that I'd heard* (Margiad Roberts, 1994: 172); (b) *to take it upon myself* **Paid â chymryd arnat wneud rhagor o waith, yr wyt ti wedi 'wneud digon yn barod** *Don't take it upon yourself to do any more work, you've done enough already.* **2 cymryd at rywbeth** *to like something, to take to something* **'Ond wyddwn i ddim sut i ddod yn agos at Emyr. 'Dwy ddim wedi cymryd ato rywsut'** *But I didn't know how to get close to Emyr. I haven't taken to him somehow* (Bernard Evans, 1990: 22). **3 cymryd ataf** *to take to heart* **'Welodd yr hogia bod fi wedi ypsetio a geuon nhw'u cega chwara teg. 'Paid â chymryd atat gymaint,' meddai Dai Shop'** *The lads saw that I was upset and they shut up, fair play. 'Don't take it to heart so much,' said Dai Shop* (Dafydd Huws, 1978: 53). **4 cymryd pwyll** (a) *to take care* **'Cymer bwyll nawr, Iwan. Sdim eisiau i ti siarad'** *Take care now, Iwan. You don't have to speak* (Geraint Lewis, 1995: 74);

(b) *to take time* **'Cymer di bwyll, 'merch i - does dim brys'** *Take time, my girl - there's no hurry* (Nansi Selwood, 1987: 62). **5 cymryd y blaen** *to take the initiative, to take the lead* **'Ond buan y gwelwyd fod Joe led caeau o'n blaenau ni yn y coed, a gadawyd iddo gymryd y blaen'** *But soon Joe was seen fields away in front of us in the woods, and he was left to take the lead* (Dic Jones, 1989: 155). **6 cymryd y goes** (lit *to take the leg*) NW *to scarper off, to hotfoot it* **'mae sawl un yn grediniol mai er mwyn osgoi unrhyw helynt posib yn sgil codi'r hen grachod y cymrodd y goes'** *several people believe that in order to avoid any possible trouble in the wake of reopening old wounds he scarpered off* (Dafydd Huws, 1990: 251). **7 cymryd yn ganiataol** *to take for granted* **'[Ni] ddylai ohebydd fyth gymryd yn ganiataol bod ei gynulleidfa'n gweld pethau fel y mae ef neu hi'** *A correspondent should never take it for granted that his audience sees things like he or she does* (Guto Harri in Dylan Iorwerth (ed.), 1993: 69). **8 cymryd yr awenau** see **awenau** (**2**).

Cymwch see Appendix 10.05.

Cyn *before* **1 cyn (bo) hir** *before long, soon* **'Wy'n gwbod bod dyn yn gorfod gwneud beth ma' dyn yn gorfod gwneud, ond dyw'r dyn 'ma ddim cweit yn barod i gyflawni'r disgwyliadau sydd ohono fe megis - cyn bo hir falle, ond pan wy'n barod'** *I know that a man's got to do what a man's got to do, but this man isn't quite ready to fulfill the expectations of him as such - soon perhaps, but when I'm ready* (John Owen, 1994: 84). **2 cyn pen (blwyddyn/wythnos etc.)** *(with)in a (year/week etc.)* **'Cyn pen wythnos ar ôl y sgwrs roedd George yn brolio ei fod o wedi bod yn trafod pêl-droed efo chwaraewr rhyngwladol'** *Within a week of the chat George was boasting that he'd been discussing football with an international player.* **3 cyn pen dim** CW *in next to no time* **'Fe fydd e 'ma cyn pen dim'** *He'll be here in next to no time* (Bernard Evans, 1990: 30).

Cyndrwg SW **cyn waethed** NW **cynddrwg** LW CW *as bad, so bad*

Cynddeiriog *mad, rabid* **cynddeiriog o'm cof** *beserk, completely off my head, totally mad* **'Pam ei fod o'n sbio ar bob dim? Sâl ydio, ynteu chwil, ynteu'n gynddeiriog racs o'i go?'** *Why's he looking at everything? Is he ill, or drunk, or totally mad?* (Robin Llywelyn, 1994: 108).

Cynddrwg LW CW **cyn waethed** NW **cyndrwg** SW *as bad, so bad*

Cynffon LW NW **cwt** LW SW *tail*

Cynffonwr *creep, sycophant* **'Pobol dlawd a milionêrs pia hi. Does gin neb arall amsar i wrando. Cynffonwrs, ma'r hen wlad bach ma'n llawn o'r diawlad'** *It's all poor people and millionaires. Nobody has got any time to listen. Creeps, this old country is full of the buggers* (Wil Sam, 1995: 93).

Cynhebrwng LW NW **angladd** LW CW *funeral* **cynhebrwng coc** (lit *cock funeral*) NW derogatory reference to a forced marriage (possibly due to pregnancy etc.) **'Chafodd Taid fawr o siawns i gael**

blas cyffredinol ar ferchaid y De oherwydd roedd hi'n gynhebrwng coc arno fo ymhen rhyw bedwar mis wedi iddo fo ddechrau canlyn Nain' *Granddad didn't have much chance to get a general taste of the girls in South Wales because he was married within four months after he started going out with Gran* (Twm Miall, 1988: 85).

Cynhesu LW NW **twymo** LW SW *to (get) warm* (* see also **cnesu**)

Cynhyrfu *to agitate, to stir up* **cynhyrfu'r dyfroedd** (lit *to stir up the waters*) *to stir things up* '[**Trafodon ni**] **Saunders Lewis oherwydd bod gan bawb farn ar hwnnw ac y mae crybwyll ei enw yn ddigon i gynhyrfu'r dyfroedd bob amser**' *[We discussed] Saunders Lewis because everyone's got an opinion about him and mentioning his name is enough to stir things up every time* (Mihangel Morgan, 1993(i): 99).

Cynilo *to economise, to save* **mae cynilo'r blawd yng ngenau'r sach** (lit *flour is saved in the mouth of the bag*) proverb *it's necessary to save even in times of plenty* **Mae hi'n gwario arian fel 'tasai ddim pocedi ganddi yn ei chôt, dydy hi ddim yn sywleddoli fod cynilo blawd yng ngenau'r sach** *She spends money as though she hasn't got any pockets in her coat, she doesn't realise it's necessary to save even in times of plenty.*

Cynllwyn *conspiracy, plot* **(beth/ble etc.) gynllwyn ...?** CW *(what/where etc.) on earth ...?* '**Pam gynllwyn na fuaset ti wedi ymuno â'r Blaid Genedlaethol, os oedd raid iti adael Rhyddfrydiaeth dy deulu?**' *Why on earth didn't you join Plaid Cymru, if you had to leave your family's Liberalism?* (Islwyn Ffowc Elis, 1990(i): 205).

Cynnal *to hold, to maintain* **1 cynnal a chadw** (lit *to maintain and keep*) *to maintain* '**Dwi'n cynnal a chadw ysbyty a chartra i blant amddifad yn Genoa**' *I maintain a hospital and home for orphan children in Genoa* (Wiliam Owen Roberts, 1987: 42). **2 cynnal breichiau rhywun** (lit *to hold someone's arms*) *to help someone, to support someone* '**A phan enillais i gadair Eisteddfod Lewis's, Lerpwl, am bryddest, fe ddaeth o a 'nghyfaill a 'nghyd-letywr ar y pryd, Derwyn Jones, bob cam i Lerpwl i gynnal fy mreichiau. Alla i ddim anghofio hynny**' *And when I won Lewis's Eisteddfod chair in Liverpool, for a poem, he and my friend and fellow lodger at the time, Derwyn Jones, came every step of the way to Liverpool to support me. I can't forget that* (Islwyn Ffowc Elis in Eleri Hopcyn (ed.), 1995: 34). **3 cynnal seiat** (lit *to hold a religious meeting*) *to hold court* '**yn stafell bella' Clwb y BBC ... byddai Gwenlyn Parry a Rhydderch Jones yn arfer cynnal seiat - a'u cefnau at y wal, rhag y cyllyll**' *in the furthest room of the BBC Club ... Gwenlyn Parri and Rhydderch Jones would usually hold court - and their backs to the wall, away from the knives* (Golwg, 15 April 1993: 16) (* see also **seiat**).

Cynnau *to light* (fire etc.) **hawdd cynnau tân ar hen aelwyd** proverb *(it is) easy to light a fire on an old hearth* (used in particular in reference to restarting an old relationship) '**Hawdd cynnau tân ar hen aelwyd, a phriododd y ddau yn Ebrill 1af eleni ac roedd y camerâu teledu yn y briodas**' *It's easy to light a fire on an old hearth, and the two got married on 1st April this year and the television cameras were at the wedding* (Western Mail, 12 December 1995: 17).

Cynnes LW NW **twym** LW SW *warm*

Cynnig 1 *to attempt, to try* '**Estynnodd Maggie y bocs heb gynnig ei agor**' *Maggie passed the box without attempting to open it* (Rhydwen Williams, 1969: 104). **2** *to offer* '**Cyn ei gynnig o i mi mae hi'n ei ddatod o'i bapur**' *Before offering it to me she separates it from its paper* (Sonia Edwards, 1995: 18). **3** *to stand, to tolerate* '**toedd gynno fo ddim cynnig i ryw hen dacla felly**' *he couldn't stand old buggers like that* (Llais Llyfrau, Winter 1995: 11). **4 tri chynnig i Gymro** (lit *three times for a Welshman*) proverb *three times lucky* "**Dal di ati i drïo, Jac bach,' meddai Hywel. ''Falle gwmpa i ryw dro a rhoi siawns i ti.' Roedd Jac yn dal i wenu. 'Tri chynnig i Gymro. Dyna beth ma'n nhw'n 'weud, ontife?**" *'You keep trying, Jac bach,' said Hywel. 'Perhaps I'll fall some time and give you a chance.' Jac was still smiling. 'Three times lucky. That's what they say, isn't it?'* (Bernard Evans, 1990: 33).

Cynnydd *increase* **ar gynnydd** *on the increase* '**Cyn 1988, doedd dim darpariaeth ar gyfer pobol wedi cael ysgariad yng Nghymru ond mae'r ymateb gafodd Sue Williams yn dangos fod yna alw a bod problemau ysgaru ar gynnydd**' *Before 1988 there was no provision for divorced people in Wales but the response Sue Williams got shows that there is a demand and that divorce problems are on the increase* (Golwg, 20 April 1989: 9).

Cynt *earlier, quicker, sooner* **na chynt na chwedyn** *neither before nor after* '**Ond er hyn, ni lwyddodd neb, na chynt na chwedyn, i atgynhyrchu cloc John Jones**' *But despite this, no one succeeded, neither before nor after, to reproduce John Jones's clock* (Western Mail, 8 June 1995: 10).

Cyntaf *first* **cyntaf i gyd gorau i gyd** *the sooner the better* "**Beth? Heddi?' 'Wel gynta i gyd gore i gyd, ontefe**" *'What? Today?' 'Well, the sooner the better, isn't it'* (Meirion Evans, 1996: 46).

Cyrchu *to carry* **cyrchu dŵr dros afon** (lit *to carry water over a river*) *to do something useless, to carry coals to Newcastle* '**Peidiwch â nghamddallt i, does gin i un dim yn erbyn Dafydd Iwan Jôs, mhoint i ydi hwn, cyrchu dŵr dros afon, gosod y sêt [seneddol] i hwn, a finna ar ga'l**' *Don't misunderstand me, I haven't got anything against Dafydd Iwan Jones, my point is this, it's carrying coals to Newcastle, giving the [parliamentary] seat to him, and I'm available* (Wil Sam, 1987: 13).

Cyrion *outskirts* **y cyrion Celtaidd** *the Celtic fringe* '**Y tro cynta' imi ddod ar draws daear Cymru oedd wrth ymweld â Sir Benfro am y tro cynta' ... gwyliau ha' ardderchog, blas go iawn o'r Cyrion Celtaidd**' *The first time that I came across the geography of Wales was while visiting Pembrokeshire for the first time ... excellent summer holidays, a really good taste of the Celtic Fringe* (Golwg, 25 June 1992: 8).

Cyrraedd *to arrive, to reach* **cyrraedd y nod** *to reach the mark, to attain the standard* **'Credaf fod y nod o fewn ein cyrraedd os wynebwn yr her'** *I believe that the mark is within our reach if we face the challenge* (Dafydd Wigley, 1993: 468).

Cysgu *to sleep* **cysgu ci bwtsier** (lit *to sleep (like) a butcher's dog*) SW *to doze, to snooze* **Yr oedd Berian yn yr ardd yn cysgu ci bwtsier** *Berian was in the garden dozing.*

Cysidro (<E *consider*) NW *to consider* **'Doeddwn i erioed wedi cysidro'r peth cyn hynny'** *I had never considered the thing before that* (Twm Miall, 1988: 83).

Cystal *as good, so good* **cystal i mi (wneud rhywbeth)** *I might as well (do something)* **'Fe fydd raid i ti ddweud wrtho fe rywbryd. Cystal i ti wneud 'ny nawr'** *You'll have to say something to him sometime. You might as well do that now* (Bernard Evans, 1990: 26) (* see also **man** (1)-(2) and **waeth** (3)).

Cystled (< *cystal*) SW *as good, so good* **'['Roeddwn i] yn barod i ganu 'I'll be there', cystled bob tamed â John bach Harris'** *[I was] ready to sing 'I'll be there', every bit as good as John bach Harris* (Wyn Jones in Christine Jones and David Thorne (eds.), 1992: 39).

Cyswllt *connection, link* **yn y cyswllt hwn** (lit *in this link*) *as far as this is concerned, in this matter* **'Ac mae'n ddrwg gen i drostoch chi, Mr. Thomas, yn y cyswllt yma'** *And I'm sorry for you, Mr. Thomas, as far as this is concerned* (Islwyn Ffowc Elis, 1990(ii): 84).

Cytshio (< *cydio*) SW *to grasp, to hold* **'Diwedd mawr Wil, be sy 'di citsho ynot ti?'** *Heavens above Wil, what's got hold of you?* (Dafydd Rowlands, 1995: 29).

Cythgam LW *awful* **cythgam o (boeth/ddiddorol etc.)** NW *awfully (hot/interesting etc.)* **"Cynhaea' cythgam o boeth,' meddai Wil James'** *'Awfully hot harvest,' said Wil James* (Islwyn Ffowc Elis, 1990(i): 22).

Cythlwng LW NW *hunger* **ar fy nghythlwng** LW NW *hungry, starving* **'Wel 'dach chi'n edrych ar ych cythlwng beth bynnag. Mi gewch ddwad acw i swpar heno'** *Well you look starving anyway. You can come over for supper tonight* (Dafydd Huws, 1978: 62).

Cythraul 1 *devil* **'Ond y mae'r cythreuliaid hefyd yn credu, ac yn crynu'** *But the devils believe as well, and shudder* (James 2:19). **2** CW *bloody* (intensifying adjective) **'Rholiodd Richard i'r naill ochor mewn pryd i'w arbed ei hun rhag y cyfog a ffrydiodd allan o geg Hyw Twm. 'Y mochyn cythraul"** *Richard rolled to the one side in time to save himself from the vomit that flooded out of Hyw Twm's mouth. 'You bloody pig'* (Eigra Lewis Roberts, 1985: 125). **3 ar y cythraul** (lit *on the devil*) CW *bloody* (intensifying adjective) **'O'dd hi'n dwym ar cythraul. O'n i'n whys babwr'** *It was bloody hot. I was dripping with sweat* (Geraint Lewis, 1995: 18). **4 (beth/ble etc.) gythraul ...?** CW *(what/where etc.) the hell ...?* **'Pwy gythraul sydd yna rwan?'** *Who the hell is there now?* (Caradog Prichard, 1961: 33). **5 cythraul o (gur pen/storm etc.)** *hell of a*

(headache/storm etc.) **'Ond mi oedd gynnon ni gythraul o fam dda'** *But we had a hell of a good mother* (Gwenlyn Parry in Eleri Hopcyn (ed.), 1995: 37). **6 cythraul y canu** (lit *devil of the singing*) *jealousy between singers* **'Ti'n clywed am y cythraul canu, a'r cythraul adrodd. Ond efo sgrifennu does yna ddim'** *You hear about the jealousy of singers and the jealousy of poets. But with writing there isn't any* (Golwg, 24 August 1995: 17).

Cythreulig *awful* **cythreulig o (dda/wael etc.)** CW *terribly (good/bad etc.)* **'Y prynhawn Sadwrn canlynol roedd Tecwyn yn gyrru Arthur yn ôl i Fryncoch yn dilyn perfformiad a oedd, hyd yn oed yn ôl safonau [pêl-droed] Bryncoch, yn un cythreulig o wael'** *The following Saturday afternoon, Tecwyn was driving Arthur back to Bryncoch following a performance that was, even by Bryncoch's [football] standards, an awfully bad one* (Alun Ffred and Mei Jones, 1990: 39).

Cyw 1 *chick* **'Roedd ganddo lygaid mawr fel cyw aderyn'** *He had big eyes like a baby bird* (Sonia Edwards, 1993: 27). **2** CW *love* (term of familiarily for a young child or animal etc.) **'Rwyt ti'n iawn rwan, ond wyt ti, nghyw i?'** *You're alright now, aren't you, my love?* (Caradog Prichard, 1961: 64). **3 (cyw) bach y nyth** (lit *the little nest chick*) CW *baby of the family, youngest child in the family* **'[Yr oedd gŵr] a gwraig a thri o blant, bob un a'i feic yn tradlio am gora, y tad a'r fam a'r ddau hynaf yn tŵ abrest, a bach y nyth yn gynffon'** *[There was the husband] and wife and three kids, each with his own bike peddling as quickly as possible, the father and mother and the two eldest two abreast, and the youngest child in the family at the rear* (W. S. Jones, 1987: 66). **4 cyw (athro/gyfreithiwr etc.)** *fledgling (teacher/solicitor etc.)* **'Nid pob aelod a fuasai yn cymryd y drafferth i ysgrifennu i rhyw gyw bach o drefnydd'** *Not every member would take the trouble to write back to some fledgling organiser* (Elwyn Jones, 1991: 75). **5 cyw dryw** (lit *young wren*) NW CW *love* (term of familiarily for a person or animal etc.) **'A beth bynnag, ymresymodd hwnnw, onid hen bagan barfog oedd y cawr, rhyw gyw dryw o dduw ar waetha'i faint'** *And anyway, he reasoned, wasn't the giant just some old bearded pagan, some old dear of a god despite his size* (Robin Llywelyn, 1995: 92). **6 cyw melyn olaf** (lit *last yellow chick*) CW *baby of the family, youngest child in the family* **'Ac yna Edwart, y tawelaf a'r mwynaf ohonynt i gyd, a'r agosaf ati hi, y cyw melyn olaf, mewn oedran ac ysbryd'** *And then Edwart, the quietest and gentlest of them all, and the closest to her, the youngest child in the family, in age and spirit* (Mihangel Morgan, 1992: 11). **7 y cyw a fegir yn uffern, yn uffern y myn fod** (lit *the chick raised in hell, wants to be in hell*) *proverb about the difficulty of changing the influence of someone's background on their behaviour (cf you can take the girl out of Clapham, but you can't take Clapham out of the girl)* **'Ma' rhwbath bob amser yn fy nhynnu yn ôl [i'r gogledd]. 'Cyw a fegir yn uffern yn uffern y mynn o fod"** *Something pulls me back every time [to North Wales]. 'The chick raised in hell wants to be in hell'* (Gwenlyn Parry, 1995: 50).

Cywilydd *shame* **1 codi cywilydd ar rywun** *to shame someone* **'Doedd rhieni parchus ddim yn meddwi ac yn actio fel cariadon i godi cywilydd ar eu plant'** *Respectable parents don't get drunk and act like teenage lovers so as to put their children to shame* (Jane Edwards, 1993: 19). **2 mae cywilydd arnaf** *I'm ashamed* **''D oes arnoch chi ddim cywilydd?'** *Aren't you ashamed?* (Huw Roberts, 1981: 91). **3 mwya'r cywilydd** *for shame* **'mae'r**

gwersi yn para hyd heddiw, mwya'r cywilydd i mi' *the lessons continue up to today, to my great shame* (Lyn Ebenezer, 1986: 24). **4 rhag cywilydd** *for shame* **'Rhag dy gywilydd, Blodeuwedd, meddai Arianwen'** *Shame on you, Blodeuwedd, said Arianwen* (Mihangel Morgan, 1994: 60).

Cyweirio LW SW **trwsio** LW NW *to fix, to mend*

CH ch

Pronunciation

In South Wales an initial **'chw'** is pronounced **'wh'** or **'w'**

chwerthin	> 'wherthin	*to laugh*
chwech	> 'whech	*six*
chwaer	> 'whâr	*sister*

'Ond 'rown i'n lecio câl pobol i 'wherthin' *But I used to like getting people to laugh* (Lyn Ebenezer, 1986: 39)

Chadal (< **chwedl**) **chadal rhywun** Arfon *according to someone, as someone used to say* **"Dydan ni ddim am ffrwcsio.' 'Ffrwcsio? ...' 'Nag'dan. Os na ddaw 'na ryw alwad sydyn, 'chadal Violet"** *'We don't want to be hassled.' 'Hassled?' ... ' 'No we don't. Unless some call comes suddenly, as Violet used to say'* (Wil Sam, 1995: 228).

'Chan (< **fachan** < **fachgen**) CW *mate* **"Meddwl dy fod ti 'di mynd i foddi d'hun,' medda fi wrth weld Bob Pant yn nesu â'i ben yn 'i blu. 'Fedrwn i'm, 'chan"** *'Thought you'd gone to drown yourself,' I said as I saw Bob Pant approaching, embarrassed. 'I couldn't, mate'* (Jane Edwards, 1989: 33).

Chdi see Appendix 15.01, 15.02(iv), 15.02(ix), 15.03-15.04.

Chdithau see Appendix 15.05-15.06.

Chi see Appendix 15.

'Chi (< **welwch/wyddoch chi**) NW *you know, you see* **'Mi ellwch chi fynd i rwla'n y wlad 'ma i chwilio am waith 'chi Mr Jones'** *You can go anywhere in this country to look for work you know Mr Jones* (Dafydd Huws, 1978: 5).

Chishio? (< **a ydych chi eisiau?**) NW *d'you want?* **'Reu ydach chisio, Sabji! Dewch mi awn at y Pân Wala ar gornal Pansh Myrtli'** *Marijuana you want, Sabji! Come on let's go to the Pân Wala on the corner of Pansh Myrtli* (Robin Llywelyn, 1992: 90).

Chithau see Appendix 15.05-15.06.

Ch'mod (< **yr ydych chi'n gwybod**) SW *you know* **'Mae'n anodd. Mae'n rhaid i ni beidio a cholli'r ddadl, ch'mod'** *It's hard. We mustn't lose the argument, you know* (*Barn*, October 1996: 15).

Chwa *breeze, gust* **chwa o awyr iach** *a breath of fresh air* **'Roedd cael gwneud rhaglen o safbwynt menywod fel chwa o awyr iach'** *Being allowed to*

make a programme from the point of view of women was like a breath of fresh air (Gwenda Richards in Dylan Iorwerth (ed.), 1993: 50).

Chwaden NW *duck* **"Faint raid i ddyn dalu am gael llond ei fol mewn lle fel hyn?' gofynnodd. 'Talwch hanner coron arall ac mi gewch hynny allwch chi fyta,' medda gŵr y tŷ. 'Rhostiwch chwaden i mi 'te"** *'How much does a man have to pay to get a decent amount of food in a place like this?' he asked. 'Pay another half crown and you'll get as much as you can eat,' said the man of the house. 'Roast a duck for me then'* (Simon Jones, 1989: 79).

Chwâl (< **chwalu**) **ar chwâl** (a) *ruined* **'Roedd Siyad Barre eisoes wedi difa'r hen drefn o lywodraeth yn Somalia, drwy danseilio grym yr hynafgwyr ymhob llwyth - a phan ddiflannodd yr unben, fe adawodd ar ei ôl wlad ar chwâl'** *Siyad Barre had already destroyed the old system of government in Somalia, by undermining the power of the elders in every tribe - and when the dictator disappeared, he left behind him a ruined country* (Betsan Powys in Dylan Iorwerth (ed.), 1993: 28); (b) *dispersed, scattered* **'Nos Wener oedd yr unig noson pan âi pawb ar chwâl'** *Friday night was the only night when everyone scattered* (Eirug Wyn, 1994: 61).

Chwalu *to scatter* **'Roedd ar y mynydd hefo'i ddefaid rhyw fore, a'i ddau was yn chwalu biswail ar y ddôl'** *He was on the mountain with his sheep one morning, and his two farm hands were scattering dung on the meadow* (Simon Jones, 1989: 105). **2** *to hammer* (figuratively) **'Chwalwyd y Gwyddelod yn Nulyn ddydd Sadwrn o 46-6'** *The Irish were hammered in Dublin on Saturday 46-6* (*Y Cymro*, 19 February 1997: 22).

'Chwaneg (< **ychwaneg**) NW *more* (food, help etc.) **'mi ffoniaf am chwaneg o wyau'** *I'll phone for more eggs* (Robin Llywelyn, 1992: 46).

Chwant LW SW *desire* **1 codi chwant arnaf wneud rhywbeth** LW SW *to make me feel like doing something* **'mae'r cof am ambell bwdin reis a chyrens ynddo a gaem ar y prydiau hynny yn codi chwant bwyd arnaf y munud yma'** *the memory of the odd rice pudding with currants in it which we used to have during those meals makes me feel hungry this minute* (Dic Jones, 1989: 43). **2 mae chwant arnaf wneud rhywbeth** LW SW *I feel like doing something* **''Sdim want arnot ti fynd miwn, Sam?'** *Don't you feel like going in, Sam?* (Dafydd Rowlands, 1995: 65).

Chwarae *to play* **1 chwarae mig** NW *to play hide and seek* **'Y tu allan roedd mellt hirion yn chwarae mig igam ogam rhwng y cymylau'** *Outside, long streaks of lightning were playing zig-zag hide and seek between the clouds* (Wiliam Owen Roberts, 1987: 51). **2 chwarae whic a whiw** SW *to play hide and seek* **'Aeth y plant i gyd i ''ware wic' ymysg y creigiau nes i Henry flino a dod yn ôl at ei fam'** *The children all went 'to play hide and seek' among the stones until Henry got tired and came back to his mother* (Nansi Selwood, 1987: 231). **3 chwarae'n troi'n chwerw** (lit *play turns sour*) *things get nasty* **'Mae lleihau cyfanswm y cyffuriau sydd ar y farchnad a dysgu ieuenctid bod chwarae'n troi'n chwerw yn siwr o helpu'** *Decreasing the sum of drugs on the market and teaching young people that things get nasty is bound to help* (*Golwg*, 12 October 1989: 17). **4 chwarae'r ber** SW *to play havoc* (with health etc.) **'Raid ti fyta rwbeth Lind. Ma byw ar win chep a dôp yn mynd i whare'r ber a dy du fiwn di'** *You've got to eat something Lind. Living on cheap wine and dope is going to play havoc with your insides* (Sion Eirian, 1995: 11). **5 nid ar chwarae bach** (lit *not on small play*) *not easily* **'Nid ar chwarae bach mae rhywun yn penderfynu mynd ar bereindod y dyddia' yma'** *One does not easily decide to go on a pilgrimage these days* (Wiliam Owen Roberts, 1987: 103).

Chwarel LW CW **cwar** SW *quarry*

Chwarter *quarter* **chwarter call** (lit *quarter sane*) CW *not all there, nuts* **''Nes i ddim gofyn 'i enw fo'r gwirion. Roedd yn ddigon i mi ddal 'y ngafal yn y sêt a fynta'n gyrru fel tasa fo'n *Brands Hatch*, ddim chwarter call, nytar go iawn'** *I didn't ask his name, the idiot. It was as much as I could do to keep hold of the back seat as he drove as though he was in Brands Hatch, nuts, a real nutter* (Jane Edwards, 1993: 45) (* see also **hanner** (1) and **call** (2)).

Chwedl *tale* **chwedl rhywun** (lit *someone's tale*) CW *according to someone, as someone used to say* **'Ta waeth, mi fydd cwpanaid fach reit dda ... eli'r galon, chwedl nain'** *Never mind, a good cuppa will be really good ... balm of the heart, as gran used to say* (John Gwilym Jones, 1976: 50).

Chwedyn see **cynt**.

Chwel(d) (< yr ydych chi'n gweld) SW *you see* **'Jane o'dd enw'i mam, chweld'** *Jane was the name of her mother, you see* (Meirion Evans, 1996: 16).

Chwelpan NW *blow, hit* **Mi gaeth y dyn chwelpan gan y meddwyn** *The man got hit by the drunkard.*

Chwerthin *to laugh* **1 chwerthin am ben rhywbeth/rhywun** *to laugh at something/someone* **'A chwarae teg i hwnnw, 'chwarddodd e' ddim am fy mhen'** *And fair play to him, he didn't laugh at me* (Dic Jones, 1989: 139). **2 chwerthin yn glannau** NW *to roar with laughter* **'Dydi'r jôcs ddim yn gwneud i rywun chwerthin yn glannau, ond o leia' dydyn nhw ddim yn or-amlwg'** *The jokes don't make you roar with laughter, but at least they're not too obvious* (*Golwg*, 1 April 1993: 30) (* also **glannau chwerthin**, eg **''Di o'm wedi dechra colli arno'i hun fel Nain,**

naddo...?' gofynnodd Bet, a'r ddwy ohonan ni'n glanna chwerthin' *'He hasn't started to go mad like Gran, has he...?' Bet asked, and the two of us roared with laughter* (Margiad Roberts, 1994: 185)).

Chwi see Appendix 15.

Chwil *drunk* **chwil dwll/gaib/gorn/jibidêrs/rhacs/ulw** NW *totally drunk, totally pissed* **''Rydach chi wedi ngweld i lawer gwaith yn chwil ulw gaib, on'd do?'** *You've seen me totally and utterly pissed lots of times, haven't you?* (John Gwilym Jones, 1976: 43) (*drunkenness can be described by the addition of an almost limitless combination of the above adverbs, eg **'Ond cafodd [o] andros o sioc un noson pan simsanodd yn chwil ulw gaib racs jibidêrs o'r Big Windsor yn y docia'** *But [he] had a hell of a shock one night when he stumbled totally and utterly pissed from the Big Windsor in the docks* (Wiliam Owen Roberts, 1990: 128). The more adjectives used, the more drunk the person; see also **meddw** (1)).

Chwilbawen SW *to go on, to jabber on* **'Ma' fe'n ymddangos mor gryf, er gwaetha'i antics a'r dwli, ma' fe'n gwbod beth ma' fe moyn, a wy'n wilibowan rhwng dou feddwl drwy'r amser'** *He appears so strong, despite his antics and his nonsense, he knows what he wants, and I jabber on and am in two minds all the time* (John Owen, 1994: 21).

Chwilen *beetle* **1 chwilen yn fy mhen** (lit *a beetle in my head*) *a bee in my bonnet* **'Ma hi 'di cal y chwilan 'ma i'w phen, fod problema'r Iddew yn codi o'r ffaith 'u bod nhw wedi cal 'u doctora mor ifanc'** *She got this bee in her bonnet, that a Jewish person's problems come from the fact that they've been circumcised so young* (Jane Edwards, 1989: 55) (***chwilen** on its own can thus mean *obsession*, eg **'Un ryfedd ydi'r hen ddynas. Mae hi'n cael rhyw chwilan fel yna bob yn hyn a hyn'** *The old dear's an amazing one. She gets some obsession like that every now and then* (Twm Miall, 1990: 100)). **2 mynd yn chwilen ar rywun** CW *to become an obsession for someone* **'mi aeth y peth yn chwilan arno fo yn y diwedd, ac roedd o'n methu stopio eu prynu nhw'** *the thing became an obsession for him in the end, and he couldn't stop buying them* (Twm Miall, 1988: 28).

Chwilio *to search* **chwilio ei berfedd** *to research thoroughly* **'Rhowch fardd neu lenor diddorol imi, a byddaf yn fy ngwynfyd yn chwilio'i berfedd'** *Give me an interesting poet or writer, and I will be in heaven researching him thoroughly* (Alan Llwyd, 1994: preface).

Chwinciad *instant* **1 mewn chwinciad** CW *in an instant, in a second* **'Mewn chwinciad roedd gohebydd teledu o'r Unol Daleithiau wedi gweiddi arno - *Mr President can you confirm that the talks are going well?'** In an instant the television correspondent from the United States had shouted to him - 'Mr President can you confirm that the talks are going well?'* (Dewi Llwyd in Dylan Iorwerth (ed.), 1993: 129). **2 mewn chwinciad chwannen** (lit *in a gnat's instant*) NW *in an instant, in a second* **'Roedd o wedi claddu ei fwyd mewn chwinciad**

chwannan' *He had buried his food in an instant* (Twm Miall, 1990: 116).

Chwipio *to whip* **chwipio rhewi** *to freeze hard* '**pwy ond y chdi fasa'n dewis croesi'r bwlch tua'r Gogledd Dir a hithau'n chwipio rhewi a phawb call yn mynd i'r cyfeiriad arall?**' *who but you'd choose to cross the mountain pass to the Northern Lands and it's freezing hard and everyone else is going in the other direction?* (Robin Llywelyn, 1994: 100).

Chwith *left* **1 mae'n chwith gen i** CW *I'm sorry* '**Dew! Mae'n chwith gin i feddwl**' *God! I'm sorry to think* (Wil Sam, 1987: 11). **2 mae'n chwith gen i dros rywun** CW *I feel sorry for someone* '**Teulu Aberbrân, Mary fach, mae'n chwith gen i drostyn nhw**' *The Aberbrân family, Mary love, I feel sorry for them* (Nansi Selwood, 1993: 118). **3 mae chwith gen i ar ôl rhywun** CW *I miss someone* '**Yr un hen hwyl, ac roedd yn rhaid cyfaddef y buasai gennyf chwith mawr ar ôl y ddau ohonynt**' *The same old fun, and it had to be admitted that I would greatly miss the two of them* (Dafydd Huws, 1990: 255). **4 o chwith** *wrong* '**A chofia ... os bydd pethe'n mynd o chwith a bod arnat ti eisie cartre, fydd drws tŷ ni ddim ar gau**' *And remember ... if things go wrong and you need a home, the door of our house won't be closed* (Islwyn Ffowc Elis, 1990(i): 278).

Chwithau see Appendix 15.05-15.06.

Chwiw 1 chwiw(s) Arfon **gwybed** LW CW *gnats* '**[Yr oedd y] chwiws yn gwneud i'r awyr nofio i gyd**' *The gnats made the air swim* (Sonia Edwards, 1995: 35). **2** *whim* '**Ar y pryd, roedd yn ymddangos yn syniad gwych i adnewyddu'r hen geir a'u gwerthu i'r ffyliaid a ymddiddorai yn y fath bethau. Ond fe ddaeth rhyw chwiw arall a gwthio'r syniad i ebargofiant**' *At the time, it appeared a brilliant idea to renew old cars and sell them to the idiots who were interested in such things. But another whim came and pushed the idea into oblivion* (Bernard Evans, 1990: 16).

Chwychwi see Appendix 15.03-15.04.

Chwyrn *rapid, swift* **chwyrn yn erbyn rhywbeth** CW *strongly against something* '**Mae Lizz a Magi yn chwyrn yn erbyn cewynnau twlu-bant**' *Lizz and Magi are strongly against disposable nappies* (Golwg, 25 March 1993: 14).

Chwys *sweat* **1 chwys bots** SW *dripping with sweat* **Yr oedd Cerys yn chwys bots ar ôl chwarae tenis** *Cerys was dripping with sweat after playing tennis.* **2 chwys domen** CW *dripping with sweat* '**Oedd croen Now yn sgleinio ac yn chwys doman pan oedd o'n eistadd yn ei gornal i ddisgwyl am y drydydd rownd [bocsio]**' *Now's skin was shining and dripping with sweat when he was sitting in his corner waiting for the third [boxing] round* (Caradog Prichard, 1961: 95).

3 chwys diferu CW *dripping with sweat* '**[Roedden] ni'n dwy wedi blino'n imbed ac in wys diferu**' *The two of us were completely tired and dripping with sweat* (Nora Richards in Gwyn Griffiths (ed.), 1994: 69). **4 chwys diferyd** NW *dripping with sweat* '**[Roedd o] wedi ei wisgo mewn fest a shorts bach yn chwys dyferyd**' *[He was] dressed in a vest and shorts dripping with sweat* (Elwyn Jones, 1991: 237). **5 chwys drabŵd** SW *dripping with sweat* '**Y peth nesaf oedd mynd i weld John Hefin. I mewn â fi i ganolfan y BBC, a lan yn y lifft, yn chwys drabwd**' *The next thing was going to see John Hefin. I went into the BBC centre, and went up in the lift, dripping with sweat* (Lyn Ebenezer, 1986: 40). **6 chwys laddar** CW *dripping with sweat* '**Yn y cwt golchi roedd Mam yn cario dŵr poeth o'r boilar i'r bath ac yn chwys laddar drosti**' *In the washing shed Mam was carrying the hot water from the boiler to the bath and was dripping with sweat all over* (Jane Edwards, 1989: 40) (* see also **laddar**). **7 chwys pabwr** SW *dripping with sweat* '**O, diolch Miss Parri, 'dwy'n chwys pabwr**' *Oh, thanks Miss Parri, I'm dripping with sweat* (Bernard Evans, 1990: 62) (* also **chwys babwr**, eg '**O'dd hi'n dwym ar cythraul. O'n i'n whys babwr**' *It was bloody hot. I was dripping with sweat* (Geraint Lewis, 1995: 18)). **8 chwys stecs** SW *dripping with sweat* '**Sgin ti drwydded i yrru'r cerbyd 'ma?**' '**Wrth gwrs fod e,' mynte Twm, yn wys ac yn stecs**' *'Have you got a licence to drive this vehicle?' 'Of course he has,' said Twm, dripping with sweat* (Dafydd Rowlands, 1995: 24). **9 mynd yn chwys (drosof)** *to get all sweaty* '**Cododd calon Gregor i'w lwnc ac aeth yn chwys oer drosto**' *Gregor's heart rose to his throat and a cold sweat came over him* (Robin Llywelyn, 1994: 153).

Chwysu *to sweat* **1 chwysu chwartiau** (lit *to sweat quarts*) NW *to sweat buckets* '**[Ces i waith] i'w gwblhau yn y nos - homework - nes o'n i'n chwysu chwartia**' *[I'd got work] to complete in the evening - homework - until I was sweating buckets* (Gwenlyn Parry in Eleri Hopcyn (ed.), 1995: 40). **2 chwysu'n dalp** SW *to sweat buckets* '**Am yr hanner awr nesaf, ac yntau'n 59 oed, chwysodd yn dalp wrth brofi ei fod yn bêl-droediwr trychinebus**' *For the next half an hour, and at 59 years of age, he sweated buckets while proving that he was a disastrous footballer* (Tweli Griffiths, 1993: 79). **3 chwysu'n stecs** SW *to sweat buckets* '**Yno roeddwn i wedyn gydol yr wythnos, yn chwysu stecs ar y peiriant rhedeg**' *I was there afterwards for the whole week, sweating buckets on the running machine* (Western Mail, 15 June 1996: (Arena) 11).

Chwythu *to blow* **chwythu fy mhlwc** NW *to blow my chance* '**A yw'r egwyddor hon wedi chwythu ei phlwc ...?**' *Has this principle blown its chance ...?* (Golwg, 23 March 1995: 3).

D d

Pronunciation

1 In South Wales an initial **'d'** sound is commonly pronounced **'j'** before an **'i'** sound

Duw	>	Jiw	*God*
diengyd	>	jengyd	*to escape*
diawl	>	jawl	*devil*

'O jawl, fydda'i 'na, paid ti becso' *Oh hell, I'll be there, don't you worry* (Dafydd Rowlands, 1995: 82)

2 In a limited number of words in South Wales, the **'di'** found in the middle can become **'ts'**

| cydio | > | cytshio | *to grab* |
| esgidiau | > | sgitshie | *shoes* |

'Cytsiwch yn 'y mraich i' *Grab my arm* (Nansi Selwood, 1987: 188)

Da *good* **1 da boch (chi)** *goodbye* **'Bydda i'n dod i'r dosbarth nos Fawrth. Tan hynny, da boch chi'** *I'll be coming to the class Tuesday night. Until then, goodbye* (Mihangel Morgan, 1993(i): 61). **2 da chi** / *beg of you, I implore you* **'Da chi, peidiwch â llewygu, Bigw'** *I beg of you, don't faint, Bigw* (Angharad Tomos, 1991: 141). **3 da (fachgen/lodes etc.)** CW *there's a good (boy/girl etc.)* **'Gwna baned imi reit handi, da'r lodes'** *Make me a cuppa straight away, there's a good girl* (Islwyn Ffowc Elis, 1990(i): 96). **4 da i ddim** CW *good for nothing* **'Chân nhw byth ronyn o'r sylw y [mae gyrwyr Fformiwla Un] yn ei gael ond, hebddyn nhw, fasa'r rheiny'n da i ddim'** *They'll never get a fraction of the attention that [Formula One drivers] get, but, without them, they would be good for nothing* (Golwg, 27 July 1989: 9) (* frequently **da i ddim** is not mutated, as in the above example). **5 mae'n dda gen i** *I'm pleased* **'Mae'n dda gennyf weld fod newyddiadurwyr eraill yn dechrau holi cwestiynau am Ewrop'** *I'm pleased to see that other journalists are starting to ask questions about Europe* (Barn, February 1995: 4) (* note the form **mae'n dda calon gen i** *I'm very pleased*, eg **'Mi fasa'n dda calon gin i tasa Mam yn credu mewn prynu un newydd'** *I'd be very pleased if Mam believed in buying a new one* (Jane Edwards, 1989: 35)). **6 nid da lle ceir/gellir gwell** (lit *it is not good when it can be better*) proverb *there's always room for improvement* **'Er hynny, rhaid cofio'r awyddair: nid da lle gellir gwell'** *Despite that, one has to remember the motto: there is always room for improvement* (Golwg, 18 January 1996: 6).

Da (byw) LW SW **gwartheg** LW CW *cattle*

'Da fi, 'da ti etc. see Appendix 13.05-13.06.

Da-da NW **cisys** Dyfed **fferins** NW **loshin** SW **melysion** LW CW **minciag** Powys **neisis** Pembs **pethau da** NW **taffins** Glam *sweets*

Dacw (< weli di acw) NW *(over) there* **'Ai dacw'r castell?'** *Is that the castle over there?* (Robin Llywelyn, 1995: 27).

Dadlaith LW SW **dadmer** LW NW **meirioli** LW Powys *to thaw*

Daear *earth* **(beth/ble etc.) ar y ddaear ...?** CW *(what/where etc.) on earth ...?* **'Ble ar y ddaear oedden nhw?'** *Where on earth were they?* (Angharad Tomos, 1991: 28).

Daeth ef, daeth hi etc. see Appendix 4.05(ii).

'Dafedd (< edafedd) CW *knitting wool, threads* **'wel fues i'n dal y dafadd lawer gwaith iddo fo'** *well, I held the knitting wool many a time for him* (Enid Evans in Beth Thomas and Peter Wynn Thomas (eds.), 1989: 117).

Dafis see Appendix 19.04.

Daffod (< datod) Arfon *to untie* **'Odd y papur 'Wrigley Spearmint' yn gneud sŵn fel tasa 'na feicroffon o'i flaen o wrth i fi ddaffod o'** *The 'Wrigley Spearmint' paper made a noise as though there was a microphone in front of it as I unwrapped it* (Dafydd Huws, 1978: 61).

'Dag e see Appendix 13.05-13.06.

Dagrau *tears* **1 dagrau pethau** (lit *the tears of things*) *great shame* **'Os caiff y Bwrdd Towristiaid ei ffordd mi fydd pobol ddiarth yn llenwi pob twll, hafan, ac alcohôf yn ein gwlad ni, ia a hynny rownd y flwyddyn o Jeniwari i Ragfyr, a dagra petha ydi fod pobol yn llawenhau fod hyn yn digwydd'** *If the Tourist Board had its way foreigners would fill every hole, recess and alcove in our country, yeah and all year round from January to December, and the great shame is that people would rejoice that this is happening* (Wil Sam, 1987: 32). **2 yn fy nagrau** (lit *in my tears*) *in tears* **''Roedd pawb yn ymateb i'r hiwmor yn y ffilm, ac i'r tristwch ynddi â thawelwch llethol. Erbyn y diwedd, 'roedd pobol yn eu dagrau o'm hamgylch'** *Everyone responded to the humour in the film, and to its sadness with an overpowering silence. By the end, people were in tears around me* (Alan Llwyd, 1994: 280).

Dangos *to show* **dangos fy hun** (lit *to show myself*) *to show off* **''Gwenlyn Parry,' meddai [hi], 'cyn eich bod chi'n dechrau dangos eich hun i sgwennu fel T.H. Parry-Williams, dysgwch sgwennu Cymraeg cywir i ddechrau''** *'Gwenlyn Parry,' [she] said, 'before you start showing off writing like T.H. Parry-Williams, learn to write correct Welsh to start with'* (Gwenlyn Parry in Eleri Hopcyn (ed.), 1995: 42).

Daint NW *teeth* **'[Yr oedd] yn poeri am ein pennau wrth iddo fo siarad am nad oedd gynno fo'r un daint yn ei ben'** *He [used to] spit at us as he spoke because he didn't have a single tooth in his mouth* (Sonia Edwards, 1995: 51) (* **daint** can be used in the singular and the plural).

Dal LW CW **dala** SW **1** *to catch* **''Roeddem wedi'n dal rhwng dwy stôl'** *We'd been caught between two stools* (Dafydd Wigley, 1993: 433). **2** *to hold* **'[Yr oedd finnau]'n cuddio tu ôl i'r soffa a dal 'y ngwynt'** *[I too was] hiding behind the sofa holding my*

breath (Jane Edwards, 1989: 26). **3** *to maintain* '**Mae o'n dal eu bod nhw wedi colli ei bapur** *eleven plus* **o, ond dw i'n gwybod y gwir**' *He maintains that they lost his eleven plus paper, but I know the truth* (Alun Ffred and Mei Jones, 1990: 13). **4** *to stand, to tolerate* '**Mae'n amlwg bod siarad yn glên yn rhoi mwy o boen i mi na siarad yn gas ... O Dduw, ni fedraf ddal peth felly. Mi a'i allan am dro**' *It's obvious that speaking pleasantly gives me more pain than speaking spitefully ... Oh God, I can't stand such a thing. I'm going out for a walk* (Kate Roberts, 1972: 15). **5** *still* (adverb) '**Mae William Pughe yn dal ar dir y byw**' *William Pughe is still in the land of the living* (Golwg, 20 April 1995: 10) (* the negative here is **dal heb**, eg '**Mae'n anodd amgyffred faint a ddioddefoedd pobl Kampuchea yn ystod cyfnod Pol Pot, ond roedd hi'n amlwg fod y creithiau'n dal heb eu gwella**' *It's difficult to comprehend how much Kampuchea's people suffered during Pol Pot's period, but it was obvious that the wounds still hadn't healed* (Gwenda Richards in Dylan Iorwerth (ed.), 1993: 47)). **6 dal ar y cyfle** *to seize the opportunity, to take the opportunity* '**hoffwn ddal ar y cyfle i ddweud pa mor falch yr ydw i o gyfraniad y gronfa dros y blynyddoedd**' *I would like to take the opportunity to say how grateful I am for the fund's contribution over the years* (Golwg, 1 June 1995: 12). **7 dal at rywbeth** *to keep to something* '**Daliwch at y traddodiadau, yr hen sicrwydd, yr arferion sydd wedi goroesi amser**' *Keep to the traditions, the old certainty, the customs that have survived time* (Golwg, 31 March 1994: 3). **8 dal ati** *to keep at it, to persevere* '**Penderfynais y daliwn ati i chwilio gwaith Blake ar fy mhen fy hun**' *I decided that I would keep at it and research Blake's work on my own* (Mihangel Morgan, 1994: 97). **9 dal dig wrth rywun** *to bear a grudge against someone* '**Ond, drwy'r cyfan, mae'r teimlad greddfol hwnnw yn 'i gwneud hi'n hawdd maddau ac anghofio, ac yn achub rhywun rhag chwerwder dal dig**' *But, through it all, that instinctive feeling makes it easy to forgive and forget, and stops someone from the bitterness of bearing a grudge* (Eigra Lewis Roberts in Eleri Hopcyn (ed.), 1995: 67). **10 dal fy nŵr** (lit *to hold my water*) NW *to hang on, to hold my horses* "**Sgin ti drowsus glân 'ta be?' gwaeddodd Now wedyn. 'Oes. Dal dy ddŵr!**" *'You got clean trousers or what?' shouted Now afterwards. 'Yes, hold your horses!'* (Margiad Roberts, 1994: 210). **11 dal fy nhir** *to hold my ground, to hold my own* '**Os daw Llafur trwy hyn yn gytûn a gydag arweinydd sy'n ymddangos yn gadarn a deniadol i'r wasg, mae'n ddigon posib y byddan nhw'n gallu dal eu tir ac ennill rhyw fath o fuddugoliaeth mewn etholiad cyffredinol**' *If Labour come through all of this united and with a leader who appears strong and attractive to the press, it's possible enough that they'll be able to hold their own and win some sort of victory in a general election* (Golwg, 19 May 1994: 6). **12 dal pen rheswm â rhywun** *to reason with someone* '**A oedd modd dal pen rheswm â pheiriant?**' *Was it possible to reason with a machine?* (Mihangel Morgan, 1993(ii): 19). **13 dal y slac yn dynn** (lit *to keep the slack tight*) SW *to pretend to be busy, to pretend to*

work O'dd Gareth wastad yn rhedeg o amgylch y lle, yn dala'r slac yn dynn *Gareth was always running about the place, pretending to be busy.* **14 dal y ddysgl yn wastad** see **cadw** (5). **15 dal yr awenau** see **awenau** (1). **16 does dim dal** SW *there's no knowing* '**Rhaglen ola'r gyfres [deledu] - a does dim dal beth fydd gan Sulwyn Thomas i ni heno**' *The last [television] programme in the series - and there's no knowing what Sulwyn Thomas will have for us tonight* (Western Mail, 3 May 1996: 21). **17 does dim dal ar rywbeth/rywun** SW *there's no relying on something/someone* '**Ac ma fe'n dda i ddofi ceffyla achos ma fe'n gallu 'u trechu nhw - ond do's dim dal arno fe, ac un cas yw e pan droiff e**' *And he's good at breaking in horses because he can master them - but there's no relying on him, and he's nasty when he turns* (Nansi Selwood, 1987: 45). **18 does dim dal arnaf** *there's no holding me back, there's no stopping me* '**Â'r elfen gystadleuol yn fy ngwaed, unwaith yr o'n i wedi dechrau cael blas doedd 'na ddim dal arna i**' *With the competitive element in my blood, once I've started to have a taste there's no stopping me* (Eigra Lewis Roberts in Eleri Hopcyn (ed.), 1995: 75). **19 ei dal hi** (lit *to get it*) CW *drunk* '**Roedd Yncl Dic mewn hwyliau yfed, ond roeddwn i wedi dechrau ei dal hi pan ddaru o agor y drydedd botel**' *Uncle Dic was in a drinking mood, but I'd started to get drunk when he opened the third bottle* (Twm Miall, 1988: 186).

Dall *blind* **dall bost** *blind as a bat* '**Ond mae'n llgada i'n deud** *Na*. **Ac mae o'n ddall bost os nad ydi o'n dallt fy llgada i**' *But my eyes say No. And he's as blind as a bat if he can't understand my eyes* (Jane Edwards, 1989: 23).

Dalldings (< **dallt** and E *things*) NW *mutually understood things* '**Mi deallais i'r dalldings yn syth - roedd hi'n stêlmêt rhwng y ddau ohonon ni**' *I understood things straightaway - it was stalemate between the two of us* (Twm Miall, 1988: 18).

Dallt (< **deall**) NW *to understand* '**Dwi'n dallt eich bod chi am symud i dŷ bach yn pentra**' *I understand that you want to move to a small house in the village* (Wil Sam, 1995: 207).

Damio *to damn* **(go) damia (las)** NW *damn (it all)* '**Pa hawl oedd gan neb i wneud tai? Damia las**' *What right did anyone have to build houses? Damn it all* (Alun Jones, 1979: 89).

Damo SW *damn (it all)* "**Pwy ddiwyrnod yw hi, bois?' gofynnws Sam yn syten. 'Dydd Iau.' 'O, damo!** *Early closin'*" *'What day is it, boys?' asked Sam suddenly. 'Thursday.' 'Oh damn! Early closin'* (Dafydd Rowlands, 1995: 73).

Damsang LW SW **sathru** LW NW *to trample* **damsang ar gyrn rhywun** (lit *to trample on someone's corns*) *to hurt someone's feelings* '**Diffeithwch lle mae modd crwydro a meddwl, heb orfod poeni o gwbwl am sarnu meddyliau neb arall na damsang ar 'u cyrn nhw**' *[It's] a wilderness where it's possible to wander and think, without having to worry at all about trampling on anyone's thoughts or upsetting them* (Aled Islwyn, 1994: 173).

Damshiel SW *to trample* **Wel y Jiw Jiw, mae'r da godro wedi damshiel dros y lle 'ma i gyd!** *Well I never, the milking cows have trampled all over place!*

Damwain *accident* **ar ddamwain** *accidentally, by accident* **'Gwrddon ni ag Îfs a Spikey a Rhids yn y dre, ar ddamwain'** *We met Îfs and Spikey and Rhids in town, by accident* (John Owen, 1994: 200).

'Dan ni, 'dach chi etc. see Appendix 1.03-1.04, 1.10-1.11.

Dandwn NW *to soft talk* **'Ddyla ei bod hi wedi gofyn i chdi yn gynta, os oeddat ti isho trio yn y blydi cystadleuaeth, a dy ddandwn di yn hytrach na dy gornelu di'** *She should've asked you first, if you wanted to try in the bloody competition, and soft talked you rather than cornered you* (Twm Miall, 1988: 62).

Dannedd *teeth* **1 dannedd dodi** LW SW *false teeth* **'Chi â'ch dannedd doti! Dannedd gosod chi fod i weud. Wetws Miss Lewis wrtho'ni'** *You and your* dannedd doti! *Dannedd gosod you're supposed to say. Miss Lewis told us* (Dafydd Rowlands, 1995: 21). **2 dannedd gosod** LW NW *false teeth* **'Roedd yna, er enghraifft, ddynes yn gwisgo hen hen ddillad ac yn canu heb ei dannedd gosod'** *There was, for example, a woman wearing ancient clothes and singing without her false teeth* (Golwg, 11 April 1996: 24). **3 gwaethaf rhywun yn ei ddannedd** (lit *despite someone in their teeth*) *despite someone's intense opposition* **'Oedd y bing yn llawn ohonyn nhw, fel dwy res o sgerbyde, ond trigo'r oedden nhw, gwaetha fi yn 'y nannedd'** *The cow-house corridor was full of them, like two rows of skeletons, but they'd died, despite my intense opposition* (Islwyn Ffowc Elis, 1974: 37).

Dansier (<E *danger*) SW *danger* **Wel, mae wastod rhyw ddansier miwn hwylo** *Well, there is always some danger with sailing.*

Dansierus (<E *dangerous*) **1** SW *dangerous* **'Yffach, allen i byth a 'neud 'na, twel. Pethau danjeris, drygs'** *Hell, I could never do that, you see. Dangerous things, drugs* (Geraint Lewis, 1995: 67). **2** SW *skilled* **'Roedd e'n chwaraewr snwcer dansierus'** *He was a skilled snooker player.*

Dant *tooth* **at fy nant** (lit *to my tooth*) *to my taste* **'Mae [e]'n cefnogi hefyd y syniad fod rhaid cael rhaglenni sydd fwy at ddant Cymry Cymraeg cyffredin ardaloedd fel cymoedd y glo carreg'** *[He] supports as well the idea that we need programmes that are more to the taste of ordinary Welsh speakers from areas like the West Wales Valleys* (Golwg, 7 February 1991: 9).

Danto SW *to tire* (figuratively only) **'Fi wedi danto cadw ti mewn grant Frogit w. Beth yw hon nawr? Dy 'weched blwyddyn di?'** *I'm tired of keeping you in a grant Frogit mate. What's this now? Your sixth year?* (Dafydd Huws, 1978: 45).

Darfod *to finish* **darfod o'r tir** (lit *to end from the land*) *to disappear off the face of the earth* **'Rwy'n dwli ar yr ymadrodd yna ac mae'n loes meddwl y gall ddarfod o'r tir ymhen llai na chenhedlaeth'** *I love that saying and it's sad to think that it could disappear* off the face of the earth in less than a generation (Mary Wiliam, 1978: 12).

Darfu see Appendix 4.07(i).

Dario (euphemism for **damio**) **(go) daria (las)** NW *dash (it all)* **'Go daria las, roedd popeth wedi mynd o chwith'** *Dash it all, everything had gone wrong* (Angharad Tomos, 1991: 75).

Daro (euphemism for **damio**) SW *dash (it all)* **'O darro! Dyna'r plant 'na wedi dod'** *Oh dash it all! Those children have come* (Islwyn Ffowc Elis, 1974: 77).

Data Dyfed *daddy* **'Paid llefen nawr', medde Data, 'sani'n werth i ti, wir'** *'Don't cry now', said Daddy, 'it's not worth it, really'* (Nora Richards in Gwyn Griffiths (ed.), 1994: 37).

Dau *two* **1 (ein/eich/eu) (dau/tri/pedwar etc.)** *the (two/three/four etc.) of (us/you/them)* **'O'r diwrnod y cyfarfûm gyntaf â Phil Williams, yng Nghaernarfon ym 1961, teimlais fod hwn yn un cyfraniad y gallem ein dau ei wneud i Blaid Cymru'** *From the first day I met Phil Williams, in Caernarfon in 1961, I felt that this was one contribution that the two of us could do for Plaid Cymru* (Dafydd Wigley, 1992: 51). **2 does dim dau amdani** LW SW *there are no two ways about it* **'Nid oedd dim dau nad oedd hi'n wanwyn'** *There were no two ways about it that it was not spring* (Islwyn Ffowc Elis, 1990(i): 279).

Dawn *gift, talent, skill* **dawn dweud** (lit *gift of speaking*) *the gift of the gab* **'Ond mae'r ddawn dweud gan y ffermwr o Dregaron'** *But the farmer from Tregaron has got the gift of the gab* (Golwg, 25 March 1993: 29).

Dawnsio *to dance* **dawnsio tendans ar rywun** (lit *to dance attendance on someone*) *to be at someone's beck and call, to wait hand and foot on someone* **'Dydi Dolig ddim yn hwyl i ferchaid, medda hi, pan maen nhw'n gorfod slafio uwchben y stof drwy'r dydd, a dawnsio tendans i ddynion'** *Christmas isn't fun for girls, she said, when they have to slave over a stove all day, and wait hand and foot on men* (Twm Miall, 1990: 100).

'De (< **ynteu**) NW *then* **'Ond lle bynnag yr awn ni, hefo'n gilydd fyddwn ni'n de, Gregor?'** *But wherever we go, we'll be with each other won't we then, Gregor?* (Robin Llywelyn, 1994: 141) (* **'de** is used extensively as a stopgap in conversation in NW, as in the above example; see also **'ta**, **'te** and **ynde**).

Deall *to understand* **1 (cael) ar ddeall** *(to have it) on the understanding* **'Dwi ar ddallt dy fod ti a Marjori yn dŵad draw am lymaid penwsnos nesa 'ma'** *I'm on the understanding that you and Marjori are coming over for a tipple this next weekend* (Dewi Wyn Williams, 1995: 49). **2 erbyn deall** *come to think of it* **'Neuadd oedd hi erbyn dallt'** *It was a hall, come to think of it* (Robin Llywelyn, 1992: 26) (* **dallt** < **deall** (see entry)).

Decini (< **mae'n debyg gen i**) SW *I suppose* **'Rhaid ydi canfod rhwy fath o wendid, decini'** *One had to find some sort of weakness, I suppose* (Barn, February 1995: 25).

Deche (< *deheu*) SW *nice, skilled, smart, tidy* '**Mae'n gallu arlunio'n ddeche**' *He can draw tidily* (*Golwg*, 1 July 1993: 30).

Dechrau *to start* **1 dechrau cychwyn** *to start off* '**dim byd personol, ond mi fyddai'r awyrgylch yn gas i ddechrau cychwyn**' *nothing personal, but the atmosphere would be awful to start off* (*Golwg*, 10 October 1996: 4). **2 megis dechrau** *just started* '**Sgwriwyd y wlad yn lân o bob harddwch ac roedd y lliwiau wedi troi'n undonog las a llwyd a gwyn a du a doedd y gaea ond wedi megis dechra**' *The country was scoured of all beauty and the colours had turned monotonous blue and grey and white and black and the winter had only just started* (Wiliam Owen Roberts, 1987: 105). **3 y dechrau cyntaf** *the very beginning* '**o'r dechrau cyntaf bu gwrthwynebiad i'r cynllun yn Y Bala**' *from the very beginning there was opposition to the scheme in Bala* (*Yr Herald*, 30 April 1994: 5). **4 y dechrau un** *the very beginning* '**Roedd hi eisiau dy hawlio di i gyd iddi'i hun o'r dechra un**' *She wanted to claim you all for herself from the very beginning* (Jane Edwards, 1993: 130).

Deddf *(parliamentary) act* **deddf y Mediad a'r Persiaid** (lit *act of the Medes and Persians*) *cast in stone* '**Tydi hi ddim yn ddeddf y Mediaid a'r Persiaid bod rhaid cel un**' *It's not cast in stone that you've got to have one* (*Golwg*, 4 March 1993: 27) (* from Daniel 6:8, and less commonly rendered in CW **cyfraith y Mediad a'r Persiaid**).

Deffro LW NW **dihuno** LW SW *to wake up*

Dengyd (< *dianc*) CW *to escape* '**Roedd genna i ryw awydd dengid i ffwrdd, wrth i mi grwydro rownd y cefna y noson honno**' *I felt a bit like escaping, as I wandered around the back of the houses that night* (Twm Miall, 1988: 10).

Deith o, deith hi etc. see Appendix 2.06(ii).

Del NW *pretty* **del** is used in NW as a term of familiarity for a person, animal etc., *love* '**Be am i chdi ddŵad hefo fi, del, i ddangos y Cae Mawr 'ma i mi?**' *What about coming with me, love, to show this Cae Mawr place to me?* (Jane Edwards, 1989: 28).

Delen i, delet ti etc. see Appendix 5.08(ii).

Dene (< *dyna*) Powys *that, there* '**Eisteddfod yr Urdd ac wedyn y genedlaethol, dene ydi'n holidês ni**' *The Urdd Eisteddfod and then the National Eisteddfod, that's what our holidays are* (*Golwg*, 29 May 1997: 11).

Denig (< *dianc*) NW *to escape* '**['Roedd o'n] un sgut am groesi ffiniau hefo ffoaduriaid yn denig o afael [yr awdurdodau]**' *[He was] a keen one for crossing borders with refugees escaping from the grasp [of the authorities]* (Robin Llywelyn, 1992: 8).

Dere, dewch etc. see Appendix 10.05.

'Deryn (< *aderyn*) **1** CW *bird* '**Doedd yna ddim smic o sŵn, dim ond cân yr afon ac ambell i dderyn**' *There wasn't a sound, only the song of the river and the odd bird* (Twm Miall, 1988: 20). **2** CW *bit of a lad, rascal* "**Be' mater?**' '**Dim byd.**' '**Allan â fo. Elli di ddim twyllo hen dderyn**" '*What's the matter?*'

'*Nothing.*' '*Out with it. You can't fool an old rascal*' (Islwyn Ffowc Elis, 1990(i): 133).

Des i, dest ti etc. see Appendix 4.05(ii).

Desen i, deset ti etc. see Appendix 5.08(ii).

Desim i see Appendix 4.05(v).

Dest (<E *just*) NW *just* '**[Yr oedd y cas gwydr] dest iawn wedi mynd o'r golwg yn y gwair**' *[The glass case had] just about gone from view under the grass* (Caradog Prichard, 1961: 63).

Desu (< euphemism for **Iesu**) CW *goodness me, heavens above* '**Desu! Sorri ... O'n i ddim yn meddwl ... wn i ddim be ddaeth drosta i ...**' *Heavens! Sorry ... I didn't think ... I don't know what came over me ...* (Gwenlyn Parry, 1979: 19).

Detho i see Appendix 4.05(v).

Deu (< euphemism for **Duw**) CW *bloody hell* '**A Deu, ac mi oedd o'n medru sgwennu Cymraeg llyfr digon o ryfeddod hefyd, chwara teg iddo**' *And bloody hell, and he could write literary Welsh amazingly enough as well, fair play to him* (*Llais Llyfrau*, Winter 1995: 12).

Deuaf i, deui di etc. see Appendix 2.06(ii).

Deud (< *dweud*) NW *to say* '**Deud rwbath, neno'r tad. Lle ti 'di bod?**' *Say something, for goodness' sake. Where've you been?* (Jane Edwards, 1993: 57).

Deuet ti, deuai ef etc. see Appendix 5.08(ii).

Deui di, daw ef etc. see Appendix 2.06(ii).

Deuparth *two-thirds* **deuparth gwaith yw ei ddechrau** proverb *beginning is two-thirds of work* '**Mi fydd yn rhaid i mi godi. Petawn yn rhoi un goes allan yn gyntaf - deuparth gwaith yw ei ddechrau. Ond nid wyf eisiau dechrau**' *I've got to get up. If I put one leg out first - beginning is two-thirds of work. But I don't want to start* (Angharad Tomos, 1982: 16).

Deupen (lit *two ends*) **cael y deupen llinyn ynghyd** (lit *to get the two ends of the twine together*) *to make ends meet, to scrape a living* '**Wna' i ddim gwadu na wn i ddim sut y buaswn i wedi dal dau ben llinyn ynghyd dros yr wythnosa diwetha 'ma oni bai amdanat ti, ond dyna fo**' *I won't deny that I don't know how I would have made ends meet over these last weeks were it not for you, but there you go* (Theatr Bara Caws, 1995: 81) (* see also **pen (21)**).

Deuthum i, daethost ti etc. see Appendix 4.05(ii).

Deuwn ni, deuwch chwi etc. see Appendix 2.06(ii).

Dew (< *Duw*) CW *God* (blasphemous exclamation of anger, surprise etc.) '**Dew, oedd hi'n ddiwrnod difrifol o dwym**' *God, it was a seriously warm day* (Eirwyn Pontshân, 1982: 56).

Dewi *David* **Dewi Ddyfrwr** *Saint David* (patron saint of Wales, more usually referred to as **Dewi Sant**; he reputedly only drank water) '**Yn ôl y distyllwr dienw, roedd neb llai na Sant Padrig ei hun yn gwneud poitin. Ac ef oedd y cyntaf. Dipyn gwahanol i Ddewi Ddyfrwr!**' *According to the anonymous distiller, no one less than Saint Patrick himself used to make poitín. And he was the first. Quite a bit different to Saint David!* (Lyn Ebenezer, 1996: 41).

Dewis LW CW **dewish** SW *to choose* **1** dewis a dethol *to pick and choose* '**Ac mae'r Cyngor Llyfrau hefyd yn cael cyfle i ddewis a dethol pan fyddwn ni'n gwneud cais am gymhorthdal ganddyn nhw**' *And the Book Council also has a chance to pick and choose when we make an application for a grant from them* (Golwg, 9 April 1992: 19). **2 o ddewis** *by choice* '**Ond er gwaethaf popeth, nis newidwn, o ddewis, am yr un alwedigaeth arall**' *But despite everything, I wouldn't change it, by choice, for any other vocation* (Dic Jones, 1989: 248).

Dewythr (< dy ewythr) NW *uncle* "**Duwcs, felna ma Seuson,' medda Dewyrth Wil**' '*Heavens, that's what English people are like,' said Uncle Wil* (Jane Edwards, 1989: 43).

'Di (< wedi) CW *have* '**Y bouquets 'di cyrraedd**' *The bouquets have arrived* (Jane Edwards, 1993: 10).

'Di (< ydi < ydyw) CW *are, is* '**Pwy 'di Dilys?**' *Who's Dilys?* (Ieuan Parry, 1993: 13).

Dian see **myn** (5).

Diar (<E *dear*) **diar annwyl** NW *goodness me, heavens above* '**diar annwyl, faint ydy'i oed o rwan?**' *goodness me, how old is he now?* (Caradog Prichard, 1961: 70).

Diarth (< dieithr) CW *strange* '**O'dd Wil wedi colli dwarnod o waith - peth diarth iawn iddo fe**' *Wil had lost a day's work - a very strange thing for him* (Meirion Evans, 1997: 45).

Diawcs (< diawl) NW *hell* (exclamation of surprise, anger etc.) '**Diawcs, PC Llong, ydach chi yn y farchnad am 'chydig o rew Rwsiaidd?**' *Hell, PC Llong, are you in the market for a bit of Russian ice?* (Robin Llywelyn, 1995: 116).

Diawch (< diawl) **1** NW *bugger* '**Rhythodd [e] drwy'r gwydr i drio dal y diawchiaid bach ond ni welodd ddim byd**' *[He] rushed through the glass to try and catch the little buggers but he did not see anything* (Robin Llywelyn, 1995: 71). **2** CW *hell* (exclamation of surprise, anger etc.) '**Diawch, tyrd allan o'r car 'ma**' *Hell, get out of this car* (Angharad Tomos, 1991: 58). **3 (beth/ble etc.) ddiawch ...?** CW *(what/where etc.) the hell ...?* '**Shwd ddiawch ti'n dishgwl i fi wbod?**' *How the hell do you expect me to know?* (Meirion Evans, 1996: 72). **4 diawch erioed** SW *hell* (exclamation of surprise, anger etc.) "**Wel, diawch ario'd,' medde fe, 'fe ffeiles i lwêth**' '*Well, hell,' he said, 'I've failed a second time'* (Eirwyn George in Gwyn Griffiths (ed.), 1994: 21).

Diawchedig (< diawl) NW *awful* **diawchedig o (boeth/ddiddorol etc.)** NW *awfully (hot/interesting etc.)* '**Roedd y peth yn ddiawchedig o anodd** *The thing was awfully hard.*

Diawl 1 *devil* '**Adre atom ni y daeth e, ci melyn gyda chynffon gyrliog. Diawl mewn croen, os bu diawl erioed**' *He came home to us, a light brown dog with a curly tail. A devil in the flesh, if ever there was a devil* (Lyn Ebenezer, 1991: 80). **2** CW *bugger* '**Mae'r diawl wedi dyrnu fi! Wedais i ddim byd**' *The little bugger's hit me! I didn't say anything* (Geraint Lewis, 1995: 42). **3** CW *hell* (exclamation of surprise, anger etc.) '**O, diawl! ebychodd Non, mae llaeth yn hwn!**'

O, hell! exclaimed Non, there's milk in this! (Mihangel Morgan, 1993(ii): 10). **4 ar y diawl** (lit *on the devil*) CW *bloody* (intensifying adjective) '**Ac oni bai fod Mam yn mynnu dal danat mi fyddai'n ddu ar y diawl arnat tithau**' *And were it not for the fact that Mam insisted paying for you it would be looking bloody black for you as well* (Robin Llywelyn, 1994: 62). **5 (beth/ble etc.) ddiawl ...?** CW *(what/where etc.) the hell ...?* '**O be ddiawl wna'i rŵan?**' *Oh what the hell will I do now?* (Robin Llywelyn, 1992: 47). **6 diawl erioed** SW *hell* (exclamation of surprise, anger etc.) **Wel, diawl erio'd, be' am drial rwbeth arall 'te?** *Well, hell, what about trying something else then?* **7 diawl o (gur pen/storm etc.)** CW *hell of a (headache/storm etc.)* '**Mi gefais i ddiawl o godiad**' *I got a hell of an erection* (Twm Miall, 1988: 139). **8 i'r diawl â rhywbeth** (lit *to the devil with something*) CW *to hell with something* '**Cydnabod annibyniaeth Slovenia a Croatia ac i'r diawl â'r canlyniadau**' *Recognise the independence of Slovenia and Croatia and to hell with the results* (Golwg, 21 January 1993: 3). **9 mae wedi mynd i'r diawl arnaf** (lit *it's gone to the devil for me*) CW *I'm buggered, I'm for the chop, I've had it* '**Ma hi wedi mynd i'r diawl pan ma'ch mêts chi'n embaras i chi, yndi?**' *You're buggered when your mates become an embarrassment to you, aren't you?* (Dafydd Huws, 1990: 145). **10 (pethau/pobl etc.) (y) diawl** CW *bloody (things/people etc.)* (intensifying adjective) '**Ynteu a yw casineb rhai tuag at y 'Saeson ddiawl' yn ormod?**' *Or is the hatred of some towards the 'bloody English' too much?* (Elwyn Jones, 1991: 181).

Diawledig (< diawl) CW *awful* **diawledig o (boeth/ddiddorol etc.)** CW *awfully (hot/interesting etc.)* '**O'r nefoedd, pam oedd bywyd weithiau mor ddiawledig o anodd?**' *Heavens above, why was life sometimes so awfully hard?* (Robin Llywelyn, 1994: 158).

Diawst (< diawl) SW *goodness me, heavens above* '**Diawsti, boi, whare teg i ti. Withest ti hwnna'n bert ta beth**' *Heavens above, lad, fairly play to you. You worked that tidily anyway* (Meirion Evans, 1996: 46).

Di-ben-draw *endless, without end* '**Dw i'n licio'r holl bosibiliadau, y cyfuniadau di-ben-draw**' *I like all the possibilities, the endless combinations* (Mihangel Morgan, 1993(i): 120).

Dic *Dick* **Dic Siôn Dafydd** (lit *Dick John David*) derogatory reference to Welsh people who behave sycophantically towards the English '**Mae'n hen stori fod y 'sîn roc' Gymraeg wedi dirywio'n arw yn ystod y flwyddyn ddiwethaf, gyda'r grwpiau 'mawr' yn dilyn traddodiad y 'Dic Sion Dafyddion' o'r ganrif ddiwethaf a throi cefn ar Gymru a'r Gymraeg**' *It's an old story that the Welsh 'rock scene' has declined greatly during the last year, with the 'big' groups following the tradition of the 'Dic Sion Dafydds' of the last century and turning their backs on Wales and the Welsh language* (Golwg, 20 November 1997: 25) (* the term **Dic Siôn Dafydd** was coined by the radical Jac Glan-y-Gors [John Jones] to satirise the Welsh who established themselves in London at the turn of the Nineteenth Century).

Di-droi'n-ôl CW *no turning back* '**roedd y cylchoedd darllen dramâu, darllen barddoniaeth a dysgu alawon gwerin yn bethau a roddodd ffurf ddi-droi'n-ôl i 'mywyd'** *the play-reading, poetry-reading and folk-song learning circles were things that gave my life a form from which there was no turning back* (Marion Eames in Eleri Hopcyn (ed.), 1995: 10).

Didda diddim (lit *no good no anything*) CW *good for nothing, worthless* '**Ydach chi'n meddwl y baswn i byth mor wirion â'r Rachel ddi-ddim yna sy'n byw oddi tanon ni?**' *Do you think that I would be as stupid as the good for nothing Rachel who lives underneath us?* (Aled Islwyn, 1994: 75).

Diddrwg didda (lit *no good no bad*) CW *middle-of-the-road, of no consequence* '**Rhyw gaffi diddrwg didda oedd o, digon glân a neis, ond dim cymeriad ganddo**' *It was some middle-of-the-road cafe, nice and clean enough, but with no character* (Angharad Tomos, 1991: 19).

Dienaid 1 *boring, soul-destroying* '**Ond iselwael braidd oedd fy ngorchwylion i - iro tuniau (a dyna ichi joban ddienaid, os buo yna un erioed)**' *But my tasks were rather miserable - greasing tins (and that's a boring chore if ever there was one)* (Gwyn Thomas in Eleri Hopcyn (ed.), 1995: 86). **2** SW *senseless, stupid* '**Wedais i ddigon bo' chi ddim hanner call yn mynd i Bwll Canol yn ganol nos. Di-enaid bois bach**' *I said enough that you were nuts to go to Pwll Canol in the middle of the night. Bloody senseless* (Geraint Lewis, 1995: 75).

'Difaru (< *edifaru*) CW *to regret* **1 ail ddifaru, hynny ddaru** (lit *second regret, did it*) NW *who smelt it, it dealt it* (breaking wind) '**Chdi rechodd rŵan, Osmond?**' .... '**Cynta glyw, hwnnw yw,**' medda Osmond. '**Ail ddyfaru, hwnnw ddaru,**' medda Raymond' *'You just farted, Osmond?' ... 'Who smelt it first, did it,' said Osmond. 'Who smelt it, dealt it,' said Raymond* (Twm Miall, 1988: 121). **2 'difaru fy enaid** (lit *to regret my soul*) CW *to greatly regret* '**Roeddwn i'n difaru fy enaid fy mod i wedi mynd yno yn y lle cyntaf**' *I greatly regretted that I'd gone there in the first place* (Twm Miall, 1988: 167).

Difrif *serious* **1 mewn difrif (calon)** *in all seriousness* '**Dyna fuoch chi'ch dau yn 'i wneud mewn difri calon?**' *That's what the two of you were doing in all seriousness?* (Meic Povey, 1995(i): 8). **2 o ddifrif (calon)** *in earnest, seriously* '**Ni chymerais y sibrydion hyn o ddifri ar y pryd**' *I didn't take these rumours seriously at the time* (Golwg, 27 July 1995: 18).

Difrifol 1 *serious* '**Beth bynnag, mae gen i fater difrifol iawn i drafod efo chi**' *Anyhow, I've got a very serious matter to discuss with you* (Theatr Bara Caws, 1996: 49). **2** NW *bad, shocking* (cook, mechanic etc.) '**Dolig yn iawn os fedar eich gwraig chi gwcio. 'Nacw yn ddifrifol. Mi wnaeth deisan riwbob diwrnod o'r blaen - troedfadd o hyd a modfadd o drwch**' *Christmas is alright if your wife can cook. Mine's terrible. She made a rhubarb pie the other day - a foot long and an inch thick* (Dewi Wyn Williams, 1995: 29).

Difyrru *to amuse, to entertain* **difyrru'r amser** *to pass the time* '**Un noswyl Sant Bifys cychwynnodd gyda dau o'i gyd-filwyr i ddifyrru'r noson yn y dref**' *One Saint Bifys evening he started off with two of his fellow officers to pass the evening in town* (Robin Llywelyn, 1995: 58).

Diffodd LW CW **diffod** CW *to extinguish, to turn off*

Diffyg traul LW CW **dŵr poeth** NW **llosg cylla** Dyfed *heartburn, indigestion*

Digon *enough, sufficient* **1 cael hen ddigon ar rywbeth** *to get fed up with something* '**mae un peth yn dod yn amlwg iawn ym mhobman - fod y bobol wedi ca'l hen ddigon ar y rhyfel**' *one thing becomes very obvious everywhere - that people have got fed up with the war* (Nansi Selwood, 1987: 277). **2 hen ddigon** *more than enough* (quantity) '**Roedd chwech yn hen ddigon**' *Six was more than enough* (Wiliam Owen Roberts, 1987: 16). **3 o ddigon** *by a long way, by far* '**Ym mis Mai 1993, enillodd Hedd Wyn ei gwobr odidocaf o ddigon**' *In May 1993*, Hedd Wyn *won its greatest prize by far* (Alan Llwyd, 1994: 292).

Digoni 1 *to have enough, to make do, to suffice* '**Wedi gweld bod ei brawd wedi'i ddigoni â bwyd, holodd Cathrin e am y sefyllfa yn Aberbrân**' *Having see that her brother had had enough food, Cathrin questioned him about the situation in Aberbrân* (Nansi Selwood, 1987: 239). **2** SW *to cook* '**O'dd y cig idon yn digoni yn y ffwrn mas yn y scyleri**' *The beef was cooking in the oven out in the scullery* (Dafydd Rowlands, 1995: 79).

Di-Gymraeg *non-Welsh speaking* '**Na! nid goddefgarwch y di-Gymraeg welir yma ond paranoia Dai Smith a'i debyg**' *No! It is not the tolerance of the non-Welsh speaking seen here but the paranoia of Dai Smith and people like him* (Western Mail, 30 April 1996: 9).

Di-hun (< **di** and **hun**) **ar ddi-hun** LW SW **effro** LW NW *awake* '**Sawl noson y gorweddais ar ddihun ar fy ngwely fy hun yn gwrando ar y sŵn**' *Several evenings I lay awake on my bed listening to the noise* (Mihangel Morgan, 1993(ii): 98).

Dihuno LW SW **deffro** LW NW *to wake up*

Dim 1 LW *anything* '**Dwi'n dy nabod di yn rhy dda. Mynd heb ddim dy hun er mwyn rhoi mwy i'r lleill ynte?**' *I know you too well. Going without anything yourself in order to give more to the others isn't it?* (Theatr Bara Caws, 1995: 78) (* the original meaning is kept in CW with comparative adjectives and prepositions, as in the above example). **2** OW CW *nothing* '**Ond ddeuda i un peth wrtha chdi, doedd hi'n gwbod dim byd am fywyd y mans. Dim 'di dim**' *But I'll tell you one thing, she knew nothing about vicarage life. Nothing is nothing* (Jane Edwards, 1993: 43) (* **dim** has come to mean *nothing* because it is most commonly used negatively, as in the above example. However, for clarity in CW **dim byd** is often used, eg '**Wedais i ddim byd**' *I said nothing* (Geraint Lewis, 1995: 42)). **3** in LW **dim/ddim** is omitted in negative verbal forms and the emphasis placed on **ni, nid** etc. as appropriate '**Nid yw disgybl yn well na'i athro**' *A student is not above his teacher* (Matthew 10:24). **4** in CW **dim/ddim** is emphasised in negative verbal forms '**Sgin ti ddim watch, reff?**'

Haven't you got a watch, ref? (Ieuan Parry, 1993: 40).
5 CW before negative emphatic sentences **'Dim tynnell sy 'ma. Ma'n agosach i fod yn ddeg tynnell'** *It's not a tonne here. It's nearer to being ten tonnes* (Eirwyn Pontshân, 1982: 52) (* see also **nage** and **nid (2)**) (** **dim** is also used with the imperative here, see Appendix 10.12). **6 am ddim** *for free, gratis* **'Yn y blynydde 'ny, o'dd dyn yn gweithio am y ddwy flynedd gynta am ddim'** *In those years, one used to work for the first two years for free* (Eirwyn Pontshân, 1973: 22). **7 dim byd** see **(2)** (note) above. **8 dim (byd) yn bod (ar rywbeth/rywun)** *nothing wrong (with something/ someone)* **'Rodd rhen ddyn yn edrych yn ddigon gwael, yn gorwedd fan'ny ar ochor yr hewl, ond rodd Twm yn iawn, doedd dim byd yn bod arno fe'** *The old man was looking bad enough, lying there at the side of the road, but Twm was right, there was nothing wrong with him* (Eirwyn Pontshân, 1982: 68). **9 dim oll** *nothing at all* **'Sgen i ddim oll i'w wneud efo'r BiBiSi rŵan, ylwch. Wedi 'madael ers pedwar mis'** *I've got nothing at all to do with the BBC now, look. Left four months ago* (Aled Islwyn, 1994: 153) (* this idiom has been deleted from the Bible, see for example Jeremiah 42:21, John 11:49). **10 dim ond** *only* **'Fe godes o'r gwely - dim pyjamas amdana i, dim ond pants'** *I got up out of bed - no pyjamas on me, only pants* (Eirwyn Pontshân, 1982: 54). **11 dim ond i mi gael (mynd/edrych etc.)** (a) *just so that I can (go/look etc.)* **Mae'n rhaid i mi fynd i weld fy mrawd, dim ond i mi gael gweld ei ferch newydd e** *I've got to go and see my brother, just so that I can see his new daughter;* (b) *provided that I can (go/look etc.)* **'Mae siawns dda gyda ni dim ond i ni ennill y bêl a'i defnyddio'n gywir** *We've got a good chance provided we win the ball and use it correctly* (*Golwg*, 9 February 1995: 28). **12 i'r dim** *exactly* **'Yr oedd hi, fel y buasai rhywun yn disgwyl, yn deall y sefyllfa i'r dim'** *She understood, as one would expect, the situation exactly* (Dafydd Huws, 1990: 252).
13 o fewn dim (a) *in next to no time* **'O fewn dim, roedd yr Ysgrifennydd [Gwladol] wedi gwrthod rhoi unrhyw addewid fod dyfodol y Bwrdd yn ddiogel'** *In next to no time, the Secretary [of State] had refused to give any promise that the Board's future was safe* (*Golwg*, 24 March 1994: 10); (b) *very close, within an inch* **'Mae'r bws yn mynd drwy dref sydd o fewn dim i'r ysbyty meddwl'** *The bus is going through a town that is very close to the mental hospital* (Mihangel Morgan, 1992: 10). **14 ond y dim i mi (wneud rhywbeth)** *I almost (did something), I virtually (did something)* **'Daethai rhywun o hyd iddi tua naw o'r gloch ac aed â hi'n syth i'r ysbyty. Bu ond y dim i mi lewygu pan glywais'** *Someone found her about nine o'clock and she was taken straightaway to hospital. I almost fainted when I heard* (Mihangel Morgan, 1994: 52). **15 pob dim** *everything* **'Mi fydda'i'n trio pob dim hefo fo'** *I'll try everything with it* (Robin Llywelyn, 1995: 103). **16 pob un dim** *every single thing* **'Cyn belled â bod y ddelwedd yn gwneud synnwyr ma' pob un dim yn iawn debyg'** *As far as the image makes sense every single thing is OK I suppose* (Meic Povey, 1990(i): 10). **17 ymhen dim** see **tro (16)**.

Dimai *halfpenny* **1 chwech a dimai** (lit *six and halfpence*) NW *cheap and nasty, two-bit* **'efallai y gallen ni faddau'r fath gyflogau hurt, ond nefi! actorion chwech a dime yw'r rhan fwyaf ohonynt'** *perhaps we can forgive such stupid salaries, but heavens above! the majority of them are two-bit actors!* (*Golwg*, 15 December 1994: 7). **2 dimai goch** (lit *red halfpenny*) CW *brass farthing* (figuratively) **'Ond os enillwn ni, mi fyddwn wedi haeddu pob dime goch'** *But if we win, we'll have deserved every brass farthing* (Bernard Evans, 1990: 30). **3 dimai goch y delyn aur** (lit *red halfpenny of the golden harp*) NW *brass farthing* (figuratively) **'Roedd pethau'n mynd o ddrwg i waeth, doedd gan Nain a Taid yr un ddima goch y delyn aur, ac i goroni'r cwbwl dyma Nain yn cael babi'** *Things were going from bad to worse, Gran and Granddad didn't have a brass farthing, and to crown the lot Nain went and had a baby* (Twm Miall, 1988: 86) (* the golden harp refers to Irish currency). **4 dwy a dimai** (lit *two and a halfpenny*) NW *cheap and nasty, two-bit* **'Blydi siop siafins ... cwmni cychod dwy a dima. Be ddiawl wyddost ti am gychod?'** *Bloody mess ... a two-bit boat firm. What the hell do you know about boats?* (Robin Llywelyn, 1994: 170).

Dimbach see Appendix 18.02.

Dinbych *Denbigh* a mental health hospital was formerly located in Denbigh: the place name has thus become synonymous with lunacy in NW (cf Deolali, formerly a British military hospital in India) **"Ma'r diawl yn cal ffitia,' medda Raymond, 'dydi o ddim ffit i fod ar y seit [adeiladu] 'ma, ddylia fod 'run o'i draed o yma. Newydd ddŵad allan o Dimbach mae o, wchi Musus"** *'The bugger gets fits,' said Raymond, 'he's not fit to be on this [building] site, he shouldn't set foot here. He's just got out of Denbigh, you know Missus'* (Twm Miall, 1988: 115).

Diod *drink* **yn fy niod** (lit *in my drink*) *drunk* **'Paid â gadal i hogyn dy gusanu di'n 'i ddiod'** *Don't let a bloke kiss you drunk* (Jane Edwards, 1989: 65).

Dioddef LW CW **diodda** NW **1** *to suffer* **'Doeddwn i erioed wedi diodda oddi wrth hunllefau o'r blaen'** *I had never suffered from nightmares before* (Twm Miall, 1988: 59). **2** *to stand, to tolerate* **'Fedra i ddim diodda byw yno am ddiwrnod arall'** *I can't stand living there another day* (Jane Edwards, 1989: 27).

Diolch *thanks* **1 diolch byth** CW *thank goodness, thank heavens* **'Dydw i ddim yn diodde o glawstroffbia, diolch byth'** *I don't suffer from claustrophobia, thank goodness* (Islwyn Ffowc Elis in Eleri Hopcyn (ed.), 1995: 20). **2 diolch i'r drefn** (lit *thanks to divine providence*) CW *thank goodness, thank heavens* **'Dim mwy o fisitors i ddwad i'r tŷ tan ddechra Gorffennaf, diolch i'r drefn'** *No more tourists to come to the house until the start of July, thank goodness* (Margiad Roberts, 1994: 101). **3 diolch i'r gras** (lit *thanks to the grace*) CW *thank goodness, thank heavens* **'Ath Frogit i'r bog i chwdu, ond diolch i'r gras do'n i ddim wedi dechra snogio hefo un fi'** *Frogit went to the bog to throw up, but thank goodness I hadn't started snogging with mine* (Dafydd Huws, 1978: 47). **4 diolch i'r nefoedd** (lit thanks to the heavens) CW *thank goodness, thank heavens* "**Faswn i ddim yn aros yma taswn i chdi.' 'Ond nid chdi ydw i, diolch i'r nefoedd**" *I wouldn't stay here if I were you.' 'But I'm not you, thank goodness'* (Eigra Lewis Roberts, 1985: 29). **5 diolch o galon** *thank you very much* '**Dymunaf ddiolch o galon i'm teulu**' *I want to thank my family very much* (Golwg, 27 July 1995: 8). **6 diolch yn dalpe** Dyfed *thank you very much* '**Diolch yn dalpe nawr, a halwch air bach 'to yn glou**' *Thank you very much now, and send word again quickly* (W.R. Smart in Gwyn Griffiths (ed.), 1994: 88) (* **talpe** < **talpau**). **7 diolch yn dew** NW *thank you very much* '**Dach chi'n glên ofnadwy hefo fi, Mrs bach, diolch yn dew i chi**' *You're awfully kind to me, Mrs, thank you very much* (Robin Llywelyn, 1995: 40). **8 diolch yn fawr** *thank you very much* (most common form) '**Mae'n iawn i'r rhai sy'n fodlon chwarae'r gêm gydag arddeliad, ond i mi - dim diolch yn fawr**' *It's alright for those who are prepared to play the game with conviction, but for me - no thank you very much* (Elwyn Jones, 1991: 221).

Dirgel *secret* **yn y dirgel** *in secret* '**Mae meddwl am gael eich lladd, nid ar y lein ffrynt, ynghanol môr o gyhoeddusrwydd, ond yn y dirgel, heb dystion, yn hunllef**' *Thinking about being killed, not on the front line, in the middle of a sea of publicity, but in secret, without witnesses, is a nightmare* (Gwenda Richards in Dylan Iorwerth (ed.), 1993: 45).

Dirwyn *to twist, to wind* **dirwyn i ben** *to come to an end, to wind down* '**Erbyn meddwl, roedd ein carwriaeth yn dirwyn i ben y pryd hwnnw**' *Come to think of it, our love was coming to an end then* (Mihangel Morgan, 1993(ii): 90).

Disgwyl LW CW **dishgwl** SW **1 disgwyl** LW CW **erfyn** SW *to expect* "**Dan ni'n mynd allan yn *disgwyl* colli, Arthur. Rhaid i ni gael llawer mwy o *hyder* yn y tîm**' *We're going out expecting to lose, Arthur. We've got to have a lot more confidence in the team* (Ieuan Parry, 1993: 10). **2** LW SW *to look* '**Disgwl ar ôl dy hunan, Bleddyn. Byddi di'n well off lan man'na dros yr haf**' *Look after yourself, Bleddyn. You'll be better off up there over the summer* (Twm Miall, 1990: 176). **3** NW *to wait* '**[Mae] Piff yn ôl wrth ei waith ac wrth fwrdd y gegin yn disgwl am ei fwyd**' *Piff [is] back at work and at the kitchen table waiting for his food* (Margiad Roberts, 1994: 18). **4 mae hi'n disgwyl** CW *she's expecting, she's pregnant* "**Dwi'n disgwl.' 'O uffar!' 'Be ddudoch chi?' 'Disgwl, tydw. Disgwl! Disgwl, a fo 'di'r tad**" *'I'm pregnant.' 'Oh bloody hell!' 'What did you say?' 'Pregnant, I am. Pregnant! Pregnant, and he's the father'* (Gwenlyn Parry, 1992: 54). **5 yn groes i'r disgwyl** *against all expectations* '**Yn groes i'r disgwyl, gwibiodd yr amser heibio**' *Against all expectations, the time flew past* (Penri Jones, 1982: 182). **6 yn ôl y disgwyl** *as expected* '**Y cyntaf i'w heglu hi adref dros y ffin, yn ôl y disgwyl, oedd y Rwsiaid**' *The first to hotfoot it over the border, as expected, were the Russians* (Tweli Griffiths, 1993: 169).

Dishgil (< **dysgl**) SW *cup* '**Nosweth 'na, ar ôl i bawb fynd i'r gwely o'r ffordd, dima fi'n leio'r ford in y**

neuodd in barod i frecwast ... le, wê popeth in barod, [ac yr oedd] hyd in o'd dishgil fowr weidir a handl hir iddi' *That night, after everyone had gone to bed out of the way, I laid the table in the hall ready for breakfast ... Yeah, everything was ready, and [there was] even a large glass cup with a long handle* (Nora Richards in Gwyn Griffiths (ed.), 1994: 35) (*note that in NW **dysgl** means *bowl* and is invariably spelt this way, eg '**Roedd hi'n troi a throi ei llwy ynghanol y mymryn cwstard oedd yn weddill ar ei dysgl**' *She was turning her spoon over and over in the little bit of custard that was left in her bowl* (Eirug Wyn, 1994: 24)).

Dishgled (< **dysglaid**) SW *cuppa* (of coffee, tea etc.) '**Dynnith y cops ti miwn ar noson fel hyn just i gal'l esgus i fynd nôl i'r cop shop am ddishgled a smôc**' *The cops will pull you in on a night like this just to have an excuse to go back to the cop shop for a cuppa and a smoke* (Sion Eirian, 1995: 9).

Disgyn LW NW *to fall* **disgyn ar fy mai** LW NW *to admit I'm wrong* '**Hyd yn oed pan o'n i'n rong ... o'n i'n uffernol o styfnig, dallt ... ond gwendid ydi disgyn ar dy fai**' *Even when I was wrong ... I was bloody stubborn, you understand ... but it's a weakness to admit you're wrong* (Gwenlyn Parry, 1979: 93).

Distaw *quiet* **yn ddistaw bach** CW *quietly* (suggestion of surreptitiousness) '**Ddeudish i ddim byd, dim ond rejistro enw'r ceffyla yn 'yn meddwl yn ddistaw bach**' *I didn't say anything, just registered the horses' name in my mind quietly* (Dafydd Huws, 1978: 68).

Dithau see Appendix 15.05-15.06.

Di'uno (< **dihuno**) SW *to wake up* **Mae rhaid i ti ddi'uno bore yfory am wyth** *You've got to wake up tomorrow morning at eight.*

Diwedws (< **dywedwst**) SW *quiet, reserved* '**O'dd dim calon 'dag e i alw y nosweth honno, a mi o'dd e'n ddigon diwedws ar y ffordd sha'r gwaith bore wedyn 'ed**' *He didn't have the heart to call that evening, and he was quiet enough on the way to work that morning as well* (Meirion Evans, 1997: 34).

Diwedd *end* **1 diwedd y gân yw'r geiniog** (lit *the end of the song is the penny*) proverb *everything in life has to be paid for, there's no such thing as a free lunch* '**Heddiw, mae llywodraeth leol yn gorfod ymbil am bres i gynnal y cyfrifoldebau a osodwyd arnynt gan lywodraeth ganol ... Diwedd y gân yw'r geiniog**' *Today, local government has to beg for money to maintain the responsibilities placed on them by central government ... Everything in life has to be paid for* (Dafydd Wigley, 1993: 452). **2 dyna ddiwedd arni** *that's the end of the matter* '**Smo fi'n dod lan i wlad y Gogs i fyw a dyna ddiwedd arni**' *I'm not going up to North Wales to live and that's the end of it* (Penri Jones, 1982: 133). **3 o'r diwedd** *at last* '**O'r diwedd, 'roeddwn i wedi gwireddu fy nymuniad**' *At last, I had realised my wish* (Alan Llwyd, 1994: 103). **4 y diwedd un** (lit *the end one*) *the very end* '**roedd ei bartner, Sian Lloyd, a'i wraig, Maria Fernandez, gydag ef ar y diwedd un yn ei gartref**' *his partner, Sian Lloyd, and his wife, Maria Fernandez, were with him at the very end at his home* (Golwg, 23 November 1995: 11).

Diweddar 1 *recent* **'Do's dim ond pobol ddiarth obythdu'r lle 'ma'n ddiweddar a do's dim diwedd i'r gwaith sy 'da nhw'** *There's nothing but strangers about the place recently, and there's no end to the work they make* (Nansi Selwood, 1987: 202). **2** SW *late* **'Chlywes i ddim ohonoch chi'n dod i'r gwely. O'ch chi'n ddiweddar iawn?'** *I didn't hear you coming to bed. Were you very late?* (Nansi Selwood, 1987: 166).

Diwetydd (< diwedd dydd) Glam *evening* **'Cinio cynnar heddi, cofiwch, fel bod pawb yn ca'l amser i baratoi ar gyfer seremoni'r diwetydd. Dewch, Mari!'** *Early dinner today, remember, so that everyone can have time to get ready for the evening ceremony. Come on, Mari!* (Nansi Selwood, 1987: 167).

Diwrnod *day* **1 diwrnod** is used to indicate *day* when it is referred to in a general sense and after numbers, instead of **dydd** which is generally confined to references to the days of the week, eg **dydd Sadwrn** *Saturday* etc. and festivals, eg **Dydd Gŵyl Dewi** *St David's Day* etc. **'Roedd wedi cael diwrnod wrth ei bodd'** *She'd had a very pleasant day* (Nansi Selwood, 1987: 60); **'ymhen saith diwrnod paraf iddi lawio ar y ddaear am ddeugain diwrnod a deugain nos'** *within seven days I will cause rain on the earth for forty days and forty nights* (Genesis 7:4) (* **diwrnod** used to undergo the nasal mutation following certain numerals, and although this still occurs, this mutation has been deleted from the Bible, as in the above example). **2 diwrnod i'r brenin** (lit *day for the king*) *a day to remember* **'Am ddiwrnod, am ychydig oriau, yr oedd popeth yn dda a phawb yn gytûn ... Cawsom ddiwrnod i'r brenin'** *For a day, for a few hours, everything was good and everyone was in agreement ... We had a day to remember* (*Western Mail*, 16 May 1995: 11).

Do *yes* (perfect and simple past tenses) in SW the form **do fe** is also used interrogatively **"Gwrddon ni â Richard Games ar un o droeon Gellifolws.' 'Do fe? Beth oedd 'da fe i'w ddweud wrthot ti?"** *'We met Richard Games by one of the turnings by Gellifolws.' 'Did you? What did he have to say to you?'* (Nansi Selwood, 1987: 47) (*see also **naddo**).

'Do'ch chi ddim, 'doedd e ddim etc. see Appendix 5.01-5.04.

Dod *to come* **1 dod â rhybeth/rhywun** *to bring something/someone* **'wy ddim yn ca'l dod â cwningen i'r tŷ heb sôn am gi'** *I can't bring a rabbit into the house let alone a dog* (Meirion Evans, 1996: 31). **2 dod ataf fy hun** *to come to, to come round* **'Daeth Richard ato'i hun y tu ôl i farrau yng ngorsaf heddlu Trefeini'** *Richard came to behind bars at Trefeini police station* (Eigra Lewis Roberts, 1985: 128). **3 dod at rywun** *to come over someone, to take hold of someone* **'Be' ddaeth at y lodes? 'Dydi hyn ddim yn debyg i Greta'** *What came over the girl? This isn't like Greta'* (Islwyn Ffowc Elis, 1990(ii): 78). **4 dod o hyd (i rywbeth/rywun)** *to come across something/someone, to find something/someone* **'Fe ddaethon ni o hyd i gorff John wrth fôn y Graig'** *We came across John's*

body at the base of the Graig cliff (Islwyn Ffowc Elis, 1974: 94). **5 dod ymlaen â rhywun** *to get on with someone* **'Wel, ro'n ni'n dod ymlaen yn dda iawn gyda'n gilydd ond doedd hi ddim yn licio'r merched eraill'** *Well, we used to get on well with each other but she didn't like the other girls* (Mihangel Morgan, 1993(i): 19).

Dodi LW SW **rhoi** LW CW *to place, to put*

Dodo Powys *auntie* **'Fedar Dodo Puw ddim diodda Nain am nad ydi hi'n siarad, a fedar Nain ddim diodda Dodo Puw am fod honno'n siarad gormod'** *Auntie Puw can't stand Gran because she doesn't talk much, and Gran can't stand Auntie Puw because she talks too much* (Twm Miall, 1988: 97).

Dodrefn LW NW **celfi** LW SW **moddion tŷ** Pembs *furniture*

Doe see **ddoe**.

Doed a ddelo see Appendix 10.04(iv).

'Doeddwn i ddim, 'doeddet ti ddim etc. see Appendix 5.01-5.04.

'Doedd gen i ddim see Appendix 13.06(v).

'Does 'na ddim see Appendix 13.11-13.12.

Dof i, dei di etc. see Appendix 2.06(ii).

Dôi ef, dôi hi etc. see Appendix 5.08(ii).

Dôl see **ôl (5)**.

Dolen *handle, link* **1 dolen gydiol** *link* **'Cofnodwyd hynt, helynt a phrofiadau'r [milwyr] yn *Seren y Dwyrain*, a phrofodd yn ddolen gydiol werthfawr rhyngddynt a'r henwlad'** *The [soldiers'] trials, tribulations and experiences were recorded in Seren y Dwyrain, which proved to be a valuable link between them and Wales* (R. Emyr Jones, 1992: 123). **2 dolen gyswllt** *link* **'Bu'r iaith Gymraeg yn ddolen cyswllt i ni, fel Cymry, dros y canrifoedd'** *The Welsh language has been a link between us, as Welsh people, over the centuries* (*Yr Herald*, 23 April 1994: 2).

'Dolig (< Nadolig) CW *Christmas* **'Fydd hi'n Ddolig cyn i ni droi rownd rŵan'** *It'll be Christmas before we turn round now* (Margiad Roberts, 1994: 219).

Dolur *pain* **dolur (yn y) gwddw** NW *sore throat* **'Saim gŵydd at losg, saim gŵydd at ddolur gwddw, saim gŵydd ar friwia ... diar, mi fydda gin Mam gred mewn saim gŵydd'** *Goose grease for a burn, goose grease for a sore throat, goose grease on sores ... dear me, Mam had a belief in goose grease* (Islwyn Ffowc Elis, 1974: 76).

Dom (< tom) SW *tail* LW CW *manure* **dom da** (lit *cow manure*) SW *shit* (generic term in SW for mess) **'Yn y dom da ŷch chi, ac yn y dom da y byddwch chi'** *You're in the shit, and you'll always be in the shit* (Eirwyn Pontshân, 1982: 32).

'Do'n i ddim, 'do't ti ddim, etc. see Appendix 5.01-5.04.

Doro, dorwch see Appendix 10.05.

Dos, doswch see Appendix 10.05.

Dôth o, dôth hi etc. see Appendix 4.04.

'Do't ti ddim, 'doedd e ddim etc. see Appendix 5.01-5.04.

Dow-dow NW *leisurely* '['Roedd] pobol na wyddan nhw ar y ddaear be i'w wneud efo'u hamser yn cerdded dow-dow o 'mlaen i' *[There were] people who didn't know what on earth to do with their time walking leisurely in front of me* (Eigra Lewis Roberts in Eleri Hopcyn (ed.), 1995: 71).

Dowd see Appendix 12.04(iii).

Down ni, dewch chi etc. see Appendix 5.08(ii).

Dowt (<E *doubt*) CW *doubt* '[Yr oedd yn gampwaith] o job, dos dim dowt, hyd nes i drefen rhagluniaeth roi 'i fys ar y twyll' *[It was an excellent] job, there's no doubt, until the order of providence put its finger on the deception* (Edgar ap Lewys, 1977: 18).

Draenen *thorn* draenen yn ystlys rhywbeth/rhywun *a thorn in something's/someone's side* 'Mae'n amlwg i mi eu bod nhw'n fy ystyried i yn ddraenen yn eu hystlys, a'u bod nhw'n fodlon cefnogi rhywun i gadw fi allan o'r pwyllgor polisi' *It's obvious to me that they consider me a thorn in their side, and that they're prepared to support anyone to keep me out of the policy committee* (Golwg, 23 May 1996: 4).

Draig *dragon* y ddraig goch ddyry cychwyn proverb *the red dragon will give the start* (from a poem by Deio ab Ieuan Du (1450-1480); the red dragon is the national emblem of Wales, and is thus equated with the country) 'Y ddraig goch ddyry gychwyn. Wel, ie'n wir. Yn ôl yr hen gred Tsieineaidd sydd wedi ei hymghorffori yn Feng shui, anadl cosmig y ddraig sy'n cyflyru popeth' *The red dragon will give the start. Well, yes indeed. According to the old Chinese belief incorporated in Feng shui, the dragon's cosmic breath conditions everything* (Television Wales, 11 January 1997: 5).

Drapio CW (euphemism for **damnio**) **(go) drapia/drapio** NW *dash (it all)* ''Doedd hyn ddim yn iawn, ond go drapio, dyn oedd ef, nid gwleidydd' *This wasn't right, but dash it all, he was a man, not a politician* (Islwyn Ffowc Elis, 1990(i): 124).

Dratio CW (euphemism for **damnio**) **(go) dratia** NW *dash (it all)* 'Dratia, mae'r ffiws wedi chwythu, neu mae'r bylb yn ffliwt' *Dash it, the fuse has blown, or the bulb is knackered* (Robin Llywelyn, 1995: 76).

Dreifio (<E *drive*) CW *to drive* 'Yn wir, 'roedd yn fendith o beth na chymerodd hi erioed yn ei phen i ddysgu dreifio car' *In fact, it was a blessing that she never took it upon herself to learn to drive a car* (Dic Jones, 1989: 128).

Drinc (<E *drink*) SW *drink* 'Ti di bennu'r drinc 'na nawr?' *You finished that drink now?* (Sion Erian, 1995: 17).

Dringad (< **dringo**) SW *to climb* 'Dodd dim lle 'dag e i gysgu a rodd hi'n rhy hwyr i fynd adre, a dyma Shemi'n dringad mewn i faril gwn mowr y Côst Gârds' *He didn't have anywhere to sleep and it was too late to go home, and so Shemi climbed into the Coast Guard's huge gun barrel* (Eiwryn Pontshân, 1982: 34).

Dropyn (<E *drop*) CW *drop (to drink)* 'Dwi 'di bod yn cario homar o blydi [garpedi] 'Axminsters' mowr trwm o'r stores i fyny i'r showrooms drw'r dydd a dwi'n haeddu tropyn' *I've been carrying huge heavy bloody 'Axminster' [carpets] from the stores up to the showrooms all day and I deserve a drop to drink* (Dafydd Huws, 1978: 30).

Drosof i, drosot ti etc. see Appendix 16.12.

Drwg 1 *bad, naughty* 'Nawr, rodd hynna'n ddigon drwg' *Now, that was bad enough* (Eirwyn Pontshân, 1982: 9). **2** *rotten* (food etc.) 'Ni all coeden dda ddwyn ffrwyth drwg, na choeden wael ffrwyth da' *A good tree cannot bear rotten fruit, nor a poor tree good fruit* (Matthew 7:18). **3** drwg yn y caws (lit *badness in the cheese*) *something amiss, something wrong* 'mi fentrais i awgrymu fod yma ryw ddrwg yn y caws ynglyn â'r nawdd o £5,000' *I ventured to suggest that here was something amiss with the sponsorship of £5,000* (Golwg, 25 May 1995: 8). **4** mae'n ddrwg gen i *I'm sorry* 'Mae'n ddrwg gen i eich bod wedi colli'ch priod mor gynnar' *I'm sorry you lost your husband so early* (Nansi Selwood, 1987: 34). **5** mae'n ddrwg calon gen i *I'm very sorry* 'Mi ddois atat i ddweud fod yn ddrwg gen i, dyna oeddwn i isio'i ddweud. Ac mae'n ddrwg gen i, yn ddrwg galon gen i, drostat ti a throsta innau' *I came to you to say that I am sorry, that's what I wanted to say. And I am sorry, very sorry, for you and for me* (Robin Llywelyn, 1994: 163). **6** y drwg *the problem* 'Aha! dyna ni ... Dyna ble mae'r drwg. R'on i'n amau hynny o'r dechre' *Aha! there we are ... That's where the problem is. I suspected that from the start* (Bernard Evans, 1990: 18).

Drwyddo i, drwyddot ti etc. see Appendix 16.13.

'Drycha, 'drychwch see Appendix 10.05.

'Drychyd (< **edrych**) SW *to look* 'O! A finne'n drychid mlân am noson gynnar heno ...' *Oh! And I was looking forward to an early evening tonight ...* (Dafydd Huws, 1990: 19).

Dryga (< **drwg**) gwneud dryga NW *to be naughty* 'Ia, dos di, medda Mam, a paid ti a gneud dryga' *Yes, you go, said Mam, and don't you be naughty* (Caradog Prichard, 1961: 152).

Drygioni *naughtiness* gwneud drygioni *to be naughty* 'Maen nhw'n deud bod yr anifeiliaid yma'n ellyllon a'u bod nhw'n mynd ma's gyda'r nos i wneud drygioni' *They say that these animals are goblins and that they go out in the evening to be naughty* (Mihangel Morgan, 1992: 83).

Dryll LW SW **gwn** LW NW *gun*

Duw *God* **1** Duw a ŵyr *God knows* 'Beth ddaw ohonom ni, Duw a ŵyr!' *What will become of us, God knows!* (Dafydd Rowlands, 1995: 18). **2** Duw a'm gwaredo *God save me* 'Duw a'n gwaredo ... roedd y diawl peth yn symud' *God save us ... the bloody thing was moving* (Twm Miall, 1990: 130). **3** Duw a'm helpo *God help me* 'Rydw i'n dal i fy ffansïo fy hun fel bowliwr cyflym hyd heddiw, Duw a'm helpo' *I still fancy myself as a fast bowler up to this day, God help me* (Gwyn Thomas in Eleri Hopcyn (ed.), 1995: 99). **4** Duw annwyl (lit *dear God*) CW

Good God '**Duw annwyl, sut ydw i'n mynd i ddiodde'r peth?**' *Good God, how am I going to suffer the thing?* (Islwyn Ffowc Elis, 1974: 42). **5 Duw cato pawb** *God save us* '**Duw caton pawb, pam ma' bois bach ifenc fel chi eishe gwbod am hen bethe felna?**' *God save us, why do young lads like you want to know about old things like that?* (Lyn Ebenezer, 1991: 12) (* **cato** < **catwo** < **cadwo** subjunctive of **cadw**). **6 Duw Duw** (lit *God God*) CW *God, Good God* etc. (general exclamation of anger, surprise etc.) '**Jiw, jiw, wêdd hi mor dewyll â ffwrn uffern y nosweth 'ny**' *God, it was as dark as hell that night* (W.R. Smart in Gwyn Griffiths (ed.), 1994: 73) (* **Jiw** < **Duw**).

Duwc NW euphemism for **Duw** '**Paid â gweithio'n rhy galed, wir dduwc!**' *Don't work too hard, heavens above!* (Islwyn Ffowc Elis, 1990(i): 97).

Duwcs NW euphemism for **Duw** '**Duwcs annwyl, nid y fi fydd yn delio hefo pethau felly**' *Heavens above, it won't be me dealing with such things* (Robin Llywelyn, 1994: 31).

Duwch NW euphemism for **Duw** '**Duwch, Meredydd ylwch. Be gymri di?**' *Heavens, Meredydd look. What will you have?* (Alun Jones, 1979: 46).

Duwedd NW euphemism for **Duw** '**Arestio! Duwadd mawr, naci! Dwi rioed wedi arestio neb yn fy mywyd**' *Arrest! Heavens above, no! I've never arrested anyone in my life* (Theatr Bara Caws, 1995: 68).

Dwa i, dei di etc. see Appendix 2.06(ii).

Dwâd (< **dod**) Pembs *to come* '**Wel wedyn fory we' dyn, we'r bwtshwr in dwâd i dorri'r mochyn finy**' *Well then tomorrow a man, the butcher, was coming to cut up the pig* (Elizabeth John in Beth Thomas and Peter Wynn Thomas (eds.), 1989: 131).

Dŵad imperative of **dweud** (see Appendix 10.05) is used extensively in NW interrogatively at the end of statements and equates approximately with *then* '**Be s'arnat ti dŵad?**' *What's wrong with you then?* (Gwenlyn Parry, 1979: 15).

Dŵad (< **dod**) **1** NW *to come* '**Hei! Wyt ti'n dwad i'r 'Casablanca' efo ni nos 'fory Gron bech?**' *Hey! Are you coming to the 'Casablanca' with us tomorrow night Gron mate?* (Dafydd Huws, 1978: 45). **2 (dyn/pobl** etc.**) dŵad** CW *incomer (man/people* etc.*)* '**Clywais fod llyfrgell Gymraeg neuadd Abersoch ar werth, oherwydd diffyg diddordeb ynddi hi ar ran y cyhoedd, blaen-arwydd o'r Seisnigo mawr a fu ar Abersoch, wrth i'r Saeson dwad cefnog ddechrau ymgartrefu yn y pentref**' *I heard that Abersoch hall Welsh library was for sale, because of the lack of interest in it by the public, a foretaste of the large-scale Anglicization that happened to Abersoch, as wealthy incoming English people settled in the village* (Alan Llwyd, 1994: 49).

Dwarnod (< **diwrnod**) SW *day* '**O'dd Wil wedi colli dwarnod o waith - peth diarth iawn iddo fe**' *Wil had lost a day's work - a very strange thing for him* (Meirion Evans, 1997: 45).

'**Dwch** (< **dywedwch**) is used extensively in NW interrogatively at the end of statements and equates

approximately with *then* '**Oes 'na rywun yn fy nghymryd i o ddifri 'dwch?**' *Is there anyone who takes me seriously then?* (Margiad Roberts, 1994: 213).

Dwe (< **doe**) Pembs *yesterday* '**Shwt a'th hi dwê, Dai?**' *How did it go yesterday, Dai?* (Eirwyn George in Gwyn Griffiths (ed.), 1994: 21) (* **dwe** is never mutated to **ddwe**, as the above example illustrates).

Dwedwch (< **dywedwch**) imperative of **dweud** (see Appendix 10.05) is used extensively in NW interrogatively at the end of statements and equates approximately with *then* '**oes rhaid iddo fod mor flin, dwedwch?**' *does he have to be so angry, then?* (*Y Cymro*, 22 June 1994: 2).

Dweud *to say* **1 (cael) dweud fy nweud** *to have my say* '**Ond roedd gen i deimlad fod Magi'n benderfynol o gael dweud ei dweud**' *But I had the feeling that Maggie was determined to have her say* (*Golwg*, 25 March 1993: 14). **2 dweud mawr** *saying a lot* '**gallaf hepgor y prif newyddion Saesneg [ar y teledu], ac i adict mae hynny'n ddweud go fawr**' *I can do without the main English news [on television], and for an addict that's saying quite a lot* (*Golwg*, 4 May 1995: 29) (* **dweud** here acts as a noun and not as a verb-noun). **3 dweud wrth rywun** *to tell someone* '**Rhoswch chi, mi fedra i ddeud wrthach chi'n union**' *Wait, I can tell you exactly* (Islwyn Ffowc Elis, 1974: 75) (* note also in the imperative **dywed(wch) i rywun** *tell someone*, eg '**Dedwch i mi, Vera, pwy wnaeth dro sâl â chi?**' *Tell me Vera, who did the mean trick to you?* (Islwyn Ffowc Elis, 1990(ii): 135)) (** see also Appendix 16.14). **4 dweud y drefn** (lit *to say the order*) *to lay down the law* '**[Mae] hen lais caled gynni fel tasa hi'n deud y drefn drwy'r adag**' *She's got a hard old voice as though she's laying down the law all the time* (Jane Edwards, 1989: 27). **5 dywed ti** CW *so you say, you don't say* '**Sut ges ti ganiatâd yr ysgol i fynd?**' '**Gwersi rhydd.**' '**Deud ti! Braf iawn**' '*How did you get the school's permission to go?*' '*Free lessons.*' '*You don't say! Very nice*' (Meic Povey, 1995(i): 10). **6 haws dweud na gweud** (lit *easier to say than to do*) *easier said than done* '**Yn y gegin, cefais gwdyn mawr, du, plastig er mwyn rhoi'r oen [marw] i mewn ynddo ar ôl i fi ei dynnu o'r dŵr. Ond haws dweud na gwneud**' *In the kitchen, I got a large, black, plastic bag to put the [dead] lamb in after pulling it from the water. But it was easier said than done* (*Golwg*, 12 May 1994: 3).

Dwfn LW CW **dwfwn** SW **tyfn** NW *deep*

Dwgyd (< **dwyn**) SW *to take, to steal* "**Beth oedd e'n feddwl, ti'n gwybod, 'dwylo blewog'?**' '**Ti yw'r blydi teacher nagefe? Ymadrodd yw e 'achan. Am rywun sy'n dwgyd**" '*What did he mean, you know, 'light-fingered'?*' '*You're the bloody teacher aren't you? It's a saying mate. About someone who steals*' (Geraint Lewis, 1995: 41).

Dwi, dw i etc. see Appendix 1.

Dwl *stupid* **1 dwl bared** SW *totally stupid* '**Dyle fe heb yfed ar ben y tablets 'na. Ma' fe'n ddwl bared. Dyw ei ben e ddim yn reit 'achan**' *He shouldn't drink* *on top of those tablets. He's totally stupid. His head's not right mate* (Geraint Lewis, 1995: 66). **2 dwl bost** SW *totally stupid* "**Set ti ond yn gw'bod, Llew; wy' i'n ddwl bòst ambythdu ti!**' *If you only knew, Llew; I'm totally stupid about you!* (Robyn Léwis, 1993: 41).

Dwli LW SW **lol** LW NW *nonsense, rubbish*

Dwlu LW SW **gwirioni** LW NW *to dote*

Dwn i'm (< **nid wn i ddim**) NW *I dunno* '**dwi ddim 'di bod allan fa'na ers dwn i'm pryd**' *I haven't been out there since I dunno when* (Gwenlyn Parry, 1992: 45).

Dwnd(r)an NW *to indulge, to spoil* '**Mi wyt ti'n dwndran gormod ar y hogyn, Madge**' *You spoil the lad too much, Madge* (Eigra Lewis Roberts, 1985: 10).

Dŵr *water* **1 dŵr poeth** (lit *hot water*) NW **diffyg traul** LW CW **llosg cylla** Dyfed *heartburn, indigestion* '**Gwenodd [hi] pan gofiodd mai wrth gario Elisabeth y cafodd y dŵr poeth ddiwetha**' *[She] smiled when she remembered that the last time she had heartburn was whilst carrying Elisabeth* (Nansi Selwood, 1987: 248). **2 gwneud dŵr** CW *to pee, to piss* '**Roedd Ifan allan o flaen y dosbarth erbyn hyn, a phan ddeallodd na châi fynd allan, lledodd ei draed a gwneud dŵr reit o flaen Miss Davies**' *Ifan was out in front of the class by now, and when he understood that he couldn't go out, he spread his feet and peed right in front of Miss Davies* (Simon Jones, 1989: 112). **3 trwy ddŵr a thân** (lit *through water and fire*) *through thick and thin* '**Doedd waeth beth wnâi Vatilan, byddai Nel yn sefyll yn gefn iddo drwy ddŵr a thân**' *It didn't matter what Vatilan did, Nel would support him through thick and thin* (Robin Llywelyn, 1995: 109). **4 tynnu dŵr o'm dannedd** (lit *to pull water from my teeth*) *to whet my appetite* "**Mandy Chugg.**' **Fu-ws Twm druan jest â chwympo off y stôl. Ond 'na fe, beth yw'r ots am enw os o's mynwes 'da chi sy'n ddicon i dynnu dŵr o ddannedd corff yn ei goffin**' *'Mandy Chugg.' Poor Twm just about fell off his stool. But there you are, what does a name matter if you've got breasts that are enough to whet the appetite of a corpse in a coffin* (Dafydd Rowlands, 1995: 126).

Dwst (<E *dust*) SW *dust* '**Wel myn uffach i, mae lot o ddwst fan hyn**' *Well bloody hell, there's a lot of dust in here.*

Dwsto(<E *dust*) SW *to dust* '**Gliwes hi Mama yn gweud wrth May am hôl dwster a mynd i ddwsto'r rŵm gore**' *I heard her, Mama, telling May to fetch a duster and to go and dust the front room* (Nora Richards in Gwyn Griffiths (ed.), 1994: 95).

Dwthwn (< **y dydd hwn**) **y dwthwn hwnnw** *that day, then* '**Rhoddwyd lle amlwg ac anrhydeddus i'r cewri golygus yma yn yr arddangosfa y dwthwn hwnnw**' *A prominent and honourable place was given to these good-looking giants in the exhibition that day* (R. Emyr Jones, 1992: 13).

Dwylo *hands* **dwylo blewog** (lit *hairy hands*) *light-fingered* (prone to theft) '**Wel, mi glywis i Taid yn deud wrth Nain bod gan yr hen dincar yna ddwylo blewog**' *Well, I heard Granddad telling Gran that that old tinker was light-fingered* (Ieuan Parry, 1993: 37).

Dwyn *to take, to steal* **1 dwyn cyrch** *to raid, to attack* '**Yr oedd yr awyrennau yn dod yn ôl ar ôl dwyn cyrch ar Lerpwl** *The planes were coming back after raiding Liverpool.* **2 dwyn ffrwyth** *to bear fruit* '**Ac mae'r gwaith caled yn dwyn ffrwyth - bu'n *extra* yn ddiweddar ar Pobol y Cwm ac yn Civies**' *And the hard work is bearing fruit - he was an extra recently on Pobol y Cwm and in Civies* (*Golwg*, 18 February 1993: 30). **3 dwyn i ben** *to bring to an end, to finish* '**A fedrwch chi ddim dwyn hynny i ben heb fod yn barod -**' *And you can't bring that to an end without being ready -* (Rhydwen Williams, 1969: 133). **4 dwyn i gof** *to bring to mind* '**y mae'n dwyn i gof gychwyn symbolaidd y mudiad iaith modern ar bont Trefechan**' *it brings to mind the symbolic start of the modern language movement on Trefechan bridge* (*Golwg*, 22 March 1990: 25). **5 dwyn perswâd ar rywun** *to persuade someone* '**Ceisiwyd dwyn pob math o berswad arnaf, gwnaethpwyd addewidion rif y gwlith, ond gwrthod wnes i**' *Everything was tried to persuade me, innumerable promises were made, but I refused* (Elwyn Jones, 1991: 19). **6 dwyn pwysau ar rywbeth/rywun** *to bring pressure to bear on something/someone* "**Dim cyfaddawd' oedd neges grwp sy'n ceisio dwyn pwysau ar eu gwasanaethau iechyd lleol i roi lle teilwng i'r Gymraeg**' *'No compromise' was the message of a group which is trying to bring pressure to bear on the local health services for a fitting place for the Welsh language* (*Y Cymro*, 18 May 1994: 1).

Dwytha (< **diwethaf**) NW *last* '**Hiraeth ia? Cofio am y noson ddwutha o'n i yno a'r sesh gafodd yr hogia cyn i fi ddwad lawr i fama**' *Homesickness, innit? Remembering the last evening I was there and the drinking session the lads had before I came down here* (Dafydd Huws, 1978: 8).

Dwywaith *twice* '**does dim dwywaith (amdani)** *there are no two ways about it* '**Does dim dwywaith bod yr olew wedi achosi llanast i ddelwedd arfordir sy'n dibynnu ar y diwydiant ymwelwyr**' *There are no two ways about it that the oil has caused damage to the image of a coast that depends on the tourist industry* (*Golwg*, 7 March 1996: 9).

Dy see Appendix 15.07-15.10.

Dychymyg *imagination* **dychymyg yn drên** *imagination at full flight* '**Lle bu'r sioe gynhyrfus ychydig funudau yn ôl, doedd dim byd ond twll du, a dychymyg yn drên**' *Where the exciting show had been a few minutes ago was nothing but a black hole, and [his] imagination was in full flight* (Eirug Wyn, 1994: 73).

Dyblau *doubles* **yn fy nyblau** *doubled-over* (with laughter etc.) '**Anaml iawn oedd Taid yn chwerthin hefyd. Ond dwi'n cofio ei weld o yn 'i ddybla un waith**' *Also Granddad very rarely laughed. But I remember seeing him doubled-over once* (Ieuan Parry, 1993: 36).

'**Dydw i ddim, 'dydy e ddim** etc. see Appendix 1.

Dydd *day* **1 ers llawer dydd** LW SW *a long time ago, for a long time, for ages* '**A dyna i chi'r ffigwr hanner chwedlonol hwnnw ar glawr Punch ers llawer dydd - a John Bull ei hunan**' *And there you* have that semi-mystical figure [who was] on the cover of Punch for ages - and John Bull himself' (*Golwg*, 9 January 1997: 12). **2 shwd wyt ti/ŷch chi ers llawer dydd?** SW *how are you, it's been ages?* **'Mae'n dde gen i'ch cwrdd chi eto. Shwd y'ch chi ers llawer dydd?'** *I'm pleased to meet you again. How are you, it's been ages?* (Nansi Selwood, 1993: 94) (*** ers llawer dydd** in the above examples is often reduced to **'slawer dydd** in SW, eg **'Roedd diwrnod lladd mochyn yn ddiwrnod mawr 'slawer dydd'** *Pig-killing day was a big day for a long time* (Mary Wiliam, 1978: 93)).

Dyfal *diligent* **dyfal donc a dyr y garreg** (lit *perseverance breaks the stone*) proverb *perseverance pays, practice makes perfect* **'Ennill etholiadau yw nod Plaid Cymru. Os na fydd ein hymgeiswyr yn llwyddo gipio sedd ar y cynnig cyntaf, yna rhaid dal ar y cyfle nesaf. Dyfal donc ar dyrr y garreg'** *The aim of Plaid Cymru is to win elections. If our candidates do not succeed in capturing a seat at the first attempt, then they have to grab the next opportunity. Perseverance pays off* (*Barn*, February 1997: 13).

Dyfedeg see Appendix 20.

Dylwn i, dylet ti etc. see Appendix 13.01-13.02.

Dyma (< **weli di yma**) **1** *here* **'Ac felly! Dyma fi!'** *And so! Here I am!* (Wiliam Owen Roberts, 1990: 85). **2** to convey the simple past tense actively **'Dyma fe'n troi'r allwedd, a llwyddo i agor y drws, a chamu i mewn i'r ystafell. Ar ôl cymryd dau gam, fe faglodd ar draws rhwybeth. Dyma fe'n sefyll am funud i ystyried. Wedyn ymbalfalu am y golau'** *He turned the key, managed to open the door, and stepped into the room. After taking two steps he tripped over something. He stood for a moment to think. Then he fumbled for the light* (Dafydd Glyn Jones, 1988: 168).

Dymchwel *to demolish* **dymchwel y glaw** NW *to pour with rain* **'Ond roedd hi'n dymchwal y glaw ac mi ffôniodd Malwan rhyw dro ganol bora yn deud nad oedd hi'n gaddo dim byd ond glaw trwm trwy'r dydd'** *But it was pouring with rain and Malwan phoned sometime in the middle of the morning to say that it wasn't promising anything but heavy rain all day* (Margiad Roberts, 1994: 134).

Dyn 1 *man* **'Sut gallai'r dyn wybod, fel y gwyddem ni, am y creisis tai a wynebai'n hetholwyr?** *How could the man know, as we knew, about the housing crisis that faced our electors?* (Dafydd Wigley, 1993: 244).

2 *one* (unspecified pronoun) **'O'dd dyn yn cael ei siomi mewn lot o bethau'** *One was disappointed in a lot of things* (*Golwg*, 23 March 1995: 21). **3 dyn** is frequently used in CW to avoid using **Duw** blasphemously (see entry), and the following are some of the more common examples: (a) **dyn a'm gwaredo** CW *heaven help me* **'Dyn a'n gwaredo os anghofiwn y cymhellion sylfaenol hyn'** *Heaven help us if we forget these basic motives* (Dafydd Wigley, 1993: 457); (b) **dyn a'm helpo** CW *heaven help me* **'Bydd g'lei, a dyn a'n helpo os na wneiff e'** *He will, I think, and heaven help us if he doesn't* (Bernard Evans, 1990: 30); (c) **dyn a ŵyr** (lit *one knows*) CW *goodness knows* **'Dyn a ŵyr beth oedd adwaith y milwr Americanaidd'** *Goodness knows what the reaction of the American soldier was* (Dylan Iorwerth, 1993: 7); (d) **dyn bach** CW *goodness me, heavens above* **'Ddyn bach, dwi'n gofyn i chi? Prynu pysgod o'n i isho, ddim chwara bingo!'** *Heavens above, I ask you? I wanted to buy fish, not play bingo!* (Dafydd Huws, 1990: 138).

Dyna (< **weli di yna**) *that, there* **'Dishgwl lawr at yr afon ar waelod y cwm. Dyna'r Taf'** *Look down at the river at the bottom of the valley. That's the Taff* (Nansi Selwood, 1987: 24).

Dynes NW *woman* **'Mae Elin Ann yn hen ddynas iawn ond mi ddaru Duw anghofio llenwi ei phen hi pan gafodd hi ei geni'** *Elin Ann is a nice old woman but God forgot to fill her head when she was born* (Twm Miall, 1988: 69).

Dyro see Appendix 10.05.

Dysgl see **dishgil**.

Dysgu *to learn, to teach* **1 dysgu ar gof** *to learn off by heart* **'A'r peth yw, tase'r beirniaid yn gofyn cwestiyne i fi tu hwnt i'r hyn wy' 'di dysgu ar gof, rwyf yn rhwyfo lan yr afon gachu heb lyw'** *And the thing is, if the judges ask me questions beyond what I've learnt off by heart, I'm paddling up shit creek without a paddle* (John Owen, 1994: 142). **2 dysgu pader i berson** (lit *to teach a parson the Lord's prayer*) *to teach your grandmother to suck eggs* (to teach someone something they already know how to do well) **'A dyma hithau. Edrychai Gladys Davies ar ei thraed wrth ddod heibio i'r gornel. Wedi bod yn dysgu ei bader i Wmffras Person eto, meddyliai Meredydd'** *And here she was. Gladys Davies looked at her feet as she came past the corner. Been teaching Humphries the Vicar to suck eggs again, thought Meredydd* (Alun Jones, 1979: 97).

DD dd

Pronunciation

1 In Dyfed, most notably towards Pembrokeshire, the final **'dd'** is often elided in a number of common words

gyda'i gilydd	> gyda'i gily'	*together*
newydd	> newy'	*new*
mynydd	> myny'	*mountain*
oedd	> wê'	*was*

'**wê rhaid dachre'r daith'** *[one] had to start the journey* (W.R. Smart in Gwyn Griffiths (ed.), 1994: 73)

2 In North Wales, the final **'dd'** is often elided in a number of words, but this tendency is far less marked than in Dyfed

bwrdd	> bwr'	*table*
dydd	> dy'	*day*
eistedd	> eista'	*to sit*
yr ardd	> 'rar'	*the garden*

'**Dy Gwenar Groglith'** *Good Friday* (Caradog Prichard, 1961: 62) (* **i fyny** (< **i fynydd**) *up* is a rare example where this pronunciation has entered literary Welsh)

'Ddar (< **oddi ar**) SW *off, since* '**Ti'n gwbod yn net bo' fi 'di cwpla 'da'r dwli 'na ers blynydde, 'ddar ges i 'nhröedigaeth**' *You well know that I finished with that nonsense years ago, ever since I saw the light* (Meirion Evans, 1997: 20) (* see also **oddi** (**2**) and **odd'ar**).

Ddaru see Appendix 4.07(ii)-(iv).

'Ddi see Appendix 15.02(vii).

Ddim see **dim**.

Ddoe *yesterday* the primordial form in LW is **doe**, which is mutated to **ddoe** when it is used adverbially (as it is on most occasions), eg **es i allan ddoe** *I went out yesterday*. However, the form **ddoe** is used in virtually all situations now, even when **doe** strictly should be used, eg '**Gwelir ar ddwylan yr afon olion o ddiwydrwydd ddoe ac echdoe'** *On both sides of the river the industriousness of yesterday and the day before can be seen* (R. Emyr Jones, 1992: 16).

Ddo' (< **ddoe** < **doe**) SW *yesterday* '**A ble o't ti ddo'**, **Ifan Jenkins?'** *And where were you yesterday, Ifan Jenkins?* (Meirion Evans, 1997: 46).

'Ddylis i (< **fe feddyliais i**) NW *I thought* '**Oedd Llawr Gwlad run fath ag arfar ar ôl inni gyrradd ond fod rhai pethau wedi newid. Diolch bod y cwffio wedi bod mewn llefydd cadarnach ddylis i'** *Llawr Gwlad was the same as ever after we arrived except that some things had changed. Thankfully the fighting had been in stronger places I thought* (Robin Llywelyn, 1992: 115).

E e

Pronunciation

1 In colloquial Welsh the initial **'e'** in an unstressed syllable is dropped in a limited number of words

edafedd	> 'dafedd	*knitting wool, threads*
edifaru	> 'difaru	*to regret*
efallai	> 'fallai	*perhaps*
esgidiau	> 'sgidiau	*shoes*

'**Roeddwn i'n difaru fy enaid fy mod i wedi mynd yno yn y lle cyntaf'** *I greatly regretted that I'd gone there in the first place* (Twm Miall, 1988: 167)

2 In Arfon (and adjoining coastal areas) a final **'e'** becomes **'a'**

coeden	> coedan	*tree*
hanes	> hanas	*history*

'**oddiar y goedan'** *off the tree* (Caradog Prichard, 1961: 156)

3 In Eastern Glamorgan a final **'e'** becomes **'a'**

gyda fe	> gyda fa	*with him*
pymtheg	> pymthag	*fifteen*

'**Ma fa'n gampus'** *He's excellent* (Nansi Selwood, 1987: 68)

4 In Dyfed **'eu'** is also pronounced **'oi'** in monosyllabic words when it is the penultimate syllable

beudy	> boidy	*cowshed*
creulon	> croilon	*cruel*
haul	> hoil	*sun*
treulio	> troilo	*to spend (time)*

'**Mae e'n dipyn o fardd clo - wedi ennill o leia dair cader ag yn troilo wthnos yn y Genedlaethol bob blwyddyn'** *He's a bit of a cynghanedd poet - won at least three chairs and spends a week at the National Eisteddfod every year* (Wyn Jones in Christine Jones and David Thorne (eds.), 1992: 37)

E see Appendix 15.

Eb, ebe, ebr see Appendix 13.08(iii).

Echel *axle* **bwrw rhywun oddi ar ei echel** (lit *to knock someone off their axle*) *to distract someone, to put someone off their stride* '**Ond nid y blydi crïo 'na, 'rwyt ti'n rhoi fi odd ar f'echal'** *But not that bloody crying, you put me off my stride* (Wil Sam, 1995: 104).

'Ed (< **hefyd**) Glam *also, as well* '**A shengel o'dd hithe 'ed**' *And she was single as well* (Dafydd Rowlands, 1995: 15).

Edifar *penitent, sorry* **mae'n edifar gen i** *I'm sorry* **'Ac roedd hi'n edifar ganddo iddo roi llefrith iddo o gwbwl'** *And he was sorry that he gave him milk at all* (Wiliam Owen Roberts, 1987: 117).

Ef see Appendix 15.

Efe see Appendix 15.03-15.04.

Efo 1 NW *with* **'Un tro go-iawn y bu hi efo hogyn, pan oedd wedi mynd [allan] efo Leusa'** *She had only really once been with a lad, when she went out with Leusa* (Harri Pritchard Jones, 1994: 24). **2 efo** is very occasionally used in NW to denote possession **'Tase crwban efo ewinedd, rhai felly fasa ganddo fo'** *If a tortoise had fingernails, he'd have some like that* (Angharad Tomos, 1991: 82).

Efô see Appendix 15.03-15.04.

Effro LW NW **ar ddi-hun** LW SW *awake*

Eger (< *egr*) **1** *rough* **'Erbyn y 23ain o Ionawr, roedd gwynt y dwyrain yn eger iawn a dechreuodd y defaid hel i gysgod'** *By the 23rd of January, the easterly wind was very rough and the sheep started to gather in the shelter* (Simon Jones, 1989: 150) (*see also **heger**). **2** *eager, enthusiastic* **'Ond roedd Gareth yn eger am fynd, gan ddweud nad oedd ond ychydig filltiroedd'** *But Gareth was very enthusiastic to go, saying that it was only a few miles* (Simon Jones, 1989: 157). **3** SW *cheeky* **'Hei! Paid ti bod mor eger, 'machan i'** *Hey! Don't you be so cheeky, my lad* (Meirion Evans, 1996: 59).

Engoch (< *einioes*) **ar fy engoch** NW *goodness me, heavens above* **"Drychwch,' meddai Gwenan, 'pwy sy pia hwn?' 'Ar f'engoch.' A chrafu'i ben mewn penbleth'** *'Look,' said Gwenan, 'who's is this?' 'Goodness me.' And he scratched his head in confusion* (Jane Edwards, 1993: 20).

Ei see Appendix 15.07-15.10.

Eich see Appendix 15.07-15.10.

Eiddew LW NW **iorwg** LW SW *ivy*

Eiddo, eiddof i etc. see Appendix 15.10.

Eilddydd see **pob (2)** (note).

Eilwaith see **nawr (2)**, **(3)**.

Ein see Appendix 15.07-15.10.

Eisiau *want* **1** for verbal use of **eisiau** see Appendix 13.03-13.04. **2 yn eisiau** *wanted* (advertisement etc.) **'Yn eisiau: merch broffesiynol i rannu tŷ mawr yn Nhreganna'** *Wanted: a professional girl to share a large house in Canton* (*Golwg*, 24 October 1996: 23).

Eistedd *to sit* **1 ar fy eistedd** *sitting up* **'Hanner gododd rhai o'r pereinion tra roedd eraill ar eu heistedd o hyd yn dal i ymgomio'n frwd'** *Some of the pilgrims half got up while others were still sitting up and conversing fervently* (William Owen Roberts, 1987: 212). **2 codi ar fy eistedd** *to sit up* **'Cododd Non ar ei heistedd yn ei gwely'** *Non sat up in her bed* (Mihangel Morgan, 1993(ii): 10).

Eithaf *quite* **1 eithaf gwaith arnoch chi** NW *serves you right, tough luck* **'Itha gwaith arno fo, roedd o'n mynd yn ormod o ben mawr'** *Serves him right, he*

was becoming too much of a bighead (Jane Edwards, 1993: 85). **2 eithaf peth** *quite a thing* **Mi fyddai'n eithaf peth cael dringo'r mynydd** *It would be quite a thing to climb the mountain.* **3 eithaf reit** SW *quite right* **"Itha reit,' medda Gari. 'Clatshwch bant, bois!"** *'Quite right,' said Gari. 'Carry on, boys!'* (Dafydd Huws, 1990: 73). **4 eithaf reit â chi** SW *serves you right, tough luck* **Wel, etha reit 'da fe, yr oedd e'n haeddu 'ny!** *Well, serves him right, he deserved that!* **5 i'r eithaf** *to the utmost* **'roedd y Croatiaid yn colaboretio i'r eitha' efo Hitler a Mussolini'** *the Croats were collaborating to the utmost with Hitler and Mussolini* (*Golwg*, 15 June 1995: 6).

Elen i, elet ti etc. see Appendix 5.08(v).

Elin *elbow* **nes elin nag arddwrn** see **penelin**.

'Ella (< *efallai*) NW *perhaps* **'Ella baswn i wedi bod yn gwc'** *Perhaps I would have been a cook* (Wil Sam, 1995: 186).

Enaid *soul* **1 (becso/poeni** etc.) **fy enaid** (lit *to (worry* etc.) *my soul*) CW *to worry greatly* **'O'n i'n poeni f'enaid tasa hi'n gneud deirgwaith [y peth] bysa hi'n diflannu i ganol y Llyn-y-Fan dagra 'na oedd yn cronni wrth ei thraed hi'** *I was greatly worried that if she'd done [the thing] three times she'd disappear into the middle of that Llyn-y-Fan of tears that was collecting around her feet* (Dafydd Huws, 1990: 242) (* Llyn-y-Fan: lake in the Brecon Beacons associated with myth of a girl who would return to the lake if hit three times by her husband). **2 enaid hoff cytûn** *soulmate* **'Archeolegydd a naturiaethwr o fri yw Mel - enaid hoff gytun os welais un erioed'** *Mel is a renowned archaeologist and naturalist - a soulmate if ever I saw one* (*Western Mail*, 12 November 1996: (Country and Farming) 4).

Ene (< *yna*) Powys *that, there* **'Pwy sydd ene?'** *Who's there?* (Simon Jones, 1989: 52).

Eniwe (<E *anyway*) CW *anyway* **'Hannar Gwyddal ydi o meddan nhw, ac eniwe mae o wedi dysgu Cymraeg'** *He's half Irish so they say and anyway he's learnt Welsh* (Eirug Wyn, 1994: 17).

Ennill *to earn, to win* **1 ar fy ennill** *better off* **'Fel y gŵyr pawb, mae'r sawl sy'n gwerthu tŷ yn gorfod prynu un arall. Os yw'r prisiau'n uchel, nid yw ar ei ennill'** *As everyone knows, those who sell a house have to buy another one. If the prices are high, he is no better off* (Dafydd Wigley, 1993: 265). **2 ennill fy mhlwyf** (lit *to win my parish*) CW *to earn my place* **'Beth bynnag, lle i egin lenorion gael bwrw eu prentisiaeth oedd Eisteddfod ac nid lle i lenorion a oedd wedi ennill eu plwyf yn barod'** *Anyhow, the Eisteddfod was a place for budding writers to spend their apprenticeship and not for writers who had earned their place already* (Mihangel Morgan, 1994: 65). **3 ennill fy nhamaid** (lit *to earn my bit*) CW *to earn my living* **'Mae'n bryd iti ddechra ennill dy damad rwan, wyddost ti'** *It's time you started earning your living now, you know* (Caradog Prichard, 1961: 195).

Entrychion *heavens* **i'r entrychion** (lit *to the heavens*) CW *sky-high* **'Blwyddyn ei eni oedd y flwyddyn**

pan ddechreuodd diweithdra ymhlith glowyr y de godi i'r entrychion' *The year of his birth was the year when unemployment among South Wales miners rose sky-high* (*Barn*, December 1995/January 1996: 67).

Enw *name, noun* **1 enw ar rywbeth/rywun** *the name for/of something/someone* '**Daw y nant yma i lawr o Llyn Llymbren, ac mae gen y map enw arall ar hwn hefyd sef Llyn Lliwbran**' *This stream comes down from Llyn Llymbren, and the map has got another name for this was well namely Llyn Lliwbran* (Simon Jones, 1989: 24). **2 o'r enw** (lit *of the name*) CW *called* '**Ar ôl 1979, fe geisiodd sefydlu cylchgrawn materion cyfoes Saesneg i Gymru o'r enw Arcade**' *After 1979, he tried to set up an English current affairs magazine for Wales called* Arcade (*Golwg*, 13 June 1996: 9) (* in LW the impersonal **gelwir** is usually employed, eg '**A'r chwedl hon a elwir Breuddwyd Macsen Wledig**' *And this tale is called Macsen Wledig's Dream* (Dafydd Ifans and Rhiannon Ifans (eds.), 1980: 74)). **3 yn enw'r nefoedd** (lit *in the name of the heavens*) CW *for heaven's sake* '**Paid â'm gwrthod i, yn enw'r nefoedd, PAID!**' *Don't reject me, for heaven's sake, DON'T!* (Angharad Tomos, 1991: 63).

Enwyn LW SW **llaeth (enwyn)** LW NW *buttermilk*

Er 1 *although* '**Ond all petha ddim bod 'run fath ag y buon nhw. Er nad oes dim wedi newid**' *But things can't be the same as they were. Although nothing has changed* (Aled Islwyn, 1994: 11). **2** *for* (most commonly in the forms **er gwell** *for (the) better* and **er gwaeth** *for (the) worse*) '**Mae'n siŵr y bu capel neu lan yn rhan bwysig o'n datblygiad, er gwell neu er gwaeth**' *I'm sure that the chapel or church was an important part of our development, for better or for worse* (Marion Eames in Eleri Hopcyn (ed.), 1995: 11). **3** *since* (specific period of time) '**Dyna'r unig fangre a adnabu mewn gwirionedd er dyddiau ei ieuenctid**' *That was the only place that he was acquainted with really since the days of his youth* (Rhiannon Davies Jones, 1989: 22) (* in CW it is increasingly common to hear only **ers**, although this can be gramatically incorrect as **ers** only refers to a period of time that is still continuing). **4** LW *in order to* '**dringo'r mynydd er gweld y wlad**' *climbing the mountain in order to see the country* (Stephen J. Williams, 1980: 175) (* **er mwyn** is invariably used here in OW and CW). **5** LW *despite* '**Er nerth y gwynt dringodd i ben y to**' *Despite the strength of the wind he climbed to the top of the roof* (David A. Thorne, 1993: 400) (* **er gwaethaf** is invariably used here in OW and CW). **6 er mawr (gywilydd/ ofid/ryddhad etc.) i mi** *to my great (shame/ consternation/relief etc.)* '**Gyda fy Ymddiriedolaeth Busnes rydym wedi dechrau 1,900 o fusnesau yng Nghymru sydd, er mawr syndod i mi, yn cynrhychioli 10 y cant o'r holl fusnesau bychain**' *With my Business Trust we have started 1,900 businesses in Wales, to my great surprise, representing 10 per cent of all the small businesses* (*Y Cymro*, 22 June 1994: 11).

Erch (in personal names) see Appendix 19.02.

Erfinen LW SW **meipen** LW NW *turnip*

Erfyn 1 erfyn SW **disgwyl** LW CW *to expect* '**Mary, ma rhagor o'r tylwyth wedi cyrradd - dewch i gyfarfod â nhw. Ma John yn 'ych erfyn chi, Richard**' *Mary, more of the family have arrived - come and meet them. John's expecting you, Richard* (Nansi Selwood, 1987: 166). **2 erfyn ar rywun** *to beg of someone, to implore someone* '**Erfynais arno i beidio â defnyddio fy enw yn y teitl**' *I implore him not to use my name in the title* (Alan Llwyd, 1994: 86).

Erioed 1 *ever, never* (past only) '**Doedd hi erioed wedi bod yn agos at ei thad**' *She had never been close to her father* (Eirug Wyn, 1994: 24) (* **erioed** has strong negative connotations, and thus **ni(d)** and **ddim** are frequently omitted, as in the above example). **2** *always* (in the past) '**Llanbabs ydi o o hyd a Llanbabs fuodd o i ni erioed**' *It's still Llababs and it always was Llanbabs to us* (Gwenlyn Parry in Eleri Hocpyn (ed.), 1995: 37).

Es i, est ti etc. see Appendix 4.05(iv).

'Es (< **rhoces**) Pembs *girl* '**Shw ma' hi, 'es**' *How's it going, love?* (* **'es** is predominantly used as a form of address, as in the above example).

Esen i, eset ti etc. see Appendix 5.08(v).

Esgid *shoe* **lle mae'r esgid yn gwasgu** (lit *where the shoe presses*) *things are tight financially* '**Gellid dadlau, hyd yn oed o fewn yr ysgolion, pan fo'r esgid yn gwasgu y dylid cael gwared o athrawon**' *It could be argued, even in schools, when things are tight financially teachers should be got rid of* (*Golwg*, 8 February 1996: 8).

Esgidiau *shoes* **esgidiau dal adar** (lit *bird-catching shoes*) CW *fancy shoes* "**Braf ar rai,' ebe Hubert Llan, yn ymddangos yn sydyn o rwla, sgidia dal adar am 'i draed a basgiad ar 'i fraich**' *'Fine for some,' said Hubert Llan, suddenly appearing from somewhere, fancy shoes on his feet and a basket on his arm* (Jane Edwards, 1989: 26).

Esgob *bishop* **1** NW *goodness me, heavens above* '**A dyma fo'n mynd i'w bocad a rhoid tair ceiniog yn fy llaw i. Esgob. Diolch yn fawr, medda fi**' *And he went into his pocket and put three pence in my hand. Goodness me. Thank you very much, I said* (Caradog Prichard, 1961: 125) (* see also **iesgob**). **2 esgob annwyl** (lit *dear bishop*) NW *goodness me, heavens above* '**Esgob annwyl, dyma fi'n clywad twrw dwrn Bob Ceunant run fath â drym**' *Heavens, I heard the sound of Bob Ceunant's fist like the noise of a drum* (Caradog Prichard, 1961: 15). **3 esgob Dafydd** (lit *bishop David*) NW *goodness me, heavens above* **Esgob Dafydd, wyt ti'n dal yma?** *Goodness me, are you still here?*

Esgor *to bear, to bring forth* **esgor ar rywbeth** *to give rise to something, to cause something* (figuratively) "**Roedd y cynllun hwnnw i fod i esgor ar nifer o 'gynlluniau rhanbarthol**" *That plan was supposed to give rise to a number of 'regional plans'* (Dafydd Wigley, 1992: 56).

Esgus SW *to pretend* '**Wedi esgus dod i nôl blawd llif own nhw er mwyn gweld a odd y stori'n wir**' *They were pretending to fetch sawdust in order to see if the story was true* (Eirwyn Pontshân, 1982: 75).

Esgyrn *bones* **esgyrn (Dafydd)** (lit *(Saint David's) bones)* CW *goodness me, heavens above* **"Goronwy Jones!' medda hi. 'Esgyrn! Ti wedi newid!"** *'Goronwy Jones!' she said. 'Goodness me! You've changed!'* (Dafydd Huws, 1990: 25).

Esim see Appendix 4.05(v).

Estyn 1 *to reach, to stretch* **'estynnodd [ef] am y llyfr ysgrifennu Cymraeg** *[he] reached for the Welsh exercise book* (Bernard Evans, 1990: 53). **2** *to pass* (things to someone) **'Estyn y botel imi, nei di'** *Pass me the bottle, will you* (Robin Llywelyn, 1994: 18). **3** *estyn gwahoddiad to invite* **'Yn hollol annisgwyl i mi daeth llythyr rhyw fore gan ysgrifennydd y capel yn dweud eu bod yn bwriadu estyn gwahoddiad i weinidog, a buasent yn hoffi fy ystyried i'** *Totally unexpectedly to me came a letter one morning from the chapel secretary saying that they intended inviting a minister, and they would like to consider me* (Elwyn Jones, 1991: 66).

'Esu (< Iesu) CW *Jesus* (exclamation only) **"Esu, ma'n rhaid 'mod i'n feddw gaib, 'ta!"** *Jesus, I must be totally pissed, then!* (Dewi Wyn Williams, 1995: 23).

Eto *again, yet* **eto i gyd** *nonetheless* **'Nac oedd, nid dyna pwy oedd hi a theimlai Arianwen yn sicr y buasai hi'n adnabod llên-ladrad yn reddfol. Eto i gyd roedd yr arddull yn debyg i eiddo rhywun'** *No it wasn't, that wasn't who it was and Arianwen felt sure that she would recognise plagiarism instinctively. Nonetheless the style was similar to someone's* (Mihangel Morgan, 1994: 65).

Etho i see Appendix 4.05(v).

Eu see Appendix 15.07-15.10.

Euthum i, aethost ti etc. see Appendix 4.05(iv).

Ew (< Dew < Duw) NW *heck* **'Ew, mae hi'n boring yma'** *Heck, it's boring here* (Angharad Tomos, 1985: 70).

Ewadd (< Duwedd < Duw) NW *heck* **'Ewadd, Tecs, achan! Tyrd â chadair i fama, yli'** *Heck, Tecs, mate! Bring a chair here, look* (Sonia Edwards, 1994: 11).

Ewn (< eofn) **1** SW *cheeky* **'Ond sut oedd mynd ati? Dyma Richard Stanley, y cyfarwyddwr a finne'n penderfynu mai bod yn ewn oedd yr unig ffordd'** *But how do you go about it? Richard Stanley, the director, and I decided that being cheeky was the only way* (Gwenda Richards in Dylan Iorwerth (ed.), 1993: 48). **2 mynd yn ewn ar rywun** SW *to become overly familiar with someone* **'Dyna fel *ma* dynon! Unweth ma dyn yn gneud enw, na barod ma rhai i fynd yn ewn!'** *That's how some men are! Once a man has made a name, then already some become overly familiar!* (Rhydwen Williams, 1969: 76).

Ewn ni see Appendix 2.06(v).

Ewyllys *will* **yn groes i'm hewyllys** *against my will* **'Beth bynnag a oedd yn gyfrifol am hyn roedd yn mynd yn groes i'w ewyllys'** *Whatever was responsible for this it was going against his will* (Mihangel Morgan, 1993(ii): 50).

F f

Pronunciation

1 The **'f'** can disappear in colloquial Welsh in the last syllable of polysyllabic words (most notably with verbal forms and superlative adjectives)

cochaf	>	cocha'	reddest
gallaf	>	galla'	I can

'Alla i ddim aros tan 'ny' *I can't wait until then* (Mihangel Morgan, 1993(ii): 14)

2 The **'f'** can disappear in colloquial Welsh in the last syllable of monosyllabic words (this tendency is more pronounced in North Wales than South Wales)

ataf i	>	ata' i	to me
haf	>	ha'	summer
tref	>	tre'	town

'Mi fydd fel ffair yn y dre' yma'r wythnos nesaf' *It'll be very busy here in town next week* (Angharad Tomos, 1982: 43)

3 It is common in colloquial Welsh for **'f'** to become a **'w'**

efallai	>	'walle (SW)	perhaps
ysgrifennu	>	sgwennu	to write
ysgyfarnog	>	sgwarnog	hare

'Ond mae'n well gen i sgwennu' *But I prefer to write* (Wiliam Owen Roberts, 1987: 93) (* this also happens in reverse: see **'W'** (Pronunciation))

Fa see Appendix 15.

Fagddu CW *utter darkness* **'Roedd hi'n hwyr a'r nos fel y fagddu'** *It was late and the night was utterly dark* (Gwenda Richards in Dylan Iorwerth (ed.), 1993: 44).

Faint *how many/much* **faint mor (dda/ddrwg etc.)** Pembs *how (good/bad etc.)* **'Wêdd i'n ano' gwbod ar y dachre pwy uchder wêdd e, na faint mor bell wêdd e'** *It was difficult to know at the start how high it was, or how far it was* (W.R. Smart in Gwyn Griffiths (ed.), 1994: 74).

'Fallai (< efallai) CW *perhaps* **'Ond Azariah Jenkins sy'n eistadd yn y gadar o flaen y tân yna rwan, ydw i'n siŵr. Fo a'i wraig falla'** *But Azariah Jenkins is sitting in the chair in front of that fire now, I'm sure. Him and his wife perhaps* (Caradog Prichard, 1961: 22).

Fa'ma (< y fan yma) NW *here* **'Dowch, steddwch yn fa'ma'** *Come, sit here* (Wil Sam, 1995: 146).

Fan (< man) *place, spot* **1 fan (bellaf/lleiaf/mwyaf etc.)** *at the (very) (latest/least/most etc.)* **'byddai'n cyrraedd Cadiz yn groeniach o fewn pedair wythnos fan bellaf'** *he would arrive at Cadiz in one piece within four weeks at the latest* (Wiliam Owen Roberts, 1987: 29). **2 fan gwyn fan draw** *over the rainbow, the unattainable ideal world, the never-never land* **'[Des i] i Gaerdydd i chwilio am job. Ond**

doedd y man gwyn fan draw ddim cweit mor wyn ag yr oeddwn i wedi breuddwydio y bysa fo' *[I came] to Cardiff to look for a job. But the never-never land wasn't quite as perfect as I'd dreamt it'd be* (Twm Miall, 1990: 9). **3 fan hyn** *here* '**Y drwg yw fod rhaid i ni aros fan hyn, beth bynnag fydd y 'sgôr' terfynol**' *The problem is that we have to stay here, whatever the final 'score' will be* (*Barn*, June 1995: 5). **4 fan hyn fan draw** (a) *here and there* '**Ar ôl troi oddi ar y ffordd a gyrru hanner milltir tua'r cytiau concrit, doedd yna'r un enaid byw i'w weld, dim ond penglogau gwartheg fan hyn fan draw**' *After turning off the road and driving half a mile towards the concrete huts, there wasn't a living soul to be seen, only the skulls of cattle here and there* (Betsan Powys in Dylan Iorwerth (ed.), 1993: 31); (b) *here, there and everywhere* '**Y rheswm penna' dros fynd i Ciwba yn 1984 ar achlysur chwarter canmlwyddiant chwyldro Fidel Castro oedd y ffaith ein bod wedi clywed mewn penawdau mawr rhyngwladol am y wlad honno yn anfon milwyr fan hyn, fan draw**' *The main reason for going to Cuba in 1984 on the occasion of the twenty-fifth anniversary of Fidel Castro's revolution was the fact that we had heard in big international headlines that that country was sending soldiers here, there and everywhere* (Tweli Griffiths in Dylan Iorwerth (ed.), 1993: 17). **5 y fan a'r lle** *the exact spot, the very place* '**Mae'n deyrnged i'r cyfryngau Cymraeg fod gohebwyr a ffotograffwyr yn y fan a'r lle i weld llawer o'r datblygiadau hyn**' *It's a tribute to the Welsh media that correspondents and photographers are at the very place to see a lot of these developments* (Dylan Iorwerth, 1993: ix). **6 yn y fan ar lle** (lit *in the exact spot, in the very place*) *there and then* '**Dyw troseddwyr ddim yn cael eu dwyn gerbron llysoedd barn; cânt eu saethu yn y fan a'r lle**' *Criminals are not brought before the law courts; they are shot there and then* (Tweli Griffiths, 1993: 186).

Fan'co (< y fan acw) SW *(over) there* '**Wên ni'n cal llond pen o swper fan co un nos Sul pan ddowd at y mater**' *We were having a mouthful of supper over there one Sunday night when we came to the subject* (Wyn Jones in Christine Jones and David Thorne (eds.), 1992: 36).

Fan'cw (< y fan acw) NW *(over) there* '**Lle hynny, rydw i'n byw fel tramp, fa'ma heddiw, fan'cw fory, a pam, pam?**' *Instead of that, I live like a tramp, here today, there tomorrow, and why, why?* (Wil Sam, 1995: 66).

Fan'na (< y fan yna) CW *there* '**Aros di fan'na, fe fydda i nôl nawr**' *Wait there, I'll be back now* (Bernard Evans, 1990: 24).

Fan'no (< y fan yno) NW *there (out of sight)* '**Mi a' i i Ganada dwi meddwl.**' '**Rhy oer i ti fan'no**' *'I'll go to Canada I think.' 'Too cold for you there'* (Wil Sam, 1995: 223).

Fan'ny (< y fan hynny) SW *there* '**Fan'ny y cododd e, Saco, ei gwningen gynta**' *He brought up, Saco, his first rabbit there* (Bernard Evans, 1990: 24).

Fatha (< yr un fath â) NW *like* '**Ma Siân yn mynnu na ddim yn trïo ydw i ond co' fatha gogo sgin i**' *Siân insists that I'm not trying but I've got a memory like a sieve* (Dafydd Huws, 1990: 76).

Fawr (< **mawr**) **1 fawr (callach/gwaeth/gwell** etc.) CW *little (wiser/worse/better* etc.) '**Doeddwn i ddim yn gwybod beth oedd yn digwydd, ond doeddwn i'n fawr callach ar ôl gwrando ar y gwleidydd**' *I didn't know what was happening, but I was little wiser after listening to the politician.* **2 fawr neb** CW *hardly anyone* '**Does yna fawr neb yn gwylio S4C mwyach**' *Hardly anybody watches S4C any more* (*Golwg*, 29 April 1993: 27). **3 fawr (o) ddim (byd)** CW *hardly anything* '**Fasa'r dwylo yna ddim yn gallu perthyn i neb ond Bigw. Maen nhw'n galed ac yn fusgrell ac yn dda i fawr o ddim**' *Those hands couldn't belong to anyone but Bigw. They're hard and feeble and good for hardly anything* (Angharad Tomos, 1991: 82). **4 fawr o (beth/le** etc.) *not much of a (thing/place* etc.) '**Syllodd Ibn o'i amgylch ar y pentre. Doedd o fawr o le**' *Ibn stared around him at the village. It wasn't much of a place* (Wiliam Owen Roberts, 1987: 60).

Fe see Appendix 15.

Fe particle found in front of verbs **1** LW to help convey the object pronoun '**Dewch ar fy ôl i, ac fe'ch gwnaf yn bysgotwyr dynion**' *Come, follow me, and I will make you fishers of men* (Mark 1:16). **2** to emphasize the verb '**Fe ddaw, fachgen, fe ddaw**' *It will come, mate, it will come* (Dafydd Huws, 1978: 63); '**Y newydd a'r cyfnewidiol, dyma'r pethau sy'n apelio at ein cyfnod ni, fe ymddengys**' *The new and the changeable, these are the things that appeal to our times, it appears* (Gwyn Thomas, 1976: 10). **3** SW meaningless particle in front of the positive future-present, future, simple past, imperfect, conditional and passive voice '**Fe dda'th yr haul 'nôl i wenu ar y bois yng Nghwm-du**' *The sun came back to smile on the lads in Cwm-du* (Dafydd Rowlands, 1995: 62) (* see also **mi**).

Fei (<E *view*) **dod i'r fei** NW *to appear, to come into view* '**Ac er iddyn nhw chwilio a chwalu y dre drwyddi roedd y gath wedi mynd ar goll, a ddaeth hi fyth i'r fei ar ôl hynny**' *And although they searched and scoured the town completely the cat had gone missing, and she never appeared after that* (Wiliam Owen Roberts, 1987: 121).

Feidir Pembs *lane* '**Deson ni ma's o'r feidir i'r ffordd fowr**' *We came out of the lane into the main road* (Nora Richards in Gwyn Griffiths (ed.), 1994: 67).

Fel 1 *as, like, so* '**Smo Edwart fel dy frodyr eraill di**' *Edwart isn't like your other brothers* (Mihangel Morgan, 1992: 14). **2** SW *how* '**Mae hi'n gw'bod fel i ddal pysgod â'i dwylo, Mam!**' *She knows how to catch fish with her hands, Mam!* (Nansi Selwood, 1987: 132). **3 fel** is often followed by **ag** before verbal forms in CW (instead of just **y**) '**Sut argraff y mae yn ei roi i bobl sydd yn ceisio gwneud eu gorau drwy y system fel ag y mae?**' *What kind of impression does it give people who are trying to do their best through the system as it is?* (Elwyn Jones, 1991: 210). **4 fel a'r fel** *in such a manner, so and so* '**Ddim dy fai di oedd o ... amgylchiadau sy'n ein gorfodi ni. Amgylchiadau sy'n mynnu ein bod ni'n ymddwyn fel a'r fel**' *It wasn't your fault ... circumstances force us. Circumstances which force us to behave in such a manner* (Wiliam Owen

Roberts, 1987: 258). **5 fel arall** *otherwise, the other way around* '**... ond mae Cwnstabl castell Cricieth yn gweithredu o fewn llythyren y gyfraith. Feiddia fo ddim gwneud fel arall**' *... but the Constable of Cricieth castle operates within the letter of the law. He daren't do otherwise* (Wiliam Owen Roberts, 1987: 34). **6 fel 'na** (< **fel yna**) CW *like that* '**Clywsai [hi] am bethau fel'na'n digwydd i dadau plant eraill**' *[She] had heard about things like that happening to other children's fathers* (Mihangel Morgan, 1992: 13). **7 fel 'ny** (< **fel hynny**) SW *like that* '**wel, fel'ny ma'i yng Nghymru ontefe, pawb ishe gwpod pwy yw pawb**' *well, it's like that in Wales isn't it, everybody wants to know who everyone is* (Dafydd Rowlands, 1995: 9). **8 fel petai** *as it were, as though* '**Yn Ne a Chanolbarth America, roedd y byd fel petai wedi ei rannu'n ddau wersyll arfog**' *In South and Central America, it was as though the world had been divided into two armed camps* (Rhodri Ellis Jones in Dylan Iorwerth (ed.), 1993: 35) (* in NW this is often abbreviated to **fel 'tai** and **fel 'tae**, eg "**Naw ddim yn y tŷ?**' holodd Den yn synn **fel tae o'n meddwl fod pawb yn ffarmio'n ei slipas fel fo**' *'Naw not in the house?' asked Den surprised as though he thought that everyone farmed in his slippers like him* (Margiad Roberts, 1994: 71)).

Felly *so, then, therefore* **felly** is used extensively in conversation in CW as a stopgap '**Sut gebyst mae gwneud rhwybeth newydd a ffres o ddefyndd felly ...?**' *How on earth does one make something new and fresh of such material then ...?* (*Golwg*, 28 January 1993: 26).

Fenga (< **ifancaf**) NW *youngest* '**Ond prin fod y fflamia wedi cael cyfla i afal na dyna un o'r plant fenga i mewn â'i gwynt yn 'i dwrn yn mwmian rwbath am blentyn ar goll**' *But the flames had scarcely had an opportunity to take hold when one of the youngest children came in out of breath mumbling something about a lost child* (Jane Edwards, 1989: 42).

Fengach (< **ifancach**) NW *younger* '**A dwi'n cofio hwnnw, on i 'chydig bach fengach adag hynny**' *And I remember that, I was a bit younger at that time* (Gareth Wyn Jones in Beth Thomas and Peter Wynn Thomas (eds.), 1989: 92).

Ferch (in personal names) see Appendix 19.02.

Feri (<E *very*) **y feri** (**dyn/peth etc.**) NW *the very (man/thing etc.)* '**Ar yr amser hwn yn fy mywyd yr oedd yn swnio y feri peth i mi**' *At this time in my life it sounded like the very thing for me* (Elwyn Jones, 1991: 60).

Fesul (< **mesur**) **1 fesul tipyn** NW *bit by bit, gradually* '**Felly, mi faswn i, tasa hynny'n bosib, yn hoffi cael**

amser i dalu'r dyledion yma fesul tipyn' *Therefore, I would, if it were possible, like to have time to pay these debts bit by bit* (Wiliam Owen Roberts, 1987: 35). **2 fesul (un/dau etc.)** CW *(one/two etc.) at a time, one by one/two by two etc.* '**Ac fe gilia'r gwrandawyr chwilfrydig fesul dau a thri gan adael dim ond y dyrnaid ystyfnig yno**' *And the enthusiastic listeners slunk away two and three at a time leaving only a stubborn handful there* (Islwyn Ffowc Elis, 1990(ii): 170). **3 fesul ychydig** NW *bit by bit, gradually* '**Ac roedd o'n ei helpu, fesul ychydig, i gladdu budreddi'r gorffennol**' *And he helped her, bit by bit, to bury the dirt of the past* (Sonia Edwards, 1994: 55).

Fi see Appendix 15.

Finegr LW CW **fineg** CW *vinegar*

Finnau see Appendix 15.05-15.06.

Fisitors (<E *visitors*) CW *tourists* '**Ma fydda 'na fisitors yn dŵad yma ers talwm ysti**' *Tourists have been coming here for ages you know* (Gwenlyn Parry, 1979: 82).

Fiw (< **gwiw**) '**does fiw i mi wneud rhywbeth** NW *I dare not do something, woe betide me [if I did] something* '**Ew, fasa fiw i mi. Mi fasa Mam yn hannar fy lladd i**' *Goodness, I wouldn't dare. Mam would half kill me* (Jane Edwards, 1989: 36).

Fo see Appendix 15.

Fod (< **fodan** < **bodan**) **yr hen fod** Caern *the old dear* (usually mother) '**Waeth i ti briodi'n sydyn ddim,' medda'r hen fod o'r cwt**' *'You might as well marry quickly,' said the old dear from the shed* (Dafydd Huws, 1990: 12).

Fodan (< **bodan**) Caern *girl* '**Mi sbiodd y fodan fach [arnaf] yn wirion**' *The little girl looked [at me] stupidly* (Dafydd Huws, 1978: 15).

Fonta see Appendix 15.05-15.06.

'Fory (< **yfory**) CW *tomorrow* '**Yffarn dân, Rol. Anghofia amdano fo. Fydd e ddim yn cofio dim byd 'fory**' *Bloody hell, Rol. Forget about him. He won't remember anything tomorrow* (Geraint Lewis, 1995: 41).

Fwyfwy *increasingly* '**Roedd o'n cynhyrfu fwyfwy wrth siarad ac yn colli ei wynt**' *He was getting increasingly agitated while speaking and was losing his breath* (Angharad Tomos, 1991: 49).

Fy see Appendix 15.07-15.10.

'Fyd (< **hefyd**) CW *also, as well* '**Dyna ddudis inna wrthi, 'fyd!**' *That's what I said to her as well!* (Dewi Wyn Williams, 1995: 76).

'Fyntau see Appendix 15.05-15.06.

FF ff

Ffaelu SW **methu** LW NW *to fail* **1 ffaelu gwneud rhywbeth** SW *to be unable to do something* **"Beth wyt ti'n 'neud mynna?' sibrydodd ei thad. 'Ffaelu cysgu,' sibrydodd yn ôl, 'ffaelu gorwedd, ffaelu ishta, ffaelu sefyll. Dwy i ddim yn gw'pod beth i' 'neud â 'munan'** *'What are you doing there?' whispered her father. 'Can't sleep,' she whispered back, 'can't lay down, can't sit down, can't stand up. I don't know what to do with myself'* (Nansi Selwood, 1987: 184) (* this construction is far more common in SW than **dw i ddim yn gallu** (lit *I can't*) etc.). **2 ffaelu'n deg** SW *to fail completely* **'A lawr a fi o dan y dŵr, ac er i fi whilo a chrafu gwaelod y pwll, ffiles i'n deg â chal y morthwl'** *And down I went under the water, and although I searched and scratched the bottom of the pool, I failed completely to get the hammer* (Eirwyn Pontshân, 1973: 23) (***ffaelu** is often pronounced **ffili**, as in the above example). **3 ffaelu'n glir** SW *to fail completely* **Wy'n ffaelu'n glir deall sut y cas y dyn 'na gymaint o gefnogaeth** *I fail completely to understand how that man got so much support.*

Ffaeledig LW SW **methedig** LW NW *disabled*

Ffair *fair(ground)* **fel ffair** (lit *like a fair*) CW *very busy* **'Mi fydd fel ffair yn y dre' yma'r wythnos nesaf'** *It'll be very busy here in town next week* (Angharad Tomos, 1982: 43) (* there are variations on this idiom throughout Wales, such as **fel ffair Barnet** NW **fel ffair y Borth** Arfon **fel ffair y Waun** Glam etc.).

Ffald LW SW **corlan** LW CW **lloc** LW SW *sheepfold*

Ffalsio 1 NW *to cheat* **Yr oedd y dringwr mor awyddus i gyrraedd copa'r mynydd, yr oedd yn barod i ffalsio a defynyddio'r rheilffordd i fyny hyd at hanner ffordd** *The climber was so anxious to reach the summit of the mountain, he was prepared to cheat and use the railway up to half way.* **2 ffalsio efo rhywun** NW *to creep up to someone, to suck up to someone* **'Os ydach chi eisiau ei gwneud hi i'r 'top', yna mae'n rhaid i chi ffalsio efo pawb a bod yn dan-din'** *If you want to make it to the 'top', then you have to creep to everyone and be underhand* (Twm Miall, 1988: 89).

Ffarm *farm* **ffarm ffwndro** NW *funny farm* (mental home) **'Wel, mae o'n esgus iddo fo gael allan o'r tŷ, 'n tydi - o sŵn y clep melin o wraig 'na sydd ganddo fo. Honno'n ddigon â gyrru'r dyn calla' i'r ffarm ffwndro'** *Well, it's an excuse for him to get out of the house, isn't it - from the noise of that yapping wife he's got. She's enough to send the wisest man to the funny farm* (Dewi Wyn Williams, 1995: 23).

Ffasiwn *fashion* **y ffasiwn (beth/ddamwain/job etc.)** CW *such a (thing/accident/job etc.)* **'Chlwyis i rioed am y ffasiwn beth!'** *I never heard about such a thing!* (Wiliam Owen Roberts, 1987: 24).

Ffatan NW *blow, hit* **'Pan es i i mewn i'r gegin, mi fuo bron i mi â chael ffatan'** *When I went into the kitchen, I was almost hit* (Twm Miall, 1988: 55).

Ffein SW **ffeind** NW *fine, kind*

Ffenestr LW CW **ffenest** CW *window*

Fferins NW **cisys** Dyfed **da-da** NW **loshin** SW **melysion** LW CW **minciag** Powys **neisis** Pembs **pethau da** NW **taffins** Glam *sweets*

'Ffernols (< **uffernol**) NW *little horrors* (children) **"Afal sgin i isio, Mam - ' 'Tewch, y ffernols bach"** *'I want an apple, Mam - ' 'Be quiet, you little horrors'* (Islwyn Ffowc Elis, 1974: 77).

Fferru LW NW **rhewi** LW CW **sythu** LW SW *to freeze*

Ffeuen *bean* **(dim) ffeuen o ots** CW (lit *(not) a bean of care*) CW *couldn't care less* **'Fydda i ddim yn lecio cyfadda 'mod i'n dal yn 'rysgol fel arfar, ond heddiw doedd dim ffeuen o ots gin i'** *I don't like admitting that I'm still in school usually, but today I couldn't care less* (Jane Edwards, 1989: 31).

Ffiars see **perygl** (3).

Ffili see **ffaelu**.

Ffisig NW **moddion** SW **meddyginiaeth** LW CW *medicine*

Ffit *fit* **ffit binc/biws** NW *total fit* (temper etc.) **'Fasa Mam a chdi yn cael ffit biws tasach chi'n blasu 'i bwyd hi'** *Mam and you would have a total fit if you tasted her food* (Theatr Bara Caws, 1995: 87).

Fflamia 1 (go) **fflamia** Powys *dash (it all)* **'Ai sbort ydi dyn yn cynnig ei galon i fenyw am dragwyddoldeb? Go fflamio chi, ferch'** *Is it funny that a man offers a girl his heart for ever? Dash you, girl* (Islwyn Ffowc Elis, 1990(i): 292). **2 mynd fel fflamia** NW *to go hell for leather* **'oes rhaid ichdi fynd fel fflamia?'** *do you have to go hell for leather?* (Wiliam Owen Roberts, 1987: 265).

Fflio (<E *fly*) NW **hedeg** LW NW **hedfan** LW SW *to fly*

Ffliwt (<E *flute*) **mynd yn ffliwt** NW *to fail* **'Aeth gwaith wythnosau lawer yn ffliwt un noson, pan ddygodd lleidr [yr] holl gywiriadau'** *Several weeks' work came to nothing one night, when a thief stole all the corrections* (Yr Herald, 21 January 1995: 3).

Fflŵr SW **blawd** LW CW **can** LW Glam *flour*

Ffo (< **ffoi**) **ar ffo** *on the run* **'bu Máirtín O Cadhain ar ffo ac wedyn yng ngharchar oherwydd ei ddaliadau gwleidyddol'** *Máirtín O Cadhain was on the run and later in prison because of his political opinions* (Llais Llyfrau, Winter 1995: 9).

Ffôl 1 *foolish, silly* **'Mae pobl yn gallu bod yn greulon a ffôl'** *People can be cruel and foolish* (Elwyn Jones, 1991: 219). **2** SW *bad* (negative only) **'Jawl, gynne wetest ti nag o'dd e ddim yn ffôl'** *Hell, just now you said he wasn't bad* (Dafydd Rowlands, 1995: 64).

Ffon *stick* **1 ffon fara** *daily bread* (figuratively) **'Tra oedd amgylchiadau yn y byd addysg yn dirywio, roedd maes darlledu'n gwella - ffon fara y rhan fwya' o sgrifenwyr proffesiynol Cymraeg'** *While circumstances in the educational world were getting worse, the broadcasting field was getting better - the daily bread of the majority of professional Welsh writers* (Golwg, 14 September 1989: 20) (* this idiom has been deleted from the 1988 Bible (see, for example, Leviticus 26:26), but it is still common in

CW (see Huw Jones, 1994: 93)). **2 ffon fesur** yardstick (figuratively) **'dyna'r ffon fesur arall - y bobol leol'** that's the other yardstick - the local people (Golwg, 3 August 1989: 15).

Ffordd road, way **1 ffor 'cw** (< ffordd acw) NW (over) there, those parts ''**Nesh i ddallt bod 'na lot o hogia ffor 'cw lawr yma'n gweithio'** I heard that there were a lot of lads from those parts down here working (Dafydd Huws, 1978: 5). **2 ffordd drol** NW farm track **'Mae'n rhaid craffu i weld y ffermwyr sy'n cerdded i fyny'r ffordd drol ar waelod y dyffryn'** You have to look carefully to see the farmers who are walking up the farm track on the valley bottom (Golwg, 3 November 1988: 21). **3 ffordd dyrpeg** CW highway, main road **Os wyt ti eisiau mynd i Lanberis o Gaernarfon, yna mae rhaid i ti fynd ar hyd y ffordd dyrpeg** If you want to get to Llanberis from Caernarfon, then you have to go along the main road. **4 ffordd fawr** highway, main road **'Fasa'm gwell i ni gadw ar y ffordd fawr?'** Wouldn't it be better if we kept to the main road? (Jane Edwards, 1989: 70). **5 ffordd hyn** (lit this way) CW around here, these parts **'Ond wedyn, racs ydi fania pawb ffordd hyn oni bai am un y postman'** But then, everyone's van around here is a wreck apart from the postman's (Margiad Roberts, 1994: 81). **6 ffordd yma** (lit this way) CW around here, these parts **'Tir a gwartheg ydi achos y rhan fwya o gwffio a welwch chi'r ffordd yma'** Land and cattle are the cause of most of the fighting you'll see in these parts (Wiliam Owen Roberts, 1987: 27). **7 ffordd yna** (lit that way) CW (over) there, those parts **'Yn Rwsia fues i bella, lan yng ngogledd y Môr Du bwytu'r Crimea ffor'na'** The furthest I went was Russia, up in the Black Sea around the Crimea and those parts (Charles Ladd in Gwyn Griffiths (ed.), 1994: 16). **8 (llowcio/llyncu etc.) rhywbeth y ffordd groes** CW to (gulp down/ swallow etc.) something the wrong way **'Mi a'th y golden flakes of corn i lawr ffordd groes a fuo jest i'r cwd dagu'** The golden flake of corn went down the wrong way and the dickhead just about choked (Dafydd Huws, 1990: 14). **9 o bell ffordd** by a long way **'Nid yw'r dull yma'n addas i bawb o bell ffordd'** This style is not appropriate for everyone by a long way (Mary Wiliam, 1978: 16). **10 y ffordd goch** (lit the red way) CW throat **'[Rhoes] ei ben rhwng ei goesau er mwyn iddo fo gael pesychu yn well, ac er mwyn i'r fflemia ffindio eu ffordd yn haws o'i sgyfaint o, i fyny'r ffordd goch'** [He put] his head between his legs in order that he could cough more easily, and in order that the phlegm could find its way more easily from his lungs, up his throat (Twm Miall, 1988: 160). **11 yn ffordd yr holl ddaear** (lit the way of the whole world) LW the way of all flesh (death) **'Rydym ni, fel y dywed y Gair, yn ffordd yr holl ddaear'** We go, as the Word says, the way of all flesh (Gwyn Thomas in Eleri Hopcyn (ed.), 1995: 99) (* from 1 Kings 2:2).

Ffradach SW mess **'Aeth pethau'n ffradach rhyngddo chi'ch dou 'te, do fe'** Things became a mess between you two then, did they? (Geraint Lewis, 1995: 72).

Ffrimpan SW **padell ffrio** LW NW frying pan

Ffroesen LW SW **crempogen** LW NW **pancosen** LW SW pancake

Ffugio NW to pretend **Wrth gerdded i fyny Pen-y-Fan, y mynydd uchaf yn Ne Cymru, yr oedd 'y nhad wedi blino yn lân, er iddo ffugio fel arall** While walking up Pen-y-Fan, the highest mountain in South Wales, my father was exhausted, although he pretended otherwise.

Ffunan boced Anglesey **cadach poced** LW NW **hances (boced)** LW NW **hancsiar** Dyfed **macyn** LW SW **neisied** LW Glam **nicloth** Dyfed handkerchief

Ffunud image **yr un ffunud â rhywbeth/rhywun** the spitting image of something/someone **'Yn wir, edrychai'i fam yr un ffunud ag ef'** In fact, his mother looked the spitting image of him (Mihangel Morgan, 1993(i): 55).

Ffusto SW to bang, to beat (figuratively and literally) **'O'dd 'y nghalon i'n ffusto fel gordd'** My heart was beating like a hammer (John Owen, 1994: 65).

Ffwc (<E fuck) CW fuck **1 (beth/ble etc.) ffwc ...** (what/where etc.) the fuck ... **'Pwy ffwc wyt ti'n meddwl wyt ti?'** Who the fuck do you think you are? (Vivian Wynne Roberts, 1995: 27). **2 ffwc o (dda/ddrwg etc.)** CW fucking (good/bad etc.) **'Sut oedd y gêm?' 'O, gwych, oedd o'n ffwc o dda'** What was the game like?' 'Oh, brilliant, it was fucking good'. **3 ffwc o (ddyn/ferch etc.)** CW fuck of a (man/girl etc.) **'roedd 'na ffwc o Jyrman mowr hyll yn bygwth sticio beionèt i fyny'i din o os na fysa fo'n gneud siâp arni'** there was a fuck of a big ugly German threatening to stick a bayonet up his arse if he didn't get a move on (Dafydd Huws, 1990: 239).

Ffwcio (<E fuck) CW to fuck **'Pwy sy'n ffwcio pwy, 'dwn i ddim'** Who's fucking who, I dunno.**Ffwlbart** (lit polecat) CW fool, idiot **'Cadw dy ddathlu'r ffwlbart'** Stop your celebrating you idiot (Robin Llywelyn, 1992: 39).

Ffwndro NW to go senile, to get confused **'A phan fydda Nain yn ffwndro mi fydda'n mynd allan o tŷ'n slei bach heb i neb ei gweld hi'** And when Gran would get confused she would go out of the house surreptitiously without anyone seeing her (Caradog Prichard, 1961: 104).

Ffwrbŵt NW abrupt, full pelt, sudden **'A'r wên yn ei chynnal drwy weddill y dydd: drwy'r briodas ffwr- bwt yn y swyddfa, a'r pryd hir a diflas yn Grange Hall'** And the smile supported her throughout the rest of the day: through the abrupt wedding in the office, and the long and boring meal in Grange Hall (Jane Edwards, 1993: 127).

Ffwrch SW fuck **'Na, wi'n mynd. Wi'n moyn ffwrch'** No, I'm going. I want a fuck (Twm Miall, 1990: 84).

Ffwrchio SW to fuck **Wi'n gw'bod 'i fod e'n ffwrchio hi, ma fe'n amlwg** I know he's fucking her, it's obvious.

Ffwrn LW SW **popty** LW NW oven

Ffwtbol (<E football) CW football **'O? Ydach chi am ddechra tîm ffwtbol?'** Oh? You want to start a football team? (Alun Ffred and Mei Jones, 1990: 51).

G g

Pronunciation

'**G**' is prefixed to a limited number of words beginning with a vowel and '**w**' in colloquial Welsh

arddwrn	>	garddwrn	*wrist*
addo	>	gaddo	*to promise*
ewin	>	gewin	*(finger)nail*
wyneb	>	gwyneb	*face*

'**[Yr oedd] llawer o freichledi am ei garddyrnau**' *[There were] a lot of bracelets on her wrists* (Mihangel Morgan, 1994: 85)

Gadael *to leave* **1** the imperative **gad(ewch)** is used extensively as an auxiliary and in SW in the negative: see Appendix 10.07 and 10.09. **2 gadael heibio** *to avoid, to ignore, to neglect* '**gadawsoch heibio bethau trymach y Gyfraith**' *you neglected the weightier matters of the Law* (Matthew 23:23). **3 gadael i mi fod** *to leave me alone, to leave me be* '**Gad fi fod. Gad fi fod ... y bitsh**' *Leave me alone. Leave me alone ... you bitch* (Sion Eirian, 1995: 45). **4 gadael llonydd i rywun** *to leave someone alone* '**Jest gad di lonydd imi,' medda hitha'n sbio fel teigras arna**' *'Just leave me alone,' she said looking like a tigress at me* (Robin Llywelyn, 1992: 6).

Gaddo (< **addo**) CW *to promise* '**Dwi wedi dyfaru gannoedd o weithia 'mod i wedi gaddo gneud ond y 'mai i oedd o yn agor y'ngeg fawr un noson yn y 'New Ely' ar ôl cael llond bol o lysh**' *I've regretted hundreds of times that I'd promised to do [it] but it was my fault for opening my big mouth one night in the 'New Ely' after having a gutsful of booze* (Dafydd Huws, 1978: 5).

Gafael *to grab, to grasp, to grip* **1 â gafael** *of quality, with quality* '**Ceffyl dwyflwydd â gafael ynddo ydi o**' *It's a two-year-old horse of quality* (Wiliam Owen Roberts, 1987: 67). **2 bob gafael** NW *every time* '**Roeddan nhw ar goll. Ac fel 'na ma' hi bob gafael. Pawb sy'n dŵad â 'chydig o brês i ni yn mynd ar goll ar eu ffordd yma**' *They were lost. And that's how it is every time. Everyone who comes here with a bit of money for us gets lost on their way here* (Margiad Roberts, 1994: 154). **3 cael gafael ar rywbeth/rywun** *to get hold of something/someone* '**Wedi dod o hyd i'w phwrs, bydda Bigw yn cael gafael ar yr arian ac yn gwthio rhywbeth gwirion fel punt, neu bumpunt weithiau, i'n dwylo**' *After finding her purse, Bigw would get hold of some money and push something stupid like a pound, or five pounds sometimes, into our hands* (Angharad Tomos, 1991: 56). **4 dod i'r afael â rhywbeth** *to get to grips with something* '**Ond 'doedden nhw ddim fel petaen nhw'n dod i'r afael â phethe, 'doedd eu traed nhw ddim ar y ddaear**' *But they weren't as though they'd got to grips with things, their feet weren't on the ground* (Islwyn Ffowc Elis, 1990(ii): 78). **5 mynd i'r afael â rhywbeth** *to get to grips with something* '**Aeth Karl i'r afael â'r peiriant godro**' *Karl got to grips with the milking machine* (Islwyn

Ffowc Elis, 1990(i): 31). **6 yn gafael** (lit *grabbing*) NW *biting (cold)* (weather) '**Mae'n gafael tu allan,' meddai hi. 'Mae 'na eira ynddi, gei di weld be dwi'n ddeud**' *'It's biting cold outside,' she said. 'There'll be snow, you'll see what I'm saying'* (Robin Llywelyn, 1994: 84).

Gafr *goat* **fel gafr ar daranau** (lit *like a goat in a thunderstorm*) *in a state of excitement* '**I be ewch chi i ruthro o gwmpas y lle fel gafr ar darannau a chitha'n disgwl babi arall?**' *Why are you rushing around the place excitedly when you're expecting another baby?* (Theatr Bara Caws, 1995: 65).

Gair *word* **1 ar y gair** *immediately, straightaway* (after someone has said something) '**Carpad neis iawn gynnoch chi fan hyn 'efyd. 100% nylon shag pile fyswn i'n deud ...' Ar y gair, dyma'r gloch yn canu**' *'You've got a very nice carpet here as well. 100% nylon shag pile I'd say ...' Immediately then the bell rang* (Dafydd Huws, 1978: 64). **2 gair i gall** *word to the wise* '**Os mae'r syniad o nefoedd i lyfrbryf yw cael gweithio mewn llyfrgell, mae gan y curadur gair i gall. 'Mae pob peth diddorol yn gallu mynd yn ddiflas os ydych chi'n gweithio arno am amser hir**' *If the idea of heaven to a bookworm is working in a library, the curator has got a word to the wise. 'Everything interesting can become boring if you're working on it for a long time'* (Golwg, 8 February 1996: 19). **3 gair mwys** *pun, play on words* '**Iaith ffraeth! Am y gorau gyda'r geiriau mwys tudalen 5**' *Witty language! For the best of puns page 5* (Television Wales, 11 November 1995: 1). **4 gair teg** (lit *fair word*) *euphemism* '**Gwaith cymdeithasol, aie? 'D ydi'ch tuedd chi at air teg yn pallu dim, mae'n amlwg**' *Social work, is it? Your tendency towards euphemism hasn't waivered a bit, it's obvious* (Huw Roberts, 1981: 18). **5 heb (ddweud/ynganu etc.) gair o'm pen** (lit *without (saying/uttering etc.)* a word from my head) *without (saying/uttering etc.) a word* '**Ni ddywedodd neb air o'i ben**' *Nobody said a word* (Wiliam Owen Roberts, 1987: 60). **6 (waeth) un gair na chant** (lit *(might as well be) one word than a hundred*) *one word is as good as a hundred* '**Ildio bob yn dipyn, dyna fu'n hanes ni erioed ... waeth i ti un gair mwy na chant**' *Giving in bit by bit, that's always been our story ... you might as well say one word as a hundred* (Meic Povey, 1995(i): 34).

Galw *to call* **1 digon mawr i alw 'chi' arno fo** (lit *untranslateable*) CW *big enough to be treated with respect* '**Yr oedd y corryn yn anferth, yr oedd yn ddigon mawr i alw 'chi' arno**' *The spider was huge, it was big enough to be treated with respect* (* this is used in reference to things which are usually naturally small). **2 galw ar i rywbeth/rywun** *to call upon something/someone* '**Byddwn i'n galw ar i Gymdeithas yr Iaith a phob mudiad arall roi eu pwysau y tu cefn i'r Bwrdd**' *I would call upon the Welsh Language Society and every other movement to put their weight behind the Board* (Golwg, 2 March 1995: 5). **3 yn ôl y galw** *according to the demand, as required* '**O hyn ymlaen, [mae'r wraig] yn annerch**

y gŵr neu'r gynulleidfa yn ôl y galw' *From now on,
[the woman] addresses the man or the audience as
required* (Theatr Bara Caws, 1995: 31).

Galler (< gallu) SW *to be able to* '**Diawl, fyse'n dda 'da
fi tasen i'n galler cofio popeth chi wedi weud
wrtha i'r prynhawn 'ma**' *Hell, I'd be pleased if I
could remember everything you've told me this
afternoon* (Eirwyn Pontshân, 1982: 88).

Gallt 1 LW NW *hill* '**I'r dde, ryw ganllath i fyny'r allt,
mae'r siopa a'r sgwâr**' *To the right, some hundred
yards up the hill, are the shops and the square* (Jane
Edwards, 1989: 26). **2** LW SW *wooded hill* '**Pan on
i'n gwitho gyda ewythr i fi wedyn, odd e'n prynu
gelltydd o god gwern**' *When I used to work with an
uncle of mine afterwards, he used to buy woodlands
of alder trees* (speaker in Christine Jones and David
Thorne (eds.), 1992: 75).

Gallu *to be able to* **gelli/gellwch fentro** *you can bet,
you can be sure* '**Lle ma Gwen?' medda fi. 'Wedi
picio draw i weld Meri, elli fentro**' *'Where's Gwen?'
I asked. 'Popped over to see Meri, you can bet'*
(Jane Edwards, 1989: 70).

Gambo SW *hay cart* '**Mi o'dd Obadeia a'i wraig ishws
yn y ca' gwair, hithe ar ben y gambo a fynte yn
whys diferu wrthi'n pitsho**' *Obadeia and his wife
were already in the hay field, she was on top of the
hay cart and he was at it dripping with sweat pitching*
(Meirion Evans, 1997: 67).

Gan, ganddo ef, ganddi hi etc. see Appendix 13.05-
13.06.

Garddwrn (< arddwrn) CW *wrist* '[**Yr oedd] llawer o
freichledi am ei garddyrnau**' *[There were] a lot of
bracelets on her wrists* (Mihangel Morgan, 1994: 85).

Gartref see **adref** (**1**) (note).

Garw 1 *rough* '**Beth am y ddelwedd o Glasgow fel lle
garw?**' *What about the image of Glasgow as a rough
place?* (Lyn Ebenezer, 1996: 65). **2** LW NW *great(ly)*
'**Yn hynny o beth, roedd Bigw a finnau'n debyg -
roedd y tywydd yn effeithio'n arw arnom**' *In this
respect, Bigw and I were similar - the weather
affected us greatly* (Angharad Tomos, 1991: 31).
3 *enthusiastic person, keen person* '**Rydan ni, fel
Cymry, yn rhai garw am edrych dros ein
sgwyddau**' *We are, as Welsh people, keen ones for
looking over our shoulders* (Eigra Lewis Roberts in
Eleri Hopcyn (ed.), 1995: 59). **4 mae'n arw gen i** NW
I'm sorry '**Ga'i eistedd, Miss Morris?' 'O cewch ...
mae'n arw gen i ... eisteddwch yma**' *'Can I sit
down, Miss Morris?' 'Oh yes of course ... I'm sorry ...
sit here'* (Islwyn Ffowc Elis, 1995(i): 256).

Gât LW CW **clwyd** LW Glam **giât** LW NW **iet** Dyfed
llidiart LW NW *gate*

Gen i, gen ti etc. see Appendix 13.05-13.06.

Genau *mouth* **yng ngenau'r sach y mae cynilo'r
blawd** see **cynilo**.

Gennod (< hogennod) NW *girls* '**Nid nad wyt ti'n dy
ffansïo dy hun efo genod. O, oes, mae gen ti
osgordd o'r rheini**' *Not that you don't fancy yourself
with girls. Oh, yes, you've got a retinue of them* (John
Gwilym Jones, 1976: 36).

Gennyf i, gennyt ti etc. see Appendix 13.05-13.06.

G'erwen see Appendix 18.02.

Gewin (< ewin) CW *(finger)nail* '**Pwy gowbois sydd
wedi bod gennych yma'n plastro, weithiwr?'
gofynnais a finna'n crafu'r gwynab hefo 'ngewin**'
*'Which cowboys have you had here plastering,
worker?' I asked as I scratched the surface with my
nail* (Robin Llywelyn, 1992: 133).

Giaman Caern *cat* '**Mae hi'n byw yn G'narfon ac mi
fydda i wrth fy modd yn gwrando arni'n siarad
achos mae hi mor ddoniol. Tydi hi ddim yn siarad
fel ni yn Port. Mae hi'n deud 'iarods' am ieir Dad,
a glaw'r gath yn 'giaman'**' *She lives in Caernarfon
and I love listening to her speak because she's so
funny. She doesn't speak like us in Porthmadog.
She says 'iarods' for Dad's chickens, and calls the cat
'giaman'* (Miriam Llywelyn, 1994: 5).

Giami NW *awkward, dodgy, dubious* '**Arglwydd, sôn
am deimlo'n giami. Odd gin i ddim sentan i gal y
mheint nesa**' *God, talk about feeling awkward. I
didn't have a brass farthing for my next pint* (Dafydd
Huws, 1978: 9) (* see also Appendix 17.05(v)).

Giamocs NW *antics, tricks* '**Ddiflannodd [y stripper]
i'r twllwch yng nghornol y clwb ar ôl ryw bum
munud o giamocs**' *[The stripper] disappeared into
the darkness of a corner of the club after some five
minutes of antics* (Dafydd Huws, 1978: 94) (* see also
Appendix 17.05(v)).

Giamster NW *person who is very good at something*
'**Roedd George yn dipyn o giamstar ar ddartiau**'
George was a bit good at darts (Alun Ffred and Mei
Jones, 1990: 26) (* see also Appendix 17.05(v)).

Giâr (< iâr) Dyfed *hen* '**Ond beth odd fan'ny ond giâr
bach a lot o cywion fach gydag e**' *But what was
there but a little hen and a lot of little chicks with him*
(Eirwyn Pontshân, 1982: 39).

Giât LW NW **clwyd** LW Glam **gât** LW CW **iet** Dyfed
llidiart LW NW *gate*

Gin i, gin ti etc. see Appendix 13.05-13.06.

Glan *bank, shore* **at y lan/i'r lan** (a) *ashore* '**Ar ôl dwy
flynedd o aros, mae cwmni Hamilton Brothers
wedi cael hawl i godi canolfan yng Nghlwyd i
ddod ag olew a nwy i'r lan**' *After two years of
waiting, Hamilton Brothers has got permission to build
a centre in Clwyd to bring oil and gas ashore* (Golwg,
18 February 1993: 6); (b) *success* (figuratively) '**Do,
cafwyd llun ond, o rhan yr hyn oedd yn digwydd
oddi mewn i'r adeilad, doedden ni fawr nes at y
lan**' *Yes, we had a picture but, from the point of view
of what was happening inside the building, we weren't
much nearer to success* (Dewi Llwyd in Dylan
Iorwerth (ed.), 1993: 130).

Glân *clean, pure* **1 glân gloyw** (a) *immaculate* '**[Yr
oedd yn fan] Morris Mil loyw lân, heb na tholc na
phlet arni yn unman**' *[It was] an immaculate Morris
Thousand van, without a dent or mark on it anywhere*
(Dic Jones, 1989: 181); (b) *fluent* (language) '**roedd y
croeso yn gartrefol a chynnes a'r staff bron i gyd
yn Gymry glân, gloyw**' *the welcome was homely
and warm and the staff [were] almost all fluent Welsh
speakers* (Golwg, 7 April 1994: 7) (* **glân gloyw** here

suggests not only linguistic competence, but also a positive attitude towards the language concerned).
2 (blino/drysu etc.) yn lân *to be completely (tired/confused etc.)* '**[Yr oedd] Llyr wedi drysu'n lân**' *Llyr [was] completely confused* (Margiad Roberts, 1994: 24) (* occasionally **glân** comes before the verb, eg '**Roeddwn innau hefyd wedi glân flino**' *I also was completely tired* (Rhiannon Davies Jones, 1977: 40)).

Glannau chwerthin see **chwerthin (2)**.

Glas 1 *green* (in reference to nature) **maes glas** *a green field*. **2** *blue* (most common meaning) **car glas** *a blue car*. **3** *green* (innocent) **glasfyfyriwr** *a fresher, a new student*. **4** *grey, silver* '**gwelent yn y dyffryn islaw fwg glas yn codi dros y coed**' *they saw in the valley below grey smoke lifting up over the trees* (Robin Llywelyn, 1994: 139). **5** very occasionally as an adverb for emphasis, most commonly in the phrase **hwyr glas** *very late* '**Hei, tyd 'laen, ma' hi'n hwyr glas i ddechra agor y presanta**' *Hay, come on, it's very late to start opening the presents* (Dewi Wyn Williams, 1995: 57). **6 y Glas** NW *the Bill* (slang term for the police) '**Pan gyrhaeddodd y Glas roedd neuadd Dolmaen yn gribibion a deuddeg ffŵl yn llyfu'u clwyfau**' *When the Bill arrived Dolmaen hall was wrecked and twelve fools were licking their wounds* (Penri Jones, 1982: 29).

Glei (< **fe goeliaf i**) SW *I believe, I think* "**Mi fydd e'n siŵr o ennill 'leni 'to, 'dwy'n meddwl.**' '**Bydd, g'lei, a dyn a'n helpo ni os na wneiff e, on'd ife Wil?**" *'He's bound to win this year again, I think.' 'Yes he will, I think, and goodness help us if he doesn't, isn't it Will?'* (Bernard Evans, 1990: 30).

Glin LW NW **arffed** LW SW **côl** LW SW *lap*

Glo *coal* **1 glo caled** and **glo carreg**, both meaning *anthracite*, are used adjectivally to describe the anthracite coal mining area north of Swansea in SW '**Yn ôl ar ei batshyn ei hun yn ardal y glo carreg, fodd bynnag, mae'n siarad yr un iaith â'i gynulleidfa**' *Back on his own patch in West Wales, however, he speaks the same language as his audience* (*Golwg*, 22 September 1994: 30). **2 glo mân** (lit *small coal*) CW *nitty gritty* '**Mae cynghorwyr o bob plaid wleidyddol o Gymru ar [y Bwrdd] yn jolihotian ar draws Ewrop, yn rwdlan am rhyw bwnc astrus ymylol neu'i gilydd - ond does neb byth ddim elwach ar ôl yr holl falu glo mân**' *Councillors from every political party from Wales on [the Board] live it up across Europe, waffling on about some marginal abstruse subject or other - but no one is ever better off after all the nitty gritty nonsense* (*Golwg*, 2 May 1996: 7).

Glowty (< **gwaelod** and **tŷ**) SW *cowshed* '**Os elli di, der â'r ddwy fuwch sy newydd ddod â llo mewn i'r glowty a ch'isha'u gotro nhw**' *If you can, bring the two cows that have just calved into the cowshed and you need to milk them* (Nansi Selwood, 1987: 171).

Glöyn byw LW NW **iâr fach yr haf** LW SW *butterfly*

Gloyw glân see **glân (1)** (b) (note).

Gloywi *to polish* **ei gloywi hi** CW *to hotfoot it, to scarper off* '**Dydi o ddim yn curo 'mond unwaith, ac

yna'n ei gloywi hi am drws nesaf os na fydda i'n ddiogon siarp wrth ateb**' *He only knocks once, and then scarpers off for next door if I'm not quick enough answering* (Harri Pritchard Jones, 1994: 7).

G'luo see **goleuo**.

Glynyd (< **glynu**) NW *to stick* '**Trwbwl hefo cael mwstash ydi bod y sych yn glynud yno fo bob gafal**' *The problem with having a moustache is that the dry [bits] stick in it every time* (Dafydd Huws, 1978: 62).

Gneud (< **gwneud**) CW *to do, to make* '**Dwi wedi dyfaru gannoedd o weithia 'mod i wedi gaddo gneud ond y 'mai i oedd o**' *I've regretted hundreds of times that I'd promised to do [it] but it was my fault* (Dafydd Huws, 1978: 5).

Go *fairly, rather* **1 go brin** NW *hardly, scarcely* (start of sentence/clause only) '**Ond petai eich llyfr chi'n cael ei basio i'w gyhoeddi, go brin y gallech chi ddechrau sôn am ymddeol o'ch swydd ddiflas naw-tan-bump**' *But if your book were to be passed to be published, you could scarcely start to talk about retiring from your boring nine-to-five job* (*Golwg*, 15 September 1994: 22). **2 go damia** see **damio**. **3 go daria** see **dario**. **4 go drapia** see **drapio**. **5 go dda** NW (a) *alright, not bad, OK* '**Fe allai rhwyrai dybio o ddarllen nofelau cyfoes am Gaerdydd eu bod yn gwybod beth yw noson go dda yn y ddinas**' *Some people could suppose from reading contemporary novels about Cardiff that they know what a fairly good night in the city is* (*Tu Chwith*, volume 4 1995/1996: 8); (b) *a fair bit* '**ma 'na nifer go dda ohonon ni sy'n cefnogi'r Brenin**' *there's a fair number of us who are supporting the King* (Nansi Selwood, 1987: 221); (c) *excellent, well done* '**Go dda'r hen goes!**' *Well done old mate!* (*Y Cymro*, 22 June 1994: 1). **6 go fflamia** see **fflamia**. **7 go iawn** NW *genuine, real* '**mi rois i ddwrn ynghanol ei wynab o! Wel, naddo wnes i ddim go iawn**' *I put a fist in the middle of his face! Well, no I didn't really* (Margiad Roberts, 1994: 216). **8 go lew** CW (a) *fairly good, OK* '**ma' gan Mam drwyn go lew am *Egon Ronay*** Mam's got a fairly good nose for Egon Ronay* (Margiad Roberts, 1994: 52); (b) *fair bit* see **tipyn (5)**; (c) **wyt ti/ydych chi'n o lew?** NW *are you alright? how are things?* '**S'ma'i? 'N o lew? Hwyr eto?**' *How are things? Alright? Late again?* (Dewi Wyn Williams, 1995: 14) (* **go** is frequently not mutated in the above idiomatic forms).

Gobaith *hope* **1 gobaith caneri** (lit *canary's hope*) SW *(no) hope in hell* '**Nid oedd gobaith caneri gan y Prydeinwyr**' *The British didn't have a hope in hell* (*Golwg*, 15 March 1990: 17) (* canaries were formerly used in the coal mines in SW to warn for gas). **2 gobaith mul** (**mewn Grand National**) (lit *donkey's hope (in a Grand National)*) NW *(no) hope in hell* '**mae pawb ond ffarmwrs yn cael gwylia ddechra Awst - ond does gin i ddim gobaith mul**' *everyone apart from farmers have holidays at the beginning of August - but I haven't got a hope in hell* (Penri Jones, 1982: 63) (*see also **hôps**). **3 mewn gobaith** *in hope* '**[Maen nhw'n] byw mewn gobaith a marw mewn hiraeth**' *[They live] in hope and die in longing* (Mary Wiliam, 1978: 97).

Gobeithio *to hope* **1** the infinitive **gobeithio** is often used in CW instead of verbal forms **gobeithiaf, gobeithiwn** etc, *I hope* **'Mi wyt ti'n 'y ngefnogi i, gobeithio?'** *You're supporting me, I hope?* (Gareth Miles, 1995: 38) (* **gobeithio** is used here in much the same way that English speakers incorrectly use the word *hopefully*). **2 gobeithio i'r nefoedd** *to hope to high heaven* **'Gobeithiai [hi] i'r nefoedd mai camddealltwriaeth ydoedd'** *[She] hoped to high heaven that it was a misunderstanding* (Angharad Tomos, 1991: 26). **3 mawr obeithio** *to greatly hope* **'Mae plant y Berwyn heddiw ac yfory yn mawr obeithio na fydd raid fyth ystyried y dewis arall'** *Today's and tomorrow's children from Y Berwyn greatly hope that they will never have to consider the other choice* (*Golwg*, 7 April 1994: 3).

Godre (< **godreuon**) **Godre Aberteifi** CW area in the vicinity of Cardigan in SW **'Ond yr un yw testun ei baentiadau - golygfeydd lliwgar godre Sir Aberteifi'** *But the subject of his paintings is the same - colourful views of the area around Cardigan* (*Golwg*, 29 August 1996:16) (* **godre** can be used in reference to any county, but is particularly common in the above phrase).

Goddef LW SW **1** *to suffer* **'mi fydde'r Hope an' Anchor wedi hen gau ac o'dd hynny'n golygu godde ambell wthnos o ddirwest ac edrych mla'n yn amyneddgar at nos Sadwrn'** *The Hope and Anchor would have long closed and that meant suffering the odd week without drink and looking forward patiently to Saturday night* (Meirion Evans, 1997: 78). **2** *to stand, to tolerate* **''Roedd arddull ac agwedd y Prif Weinidog newydd, Margaret Thatcher, lawn cyn waethed â'i pholisïau. 'Fedrwn i mo'i goddef hi'** *The style and attitude of the new Prime Minister, Margaret Thatcher, was just as bad as her policies. I couldn't stand her* (Dafydd Wigley, 1993: 106).

Gofalu LW CW **carco** SW *to care*

Gofalus LW CW **carcus** SW *careful*

Gofid *grief, trouble* **mynd o flaen gofid** LW SW *to go and meet trouble* **'Ond do's dim ishe i ti fynd o flaen gofid'** *But you don't need to go and meet trouble* (Nansi Selwood, 1993: 100).

Gofyn *to ask* **1 mae gofyn i mi wneud rhywbeth** *I have to do something* **'Nid hefo Valerie oeddwn i! Sawl gwaith ma' gofyn imi ddweud ...'** *I wasn't with Valerie! How many times do I have to say ...* (Meic Povey, 1995(i): 12). **2 yn ôl y gofyn** *according to the demand, as required* **'fe fynegwyd hynny wrth Gaerdydd yn ôl y gofyn'** *that was indicated to Cardiff as required* (Elwyn Jones, 1991: 107).

Gog (< **gogleddwr**) CW *North Walian* (often derogatory) **'Mae'r gwahaniaeth rhwng y Gogs a'r Hwntws yn hen fan drafod'** *The difference between the North Walians and the South Walians is an old talking point* (*Wales on Sunday*, 19 February 1995: 17).

Gogland (< **gog(ledd)** and E *land*) CW *North Wales* (factitiously only) **'Ma' pawb yng Nghymru'n gwbod pan fod yr Eisteddod yn Gogland y Gogs sy'n ca'l**

popeth, ac yn y De, ma'n beirnied ni yn talu'r pwyth 'nôl' *Everybody in Wales knows that when the Eisteddfod is in the North the North Walians get everything, and in the South, our adjudicators get revenge* (John Owen, 1994: 181).

Gogledd *north* **yr Hen Ogledd** (lit *the Old North*) LW *southern Scotland and northern England* **'Does neb yn bendant lle y cafodd [Sant] Padrig ei fagu. Mae un traddodiad yn awgrymu mai un o Sir Benfro oedd e', ond gallai yn hawdd fod yn hanu o'r Hen Ogledd yn yr Alban. Y pryd hynny roedd pawb yng ngorllewin Prydain yn siarad rhyw ffurf ar y Gymraeg p'run bynnag'** *Nobody is sure where [Saint] Patrick was brought up. One tradition suggests he was from Pembrokeshire, but he could easily have come from the Old North in Scotland. At that time everyone in the west of Britain spoke some form of Welsh anyway* (*Television Wales*, 16 March 1996: 10) (* Southern Scotland and Northern England were Welsh-speaking areas in the Dark Ages).

Gogwydd *angle, slant* **ar ogwydd** *at an angle, at a slant* **'Gwasgodd Mati ei hun i'r gornel lle'r arferai Arthur eistedd, ei benelin ar y pared bach a'i ben fymryn ar ogwydd'** *Mati squeezed herself into the corner where Arthur used to sit, his elbow on the small wall and his head at a bit of an angle* (Eigra Lewis Roberts, 1985: 26).

Goleuo *to light* **ei goleuo hi** NW *to hotfoot it, to scarper off* **'Rhaid imi'i gluo hi. Ta ta rwan'** *I've got to shoot off. Bye bye now* (Caradog Prichard, 1961: 85).

Golwg 1 *sight* **'[Yr oeddent] yn wir yn troi eu golygon ymaith wrth brysuro ar eu rhawd'** *[They] in fact turned away their sight as they hurried on their way* (Robin Llywelyn, 1994: 20). **2 (anniben/cryf/hyll etc.) yr olwg** *(messy/strong/ugly etc.) looking* **'Mi ddangosais i fy nghardyn i ryw foi blin yr olwg'** *I showed my card to some angry-looking bloke* (Twm Miall, 1990: 70). **3 bwrw/cael golwg dros rywbeth** *to (have a) look over something* **'Full of rats, meddai un o'r dynion eraill ac ar ôl mynd i mewn i'r festri a bwrw golwg dros y lle aethon nhw allan'** *Full of rats, said one of the other men and, after going into the vestry and looking over the place, they went out* (Mihangel Morgan, 1994: 79). **4 golwg (dda/ddrwg/ hyll etc.) ar rywbeth/rywun** *to look (good/bad/ugly etc.)* **'Mae golwg wedi blino arnat ti, Emma'** *You look tired, Emma* (Eigra Lewis Roberts, 1985: 10). **5 i bob golwg** *by all accounts* **'Yr oedd Wil James, wrth gwrs, y tu hwnt i effeithio arno gan yr atgof. I bob golwg, beth bynnag'** *Wil James, of course, was beyond affecting him with the memory. By all accounts, anyhow* (Islwyn Ffowc Elis, 1990(i): 170). **6 i'r golwg** *into view* **'Toc daeth Tecwyn i'r golwg. 'Lle wyt ti wedi bod?' holodd Arthur'** *Presently Tecwyn came into view. 'Where've you been?' asked Arthur* (Alun Ffred and Mei Jones, 1990: 11). **7 mewn golwg** *in mind, in sight* **'Ni hoffai, gyda'i hwylustod ef ei hun mewn golwg wrth gwrs, weld rhyw un ffarm yn galw arno i ddod i hau'** *He didn't used to like, with his own convenience in mind of course, to see any one farm call on him to come and sow* (Dic Jones, 1989: 201). **8 mynd o'm golwg** *to get out of my sight* **'Dos o' ngolwg i'r hen gena, medda Mam,**

a finna'n methu dallt pam oedd hi mor gas' *Get out of my sight you little rascal, Mam said, and I couldn't understand why she was so horrible* (Caradog Prichard, 1961: 21). **9 o'r golwg** *out of sight, out of view* **'Rhuthrodd y wraig ganol oed o'r golwg'** *The middle-aged woman rushed out of sight* (Wiliam Owen Roberts, 1987: 71). **10 yn ôl pob golwg** *by all accounts* **"Doedd dim o'i le ar hynny, yn ôl pob golwg'** *There was nothing wrong with that, by all accounts* (Angharad Tomos, 1982: 31).

Gollwng 1 *to drop* **'Bora'r sioe bydd raid cario pob dim ar hyd y Stryd Fawr, ac wedyn i fyny'r grisia haearn i mewn i'r neuadd, a chymryd gofal rhag ofn i chi ollwng rhwbath'** *The morning of the show you'll have to carry everything along the High Street, and then up the iron steps into the hall, and take care in case you drop something* (Miriam Llywelyn, 1994: 67). **2** *to let go, to release* **'A phan ddeffrais i roedd Now yn gweiddi dros y lle am fy 'mod i wedi planu 'ngwinadd i gnawd ei glun o ac yn gwrthod gollwng!'** *And when I woke up Now was screaming loudly becuase I'd planted my nails into his thigh and was refusing to let go* (Margiad Roberts, 1994: 74). **3** *to leak, to let in* **'[Yr oedd] nhraed i'n wlyb achos bod fy sgidia i'n gollwng dŵr'** *My feet [were] wet because my shoes were letting in water* (Caradog Prichard, 1961: 167).

Gorau *best* **1 am y gorau** (lit *for the best*) *utmost* **'bu'n rhaid iddo wthio'i ffordd drwy fagad swnllyd o tua phymtheg o fechgyn yn gwthio am y gorau i gael bod ym mhen y rhes'** *he had to push his way through a noisy throng of about fifteen boys pushing their utmost to get to the end of the row* (Robin Llywelyn, 1994: 36). **2 ar y gorau** *at best, at most* **'Dyw tri o blant bach, a'r hynaf ddim yn chwech eto, ddim yn hawdd dygymod â nhw ar y gorau'** *It is not easy at best to get used to three small children, and the oldest not six yet* (Bernard Evans, 1990: 21). **3 gorau glas** *level best* **'Chwara teg i Siân ma hi wedi gneud ei gora glas i 'nghael i i licio Radyr'** *Fair play to Siân she's done her level best to get me to like Radyr* (Dafydd Huws, 1990: 54). **4 gorau oll/i gyd** *best of all* **'Nid busnesa ydw i, Tom! Os wyt ti wedi cymryd ffansi at rywun, wel, gora oll!'** *I'm not being nosey, Tom! If you've taken a fancy to someone, well, best of all!* (Meic Povey, 1995(i): 12). **5 gorau po** (gyntaf/fwyaf etc.) *the (sooner/bigger etc.) the better* **'Roedd pawb yn wlyb at eu crwyn, a doedd dim synnwyr ein bod allan yn y fath dywydd. Gorau po gyntaf yr aem i fochel'** *Everyone was soaked to the skin, and there was no sense our being out in such weather. The sooner we went to shelter the better* (Angharad Tomos, 1991: 131). **6 o'r gorau** (lit *of the best*) (a) *very well* **'Ac fel y gwyddom ni o'r gora, mae anufudd-dod dyn yn siwr o gael ei gosbi'n hwyr neu'n hwyrach'** *As we all know very well, a man's disobedience is sure to be punished sooner or later* (Wiliam Owen Roberts, 1987: 47). (* this idiom can only be used with non-action verbs, eg **gwybod** *to know*, **deall** *to understand*); (b) *alright, OK* **'O'r gora, gad imi dy glywad ti'n darllan'** *Alright, let me hear you reading* (Caradog Prichard, 1961: 20).

Gordderch *mistress* (mab/plentyn etc.) **gordderch** LW SW *illegitimate (son/child etc.)* **'[Yr oedd] llawn cymaint o gadw ar blant gordderch ag a oedd ar blant cyfreithlon'** *[There was] just as much work with illegitimate children as there was with legitimate children* (Dic Jones, 1989: 204).

Gorfadd (< *gorwedd*) NW *to lay down* **'Dwi'n anghysurus wrth sefyll, isda a gorfadd'** *I'm uncomfortable standing up, sitting down and lying down* (Margiad Roberts, 1994: 49).

Gorffod (< *gorfod*) SW *to have to* **'Wy'n credu dele fe sha'r gwaith 'se fe'n gorffod cripad 'ma ar 'i dra'd a'i ddwylo'** *I think that he'd have to have come to work if he had to crawl here on his hands and knees* (Meirion Evans, 1997: 45).

'Goriad (< *agoriad*) NW *key* **"Be sydd yn y sied?' 'Nialwch.' 'Beth am fynd i'w gweld rhag ofn? Ble mae'r goriad?"** *'What's in the shed?' 'Junk.' 'What about going to have a look at it just in case? Where's the key?'* (Alun Jones, 1979: 209).

Goro (< *gorfod*) NW *to have to* **'Mi fydda pob un o'r corachod yn goro rhoid bonclust i bob un [ohonynt]'** *Each one of the dwarves has got to give a blow to the ears of each one [of them]* (Robin Llywelyn, 1992: 33).

Gorod (< *gorfod*) NW *to have to* **'Fysat ti ddim yn siarad fel 'na 'sa ti'n gorod byw efo hi rownd y rîl'** *You wouldn't speak like that if you had to live with her all the time* (Dafydd Huws, 1990: 130).

Gosod *to place, to put, to set* **ar osod** *to let* **'[Byddai'r tai] mwyach yn y sector preifat, ar werth, nid ar osod'** *[The houses would be] from now on in the private sector, for sale, and not for letting* (Dafydd Wigley, 1993: 242).

Graddau 1 i raddau *to an extent* **'Methiant fu pob ymdrech bryd hynny i sefydlu undeb. I raddau, 'roedd hyn yn annheg iawn â'r undebau'** *Every effort at that time to set up a union was a failure. To an extent, this was very unfair to the unions* (Dafydd Wigley, 1992: 101). **2 i raddau helaeth** *to a great extent* **"Roedd yr is-etholiad yn gyfle i osod gerbron y byd ddadansoddiad Grŵp Ymchwil y Blaid ... gwaith a wnaed i raddau helaeth o dan arweiniad a dylanwad Phil Williams'** *The by-election was an opportunity to present to the world the analysis of the Party's Research Group ... work that was done to a great extent under the leadership and influence of Phil Williams* (Dafydd Wigley, 1992: 78). **3 i ryw raddau** *to some extent* **'I ryw raddau yn ddi-os, mae'n fater o genhedlaeth'** *To some extent without doubt, it's a matter of generation* (Dafydd Wigley, 1992: 12). **4 i'r fath raddau** *to such an extent* **'Ers iddi ddod i'r Cartref, fe'i dadrithiwyd i'r fath raddau gyda phopeth fel y bu raid iddi ymarfogi ei hun dim ond i'w gwneud yn bosib iddi allu byw o ddydd i ddydd'** *Since she came to the Home, she was disillusioned to such an extent with everything that she had to arm herself merely to make it possible for her to be able to live from day to day* (Angharad Tomos, 1991: 112).

Greddf *instinct, intuition* **wrth reddf** *by instinct, instinctively* **'[Mae'r] ddau'n Geidwadwyr wrth reddf'** *The two [are] Conservatives by instinct* (*Golwg*, 27 April 1989: 15).

Gresyn *pity* **1 gresyn o beth** NW *a great shame* **'Onid yw'n resyn ein bod yn colli'r fath gyfle i ddenu ymwelwyr'** *Isn't it a shame that we're losing such an opportunity to attract visitors* (*Western Mail*, 28 November 1995: 9). **2 mae'n resyn gen i dros rywun** NW *I feel sorry for someone* **'Yr oedd yn resyn ganddo dros Edward Vaughan'** *He felt sorry for Edward Vaughan* (Islwyn Ffowc Elis, 1990(i): 308).

Grêt (<E *great*) CW *great* **'Ro'n i wedi cychwyn chwilio am de ers dros ddwyawr ac odd y cyw iâr a'r fej yn edrach yn grêt'** *I'd started looking for tea over two hours ago and the chicken and veg looked great* (Dafydd Huws, 1978: 64).

Grindo (< *gwrando*) SW *to listen* **'Grinda! Dim preceth sy ishe man'yn, reit! Ishe r'wun i gynnu'r blydi tân 'na. Wy'i jest â sythu!'** *Listen! We don't need a sermon here, OK! We need someone to light that bloody fire. I'm just about freezing!* (Dafydd Rowlands, 1995: 60).

Grisiau LW NW *stairs* **i fyny('r) grisiau** LW NW *upstairs* **'I fyny grisia, plîs. Dim ond gwehilion cymdeithas sy'n molchi'n y sinc'** *Upstairs, please. Only the dregs of society wash in the sink* (Eigra Lewis Roberts, 1985: 33).

Grym *power, strength* **mewn grym** *in force, in power* **'[Yr oedd yn dipyn] o fendith mewn cyfnod pan oedd effaith y rhyfel a'r dogni bwyd yn dal mewn grym'** *[It was a bit] of a blessing in a period when the effect of the war and food rationing was still in force* (Dafydd Wigley, 1992: 14).

Gwacáu LW SW **gwagio** LW NW *to empty*

Gwadnu *to sole* **ei gwadnu hi** NW *to hotfoot it, to scarper off* **'Wrth inni bori dros gynnwys [y papur], byddai'r Arlywydd Reagan a'i osgordd eisoes yn ei gwadnu hi am y maes awyr'** *As we browsed over the contents of [the paper], President Reagan and his entourage would already be shooting off for the airport* (Dewi Llwyd in Dylan Iorwerth (ed.), 1993: 131).

Gwadd (< *gwahodd*) NW *to invite* **'Dyna pam y bydd gen i ffansi eu gwadd nhw draw'** *That's why I fancy inviting them over* (Margiad Roberts, 1994: 20).

Gwadden SW **gwahadden** LW SW **twrch daear** LW NW *mole*

Gwaed *blood* **1 gwaed coch cyfan** (lit *whole red blood*) *aristocratic, blue blood* **'[Dw i'n eu leicio nhw] os ydyn nhw'n Gymry glân, gloyw, a gwaed coch, cyfa, Cymreig yn llifo trwy'u gwythienna nhw!'** *[I like them] if they're fluent Welsh speakers and blue Welsh blood is flowing through their veins!* (Gareth Miles, 1995: 41). **2 hyd at waed** (lit *until blood*) *fighting that leads up to blood being shed* **'A thros y coliar y bydda i'n ymladd, mechan i. Hyd at waed!'** *And I'll fight for the collier, my lad. To the death!* (Rhydwen Williams, 1969: 50).

Gwaered *down* **ar i waered** *down, on the decrease* (numbers, business etc.) **'dyna'r adeg y dechreuodd hi fynd ar i wared'** *that's the time she started to go down* (Islwyn Ffowc Elis, 1990(i): 252).

Gwaeth *worse* **er gwaeth** see **er** (2).

Gwagio LW NW **gwacáu** LW SW *to empty*

Gwahadden LW SW **gwadden** SW **twrch daear** LW NW *mole*

Gwaith *work* **1 ar waith** *at work* **'Ar ôl un flwyddyn lawn ar waith, mae tystiolaeth fod Morglawdd Tawe yn rhwystro pysgod rhag mynd i fyny'r afon'** *After a full year at work, there's evidence that the Tawe barrage is hindering fish going up the river* (*Golwg*, 31 March 1994: 4). **2 gwaith caib a rhaw** (lit *pickaxe and shovel work*) (a) *hard physical labour* **'Nid oedd yma ddim snobeiddiwch yn y gweithwyr 'parchus', dim chwerwder yn y gweithwyr 'caib-a-rhaw''** *There wasn't here any snobbery in the 'respectable' workers, no bitterness in the 'hard physical labour' workers* (Islwyn Ffowc Elis, 1990(ii): 68); (b) *boring work, spadework* (figuratively) **'Rhan o'r gwaith caib a rhaw ... cynnar oedd casglu ynghyd ddeunydd oedd ar wasgar ymhobman'** *Some of the early boring work ... was collecting together the material that was scattered all over the place* (*Barn*, October 1995: 27).

Gwaith *time* **1 ambell waith** *occasionally* **'Dim ond ambell waith y deuai achos i lygad y cyhoedd'** *Only occasionally did a case come before the eye of the public* (Aled Eames in Theatr Bara Caws, 1996: 7). **2 llawer/sawl gwaith** *many times, numerous times* **'Llawer gwaith yn yr wythnosau cythreulig hynny wedi'r 'byjet' bu Mam yn erfyn ar 'Nhad i ddechrau mygu eto os golygai hynny y byddai fymryn bach yn haws byw hefo fo'** *Many times in those bloody awful weeks after the budget Mam would implore Dad to start smoking again if that meant it would be a little bit easier to live with him* (John Ogwen, 1996: 48).

Gwalia (wen) rhetorical Latinate name for Wales **'Mae yna rai sydd yn gallu fforddio cydymdeimlo â thactegau'r IRA o gludwch bar yng Ngwalia Wen neu ar wyliau blynyddol yn Iwerddon'** *There are some who can afford to sympathise with the IRA from the comfort of a bar in Wales or on annual holidays in Ireland* (*Barn*, February 1995: 26).

Gwallt dodi LW SW **gwallt gosod** LW NW *false hair*

Gwân (lit *stab*) **ei gwân hi** SW *to hotfoot it, to scarper off* **'Fel yr oedd Roger yn dod i fewn drwy'r entri, 'roedd Dai yn ei gwân hi i lawr drwy'r Rŵm Canol'** *As Roger was coming in through the entry, Dai was scarpering off through the Middle Room* (Dic Jones, 1989: 117).

Gwarchod *to look after, to protect* **gwarchod pawb** (< **Duw gwarchod pawb**) CW *goodness me, heavens above* **'Wedi doti'r bocs bwyd a'r stên ddŵr ar y ford, ês miwn drws nesa er mwyn gweld shwd odd pethe wedi mynd 'no. Gwarchod pawb!'** *After putting the food box and the jug of water on the table, I went next door in order to see how things had gone there. Heavens above!* (Edgar ap Lewys, 1977: 10).

Gwared *deliverance, riddance* **1 a'm gwaredo** (< **Duw a'm gwaredo**) CW *heaven help me* **'Mi fydda well gen i dy weld ti'n diodda o gansar, na dy fod ti wedi cael dy ddal yn gwneud peth mor annuwiol. Â'n gwaredo!'** *I would rather see you suffering from cancer, than have you caught doing such an ungodly thing. Heaven help us!* (Meic Povey, 1995(i): 8).

2 cael gwared ar/o rywbeth/rywun *to get rid of something/someone* **'mae Ysgrifennydd Cymru eisiau cael gwared ar gynghorau sir a dosbarth'** *the Secretary [of State] for Wales wants to get rid of county and district councils* (*Golwg*, 4 March 1993: 7) (* also **cael gwared â rhywbeth/rhywun** and in SW **cael ei wared e**, eg ''Sen i ar bwys y môr, basen i wedi towlu'r hen focs i'r môr i gal 'i wared e' *If I lived by the sea, I would have thrown the old box into the sea to get rid of it* (Eirwyn Pontshân, 1973: 92)).

Gwarthaf (lit *uppermost part*) **ar fy ngwarthaf** *upon me* **'Ac er bod olion y trueni ar ei wyneb mor amlwg ag yr oedden nhw pan ddaeth ar ei warthaf yn yr ardd ni theimlai Emma bellach unrhyw ysfa i ddianc rhagddo'** *And although the marks of the sadness were so obvious on her face as they were when she came upon him in the garden Emma did not feel any desire to escape from him any more* (Eigra Lewis Roberts, 1985: 124).

Gwartheg LW CW **da (byw)** LW SW *cattle*

Gwas *servant* **1 da was** (lit *good servant*) CW *a good lad* **'Iawn oedd hi i bileri'r Sefydliad Seisnig ddod ynghyd i dalu teyrnged i'w da was a ffyddlon [George Thomas] yr wythnos ddiwethaf''** *It was OK for the pillars of the English establishment to come together to pay respects to their good and faithful lad [George Thomas] last week* (*Golwg*, 20 November 1997: 3) (* see **da** (3)). **2 (fy) ngwas i** (lit *my servant*) NW *mate* **'Ti 'di mynd yn rhy bell rŵan, 'ngwas i'** *You've gone too far now, mate* (Gwenlyn Parry, 1992: 3). **3 gwas bach** (lit *junior servant*) CW *drudge, run-around* **'Roedd ef ei hun wedi cael digon heddi o fod yn was bach i Richard'** *He himself had had enough today of being a little run-around for Richard* (Nansi Selwood, 1993: 137).

Gwasgar (lit *scattered*) **ar wasgar** *dispersed, scattered* **'Roedd hi'n fantais dod o hyd i Gymry ar wasgar a chael golwg ar y sefyllfa drwy eu llygaid nhw'** *It was an advantage to come across scattered Welsh people and to have a look at the situation through their eyes* (Dylan Iorwerth, 1993: 16).

Gwasgfa (lit *fainting fit*) **cael gwasgfa** *to faint* **'Aeth Miss John yn gacwn wyllt a bu bron iddi gael gwasgfa'** *Miss John went mad and she nearly fainted* (Mihangel Morgan, 1994: 73).

Gwastad *flat* **ar wastad fy nghefn** *flat on my back* **'A dwi'n ôl ar wastad 'y nghefn yn yr union rych caethiwus yr o'n i ynddo fo cyn Dolig'** *And I'm back flat on my back in exactly the same slavish rut as I was in before Christmas* (Margiad Roberts, 1994: 12).

Gwastraffu LW NW **afradu** LW SW *to waste*

Gwatshia, gwatshiwch see Appendix 10.05.

Gwatsiad (<E *watch*) NW *to watch* **'mi sodrais i 'ngwynab yn y gwydr yn gwatsiad y diferion glaw'n rhedag ras ar draws ffenast'** *I put my face on the glass watching the rain drops running a race across the window* (Robin Llywelyn, 1992: 9).

Gw-boi (<E *good boy*) SW *mate* **'O'dd hi'n slashen o ferch. 'Lynce honna ti'n gyfan, gw'boi!''** *She was*

a gorgeous girl. 'She'd swallow you whole, mate!' (Dafydd Rowlands, 1995: 123).

Gw-girl (<E *good girl*) SW *mate* **'Sdim pwynt i ni drafod y rent nes bo ni'n gwbod os ych chi'n ca'l aros mlân. A ma hynny, gwd girl, yn sub judice'** *There's no point discussing the rent until we know if you can stay on. And that, mate, is sub judice* (Sion Eirian, 1995: 19).

Gwd (<E *good*) SW *good* **'Ma' lot o harn [yn y letis] Wncwl Now. Ma' nhw'n gwd i chi'** *There's a lot of iron [in the lettuce] Uncle Now. They're good for you* (Margiad Roberts, 1994: 119).

Gwdihŵ SW **tylluan** LW NW *owl*

Gwddw (< *gwddf*) NW *throat* **(hollti/torri etc.) fy ngwddw i wneud rhywbeth** (lit *to (split/break etc.) my neck to do something*) NW *dying to do something* **''Roedden nhw'n sylweddoli fy mod yn hanner-addoli Hedd Wyn, ac ar hollti fy ngwddw isio adrodd ei hanes ar ffurf ffilm'** *They realised that I half-worshipped Hedd Wyn, and was just about dying to tell his story in film form* (Alan Llwyd, 1994: 235).

Gwddwg (< *gwddf*) SW *throat* **gwddwg tost** SW *sore throat* **'Synnwn i ddim bo' gwddwg tost 'da ti ar ôl sgrechian trwy'r nos fel 'ny'** *I'm not surprised you've got a sore throat after screeching all night like that.*

Gwedd *appearance, manner* **ar ei newydd wedd** *in its new guise* **'Ro'n i'n edrych ymlaen at gael gweld y lle ar ei newydd wedd'** *I was looking forward to seeing the place in its new guise* (Twm Miall, 1990: 155).

Gweddw *widowed* **gweddw crefft heb ei dawn** (lit *widowed is a craft without a talent for it*) proverb *lack of parts makes widowed arts* **'Do, fe gês i 'nysgu yn y cyfnod 'ny pan oedd seiri'n cymryd balchder yn 'u gwaith. Rown nhw'n credu'r hen ddihareb ma gweddw crefft heb 'i dawn'** *Yeah, I was taught in that period when carpenters took pride in their work. I believed in the old proverb that a lack of parts makes widowed arts* (Eirwyn Pontshân, 1982: 89).

Gwehilion *dregs, riffraff* **gwehilion cymdeithas** *dregs of society, scum of the earth* **'I fyny grisia, plîs. Dim ond gwehilion cymdeithas sy'n molchi'n y sinc'** *Upstairs, please. Only the dregs of society wash in the sink* (Eigra Lewis Roberts, 1985: 33).

Gweiddi *to shout* **gweiddi crïo** *to bawl with tears* **'Felly mi fuo'n rhaid i mi sodro E.T., oedd yn gweiddi crio, yn ôl yn ei got unwaith eto'** *So I had to put E.T., who was bawling with tears, back in his cot once again* (Margiad Roberts, 1994: 93).

Gweill *knitting-needles* **ar y gweill** (lit *on the needles*) *in preparation, on the go* **'Mae datblygiadau gwerth miliynau ar y gweill ym Mhwllheli'** *There are developments worth millions of pounds on the go in Pwllheli* (*Yr Herald*, 30 April 1994: 10).

Gweitiad (<E *wait*) NW *to wait* **'Gweitia imi gael gneud brecwast'** *Wait for me to be able to make breakfast* (Caradog Prichard, 1961: 182).

Gweitshia, gweitshiwch see Appendix 10.05.

Gweithe (< **gweithiau**) SW collective noun used by West Walians for the factories, mines etc. of industrial South Wales '**[Yr oedd] llawer ohonynt yn Shonis o'r Gweith'e**' *A lot of them [were] Valleys people from the factories* (Dic Jones, 1989: 210).

Gweithio 1 *to work* '**Ac wyt ti'n meddwl y gweithith hi?**' *And do you think it will work?* (Eirug Wyn, 1994: 57). **2** SW *to make, to prepare* '**Wy'n cofio unwaith pan own i lawr yng Nghapel y Wîg yn gweitho stâr. Dew, oedd hi'n ddiwrnod difrifol o dwym**' *I remember once when I was down in Wîg Chapel making some stairs. God, it was a seriously warm day* (Eirwyn Pontshân, 1982: 56).

Gweld *to see* **1 cawn ni weld** *we'll see* '**cawn ni siarad am hynny eto. Cawn weld wir. Bore da, Mr Price, dyna i gyd am y tro**' *we can talk about that again. We'll see about that indeed. Good morning, Mr Price, that's all for the time being* (Mihangel Morgan, 1993(ii): 62). **2 cewch chi weld** *you'll see* '**Fyddwch chi ddim yr un un gewch chi weld**' *You won't be the same one you'll see* (Wil Sam, 1995: 46) (* note singular form **cei di weld**, eg '**Chawn ni ddim seilej leni gei di weld**' *We won't have any silage this year, you'll see* (Margiad Roberts, 1994: 110)). **3 gweld colli rhywun** *to miss someone* '**Mae ganddoch chi ddyn yn ennill pres yn y tŷ yma unwaith eto. Fyddwch chi ddim yn gweld colli Dad cymaint**' *You've got a man earning money in the house once again. You won't miss Dad so much* (Theatr Bara Caws, 1995: 48). **4 gweld chwith** NW *to get annoyed* "**So ni wedi gweld Ben-a-Lun ers ache,' medda hi wrth yfad ei sudd asparagys bora. 'Ti'n gweld chwith, wyt?' me fi**' *'We haven't seen Ben and Lun for ages,' she said while drinking her morning asparagus juice. 'Getting annoyed, are you?' I asked* (Dafydd Huws, 1990: 155). **5 gweld eisiau rhywun** LW SW *to miss someone* '**Fe ymddiswyddodd ac yr ydym yn dal i weld ei eisiau**' *He resigned and we still miss him* (Barn, March 1995: 7). **6 gwyn y gwêl y frân ei chyw** (lit *the crow sees her chick white*) proverb parents can only see virtue in their children (the following is a pun on the above proverb) '**Un dwrnod 'dach chi'n griminal on ddy ryn a'r dwrnod nesa 'dach chi'n rêl hîro. Dwn i ddim be i ddeud wir Dduw os nad matar o sut 'dach chi'n sbïo arni ydi o. Gwyn y gwêl y frân ei chriw, ia?**' *One day you're a criminal on the run and the next day you're a real hero. I don't know what to say honest to God if it's not a matter of how you look at it. Parents only look at the good side of their crew, don't they?* (Dafydd Huws, 1990: 220). **7 i'w (g)weld** *to appear* '**Ar y dechrau yr oedd i'w weld yn greadur od braidd ac yn ddigon hoff o'i gwmni'i hun**' *At the start he appeared a bit of an odd creature and fond enough of his own company* (Mihangel Morgan, 1994: 33). **8 os gwelwch yn dda** *please* '**Mwy o raglenni [deledu] tebyg os gwelwch yn dda a fydd ddim raid poeni am safonau'r oes ddigidol!**' *More similar [television] programmes please and [we] won't have to worry about standards in the digital age!* (Golwg, 9 January 1997: 7) (* note the singular form **os gweli di'n dda**, eg '**Gwyn! ... Os gweli di'n dda ... Addewist ti aros am sgwrs efo Robat Berwyn a fi**' *Gwyn! ... Please ... You promised to stay for a chat*

with Robat Berwyn and me (Gareth Miles, 1995: 55)). **9 os gwelwch (chi) fod yn dda** SW *please* '**Wê'r mame, os gwelwch chi fod in dda, ishe dod â'r plant gida nhw**' *The mothers, please, wanted to bring the children with them* (May Williams in Gwyn Griffiths (ed.), 1994: 83).

Gwell 1 *better* '**Bu i Gaerfaddon i gael ymdrochi yn y dyfroedd iachusol yno ond doedd hi ddim tamaid gwell wedyn**' *She went to Bath to bathe in the healing waters there but she wasn't a bit better afterwards* (Mihangel Morgan, 1992: 23). **2** *more* (measurements) '**Rhyw ganllath neu well y tu ôl i'r tractor mawr a'i lwyth yr oedd y tractor bach**' *The small tractor was about a hundred yards or more behind the large tractor and its load* (Islwyn Ffowc Elis, 1990(i): 38). **3 er gwell** see **er** (2). **4 gwell hwyr na hwyrach** (lit *better late than later/perhaps*) *better late than never* "**Ti'n hwyr,' ysgyrnygodd [o]. 'Gwell hwyr na hwyrach,' meddai Gregor yn nawddoglyd**' *'You're late,' [he] snarled. 'Better late than never,' said Gregor patronisingly* (Robin Llywelyn, 1994: 53). **5 mae'n well gen i** *I prefer* '**Byddai'n llawer gwell ganddi hi fod wedi cario ymlaen gyda'i gwaith na gorfod gwrando arno**' *She would have much preferred to have carried on with her work than listen to him* (Jane Edwards, 1993: 35). **6 o flaen fy ngwell** (lit *in front of my betters*) *in court* '**Aeth ei gar i wal tŷ. Bu'n rhaid cael yr heddlu, byddai'n gorfod talu am y wal a mynd o flaen ei well am yrru'n esgeulus**' *His car went into a wall of a house. The police had to be fetched, he would have to pay for the wall and go to court for negligent driving* (Mihangel Morgan, 1993(ii): 65).

Gwellt *grass; straw* **mynd i'r gwellt** (lit *to go to the straw*) *to fail, to be in vain* '**Nid oes un dim yn sicr yn y busnes sgwennu 'ma: gall gwaith misoedd fynd i'r gwellt mewn amrantiad**' *Not one thing is certain in this writing business: months' work can fail in an instant* (Dafydd Huws, 1990: 255).

Gwên *smile* **1 gwên gam** *wry smile* '***Mererit gwerthfawr a rud gemmau*, meddwn wrthyf fy hun gyda gwên gam**' *Mererit gwerthfawr a rud gemmau, I said to myself with a wry smile* (Angharad Tomos, 1982: 22). **2 yn wên o glust i glust** (lit *a smile from ear to ear*) *smiling broadly* '**Fe dda'th yn diwedd, ac fe'i tywyswyd gan Neli - o'dd bellach yn wên o glust i glust - i gyfeiriad y sêt gefen**' *He came in the end, and he was led by Neli - who was now smiling broadly - in the direction of the back seat* (Dafydd Rowlands, 1995: 119).

Gwenhwyseg see Appendix 20.

Gwenu *to smile* **1 gwenu fel giât** (lit *to smile like a gate*) *to smile broadly, to smile like a Cheshire cat* '**Dyna lle rodd Dai Shop, Penniman a Marx Merthyr yn sefyll o 'mlaen i yn gwenu fel giatia**' *That's where Dai Shop, Penniman and Marx Merthyr were standing in front of me smiling like Cheshire cats* (Dafydd Huws, 1978: 50). **2 gwenu'n gam** *to smile wryly* '**Sbiodd George ar y wraig o'i flaen fel pe bai hi wedi newydd esbonio Theori Berthnasedd Einstein wrtho. Gwenodd yn gam a diolch iddi cyn ei esguodi ei hun**' *George looked at the woman before him as though she'd just explained*

Einstein's Theory of Relativity. He smiled wryly and thanked her before excusing himself (Alun Ffred and Mei Jones, 1990: 71).

Gwenynen farch LW NW **cacynen** LW SW **picwnen** LW SW *wasp*

Gwerin *folk, ordinary people* **1** y werin bobl *folk, ordinary people* '**Y werin bobl, dan arweiniad yr undebau, yn ymateb i'r dirwasgiad economaidd gyda streiciau a gwrthdystiadau**' *The ordinary people, under the unions' leadership, [responded] to the economic depression with strikes and protests* (Gareth Miles, 1995: 8). **2 y werin datws** (lit *the potato people*) CW *folk, ordinary people* '**Roedd parti lansio le dros Gymru yn gynulliad rhyfedd o luvvies, cyfryngis a'r werin datws**' *The launch party of the Yes for Wales [campaign] was a strange mixture of luvvies, media-ites and ordinary people* (*Barn*, October 1997: 21) (* see also **wêr**).

Gwerth *worth, value* **1** ar werth *for sale* '**Ga i ddod atat ti i'r tŷ yn y dre 'cw? I ni gael siarad am y tir 'na sy gen i ar werth?**' *Can I come over to you to the house in town? So that we can talk about that land that I've got for sale?* (Nansi Selwood, 1987: 255). **2 gwerth y byd yn grwn** *worth the whole wide world* '**Er cymaint y gwerthfawrogwn ei sylw, a'r gymhariaeth, petai wedi dweud 'Spencer Tracy' buasai hynny wedi bod yn werth y byd yn grwn**' *Although I appreciated his attention, and the comparison, if he had said 'Spencer Tracy' that would have been worth the whole wide world* (John Ogwen, 1996: 143).

Gweud 1 SW *to say* '**Dim ond gweud o'n i bod hi 'di 'neud ambell i bwynt digon teg**' *I only said that she'd made the odd fair point* (Geraint Lewis, 1995: 29). **2 gweud llai** SW *to disagree* "**Sa funed ... Alli di ddim bìdo am [yr anifail] hwnna.' 'Wel ma' fe hytrach yn 'sgyrnog, wy' ddim yn gweud llai ...**" *'Wait a minute ... You can't bid for that [animal].' 'Well it's rather boney, I don't disagree ...'* (Meirion Evans, 1997: 89).

Gwialen (lit *rod*) CW *knob, penis, willy* "**O ie? Paid gweud bod dy wialen di 'di torri.' 'Ma' rhywbeth wedi blydi digwydd iddi 'no. Paid gweud wrth neb, wnei di**" *'Oh yeah? Don't tell me that your knob's snapped.' 'Something's happened to it there. Don't tell anyone, will you'* (Geraint Lewis, 1995: 45).

Gwib *flash* **ar wib** *at full speed, in a flash* '**Sgrialodd y bachgen bach ar wib o'r ystafell**' *The little boy scarpered out of the room in a flash* (Wiliam Owen Roberts, 1987: 122).

Gwidw SW *widow* '**Pam ddylen i ishte yn tŷ fel gwitw, a fynte'n galafantan o fore gwyn tan nos?**' *Why should I sit in the house like a widow, and he's galavanting about morning, noon and night?* (Dafydd Rowlands, 1995: 16).

Gwir 1 *true* (after nouns) '**Un o'r pentrefi mwyaf teyrngar a phleidiol i'w côr oedd Aber-craf ym mhen uchaf Cwm Tawe. Pentre glofaol gyda'i ddiwylliant gwir Gymreig**' *Abercrave at the top of the Swansea Valley was one of the most loyal and supportive villages to its choir. A mining village with*

its true Welsh culture (Edgar ap Lewys, 1986: 78). **2** *real* (before nouns) '**gwir ofid**' *real fear* (Peter Wynn Thomas, 1996: 210). **3** *true* (noun) '**Smo ti moyn i nhw ddodi crasfa iti? Gwir yn erbyn y byd yndefe? Ti'n siomi fi w**' *You don't want them to beat you up? The truth against the world isn't it? You disappoint me mate* (Dafydd Huws, 1978: 57) (* **y gwir yn erbyn y byd** line from the National Eisteddfod when the Archdruid chairs or crowns the bard). **4 ar fy ngwir** CW *honestly, really* '**Ar fy ngwir, popeth yn iawn ... colli fy limpyn am funud, mi wyddost amdana' i**' *Honestly, everything is fine ... lost my temper for a minute, you know me* (John Gwilym Jones, 1976: 12). **5 gwir neu gau** *true or false* '**Mae'r llinell denau rhwyng realiti ac anwiredd, y gwir a'r gau, yn cael ei chymylu ymhellach**' *The thin line between reality and untruth, the true and the false, is further clouded* (*Golwg*, 9 March 1995: 10). **6 y gwir amdani** *the fact of the matter, the truth about it* '**y gwir amdani yw nad oes yr un Seneddwr yng Nghymru, gan gynnwys yr Arlywydd, sy'n gymaint meistr ar hanfodion gwleidyddiaeth ddemocrataidd**' *the truth about it is that there isn't a single Parliamentarian in Wales, including the President, who is such a master of the essence of democratic politics* (Gareth Miles, 1995: 59). **7 yn wir** *indeed, really* '**Lleferai 'W.R.' hi 'fel un ag awdurdod ganddo', fel, yn wir, y llefarai bopeth arall**' *'W.R.' spoke about it 'like one with authority', as, indeed, he spoke about everything else* (Dic Jones, 1989: 120). **8 yn wir i ti/chi** *really, you can be sure* '**A wir i chi, fe fues i'n eitha llwyddiannus hefyd**' *And really, I was quite successful as well* (Lyn Ebenezer, 1986: 26). **9 yn wir Dduw i ti/chi** CW *honest to God, you can be sure to God* '**Ond yn wir Dduw i ti, yr oedd y gwaith yn gythreulig o anodd**' *But honest to God, the work was really hard* (* see also **wir**).

Gwirfodd *goodwill* **o'm gwirfodd** *of my own accord, voluntarily* "**Lle mae Tincar Saffrwm?' oedd ei gwestiwn cynta fo. 'Hefo'r Gwylliaid, syr,' meddai Pererin Byd. 'O'i wirfodd ynta o'i anfodd?**" *'Where's Tincar Saffrwm?' was his first question. 'With the Wild Ones, sir,' said Pererin Byd. 'Of his own accord or against his will?'* (Robin Llywelyn, 1992: 26).

Gwirion NW *stupid* **gwirion bost** NW *totally stupid* '**Chwiliwn am wynebau a lleisiau newydd ... Neb sobor, a neb gwirion bost!**' *We are looking for new faces and voices ... Nobody sober, and nobody totally stupid!* (*Golwg*, 25 March 1993: 23).

Gwirionedd *truth* **mewn gwirionedd** *in fact, in reality* '**Mewn gwirionedd 'dyw pethau erioed wedi bod yn well i'r cwsmer diwylliannol**' *In reality, things for the cultured customer have never been better* (*Western Mail*, 21 May 1994: (weekender) 4).

Gwirioni LW NW **dwlu** LW SW **hurto** LW SW *to dote* '**dydy pawb ddim yn gwirioni'r un fath**' (lit *not everyone dotes the same way*) NW *each to their own* '**Mae synnwyr digrifwch, fel synnwyr cyffredin mae'n debyg, yn rhywbeth sy'n gwahaniaethu'n arw o berson i berson - 'nid yw pawb yn gwirioni'r un fath**" *A sense of humour, like common sense it* appears, is something that differs greatly from person to person - 'each to their own' (*Golwg*, 12 January 1995: 29).

Gwisgo to dress, to wear **gwisgo amdanaf** to get dressed '**[Roedd] Mam isio'r crystia wedi eu torri odd' ar ei thost ac isio help i wisgo amdani a llnau ei dannadd gosod**' *Mam wanted the crusts cut off her bread and wanted help to get dressed and clean her false teeth* (Margiad Roberts, 1994: 236).

Gwitho (< **gweithio**) SW to work '**Pan on i'n gwitho gyda ewythr i fi wedyn, odd e'n prynu gelltydd o god gwern**' *When I used to work with an uncle of mine afterwards, he used to buy woodlands of alder trees* (speaker in Christine Jones and David Thorne (eds.), 1992: 75).

Gwithwr (< **gweithiwr**) SW *worker* '**Rodd haliers gwaith glo 'slawer dydd yn câl 'u cyfrif yn ddosbarth arbennig o withwrs tan ddiar**' *The coal hauliers in the past were considered a special class of workers underground* (Edgar ap Lewys, 1977: 36).

Gwiw *fit* (**nid oes**) **wiw i mi wneud rhywbeth** NW *I dare not do something, woe betide me [if I did] something* '**Mae Raymond yn ddiawl o dynnwr coes a does wiw i chi ddweud dim byd wrth fo neu mi fydd o'n tynnu'r pis allan ohonach chi am ddiwrnodia**' *Raymond is a bugger for leg-pulling and you daren't say anything to him or he'll take the piss out of you for days* (Twm Miall, 1988: 108) (* see also **fiw**).

Gwlad *country, land* **1 gwlad y gân** (lit *the land of song*) CW rhetorical name for Wales '**Fe fu cyfres ddiwethaf** *Canrif o Gân* **gyda'r rhaglenni mwyaf poblogaidd ar y Sianel Gymraeg erioed. Mae'n awgrymu fod Cymru yn parhau i hawlio'r disgrifiad 'gwlad y gân'**' *The series* Canrif o Gân *was one of the most popular programmes on the Welsh Channel ever. It suggests that Wales can still claim the description 'the land of song'* (*Sbec TV Wales*, 3 June 1995: 4). **2 gwlad y medrau** (lit *land of abilities*) CW rhetorical name for Anglesey '**Un o Fôn ydi Gwenda, a medraf ddweud â pheth awdurdod fod pobl yr ynys yn wahanol i weddill trigolion Cymru. 'Moch Môn', 'Gwlad y Medra' a mwy - gallaf dystio fod y llu disgrifiadau ohonynt yn agos i'w lle**' *Gwenda is from Anglesey, and I can say with some authority that the people of the island are different from the rest of the inhabitants of Wales. 'Moch Môn', 'Gwlad y Medra' and more - I can confirm that the variety of descriptions of them are close to the mark* (Meic Povey, 1995(ii): 10). **3 gwlad y menig gwynion** (lit *the land of the white gloves*) CW rhetorical name for Wales '**Ar yr un pryd yma yng Ngwlad y Menig Gwynion, roedd ymgeisydd senedd Ewrop aflwyddiannus ...**' *At the same time here in Wales, there was an unsuccessful European parliamentary candidate ...* (*Barn*, September 1994: 10) (* white gloves were worn by judges in the nineteenth century when there were no cases to try; they thus became synonymous with law and order). **4 gwlad y 'wês wês'** see **O** (Pronunciation). **5 hen wlad fy nhadau** (lit *land of my fathers*) CW rhetorical name for Wales '**Fe glywch chi'r gymeradwyaeth**

yn chwyddo wrth i'r gantores droi a thalu teyrnged osgeiddig i'r gŵr sy'n gyfrifol am ei darbwyllo i ddychwelyd i Hen Wlad ei Thadau' *You'll hear the applause increasing as the singer turns and pays graceful respect to the man who is responsible for persuading her to return to the Land of her Fathers* (Gareth Miles, 1995: 20) (* **hen wlad fy nhadau** is the first line of the Welsh national anthem). **6 y Wlad Well** (lit *the Better Country*) CW *heaven* "**Bachan,' meddai Gwdig wrtho amser cinio, ''rwyt ti'n gwmws fel petaet ti'n gweld y Wlad Well yn y bolwen salad 'na''** '*Mate,' said Gwdig to him lunchtime, 'you're exactly as though you've seen heaven in that salad bowl*' (Islwyn Ffowc Elis, 1990(i): 87) (* from Hebrews 11:16). **7 yr hen wlad** (lit *the old country*) CW rhetorical name for Wales '**rydw i wedi ffeindio fod modd cynyddu cryn dipyn ar allforion yr hen wlad yma trwy werthu ambell daflegryn neu ddau**' *I've found the way to increase significantly exports from Wales is via selling the odd missile or two* (*Western Mail*, 23 May 1995: 9).

Gwledydd *countries* **Gwledydd Prydain** (lit *the Countries of Britain*) *the British Isles* '**fe fyddai'n rhaid i ni fod yn ystyriol o leiafrifoedd ethnig eraill yng ngwledydd Prydain**' *we would have to be considerate towards the other ethnic minorities in the British Isles* (*Golwg*, 8 December 1988: 13).

Gwlei (< **fe goeliaf i**) SW *I believe, I think* '**Mae pob plentyn a fu erioed, gwlei, â rhyw eirfa fach breifat**' *Every child there has ever been, I think, has had some small private vocabulary* (Dic Jones, 1989: 13).

Gwlyb *wet* **1 gwlyb diferu** *dripping wet, soaking wet* '**[Yr oeddynt] yn gorwedd yn y cleisiau yn wlyb diferu**' *[They were] lying in the ditches soaking wet* (Dic Jones, 1989: 76). **2 gwlyb diferyd** NW *dripping wet, soaking wet* '**Roedd ei geseiliau'n socian a'i lawes yn wlyb diferyd**' *His armpits were soaking and his sleeve was dripping wet* (Wiliam Owen Roberts, 1987: 64). **3 gwlyb domen** CW *dripping wet, soaking wet* '**Rhedodd Steffan yn wlyb domen ar f'ôl i drwy'r lolfa**' *Steffan ran dripping wet after me through the lounge* (Mihangel Morgan, 1993(ii): 90). **4 gwlyb socian** *dripping wet, soaking wet* '**Cyrhaeddodd [ef] y porth mewn byr o dro yn wlyb socian**' *[He] reached the gate in next to no time soaking wet* (Wiliam Owen Roberts, 1987: 289). **5 gwlyb stecs** SW *dripping wet, soaking wet* **Mae'r got yn wlyb stecs** *The coat is dripping wet.*

Gwn LW NW **dryll** LW SW *gun*

Gwn i, gwyddost ti etc. see Appendix 2.06(iv).

Gwnaf i, gwnei di etc. see Appendix 2.06-2.08.

Gwnawd see Appendix 12.04(iv).

Gwnawn i, gwnaet ti etc. see Appendix 5.08(iii).

Gwnelen i, gwnelet ti etc. see Appendix 5.08(iii).

Gwnes i, gwnest ti etc. see Appendix 4.05(iii), 4.06.

Gwnesen i, gwneset ti etc. see Appendix 5.08(iii).

Gwnesim i see Appendix 4.05(v).

Gwnetho i see Appendix 4.05(v).

Gwneud *to do, to make* 1 ei gwneud hi am rywle *to head for somewhere* 'mi fydda'n mynd allan o tŷ'n slei bach heb i neb ei gweld hi, a'i gneud hi am Berllan' *she would surreptitiously leave the house without anyone seeing her, and would make for Berllan* (Caradog Prichard, 1961: 105). 2 gwneud â rhywun *to get on with someone* 'Nid yn unig dwi ddim yn gallu gwneud efo pobol adra, dwi'n methu gwneud efo neb' *Not only can't I get on with people at home, I can't get on with anyone* (Angharad Tomos, 1985: 55). 3 gwneud ati *NW to make a point (of something)* 'Y gwirionedd ydi dy fod ti i weld yn gwneud ati i'n brifo ni i gyd' *The truth is that you are seen to be making a point of hurting us all* (Meic Povey, 1995(i): 21). 4 gwneud yn fawr o rywbeth *to make the most of something* 'Gwna'n fawr o'r cyfla siŵr a rhoswch am dridia!' *'Make the most of the opportunity of course and stay for three days!* (Margiad Roberts, 1994: 192). 5 gwneud yn iawn am rywbeth *to make up for something* 'Yn ystod misoedd y gaea', mae Gwesty Llyn Fyrnwy ger Llanwddyn ym Mhowys, yn cynnig *'Brolly Breaks'* - i wneud iawn am y ffaith bod yr adeilad wedi ei leoli yn un o ardaloedd mwya' anghysbell (a gwlyb) Cymru' *During the winter months, Llyn Fyrnwy Hotel near Llanwddyn in Powys is offering 'Brolly Breaks' - to make up for the fact that the building is located in one of the most remote (and wet) areas in Wales* (Golwg, 9 March 1989: 16).

Gwneuthum i, gwnaethost ti etc. see Appendix 4.05(iii), 4.06.

Gŵr *husband, man* 1 gŵr bonheddig *gentleman* 'Dw i wedi bod i weld y doctor, doctor newydd, Dr Mansel Lloyd. Cymro glân, pur, a gŵr bonheddig hefyd' *I've been to see the doctor, a new doctor, Dr Mansel Lloyd. A fluent Welsh speaker, and a gentleman as well* (Mihangel Morgan, 1994: 90). 2 y gŵr drwg *the devil* 'Mi fedra i redag fel tae'r gŵr drwg 'i hun yn 'y nilyn i' *I can run as though the devil himself was following me* (Jane Edwards 1989: 39). 3 cas gŵr ni châr y wlad a'i maco *proverb hateful is the man who does not love the land that rears him* (the following example is a pun on the above) 'Fel un sy'n teithio o Gymru yn lled aml gan fwynhau peidio â gorfod meddwl rhyw lawer am Gymreictod, gallwn daeru fy mod yn llai o Gymraes o dipyn erbyn hyn. Cas gŵr na chasao'r wlad a'i maco, falle' *As someone who travels away from Wales fairly frequently enjoying not having to think very much about Welshness, I can contend that I am a fair bit less of a Welshwoman by now. Hateful is the man who does not hate the land that rears him perhaps* (Western Mail, 6 August 1996: 11).

Gwragedd *wives; women* 1 bwrw hen wragedd a ffyn (lit *to rain old women and sticks*) *to pour with rain, to rain cats and dogs* 'Haf oedd hi, a than yr wsnos honno roedd y glaw wedi bod yn pistillio - hen wragedd a ffyn go iawn - a phawb efo wyneba hirion ers tro' *It was the summer, and until that week the rain had been pouring down - real cats and dogs - and everyone had had long faces for ages* (Meic Povey, 1995(ii): 57).

Gwraidd *LW roots* wrth wraidd rhywbeth *at the root of something* (figuratively) 'Mae'n amlwg mai dynion sydd wrth wraidd llawer iawn o'r dywediadau hyn' *It's obvious that men are at the root of a lot of these sayings* (Mary Wiliam, 1978: 39).

Gwrando *to listen* gwrando'n astud *to listen intently* 'Gwrandewais yn astud eto ond ni chlywais ddim' *I listened intently again but I didn't hear anything* (Angharad Tomos, 1982: 17).

Gwreiddyn *root* gwreiddyn pob drwg *the root of all evil* 'rhyw yw gwreiddyn pob drwg' *sex is the root of all evil* (Golwg, 25 February 1993: 5).

Gwreng *LW folk, ordinary people* gwreng a bonedd *LW ordinary people and the aristocracy* 'Nid oes fawr o amheuaeth fodd bynnag mai ymladd teirw aiff â bryd a diddordeb y mwyafrif o'r Sbaenwyr yn wreng a bonedd' *There isn't much doubt however that bullfighting takes the fancy and interests the majority of both ordinary and aristocratic Spanish people* (R. Emyr Jones, 1992: 112).

Gwrthwyneb *opposite* i'r gwrthwyneb *on the contrary, to the contrary* 'Does fawr o dystiolaeth fod cynlowyr wedi cael hyfforddiant da ... I'r gwrthwyneb, mae'r unig astudiaeth lawn ... yn dangos fod llai nag un glowr ym mhob wyth wedi mynd ar gynlluniau ail-hyfforddi' *There isn't much evidence that former miners get good training ... On the contrary, the only full study ... shows that less than one miner in every eight has been on retraining schemes* (Golwg, 21 September 1989: 13).

Gwrych *LW NW* perth *LW SW Powys* shetin *Powys hedge*

Gwrychyn *bristles* codi fy ngwrychyn *to raise my heckles, to annoy me* 'Does dim llawer yn codi gwrychyn Iolo, ar y cyfan mae'n foi gweddol oddefgar' *Not a lot annoys Iolo, on the whole he's a fairly tolerant lad* (Western Mail, 10 June 1995: 2).

Gwth *thrust* 1 gwth o wynt *gust of wind* 'Cododd gwth o wynt o rywle a bagiodd de Venette ar ei union i borth yr eglwys' *A gust of wind rose up from somewhere and de Venette moved backwards straightaway into the gate of the church* (Wiliam Owen Roberts, 1987: 238). 2 mewn gwth o oedran *in ripe old age* 'Ei dad, John Jones, er ei fod mewn gwth o oedran erbyn hynny, a ofalai am y fferm fechan' *His father, John Jones, although he was in ripe old age by then, used to look after the farm* (Alan Llwyd, 1994: 22) (* this idiom is no longer in the 1988 Bible (see Luke 1:7), but is still common in CW).

Gwybed *LW CW* chwiw(s) *Arfon gnats*

Gwybod *to know* (a fact) 1 am wn i *as far as I know, I imagine, I suppose* 'Ma' gan bawb, am wn i, eu diddordebe arbenigol eu hunen' *Everyone's got, I suppose, their own special interests* (Dafydd Rowlands, 1995: 91). 2 cael gwybod am rywbeth *to be informed about something, to find out about something* 'byddai'n ddiddorol cael gwybod pa [ddywediadau] sy'n dal i gael eu trosglwyddo' *it would be interesting to find out about which [sayings] are still being passed on* (Mary Wiliam, 1978: 50). 3 dim i mi wybod *NW not as far as I know*

"Ddeudodd hi rwbath?' 'Ddim i mi wybod. Fuo hi ddim yno ddau funud" *'Did she say anything?' 'Not as far as I know. She wasn't there two minutes'* (Eigra Lewis Roberts, 1985: 62). **5 'does wybod** NW *there's no knowing, who knows* **'Mae'n dda'n bod ni wedi cyrraedd mewn pryd neu does wybod pwy fasa wedi mynd â'n sêt ni'** *It's good that we arrived in time or there's no knowing who would have taken our seat* (Jane Edwards, 1989: 21). **6 heb yn wybod i mi** *without my knowing* **'Amal i waith, wy di sefyll fanna, heb yn wbod i ti Scoot, yn edrych arnot ti'** *Several times, I've stood there, without you knowing Scoot, looking at you* (Sion Eirian, 1995: 55). **7 hyd y gwn i** *as far as I know* **'A doedd hi ddim yn ardal arbennig o dlawd hyd y gwn i'** *And it wasn't an especially poor area as far as I know* (Angharad Tomos, 1985: 50). **8 pwy a ŵyr** *who knows* **'Pwy a ŵyr, efallai ein bod ar drothwy oes aur y gohebydd tramor Cymraeg?'** *Who knows, perhaps we are on the threshold of the golden age of the Welsh foreign correspondent?* (*Llais Llyfrau*, Summer 1994: 12).

Gwyddwn i, gwyddet ti etc. see Appendix 5.08(iv).

Gŵyl *festival* **gŵyl a gwaith** (lit *holiday and work*) *work and play* **'Gwefr [y gyfres deledu] yw'r cwlwm anwahanadwy sydd yn cael ei greu rhwng person a'r swyddog, rhwng bywyd a'r job, rhwng gŵyl a gwaith'** *The excitement [of the television series] is the inseparable link created between a person and the officer, between life and the job, between work and play* (*Television Wales*, 28 January 1996: 14).

Gwyllt *wild* **1 cael y gwyllt** LW NW *to go mad* (with anger) **'Pa hawl o'dd gynni hi i drin dyn fel hyn? Dyma fi'n dechrau cael y gwyllt'** *What right had she to treat a man like this? I started to get mad* (Dafydd Huws, 1990: 20). **2 gwyllt cacwn** (lit *hornet mad*) *furious* **"Taw, Lewis, 'nei di,' medda Huws yn wyllt gacwn'** *'Be quiet, Lewis, will you,' said Huws furiously* (Twm Miall, 1988, 78) (* less commonly **cacwn wyllt**, eg **'Aeth Miss John yn gacwn wyllt a bu bron iddi gael gwasgfa'** *Miss John became furious and she almost fainted* (Mihangel Morgan, 1994: 73)).

Gwylltio *to go mad* **1 gwylltio'n gaclwm** LW NW *to become furious* **'Er mawr benbleth i bawb fe wylltiodd Helmut yn gaclwm'** *To everyone's consternation Helmut became furious* (*Western Mail*, 17 May 1994: 11). **2 gwylltio'n gacwn** LW NW *to become furious* **'Fe fydden nhw'n hoffi cael gweithio'u tir yn ystod y gwanwyn hwn - maen nhw'n gwylltio'n gacwn pan fyddwn ni'n ceisio dweud fod yna lawer o waith'** *They would like to be able to work their land during this spring - they get furious when I try to tell them that there's lots of work* (Dylan Iorwerth, 1993: 121).

Gwylltu SW *to go mad* **'Miwn sefyllfa fel hyn, chwel, bois, ma' ishe mesur a phwyso'n ofalus. Sdim ishe gwylltu'** *In a situation like this, you see, lads, one has to weigh up things carefully. You don't need to go mad* (Dafydd Rowlands, 1995: 67).

Gwyn *white* **gwyn** is used after a term of affection for emphasis **"Dw i'n gwbod, 'y mabi gwyn i,' meddai ei mam a chodi i'w chofleidio'** *'I know, my love,' her mother said and lifted her up to hug her* (Jane Edwards, 1993: 16).

Gwyndodeg see Appendix 20.

Gwyneb (< wyneb) CW *face* **'fe drows 'i gwyneb hi'n goch, - piws, - glas, - du a gwyn 'run pryd'** *Her face turned red, - purple, - blue, - black and white at the same time* (Edgar ap Lewys, 1977: 24).

Gwynegu LW SW **cosi** LW NW *to ache, to throb*

Gwynegon LW SW **cryd cymalau** LW NW *arthritis, rheumatism*

Gwynt 1 *wind* **'allan yn y bae roedd gwynt ffres yn cribo ar hyd wyneb y dŵr'** *out in the bay there was a fresh wind combing the face of the water* (Sonia Edwards, 1993: 35). **2** *breath* **'Clustfeiniodd Ibn ar y ddau yn siarad dan eu gwynt'** *Ibn eavesdropped on the two talking under their breath* (Wiliam Owen Roberts, 1987: 80). **3 gwynt** LW SW **aroglau** LW NW **sawr** LW CW *smell* **"Gwynt ffein 'ma, Da-cu.' 'O's, mae e. Cin'o jest yn barod"** *'Fine smell here, granddad.' 'Yes, it is. Dinner's just about ready'* (Dafydd Rowlands, 1995: 80). **4 â'm gwynt yn fy nwrn** (lit *my breath in my fist*) *out of breath* **'Y nesaf i bystylu drwy ddrws y cwt oedd y rheolwr ei hun a'i wynt yn ei ddwrn'** *The next person to stumble into the shed was the manager himself out of breath* (Alun Ffred and Mei Jones, 1990: 73). **5 cael fy ngwynt ataf** *to get my breath back* **'Yr oedd Ibn al Khatib wedi oedi ar gyrion muriau dinas o'r enw Lucca (ychydig i'r gogledd o Fflorens) er mwyn cael ei wynt ato'** *Ibn al Khatib had paused on the edge of the walls of a city called Lucca (a bit to the north of Florence) in order to get his breath back* (Wiliam Owen Roberts, 1987: 98). **6 gwynt teg ar eich ôl** (lit *fair wind to you*) *good riddance to you* **'Doedd e erioed wedi caru Seraffina. Roedd hi a Lewis yn haeddu ei gilydd. Gwynt teg ar eu holau'** *He had never loved Seraffina. She and Lewis deserved each other. Good riddance to them* (Mihangel Morgan, 1993(ii): 69).

Gwyntio LW SW **arogleuo** LW NW **sawru** LW SW *to smell*

Gyda see Appendix 13.05-13.06.

Gydol (< cydol) **trwy gydol** (y flwyddyn/yr wythnos etc.) *throughout* (the year/the week etc.) **'Dim ond yn 1979 y cafodd ffan ei gosod yn y ffowndri lle bu'n gweithio trwy gydol ei oes'** *A fan was only put in in 1979 in the foundry where he had worked throughout his life* (Golwg, 12 April 1990: 17).

Gyddfau *throats* **yng ngyddfau ei gilydd** *at each other's throats* (argument) **'[Mae e wedi gweld y] cyfla i hyrwyddo cyd-ddealltwriaeth rhwng dwy garfan o Gymry sydd wedi bod yng ngyddfau'i gilydd'** *[He has seen the] opportunity to promote understanding between two groups of Welsh people who have been at each other's throats* (Gareth Miles, 1995: 44).

Gynno fo, gynni hi etc. see Appendix 13.05-13.06.

Gyrru 1 *to drive* **"Roedd rhywbeth yn fy ngyrru 'mlaen"** *Something was driving me on* (Lyn Ebenezer, 1986: 40). **2** LW NW *to send* **'O'n i'n gwybod mai**

camgymeriad oedd d'yrru di' *I knew it was a mistake sending you* (Wiliam Owen Roberts, 1990: 139). **3 gyrru arni** *to keep at it, to persevere* **Rhaid gyrru arni i orffen y job** *You've got to keep at it to finish the job.* **4 gyrru fel Jehu** (lit *to drive like Jehu*) *to drive like mad, to drive fast* **'Yna, heb edrych i na de na chwith, gyrrodd fel Jehiw am Finafon'** *Then, without looking to the right or left, he drove like mad for Minafon* (Eigra Lewis Roberts, 1985: 104) (* from 2 Kings 9:20). **5 gyrru ias i lawr fy nghefn** *to send a shiver down my spine* **'Mae meddwl am fyw am byth yn gyrru ias i lawr fy nghefn'** *Thinking about living forever sends a shiver down my spine* (*Golwg*, 28 May 1992: 11). **6 gyrru rhywun yn sowldiwr** (lit *to drive someone to be a soldier*) NW *to test someone's patience* **'Siarada drosta dy hun co bach, medda fi wrth yn hun. O'dd o wedi 'ngyrru fi'n soldiwr'** *Speak for yourself mate, I said to myself. He was testing my patience* (Dafydd Huws, 1990: 61) (* the army was formerly seen as offering such a poor life that one had to be driven to extremes to enlist).

NG ng

'Ngwas i see gwas (2).

H h

Haearn *iron* **fel haearn Sbaen** (lit *like Spanish iron*) CW *as hard as rock, rock hard* **'mae cyhyrau'i galon o'n sobor o lipa a'i wythiennau o fel haearn Sbaen'** *the muscles of his heart are terribly weak and his veins are as hard as rock* (Huw Roberts, 1981: 66).

Haf *summer* **haf bach Mihangel** *Indian summer* **'Am ennyd, meddyliodd mor braf fyddai byw mewn gwlad lle byddai'n ha bach Mihangel di-dor gydol y flwyddyn'** *For a moment, he thought how fine it would be to live in a country where it was an endless Indian summer throughout the year* (Wiliam Owen Roberts, 1987: 19).

Haidd LW NW **barlys** LW SW *barley*

Hala 1 SW *to send* **'Halodd e'r fform miwn'** *He sent the form in* (Eirwyn George in Gwyn Griffiths (ed.), 1994: 20). **2** SW *to spend* (time) **'Wêdd shopwr wedi riteiro ar ôl hala'i o's in y dre in neud 'i ffortiwn'** *A shopkeeper had retired after spending his life in the town making his fortune* (Morgan John in Gwyn Griffiths (ed.), 1994: 30). **3** SW *to spend* (money) **'Wit ti'n gwbod faint o arian wên i'n ga'l i hala bob wthnos?'** *Do you know how much money I used to get to spend every week?* (Nora Richards in Gwyn Griffiths (ed.), 1994: 59). **4 hala ofn ar rywun** SW *to frighten someone* **'Wedi rhedeg am amser o'u cwmpas a gweiddi i hala ofn arnyn nhw, llwyddasant i gorlannu pump o'r merlod'** *After running for a while around them and shouting in order to frighten them, they succeeded in rounding up five of the ponies* (Nansi Selwood, 1987: 272). **5 hala rhywun i feddwl** SW *to cause someone to think* **'Miwn tipyn gweles rhyw ddinion in mynd lan y steire, ac in hala fi feddwl am garcharorion ar 'u ffordd i ga'l 'u crogi'** *After a while I saw some men going up the stairs, and this made me think about prisoners on their way to be hanged* (Nora Richards in Gwyn Griffiths (ed.), 1994: 94). **6 hala rhywun yn benwan** SW *to drive someone mad* **'Fel mae, ma' cadw lan 'da gwaith cartre jyst â'n hala i'n benwan'** *As it is, keeping up with homework just about drives me mad* (John Owen, 1990: 134)

Halen *salt* **rhoi halen yn y briw** *to rub salt in the wound* **'Sgwennist ti ddim naddo. I be wyt ti'n rhoi halen yn y briw rŵan?'** *You didn't write, did you. Why do you want to rub salt in the wound now?* (Robin Llywelyn, 1994: 160).

Halio (lit *to pull*) CW *to masturbate, to wank* **'Faint ddoi di pan wyt ti'n halio ...?'** *How much do you come when you wank ...?* (Twm Miall, 1988: 122).

Hambygio NW *to bother* (health) **'Be sy? Dy stumog di'n dy hambygio di, ia?'** *What's the matter? Your stomach bothering you, eh?* (Sonia Edwards, 1994: 124).

Hances (boced) LW NW **cadach poced** LW NW **ffunan boced** Anglesey **hancsiar** Dyfed **macyn** LW SW **neisied** LW Glam **nicloth** Dyfed *handkerchief*

Handi (<E *handy*) CW *quick(ly), sudden(ly)* **'Gofyn ichdi neud dy nyth yn rwla'n o handi ddweudwn i'** *You have to make your nest somewhere really quickly I'd say* (Robin Llywelyn, 1994: 102) (* see also **reit (5)**).

Hanes 1 *history* **'Ond o daro'r hanes ar bapur, efallai fod modd didoli rhai ffeithiau'** *But by putting the history on paper, perhaps it is possible to separate some of the facts* (Wiliam Owen Roberts, 1990: 11). **2** CW *about* **'Drudwen? Gwbod dim o'i hanes'** *Drudwen? Know nothing about her* (Margiad Roberts, 1994: 138). **3** CW *news* **''Sgen ti hanas job yn Gaerdydd 'ma?'** *You got any news of a job here in Cardiff?* (Twm Miall, 1990: 13). **4** CW *life* **'Methiant fu dy hanas di rioed, Tom'** *Your life was always a failure, Tom* (Meic Povey, 1995(ii): 44).

Hanfod *essence* **1 o'i hanfod** *in essence* **'Cafwyd rhywbeth syml, bron yn arwynebol ... ac nid berniadaeth ydi hynny o'i hanfod'** *One had something simple, almost superficial ... and that in essence is not a criticism* (*Barn*, February 1995: 26). **2 yn ei hanfod** *in essence* **'Magwraeth wledig yn ei hanfod oedd fy magwraeth i'** *My childhood was a rural childhood in essence* (Alan Llwyd, 1994: 29).

Hanner *half* **1 (ddim) hanner call** (lit *(not) half sensible)* CW *not all there, nuts* **'Welaist ti'r dyn yna ddoth i mewn gynna? medda fo. Do, medda fi. Dydy o ddim hanner call, wsti'** *Did you see that bloke who came in just now? he asked. Yeah, I said. He's not all there you know* (Caradog Prichard, 1961: 192) (*also in SW **(ddim) yn hanner call a chrac)** (** see also **chwarter** (1) and **call** (2)). **2 hanner pan** (lit *half baked)* NW *not all there, nuts* **"Elin Ann hannar pan' ydi ei nic-nêm hi, a hynny am ei bod hi'n deud rhyw betha hannar-pan drwy'r amser'** *'Elin Ann hannar pan' is her nickname, and that's because she says some half mad things all the time* (Twm Miall, 1988: 69). **3 o'r hanner** *by half* **'Mi ddaeth saith o'r gloch y bora yn rhy sydyn o'r hannar'** *Seven o'clock in the morning came too suddenly by half* (Margiad Roberts, 1994: 150). **4 yn ei hanner** *in half* **'Hwda, mi dorra i hwn yn ei hannar i ti gael un hannar'** *Take this, I'll cut it in half so that you can have one half* (Caradog Prichard, 1961: 125).

Hap *chance, fate* **1 ar hap** *at random, by chance* **'Roedd dynes yn Woolworth y diwrnod o'r blaen yn rhoi llond ceg i'w ffrind iddi am ddewis ei rhifau [loteri] ar hap'** *There was a woman in Woolworth the other day giving her friend an earful because she chose her [lottery] numbers by chance* (*Western Mail*, 24 June 1995: (Weekender) 2). **2 ar/drwy hap a damwain** *at random, by chance* **'Serch hynny, nid ar hap a damwain y cyfeirias at fyd delfrydol'** *However, I didn't refer by accident to an ideal world* (Dewi Llwyd in Dylan Iorwerth (ed.), 1993: 134).

Hario *to exhaust, to tire* **'Golwg wedi hario arna chdi ... Ac ma' pob dynas feichiog angan hynny o orffwys geith hi'** *You look very tired ... And every pregnant woman needs whatever rest she can get* (Margiad Roberts, 1994: 11).

Harten (<E *heart*) CW *heart attack* **'Ac o'dd y Shad - wel o'n i yn meddwl 'i fod e'n mynd i ga'l harten'** *And there was Shad - well, I thought that he was going to have a heart attack* (John Owen, 1994: 194).

Haru (< *darfu*) **beth (sy) haru chi?** NW *what's the matter with you?* **'Tyd yn dy flaen. Be haru chdi? Oes gin ti boen yn dy fol ne rwbath?'** *Come on. What's the matter with you? Have you got a pain in your stomach or something?* (Jane Edwards, 1989: 13).

Hast SW *haste, hurry* **ar hast** SW *in a hurry* **'Mi 'dach chi ar hast garw, Magi Griffiths'** *You're in a great hurry, Magi Griffiths* (Eigra Lewis Roberts, 1985: 56).

Hastu SW **brysio** LW CW *to hurry*

Haul *sun* **1 bwrw haul** (lit *to rain sun)* NW *to rain in the sunshine* **'Yn y stydi yn y fan acw roedd yr arch, ond hi'n ola dydd a hitha'n bwrw haul pan oeddan ni'n cerddad efo'r Côr o Regwlys'** *The coffin was over there in the study, but it was daylight and raining in the sunshine while we were walking with the choir from the church* (Caradog Prichard, 1961: 30). **2 haul ar fryn** (lit *sun on hill)* *every cloud has a silver lining* **'gwyddwn y byddwn i yno lle bynnag y byddai'r tîm cenedlaethol yn chwarae. Rhaid i mi sefyll gyda nhw, boed haul ar fryn neu beidio'** *I knew I would be there wherever the national team was*

playing. *I have to stand by them, every cloud has a silver lining* (*Barn*, April 1995: 19).

Haws LW CW **hawddach** CW *easier* **beth ydw i haws?** NW *what's the point? what the use?* **'Ddeudis i y dylan ni fod wedi stopio i brynu rhwbath yn y Marks & Sparks 'na wrth ymyl Dover on'd do? Ond o'n i haws â deud?'** *I said that we should've stopped to buy something in that Marks and Sparks by Dover didn't I? But what's the point of speaking?* (Wiliam Owen Roberts, 1990: 175).

Hawsaf LW CW **hawddaf** CW *easiest*

Hawyr (< *ha wŷr*) **hawyr bach** SW *goodness me, heavens above* **'Ond am y 'faciwîs - hawyr bach, fe allech dyngu eu bod nhw'n berchen y siop'** *But concerning the evacuees - goodness me, you could swear that they owned the shop* (Dic Jones, 1989: 57).

Heb *without* **1 heb** is used in LW NW in the perfect and pluperfect tenses with positive forms to convey the negative: see Appendices 7-8. **2 heb os nac oni bai** *no ifs or buts, without doubt* **'Heb os nac oni bai, roedd y safle'n beryglus i'r cyhoedd'** *Without doubt, the situation was dangerous to the public* (*Yr Herald*, 12 November 1994: 8).

Hebof fi, hebot ti etc. see Appendix 16.07.

Hedfan LW SW **hedeg** LW NW **fflio** NW *to fly*

Heddi (< *heddiw*) SW *today* **'Beth sy'n dod â ti i'r dre 'eddi 'te, Bleddyn?'** *What brings you to town today, Bleddyn?* (Twm Miall, 1990: 104).

Hefo NW *with* **'Mi awn ni â brechdana hefo ni - a fflasg o de'** *We'll take some sandwiches with us - and a flask of tea* (Gwenlyn Parry1979: 61).

Hefru NW *to go on, to jabber on* **'Be 'dach chi'n hefru ddyn? Lol ydi siarad fel'na'** *What are you jabbering on about man? It's a nonsense to talk like that* (Meic Povey, 1995(ii): 30).

Heger (< *eger* < *egr*) NW *rough* **'Fachodd tin y nhrowsus i'n hegar yn y weiran bigog'** *The backside of my trousers caught roughly in the barbed wire* (Dafydd Huws, 1978: 24) (* see also **eger** (1)).

Heglu *to hotfoot it* **1 ei heglu hi** NW *to hotfoot it, to scarper off* **'Dw i'n siŵr fod pawb yn teimlo tosturi dros y trueniaid o Lerpwl a Maenceinion yn ei heglu hi'n ôl dros Glawdd Offa efo'n fideos o dan eu breichiau'** *I'm sure that everyone feels sorry for those poor souls from Liverpool and Manchester scarpering off back over Offa's Dyke with our videos under their arms* (*Wales on Sunday*, 26 February 1995: 17). **2 hegla/heglwch hi** NW *clear off* **'Heglwch hi'r diawliad'** *Clear off you bugger* (Eigra Lewis Roberts, 1985: 25).

Hel LW CW **hela** SW *to collect, to gather* **1 hel adref** *to drive home, to force home, to send home* **'Ydi pawb yn cael 'i hel adra o'r ysgol?'** *Is everyone being sent home from school?* (Meic Povey, 1995(i): 6). **2 hel achau** *to research one's backgound/lineage* **'Mae diddordeb y Cymro mewn hel achau a holi perfedd yn ddiarhebol'** *The Welshman's interest in researching his lineage and detailed questioning is proverbial* (Mary Wiliam, 1978: 88). **3 hel (allan) o**

rywle *to drive out of somewhere, to force out of somewhere* **'yn ôl stori arall eto y mae 'Siân Owen' yn cael ei hela allan o'r capel am iddi ddod i'r cwrdd yn rhodres i gyd yn ei siôl odidog'** *according to yet another story 'Siân Owen' is driven out of chapel because she came to the service full of pretension in her marvellous shawl* (Mihangel Morgan, 1994: 39). **4 hel (am) (law/storm etc.)** CW *to threaten (rain/a storm etc.)* **''Dwi'n credu 'i bod hi'n hel storm.' 'Ydi hi?' 'Cymyla duon dros Ben Foel!''** *'I think that it's threatening a storm.' 'Is it?' 'Black clouds over Ben Foel!'* (Gwenlyn Parry, 1979: 19). **5 hel atgofion** *to reminisce* **'A pha beth gwell i'w wneud yng nghanol rhewynt y gaeaf na hel atgofion melys am ddyddiau hirfelyntesog'** *And what better thing to do in the middle of the icy wind of winter than fondly reminisce about scorching hot days* (*Sbec TV Wales*, 31 December 1994: 11). **6 hel calennig** *to collect New Year's gifts* **'Roedd Gruffydd Ifans yn hen ŵr pan welais i ef gyntaf - tua 1921, a hynny ar ddiwrnod hel calennig. Byddem ni'r plant yn galw wrth bron bob tŷ yn y cwm. Ni fyddem yn cnocio nac yn agor y drws, dim ond galw yn uchel: ''Nghlennig i! 'Nghlennig i! A blwyddyn newydd dda i chi gyd.' Byddem yn cael ychydig bres new fwyd, neu oren ac afal efallai'** *Gruffydd Ifans was an old man when I saw him first - about 1921 and that was on the day for collecting New Year's gifts. Us children would call at just about every house in the valley. We would't knock or open the door, just shout loudly 'My New Year's gift! My New Year's gift! And a happy new year to you all.' We would get some money or food, or an orange and apple perhaps* (Simon Jones, 1989: 69) (* **hel calennig** is a traditional children's pastime of collecting presents on New Year's day from the neighbours, as the above example illustrates). **7 hel clecs** (lit *to collect gossip*) NW *to gossip* **'Pan wyt ti'n newyddiadura, ti'n siŵr o wneud gelynion, ond mae dull Hel Straeon yn wahanol, rwyt ti'n gwneud ffrindia', dwyt ti ddim yn hel clecs'** *When you're working as a journalist, you're sure to make enemies, but Hel Straeon's style is different, you make friends, you don't gossip* (*Golwg*, 10 October 1996: 13). **8 hel dail** (lit *to collect leaves*) *to avoid speaking plainly, to beat around the bush* **'Gwell imi ddweud wrtho ti, Vic, heb hel dail'** *Better I tell you, Vic, without beating around the bush* (Mihangel Morgan, 1993(ii): 57). **9 hel dynion** NW *to chase men* **'Mae hi'n meddwl fy mod i'n 'hel dynion', mi wn ei bod hi'** *She thinks that I'm 'chasing men', I know she does* (Mihangel Morgan, 1994: 11). **10 hel esgusion** *to make excuses* **'Ia, ond ma' hyn yn wahanol tydi,' medda fo a dechra hel esgusion'** *'Yeah, but this is different isn't it,' he said and started to make excuses* (Margiad Roberts, 1994: 109). **11 hel fy mhac** CW *to gather my things together, to set off* **'dyna sut rydw i'n teimlo'r dyddiau hyn wrth hel fy mhac unwaith eto'** *that's how I feel these days while gathering my things together for a journey once again* (*Yr Herald*, 12 November 1994: 2). **12 hel fy mol** CW *to eat, to fill my face* **'Yma yn hel 'i fol fydd o rhyw ben bob dydd'** *He's here sometime every day filling his face* (Wiliam Owen Roberts,

1987: 169). **13 hel fy nhamaid** (lit *to collect my bit*) (a) CW *to earn my living* **'Fe aeth i Lundain i hel ei damaid, ond nychu wnaeth o'** *He went to London to earn his living, but he languished* (Islwyn Ffowc Elis in Eleri Hopcyn (ed.), 1995: 32); (b) CW *to be promiscuous, to look for a bit on the side* **'Mae Petrog wedi bod yn ffeind iawn wrtha'i a chditha'n jolihoetian yn rhywle'n hel dy damaid'** *Petrog has been very nice to me as you live it up somewhere and look for a bit on the side* (Robin Llywelyn, 1994: 162). **14 hel fy nhraed** CW *to go, to leave, to wander around* **'Mi ddechreuodd o fy holi i yn eu cylch nhw ac a wyddwn i lle'r oeddan nhw wedi mynd i hel eu traed'** *He started to question me about them and if I knew where they had gone to wander around* (Twm Miall, 1988: 123). **15 hel llwch** *to gather dust, to become dusty* **'hel llwch mae popeth ar ben silffoedd'** *everything on top of shelves gathers dust* (Angharad Tomos, 1982: 27). **16 hel meddyliau** (a) *to brood, to think* **'Ar ei ffordd yn ôl i'w hofeldy mi ddechreuodd y taeog hel meddylia'** *On his way back to his hovel the serf started to think* (Wiliam Owen Roberts, 1987: 117); (b) *to reminisce* **'[Yr oedd] wynebu'r gaeaf yn llawer haws wrth hel meddylia am yr holide grêt yr oedd o wedi ei gael yn ystod yr haf'** *Facing the winter [was] a lot easier while reminiscing about the great holiday he'd had during the summer* (Twm Miall, 1988: 130). **17 hel mêl i'r cwch** (lit *to collect honey for the hive*) *to feather one's nest* **'Hogyn gwan wyt ti heb wybod be wyt ti isio yn y pen draw ... Mond i chdi gael hel chydig o fêl i dy gwch'** *You're a weak lad and don't know what you want in the long run ... Provided that you can feather your nest a bit* (Robin Llywelyn, 1994: 161). **18 hel merched** NW *to chase girls* **'Oedd byth cweit ddigon sobor i wneud dim. 'Blaw hel merchaid'** *He was never quite sober enough to do anything. Besides chase girls* (Meic Povey, 1995(ii): 19). **19 hel straeon** (lit *to collect stories*) NW *to gossip* **'Dydi rhai pobol yn gneud dim byd ond hel streuon trwy'r dydd'** *Some people do nothing but gossip all day* (Caradog Prichard, 1961: 56). **20 hel tai** (lit *to collect houses*) NW *to socialise, to visit friends* **'fydd o byth yn galw fel rheol a dydi o ddim yn un am hel tai chwaith'** *he never calls as a rule and he's not one for visiting friends either* (Twm Miall, 1988: 104). **21 hel tin** CW *to be promiscuous, to look for a bit on the side* **'Glywis i bod chdi'n un arw am hel dy din efo comis a stiwdants?'** *I heard that you're a keen one to go looking for sex with Commies and students?* (Gareth Miles, 1995: 29).

Help *help* **help llaw** *help, helping hand* **'Fe orfodwyd y cynghreiriaid a ryddhaodd frenhiniaeth ffiwdal Kuwait i roi help llaw am y tro i genedl hynafol na chafodd fyth gydnabyddiaeth deilwng gan y byd rhyngwladol'** *The allies who freed the feudal kingdom of Kuwait were forced to give a helping hand for the time being to an ancient nation that had never had proper recognition from the international community* (Guto Harri in Dylan Iorwerth (ed.), 1993: 61).

Helpu *to help* **a'm helpo** (< **Duw a'm helpo**) CW *heaven help me* **'Mae [hi]'n eu bodio, yn eu troi drosodd, yna mae'n rhoi cynnig ar agor y bag**

creision. A'n helpo' *[She] fingers them, turns them over, then she has a go at opening the bag of crisps. Heaven help us* (Angharad Tomos, 1991: 57).

Hen 1 *old* (before nouns) **'roedd o fel hen ddyn'** *he was like an old man* (Wiliam Owen Roberts, 1987: 335). **2** *ancient* (following nouns) **'byse ti heb golli dy helmet hen, gwd boi'** *you wouldn't have lost your ancient helmet, mate* (Edgar ap Lewys, 1977: 51). **3** *to add emphasis (the meaning depends on context)* **"Rhen Sasnes 'na'** *That bloody old Englishwoman* (Nansi Selwood, 1987: 211); **'Sut wyt ti'r hen gyfaill?'** *How are you my old friend?* (Robin Llywelyn, 1994: 161). **4 wedi hen (adael/fynd/gyrraedd etc.)** *long since (left/gone/arrived etc.)* **'Ac yr oedd [e] wedi hen anghofio bod y ffordd o'r pentref mor bell'** *And [he] had long since forgotten that the road from the village was so far* (Iswlyn Ffowc Elis, 1990(i): 180). **5 yr hen a ŵyr, yr ifanc a dybia** *the old know, the young suppose* **'Mae yna hen ymadrodd Cymraeg 'Yr hen a ŵyr, yr ifanc a dybia'. Ond ydi'r henwyr hyn yn siarad dros Gymru a Chymry sy'n wynebu'r ganrif newydd, sydd am weld gwlad fodern, ddeinamig a newydd - ynteu lleisiau'r gorffennol ydyn nhw?'** *There is an old Welsh saying 'The old know, the young suppose'. But do these old people speak for Wales and Welsh people who face the new century, who want to see a modern, dynamic and new country - or are they voices of the past?* (Golwg, 29 May 1997: 10).

Henach CW **hŷn** LW CW *older* **henach henach ffolach ffolach** *proverb the older the person the more stupid the person* **Ar ôl clywed rhai o sylwadau'r henoed yn ystod yr ymgyrch wleidyddol, mae'n wir i ddweud henach henach, ffolach ffolach** *After hearing some of the comments of the old people during the political campaign, it's true to say the older the person the more stupid the person.*

Henaf CW **hynaf** LW CW *oldest*

Henaint *old age* **henaint ni ddaw ei hunan** *proverb old age does not come alone* **"Henaint Ni Ddaw ei Hunan' oedd teitl y bennod ddiweddara', ond rwy'n rhyw deimlo fod y gyfres [deledu] ar ei hyd wedi blino'** *'Age Doesn't Come on its Own' was the title of the latest episode, but I felt a bit that the [television] series throughout had become tired* (Golwg, 29 September 1994: 29).

Henffych (well) LW *greetings* (archaic form of address that is occasionally used for rhetorical effect) **"Henffych gyfaill,' medda Bob sy'n iwshio'r geiria Cymraeg myll ma bob hyn a hyn'** *'Greetings friend,' said Bob who uses these stupid Welsh words every now and then* (Dafydd Huws, 1978: 22).

Heol *road, street* **heol fawr** SW *highway, main road* **'Wedi'r cyfan, gan amlaf byddem yn cwrdd â phlant Pen-ffin ar yr hewl fawr'** *After all, for the most part we would meet the Pen-ffin children on the main road* (Dic Jones, 1989: 44).

Hepian *to doze* **hepian cysgu** LW NW *to doze, to snooze* **'Mi ddiflannodd Anti Dil i fyny'r staer, ac mi ddechreuais inna hepian cysgu ar y soffa'** *Auntie Dil disappeared upstairs, and I started to snooze on the sofa* (Twm Miall, 1988: 167).

Hewl (< **heol**) SW *road, street* **'Erbyn hyn mi o'dd Wil wedi cyrra'dd i ben hewl y gwaith'** *By now Wil had arrived at the end of the works road* (Meirion Evans, 1997: 79).

Hi see Appendix 15.

Hidio *to heed* **1 hidia/hidiwch befo** (< *na hidia/hidiwch beth a fo*) NW *never mind* **'Hitia befo'r hen Chwaral na, medda Huw, mi awn ni am bicnic i Ben Rallt Ddu'** *Never mind about that old quarry, said Huw, we'll go for a picnic to Ben Rallt Ddu* (Caradog Prichard, 1961: 8). **2 (heb) hidio gronyn** NW *(not) to care a jot* **'Mi fydd yna amrywiaeth o bobl yn dod ata i. Pobl dysgedig a phobl heb hidio gronyn am addysg'** *A variety of people come to me. Educated people and people who don't care a jot about education* (Golwg, 12 September 1991: 20). **3 (heb) hidio taten** (lit *(not) to care a potato*) SW *(not) to care a jot* **'Dydan nhw'n hidio 'run daten amdanoch chi'** *They don't care a jot about you* (Golwg, 12 September 1991: 21). **4 na hidia/hidiwch** see Appendix 10.10(ii).

Hir LW CW **llaes** NW *long* (* **llaes** is used in reference to clothing here)

Hirach CW **hwy** LW CW *longer*

Hira(f) CW **hwyaf** LW CW *longest*

Hiraeth *homesickness, longing* **mae hiraeth arnaf** *I'm homesick* **'Mi fydd gen i gymaint o hiraeth weithiau nes bydda i'n trio anghofio bod gen i deulu'** *I'm so homesick sometimes that I try to forget that I've got a family* (Theatr Bara Caws, 1995: 86).

Hirbell *distance* **o hirbell** *at a distance, from afar* **"roedd y cyfryngau yn ffroeni cyffro a deunydd stori o hirbell'** *the media sniffed the excitement and story material from afar* (Alan Llwyd, 1994: 313).

Hisht CW *hush, shush* **'Hisht, 'achan ... paid â rhegi fel 'na'** *Shush, mate ... don't swear like that* (Morgan John in Gwyn Griffiths (ed.), 1995: 28).

Hithau see Appendix 15.05-15.06.

Hoeden NW *flirt, tart* **'[Archebodd y merched] eu *gins* a dychwelyd i eistedd wrth fwrdd bach bron gyferbyn â Tom. Dwy hoeden, reit i wala, a oedd wedi dewis eu bwrdd yn fwriadol agos i Tom'** *[The girls ordered] their gins and returned to sit at a small table almost opposite Tom. Two tarts, sure enough, who had deliberately chosen their table near to Tom* (Penri Jones, 1982: 136).

Hoelio *to nail* **hoelio sylw rhywun** *to grab someone's attention* **'Dygwyd [y lluniau a'r cerflunia] yma o hen egwlysi Catalonia ... Hoeliant eich sylw'** *[The pictures and statues] were bought here from Catalonia's old churches ... They grab your attention* (R. Emyr Jones, 1992: 108).

Hoelion *nails* **hoelion wyth** (lit *eight (inch) nails*) *big guns, stalwarts* **'Ymhlith hoelion wyth y Gymdeithas ceid myfyrwyr o Gasnewydd a Chaerdydd, o Ferthyr Tudful ac Abertawe'** *Among the stalwarts of the Society were students from Newport and Cardiff, from Merthyr Tydfil and Swansea* (Dafydd Wigley, 1992: 33).

Hoffi see **leicio**.

Hogen NW *girl* 'Mae Christine, sy'n gweini yn y Roath Park, yn hogan hyfryd' *Christine, who serves in the Roath Park, is a lovely girl* (Siôn Eirian, 1979: 39).

Hogyn NW *lad* 'Odd yr hogyn yn gwynebu weekend ar ben 'i hun' *The lad was facing a weekend on his own* (Dafydd Huws, 1978: 13).

Hongliad (< **hongl**) **hongliad o (dŷ/glwb** etc.) NW *a huge (house/club etc.)* 'Ro'n i'n ista fan hyn mewn honglad o glwb mowr oeraidd efo canhwylla ar y byrdda i drïo'i neud o'n fwy romantic' *I was sitting here in a big huge cold club with candles on the tables to try and make it more romantic* (Dafydd Huws, 1990: 81).

Hôl (< **i'w hôl**) SW *to fetch, to get* 'O's rhaid mynd i hôl cig nawr y funed 'ma?' *Do I have to go and get meat now this minute?* (Meirion Evans, 1996: 77).

Holi *to question* 1 **holi a stilio** LW NW *to interrogate, to question thoroughly* '[Yr oedd] John yn teimlo'n rhydd heb ti-a-wyddost-pwy yn beirniadu'i bob symudiad a'i holi a'i stilio'n ddi-baid' *John felt free without you-know-who criticising his every move and interrogating him incessantly* (Mihangel Morgan, 1994: 17). 2 **holi a chwilio** LW SW *to interrogate, to question thoroughly* 'Roedd pawb am ei holi a'i 'whilio am ei helynt tramor *Everybody wanted to question him thoroughly about his troubles abroad.* 3 **holi perfedd rhywun** *to interrogate someone, to question someone thoroughly* 'Byddai [hi]'n synnu weithiau nad oedd Hannah wedi synhwyro fod rhywbeth o'i le, ac wedi holi ei pherfedd i weld beth oedd yn bod' *[She] would be surprised sometimes that Hannah hadn't sensed something wasn't right, and questioned her thoroughly to see what was wrong* (Jane Edwards, 1993: 7).

Hollti *to split* **hollti blew** *to split hairs* 'Pan fydd rhyw gynnen yn codi rhwng dau werinwr, ni fydd y naill na'r llall yn hollti blew, ond yn dweud ei feddwl yn blaen' *When some discord arises between two ordinary people, neither the one nor the other splits hairs, but speaks his mind plainly* (Mary Wiliam, 1978: 45).

Homar (< from Greek poet Homer) **homar o (dŷ/fynydd** etc.) NW *a huge (house/mountain etc.)* 'Dwi'n digwydd gwbod bod gynno fo homar o garej ar Newport Road' *I happen to know that he's got a massive garage on Newport Road* (Dafydd Huws, 1990: 75).

Hon 1 *this* **y ferch hon** *this girl* (* **hon** is increasingly being replaced here by **(y)ma** in CW: see 'ma and yma). 2 *her, it, she* "Seiniwch f'ama,' meddai merch y lle dôl bob bore Mercher. Roedd iaith hon yn merwino fy nghlustiau' *'Sign here,' said the dole place girl every Wednesday morning. Her language offended my ears* (Angharad Tomos, 1982: 21) (* the use of **hon** here suggests a degree of detachment). 3 **hon-a-hon** *so and so, such and such, this and that* (feminine objects) 'A phwy all honni a'i law ar ei galon na chafodd erioed ei dynnu i wrando ar glecs am hwn-a-hwn neu hon-a-hon (neu'n well byth, clecs am hwn-a-hwn gyda hon-a-hon!)?' *And who can claim with their hand on their heart that they've*

never been drawn to listening to gossip about such and such and so and so (or even better, gossip about such and such with so and so!)? (Barn, November 1995: 57). 4 **hon-a'r-llall** *so and so, such and such, this and that* (feminine objects) **Un garw am hel merched ydy o - mae o efo hon-a-hon a hon-a'r-llall drwy'r amser** *He's a terrible one for chasing girls - he's with such and such and so and so all the time.*

Honco (manco) (< **hon acw (man acw)**) SW *her (over there)* 'Pwy chi feddwl?' mynte Deborah, yn rhoi hwp fach i'w specs 'n ôl lan i dop ei thrwyn. 'Honco manco, w! Yn mynd â'r pwdl am wâc" *'Who do you mean?' said Deborah, giving a little push to her specs back up to the top of her nose. 'Her over there, mate! Taking the poodle for a walk'* (Dafydd Rowlands, 1995: 62).

Honco *to stagger* **honco post** CW *totally drunk, totally pissed* 'Gall pob un ohonom weld [yn y ddrama], ymysg ein cydnabod, ddynion fel ... Iwan, honco post' *Each one of us can see [in the play], among our acquaintances, men like ... Iwan, blind drunk* (Barn, November 1995: 36).

Honna (< **hon yna**) CW *her, it, she, that* 'Ro'n i'n arfer cysgu 'da hon'na' *I used to sleep with her* (Mihangel Morgan, 1993(i): 19) (* the use of **honna** here suggests a degree of detachment).

Honno 1 *that* **y ferch honno** *that girl* (* **honno** is increasingly being replaced here by **(y)na** in CW: see 'na and yna). 2 *her, it, she* 'Mi sgrialodd honno fel cath i gythral oddi wrthi' *She screeched off hell for leather away from her* (Robin Llywelyn, 1992: 44) (* the use of **honno** here suggests a degree of detachment).

Hopran CW *gob, mouth, trap* (figuratively) 'Wel, mi rwyt ti'n hen y diawl! Ac mi rwyt ti'n uffernol o hen ffasiwn ac adweithiol hefyd. Ac, yn waeth na hynny, mae'n hen bryd iti gau dy hopran' *Well, you're old you bugger! And you're terribly old-fashioned and reactionary as well. And, worse than that, it's high time you shut your trap* (Golwg, 29 February 1996: 7).

Hôps (<E *hopes*) **hôps mul (mewn grand national)** (lit *donkey's hope (in a Grand National)*) NW *(no) hope in hell* 'A dyma fi'n deud wrthyn nhw nad oedd ganddyn nhw ddim hôps mul mewn ras geffyla, achos roedd 'na ddynion mewn cotia gwyn efo bathodynnau pwysig oedd yn gwybod be 'di be yn 'studio adar yn sioe' *And I said to them that they didn't have a hope in hell, because there were men in white coats with important badges who knew what was what studying the birds in the show* (Miriam Llywelyn, 1994: 71) (see also **gobaith (2)**).

Horwth (< **herwth**) **horwth o (dŷ/fynydd** etc.) NW *a huge (house/mountain etc.)* "Be am hwn?' holodd horwth o ddyn blewog' *'What about this?' asked a massive hairy man* (Wiliam Owen Roberts, 1987: 65).

House of Lords **mynd i'r House of Lords** (lit *to go to the House of Lords*) CW *to go to the bog, to go to the toilet* 'Fel yr oedd ar fin mynd adref, dywedodd Bigw ei bod eisiau 'mynd i'r House-of-Lords" *As she was just about to go home, Bigw said that she wanted 'to go to the bog'* (Angharad Tomos, 1991: 128).

Hud *magic* **hud a lledrith** *magic, magical* **'fe flagurodd pentre Eidalaidd llawn hud a lledrith yma'** *an Italian village full of magic flourished here* (*Barn*, March 1995: 17).

Hulpan NW *bitch, cow* (derogatory term for a woman) **"O, 'rargol fawr - sbiwch ar ei wyneb hi.' ''Rhen hulpan"** *'Oh, bloody hell - look at her face.' 'The stupid bitch'* (Angharad Tomos, 1982: 59).

Hulpyn NW *fool, idiot* **'Mi af i fama i'w nôl nhw, tasa ddim ond i bryfocio'r hulpyn yna'** *I'll go here to fetch them, if only to provoke that idiot* (Alun Jones, 1979: 45).

Hun(an) *own, self* **1** in LW reflexive verbs are often prefixed by a pronoun **'yr ydych i'ch disgyblu eich hunain'** *you are to discipline yourselves* (Leviticus 16:31). **2** in CW and OW the prefixed pronoun is usually omitted **'Sut fedraist ti dynnu dy hun oddi wrth y moch?'** *How could you pull yourself away from the pigs?* (Jane Edwards, 1976: 78). **3** in SW **hunan** is preferred, while in NW **hun** is more common, as illustrated below; neither, however, are unknown in any part of the country **'Cer di, bach, i enjoio dy hunan'** *You go, love, and enjoy yourself* (Meirion Evans, 1997: 58); **'[Mi wnes i feddwl pa] mor braf fydd hi ar Now yn cael mynd ar ei ben ei hun i'r mart ...'** *[I thought] how nice it'll be for Now to be able to go on his own to the market ...* (Margiad Roberts, 1994: 169).

Huno 1 *to sleep* **'Yr ydym am ichwi wybod, frodyr, am y rhai sydd yn huno'** *We want you to know, brethren, about those who sleep* (1 Thessalonians 4:13). **2** *to die, to pass away* **'Gyfeillion, 'dan ni wedi ymgynnull yma heddiw i goffáu un o'n haelodau mwyaf hynod a hunodd yn gynharach y flwyddyn hon'** *Friends, we have gathered together here today to remember one of our most outstanding members who passed away earlier this year* (Theatr Bara Caws, 1996: 61) (* **huno** is commonly used on gravestones etc.). **3 huno cysgu** NW *to doze, to snooze* **'Dechreuodd Dici huno cysgu'** *Dici started to snooze* (Kate Roberts, 1972: 70).

Hurt *stupid* **hurt bost** *totally stupid* **'Pwyntiodd Llygad Bwyd ei fys blaen at ochr ei ben a'i droi'n gylch. 'Hollol hurt bost mae arna'i ofn"** *Llygad Bwyd pointed his forefinger to the side of his head and turned it in a circle. 'Totally stupid I'm afraid'* (Robin Llywelyn, 1994: 181).

Hurto LW SW **dwlu** LW SW **gwirioni** LW NW *to dote*

Huwcyn figurative person who takes you away to sleep (cf *going to the land of Nod*) **'A bellach, mae'n bryd iti agor dy lygaid. Paid â rhuthro ... yn ara' ara' deg ... fel deffro o gwsg trwm ... a'r huwcyn yn dal i grawennu yn eu corneli nhw'** *And now, it's time for you to open your eyes. Don't rush ... very, very slowly ... like waking from a deep sleep ... and sleep is still encrusted in their corners* (John Gwilym Jones, 1979(i): 18) (* see also **Siôn** (4)).

Huws see Appendix 19.04.

Hwch *sow* **yr hwch yn mynd drwy'r siop** (lit *the sow going through the shop*) *bankrupt* **'Mi fynnat dy dalu, fel pawb arall, mi fynnat grocbris. Mi fydda'r hwch drwy'r siop 'mhen wsnos. Methiant fu dy hanas di rioed, Tom'** *You insisted on being paid, like everyone else, you insisted on an extortionate price. You'll be bankrupt within a week. Your life was always a failure, Tom* (Meic Povey, 1995(ii): 44).

Hwda/hwde see Appendix 10.05.

Hwn 1 *this* **y bachgen hwn** *this boy* (* **hon** is increasingly being replaced here by **(y)ma** in CW: see **'ma** and **yma**). **2** *he, him, it* **'Aeth dyn bach tew mewn siwt heibio ar frys. Mae'n rhaid fod hwn yn hwyr'** *A small fat man in a suit went past in a hurry. He must be late* (Angharad Tomas, 1982: 43) (* the use of **hwn** here suggests a degree of detachment). **3 hwn-a-hwn** *so and so, such and such, this and that* (masculine objects) **'Roedd dwy awr o syrffio wedi bod yn ddigon am un diwrnod a'r sgwrs yn troi o gylch maint ambell don a gobeithion hwn-a-hwn ym Mhencampwriaethau Syrffio Cymru yn Fresh Water West, Sir Benfro'** *Two hours of surfing had been enough for one day and the conversation revolved around the size of the odd wave and the hopes of so-and-so in the Welsh Surfing Championships at Fresh Water West, Pembrokeshire* (*Golwg*, 19 May 1994: 34). **4 hwn-a'r-llall** *so and so, such and such, this and that* (masculine objects) **'Mi fydda i'n licio cyfarfod pobl a chael sgwrs efo hwn a'r llall'** *I'd like to meet people and have a chat with so and so* (Angharad Tomos, 1991: 52).

Hwnco (manco) (< **hwn acw (man acw)**) SW *him (over there)* **'Ma' hwnco s'da fi gwmws 'run peth. Yfed fel ffish!'** *Him with me is exactly the same. Drinks like a fish!* (Dafydd Rowlands, 1995: 45).

Hwnna (< **hwn yna**) CW *he, him, it, that* **'Darllenwch hwn'na'** *Read that* (Mihangel Morgan, 1994: 113).

Hwnnw 1 *that* **y bachgen hwnnw** *that boy* (* **hwnnw** is increasingly being replaced here by **'na** and **yna**). **2** *he, him, it* **'[Yna yr oedd] Wncwl Wyn, ac yr oedd hwnnw yn un o'r goreuon am drin bwyell a welais i erioed'** *Uncle Wyn [was there], and he was one of the best people I've ever seen for handling an axe* (Dic Jones, 1989: 155) (* the use of **hwnnw** here suggests a degree of detachment).

Hwnt *beyond* **hwnt ac yma** *here and there* **'Roedd [e] wedi gweld hen luniau hwnt ac yma wrth deithio o gwmpas Cymru'** *[He] had seen old pictures here and there while travelling around Wales* (*Barn*, February 1995: 22).

Hwntw CW *South Walian* **'Olreit, Hwntw, mi gwela i di nos Fawrth'** *Alright, South Walian, I'll see you Tuesday night* (Caradog Prichard, 1961: 93).

Hwpo SW *to push* **'Tra bod Dic Death yn ei gwnnu fe o'r gwter fe lwyddwyd i hwpo'r coffin i'r hers yn ddianap'** *While Dick Death picked him up out of the gutter he managed to push the coffin into the hearse without incident* (Dafydd Rowlands, 1995: 23).

Hwrdd LW SW Powys **maharen** LW NW *ram*

Hwren (<E *whore*) CW *tart, whore* **'mi ges i'r tests i gyd, yr hen hwran fach'** *I had all the tests, the little bloody tart* (Gwenlyn Parry, 1992: 56).

Hwrgi (<E *whore* and **ci**) CW *shagger* (sexually promiscuous male) '**Hwrgi ydi Jac**' *Jack's a shagger* (Dafydd Huws, 1990: 179).

Hwrjio NW *to push* '**Y chi, Mam, hwrjiodd Valerie arna i yn y lle cynta!**' *You, Mam, pushed Valerie on to me in the first place!* (Meic Povey, 1995(i): 21).

Hwy see Appendix 15.

Hwy LW CW **hirach** CW *longer*

Hwyaf LW CW **hira(f)** CW *longest*

Hwyl *fun* **1 hwyl** is used to indicate a particular type of Welsh enjoyment that is often untranslated into English, and is used particularly in reference to rugby *The harsh realities of professionalism may have left the Celtic Fringe struggling to maintain their collective international credibility [in rugby], but Five Nations occasions are special and the Welsh remain confident of transporting their traditional hwyl* (*The Independent*, 6 March 1998: 30) (* the meaning of **hwyl** here has its origins in eighteenth century Methodism). **2 cael hwyl am ben rhywun/ar gorn rhywun** *to laugh at someone, to make fun of someone* '**Ond mi anghofiodd [hi] am hynny wrth gael hwyl am y 'mhen i'n trïo codi 'nghoes dros y fainc**' *But [she] forgot about that while laughing at me trying to lift my leg over the bench* (Jane Edwards, 1989: 83). **3 cael hwyl ar rywbeth** *to enjoy something, to have fun at something* '**Mae'n dra thebyg i Joseph ddechrau cael hwyl ar lymeitian tipyn bach unwaith eto**' *It's very likely that Joseph started to enjoy drinking a little bit once again* (T. Llew Jones, 1980: 96). **4 drwg fy hwyl** *(in) a bad mood* '**Ond daeth Nhad adref o'r practis un noson yn go ddrwg ei hwyl**' *But my father came home from the practice one night in a fairly bad mood* (Dic Jones, 1989: 127). **5 gwneud hwyl am ben rhywun/ar gorn rhywun** *to make fun of someone, to ridicule someone* '**roedd y plant yn gwneud hwyl am ei phen bob tro yr âi heibio i'r ysgol**' *the children made fun of her every time she used to go past the school* (Mihangel Morgan, 1994: 74). **6 hwyl a sbri** *fun and games* '**Hoffai Sara gael ei chofio fel ffrind oedd yn llawn hwyl a sbri**' *Sara would like to be remembered as a friend who was full of fun and games* (*Sbec TV Wales*, 24 June 1995: 2). **7 mewn hwyliau (da/drwg etc.)** *in a (good/bad etc.) mood* '**Wedi'r pryd, a chyngerdd byr, roedd hi'n hollol amlwg fod y ddau mewn hwyliau ardderchog**' *After the meal, and a short concert, it was obvious that the two were in an excellent mood* (Dewi Llwyd in Dylan Iorwerth (ed.), 1993: 133). **8 hwyl fawr (i ti etc.)** *goodbye* "**Hwyl fawr iti nawr Twm,' wedes i, '-wela i di bore fory**" *'Goodbye now Tom,' I said, '- I'll see you tomorrow morning'* (Eirwyn Pontshân, 1973: 42). **9 mynd i hwyl** *to get into the swing* (speech, sermon etc.) '**mae ganddo wyneb pregethwr sy'n arfar mynd i hwyl**' *he's got the face of a preacher who usually gets into a religious fervour* (Jane Edwards, 1989: 20). **10 pa hwyl (sydd)?** *how are things?* "**Pa hwyl, Owain?' 'OK. Titha?"** *'How are things, Owain?' 'OK. And you?'* (Gareth Miles, 1995: 25). **11 (pob) hwyl (i ti/chi etc.)** *good luck to you, goodbye* '**Y dyfarnwr oedd yno wedi dod i**

ddymuno pob hwyl i'r tîm**' *It was the referee there having come to wish the team good luck* (Alun Ffred and Mei Jones, 1990: 14). **12 sut mae'r hwyl?** (lit *how is the mood?*) NW *how are things?* "**A dyma Llygad Bwyd.' 'Ia, dwi'n ei nabod o,' meddai Gregor. 'Sut mae'r hwyl, Llygad Bwyd?"** *'And here's Llygad Bwyd.' 'Yeah, I know Llygad Bwyd,' said Gregor. 'How are things, Llygad Bwyd?'* (Robin Llywelyn, 1994: 73).

Hwylio 1 *to sail* '**Ymhen hir a hwyr fe hwyliodd y stemar**' *After a while the steamer set sail* (Vivian Wynne Roberts, 1995: 144). **2** NW *to prepare* '**ma' Derec y Weirglodd yn hwylio i briodi ddiwedd y flwyddyn ...**' *Derec y Weirglodd is preparing to get married at the end of the year ...* (Meic Povey, 1995(i): 26).

Hwynt-hwy see Appendix 15.03-15.04.

Hwyr *late* **1 hwyr glas** see **glas** (5). **2 gyda'r hwyr** *in the evening* '**Methai'r capten â chredu ei glustiau wedi i'w long oedi yng ngheg harbwr Catania gyda'r hwyr**' *The captain couldn't believe his ears after his ship was delayed in Catania harbour in the evening* (Wiliam Owen Roberts, 1987: 58). **3 yn hwyr neu'n hwyrach** (lit *late or later/perhaps*) *sooner or later* '**Ond yn hwyr neu'n hwyrach bydd yn rhaid i mi wynebu'r ffaith fy mod bellach ar ddi-hun**' *But sooner or later I'll have to face the fact that I'm now awake* (Angharad Tomos, 1982: 12). **4 yn yr hwyr** *in the evening* '**Fel arfer [y mae'r Almaenwr yn] hoffi bwyta ei brif bryd canol dydd rhagor nag yn yr hwyr**' *Usually [the German] likes to eat his main meal at midday rather than in the evening* (R. Emyr Jones, 1992: 93).

Hwyrach (< **nid hwyrach**) LW NW *perhaps* "**Pryd?' 'Pan fydd hi'n barod ... I de, hwyrach**' *'When?' 'When it's ready ... For tea, perhaps'* (Meic Povey, 1995(i): 28).

Hwythau see Appendix 15.05-15.06.

Hy *bold* **mynd yn hy ar rywun** LW NW *to become overly familiar with someone* '**[Mae] hynny'n dangos 'mod i'n ddigon pwysig i fod yn hy arnyn nhw**' *That shows that I'm important enough to be overly familiar with them* (Robin Llywelyn, 1992: 125).

Hyd *length* (**hyd** also used extensively adverbially) **1 am ba hyd** *for how long* '**Gwrandewais ar ei hanadlu afreolaidd a chofiaf feddwl am ba hyd y byddai hon gyda ni**' *I listened to her irregular breathing and remembered wondering how long would she be with us* (Angharad Tomos, 1991: 128). **2 am ryw hyd** NW *for a spell, for a while* '**A rŵan, mi ga i'u rhoi nhw'n ôl yn y storws a chamu ymlaen, am ryw hyd eto**' *And now, I can put them back in the storehouse and stride onwards, for a spell yet* (Eigra Lewis Roberts in Eleri Hopcyn (ed.), 1995: 62). **3 ar ei hyd** *in its entirety* '**dyma'r tro cyntaf i fi ga'l pythefnos o wylie ar ei hyd**' *this is the first time that I've had a fortnight of holidays in its entirety* (Bernard Evans, 1990: 65). **4 ar hyd** (a) *along* '**Cerddai Lisi yn ôl gyda Mabel ar hyd y llain gwyrdd o dir**' *Lisi walked back with Mabel along the green strip of land* (Angharad Tomos, 1991: 24); (b) *all, during,* throughout '**Ond ddaru o ddim sbio dros ben y wal. Sbio o'i flaen oedd o ar hyd yr adag**' *But he didn't look over the top of the wall. He was looking in front of himself all the time* (Caradog Prichard, 1961: 40); (c) *all over* '**Dim ond gobeithio y bydd Drudwen yn dipyn taclusach nag oedd Piff ac y bydd 'na fwy o bowdwr [llefrith] yn cyrraedd bolia'r ŵyn a llai yn cael ei golli ar hyd y sinc a'r llawr**' *I only hope that Drudwen will be a bit tidier than Piff was and that more [milk] powder will reach the lambs' stomachs and less will be spilt all over the sink and floor* (Margiad Roberts, 1994: 85) (* **ar hyd** can be reduced in (c) to **hyd**). **5 ar fy (llawn) hyd (gyhyd)** *at (my) full stretch, stretched out* '**[Yr oedd] Mos yn gorwedd ar ei hyd ar y llawr**' *Mos [was] lying stretched out on the floor* (Jane Edwards, 1993: 98). **6 (ar) hyd a lled rhywle** *length and breadth of somewhere, throughout somewhere* '**Mewn un ganolfan yn rhanbarth Arsi gwelsom sut y caiff hadau eu rhoi mewn silindrau bach plastig sy'n cynnwys cymysgedd o bridd a gwrtaith. Wedi iddyn nhw impio, cânt eu dosbarthu ar hyd a lled y wlad**' *In one centre in the Arsi district we saw how seeds were put into small plastic cylinders which were a mixture of soil and fertiliser. After they have sprouted, they can be distributed throughout the country* (Tweli Griffiths, 1993: 102). **7 hyd (at)** (a) *until* '**Gyda'r holl atafaelu a fu ar ei dir a'i stoc ar hyd y blynyddoedd, gwelsai Rowland ei fferm yn lleihau bron hyd at faint mân dyddyn**' *With all the confiscating that had happened to his land and stock over the years, Rowland had seen his farm shrink until [it was] almost a tiny smallholding* (Marion Eames, 1969: 168); (b) *as far as, up to* '**Fe shiglws [y gwynt] tŷ ni hyd at 'i seilie**' *[The wind] shook our house to the foundations* (Edgar ap Lewys, 1977: 61). **8 (hyd) nes** *until* '**Gwenodd Nansi wrth ei weld, ond ni ddywedodd yr un gair hyd nes i'w mam eu gadael**' *Nansi smiled as she saw him, but she didn't say a single word until her mother had left them* (Bernard Evans, 1990: 54). **9 hyd oni** LW *until* (only in adverbial clauses and with the subjunctive) '**Cawsom yr argraff fod trafodaethau eisoes ar y gweill, ond hyd oni cheid cytundeb newydd 'roedd yn rhaid derbyn hawliau masnachol cwmni Coalite**' *We got the impression that discussions were already on the go, but until a new contract was had it was necessary to accept the commercial rights of Coalite* (Dafydd Wigley, 1993: 152). **10 hyd yma** *up to now, up until now* '**Yn fy marn i, dyma waith gorau Michael Povey hyd yma**' *In my opinion, this is Michael Povey's best work up to now* (Gwenlyn Parry in Meic Povey, 1995(ii): 12). **11 hyd (yn) hyn** *up to now, up until now* '**Roedd hi wedi bod yn falch iawn pan gawsai'r gwaith gyda'r llenores adnabyddus ond hyd yn hyn doedd hi ddim wedi gwneud dim byd**' *She had been very pleased when she had got the work with the famous writer but up until now she had not done anything* (Mihangel Morgan, 1992: 97). **12 hyd yn oed** *even* '**Roedd rhywun yn clywed cymaint y dyddiau yma am bobl yn cael eu cam-drin, a hyd yn oed eu lladd, yn eu tai eu hunain**' *One heard so much these days about people being mistreated, killed even, in their*

own homes (Eigra Lewis Roberts, 1985: 94). **13 o hyd** (a) *still* '**mae amlder y Tsiernewskis a'r Wisdecs yn ein llyfr teleffon yn dystiolaeth fod llawer ohonynt 'yma o hyd**'' *the frequency of the Tsiernewskis and the Wisdecs in our telephone book is evidence that a lot of them are 'still here'* (Dic Jones, 1989: 157); (b) *all the time* '**Paid a thorri ar fy nhraws i o hyd**' *Don't interrrupt me all the time* (Mihangel Morgan, 1993(ii): 81); (c) *always* '**Wnaiff o ddim byd iddi hi. Fel yna mae nhw o hyd**' *He won't do anything to her. They're always like that* (Caradog Prichard, 1961: 13). **14 o hyd ac o hyd** *again and again, on and on* '**Yr un hen beth o hyd ac o hyd**' *The same old thing again and again* (Mihangel Morgan, 1993(ii): 11).

Hydoedd 1 am hydoedd *for ages, for a long time* '**ni ynganwyd yr un gair am hydoedd**' *not a single word was uttered for ages* (Wiliam Owen Roberts, 1987: 22). **2 ers hydoedd** *for ages, for a long time* '**Mi 'dw i wedi bod yn meddwl am y peth ers hydoedd**' *I've been thinking about the thing for ages* (Eigra Lewis Roberts, 1985: 50).

Hyderu *to believe, to trust* **mawr hyderu** *to greatly hope* '**Fe welir, yn ystod y blynyddoedd nesaf, ail-wampio llywodraeth leol, pwysigrwydd cynyddol i'r haen Ewropeaidd o lywodraeth a - mawr hyderaf - gweld sefydlu Senedd i Gymru**' *During the next few years, one will see the re-structuring of local government, the increasing importance of the European level of government and - I greatly hope - see the establishment of a Parliament for Wales* (*Yr Herald*, 23 April 1994: 2).

Hyhi see Appendix 15.03-15.04.

Hyll LW CW **salw** LW SW *ugly* **1 ar fy hyll** NW *impetuously* '**Mi es i i mewn ar fy hyll i'r gegin fach**' *I went impetuously into the small kitchen* (Twm Miall, 1988: 105). **2 (edrych/gwenu etc.) yn hyll** *(to look/smile etc.) nastily* '**Ddalltis i run gair ddeudodd ... a fynta'n gwenu hyll arna'i**' *I didn't understand a single word he said ... as he smiled nastily at me* (Robin Llywelyn, 1992: 6). **3 (rhegi/siarad etc.) yn hyll** *to (swear/speak etc.) rudely* '**"Y bastard!' medda hi a rhegi'n hyll am yr ail dro yn ystod yn priodas ni**' *'You bastard!' she said and swore rudely for the second time during our wedding* (Dafydd Huws, 1990: 242).

Hyn 1 *this* (unspecified object) '**Ond mae** *hyn* **yn fater difrifol**' *But* this *is a serious matter* (Theatr Bara Caws, 1996: 49). **2** SW *this* (adjective) '**O! Wy wedi danto ar y gêm hyn!**' *Oh! I'm fed up of this game!* (Dafydd Huws, 1990: 77) (* **hyn** here used to be more common in LW but its use now is uncommon - except in SW - and is regarded by many as substandard, except in a limited number of phrases, most notably **y modd hyn** *this way,* **y pryd hyn** *this time*). **3** *these* '**y geiriau hyn**' *these words* (Matthew 7:24) (* **hyn** is increasingly being replaced here by **(y)na** in CW: see '**na** and **yna**). **4 ar hyn** *at that moment, just then* '**Ar hyn daeth ei ddisgyblion yn ôl**' *At that moment his disciples returned* (John 4:27). **5 bob hyn a hyn** *every now and then* '**Dim ond bob hyn a hyn yr ymddangosai Dilys ar y llwyfan**' *Dilys* *only appeared on the stage every now and then* (Robin Williams, 1992: 13). **6 erbyn hyn** *by now* '**A phan na byddai dim byd 'swyddogol' ar droed, treuliem amser o gylch y piano gyda Rhiannon, a oedd erbyn hyn wedi dod yn eitha chwaraereg'** *And when there was nothing 'official' afoot, we would spend time around the piano with Rhiannon, who by now had become quite a player* (Dic Jones, 1989: 141). **7 hyn o (beth/fyd/daith etc.)** *this (matter/ world/journey etc.)* '**Dylid talu teyrnged arall i Gwynfor Evans yn hyn o beth'** *Once again respect should be paid to Gwynfor Evans in this matter* (Dafydd Wigley, 1993: 268); '**All neb ofyn am wobr fwy yn hyn o fyd'** *Nobody could ask for a bigger prize in this world* (Islwyn Ffowc Elis in Eleri Hopcyn (ed.), 1995: 35) (* **hyn o beth** and **hyn o fyd** are by far the most common examples of this construction, as in the above examples). **8 o hyn allan** *from now on* '**o hyn allan ni fydd raid i ni fel aelodau seneddol ddibynnu ar arglwyddi o bleidiau eraill i helpu llywio Mesurau drwy siambr uwch y Senedd'** *from now on we would not as members of parliament have to rely on lords from other parties to help us steer Bills through the upper chamber of Parliament* (Dafydd Wigley, 1993: 414). **9 o hyn ymlaen** *from now on* '**Mae'r bws yn llawn, bron, unwaith eto. O hyn ymlaen bydd yn stopio'n aml'** *The bus is full, almost, once again. From now on it will stop frequently* (Mihangel Morgan, 1992: 41). **10 yr hyn ...** *what ...* (clause only) '**Os ydach chi'n deud o hyd fod yna draffarth ar ôl traffarth mi eith pobol i gredu nad ydi'r hyn sy gynnoch chi ddim gwerth i'w gadw'** *If you keep saying that there is trouble after trouble people will start to believe that what you've got isn't worth keeping* (John Ogwen, 1996: 193).

Hŷn LW CW **henach** CW *older*

Hynaf LW CW **hena(f)** CW *oldest*

Hynna (< hyn yna) NW *that* '**Ma Brend yn dallt popeth ond mi diffeia i hi i ddallt hynna'** *Brend understands everything but I defy her to understand that* (Jane Edwards, 1989: 44).

Hynny 1 *that* (unspecified object) '**Ie, ie, mi wn i hynny'** *Yes, yes, I know that* (Theatr Bara Caws, 1996: 49). **2** CW *that* (adjective) '**Doedd neb isio prynu hen ddodrafn bryd hynny'** *Nobody wanted to buy old furniture at that time* (Meic Povey, 1995(ii): 44) (***hynny** here used to be more common in LW but its use now is uncommon and is regarded by many as substandard except in the set adverbial phrase **y pryd hynny** *that time* (see also **pryd (8)**(note)). **3** *those* '**Dyw'r cartrefi hynny lle magwyd to ar ôl to o deuluoedd hapus Cymraeg erbyn hyn yn ddim ond tomennydd oer'** *Those homes where generation after generation of happy Welsh-speaking

families were raised are by now only cold mounds of stone* (Edgar ap Lewys, 1986: 15) (* **hynny** is increasingly being replaced here by **(y)na** in CW: see '**na** and **yna**). **4 at hynny** *in addition to that* '**Roedd Kinnock yn amlwg yn gwrthwynebu annibyniaeth, ac at hynny gynigion ei Lywodraeth ei hun hefyd'** *Kinnock was obviously opposed to independence, and in addition to that the offers of his own Government as well* (Dafydd Wigley, 1993: 30). **5 erbyn hynny** *by then* '**Gobeithio bydd pob dim trosodd erbyn hynny'** *I hope everything will be over by then* (Theatr Bara Caws, 1995: 65). **6 er hynny** *despite that, nevertheless* '**Ie, rhamantydd o fardd oedd Hedd Wyn; ond bardd, er hynny'** *Yes, Hedd Wyn was a romantic poet; but a poet, nevertheless* (Alan Llwyd, 1994: 230). **7 ers/oddi ar hynny** *since then* '**mae o'n rhyfedd fel y gall enw weddu'n berffaith. 'Bigw' fuo hi byth oddi ar hynny'** *it's amazing how a name can fit perfectly. She's been 'Bigw' ever since then* (Angharad Tomos, 1991: 45). **8 gan hynny** *therefore* '**Pe bai elw'r cwmni yn gostwng yn is na'r targed, cwtogid cyflog y rheolwyr 20%. Byddai pawb gan hynny yn torchi llewys i gyrraedd y targed'** *If the profit of the company dropped lower than the target, the managers' wages were cut 20%. Everybody therefore would roll up [their] shirtsleeves to reach the target* (Dafydd Wigley, 1992: 100). **9 hyd/tan hynny** *until then* '**Alla i ddim aros tan 'ny'** *I can't wait until then* (Mihangel Morgan, 1993(ii): 14). **10 o hynny allan/ymlaen** *from then on* '**O hynny allan roeddwn i'n edrych ar bopeth trwy lygaid cenedlaetholwr Cymreig'** *From then on I looked at everything through the eyes of a Welsh nationalist* (Islwyn Ffowc Elis in Eleri Hopcyn (ed.), 1995: 31). **11 yn hynny o beth** *in such matters* '**Yn hynny o beth yr wyf yn parhau tu allan i'r tîm'** *In such matters I continue to be outside the team* (Elwyn Jones, 1991: 239).

Hynt *course, way* **1 hynt** is usually used figuratively '**Aeth Siôn ati i holi hynt yr ardalwyr a chafodd wybod manylion y geni a'r claddu a fu yn ystod y flwyddyn'** *Siôn went about asking the fate of the local people and found out the details of the births and deaths that had happened during the year* (Nansi Selwood, 1993: 218). **2 hynt a helynt** *trials and tribulations* '**[Yn nyddiau Rhyfel y Gwlff] unwaith eto, fel y gwelodd y gohebydd Cymraeg Guto Harri, roedd adroddiadau'n aml yn ymwneud â hynt a helynt y newyddiadurwyr'** *[In the days of the Gulf War] once again, as the Welsh correspondent Guto Harri saw, the reports frequently concerned the trials and tribulations of the journalists* (Dylan Iorwerth, 1993: 3). **3 rhwydd hynt** *carte blanche, complete freedom* '**cafodd Ibn rwydd hynt i syllu a syllu'** *Ibn had carte blanche to stare and stare* (Wiliam Owen Roberts, 1987: 122)

I i

Pronunciation

1 In South Wales, **'i'** is often dropped, depending on the local dialect

breuddwydio	>	breuddwydo	*to dream*
cinio	>	cino	*lunch*
dynion	>	dynon	*men*
gweithiwr	>	gwithwr	*worker*

'torf o ddynon' *a crowd of men* (Nansi Selwood, 1987: 243)

2 In Powys, there is a tendency to palatalize and add an **'i'** to **'ca'** and **'ga'**

cae	>	ciae	*field*
cael	>	ciael	*to have*
caled	>	cialad	*hard*
galw	>	gialw	*to call*

'Dwyt ti ddim yn gialad mewn gwirionedd, weth faint ti'n treio bod' *You're not hard really, no matter how much you try to be* (Marion Eames, 1969: 55)

3 In Powys, the above tendency can also be noted with **'ce'** and **'ge'**

celwydd	>	cielwydd	*lie*
geneth	>	gieneth	*girl*

'dwi 'im credu ddetsa fa gielwydd' *I don't think he said a lie* (Francis Thomas in Peter Wyn Thomas and Beth Thomas, 1989: 122)

'I (pronoun) see Appendix 15.08(viii).

I (pronoun) see Appendix 15.

I fi, i ti etc. see Appendix 16.08.

I fyny (< **i fynydd**) LW NW **lan** SW *up* ar **i fyny** *on the increase, on the up* **'Swyddi yn cael eu creu, yr economi'n ffynnu, [mae] bywyd yn amlwg ar i fyny'** *Jobs being created, the economy is prospering, life [is] obviously on the up* (*Golwg*, 7 April 1994: 14).

I ffwrdd LW NW **bant** SW **ymaith** LW CW *away* **(agwedd/ymddygiad** etc.) **(i) ffwrdd-â-hi** *careless (attitude/behaviour* etc.) **'Tydi'r arbrofion ieithyddol ddim yn gweithio i gyd o bell fordd. Mae llawer ohonynt yn garbwl ac yn rhy ffwrdd-â-hi o'r hanner'** *Not all the linguistic experiments work by a long shot. A lot of them are clumsy and too careless by half* (*Golwg*, 29 April 1993: 3).

I gyd *all* **(dyn/llanc** etc.) **i gyd** (lit *all (man/lad* etc.)) *macho, manly* **"'Na beth yw e, myn yffarn i!' mynte Dan, yn ddyn i gyd'** *'That's what it is, bloody hell!' said Dan, all macho* (Dafydd Rowlands, 1995: 69).

I lawr *down* ar **i lawr** *down, on the decrease* **'Ond i'r ddau ffermwr, y broblem benna' yw cyflwr difrifol y farchnad datws, gyda gormodedd o gynnyrch o lefydd eraill yn gwthio'r pris ar i lawr'** *But to the two farmers, the main problem is the serious state of the potato market, with an excess of produce from other places pushing the price down* (*Busnes i Fusnes*, Autumn 1992: 1).

I mi, i ti etc. see Appendix 16.08.

Ia (< **ie**) **1** NW *yes* (indirect questions) **'A rhowch chi'ch hunan yn llaw y Brenin Mawr. Y Fo fedar eich helpu chi. Ia'** *And put yourself in the hand of God. It is He who can help you. Yes* (Islwyn Ffowc Elis, 1990(i): 126). **2** NW as a stopgap in conversation **'Felly meddwl ffoi am Tir Bach oeddach di, ia?'** *So thinking about fleeing to Tir Bach were you, yeah?* (Robin Llywelyn, 1992: 12).

Iâ LW SW **rhew** LW NW Pembs *ice*

Iaith *language* **1** in CW **iaith** is often used instead of **tafodiaith** to mean dialect **'Cyfoethogwyd iaith Eifionydd gan yr ardaloedd o'i chwmpas'** *Eifionydd's dialect was enriched by the surrounding areas* (Elis Gwyn Jones in Wil Sam, 1995: 61) (* see Appendix 20.05). **2 iaith y nefoedd** (lit *the language of heaven*) rhetorical name for Welsh **'Gall siarad Iaith y Nefoedd fod yn beryglus dros ben'** *Speaking Welsh can be exceptionally dangerous* (*Western Mail*, 4 April 1995: 9). **3 yr iaith fain** (lit *the sharp language*) CW *the English language* **'O'dd Twm yn hoff iawn o ddefnyddio'r iaith fain nawr ac yn y man'** *Twm was very fond of using English now and then* (Dafydd Rowlands, 1995: 36). **4 yr hen iaith** (lit *the old language*) rhetorical name for Welsh **'A gan nad oedd Mr Rowbottom yn hyddysg yn yr heniaith aeth pethau o ddrwg i waeth'** *And since Mr Rowbottom was not well-versed in Welsh, things went from bad to worse* (Ieuan Parry, 1993: 91).

Ianto CW term of endearment for those with the common names *Ian, Ieuan, Ifan* etc. **'Ac yna da'th tro Ianto. 'A beth amdanach chi, Ifan Jenkins? Be fasa chi 'di neud?"** *And then Ianto's turn came. 'And what about you, Ifan Jenkins? What would you have done?'* (Meirion Evans, 1997: 35).

Iard LW CW **buarth** LW NW **clos** LW Dyfed *farmyard*

Iâr fach yr haf LW SW **glöyn byw** LW NW *butterfly*

Iau LW NW **afu** LW SW *liver*

Iawn *right* **1 bod yn iawn** *to be right* **'Chwara teg ichi. Rydach chi'n iawn'** *Fair play to you. You're right* (Wil Sam, 1997: 27). **2 yn iawn** *alright, fine, OK* **'Mi ddois i drwadd yn iawn'** *I came through OK* (Wil Sam, 1997: 21).

Ichwi see Appendix 16.08.

Idd'i, iddi see Appendix 15.09(iv).

Iddo ef, iddi hi etc. see Appendix 16.08.

Iechyd 1 *health* **'Pam, ynteu, nad yw iechyd merch fy mhobl yn gwella?'** *Why, then, does the health of my people's daughter not heal?* (Jeremiah 8:22). **2** (euphemism for **Iesu**) CW *goodness me, heavens above* **'Iechyd, mae gen i syniad bendigedig am ysgrif heno'** *Goodness me, I've got an excellent idea for an essay tonight* (Gwenlyn Parry in Eleri Hopcyn (ed.), 1995: 42). **3 iechyd (da)** (lit *(good) health*) *cheers, your good health* (drinking) **"Well i ti gael peint ffres 'te, ife?' 'Ie. Iechyd da'** *'You'd prefer to have a fresh pint, is it?' 'Yeah. Cheers'* (Geraint Lewis, 1995: 46).

Iechydwriaeth (lit *salvation*; euphemism for **Iesu**) CW *goodness me, heavens above* **"Ym mhle?'** **'I'r chwith o'r haul.'** Craffodd Meredydd. **'Iechydwriaeth, mae'n rhaid dy fod yn gweld fel cath fanw"** *'Where?'* *'To the left of the sun.'* *Meredydd looked closely. 'Heavens above, you must be able to see like a cat'* (Alun Jones, 1979: 121).

Ieithgi person who is obsessed by language, who can be boring and pedantic about it, who may speak several languages **'Ma'i mab hi'n stydio Sbaeneg yn coleg. Stiffnyr o ieithgi'** *Her son is studying Spanish in college. Hell of a language bore* (Dafydd Huws, 1990: 184).

Iesgob (euphemism for **Iesu**; see also **esgob**) CW *goodness me, heavens above* **"Be 'di'r sŵn cloch 'na?'** gofynnodd Sam i Castell. **'Iesgob, wn i ddim"** *'What's that bell noise?' Sam asked Castell. 'Heavens above, I don't know'* (Penri Jones, 1982: 17).

Iesu *Jesus* **1 Iesu annwyl** (lit *dear Jesus*) CW *Jesus Christ* (blasphemous) **Iesu annwyl, mae'n hen bryd i ti fynd!** *Jesus Christ, it's about time you went!* **2 Iesu bach** (lit *dear Jesus*) CW *Jesus Christ* (blasphemous) **'Iesu bach! Tasach chi ond wedi'n gweld ni!'** *Jesus Christ! If you'd only seen us!* (Vivian Wynne Roberts, 1995: 93). **3 Iesu gwyn** (lit *dear Jesus*) CW *Jesus Christ* (blasphemous) **"Iesu gwyn!'** meddai Harri. **'Be wyt ti'n trio'i neud - codi pwys ar bawb ben bora fel hyn?"** *'Jesus Christ!' said Harri. 'What are you trying to do - make everyone feel sick first thing in the morning like this?'* (Vivian Wynne Roberts, 1995: 51). **4 Iesu mawr** (lit *great Jesus*) CW *Jesus Christ* (blasphemous) **'Iesu mawr! Padi! ... 'nghodi i am dri [yn y bore] i ofyn am linell o farddoniaeth ...!'** *Jesus Christ! Padi! ... getting me up at three [in the morning] to ask for a line of poetry ...!* (Eirug Wyn, 1994: 186).

Iet Dyfed **clwyd** LW Glam **gât** LW CW **giât** LW NW **llidiart** LW NW *gate*

Ieuenctid *youth* **ieuenctid y dydd** (lit *youth of the day*) LW rhetorical/poetical reference to the early morning **'Beth wnâi'r mudiad gobaith pe deuai neges i mewn o rywle gan rywun a ddarganfu un o'r dywededig swigod wrth iddo hela elcod yn y goedwig yn ieuenctid y dydd?'** *What would the youth movement do if a note came in from somewhere from someone who found one of the said blisters while hunting elks in the forest in the early morning?* (*Barn*, March 1996: 63).

Ifan *Evan* **Ifan y Glaw** CW rhetorical name for rain (cf *Jack Frost*) **"Morus y gwynt, i ble'r wyt ti'n mynd?'** **'I sychu dagrau Ifan fy ffrind"** *'Morus the wind, where are you going?' 'To dry the tears of Evan my friend'* (Eigra Lewis Roberts in Eleri Hopcyn (ed.), 1995: 72).

Ifas see Appendix 19.06.

Ife (< **ai fe**) SW *is it?* (interrogative particle at end of indirect statements) **'Diw, diw, 'na beth y'n nhw, ife?'** *Well well, that's what they are, is it?* (Dafydd Rowlands, 1995: 18).

Igian *to hiccup* **igian crio** *to sob* **'Cyn gynted ag y clywodd ei lais, dechreuodd ei dad igian crio'** *As*

soon as he heard his voice, his dad started to sob (Eigra Lewis Roberts, 1985: 69).

Ill (dau/tri etc.) *the two/three etc. of us/you/them* **'Yr oeddent hwy ill dau wedi cael eu dydd'** *The two of them had had their day* (Islwyn Ffowc Elis, 1990(ii): 40).

'Im (< **ddim**) *not* **'Does gynno ni'm dewis'** *We haven't got any choice* (Wiliam Owen Roberts, 1987: 46).

Im, in etc. see Appendix 16.08.

Innau see Appendix 15.05-15.06.

Iorwg LW SW **eiddew** LW NW *ivy*

Iro *to grease, to oil* **1 iro llaw rhywun** (lit *to oil someone's hand*) *to bribe someone* **'Ynghyd â thri gohebydd arall ro'n i wedi iro llaw criw Americanaidd yr awyren fwyd'** *Together with three other correspondents I'd bribed the American crew of the food aeroplane* (Betsan Powys in Dylan Iorwerth (ed.), 1993: 26). **2 iro bloneg(en)** (lit *to grease (a lump of) fat*) *to carry coals to Newcastle, to do something useless* **Mae tyllu am ddŵr yng Nghymru cystal bob tamaid ag iro bloneg** *To drill for water in Wales is every bit as useful as carrying coals to Newcastle.*

Is LW CW **ish** SW **ishelach** SW *lower*

Isaf LW CW **ishela(f)** SW *lowest*

Isel LW CW **ishel** SW *low*

Ishe (< **eisiau**) SW *to want* **"Na ddigon, sa i ishe clywed y gair 'na 'to, dim byth, ti'n dyall'** *That's enough, I don't want to hear that word again, ever, you understand* (Meirion Evans, 1997: 42) (* see Appendix 13.03-13.04).

Isho (< **eisiau**) NW *to want* **'Faint o amser ti isio ...?'** *How much time do you want ...?* (Gwenlyn Parry, 1979: 18) (* see Appendix 13.03-13.04).

Ishta (< **yr un sut â**) SW *like* **"A'dd ei wraig e shwt fenyw fach neis'** **'Lawer rhy neis i inishynt ishta fe"** *'And his wife is such a nice woman' 'Much too nice for an innocent like him'* (Dafydd Rowlands, 1995: 16).

Ista (< **eistedd**) NW *to sit* **"Rwyt ti'n wirion iawn.'** **'Be?'** **'Yn isda ar fainc 'na. Mae o'n beth anlwcus. Fydd pobol pentra 'ma byth yn isda arni hi"** *'You're very stupid.' 'What?' 'Sitting on that bench. It's unlucky. People in the village here never sit on it'* (Wil Sam, 1995: 170).

Ishte (< **eistedd**) SW *to sit* **'Ti'n dishgwl fwy fel 'se ti mewn Austin sefn na acha moto-beic ffordd ti'n ishte fan'na'** *You look more like you're in an Austin Seven than on a motorbike the way you're sitting there* (Meirion Evans, 1997: 81).

Ishws (< **eisoes**) SW *already* **'Mi o'dd Obadeia a'i wraig ishws yn y ca' gwair, hithe ar ben y gambo a fynte yn whys diferu wrthi'n pitsho'** *Obadeia and his wife were already in the hay field, she was on top of the hay cart and he was at it dripping with sweat pitching* (Meirion Evans, 1997: 67).

It, iti etc. see Appendix 16.08.

'Itha (< eithaf) SW *quite* '**Chi itha reit, Annie. Ma' hawl 'da ni enjoio 'ed'** *You're quite right, Annie. We've got a right to enjoy ourselves as well* (Dafydd Rowlands, 1995: 61).

I'w see Appendix 15.09(iv).

Iwch see Appendix 16.08.

Iws (<E *use*) CW *point, purpose, use* '**Sdim iws siarad am bethau fel 'na**' *There's no point talking about things like that* (Geraint Lewis, 1995: 15).

Iwsio (<E *use*) CW *to use* '**oedd gin i wyth cant saith deg tri o eiria lawr yn y Dyddiadur UC-CAC coch 'na doedd Siân byth yn iwsho**' *I had eight hundred and seventy three words down in the red UC-CAC diary that Siân never uses* (Dafydd Huws, 1990: 130).

J j

Pronunication

In South Wales an initial '**di**' sound is commonly pronounced '**j**' in certain select words: see entry under '**D**' (Pronunciation)

Jac *Jack* **1 Jac (Abertawe)** CW *Swansea Jack* (person from Swansea) **Yr oedd Caerdydd yn llawn dop o Jacs ar ôl y gêm pêl-droed** *Cardiff was full of Swansea Jacks after the football match*. **2 Jac Sais** (lit *Jack the Englishman*) CW derogatory term for a typical Englishman '**Neu, o edrych arni mewn ffordd arall, os ydi Jac Sais yn rhoi ei fys yn y tân, mi roddwn ni'r Cymry ein dwylo**' *Or, looking at it another way, if your typical Englishman puts his finger in the fire, us Welsh will put in our hands* (*Golwg*, 20 April, 1995: 3). **3 Jac y rhaca** SW *scatterbrain* **Mae e mor ddwl ag unrhyw Jac y rhaca** *He's as stupid as any scatterbrain*.

Jadan NW *bitch, cow* (derogatory term for a woman) '**Fydda i ddim yn arfar bod yn bowld hefo pobol mewn oed, ond hen jadan ydi Nansi Jên**' *I'm not usually bold with adults, but Nansi Jên is an old bitch* (Jane Edwards, 1989: 20).

Janglo Arfon *to go on, to jabber on* '**Dyna'r tro cynta iddo fo dorri gair achos bod yr hen brep 'na 'i wraig o yn janglo yn ddidaw yn y car**' *That's the first time he uttered a word because that old idiot his wife was going on endlessly in the car* (Dafydd Huws, 1978: 63).

Jawch (< diawch < diawl) **1** SW *hell* (exclamation of surprise, anger etc.) '**ond jawch, wans in a leifffteim ma priodas Shelana ni - gwlei**' *but hell, our Shelana's wedding is once in a lifetime - you see* (Wyn Jones in Christine Jones and David Thorne (eds.), 1992: 38). **2 jawch erioed** SW *hell* (exclamation of surprise, anger etc.) '**Jawch ariod, mi allech dyngu i fod e newydd brynu'r Banc ag wedi dyfaru clatsh**' *Hell, you would swear that he'd just bought the Bank and had regretted it at once* (Wyn Jones in Christine Jones and David Thorne (eds.) 1992: 38).

Jawl (< diawl) **1** SW *bugger, devil* '**Le y'ch chi'r jawled? Twlwch raff lawr, w! Newch rwpeth, er mwyn dyn!**' *Where are you, you buggers? Chuck a rope down, mate! Do something, for goodness' sake!* (Dafydd Rowlands, 1995: 48). **2** SW *hell* (exclamation of surprise, anger etc.) '**Jawl,' mynte Sam, 'walle gatwan nhw ti miwn, Percy!**" *'Oh hell,' said Sam, 'perhaps they'll let you in Percy!'* (Dafydd Rowlands,

1995: 40). **3 jawl erioed** SW *hell* (exclamation of surprise, anger etc.) '**Wel, jawl erio'd, trial notyn bach ne ddou [o fiwsig] 'te**' *Well, hell, try a quick note or two [of music] then* (Dafydd Rowlands, 1995: 41). **4 (pethau/pobl etc.) (y) jawl** SW *bloody (things/people etc.)* (intensifying adjective) '**O'dd golwg ddiflas y jawl ar bob un ohenyn nhw ac o'n nhw'n falch bo' nhw'n mynd gatre cyn bo hir**' *Each one of them looked bloody terrible and they were pleased that they were going home soon* (Dafydd Rowlands, 1995: 131).

Jêl (<E *jail*) CW *jail* '**Jêl ydi Radyr i fi**' *Radyr is a jail to me* (Dafydd Huws, 1990: 59).

Jengyd (< dengyd) SW *to escape* '**Odw odw, o'dd y ddoi o ni yn yr ysgol 'da'n gilydd - ni'n dod o'r un lle, twel Bleddyn. O'dd e'r un peth pryd 'ny - wastod yn jengyd neu'n mynd ar goll**' *Yeah yeah, the two of us were in school with each other - we come from the same place, you see Bleddyn. He was the same thing then - always escaping or getting lost* (Twm Miall, 1990: 105).

Jehu see gyrru (4).

Jest (<E *just*) CW *just* **1 jest â** CW *just about* '**ma' hwn yn greisis a wy' jyst â marw ishe dweud wrth Îfs, fel yr unig berson y galla i ymddiried ynddo fe**' *this is a crisis and I'm just about dying to tell Îfs, as the only person I can trust* (John Owen, 1994: 153). **2 jest iawn** NW *almost, just about, virtually* '**Wyddoch chi Jac Hobs? ... Cricetiar gora'r byd jyst iawn**' *Do you know of Jac Hobs? ... Just about the best cricketer in the world* (Wil Sam, 1995: 112).

Jiarff NW *man who has a high regard for himself* '**O'n i'n jarff rwan, do'n ? O'n i'n ddyn mowr am unwaith gin Ben a Lun**' *I was an important person now, wasn't I? I was a great bloke for once to Ben and Lun* (Dafydd Huws, 1990: 101).

Jiarffes NW *woman who has a high regard for herself* "**Ddeudodd hi rwbath wrtha' chi, 'machan i?' 'Naddo wir, cofiwch.' 'Hy! Jiarffas, yfyd!**' *'Did she say something to you, my lad?' 'No, she didn't.' 'Hy! Stuck up, as well!'* (Twm Miall, 1990: 157).

Jiarffio NW *to boast, to strut, to swagger* "**Welis i neb tebyg i athrawon am frolio cymaint o rafins oeddan nhw yn y coleg a jiarffio faint o gasgenni yfon nhw mewn rhyw bnawnia *real ale*!**' *I've never seen anyone like teachers for boasting that they were such yobs in college and boasting about how many barrels they drank in some bloody real ale afternoons!* (William Owen Roberts, 1990: 185).

Jibidêrs *tatters* (rhacs/ufflon etc.) jibidêrs CW *bashed to bits, smashed up* '**Y noson gesh i'r gwyllt efo Siân a malu'r tŷ acw'n racs jibidêrs oedd hi**' *It was the night I went mad with Siân and bashed the house to bits* (Dafydd Huws, 1990: 113).

Jioch (< Irish *deoch*) CW *shot, swig* (of whisky etc.) '**Anghofia'r banad, ma' Marc a finna'n mynd i gael jioch bach o wisgi**' *Forget the cuppa, me and Marc are going to have a quick shot of whisky* (Dewi Wyn Williams, 1995: 43).

Jiw (< **Duw**) **1** SW *God* '**Wel, myn yffach i 'to! Glow-worm wêdd e! Jiw! jiw!**' *Well, bloody hell again! It was a glow-worm! Good God!* (W.R. Smart in Gwyn Griffiths (ed.), 1994: 75). **2 wel y Jiw Jiw** *well I never, goodness me* '**Wel i jiw jiw! Glywes i shwd beth erioed!**' *Well I never, I've never heard such a thing!* (Meirion Evans, 1997: 21).

Joban/Job(yn) (lit *job*) CW *chore, task* '**O'dd hi newydd fod yn cna tŷ Twm Tweis, jobyn o'dd hi'n neud unweth yr wthnos**' *She'd just been cleaning Twm Tweis's house, a chore she used to do once a week* (Dafydd Rowlands, 1995: 44).

Jobsys CW *chores* '**Meddwl am yr hen jobsus bychan 'na sy'n fy lladd i**' *Thinking about those bloody little chores kills me* (Margiad Roberts, 1994: 85).

Jogel (< **diogel**) SW *safe* '**Wên nw'n gwche jogel**' *They were safe boats* (Angharad Dafis in Gwyn Griffiths (ed.), 1994: 50).

Jogi (< **diogi**) SW *to be lazy* '**Ond [yr oedd y] dyn heb waith yn 'i gro'n e, a'r jogi biti fita fe**' *But the bloke didn't have any work in him, and laziness was just about eating him up* (Wyn Jones in Christine Jones and David Thorne (eds.), 1992: 40).

Joio (<E *enjoy*) **1** SW *to enjoy* '**Ie, joia dy Nadolig Scoot**' *Yeah, enjoy your Christmas, Scoot* (Sion Eirian, 1995: 31). **2 joio mâs draw** SW *to enjoy a great deal* '**wel, wel, anhygoel o wych. Enjoies i mas draw**' *well, well, incredibly brilliant. I enjoyed it a great deal* (John Owen, 1994: 123).

Jolihoetian *to have a good time, to live it up* '**yr agosa' y mae'r rhan fwya' o newyddiadurwyr yn mynd at beryg personol yw yfed gormod o *gin* ac mae dyfais a dychymyg lawn mor bwysig â ffeithiau wrth iddyn nhw ei jolihoetian hi'n garismatig o le i le**' *the closest the majority of journalist come to personal danger is drinking too much gin, and invention and imagination are just as important as facts as they live it up charismatically from place to place* (Dylan Iorwerth, 1993: 3).

Jôs see Appendix 19.06.

Jwgyd (< **dwgyd**) SW *to take, to steal* '**Wyt ti'n gw'bod pwy sy' wedi jwgyd dy ddrinc di 'te?**' *Do you know who's taken your drink then?*

Jyst see **jest**.

L l

Pronunciation

'L' is often dropped at the end of a limited number of words in colloquial Welsh

perygl	>	peryg	danger
posibl	>	posib	possible

'**Dim peryg**' *No chance* (Jane Edwards, 1989: 67)

Lab CW *blow, hit* '**Tishio lab con'?**' *You want a hit you wanker?* (Dafydd Huws, 1978: 38).

Labwst NW *thug, yob* '**Howld on, be tasa'r labwst 'na'n dŵad yn ôl?**' *Hold on, what if that yob comes back?* (Jane Edwards, 1989: 17).

Lach *whip* **1 bod â lach ar bawb** (lit *to have a whip on everyone*) CW *to be critical of everybody* '**mae'r sgins â'u llach ar bawb ac ar bob peth**' *the skinheads are critical of everybody and everything* (Twm Miall, 1988: 97). **2 (o) dan y lach** (lit *under the whip*) CW *under fire* '**Daeth Prifysgol Cymru dan y lach yr wythnos yma am beidio gwneud digon i hyrwyddo'r cyfryngau yng Nghymru**' *The University of Wales came under fire this week for not doing enough to promote the media in Wales* (*Yr Herald*, 23 April 1994: 3).

Laddar (<E *lather*) **laddar o chwys** CW *dripping with sweat* '**Roeddwn i'n deffro yng nghanol y nos yn un laddar o chwys ar ôl dychmygu fod Huws wedi dŵad â gilotin ef fo i'r capal**' *I woke up in the middle of the night dripping with sweat after imagining that Huws had brought a guillotine with him to chapel* (Twm Miall, 1988: 59).

Lan (< **i'r lan**) SW *i fyny* LW NW *up*

Lansker *the linguistic boundary in Pembrokeshire between the Welsh-speaking north and the English-speaking south* '**Roedd y *lansker* yn Sir Benfro i bob pwrpas yn ffin a gadwai ddwy gymdeithas a dwy iaith heb ymgymysgu**' *The* lansker *in Pembrokeshire was to all intents and purposes a border that kept the two societies and languages from mixing with each other* (Robert Owen Jones, 1997: 167).

Lap(an) SW *to gossip* '**O, yffarn! Gat dy lap, nei di!**' *Oh, hell! Stop your gossiping, will you!* (Dafydd Rowlands, 1995: 43).

Lapo SW *llyfu* LW NW **llyo** LW SW *to lick*

Lapswchan SW *to snog* '**Roedd edrych ar y dynion oedd yno ... yn lapswchan a chofleidio'r merched yn eu meddwdod yn troi fy stumog**' *Looking at the men who were there ... snogging and embracing the girls in their drunkenness turned my stomach* (Gwenda Richards in Dylan Iorwerth (ed.), 1993: 57).

'Laru (< **alaru**) NW *to get fed up* '**Laru! Sut fedri di laru ar le mor braf?**' *Fed up! How could you be fed up of such a lovely place?* (Jane Edwards, 1993: 30).

'Laswn i, 'laset ti etc. see Appendix 8.07.

'Lectrig (<E *electric*) CW *electric* '**Ma'r bar gwilod ar y blydi tân lectric so called newydd ma wedi conco mas yn llwyr nawr**' *The bottom bar of this so-called new bloody electric fire has conked out completely now* (Sion Eirian, 1996: 36).

Ledled *throughout* '**bydd y neges yn cyrraedd y nifer mwyaf o bobl ledled y byd**' *the message will reach the largest number of people throughout the world* (*Yr Herald*, 30 April 1994: 7).

Leicio (<E *like*) CW *to like* '**Slafo? Chi wetws 'i. Ac i beth, licen i wpod?**' *Slaving away? You said it. And why, I'd like to know?* (Dafydd Rowlands, 1995: 61) (***leicio** is far more common in CW than the more standard **hoffi** (see Beth Thomas and Peter Wyn Thomas, 1989: 153) (** for the irregular form **leicswn i** see Appendix 9.04).

Lein (<E *line*) **1** CW *line* **Maen nhw wedi bwrw'r pêl dros y lein am yr ail dro** *They've hit the ball over the line for the second time.* **2 y lein (fach)** NW *the railway* "**Ble mae dy dad yn gweithio?**' 'Ar y lein.' 'Lein fach Stiniog?' 'Na. Lein fawr. Y Cambrian**" *'Where does your father work?' 'On the railway.' 'Ffestiniog narrow gauge railway?' 'No. The main railway. The Cambrian'* (Alun Jones, 1979: 123) (* in NW **lein fach** means *narrow gauge railway*, as in the above example. These are common in the area).

Lembo NW *fool, idiot* **lembo lysh** (lit *booze idiot*) NW *lager lout* '**Tu ôl i'r bar roedd 'na slashan o hogan, ond nid hogan leol oedd hi. Mi fedra unrhyw lembo lysh weld hynny'n syth**' *Behind the bar was a stunning girl, but she wasn't a local girl. Any lager lout could see that straight away* (Vivian Wynne Roberts, 1995: 16).

Lempan NW *blow, hit* '**Mi fuo bron i mi â cherdded at Banjo a rhoi lempan iawn iddo fo oherwydd dydio erioed wedi gwneud 'run o'r pethau yna**' *I almost walked up to Banjo and gave him a good hit because he's never done a single one of those things* (Twm Miall, 1988: 136).

'Leni (< *eleni*) CW *this year* '**ond 'leni ma' Redman wedi cymryd petha ifanc o Colej i hel [mefus]**' *but this year Redman has taken on some young things from the College to collect [strawberries]* (Wil Sam, 1997: 35).

Limpin see **colli** (6).

Ling-di-long CW *leisurely* '**Tra o'dd tulu Wil yn ishte lawr i gin'o, o'dd Twm a Percy yn cered gatre ling-di-long ar hyd y c'nel**' *While Will's family were sitting down to dinner, Twm and Percy were walking leisurely home along the canal* (Dafydd Rowlands, 1995: 80).

Liwt (<E *lute*) **ar fy liwt fy hun** *on my own* '**mae arweinwyr y ddwy gymuned wedi sefydlu cyd-bwyllgor ar eu liwt eu hunain**' *leaders of the two communities have set up a joint committee on their own* (*Golwg*, 3 March 1994: 8).

Lob NW *fool, idiot* '**Coventry ti'n feddwl, y lob**' *Coventry you mean, you idiot* (Alun Ffred and Mei Jones, 1990: 19).

Locsyn NW *beard* **locsyn clust** NW *sideburn* "**Basdads bach Rhydfelen yn siarad Susneg,**' **medda'r boi mawr 'ma efo locsun clust wrth yn ochr i wrth y bar**' *'Little bastards from Rhydfelen speaking English,' said the big lad with the sideburns by my side at the bar* (Dafydd Huws, 1978: 14).

Lodes SW *girl* '**Ti a dy drwyn ormod yn y cardie 'ne. Iste fel rhechod yn chware am arian ych gilydd bob nos a holl lodesi Caerdydd yn disgwyl amdenoch chi**' *You've got your nose too much in those cards. Sitting like farts playing for each other's money and all the girls in Cardiff waiting for you* (Dafydd Huws, 1978: 45) (* see also **los**).

Lofft *loft* **lan lofft** SW *upstairs* '**[Mae'r bwyd yn] gwd i chi. Ma' fe'n gweid yn y llyfyr 'sda fi lan lofft. Chi moin 'i weld e?**' *[The food is] good for you. It says so in the book I've got upstairs. D'you want to see it?* (Margiad Roberts, 1994: 119).

Lol LW NW **dwli** LW SW *nonsense, rubbish* **1 hen lol gwirion** NW *load of old nonsense* '**A faswn i'n synnu dim fod Now yn iawn ac nad ydi'r global warming 'ma'n ddim byd 'mond rhyw hen lol wirion gan bobol sydd wedi eu magu rhwng dybl glêsing ...**' *And I wouldn't be surprised that Now's right and that this global warming is nothing but some load of old nonsense from people brought up between double glazing ...* (Margiad Roberts, 1994: 202). **2 lol botes (maip)** NW *load of old nonsense* '**[Yr oedd] fynta'n chwifio'i ddwrn ac yn diawlio ac yn damio ac yn gweiddi rhyw lol botas**' *He [was] waving his fist and cursing and damning and shouting some load of old nonsense* (Robin Llywelyn, 1992: 52).

Lôn 1 *lane* "**Roedd lôn gul, arw, y Lôn Groes, yn dirwyn tuag at ein fferm ni o'r ffordd fawr**' *There was a narrow, rough lane, the Lôn Groes, winding towards our farm from the main road* (Alan Llwyd, 1994: 33). **2** NW *road* '**mae degau o bobl ifanc yn cerdded lonydd prysur di-balmant er mwyn prynu diod yn y siopau agosaf**' *dozens of young people walk along the pavementless busy roads in order to buy drink in the nearest shops* (*Western Mail*, 20 January 1996: (Arena) 10). **3 lôn bost** NW *highway, main road* '**Ia, ond pa dŷ sydd ar y lôn bost wrth i chi ddod am y lôn yna - i mi gael gwybod lle i droi?**' *Yeah, but which house is on the main road as you come to the road there - so that I know where to turn?* (Angharad Tomos, 1991: 35). **4 lôn drol** NW *farm track* '**Rŵan, Iwerydd, wyddost ti'r lôn drol o bont y rhyd draw hyd y gefnen?**' *Now, Iwerydd, you know the farm track from the ford bridge over to the back?* (Robin Llywelyn, 1994: 142). **5 lôn fawr** NW *highway, main road* '**[Ddigwyddith ddim byd nes] i'r lôn fawr newydd ddaru ni ei melltithio i'r cymylau gael ei hadeiladu**' *[Nothing will happen until] that main road we condemned to high heaven is built* (Angharad Tomos, 1985: 120). **6 lôn goch** (lit *red road*) NW *throat* '**Digon araf oedd y cwrw'n mynd i lawr y lôn goch. Roedd morthwylion y wisgi'n dal i gnocio ein pennau**' *The beer was going down your throat slowly enough. The blows from the whisky were still hitting our heads* (Vivian Wynne Roberts, 1995: 104).

Lordio (<E *lord*) **ei lordio hi** *to show off* 'Ac o ble gei di brês i brynu 'unlla? Ma' talu rhent amball i fis wedi mynd yn boen, heb i ti ddechra'i lordio hi am roi'r gora' iddi' *And where will you get money to buy anywhere? Paying the rent the odd month has become a pain, without you starting to show off about giving up* (Meic Povey, 1995(ii): 18).

Los (< *lodes*) SW *girl* 'Twt, los fach; 'doedd y digwyddiad yn ddim ond hen getyn cweryl heb ei setlo gennym' *Tut tut, love; the incident was nothing but an old bit of a quarrel which hadn't been settled by us* (D. Tegfan Davies in Christine Jones and David Thorne (eds.), 1992: 45).

Loshin SW **cisys** Dyfed **da-da** NW **fferins** NW **melysion** LW CW **minciag** Powys **neisis** Pembs **pethau da** NW **taffins** Glam *sweets*

Lot CW *lot* **lot fawr** CW *an awful lot* 'Mae 'na broblemau yma, lot fawr o dlodi, lot fawr o gyffuriau a does 'na ddim llawar o waith' *There are problems here, an awful lot of poverty, an awful lot of drugs and there isn't much work* (Lyn Ebenezer, 1996: 68).

Lwc *luck* **1 pob lwc** *good luck* 'Pob lwc i Cadno weda i' *Good luck to Cadno I say* (Geraint Lewis, 1995: 15). **2 trwy/wrth lwc** *luckily* 'Drwy lwc fe symudon ni i Ddolgellau pan own i'n bedair' *Luckily we moved to Dolgellau when I was four* (Marion Eames in Eleri Hopcyn (ed.), 1995: 3).

'Lwêth (< *eilwaith*) Dyfed *again* 'O'r diwedd dima fi'n mentro dod lawr ... ac in cerdded mla'n at y iet, grondo am damed bach lwêth, a cadw i seso ar y gole' *Finally I ventured to come down ... and walked towards the gate, listened for a little bit again, and kept looking at the light* (W.R. Smart in Gwyn Griffiths, 1994: 74).

Lyfli (<E *lovely*) CW *lovely* "Pregeth neis.' 'Lyfli." *'Nice sermon.' 'Lovely.'* (Dafydd Rowlands, 1995: 78).

Lysh Arfon *booze, drink* 'Wel, rwan ta, doedd 'na ddim cwpwrdd lysh na choctêl cabinet na dim byd arall yn tŷ ni' *Well, now then, there wasn't a booze cupboard or a cocktail cabinet or anything else in our house* (Gwenlyn Parry in Eleri Hopcyn (ed.), 1995: 38).

Lyshwr Arfon *boozer, drinker* 'Dan ni'n lyshwrs wrth reddf' *We're instinctive boozers* (Wiliam Owen Roberts, 1990: 185).

LL ll

Llabwst see **labwst**.

Llac LW NW **slac** LW SW *slack*

Llaca LW SW **llaid** LW SW **mwd** NW *mud*

Lladd 1 *to kill* 'Peidiwch â nghamddallt i, dydw i ddim am ladd pob dyn diarth ym mhob man' *Don't misunderstand me, I don't want to kill every stranger everywhere* (Wil Sam, 1987: 32). **2** *to cut* (grass, peat etc.) 'lladdai pob fferm ei gwair ei hun' *each farm used to cut its own hay* (Dic Jones, 1989: 162). **3 fel lladd nadroedd** (lit *like killing snakes*) *as quickly as possible, like there's no tomorrow* 'Ers ennill y cytundeb, mae'r criw cynhyrchu wedi bod wrthi fel lladd nadroedd - yn adeiladu'r sét, sgriptio, castio ac ymarfer' *Since winning the contract, the production crew have been at it like there's no tomorrow - building the set, scripting, casting and practising* (Golwg, 25 May 1995: 18). **4 lladd ar rywun** *to attack someone, to criticise someone* 'Roedd yna lot o gecru yn y sîn roc Gymraeg ar y pryd - roedd hi'n gyfnod lle roedd pobol yn lladd ar ei gilydd' *There was a lot of bickering in the Welsh rock scene at the time - it was a period when a lot of people were attacking each other* (Golwg, 29 September 1994: 19).

Llaes LW NW **hir** LW CW *long* (* **llaes** is used in reference to clothing here)

Llaesu *to slacken* **llaesu dwylo** *to slacken* (most usually in the context of work etc.) 'Ond dydi Huw Jones ddim yn un i laesu dwylo' *But Huw Jones isn't one to slacken* (Y Cymro, 11 May 1994: 10).

Llaeth LW SW Powys **llefrith** LW NW *milk* **llaeth (enwyn)** LW NW **enwyn** LW SW *buttermilk* 'Rargian fawr, mae golwg wedi blino arnat ti, tyrd yma iti gael glasiad o laeth enwyn' *Heavens, you look tired, come here so that you can have a glass of buttermilk* (Caradog Prichard, 1961: 51).

Llafar *speech* **ar lafar (gwlad)** *in everyday speech, in the spoken language, locally* 'Honnir ar lafar gwlad i Elin drio'i phrawf gyrru tua dwsin o weithiau!' *It is claimed locally that Elin tried her driving test about a dozen times!* (John Ogwen, 1996: 30).

Llafn CW *strapping lad* 'Ddudoedd o uffar o ddim byd, llafn' *He said absolutely bloody nothing, lad* (Gwenlyn Parry, 1992: 56).

Llafnes CW *strapping girl* 'Roedd hi 'rioed yn llafnes dda' *She was always a good strapping girl.*

Llai *less* **llai na** (lit *less than*) *but* (negative only) 'Ni allai lai na rhyfeddu at y newid ynddi' *He could not but wonder at the change in her* (Marion Eames, 1982: 35).

Llaid LW SW **llaca** LW SW **mwd** NW *mud*

Llais LW CW **llaish** SW *voice* **Llais y Sais** (lit *the Voice of the Englishman*) CW irreverent name for the newspaper *The Western Mail* 'Un o'i gydweithwyr ar 'Lais y Sais' yn y dyddiau hynny oedd Geraint Talfan Davies' *One of his colleagues on* The Western Mail *those days was Geraint Talfan Davies* (Golwg, 13 June 1996: 8).

Llaith LW CW **tamp** LW NW *damp*

Llambed see Appendix 18.02.

Llan see Appendix 18.02.

Llanastr LW CW **llanast** CW *mess*

Llanbabo, Llanbabs see Appendix 18.02.

Llanbed see Appendix 18.02.

Llanbêr see Appendix 18.02.

Llanc *lad* **hen lanc** (lit *old lad*) *bachelor* '**Er ei fod yn hen lanc ac yn hen ddyn yr oedd rhywfaint o'r plentyn ynddo o hyd**' *Although he was a bachelor and an old man there was something of the child still in him* (Mihangel Morgan, 1994: 34).

Llances NW *girl* "**Be wedes i?' me Siân yn llancas**' '*What did I say?' said Siân in strong, girlish way* (Dafydd Huws, 1990: 19) (* **yn llancas < yn llancas i gyd** see **i gyd**).

Llanfair PG see Appendix 18.02.

Llanw 1 *tide* '**Teflaist fi i'r dyfnder, i eigion y môr, a'r llanw yn f'amgylchynu**' *You hurled me into the deep, into the very heart of the seas, and the currents swirled about me* (Jonah 2:3). **2 llanw** SW **llenwi** LW CW *to fill* '**Fe wna pob llipryn y tro i lanw y ddwy swydd gynta' os bydd gyta fe ddicon o dylwth iddi bwsho fe mlân**' *Any rascal would do to fill the first two jobs if he's got enough family to push him forward* (Edgar ap Lewys, 1977: 20).

Llarp(ad) (lit *rag*) NW *thug, yob* '**Mi ladda i'r llarpad**' *I'll kill the lout* (Alun Jones, 1979: 36).

Llathen *yard* **1 heb fod/ddim yn llawn llathen** (lit *without being/not a full yard*) CW *not all there, nuts* '**Yn gyntaf, ceir cyd-ddealltwriaeth dawel rhwng pawb sydd yno mewn awdurdod nad yw pobl ddiwaith yn llawn llathen**' *First, there is a quiet understanding between everyone there in authority that unemployed people are not all there* (Angharad Tomos, 1982: 22). **2 llathen o'r un brethyn** (lit *a yard from the same cloth*) *cut from the same cloth, in the same mould* '**Llathen o frethyn arall oedd Rhian**' *Rhian was cut from a different cloth* (Dic Jones, 1989: 252).

Llaw *hand* **1 codi llaw ar rywun** (lit *to raise a hand to someone*) *to wave to someone* '**Mi droith a chodi'i llaw arna i, ac mi roedd 'na ddeigryn yn 'i llygad hi**' *She turned and waved to me, and there was a tear in her eye* (Alun Ffred and Mei Jones, 1990: 44). **2 gyda llaw** *by the way* '**O, by the way, gyda llaw, dydach chi ddim yn debyg o alw'n 'Reglwys?**' *Oh, by the way, you're not likely to be calling in the Church?* (Jane Edwards, 1989: 74). **3 hen law** (a) *experienced person, old hand* '**Mae Betsan Bawb yn hen law ar bryfocio pobol**' *Betsan Bawb is an old hand at provoking people* (Robin Llywelyn, 1992: 7); (b) *mate* '**Sut wyt ti'r hen law?**' *How are you mate?* (Jane Edwards, 1989: 73). **4 law-yn-llaw** *hand-in-hand* '**Law yn llaw â hynny, daw diffyg parch at awdurdod a gostyngiad mewn safonau**' *Hand in hand with that comes lack of respect for authority and a drop in standards* (Golwg, 31 March 1994: 3). **5 o'r llaw i'r genau** *from hand to mouth* '**Byw o'r llaw i'r gena, mae fory siŵr o ddwâd**' *Living from hand to mouth, tomorrow is sure to come* (Wil Sam, 1995: 94). **6 tynnu llaw dros rywbeth** *to stroke something* '**Gwyddai [hi] gymaint roedd Richard yn ei feddwl o Thomas Aberbrân. Tynnodd ei llaw'n dyner dros y gwallt gwyn. Ni allai dweud dim**' *[She] knew how much Richard thought of Thomas Aberbrân. She stroked his white hair gently. She couldn't say anything* (Nansi Selwood, 1987: 250).

7 tynnu llaw dros ben rhywbeth/rhywun *to alleviate something/someone, to soften something/someone* "**Diwrnod caled yn y gwaith, Iwan?**' Ei fam-yng-nghyfraith, yn llygadog a chall, yn ceisio tynnu llaw dros ben y distawrwydd a orweddai'n dew rhwng ei merch a'i gŵr gorweithgar' *'A hard day at work, Iwan?' His mother-in-law, perceptive and sensible, [was] trying to soften over the silence that lay thickly between her daughter and her overworked husband* (Sonia Edwards, 1993: 61). **8 wrth law** *at hand, nearby* '**Petai'n digwydd holi o ble y doi'r bwyd i'r archfarchadoedd i ddechrau byddai rhyw economegydd wrth law yn barod i egluro ei bod yn talu'n well i'w brynu o wledydd eraill**' *If one happened to ask where the food for the supermarkets comes from to start with, there would be some economist at hand ready to explain that it pays better to buy it from other countries* (Golwg, 7 April 1994: 14).

Llawer *lot* **1 (blynyddoedd/wythnosau etc.) lawer** *many (years/weeks etc.)* '**Dros ganrifoedd lawer y datblygodd pob tafodiaith**' *Each dialect developed over many centuries* (Beth Thomas and Peter Wyn Thomas, 1989: 8) (* **llawer** (mutated to **lawer**) can come after any plural noun, but it is particularly common after nouns of time, as in the above example). **2 llawer i (ddyn/ferch etc.)** *many a (man/girl etc.)* '**wêdd e dros 'i dri deg, ch'wel, ac in gallach na llawer i ddyn**' *he was over thirty, you see, and more sensible than many a man* (W.R. Smart in Gwyn Griffiths (ed.), 1994: 74). **3 llawer iawn** *an awful lot* '**O'dd na lawer iawn o sôn am un hen gymeriad arbennig**' *There was an awful lot of talk about one special old character* (Eirwyn Pontshân, 1973: 13). **4 llawer un** *several, many* '**Ar ôl wythnosau o fyw a bod ymysg milwyr, roedd y demtasiwn i ddechrau gwisgo fel nhw'n yn cydio yn llawer un**' *After weeks of existing among soldiers, the temptation of starting to dress like them took hold of many* (Guto Harri in Dylan Iorwerth (ed.), 1993: 65). **5 o lawer** *by far* '**Mae'n fwy dychrynllyd o lawer pan fydd miloedd o fywydau yn y fantol**' *It's more terrifying by far when thousands of lives are in the balance* (Golwg, 15 June 1995: 3).

Llawgnychu CW *to wank* '**ai cyd-digwyddiad yw nad yw [y Geiriadur newydd yn] cynnwys y gair 'llawgnychu'? Tybed ai math o sensoriaeth yw hyn?**' *is it a coincidence that [the new Dictionary] does not include the word 'to wank'? I wonder if this is some sort of censorship?* (Golwg, 15 February 1996: 8).

Llawiau CW *friends, mates* '**Dydi amser a finnau erioed wedi bod yn llawiau, ac mae'n gas gen i glociau**' *Time and myself have never been friends, and I hate clocks* (Eigra Lewis Roberts in Eleri Hopcyn (ed.), 1995: 66).

Llawn *full* **1 lawn (cystal/cynddrwg etc.)** *just (as good/as bad etc.)* '**Am yr hanner awr nesaf, ac yntau'n 59 oed, chwysodd yn dalp wrth brofi ei fod yn bêl-droediwr trychinebus; dylwn ychwanegu ei fod lawn mor ffit ag unrhyw un o'r chwaraewyr ifancach ar y cae**' *For the next half an hour, and at 59 years old, he sweated profusely while* *proving that he was a terrible footballer; I should add that he was just as fit as any of the younger players on the pitch* (Tweli Griffiths, 1993: 79). **2 llawn dop** *full to the brim, overflowing* '**Dyna pam fod Gogledd Cymru yng nghanol yr ha' a phob penwythnos braf yn llawn dop o geir a phobol**' *That is why North Wales in the middle of the summer and every fine weekend is full to the brim with cars and people* (*Golwg*, 9 March 1989: 18). **3 llawn joc** *full to the brim, overflowing* '**Roedd y lle'n llawn joc a phawb yn canu**' *The place was full to the brim and everybody was singing* (Twm Miall, 1990: 12).

Llawr *floor* **llawr gwlad** (a) *flat plain* (physical feature) '**Mi glywai arogl cig rhost filltir i ffwrdd a buasai wedi bod yn ffermwr llwyddiannus ar fferm fawr ar lawr gwlad**' *He [could] smell roast meat a mile away and he would have been a successful farmer on the plains* (Simon Jones, 1989: 51); (b) *grass-roots level, ordinary people* (figuratively) '**erbyn hyn, does gan S4C ddim presenoldeb ar lawr gwlad**' *by now, S4C hasn't got any presence at grass-roots level* (*Golwg*, 29 April 1993: 27)

Lle 1 *place* '**ble mae'r lle?**' *where's the place?* (Mihangel Morgan, 1992: 79). **2** *where* (conjunction) '**Y mae'r gwynt yn chwythu lle y myn**' *The wind blows where it pleases* (John 3:8). **3** NW *where* (interrogative) '**Lle ti'n mynd heddiw?**' *Where you going today?* (Margiad Roberts, 1994: 197). **4** (**gweiddi/llefain** etc.) **dros y lle** (**i gyd**) *to* (*shout/cry* etc.) *loudly* '**dwedodd yr hogyn bach rywbath yn Seusnag a gneud iddi hi chwerthin dros y lle**' *the little boy said something in English which made her laugh loudly* (Caradog Prichard, 1961: 24). **5 lle chwech** (lit *a place for six*) CW *toilet* '**[Yr] unig beth ddaru ddigwydd oedd Mam yn deud wrth y ddynas ddiarth bod hi eisio mynd i lle chwech**' *[The] only thing that happened was that Mam told the strange woman that she wanted to go to the toilet* (Caradog Prichard, 1961: 190) (* this refers to the era when a toilet would have been shared between six houses). **6 o'i le** *wrong* '**O, beth yn y byd sydd wedi mynd o'i le ar y peiriant melltigedig 'ma nawr?**' *Oh, what on earth has gone wrong with that bloody machine now?* (Mihangel Morgan, 1993(ii): 14).

Lled *breadth, width* **1 ar led** *abroad, going around* '**Yn wir, roedd si gre ar led fod y rhai mwya brwd a chydwybodol wedi bod yn ymarfer yn slei bach**' *Indeed, there was a strong rumour going around that the most enthusiastic and conscientious had been practising surreptitiously* (Wiliam Owen Roberts, 1987: 9). **2 (o) led y pen** *wide open* '**Roedd e wedi gadael drws yr ystafell yn agored led y pen**' *He'd left the room door wide open* (Mihangel Morgan, 1993(ii): 99).

Lledr LW **lledar** NW **lleder** SW *leather*

Llefain LW SW **crio** LW NW **wylo** LW CW *to cry* **llefain y glaw** *to cry buckets, to cry profusely* '**Yna meddyliais am Mr Schloss yn galaru ar ôl ei gath ac yn llefain y glaw ac am yr angladd drist**' *Then I thought about Mr Schloss weeping after his cat and crying profusely and about the sad funeral* (Mihangel Morgan, 1993(i): 83).

Llefrith LW NW **llaeth** LW SW Powys *milk*

Llefydd CW **lleoedd** LW CW *places* (* **llefydd** is not considered correct in LW (see Morgan D. Jones, 1965: 28), but it is becoming increasingly acceptable in OW).

Lleiaf *least* **o leiaf** *at least* '**A bûm yn ei lyfrau da byth wedyn, 'rwy'n credu. O leiaf, 'rwy'n cofio i mi gael marciau llawn am linell anghywir unwaith**' *I was always in his good books afterwards, I think. At least, I remember getting full marks for a wrong line once* (Dic Jones, 1989: 222).

Lleithder LW CW **tamprwydd** NW *dampness*

Llenwi LW CW **llanw** SW *to fill*

Lleoedd LW CW **llefydd** CW *places*

Lles *benefit* **er lles rhywbeth/rhywun** *for the benefit (of something/someone)* '**[Yr oeddynt] yn barod iawn i ymarfer eu doniau er lles cymdeithas am rai oriau bob wythnos**' *[They were] very eager to practice their skills for the benefit of society for several hours every week* (*Golwg*, 23 November 1989: 31).

Llestri *dishes* **dros ben llestri** (lit *over plates*) *over the top* '**Mae'r cynnydd diweddara' mewn costau benthyg wedi mynd â phethau dros ben llestri**' *The latest increase in borrowing costs has taken things over the top* (*Golwg*, 9 November 1989: 6).

Llethr LW NW **llether** SW *slope*

Llewygu LW NW **pango** SW *to faint*

Llewys *shirtsleeves* **yn llewys fy nghrys** *in my shirtsleeves* '**Dew, oedd hi'n boeth ar ôl imi gerddad tua milltir, a dyma fi'n tynnu nghot a cerddad yn llewys fy nghrys**' *God, it was hot after I walked about a mile, and so I took off my coat and walked in my shirtsleeves* (Caradog Prichard, 1961: 54).

Llidiart LW NW **clwyd** LW Glam **gât** LW CW **giât** LW NW **iet** Dyfed *gate*

Llinyn *string, tape* **1 llinyn mesur** (lit *measuring tape*) *yardstick* (figuratively) '**Yn ôl Eiry Jones, safon yw'r llinyn mesur bob tro**' *According to Eiry Jones, [a high] standard is the yardstick every time* (*Golwg*, 15 September 1994: 23). **2 llinyn trôns** (lit *trouser string*) CW *drip, feeble person, wet* "**Ti ddim yn gneud y sgets gynta rŵan, nac wyt?**" '**Nacdw - y llinyn trôns diawl!**" '*You're not going to do the first sketch now, are you?' 'No - you bloody drip!'* (Gwenlyn Parry, 1992: 10).

Lliw *colour* **1 lliw dydd** *during the day, in daylight hours* '**Âi Morfudd o gwmpas y strydoedd liw dydd, yn ei charpiau, ei dillad brwnt, ei gwallt yn flêr a lleuog**' *Morfudd used to go around the streets in daylight hours, in her rags, her dirty clothes, her hair untidy and lousy* (Mihangel Morgan, 1994: 69). **2 lliw haul** *suntan* '**Dach chi 'di bod yn Cyprus? Ro'n i'n meddwl 'mod i'n gweld lliw haul arnoch chi**' *You been to Cyprus? I thought I could see you've got a suntan* (Jane Edwards, 1989: 64). **3 lliw nos** *in the middle of the night* '**ro'n i'n hedfan liw nos o Nairobi, yn Kenya, i Mogadishu**' *I flew in the middle of the* *night from Nairobi, in Kenya, to Mogadishu* (Betsan Powys in Dylan Iorwerth (ed.), 1993: 26). **4 pob lliw a llun** *every shape and size* **'Weithiau, fel yn Reykjavik, fe ddaw si o'r cyfarfodydd fod bargen anhygoel ar fin ei tharo, sef y byddai'r ddwy wlad yn cytuno i gael gwared ar arfau niwclear o bob lliw a llun o fewn deng mlynedd'** *Sometimes, as at Reykjavik, a rumour came from the meetings that an incredible bargain was about to be struck, namely that the two countries would agree to get rid of nuclear weapons of every shape and size within ten years* (Dewi Llwyd in Dylan Iorwerth (ed.), 1993: 130).

Llnau (< *glanhau*) NW *to clean* **'Roeddwn i'n licio'r gwaith yn iawn hefyd ond fues i ddim yn peintio, dim ond sandio a llnau'r gwaith coed'** *I liked the work just fine as well but I didn't do any painting, just sanding and cleaning the woodwork* (Twm Miall, 1988: 104).

Llo *calf* **1 llo cors** (lit *moorland calf*) CW *drip, feeble person, wet, wide-eyed* **'Pam na ddaw y llo cors yn nes?'** *Why doesn't the drip come nearer?* (Wiliam Owen Roberts, 1987: 55). **2 llo llywaeth** (lit *hand-reared calf*) CW *drip, feeble person, wet, wide-eyed* **'Ddeudodd neb uffar o ddim, dim ond sbio fel lloua llywaeth i'w wyneb'** *Nobody said any bloody thing, just looked wide-eyed into his face* (Vivian Wynne Roberts, 1995: 12).

Lloc LW SW **corlan** LW CW **ffald** LW SW *sheepfold*

Lloegr LW CW **Lloegar** NW **Lloeger** CW *England*

Llofft 1 *loft, upstairs* **'Y tŷ hwn oedd un o'r rhai cyntaf yn y plwyf i gael ystafelloedd ar y llofft'** *This house was one of the first ones in the parish to have rooms in the loft* (Nansi Selwood, 1993: 111). **2** NW *bedroom* **'Trodd [hi] i wynebu Sam fel y deuai yn ei ôl i'r llofft o'r stafell ymolchi'** *[She] turned to face Sam as he came back into the bedroom from the bathroom* (Sonia Edwards, 1994: 85). **3 lan llofft** SW *upstairs* **'Byddaf yn cadw'r siocledi hyn lan llofft yn fy stafell'** *I keep this chocolate upstairs in my room* (Mihangel Morgan, 1994: 48).

Llog *interest* (money) **ar log** *for hire* **Mae Neuadd y Pentref ar log** *The Village Hall is for hire.*

Lloiau (< *lloi*) NW *calves* **'Ond chododd Now mo'i ben nes y clywodd o fi'n deud fod y camra yn sbio allan trwy ffenast y llofft ar loua Ken yn y Cae-Dan-Tŷ'** *But Now didn't lift up his head until he heard me saying that the camera was looking out through the bedroom window at Ken's calves in Cae-Dan-Tŷ* (Margiad Roberts, 1994: 83).

Llon *glad, merry* **y llon a'r lleddf** *the happy and the sad* **'Mae gwasanaeth Hwyrach ar Radio Cymru, o bosib, yn un o wasanaethau prydfertha'r byd radio. Ceir y llon a'r lleddf, y dwys a'r difyr'** *The Hwyrach service on Radio Cymru is, perhaps, one of the best services of the radio world. One gets the happy and the sad, the serious and the entertaining* (*Golwg*, 20 May 1993: 8).

Llond *full* **1 cael llond bol** *to get fed up, to have a gutsful* **'Injan yn gollwng! Sinc yn gollwng! Dwi wedi cael llond 'y mol!'** *Machine's leaking! Sink's leaking! I've had a gutsful!* (Margiad Roberts, 1994: 214).

2 llond ceg (lit *mouthful*) LW NW *earful, telling off* **'Roedd dynes yn Woolworth y diwrnod o'r blaen yn rhoi llond ceg i'w ffrind iddi am ddewis ei rhifau [loteri] ar hap'** *There was a woman in Woolworth the other day giving her friend an earful because she chose her [lottery] numbers by chance* (*Western Mail*, 24 June 1995: (Weekender) 2).
3 llond cratsh CW *gutsful* (food and drink) **'A ti wedi meddwi. Wedi ca'l llond cratsh. Weden i'** *And you're drunk. Had a gutsful. I would say* (Sion Eirian, 1995: 50). **4 llond dwrn** (lit *fistful*) *handful* **'Roedd hi'n gallu gwneud y lobsgows gorau'n y byd allan o ryw lond dwrn o esgyrn'** *She could make the best lobscouse in the world out of a handful of bones* (Gwenlyn Parry in Eleri Hopcyn (ed.), 1995: 37).
5 llond fy arffed (lit *lapful*) *armful* **'roedd hi yn ei chadair ar Ddiwrnod Dolig a llond ei harffed o bresantau'** *she was in her chair on Christmas Day with an armful of presents* (Angharad Tomos, 1991: 137). **6 llond fy nghlos** (lit *trouserful*) CW *full of myself* **'Dew, ma'r hen gleiriach rhen foi 'cw wedi mynd yn fwy na llond i glos ers dalwm'** *God, that old bloke that decrepit old man has become more than full of himself recently* (Wil Sam, 1987: 79).
7 llond fy nghôl (lit *lapful*) LW SW *armful* **'Y bore wedyn, wrth ffilmio yn archfarchnad Leclerc, dyma'i gyfarfod eto. Cariai lond ei gôl o dorthau o'i siopau ei hun'** *The following morning, while filming in Leclerc's supermarket, we met him again. He was carrying an armful of loaves from one of his own shops* (Lyn Ebenezer, 1996: 142). **8 llond fy nghroen** (lit *skinful*) *healthy-looking, plump* **'Newidiodd y llun eto i ddangos dyn siriol, llond ei groen yn sefyll ar lwyfan'** *The picture changed again to show a cheerful, plump man standing on a stage* (Mihangel Morgan, 1993(ii): 11). **9 llond fy hafflau** LW NW *armful* **'Yr oedd gŵr yn fagiau lond i hafflau'n bustachu ei ffordd drwy'r drws'** *A man, his arms full of bags, was fumbling his way through the door* (Alun Jones, 1979: 77). **10 llond gwlad** (lit *countryful*) *abundance, whole load* **'Ceir llond gwlad o ymadroddion pert a ddefnyddir wrth anwylo plentyn'** *There are an abundance of lovely sayings used to endear a child* (Mary Wiliam, 1978: 105).
11 llond gwniadur (lit *thimbleful*) *insignificant amount, negligible amount* **'*Channel* oedd o. Stwff drud. Dros ddeugain punt am lond gwniadur'** *Chanel it was. Expensive stuff. Over forty quid for an insignificant amount* (Dewi Wyn Williams, 1995: 73).
12 llond pen (lit *mouthful*) LW SW *earful, telling off* **'mi ddechreuais i gyfrif yr adegau hynny pan oeddwn i wedi gorfod disgwyl am wialen fedw, lempan neu lond pen'** *I started to count those times when I had to wait for a whipping, a clip round the ears or a telling off* (Twm Miall, 1988: 173). **13 llond y lle** *whole load* **'i mewn â ni i'r swyddfa lle'r oedd yna lond y lle o'n blaenau ni o bobol yn gwitsiad eu tro'** *we went into the office where there was a whole load of people in front of us waiting their turn* (Robin Llywelyn, 1992: 91).

Llosg cylla Dyfed **diffyg traul** LW CW **dŵr poeth** NW *heartburn, indigestion*

Llosgi *to burn* **1 llosgi'r cannwyll i lawr i'r byw** (lit *to burn the candle to the quick*) *to burn the candle at* both ends **Yr oedd Julie yn arfer mynd allan bob nos, ac wedyn yn gweithio yn galed yn ystod y dydd. Yr oedd hi'n arfer llosgi'r cannwyll i lawr i'r byw** *Julie used to go out every night, and then she used to work hard during the day. She used to burn the candle at both ends.* **2 llosgi'n ulw** *to burn completely, to burn to a cinder* **'Gafodd y prentis o 'mlaen i 'i lectriciwtio sti. Uffar o fflach medda'r hogia ... 'i losgi'n ulw'** *The apprentice before me was electrocuted you know. Hell of flash according to the lads ... burnt to a cinder* (Gwenlyn Parry, 1979: 21).

Llowcio NW *to gulp down, to wolf down* **'mae Cymry ifanc yn llowcio eu diodydd gydag un llygad ar y cloc ac yna mae hi'n ras wyllt i gyrraedd y bar cyn iddo gau'** *Welsh youngsters gulp down their drinks with one eye on the clock and then it's a mad race to reach the bar before it closes* (*Golwg*, 8 September 1994: 3).

Llucheden LW SW **mellten** LW NW *flash of lightning*

Lluchedu LW SW **melltio** LW NW **melltennu** LW NW *to flash lightning*

Llun *picture* **1** *rhyw lun some form* **"Diflannwyd' miloedd o wrthwynebwyr y Llywodraethau Milwrol a fu'n gorthrymu'r Ariannin a Chile tan yn ddiweddar, ac er i rhyw lun ar ddemocratiaeth ddychwelyd i'r ddwy wlad, deil y lleiddiaid a'r arteithwyr â'u traed yn rhydd'** *Thousands of opponents to the Military Governments which oppressed Argentina and Chile until recently 'disappeared', and although some form of democracy returned to the two countries, the persecutors and torturers are still free* (Gareth Miles, 1995: 109). **2** *tynnu llun* (a) *to draw* **'Mae Gwen fach yn ei llofft, yn eistedd ar ei gwely yn tynnu lluniau'** *Little Gwen is in her bedroom, sitting on her bed drawing* (Angharad Jones, 1995: 44); (b) *to take a photograph* **'Ceir stori am ffotograffydd a alwyd i dynnu llun yr actorion'** *There is a story about a photographer who was called to take a photograph of the actors* (Lyn Ebenezer, 1986: 48).

Llw *oath* **ar fy llw** (lit *on my oath*) *on my word* **"A chymer di ofol na ddeudi di ddim wrth neb ein bod ni 'di bod 'ma. Ar dy lw?' 'Ar fy llw'** *'And take care that you don't tell anyone that we've been here. On your word?' 'On my word'* (Jane Edwards, 1989: 16).

Llwch *dust* **tynnu llwch** *to dust* **'dydi Nel yn gwneud dim byd ddydd a nos ers dyddia rŵan, 'mond tynnu llwch a llnau'** *Nel hasn't done anything night and day for days now, except dust and clean* (Margiad Roberts, 1994: 204).

Llwfr LW CW **llwfwr** SW *cowardly, timid*

Llwgu (< **llewygu**) **1** NW *to be starving* **'Ond mi rydwi jest â llwgu. Dwi heb fyta dim byd o'r sach, wir yr'** *But I'm just about starving. I haven't eaten anything out of the bag, really* (Robin Llywelyn, 1992: 40). **2** (**pe)tawn i'n llwgu** (lit *if I were starving*) NW *well I never* **Ai y fo sy'n cynllunio'r adeilad? Wel, 'tawn i'n llwgu!** *Is it him who's designing the building? Well I never!*

Llwglyd NW *starving* **'roedd rhyw olwg llwglyd wyllt arno, fel pe bai rhywbeth wedi rhoi braw iddo o'r newydd'** *he had a wild and starving look about him, as though something had just given him a shock* (Wiliam Owen Roberts, 1987: 95).

Llwnc *gullet* (throat) **llwnc tost** LW SW *sore throat* **Mae llwnc tost 'da fi ar ôl yr holl smoco 'na neithwr** *I've got a sore throat after all that smoking last night.*

Llwybr LW CW **llwybyr** CW *path*

Llwyd see Appendix 19.04

Llwydrew LW SW **barrug** LW NW *(ground)frost*

Llwyn *bush* (**mab/plentyn etc.**) **llwyn a pherth** (lit *(son/child etc.) of the bush and hedge*) *illegitimate (son/child etc.)* **''Doedd cymdeithas gul y Pumdegau a'r Chwedegau ddim yn gwbwl oddefgar tuag at blant llwyn a pherth'** *The narrow society of the Fifties and Sixties wasn't exactly tolerant towards illegitimate children* (Alan Llwyd, 1994: 311).

Llwynog LW NW **cadno** LW SW *fox* **llwynog** *is often used figuratively to indicate anything misleading, most commonly in the context of the weather* **'Mi fydda mam yn deud bob amsar ma' llwynog o beth ydi ha' bach'** *Mam would always say that an Indian summer is a deceitful thing* (Eigra Lewis Roberts, 1985: 3).

'Lly (< **felly**) NW *so, then, therefore* **'O? A lle wyt ti am gal dy gladdu 'lly?'** *Oh? And where do you want to be buried then?* (Jane Edwards, 1989: 15) (* **'lly** *is used extensively as a stopgap in conversation in NW, as in the above example*).

Llyfn LW CW **llyfyn** SW *smooth*

Llyfu LW NW **lapo** SW **llyo** LW SW *to lick*

Llyfr LW NW **llyfyr** SW *book*

Llyffant LW NW **broga** LW SW *frog*

Llygad 1 *eye* **'[Yr oedd yr] anhwylder hwnnw erbyn hyn yn dechrau duo'n ddel o gwmpas ei llygad dde'** *That illness by now [was] beginning to blacken nicely around her right eye* (Sonia Edwards, 1994: 25). **2** *spot* (of fat, grease etc.) **'Eisteddodd Gregor wrth y bwrdd a chafodd yntau gawl a hwnnw'n llawn llygaid tatws a moron yn nofio'** *Gregor sat by the table and had soup and it was swimming full of greasy spots of potatoes and carrots* (Robin Llywelyn, 1994: 62). **3** (**edrych/sbio etc. yn**) **llygad y geiniog** (lit *to (look etc.) in the eye of the coin*) *to be frugal, to weigh up something economically* **Cyn iddo brynu unrhyw beth, yr oedd ei thad wastad yn edrych yn llygad y geiniog cyn ei gwario** *Before he bought anything, her father always used to weigh up the cost.* **4** **llygad barcud** (lit *kite's eye*) *eagle eye* (figuratively) **'Cadwch lygad barcud arno fo!'** *Keep an eagle eye on him!* (William Owen Roberts, 1987: 37). **5** **llygad fy lle** (lit *eye in place*) *exactly right* **'[Yr oedd] Elin Lewis Pentra Bach yn llygad 'i lle pan ddeudodd hi ma dyn ydi'r peth gwaetha grewyd'** *Elin Lewis from Pentre Bach [was] exactly right when she said that a man is the worst thing ever created* (Jane Edwards, 1989: 66). **6** **llygad y ffynnon** (lit *the eye of the well*) *the horse's mouth* **'dyma hoff gylchgrawn**

ei gŵr a llygad ffynnon llawer o'i syniadau' *this [was] her husband's favourite magazine and the horse's mouth of many of his ideas* (Dafydd Huws, 1990: 9). **7 llygad yn llygad** *eye to eye* **'Fedrodd Lena a finna rioed weld llygad yn llygad ar ddim'** *Lena and I could never see eye to eye about anything* (Eigra Lewis Roberts, 1985: 139). **8 llygad yr haul** (lit *eye of the sun*) *in the sun* **'Wy'n dala i safio. Fyddwn ni mewn gwlad well un o'r diwrnode ma. Fi a Debs fach. Yn llygad yr haul. Yn byw yn fras'** *I'm still saving. We'll be in a better country one of these days. Me and little Debs. In the sun. Living it up* (Sion Eirian, 1995: 15).

Llygada Arfon *eyes* **'Ma' ganddi llgada a chlustia 'toes?'** *She's got eyes and ears hasn't she?* (Meic Povey, 1995(ii): 21).

Llygaid *eyes* **llygaid llo** (lit *calf eyes*) *innocent look, wide-eyed* **'Ond roedd rhaid iddo fodloni ar wneud llygaid llo ar Gwen'** *But he had to be content with looking wide-eyed at Gwen* (Alun Ffred and Mei Jones, 1990: 33).

Llygedyn *ray of light* **llygedyn o (dân/obaith etc.)** *a flicker of (fire/hope etc.)* **'Ac ar waetha'r ochain a'r wylofain yn ddiweddar am ffigurau gwylio S4C mi wela'i ryw lygedyn bychan ond byw o obaith'** *And despite the sighing and wailing recently about S4C's viewing figures I see a small but live glimmer of hope* (*Barn*, September 1995: 20).

Llyngyren ddaear LW NW **mwydyn** LW SW **pryf genwair** LW NW *(earth)worm*

Llymbar NW *fool, idiot* **'wedi'r cwbwl fo oedd y llymbar gwirion dorrodd yr injan'** *after all he was the stupid idiot who broke the engine* (Margiad Roberts, 1994: 38).

Llyncu *to swallow* **1 llyncu mul** (lit *to swallow a donkey*) NW *to sulk* **'Paid â llyncu mul eto'r babi mawr'** *Don't sulk again you big baby* (Robin Llywelyn,

1992: 36). **2 wedi llyncu pryf (copyn)** (lit *having swallowed a spider*) NW *a bun in the oven* (crude reference to pregnancy) **'A be' am 'i chwaer o, Miriam? Chwaer Derec, Mam, prin fydda i'n y'ch clywed chi'n sôn amdani hi. Wedi llyncu pry, dyna'r dwytha glywis i, a dim golwg o dad'** *And what about his sister, Miriam? Derek's sister, Mam, I scarcely hear you talking about her. A bun in the oven, that's what I heard last, and no sign of the father* (Meic Povey, 1995(i): 26).

Llyo LW SW **lapo** SW **llyfu** LW NW *to lick*

Llysfab LW SW **mab gwyn** LW NW *stepson*

Llysfam LW SW **mam wen** LW NW *stepmother*

Llysferch LW SW **merch wen** LW NW *stepdaughter*

Llystad LW SW **tad gwyn** LW NW *stepfather*

Llythyrau, llythyron see Appendix 14.03.

Llyw *helm* **1 ein llyw olaf** (lit *our last leader*) Llywelyn ap Gruffydd, last independent Welsh prince (killed 1282); historical personification of the loss of Welsh independence **'Y syniad cynta oedd stori am ferch yn y ganrif hon yn cyfarfod â rhith o ddyn, o gyfnod Llywelyn ein Llyw Olaf, a'r ddau yn syrthio mewn cariad'** *The first idea was a story about girl in this century meeting the guise of a man, from the period of Llywelyn ap Gruffydd, and the two falling in love* (Marion Eames in Eleri Hopcyn (ed.), 1995: 17) (* an archaic meaning of **llyw** is *leader*). **2 wrth y llyw** *at the helm, in charge* **'ni waeth pwy oedd wrth y llyw'** *it didn't matter who was in charge* (*Y Faner*, 9 September 1988: 9).

Llywaeth (< **llawfaeth**) (lit *hand-nurtured*) NW *feeble, timid* **'Dyn dewra welais i rioed. Ond dyna lle dwi'n wahanol. Un llywaeth, llwfr ydw i'** *The bravest man I ever saw. But that's where I'm different. I'm a feeble, cowardly one* (Dewi Wyn Williams, 1995: 67).

M m

'M (pronoun) see Appendix 15.09.

'M (< **ddim**) CW negative (usually verbal) form **'Dwi'm yn meddwl fod 'na'm byd arall a fedra i ddeud'** *I don't think there's anything else I can say* (Angharad Jones, 1995: 27).

Ma' (< **mae**) CW *are, is* **'Yli - ti'n gwbod sut ma' actorion am gario straeon, dwyt?'** *Look - you know what actors are like for telling tales, don't you?* (Gwenlyn Parry, 1992: 15).

Ma' fe, ma' hi etc. see Appendix 1.03-1.04.

'Ma (< **dyma**) CW *here; this* **'Yr unig fistêc fan hyn yw bo' fi 'di ca'l y stên rong. 'Ma ti, hon bia ti'** *The only mistake here is that I've had the wrong jug. Here you are, this is yours* (Meirion Evans, 1997: 69).

'Ma (< **yma**) CW *here; this* **'Pwy bia'r cwt, y siop 'ma?'** *Who owns the shed, this here shop?* (Wil Sam, 1995: 68) (* see also **yma** (1)-(2)).

Mab gwyn LW NW **llysfab** LW SW *stepson*

Macsu Dyfed **bragu** LW CW *to brew*

Macyn LW SW **cadach poced** LW NW **ffunan boced** Anglesey **hances (boced)** LW NW **hancsiar** Dyfed **neisied** LW Glam **nicloth** Dyfed *handkerchief*

Mach see Appendix 18.02.

'Mach (< **fy mach i**) CW *my love* (usually to a child) **'Brifo mae o, 'mach i? Wel, aros di, i weld oes gin Anti Rees dda-da iti'** *Hurts does it, love? Well, you wait, and see if Auntie Rees has got any sweeties for you* (Islwyn Ffowc Elis, 1974: 76).

Mae ef, mae hi etc. see Appendix 1.

Maen *stone* **1 (bwrw/cael etc.) y maen i'r wal** (lit *to (hit/get etc.) the stone into the wall*) *to drive home something, to complete something* **'mae pennaeth newydd S4C wedi gorfod dangos cefn o ddur sawl gwaith yn y gorffennol er mwyn cael y maen i'r wal'** *the new head of S4C has had to show a backbone of steel several times in the past in order to* be successful (*Y Cymro*, 11 May 1994: 10). **2 maen prawf** *touchstone* '**mae Bae Caerdydd yn datblygu i fod yn faen prawf ar holl bolisïau gwyrddion y llywodraeth**' *Cardiff Bay is developing into being the touchstone of all the government's green policies* (*Golwg*, 5 April 1990: 16). **3 maen tramgwydd** *stumbling block* '**i ddau dŷ Israel bydd [ef] yn faen tramgwydd**' *for the two houses of Israel [he] will be a stumbling block* (Isaiah 8:14).

Maes *field* **1 maes o law** *later on* '**Ond y bwriad yw cael lle iddyn nhw maes o law yn yr Oriel Genedlaethol ar ôl yr ad-drefnu**' *But the intention is to find a place for them later on in the National Gallery after the re-arranging* (Rhiain Phillips, 1995: 48). **2 maes y gad** see **cad (1)**.

Magan Caern *penny* **magan goch** Caern *brass farthing* (usually only used figuratively) '**Pwy o'n i i gwyno, ia? Dwi'm wedi cyfrannu magan goch i'r briodas 'ma eto, dwi'n gwbod yn iawn**' *Who was I to complain, then? I hadn't contributed a brass farthing to this wedding yet, I well know* (Dafydd Huws, 1990: 44).

Mags Caern *dosh* (money) '**['Roedd golwg] rêl gangster arno fo efo'i fwstash bach fatha 'sbiv', ag iddo fo y collish i rhan fwya o'n mags, ia**' *He looked like a real gangster with his little moustache just like a 'spiv', and it was to him that I lost the majority of my dosh, wasn't it* (Dafydd Huws, 1978: 8).

Magu *to bring up, to nurture, to rear* **1 cael fy magu mewn cae** (lit *to be brought up in a field*) *to be born in a barn* (not closing doors) '**Mi 'rwyt ti wastad yn mynd allan gan adael y drws ar agor - lle gest ti dy fagu, mewn cae?**' *You're always going out leaving the door open - were you born in a barn?* **2 magu bol** *to get a beer belly, to put on weight* (around the stomach) '**Mae wedi magu tipyn o fol yn ddiweddar oherwydd y telifishion 'na!**' *He's put on a bit of weight recently because of that television!* (*Golwg*, 23 April 1992: 13). **3 magu esgyrn (bach)** (lit *to nurture (small) bones*) CW *to be pregnant, to have a bun in the oven* "**Wyt ti?' 'Ydw i be?' ''N magu mân esgyrn? Wel, myn diawl ...** " *'Are you?' 'Am I what?' 'Got a bun in the oven? Well, bloody hell ...'* (Gwenlyn Parry, 1992: 38). **4 magu hyder** (lit *to nurture confidence*) *to build up confidence, to pluck up courage* '**Nid sgwosh yw'r stwff gorau at fagu hyder i ofyn i ferched am ddawns**' *Squash is not the best stuff for building up confidence to ask girls for a dance* (*Golwg*, 24 November 1988: 19). **5 magu gwreiddiau** (lit *to nurture roots*) *to set down roots* '**nid yw byth yn aros mewn un lle'n hir iawn, ac o ganlyniad nid yw byth yn magu gwreiddiau**' *he never stays very long in one place, and as a result he never sets down roots* (Mihangel Morgan, 1993(ii): 93). **6 magu plwc** *to pluck up courage* '**Hogan ifanc lyfennol, hardd oedd hi, nad oedd o erioed wedi taro llygad arni hi erioed o'r blaen. Ac mi fagodd ddigon o blwc i fentro torri gair hefo hi**' *She was a beautiful, young comely girl, that he had ever cast an eye on ever before. And he plucked up enough courage to dare to speak to her* (Wiliam Owen Roberts, 1987: 115).

Maharen LW NW **hwrdd** LW SW Powys *ram*

Mai 1 mai LW NW **taw** LW SW *that* (to introduce an emphatic clause) '**Wel, am mai Cymro ydw i**' *Well, because I'm a Welshman* (John Gwilym Jones, 1976: 60). **2 os mai** NW *if* (to introduce an emphatic clause) '**Doedd hynny ddim yn dweud llawer am fy anerchiad i os mai dim ond sbio ar fy het oedd hi wedi'i wneud drwy'r cyfarfod**' *That didn't say a lot about my speech if all she had done during the meeting was look at my hat* (Lyn Ebenezer, 1986: 29) (LW and OW prefer **ai**: see **ai (2)**).

Main *lean, thin* **1** (awel/gwynt etc.) **main** NW *sharp* (breeze/wind etc.) '**Mae'r awel yn ddigon main i newid lliw 'y nhrwyn i**' *The breeze is sharp enough to change the colour of my nose* (Jane Edwards, 1989: 19). **2 bod yn fain ar rywun** (lit *to be lean for someone*) *to be difficult for someone* (financially) '**Mae'n rhaid fod y blynyddoedd hynny wedi bod yn rhai digon main ar fy rhieni, o ystyried popeth, ond ni theimlais erioed i mi weld eisiau dim**' *Those years must have been difficult enough ones for my parents, considering everything, but I never felt that I needed anything* (Dic Jones, 1989: 100).

Maldodi LW SW **mwytho** LW NW *to pet, to stroke*

Malu *to crush, to grind* **1 malu (awyr)** (lit *to grind (air)*) CW *to talk nonsense, to waffle* "**Ma ishe ti ddysgu *elocution* achan,' medda fynta. 'Paid â malu,' me fi**' *'You need to learn elocution mate,' he said. 'Don't talk nonsense,' I replied* (Dafydd Huws, 1990: 57). **2 malu cachu** (lit *to grind shit*) CW *to bullshit* '**A mi rwyt ti wedi bod yn malu cachu yn dy gwsg yr holl ffordd hefyd!**' *And you've been bullshitting in your sleep all the way as well!* (Robin Llywelyn, 1992: 24). **3 malu ewyn** (lit *to grind froth*) *to foam* '**[Yr oedd y môr] yn arw a'r cesig gwynion yn cwrsio'i gilydd o'r gorwel draw gan falu'n ewyn chwilfriw ar Garreg Bica**' *[The sea was] rough and the white horses were chasing each other from the far horizon and foaming wildly on Carreg Bica* (Dic Jones, 1989: 220). **4 malu yn dipiau/fân/rhacs** *to bash up, to bash to bits, to smash up* '**Oedd hi'n uffernol, oedd jest yn fudr, oedd y ffenestri wedi malu a phob dim**' *It was terrible, it was just dirty, the windows were smashed in and everything* (*Golwg*, 8 April 1993: 10).

Malwen LW NW **malwoden** LW SW *snail*

Mam *mother* **1 fel y fam fydd y ferch** (lit *the daughter will be like the mother*) proverb *like father like son* '**Dwi'r sala rioed am godi tips go iawn. 'Fel fydd y fam fydd y ferch': felly byddan nhw'n deud, ia?**' *I'm the worst ever for picking up really good tips. 'Like father like son', as they say, isn't it?* (Dafydd Huws, 1990: 140). **2 mam bach** (lit *dear mother*) CW *goodness me, heavens above* '**Mam bach, roedd hogia Caerdydd yn waeth na hogia Blaena**' *Goodness me, the lads from Cardiff were worse than the lads from Blaena* (Twm Miall, 1990: 7). **3 mam wen** LW NW **llysfam** LW SW *stepmother* '**Taw a sôn, dyna'r tro cyntaf i mi wybod fod gan Harriet Ifan fam wen**' *Get away, that's the first time that I've known that Harriet Ifan's got a stepmother* (Angharad Tomos, 1982: 42).

Mam-gu LW SW **nain** LW NW *grandmother*

Mami CW *mummy* **'I be oeddech chi eisiau dweud wrth Mami?'** *Why did you want to tell mummy?* (Angharad Tomos, 1991: 56).

Man (* see also **fan**) 1 *place, spot* **'Myth a realiti bywyd Carwyn James oedd man cychwyn'** *The myth and reality of Carwyn James's life was a starting point* (*Golwg*, 25 March 1993:27). **2 man gwyn man draw** (lit *the blessed place the place yonder*) *paradise, the promised land* **'Nid man gwyn, man draw oedd yr Unol Daleithiau'** *The United States was not the promised land* (*Golwg*, 7 March 1996: 13). **3 man hyn** SW *here* **'Heia, ni lan man'yn'** *Hiyah, we're up here* (John Owen, 1994: 81). **4 man 'ny** (< **man hynny**) SW *there* **'A man'ny, yn y bar, o'n nhw pan wetws Da-cu wrthyn nhw am Joni Bach y Co-op'** *And there, in the bar, they were when Granddad told them about Joni Bach y Co-op* (Dafydd Rowlands, 1995: 10). **5 ... y fan lle ...** ... *the place where ...* **'Nid oedd Iesu wedi dod i mewn i'r pentref eto, ond yr oedd yn dal yn y fan lle'r oedd Martha wedi ei gyfarfod'** *Now Jesus had not yet come to the village, but was still in the place where Martha had met him* (John 11:30) (* this construction avoids clumsy variations on **y lle ble** etc.).

Man (time) **1 man a man i fi (wneud rhywbeth)** LW SW *I might as well (do something)* **'So fe'n drafferth. 'Sda fi ffyc ôl arall i neid. Man a man i ni fynd nawr 'te, ife?'** *It's no trouble. I've got fuck all else to do. We might as well go now then, shall we?* (Twm Miall, 1990: 60) (* the meaningless **mwnci** or **sianco** are sometimes added for emphasis in SW, eg **'A fydde'i ddim gwell o fesur a phwyso, achos fe fydde rhai o'r plant 'co shŵr o sgwlcan rhwbeth, a dinna chi man a man a shanco wedin'** *And there was no point weighing it up, because some of the those kids would be sure to nick something, and then it's all the same* (D. Jacob Dafis in Christine Jones and David Thorne (eds.), 1992: 29)). **2 man y (daw e/daw hi etc.)** SW *as soon as (he comes/she comes etc.)* **'Ta beth o 'nny, man canws y gloch fe dda'th ma's o'i gornel yn gwmws fel tarw wedi gweld llien coch ...'** *Never mind about that, as soon as the bell rang he came out of his corner like a bull that's seen a red rag ...* (Meirion Evans, 1996: 23). **3 yn y fan** *immediately, straightaway* **'a phetai hi'n deall ei thywydd hanner cystal ag a wnaem ni, byddai wedi ei gadael hi yn y fan'** *and if she understood her weather half as well as we did, she would have left her immediately* (Dic Jones, 1989: 62) (* see also **fan** (5)). **4 yn y man** *presently* **'Yn wir mi ddaeth Rhydderch yn y man i ddysgu i Lanrwst'** *In fact Rhydderch came presently to teach in Llanrwst* (Gwenlyn Parry in Eleri Hopcyn (ed.), 1995: 53). **5 yr un man i fi (wneud rhywbeth)** Glam *I might as well (do something)* **'Ma 'run man i fi 'i gl'wad e nawr na chwedyn'** *I might as well hear it now as later* (Nansi Selwood, 1987: 249) (* see also **cystal** (1) and **waeth** (3)).

Mân *petty, small* **yn fân ac yn fuan** *quickly and busily* **'Ac mi gerddais i i lawr y lôn yn fân ac yn fuan'** *And I walked quickly and busily down the lane* (Margiad Roberts, 1994: 215).

Man'co (< **man acw**) SW *(over) there* **'Chi'n gwpod le grocws e'i hunan? ... Draw manco ... ar y golfen**

'na' *You know where he hanged himself? ... Over there ... on that tree* (Dafydd Rowlands, 1995: 52).

Manion *small things, trivialities* **'Deleit ydi clywed manion bach fel yna'** *It's a delight to hear small things like that* (*Golwg*, 20 May 1993: 28).

Mans *manse, vicarage* **(mab/teulu etc.) y mans** *(son/family etc.) of the manse/vicarage* (synonymous with respectability) **'Y cynhyrchydd a fu'n gyfrifol am lawer o'r delweddau brawychus oedd Geraint Morris, Cymro Cymraeg a mab y mans ...'** *The producer who was responsible for many of the shocking images was Geraint Morris, a Welsh speaker and a son of the manse ...* (*Golwg*, 13 May 1993: 15).

Mantol *balance* **yn y fantol** *in the balance* (figuratively only) **'Bydd dyfodol y tîm pêl-droed cenedlaethol yn y fantol os bydd y Gymdeithas Bêl-droed yn colli'** *The future of the national football team will be in the balance if the Football Association loses* (*Y Cymro*, 11 May 1994: 1).

Manwl *detailed* **yn fanwl gywir** *strictly correct* **'Rydw i'n nabod Syr Wyn cyn iddo fod yn Geidwadwr. Neu i fod yn fanwl gywir, cyn iddo gael ei ddewis yn ymgeisydd dros y Blaid Geidwadol'** *I've known Sir Wyn since before he was a Conservative. Or to be strictly correct, since before he was chosen to be a candidate for the Conservative Party* (*Yr Herald*, 23 July 1994: 2).

Marce SW *about* **'Ond biti marce'r unarddeg, dyna'r gweinidog yn roi winc fach i roi arwydd i Meri Lisi'** *But about eleven, the minister gave a quick wink to give the sign to Meri Lisi* (Wyn Jones in Christine Jones and David Thorne (eds.), 1992: 37).

March LW SW **stalwyn** NW *stallion*

Marw *to die* **1 ar fy marw** (lit *on my death*) CW *for the life of me* **"Beth ddigwyddodd?' 'Dim.' 'Tom?' 'Ar fy marw. Blino wnes i; gês i fymryn o bendro, dyna'i gyd"** *'What happened?' 'Nothing.' 'Tom?' 'For the life of me. I got tired, got a bit of giddiness, that's all'* (Meic Povey, 1995(i): 33). **2 bron/dest/jyst â marw eisiau gwneud rhywbeth** CW *dying to do something* **'A phan gyrhaeddon ni, o'r diwadd, ro'n i jyst â marw isio cysgu'** *And when we arrived, at last, I was dying to go to sleep* (Margiad Roberts, 1994: 151). **3 (pe)tawn i'n marw** (lit *if I were dying*) CW *for the life of me* **'['Rydych chi'n dwyn] gwarth a chywilydd ar ŵyl y genedl! Gwneud sôn amdanon ni! Ar adegau fel hyn mae gen i gywilydd bod yn Gymraes. Oes Mathew, 'tawn i'n marw'n y fan 'ma ... '** *[You bring] disgrace and shame to the National Eisteddfod! Making talk about us! At times like this I'm ashamed to be Welsh. Yes Mathew, for the life of me here ...* (Dafydd Huws, 1978: 41). **4 yn farw gelain** (lit *corpse dead*) CW *as dead as a door nail, stone dead* **'dw i wedi cael gwared ar bawb yn y dre a fu'n gas wrtho i. Maen nhw i gyd yn farw gelain'** *I've got rid of everybody in town who was horrible to me. They are all stone dead* (Mihangel Morgan, 1993(ii): 123). **5 yn farw gorn** (lit *totally dead*) *as dead as a door nail, stone dead* **'Roedd iaith eu hemynau a'u gweddïau'n**

farw gorn a gwynt teg ar ei hôl' *The language of their hymns and prayers is as dead as a door nail and good riddance to it* (Mihangel Morgan, 1994: 80).

Marwodd see Appendix 4.02(iv).

Mas (< maes) SW *out* 'Mas â ti i chware nes bod dy dad yn dod. Fe gei di fwyd 'run pryd â fe' *Out you go to play until your dad comes. You can have your food the same time as him* (Bernard Evans, 1990: 25).

Math 1 byth yr un fath *never the same* 'Fydd canu'r dysgwyr byth 'run fath' *The learners' singing will never be the same* (Golwg, 25 February 1993: 30). 2 o'r fath *of this kind* 'Ni allai Cymro uniaith lai na theimlo'n anfreintiedig o dan drefn o'r fath' *A monoglot Welshman could not but feel disadvantaged under a system of this kind* (John Davies, 1990: 225). 3 y fath (beth/ddamwain/job etc.) *such a (thing/accident/job etc.)* 'Ar ôl ugain mlynedd o forwra doedd [e] erioed wedi gweld y fath beth' *After twenty years of sailing he had never seen such a thing* (Wiliam Owen Roberts, 1987: 59). 4 y math hwn/yma *this kind* 'Yn ôl y beirniaid traddodiadol, y math yma o ymgyrch slic sy'n cymryd lle egwyddor' *According to the traditional critics, this kind of slick campaigning is taking the place of priniciple* (Golwg, 10 October 1996: 7). 5 yr un fath *(just) the same* 'Hen foi iawn 'di John 'run fath bob amsar' *John's a good old boy, just the same every time* (Dafydd Huws, 1978: 10).

'Matryd (< ymddihatryd) SW *to undress* 'cronnwyd y rhewyn dŵr ym mwlch Parc Bach gennym, a ninnau'n matryd yn byrcs gan gael 'molchad hyfryd yn y dyfroedd claear' *the freezing water was collected by us at Parc Bach pass, and we got undressed completely, having a lovely wash in the clear waters* (Dic Jones, 1989: 44).

Mawredd *majesty* 1 mawredd (mawr) (lit *(great) majesty*) CW *goodness me, heavens above* 'Ond mowredd, beth nethech chi â Marie. Wê rhaid inni fod dan 'i chommands hi' *But heavens above, what would you do with Marie. We had to be under her command* (May Williams in Gwyn Griffiths (ed.), 1994: 82). 2 mawredd y byd (lit *majesty of the world*) CW *goodness me, heavens above* 'Mawredd y byd, beth yw hwnna sy 'da ti?' *Goodness me, what's that you've got?* (Meirion Evans, 1997: 20). 3 o'r mawredd (lit *of the majesty*) CW *goodness me, heavens above* "Wy'n mynd i gael job yn Aberystwyth Haf hyn.' 'Fel beth?' 'Gigolo.' 'O'r mowredd, gad hi fan'na, wnei di" *'I'm going to get a job in Aberystwyth this Summer.' 'As what?' 'A gigolo.' 'Heavens above, leave it there, will you'* (Geraint Lewis, 1995: 9).

'Mbo (< dw i ddim yn gwybod) CW *dunno* "Faint fydde ti mo'yn?' 'Mbo. Fydde rhaid cael o leia' mil' *'How much d'you want?' 'Dunno. I'll have to have at least a thousand'* (Geraint Lewis, 1995: 37).

Mêc (<E make) CW *make* 'Be' 'di mêc y car 'na?' *What's the make of that car?*

Medar see Appendix 2.05(ii).

Medru *to be able to* medru'r (Gymraeg/piano etc.) *to be able to (speak Welsh/play the piano etc.)* 'Felly, yr oedd rhyw gyfran o sgwïeriaid Cymru yn medru Saesneg cyn 1536' *Thus, some portion of Welsh squires could speak English before 1536* (John Davies, 1990: 225).

Meddaf i, meddi di etc. see Appendix 13.07-13.08.

Meddw *drunk* 1 meddw gaib/gorn/jibidêrs/rhacs/twll/ulw CW *totally drunk, totally pissed* 'Doedd dim rhaid i mi weld 'i wep o i wbod 'i fod o'n feddw gaib' *I didn't have to see his grimace to know that he was pissed* (Jane Edwards, 1989: 65) (* the more adverbs used, the greater the state of drunkenness: see chwil for an example). 2 (meddw) yn gocls SW *totally drunk, totally pissed* 'Ti mas 'dag e ddwywaith dair yr wthnos, ti wastod yn dod nôl yn gocls, byth cyn dau o'r gloch y bore' *You're out with him two or three times a week, you always come back totally pissed, never before two o'clock in the morning* (Dafydd Huws, 1990: 99).

Meddwl *to mean, to think* 1 erbyn meddwl *come to think of it* 'Doedd dim cytgord rhyngon ni'r diwrnod hwnnw, chwaith, erbyn meddwl' *There was no agreement between us that day, either, come to think of it* (Jane Edwards, 1989: 57). 2 meddwl yn fawr o rywun *to admire someone, to think a lot of someone* 'Ac mae teuluoedd Esgair Cadlan a Cha' Hywel yn meddwl yn fawr ohono fe' *And the Esgair Cadlan and Cae Hywel families think a lot of him* (Nansi Selwood, 1987: 62) (* also meddwl mawr o rywun, eg 'Padi, roedd gan Tom feddwl mawr ohonach chi' *Paddy, Tom thought a lot of you* (Eirug Wyn, 1994: 181)).

Meddwn i, meddet ti etc. see Appendix 13.07-13.08.

Meddyginiaeth LW CW **ffisig** NW **moddion** SW *medicine*

Megis *as, like, so* megis can also mean *as it were* at the end of a clause/sentence 'Y byd oedd ei wystrysen, megis' *The world was his oyster, as it were* (Llais Llyfrau, Winter 1995: 12).

Meibion *sons* Meibion Glyndŵr (lit *Sons of Glyndŵr*) illegal nationalist organisation responsible for a number of arson attacks in England and Wales in the 1970s and 1980s; synonymous with covert nationalist groups 'Wst ti be? - mi rown i rwbath am gal cyfarfod Meibion Glyndŵr' *Know what? - I'd give anything to be able to meet Meibion Glyndŵr* (Jane Edwards, 1993: 40) (* Owain Glyndŵr: fifteenth century rebel against English rule proclaimed Prince of Wales).

Meidrolion *ordinary mortals* 'Fe'i gwelwyd yn clownio ar draeth Cannes ... yn cyfarwyddo Richard Burton ... Profiadau na ddeuant yn feunyddiol i'n rhan ni, feidrolion' *He was seen clowning around on the beach in Cannes ... directing Richard Burton ... Experiences that don't come daily to us ordinary mortals* (Golwg, 20 May 1993: 28).

Meipen LW NW **erfinen** LW SW *turnip*

Meirioli LW Powys **dadlaith** LW SW **dadmer** LW NW *to thaw*

Meistr *master* **1** mae meistr ar Meistr Mostyn (lit *Mr. Mostyn has his master) everyone serves somebody, we all have a master* '**Neu - ac mae mistar ar Mistar Mostyn - fe eir â llywodraeth y gwledydd hyn gerbron eu gwell yn y Llys Ewropeaidd**' *Or - and we all have a master - the government of these countries will be taken to the European Court* (Robyn Léwis, 1994: 81) (* Lord Mostyn is a significant landowner in NW). **2** meistr corn *complete and utter master* '**Trefnai'r gwaith fel peiriant, ac 'roedd yn feistr corn ar bawb a phopeth yn y swyddfa**' *He managed the work like a machine, and he was a complete and utter master of everyone and everything in the office* (Dafydd Wigley, 1992: 40).

Meitin *moment* **ers meitin** NW *for a spell, for a while* '**Rydw i wedi bod yn dy ddisgwyl di ers meitin. Mae'r lleill wedi mynd ers oria ond mi arhosais i amdanat ti**' *I've been expecting you for a while. The others went hours ago but I waited for you* (Theatr Bara Caws, 1995: 46).

Mêl *honey* **1** mêl ar fy mysedd (lit *honey on my fingers) music to my ears* '**Mêl ar eu bysedd fyddai gweld coblyn o ffrae rhwng rhai o awdurdodau lleol Cymru a'r Bwrdd**' *It would be music to their ears to hear a huge argument between some of the Welsh local authorities and the Board* (*Barn*, February 1995: 11). **2** mêl i gyd (lit *all honey) all sweetness and light* '**Colier oedd fy nhad, ac roedd bywyd colier yn y tridegau ymhell o fod yn fêl i gyd**' *My father was a miner, and the life of a miner in the thirties was far from being all sweetness and light* (*Barn*, February 1995: 46).

Melan *melancholy, depression* **1** codi'r felan ar rywun CW *to depress someone, to piss off someone* '**Doeddwn i ddim yn siŵr oedd o o ddifri ai peidio, ond roedd hynny a'r sandio diddiwadd yn codi'r felan arna i**' *I wasn't sure if he was in earnest or not, but that and the endless sandpapering pissed me off* (Twm Miall, 1988: 113). **2** yn y felan CW *depressed, down in the dumps, pissed off* '**Pan fydda i yn y felan - bob nos Sul fel arfar - fydda i'n teimlo i'r byw bod 'na rwbath i fyny fancw sy'n barod i wllwng llond trol o gachu ar ych pen chi bob tro ceith o jans**' *When I'm pissed off - every Sunday night usually - I feel to the quick that there's something up there which is ready to drop a load of shit on your head every time he has a chance* (Dafydd Huws, 1990: 26).

Melin *mill* **1** cyntaf i'r felin (gaiff falu) (lit *first to the mill (can grind)) first come first served* '**Mi fydd telerau ffafriol ar gyfer y cynadleddwyr, felly y cyntaf i'r felin amdani**' *There'll be favourable terms for the conference-goers, so it's first come first served* (*Barn*, March 1995: 19). **2** (mwydro/siarad etc.) fel melin (bupur/glep/malu metlin) (lit *to (bullshit/talk etc.) like a (pepper/clapping/grinding bits) mill)* NW *to (bullshit/talk etc.) non-stop* '**... Er nad oedd y cur [pen] yn ei rwystro rhag siarad fel melin bupur**' *... Although the [head]ache didn't stop him from talking non-stop* (Jane Edwards, 1993: 48).

Melysion LW CW **cisys** Dyfed **da-da** NW **fferins** NW **loshin** SW **minciag** Powys **neisis** Pembs **pethau da** NW **taffins** Glam *sweets*

Mellten LW NW **llucheden** LW SW *flash of lightning*

Melltennu LW NW **lluchedu** LW SW **melltio** LW NW *to flash lightning*

Mên (<E *mean*) SW *mean, miserly* '**Ond er gwaetha ymdrechion Bob Felin gyda'i lythyron caru, fe droeodd yn ddyn mên iawn ar ôl iddo fe briodi**' *But despite Bob Felin's efforts with his love letters, he turned into a very mean man after he married* (Eirwyn Pontshân, 1973: 114).

Menai *Menai* **Y Fenai dlawd** (lit *the poor Menai*) rhetorical name for the Menai Straits in NW '**Hawddamor a chyfarchion ichwi o gadernid Gwynedd, o ganol Eryri ac o fewn tafliad carreg i'r Fenai dlawd ei hun!**' *Blessings and greetings to you from Gwynedd, from the middle of Snowdonia and from within a stone's throw from the Menai itself!* (Wiliam Owen Roberts, 1990: 89).

Menyw SW *woman* '**Cyn bod sôn am Danny la Rue a rhyw ddynon od erill sy'n gwishgo dillad menŵod, fe fu Percy yn taclu fel menyw a chanu fel Gracie Fields**' *Before there was talk about Danny la Rue and other odd blokes dressing up in women's clothes, Percy used to dress up like a woman and sing like Gracie Fields* (Dafydd Rowlands, 1995: 19).

Mêr *(bone)marrow* **ym mêr fy esgyrn** (lit *in the marrow of my bones) at heart, instinctively, to the core* '**fe wyddwn ym mêr f'esgyrn mai hwn oedd yr un llun yn union**' *I knew instinctively that this was exactly the same picture* (Mihangel Morgan, 1994: 102).

Merch *woman* **hen ferch** *old maid* '**Hen ferched chwerw ydyn nhw ill dwy**' *They're both bitter old maids* (Mihangel Morgan, 1994: 11).

Merch *girl* **merch wen** LW NW **llysferch** LW SW *stepdaughter* '**Pan ddaeth ei frodyr yn ddigon hen i ymgymryd â'r gwaith, aeth fy nhaid i weithio at ei ewyrthod i Flaen-y-cwm, a phriododd ferch wen ei ewythr**' *When his brothers became old enough to take on the work, my grandfather went to work with his uncles at Blaen-y-cwm, and he married his uncle's stepdaughter* (Simon Jones, 1989: 32).

Merchaid see Appendix 14.04.

Merthyr see Appendix 18.02.

Merwino *to benumb* **merwino fy nghlustiau** *to offend my ears* "**Seiniwch f'ama,' meddai merch y lle dôl bob bore Mercher. Roedd iaith hon yn merwino fy nghlustiau**' *'Sign here,' said the girl at the dole place every Wednesday morning. Her language offended my ears* (Angharad Tomos, 1982: 21).

Mêts (<E *mates*) **os mêts, mêts** NW *if mates, mates (loyalty to one's friends)* '**Rhaid fyddai aros tan y bore i weld y canlyniadau a glynu wrth ei gilydd costied a gostio. Chwedl Sam, 'os mêts, mêts**' *We'll have to wait until the morning to see the results and stick by each other whatever the cost. As Sam used to say, 'if mates, mates'* (Penri Jones, 1982: 20).

Methedig LW NW **ffaeledig** LW SW *disabled*

Methu **1** *to miss* '**Mi fethais y rhaglen gynta**' *I missed the first programme* (*Golwg*, 22 April 1993: 27). **2** methu LW NW **ffaelu** LW SW *to fail* '**Maen nhw wedi methu dod o hyd i'r babi**' *They have failed to* find the baby (Alun Jones, 1989: 234). **3 methu (â) gwneud rhywbeth** to be unable to do something '**roeddwn i'n methu â chanolbwyntio**' I couldn't concentrate (Twm Miall, 1988: 153) (* this construction is far more common in CW than **dw i ddim yn gallu** (lit I can't) etc.). **4 methu'n deg** to fail completely '**bu'r tri ohonom yn methu'n deg â derbyn mor drwm oedd tafod y tri Chymro ar y sain 's**'' the three of us failed completely to understand how thick the three Welshmen's pronunciation of the 's' sound was (Robin Williams, 1992: 26). **5 methu'n glir** to fail completely '**Ac mae'n rhyfeddod i mi sut ma' Now sy'n gallu nabod ei ddefaid o bell, yn methu'n glir â gweld potal sôs coch pan fydd hi reit o dan ei drwyn o**' And it's a wonder to me how Now, who can recognise his sheep from afar, fails completely to see a bottle of tomato sauce when it's right under his nose (Margiad Roberts, 1994: 14).

Mewnfudwr immigrant although **mewnfudwr** can mean an immigrant to anywhere from anywhere, it has become synonymous with English immigrants into rural Wales '**I lawer o fewnfudwyr, mae bythynnod gyda ffenestri bychain yn rhan o'r ddelfryd olde worlde**' To many English immigrants, cottages with small windows are part of the olde worlde idyll (Golwg, 30 November 1995: 7).

Mewnlifiad (lit in-flooding) English migration into rural Wales '**Wnaiff yr ysgol ddim tyfu ond trwy'r mewnlifiad Seisnig**' The school won't grow except through English immigration (Golwg, 1 February 1996: 10).

Mi 1 NW meaningless particle in front of the positive future-present, future, simple past, imperfect, conditional and passive voice '**Mi ewch chi adre cyn gynted ag y gallwch chi**' You'll go home as soon as you can (Islwyn Ffowc Elis, 1990(ii): 183) (* see also **fe**). **2 mi** is placed before verbal forms of **bod** in the present and imperfect tenses, but its use here is considered sub-standard '**Mi rwyt ti'n iawn, mi rydw i wedi 'mrifo ...**' You're right, I am hurt ... (Rhiannon Thomas, 1988: 125); '**Mi 'roedd Lewis yn casáu'r Saeson**' Lewis hated the English (Rhiannon Davies Jones, 1985: 107).

Mifi-mahafan NW effeminate man, poof '**Roedd y lle'n llawn o Saeson cachu posh a mifi-mahafans**' The place was full of shitty posh English people and poofs (Twm Miall, 1990: 44) (* **mifi-mahafan** is a lamb that is neither male nor female; there are variations in CW of the spelling and pronunciation).

Miglo 1 ei miglo hi NW to hotfoot it, to scarper off '**Mi adawish i Seimon dan yr Hanging Baskets of Babylon a'i miglo hi allan o'r Spanish Inquisition - am y tro, eniwê**' I left Simon under the hanging gardens of Babylon and scarpered off out of the Spanish Inquisition - for the time being, anyway (Dafydd Huws,1990: 137). **2 migla/miglwch hi** NW clear off '**Cododd yr Arolygydd. 'Ydych chi ...?' 'Migla hi**'' The inspector got up. 'Are you ...?' 'Clear off' (Alun Jones, 1979: 64).

Mil thousand **mil a mwy** (lit thousand and more) CW a hundred and one (figuratively) '**Mi fasai'n addo'r

bydysawd i chi, ond pan ddôi'r amser cyflawni'r addewid roedd ganddo fil a mwy o esgusion parod ar flaena'i fysedd**' He would promise the universe to you, but when the time came to fulfill the promise he had a hundred and one ready excuses at his fingertips (Vivian Wynne Roberts, 1995: 74).

Milgi greyhound **fel milgi** (lit like a greyhound) can be used figuratively for anything that moves fast '**Down tŵls' yn y fan a'r lle, waeth faint a waeddai Nhad, ac i ffwrdd â ni fel milgwn i lawr drwy Barc yr Obry gan ddisgwyl gweld y rec**' 'Down tools' there and then, never mind how much Dad shouted, and off we went like greyhounds down through Parc yr Obry expecting to see the wreck (Dic Jones, 1989: 69).

Min brink, edge **1 ar fin (gwneud rhywbeth)** just about (to do something) '**Roedd Vic ar fin rhoi pryd o dafod iddo pan edrychodd ar y dyn am y tro cyntaf**' Vic was about to give him a telling off when he looked at the bloke for the first time (Mihangel Morgan, 1993(ii): 49) (* this can be reduced to just **ar**, eg '**Paid ti sôn am y cariad rhamantus a'r briodas o'dd ar ddigwydd**' Don't you talk about the romantic love and the wedding that was about to happen (Sion Eirian, 1995: 46)). **2 cael min** to get an erection '**Sut bysa chdi'n licio cyfadda wrth Ddoctor Dyn bo chdi'n methu cael min?**' How would you like to admit to a male doctor that you can't get an erection? (Dafydd Huws, 1990: 68). **3 min (y) nos** the evening, twilight '**Mi ddaeth Nain acw un min nos**' Gran came over one evening (Twm Miall, 1988: 99).

Minciag Powys **cisys** Dyfed **da-da** NW **fferins** NW **loshin** SW **melysion** LW CW **neisis** Pembs **pethau da** NW **taffins** Glam sweets

Minnau see Appendix 15.05-15.06.

Mis LW CW **mish** SW month **1 mis** is invariably placed in front of the name of the month '**Llyncodd ei goffi ac allan ag ef i awyr glir mis Medi**' He swallowed his coffee and went out into the clear September air (Penri Jones, 1982: 134). **2 y mis bach** (lit the small month) CW February '**Yng nghanol Mish Bach wêdd y tymor yn arfer dachre**' The season used to start in the middle of February (Angharad Dafis in Gwyn Griffiths (ed.), 1994: 49). **3 y mis du** (lit the black month) CW November '**Y mis du oedd un o fisoedd gwaetha'r flwyddyn i'r taeogion**' November was one of the worst months of the year for the serfs (Wiliam Owen Roberts, 1987: 104).

Mistiminars (<E misdemeanours) NW misdemeanours, wrong-doings '**Dywad wrtho fo am y cariad 'na oedd gen ti. Dim fod unrhyw fistimanars wedi cymryd lle, dalltwch!**' Tell him about the lover you had. Not that any wrong-doings had taken place, you understand!' (Meic Povey, 1995(ii): 26).

Mitshio SW to miss school, to skive off '**Er ei bod hi'n heulog, diflanasai'r haf; roedd y gwres yn anwadal, a chan ei bod yn ganol wythnos, ychydig iawn o bobl oedd yn y parc. Dim llawer o blant, dim ond rhai'n mitsio**' Although it was sunny, the summer had disappeared; the heat was unstable, and since it was the middle of the week, there were very few people in the park. Not many children, only those skiving off school (Mihangel Morgan, 1993(i): 87)

Miwn (< **mewn**) SW *in* '**Dewch miwn, Sara**' *Come in, Sara* (Meirion Evans, 1997: 13).

Mo (< **ddim o**) '**Nid breuddwyd mo hyn!**' *This is not a dream!* (Rhiannon Davies Jones, 1989: 105).

Mo (< **medda fo**) NW *he said* (with reported speech only) "**Direktor wyt ti?**' **me fi** '**Fatha Alfred Hitchcock, ia?**' '**Wel, ia, mewn ffor' ...' mo**' *'Direktor are you?' I said 'like Alfred Hitchcock, eh?' 'Well, yeah, in a way ...' he said* (*Golwg*, 21 December 1989: 25) (* see Appendix 13.07-13.08).

Moch *pigs* **1 mae gan foch bach glustiau mawr** (lit *little pigs have pig ears*) proverb *walls have ears* (usually in reference to small children) **Paid â siarad yn hyll fel'na a rhegi o flaen y plant - cofia fod gan foch bach glustiau mawr** *Don't talk offensively like that and swear in front of the kids - remember that the walls have got ears.* **2 moch Môn** (lit *Anglesey pigs*) CW derogatory description of people from Anglesey '**un o foch Môn ydw i**' *I'm from Anglesey* (Twm Miall, 1990: 157) (* Anglesey is famed for its pig farming). **3 moch yn y winllan** (lit *pigs in the vineyard*) proverb about people who do not deserve their good circumstances '**dywedodd [ef] bod y Llywodraeth Lafur nesaf yn ffafrio polisi lle gall ysgolion gael benthyciad banc ... Beth fyddai'n digwydd pe bai'r ysgol yn methu a thalu, yr hwch yn y siop a'r moch yn y winllan?**' *[he] said that the next Labour Government will favour a policy where schools can get a bank loan ... What will happen if the school fails to pay, goes bankrupt and people don't appreciate their circumstances?* (*Western Mail*, 30 April 1996: 9) (* the proverb refers to 1 Kings 21).

Mochyn daear LW CW **pryf llwyd** NW *badger*

Modd *means, manner* **1 modd** is used extensively in CW instead of **posibl** *possible* and **possibilrwydd** *possibility* '**Iaith arall oedd sgwrs y sianel, ambell i jingyl jangyl a'r geiriau *Radio Sgingomz* yn codi o hyd ... Mae'n siŵr fod modd ei chodi hi'n y gegin hefyd**' *The chat on the television channel was in another language, the odd jingle jangle and words from Radio Sgingomz [were] being picked up ... It's definitely possible to pick it up in the kitchen as well* (Robin Llywelyn, 1994: 126). **2 cyn (belled/gynted etc.) ag y bo modd** *as (far/soon etc.) as possible* '**Mae eich galwad [ffôn] mewn ciw, fe fydd y derbynydd yn delio â chi, cyn cynted ag y bo modd ...**' *Your [telephone] call is in a queue, the receptionist will deal with you as soon as possible ...* (*Western Mail*, 19 November 1996: 9). **3 gwaetha'r modd** *unfortunately* '**Ychydig o gymeriadau tebyg sydd o gwmpas heddiw, gwaetha'r modd**' *There are very few similar characters around today, unfortunately* (Elwyn Jones, 1991: 37). **4 petai modd** *if possible* '**Pe bai modd cael gair ganddo hefyd byddai pawb ar ben eu digon**' *If it were possible to have a word with him as well everyone would be very happy* (Dewi Llwyd in Dylan Iorwerth (ed.), 1993: 129). **5 modd i fyw** *joie de vivre, reason to live* '**Dewch am y dydd, ac fe gewch fodd i fyw yn pori yn Siop Lyfrau'r Ddraig Euraid**' *Come for the day, and you'll have a reason to live browsing through the Draig Euraid bookshop* (*Barn*, March 1995: 17).

Moddion SW **ffisig** NW **meddyginiaeth** LW CW *medicine*

Moddion tŷ Pembs **celfi** LW SW **dodrefn** LW NW *furniture*

Moedro see **mwydro**.

Moeli *to become bald* **moeli fy nghlustiau** *to prick up my ears* '**Cododd Sandra'i haeliau a moeli ei chlustiau**' *Sandra raised her eyebrows and pricked up her ears* (Alun Ffred and Mei Jones, 1990: 49).

'Moelyd (< **ymhoelyd**) SW *to overturn, to topple* '**Fel digwyddws hi mi o'dd dram wedi moylyd a bwrw post ma's**' *As it happened a tram had overturned and knocked a post out* (Meirion Evans, 1996: 71).

Moes *give* (irregular imperative form) **melys moes mwy** proverb *what is nice is asked for twice* '**Mae *Dudley* wedi bod yn gogydd ers tro ac yn gyflwynydd [teledu] weithiau. Melys moes mwy. Mi fydd hi'n hir cyn yr anghofia'i saga'r coginio mecryll**' *Dudley has been a cook for a while and occasionally a [television] presenter. What is nice is asked for twice. It will be a long time before I forget the saga of cooking the mackerel* (*Barn*, September 1995: 20).

'Mofyn (< **ymofyn**) SW Powys *to fetch, to get* '**Rŵan, yr ydw i'n mynd i siop Wilff i mofyn sigaréts**' *Now, I'm going to Wilf's shops to get cigarettes* (Islwyn Ffowc Elis, 1990(i): 267).

Mogu see **brawd (1)**.

Mofiad SW *to swim* '**Ge's i ddigon. Mi jwmpes drost yr ochor a fofiades i graig o dan yr ynys**' *I'd had enough. I jumped over the side and I swam to a rock under the island* (Angharad Dafis in Gwyn Griffiths (ed.), 1994: 53).

Moment *moment* **ar y foment** *at the moment* '**Y mae'r ddwy genedl yn cyd-fyw yn weddol gytûn ar y foment**' *The two nations get on relatively well at the moment* (R. Emyr Jones, 1992: 38).

Môn *Anglesey* **1 Môn mam Cymru** (lit *Anglesey the mother of Wales*) rhetorical name for Anglesey '**Dim ond un mart anifeiliaid sydd ar ôl ym Môn Mam Cymru**' *There is only one animal market left on Anglesey* (*Golwg*, 17 October 1997: 6) (* Anglesey was formerly considered the breadbasket of Wales). **2 o Fôn i Fynwy** (lit *from Anglesey to Monmouthshire*) *the length and breadth of Wales* (cf *from Land's End to John O'Groats*) '**Doedd dim taten o angen Saesneg ar y sgriptiwr yma i gyfathrebu efo Cymry o Fôn i Fynwy**' *This scriptwriter didn't need the slightest bit of English in order to communicate with Welsh people the length and breadth of Wales* (*Barn*, February 1996: 17).

'Mond (< **dim ond**) CW *just, only* '**Neb arall isio dim byd 'mond llonydd**' *Nobody wants anthing only peace* (Margiad Roberts, 1994: 9).

Monwysyn *Anglesey person* '**Mae colli Herald Môn yn glamp o ergyd i Fonwysyn tebyg i mi**' *Losing the Herald Môn is a terrible blow to an Anglesey person like me* (*Golwg*, 28 April 1994: 3).

Mopio NW **mopio fy mhen efo rhywbeth** NW *to do my head in about something* '**Fyddi di wrth dy fodd**

hefo fo, gei di weld, 'di mopio dy ben yn lân' *You'll be really pleased with him, you'll see, completely do your head in* (Jane Edwards, 1993: 72).

Mor bell, mor belled etc. see Appendix 14.12-14.13.

Môr *sea* **gwneud môr a mynydd (o rywbeth)** (lit *to make sea and mountain (of something)*) *to make a mountain out of a molehill* **'Dwi'n sicr iawn yn fy Nghymreictod, does dim rhaid i mi wneud môr a mynydd o'r peth'** *I'm very sure about my Welshness, I don't have to make a mountain out of a molehill of the thing* (*Sbec TV Wales*, 25 March 1995: 15).

Morgan *Morgan* **Morgan y tegell** CW familiar term for a kettle (cf *Jack Frost*) **'Cyn hir fe ferwodd Morgan'** *Before long the kettle boiled* (Edgar ap Lewys, 1977: 48).

Morio *to sing* **morio canu** *to sing with gusto* **'Nos Wener odd Bob Blaid Bach a Connolly ym mreichia'i gilydd yn dynn ym morio canu'** *Friday night Bob Blaid Bach and Connolly were tightly in each other's arms singing with gusto* (Dafydd Huws, 1978: 38).

'Morol (< ymorol) 1 NW *to attend to, to see to* **'Mi ddyla** *Dad* **ddewis 'ta! Morol fod o'n gwneud y peth iawn, morol fod o'n gwneud y peth** *call*!' *Dad should choose then! To see that he does the right thing, to see that he does the sensible thing!* (Meic Povey, 1995(ii): 68). 2 NW *to fetch, to get* **'Amser cinio, wedi iddo fo fwyta ei frechdanau, mi aeth Raymond i forol am ei bwdin blew'** *Lunchtime, after he had eaten his sandwiches, Raymond went to get his bit of fanny* (Twm Miall, 1988: 123).

Moron LW CW **caraitsh** NW **caretsh** SW *carrots*

Morus *Morris* **Morus y gwynt** (lit *Morris the wind*) CW familiar term for the wind (cf *Jack Frost*) **'Mae Morys y Gwynt yn y drws yn gofyn geith o ddŵad i'r tŷ'** *Morris the Wind is at the door asking if he can come into the house* (Robin Llywelyn, 1995: 36).

'Moyn (< ymofyn) 1 SW *to want* **'Ie, beth 'ych chi'n mo'yn?'** *Yeah, what do you want?* (Mihangel Morgan, 1993(ii): 108) (* see Appendix 13.03-13.04). 2 SW Powys *to fetch, to get* **'Mae wedi colli gwa'd ofnatw, syr. Dyna pam elson ni i fo'yn Mistar Prichard ...'** *He's lost an awful lot of blood, sir. That's why we went to fetch Mr. Prichard ...* (Nansi Selwood, 1987: 143).

Mrs. Jones Llanrug supposed archetypal Welsh speaker from North or West Wales and said to be the personification of the values of Welsh-speaking society; often assumed to be well-to-do working class and middle-aged (cf *Angry of Tunbridge Wells, Man on the Clapham Omnibus* etc.) **"Ond fasa Mrs Jones Llanrug ddim yn gwerthfawrogi'r fath synau aflafar ...'** *Mae'n bryd i Mrs Jones ddysgu mwy am ddiwylliant ei gwlad'* *'But Mrs Jones Llanrug wouldn't appreciate such unmelodious noises ...' It's high time Mrs Jones learnt more about her country's culture* (*Golwg*, 1 December 1994: 30) (* Llanrug: village near Caernarfon).

Mudo LW NW **mwfyd** SW **symud tŷ** LW CW *to move house*

Munud *minute* 1 **ar y funud** CW *at the moment* **'[Mae'n] wahanol i shwd wy'n teimlo bythdi Llinos ar y funud'** *[It's] different to how I feel about Llinos at the moment* (John Owen, 1994: 122). 2 **munud bach** (lit *a quick minute*) NW *a second* (figuratively) **'Ma Gres Ifas eisio ichi alw yn Drws Nesa am funud bach'** *Gres Ifas wants you to call next door for a second* (Caradog Prichard, 1961: 187). 3 **y funud hon/yma** SW *now, this minute* **'Ewch i chwilio am rywbeth mwy gweddus! Y funud yma!'** *Go and look for something more decent! This minute!* (Lyn Ebenezer, 1986: 13). 4 **y funud honno/yna** SW *at that moment, then* **'Fe'm meddiannwyd gan gythraul direidus a dialgar y funud honno'** *I was possessed by a mischievous and vengeful devil at that moment* (Mihangel Morgan, 1993(i): 112). 5 **y funud olaf** CW *the last minute* **'Dwn i ddim be on i'n ddisgwyl, i rywbeth mawr ddigwydd y funud ola a'u stopio'** *I don't know what I was expecting, for something big to happen at the last minute and stop them* (Angharad Tomos, 1985: 107). 6 **yn y munud** CW *in a minute, presently* **'Mi ddeuda i wrthat ti yn y munud. Gweitia imi gael gneud brecwast'** *I'll tell you in a minute. Wait until I've made breakfast* (Caradog Prichard, 1961: 182).

Mwd NW **llaid** LW SW **llaca** LW SW *mud*

Mwfyd (<E *move* and **-yd**) SW **mudo** LW NW **symud tŷ** LW CW *to move house*

Mwg *smoke* 1 **mwg drwg** (lit *bad smoke*) CW *cannabis, dope, wacky-baccy* **'A roedd hynny'n brafiach na llymeitian ym mhabell Bilw hyd oriau mân y bore, yn gwrando ar sgyrsiau gwallgo, a mwg drwg yn ei ffroenau a'i gwallt'** *And that was better than drinking in Bilw's tent until the early hours of the morning, listening to mad conversations, and wacky baccy in her nostrils and hair* (Jane Edwards, 1993: 57). 2 **mwg melys** (lit *sweet smoke*) CW *cannabis, dope, wacky-baccy* **'Wnes i erioed drïo na sbliff na reu na mwg melys'** *I have never tried ever a spliff or marijuana or wacky baccy* (*Western Mail*, 21 November 1995: 11).

Mwlsyn (lit *mule*) CW *fool, idiot* **'Mi ofynnodd Sei iddo fo ganu cân Gymraeg, ond mi wrthododd y mwlsyn'** *Sei asked him to sing a Welsh song, but the idiot refused* (Twm Miall, 1988: 14).

Mwn (< am wn i) CW *I know, I suppose* **"O, dim byd mwn', meddwn innau'n troi oddi wrtho fo ac yn ei anwybyddu wedyn'** *'Oh, nothing I suppose,' I said turning away from him and then ignoring him* (Robin Llywelyn, 1992: 38).

Mwnci see **man** (1).

Mwstwr LW SW **stŵr** LW CW **sŵn** LW CW **twrw** LW CW *noise*

Mwy *bigger, more* **mwy na heb** *more often than not, more or less, on the whole* **'roedd o o natur Dorïaidd fwy na heb'** *he was by nature Tory on the whole* (Marion Eames in Eleri Hopcyn (ed.), 1995: 2).

Mwyach *any more* (negative) **'Does yna fawr neb yn gwylio S4C mwyach'** *Hardly anybody watches S4C any more* (*Golwg*, 29 April 1993: 27).

Mwyaf *biggest, most* **1 ar y mwyaf** *at most* **'Dydi hi fawr o beth. Rhyw dri chan tunnall ar y mwya'** *It wasn't much of a thing. Some three hundred tonnes at most* (Wiliam Owen Roberts, 1987: 73). **2 gan mwyaf** *for the most part, mostly* **'Eto i gyd, fe wnaeth Iwerddon, yr Alban a Chymru eu cyfraniadau i'r Ymerodraeth - ym maes recriwtio i'r lluoedd arfog, er enghraifft - ond gan mwyaf o achos angenrheidrwydd economaidd yn hytrach nag o argyhoeddiad'** *Nonetheless, Ireland, Scotland and Wales made their contribution to the Empire - in the recruitment field for the armed forces, for example - but for the most part because of economic necessity rather than conviction* (*Barn*, June 1997: 17) (* also **gan fwyaf** (although this is not considered correct), eg **'Mae'n swnio fel meddwyn o Sais, cyn rali, gan fwyaf'** *He sounds like a drunken Englishman, before a rally, for the most part* (*Barn*, December 1995/ January 1996: 66)). **3 mwyaf sydyn** CW *all of a sudden* **'Fedri di ddeutha'i be 'di'r holl siarad amdana'i mwya sydyn?'** *Can you tell me what's all this talk about me all of a sudden?* (Robin Llywelyn, 1992: 7). **4 o'r mwyaf** (lit *of the biggest*) *great, huge* **'Ond cefais sioc o'r mwyaf pan ddychwelais i Gaerdydd'** *But I had a great shock when I returned to Cardiff* (Tweli Griffiths, 1993: 64).

Mwydo LW NW **rhoi yng ngwlych** LW SW **socian** LW CW **trochi** LW NW *to soak* (clothes etc.)

Mwydro 1 NW *to go on, to jabber on* **'Am beth 'ych chi'n mwydro, ddyn?'** *What are you going on about, man?* (Mihangel Morgan, 1993(ii): 115). **2** NW *to bother, to disturb* **'Mae'n ddrwg gen i. Maddeuwch imi. Fasa chi ddim yn dallt. Finna'n fa'ma'n eich mwydro chi'** *I'm sorry. Forgive me. You wouldn't understand. And me here bothering you* (Wiliam Owen Roberts, 1987: 41). **3** NW *to hang around* **'Fyswn i wrth 'y modd yn mwydro fan hyn drw'r pnawn a'r êl yn llifo megis afon'** *I'd be in my element hanging around here all afternoon with the ale flowing like a river* (Dafydd Huws, 1990: 31). **4 mwydro fy mhen efo rhywbeth** NW *to do my head in about something* **'Ma gynno fynta betha pwysicach i feddwl amdanyn nhw na mwydro'i ben am ryw grinc bach hanner pan'** *He's also got more important things to think about than doing his head in about some half mad little bore* (Jane Edwards, 1993: 122).

Mwydryn NW *someone who talks nonsense* **'Ella na darlithydd ma Ben Bach yn galw'i hun ond mae o'n fwydryn proffesiynol 'sach chi'n gofyn i mi'** *Perhaps Ben Bach calls himself a lecturer but he's a professional bullshitter if you ask me* (Dafydd Huws, 1990: 87).

Mwydyn LW SW **llyngyren ddaear** LW NW **pryf genwair** LW NW *(earth)worm*

Mwyn 1 er mwyn popeth (lit *for the sake of everything*) Glam *for goodness' sake* **"So tin falch o ngweld i, ne beth?' 'Wrth gwrs mod i.' 'Wel paid rhuthro i'w ddangos e, er mwyn popeth!"** *'So you pleased to see me, or what?' 'Of course I am.' 'Well, don't rush to show it, for goodness' sake!'* (Meic Povey, 1995(i): 33). **2 er mwyn Duw** Glam *for God's sake* **'Tecs, er mwyn Duw, mae Moi wedi marw'** *Tecs, for God's sake, Moi's died* (Sonia Edwards, 1994: 64).

3 er mwyn dyn (lit *for one's sake*) CW *for goodness' sake* **'Ti 'di rhannu dy deimlade, 'na gyd. 'Sdim byd yn bod ar 'ny, o's e, er mwyn dyn??'** *You've shared your feelings, that's all. There's nothing wrong with that, is there, for goodness' sake??* (John Owen, 1994: 172) (* **dyn** here is a euphemism for **Duw** *God*). **4 er mwyn y nefoedd** (lit *for the sake of heaven*) CW *for goodness' sake* **'Fasa gin i mo'r gyts, pa run bynnag, Loti.' 'Er mwyn y nefoedd!' Cododd Loti ar ei thraed'** *I wouldn't have the guts, anyhow, Loti.' 'Oh for goodness' sake!' Loti got up on her feet* (Sonia Edwards, 1994: 112). **5 er mwyn yr arglwydd** (lit *for the sake of the Lord*) Glam *for God's sake* **'Cïa'r ffenest, Dan, er mwyn yr arglwydd!'** *Shut the window, Dan, for God's sake!* (Dafydd Rowlands, 1995: 26). **6 er mwyn yr uffern** (lit *for the sake of hell*) Glam *for God's sake* **'O, gat dy lap, er mwyn yr yffarn!'** *Oh, stop your jabbering, for God's sake!* (Dafydd Rowlands, 1995: 110).

Mwynder *gentleness* **Mwynder Maldwyn** (lit *the Gentleness of Montgomeryshire*) CW rhetorical description of Montgomeryshire and its people **'Ond am Fwynder Maldwyn y meddyliais i yn y Ganolfan Grefftau yn Rhuthun yn ddiweddar'** *But I was thinking about Montgomeryshire in the Craft Centre in Ruthin recently* (*Western Mail*, 23 January 1996: 9).

Mwytho LW NW **maldodi** LW SW *to pet, to stroke*

Myfi see Appendix 15.03-15.04.

Myll 1 NW *mad, stupid* **'Sbïodd hi arna fi fatha taswn i'n myll'** *She looked at me as though I was mad* (Dafydd Huws, 1990: 63). **2 cael y myll** NW *to go mad* **'Ro'n i'n dechra cael y myll. Pam ddiawl na fetsan nhw adal llonydd i rywun gael sbec bach wrth ei bwysa ...?'** *I was starting to get mad. Why the hell wouldn't they let someone have some peace to have a quick look in their own time ...?* (Twm Miall, 1990: 132).

Myllio (< ymhyllio) **1** NW *to go senile* **'Dwi drosodd drigian mlynadd yn fengach na hi a dwi'n dechra myllio'n barod'** *I'm over sixty years younger than her and I'm starting to go senile already* (Dafydd Huws, 1990: 16). **2** NW *to go on, to jabber on* **'Pan gyrhaeddon ni'r brotest o'dd 'na ryw foi gwallt gwyn efo atal deud yn myllio ar ben bocs sebon'** *When we arrived at the protest there was some white-haired bloke with a stutter jabbering on on top of a soap box* (Dafydd Huws, 1990: 28). **3** NW *to go mad* **'I bob pwrpas, dyn distaw a digon dymunol oedd Joc - nes iddo fo gael cwrw. Unwaith roedd yna beint neu ddau dan ei felt roedd o'n myllio'** *To all intents and purposes, Joc was a quiet man and nice enough - until he had had a beer. Once there was a pint or two under his belt he would go mad* (Vivian Wynne Roberts, 1995: 81).

Mylliwr (< ymhylliwr) NW *bullshitter* **'[Mi o'n i yn y tŷ bwyta] pan ddoth 'na ryw fylliwr efo rosèt mowr melyn i mewn yn gofyn i ni fotio iddo fo yn lecsiwn cownsul'** *[I was in the restaurant] when some bullshitter with a big yellow rosette came in asking us to vote for him in the council election* (Dafydd Huws, 1990: 241).

Myn *by* (oaths only) **1 myn brain (i)** (lit *by the crows*) CW *stone the crows* **"Fe allet fod wedi gadael dy enw ar ôl beth bynnag,' meddai Harri. 'Gwdig, myn brain!"** *'You could have left your name behind, anyway,' said Harri. 'Gwdig, stone the crows!'* (Islwyn Ffowc Elis, 1990(i): 73). **2 myn cebyst (i)** (lit *by the cursed*) NW *bloody hell* **'Contract, myn cebyst i! Bleddyn Williams 'di'r enw, mi fuo bron i mi â deud wrthi, dim Alfred McAlpine'** *Contract, bloody hell! Bleddyn Williams is the name, I almost said to her, not Alfred McAlpine* (Twm Miall, 1990: 152). **3 myn coblyn (i)** (lit *by the devil*) NW *bloody hell* **'Wynebais y ffaith - roeddwn yn ddiwaith.** *Magnum cum laude* **myn coblyn'** *I faced the fact - I was unemployed.* Magnum cum laude *bloody hell* (Angharad Tomos, 1982: 11). **4 myn cythraul (i)** (lit *by the devil*) NW *bloody hell* **"Fedri di ddim mynd rŵan.' 'Medra, myn cythraul i"** *'You can't go now.' 'Yes I can, bloody hell'* (Eigra Lewis Roberts, 1985: 126). **5 myn dian (i)** (lit *by the devil*) NW *bloody hell* **"Wel myn dian,' meddai Petrog, wedi bod yn gwrando ar Gregor yn siarad a bwyta'r un pryd, 'pwy ond y chdi fasa'n dewis croesi'r bwlch ...?"** *'Well bloody hell,' said Petrog, after listening to Gregor talking and eating at the same time, 'who but you would choose crossing the mountain pass ...?'* (Robin Llywelyn, 1994: 100) (* **dian** here is a euphemism for **diawl** *devil*). **6 myn diawst (i)** CW *goodness me, heavens above* **'Fe ga's ddwrn de 'da Wil reit yn 'i focs bara nes bod e'n plygu'n ddou, gwmws fel 'se fe 'di ca'l 'i hollti, myn diawsti'** *He got a right fist from Wil right in his guts so that he was bent over double, exactly as if he'd been split in two, heavens above* (Meirion Evans, 1996: 23) (* **diawst** here is a euphemism for **diawl** *devil*). **7 myn diawl (i)** (lit *by the devil*) CW *bloody hell* **'Gan' nhw dalu am hyn! Myn diawl! Geith rhywun dalu am hyn'** *They'll pay for this! Bloody hell! Somebody'll pay for this* (Gareth Miles, 1995: 72). **8 myn jawl (i)** (lit *by the devil*) SW *bloody hell* **"Wel, Sam bach,' mynte Wil, 'man'yn ti'n cwato, ife?' 'Cwato, myn jawl i! Chi sy 'di bod yn cwato, weten i"** *'Well, Sam,' said Wil, 'this is where you've been hiding, is it?' 'Hiding, bloody hell! You're the one who's been hiding, I'd say'* (Dafydd Rowlands, 1995: 54). **9 myn uffar (i)** (lit *by hell*) NW *bloody hell* **'Mi gaet fwy o barch tasat ti wedi'i neud o'n fwriadol, myn uffar i'** *You'd get more respect if you'd done it intentionally, bloody hell* (Robin Llywelyn, 1992: 12). **10 myn uffern (i)** (lit *by hell*) CW *bloody hell* **"Sdim ishe gofyn pwy yw hwnna!' 'Madam Patti, myn yffarn i!"** *'There's no need to ask who that is!' 'Madam Patti, bloody hell!'* (Dafydd Rowlands, 1995: 20). **11 myn uffach (i)** (lit *by hell*) SW *bloody hell* **'Wel, myn yffach i 'to!** *Glow-worm* **wêdd e! Jiw! jiw!'** *Well, bloody hell again! It was a glow-worm! Good God!* (W.R. Smart in Gwyn Griffiths (ed.), 1994: 75).

Mỳn (<E *man*) Glam *mate* **"Doedd hi ddim yn noson rhy lwyddiannus.' 'Disaster, mun! Meddwi'n gaib!"** *'It wasn't too successful a night.' 'Disaster, man! Totally pissed!'* (Meic Povey, 1995(i): 36).

Mynd *to go* **1 mynd â hi** (lit *to take it*) *to win* **'Ond barn Catrin Jones aeth â hi'** *But Catrin Jones's opinion won* (*Golwg*, 16 February 1989: 24). **2 mynd â rhywbeth/rhywun rhywle** *to take something/*

someone somewhere **'Mi eith Emlyn â chdi adra'** *Emlyn will take you home* (Sonia Edwards, 1995: 21). **3 mynd amdani** *to go for it* **'O'r diwedd, hogia' talentog, digri a del, oedd yn mynd amdani gant y cant ac yn chwarae'r gêm go iawn'** *At last, talented, funny and good looking lads who were going for it a hundred per cent and really played the game* (*Golwg*, 24 October 1996: 25). **4 mynd ati** *to set about* **'O dan orfodaeth y bu i mi fynd ati i ddarllen y gyfrol, gan ei bod hi'n un o lyfrau gosod Lefel A'** *It was under compulsion that I set about reading the volume, since it was one of the A level set books* (Eigra Lewis Roberts in Eleri Hopcyn (ed.), 1995: 68). **5 mynd (da/mawr) ar rywbeth** *to go (very) well, to sell (very) well* **'Mae yna fynd ar farddoniaeth rhyfel. Ac mae Cymru ar fin cael pentwr arall o gerddi'r gwn a'r bom'** *War poetry sells well. And Wales is about to have another pile of poems about the gun and the bomb* (*Golwg*, 27 April 1995: 19). **6 mynd rhagddo** *to carry on, to continue, to proceed* **'Roedd y gwaith adeiladu yn dal i fynd rhagddo ond roedd eisoes yn orchest bensaernïol'** *The building work was still proceeding but it was already an architectural feat* (Wiliam Owen Roberts, 1987: 20). **7 mynd ymlaen** *to advance, to carry on, to get ahead, to progress* **'Mae 'di penderfynu nagyw e eisiau siarad am y peth eto - wel, ddim ar hyn o bryd. Jyst gadel i bethe fynd yn 'u blaen a gweld beth ddigwyddiff'** *He's decided he doesn't want to talk about the thing yet - well, not at the moment. Just let things carry on and see what happens* (John Owen, 1994: 175). **8 mynd yn (actor/athro etc.)** *to become (an actor/teacher etc.)* **'Wnaethoch chi rioed feddwl mynd yn gyfrifydd Owen?'** *Did you ever think of becoming an accountant Owen?* (Margiad Roberts, 1994: 201). **9 mynd yn ôl** *to fetch, to get* **'Dath y Weithwraig Cymdeithasol i'w nôl hi wedyn i fynd â'i i'r ysbyty a 'nôl i'r Hostel'** *The Social Worker came to fetch her afterwards to take her back to the hospital and back to the Hostel* (John Owen, 1994: 185) (* see also **'nôl (2)**).

'Mynedd (< *amynedd*) CW *patience* **'Does gan ddyn y garej fawr o fynadd efo fi'** *The garage bloke hasn't got much patience with me* (Angharad Tomos, 1991: 68).

Mynnu 1 *to get, to insist, to obtain* **'rydw i'n digwydd credu ei bod hi'n ddyletswydd ar y cyfryngau i hybu, addasu, poblogeiddio - ie, ecsploitio os mynnwch chi - gynnyrch y wasg Gymraeg'** *I happen to believe that it's the media's duty to promote, adapt, popularise – yes, exploit if you insist – the products of the Welsh press* (*Golwg*, 7 January 1993: 26). **2** *to do as one pleases, to do what one likes* **'Mi rega'i pwy fynna'i lle mynna'i pan fynna'i'** *I'll swear at who I like where I like when I like* (Islwyn Ffowc Elis, 1990(i): 281). **3 fel a fynnwn i** *whatever I want* (in the sense of *having my way*) **'Ond dyna fo, y fo ydi perchennog unig siop larwm y pentref; mi gaiff wneud fel a fynno'** *But that's it, he's the owner of the only alarm shop in the village; he can do whatever he wants* (Robin Llywelyn, 1995: 27) (* see also **byd (2)**).

Myntwn i, myntet ti etc. see Appendix 13.08(ii).

Mynydde, mynyddoedd see Appendix 14.03.

N n

'N see **yn** (**1**) (note).

'N see Appendix 15.09(iii).

Na *than* before vowels **na** becomes **nag** '**Pan welodd brenin Moab fod y frwydr yn drech nag ef ...**' *When the king of Moab saw that the battle had gone against him ...* (2 Kings 3:26).

Na (< **naddo** etc.) CW *no* "**Wyt ti isio i mi ddeud wrth Alis?**' '**Na**' *'Do you want me to tell Alis?' 'No'* (Dewi Wyn Williams, 1995: 34) (* before vowels, **na** becomes **nac**, eg **nac ydyw** *no it isn't*. However, due to the influence of **Cymraeg Byw** (see entry), confusion with **nag** (*than*, see above), and its pronunciation, it is often written **nag**, eg '**Nag wyt, debyg...**' *No you're not, I suppose ...* (Dewi Wyn Williams, 1995: 77). This spelling is avoided in LW and OW).

Na 1 na is used to form the imperative in LW and very occasionally in NW: see Appendix 10.10-10.11. **2 na ato (Duw)** *God forbid* '**roedd hi'n benderfynol na ddefnyddiai eiriau Saesneg, na chwaith eiriau wedi'u Cymreigio, na ato!**' *she was determined that she wouldn't use English words, nor either words that had been made Welsh, God forbid!* (Mihangel Morgan, 1992: 103).

'**Na** (< **dyna**) **1** CW *that* "**Na fo ... o'n i'n gwybod ... ti'n gwrando dim arna i nac wyt**' *That's it ... I knew ... you're not listening to me are you* (Gwenlyn Parry, 1979: 17). **2** NW *that* (to introduce an emphatic clause) '**Meddwl na ar ei gyfar o oedd y dathlu i fod oedd o**' *He thought that the celebration was supposed to be for him* (Robin Llywelyn, 1992: 52). **3** '**na fe** SW '**na fo** NW *that's it, that's right* '**Alff, gafa'l yn hwnna hefo fi, washi. Ia, yr un ucha 'na. Na fo. Ffor' hyn, yli**' *Alff, grab hold of that with me, mate. Yeah, that top one. That's it. This way, look* (Sonia Edwards, 1995: 82). **4 'na fe, 'na fe** SW '**na fo, 'na fo** NW *there, there* (consolation) "**Na fe, bach, ma Mami'n dod, paid llefen nawr, paid llefen -**' *There, there, love, Mummy's coming, don't cry now, don't cry -* (Islwyn Ffowc Elis, 1974: 73).

'**Na** (< **yna**) **1** *there* '**Gwyneth? Chdi sydd 'na?**' *Gwyneth? Is that you there?* (Eigra Lewis Roberts, 1985: 220). **2** *that* '**Rhowch glo ar y drws 'na**' *Put a lock on that door* (Eigra Lewis Roberts, 1985: 178) (* '**na** and its unabbreviated form **yna** (see entry) are used extensively with the verbal form **mae**, see Appendix 13.11-13.12).

'**Nabod** OW CW **adnabod** LW *to know* (a person or person), *to recognise* **dod i (ad)nabod rhywun** *to get to know someone* '**Dwad i nabod pobol sy'n brifo - mae pawb yn gwybod hynny**' *Getting to know people hurts - everybody knows that* (Mihangel Morgan, 1994: 13).

Na(c) ... na(c) ... LW *neither ... nor ...* '**Yr wyf yn gwbl sicr na all nac angau nac einioes, nac angylion na thywysogaethau ... ein gwahanu ni oddi wrth gariad Duw**' *For I am sure that neither death nor life, nor angels, nor principalities ... will be able to separate us from the love of God* (Romans 8:38) (*this construction has largely been abandoned in the Bible (despite the above example), and now usually only the second **na** is used in all registers of Welsh, eg '**mae Ioan Fedyddiwr wedi dod, un nad yw'n bwyta bara nac yn yfed gwin**' *John the Baptist has come, one that neither eats bread nor drinks wine* (Luke 7:33)).

Naci (< **nage**) NW *no* reply to sentences/questions where the verb does not come first "**Dyna be ydi honna - lleuad fedi!**' '**Naci**' *That's what that is - a harvest moon!' 'No it isn't'* (Gwenlyn Parry, 1979: 54).

'**Nacw** (< **hwn/hon acw**) NW *he/him/she/her/it* "**Nacw ydi'r ferch dlysaf yn yr ysgol**' *That one is the prettiest girl in the school* (Gwyn Thomas, 1977: 43) (* the object/person referred to does not have to be in view)

Na(d) see **ni**.

Nadu (< **na** and **gad**) Arfon *to prevent, to stop* '[**Roedd**] **mwg sigarets fatha niwl yn nadu chi weld pendraw'r stafall**' *The cigarette smoke [was] like a fog stopping you seeing the other end of the room* (Dafydd Huws, 1978: 6).

Naddo *no* (perfect and simple past tenses) in SW the form **naddo fe** is also used interrogatively '**Falle bydden i o ran beth wyt ti'n wbod, ond ceso i ddim o'r cyfle naddo fe**' *Perhaps I would from the point of view of what you know, but I didn't have the chance did I* (Meirion Evans, 1996: 16) (* see also **do**).

Nag see **na**, **ni** (**3**) and Appendix 1.07.

Nage *no* reply to sentences/questions where the verb does not come first; in the Swansea area of SW **nage** is used before negative emphatic clauses/sentences '**Nace'r mwg o'dd yn blino Sam, ond y gwres o'dd yn hwthu drw'r car**' *It wasn't the smoke that was bothering Sam, but the heat that was blowing through the car* (Dafydd Rowlands, 1995: 26) (* see also **dim** (**5**) and **nid** (**2**)).

Naill 1 *one* (before nouns) '**Roedd ef a'i chefnder Edward wedi sefyll i'r naill ochr**' *He and her cousin Edward had stood to one side* (Nansi Selwood, 1987: 169). **2 naill ai ... neu ...** *either ... or ...* '**Eu prif obaith yw gorfodi pleidlais ar Gabinet yr wrthblaid naill ai am resymau technegol neu am fod etholiad cyffredinol ar y ffordd**' *Their main hope is to force a vote on the opposition Cabinet either for technical reasons or because a general election is on the way* (Golwg, 25 January 1996: 5). **3 y naill ... y llall** *the one ... the other* '[**Ches i ddim**] **gair gan y naill na'r llall**' *[I didn't get] a word from the one or the other* (Dic Jones, 1989: 203).

Nain LW NW **mam-gu** LW SW *grandmother* (* **nain a taid** is the set phrase in NW for *grandparents*)

Nanlla see Appendix 18.02.

Nashi (<E *nationalist*) CW *Welsh Nationalist* 'Mae yna garfan dda o bobol yng Nghymru sydd wrth eu bodd yn clywed haeriadau mai'r 'nashis' a'r 'crachach' Cymraeg sydd â'r dylanwad a'r grym yn S4C' *There's a good group of people in Wales who love to hear assertions that the 'Welsh nationalists' and the 'elite' have the influence and power in S4C* (*Golwg*, 8 February 1996: 6).

Natur 1 *nature* 'Roedd hi'n fis Mai ac ar y bryniau i'r de i Fannau Brycheiniog roedd byd natur wedi penderfynu bod yr haf ar ddod' *It was May and on the hills to the south of the Brecon Beacons the world of nature had decided that the summer was about to come* (Nansi Selwood, 1993: 15). **2** SW *temper* 'Wit ti wedi'i gliwed e'n hwmian a hwrnu wrtho'i hunan pan bod 'i natur e lan, rhegi mae e, t'wel' *You've heard him mumbling and growling to himself when his temper's up, swearing he is, you see* (Morgan John in Gwyn Griffiths (ed.), 1994: 28). **3** *natur y cyw yn y cawl* (lit *the nature of the chicken (is) in the soup*) proverb *in the blood* 'Nid oedd yn syndod iddo, felly, pan fethodd Rhys ymddangos i'w gyrchu'n ôl o Aberhonddu un prynhawn. 'Natur y cyw yn y cawl,' meddai Richard wrth Mary. 'Mae wedi bod yn ysu am fynd ar ôl 'i ddad a'i frawd o'r cynta!" *It was no surprise to him, therefore, when Rhys failed to turn up one afternoon to escort him back to Brecon. 'It's in the blood,' said Richard to Mary, 'He's been itching to go after his father and his brother from the very beginning'* (Nansi Selwood, 1987: 266). **4** *wrth natur* by nature 'Roedd hyn yn syndod braidd i mi gan i mi dybio ar hyd fy oes mai creadur creulon oedd y Twrc wrth natur' *This was a surprise to me really since I imagined all my life that the Turk was a cruel creature by nature* (R. Emrys Jones, 1992: 66).

Naw *nine* **1** *ar y naw* (lit *on the nine*) CW *really* (adverb) 'Roeddan nhw'n hen hogia iawn - petha digon tebyg i mi, ond doeddan nhw ddim yn medru siarad Cymraeg. Roedd 'na amball un doniol ar y naw' *They were good lads - similar enough to me, but they couldn't speak Welsh. The odd one was really funny* (Twm Miall, 1990: 32) (* *naw* here is a euphemism for *diawl*: see **diawl** (**7**)). **2** *naw wfft* (lit *nine fies*) *get stuffed* 'Ond naw wfft i'r Albanwyr a ddywedodd mai dyfodiad gwareiddiad oedd wedi lladd yr Wyddeleg' *But the Scots who said that the arrival of civilization had killed the Irish language can get stuffed* (*Golwg*, 15 June 1995: 25).

Nawr (< *yn awr*) LW SW **rŵan** NW *now* **1** *nawr ac yn y man* *now and then* 'Fe wnâi hen sŵn bach yn ei wddf bob nawr ac yn y man' *He would make a quiet noise in his throat every now and then* (Bernard Evans, 1990: 24). **2** *nawr ac eilwaith* *now and then* "Roedd gen i gefnder a ddôi gyda'i rieni, modryb ac ewythr i mi, i Lan Ffestiniog yn awr ac eilwaith' *I had a cousin who would come with his parents, an aunt and uncle of mine, to Llan Ffestiniog now and then* (Alan Llwyd, 1994: 20). **3** *nawr ac 'lwêth* Dyfed *now and then* 'Fuodd yr hen fenyw Mam druan yn gwely am 36 mlyne, yn ffeiledig, ond wêdd ambell i ferch fach yn dod miwn nawr a lwêth i helpu' *The old dear poor old Mam was in bed for 36 years,*

disabled, but the odd girl would come in now and then to help (Johnny Jones in Gwyn Griffiths (ed), 1994: 41) (* 'lwêth < *eilwaith*).

Neb 1 LW *anyone, anybody* 'Mae wedi bod yn anodd iawn i neb wrthsefyll grym y Cyrnol Price' *It's been very hard for anyone to withstand the force of Colonel Price* (Nansi Selwood, 1987: 240) (* this meaning is still retained in OW and CW when **neb** is used with adjectives, eg '**gystel â neb**' *as good as anyone* (Nansi Selwood, 1993: 99), and prepositions, eg '**yn dda i ddim i neb**' *good for nothing for anyone* (Nansi Selwood, 1993: 17)). **2** (< **nid oes neb**) OW CW *no one, nobody* ''Pwy?' meddai'r llais o'r bwlch yn y wal. 'Du Tra be? Neb o'r enw yna yma'' *'Who?' asked the voice from the hole in the wall. 'Du Tra what? Nobody of that name here'* (Robin Llywelyn, 1994: 176). **3** *none* 'Teimlai llawer yn ddig wrth deulu Ysgubor Fawr am nad oedd neb o'u dynion nhw wedi gadael eu cartre [i fynd i'r rhyfel]' *Many felt angry with the Ysgubor Fawr family because none of their men had left their home [to go to war]* (Nansi Selwood, 1987: 227).

Nef *heaven* (see also **nefoedd**) *o'r nef* (lit *of the heaven*) CW *goodness me, heavens above* 'O'r nef, be wna i?' *Heavens above, what shall I do?* (Alun Jones, 1979: 53)

Nefi (euphemism for **nef(oedd)**) **1** CW *goodness me, heavens above* 'Nefi, roedd hi cyn falched o'i henw â phetai hi wedi'i ddewis o'i hun' *Heavens above, she as pleased of her name as though she'd chosen it herself* (Jane Edwards, 1993: 61). **2** *nefi blŵ* CW *goodness me, heavens above* 'Nefi blŵ! Wyt ti'n dechra drysu, ddigwyddith dim byd o'r fath, wyt ti'n dechrau colli arni?' *Heavens above! Are you starting to get confused, nothing of the sort happened, are you starting to go mad?* (Meic Povey, 1995(ii): 74). **3** *nefi wen* CW *goodness me, heavens above* 'Ydi antur yn Iran yn cyfleu'r syniad o wyliau delfrydol i chi? Nefi wen, dydi o ddim i fi' *Does an adventure in Iran convey the idea of ideal holidays to you? Heavens above, it doesn't to me* (*Golwg*, 8 September 1994: 3). **4** *o'r nefi* CW *goodness me, heavens above* 'O'r nefi ... ! Paid ... ! Dim mwy ... ! Dwi allan o wynt ...' *Goodness me ... ! Don't ... ! No more ... ! I'm out of breath ...* (Dewi Wyn Williams, 1995: 69).

Nefoedd *heaven* **1** heaven is usually referred to in the plural in Welsh 'Ond os wyt ti eisiau mynd i'r nefoedd, mae rhaid i chdi fynd i'r capel, medda Mam' *But if you want to go to heaven, you have to go to chapel, so Mam says* (Theatr Bara Caws, 1995: 35). **2** *(o'r) nefoedd* (lit *(of the) heavens*) CW *goodness me, heavens above* 'Nefoedd, pam roedd e'n teimlo fel hyn bob tro yr oedd yn ei chwmni?' *Heavens above, why did he always feel like this every time he was in her company?* (Penri Jones, 1982: 131). **3** *nefoedd yr adar* (lit *birds' heaven*) NW *goodness me, heavens above* 'Nefoedd yr adar! Waeth i mi garu hefo lwmp o bwdin siwat ddim' *Heavens above! I might as well make love to a lump of suet pudding* (Gwenlyn Parry, 1979: 18).

4 y nefoedd a'm helpo heaven help me **'Y nefoedd a'm helpo i! Mentrais yn rhy bell i'r [dŵr] dwfn ar gyfer y cynnig cyntaf a gollyngais fy hun i lawr yn rhy sydyn'** Heaven help me! I ventured too far into the deep water for the first try and let myself down too suddenly (Y Faner, 20 December 1991: 11). **5 (y) nefoedd fawr** (lit (the) great heavens) CW goodness me, heavens above **'Y nefoedd fawr, welais i ddim byd erioed yn fwy tebyg i forfil wedi ei gaethiwo!!'** Heavens above, I never saw before anthing more similar to an enslaved whale!! (Elwyn Jones, 1991: 201). **6 (y) nefoedd wen** (lit (the) bright heavens) CW goodness me, heavens above **"Faint yw ei oed?' sibrydodd [ef]. 'Bron yn ddeugain.' 'Y nefoedd wen"** 'What's his age?' [he] whispered. 'Nearly forty.' 'Heavens above' (Alun Jones, 1979: 57).

Neges errand, message **mynd i 'nôl neges** NW to go on an errand, to go shopping **'Yn y man, euthum ymlaen i 'nôl fy neges a'r peth cyntaf a welais wrth agor y papur oedd llun gŵr - yn hedfan barcud!'** Presently I went on to get my shopping and the first thing I saw on opening the newspaper was the picture of a man - flying a kite! (Golwg, 29 September 1994: 14).

Neilltu (lit one side) **(gosod/rhoi/troi etc.) o'r neilltu** to (place/put/turn etc.) aside **'unwaith mae rhywun yn rhoi y clwt o'r neilltu, dyna hi'** once one has put the cloth aside, that's it (Angharad Tomos, 1982: 27).

Neis nice **(hamddenol/hapus etc.) neis** nice and (leisurely/happy etc.) **'Mi ddyla'r bwthyn fod yn gynnas neis'** The cottage should be nice and warm (Angharad Jones, 1995: 32) (* note the comparative form **neisiach** nicer, eg **'Ma nhw'n mynd yn neisiach bob blwyddyn'** They get nicer every year (Wil Sam, 1987: 112)).

Neisied LW Glam **cadach poced** LW NW **ffunan boced** Anglesey **hances (boced)** LW NW **hancsiar** Dyfed **macyn** LW SW **nicloth** Dyfed handkerchief

Neisis Pembs **cisys** Dyfed **da-da** NW **fferins** NW **loshin** SW **melysion** LW CW **minciag** Powys **pethau da** NW **taffins** Glam sweets

Nen (< yn enw) **1 nen Duw** (lit in God's name) NW for goodness' sake, heavens above **"Pam yr oedd hi'n ddigalon, meddech chi, Wil?' 'Wn i ddim, nen duwc"** 'Why was she depressed, would you say, Wil?' 'I don't know, for goodness' sake' (Islwyn Ffowc Elis, 1990(i): 30) (* **duwc** < Duw see entry). **2 nen tad** (lit in the father's name) NW for goodness' sake, heavens above **"Hen lol sisi ... Dest er mwyn cael rhyw hen gardyn gwirion a dy enw di arno fo.' 'Naci, nen tad"** 'Load of old cissy nonsense ... Just to have some old card with your name on it.' 'No it isn't, for goodness' sake' (Miriam Llywelyn, 1994: 68).

Neno (< yn enw) **1 neno'r annwyl** NW for goodness' sake, heavens above **'Neno'r annwyl, 'Nhad, all dyn yn ei oed ac yn ei synnwyr ddim darllen beth fyn o?'** For goodness' sake, Dad, can't a mature sensible person read whatever he wants? (Islwyn Ffowc Elis, 1990(i): 203). **2 neno'r diar** CW for goodness' sake, heavens above **'Does arna i ddim isio bod ar ffordd neb. Nac oes, neno'r diar'**

I don't want to be in anyone's way. I don't, for goodness' sake (Islwyn Ffowc Elis, 1974: 76). **3 neno'r dyn** CW for goodness' sake, heavens above **"Ble ma Richard? Iddo fe ga'l mynd ar 'u hôl nhw!' 'Mynd ar ôl pwy, neno'r dyn?"** 'Where's Richard? So that he can go after them?' 'Go after who, for goodness' sake?' (Nansi Selwood, 1987: 243) (* **dyn** here is used as a euphemism for **Duw**: see **dyn** (3)). **4 neno'r nef** NW for goodness' sake, heavens above **'Dwi ddim isio mynd i'r ysgol neno'r nef'** I don't want to go to school for goodness' sake (Miriam Llywelyn, 1994: 31). **5 neno'r tad** NW for goodness' sake, heavens above **'Deud rwbath, neno'r tad'** Say something, for goodness' sake (Jane Edwards, 1993: 57).

Nepell (< neb pell) **1 heb fod nepell o rywle** not far from somewhere **'Un noson mewn gwesty heb fod nepell o'r Senedd cyfarfûm â'r diweddar David Penhaligon AS'** One evening in a hotel not far from Parliament I met the late David Penhaligon MP (Dafydd Wigley, 1993: 126). **2 nid nepell o rywle** not far from somewhere **'Y Ddraig Goch yn cwhwfan ar bolyn nid nepell o brif borth y plasty'** The Red Dragon flies on a pole not far from the main entrance of the mansion (Gareth Miles, 1995: 19).

Nerth strength **1 (canu/gweiddi etc.) nerth (esgyrn) fy mhen** to (sing/shout etc.) as loud as I can **'Fe wyddai fod yn gas gan Greta y gân anllad honno, ac am hynny canodd hi nerth esgyrn ei ben'** He knew that Greta hated that indecent song, and for that reason he sang it as loud as he could (Islwyn Ffowc Elis, 1990(ii): 18). **2 (cerdded/rhedeg etc.) nerth fy maglau** SW to (walk/run etc.) as fast as possible **'A dima hi'n agor 'i blows a rhoi 'i wmed e miwn gida'i bron no'th. Wê pawb in lladd 'u hunen o wherthin. Pan ga's y pŵr dab fynd in rhydd, wêdd e'n croeshi'r parc nerth 'i fagle'** And then she opened her blouse and pushed his face in next to her naked breast. Everyone was killing themselves laughing. When the poor dab freed himself, he ran off across the field as fast as possible (Morgan John in Gwyn Griffiths (ed.), 1994: 26). **3 (cerdded/rhedeg etc.) nerth fy mheglau** NW to (walk/run etc.) as fast as possible **'Ac yna pan fyddai'r gwasanaeth ar ben fe ruthrai oddi yno nerth ei beglau'** And then when the service was over he would rush from there as fast as possible (Wiliam Owen Roberts, 1987: 129). **4 (cerdded/rhedeg etc.) nerth fy nhraed** to (walk/run etc.) as fast as possible **'Rhedais nerth fy nhraed oddi yno'** I ran as fast as I could from there (Angharad Tomos, 1982: 52).

Nes LW CW **agosach** OW CW closer, nearer **nes ymlaen** later on **'Mi eglura i bob dim yn nes ymlaen'** I'll explain everything later on (Wiliam Owen Roberts, 1987: 23).

Nesaf LW CW **agosaf** OW CW closest, nearest **nesaf** can also mean next, eg **drws nesaf** next door, but **agosaf** can only mean nearest, eg **y drws agosaf** the nearest door.

Nêt (<E neat) SW good, smart, tidy **'Arhoses i'n Butlins 'da'r bois o'r gwaith. Amser nêt 'efyd!'** I stayed in Butlins with the boys from work. Tidy time as well! (Penri Jones, 1982: 74).

'Neud (< **gwneud**) CW *to do, to make* '**Be se fe'n neud niwed i'r ferch cyn i'r cops fynd miwn?**' *What if he hurts the girl before the cops go in?* (Sion Eirian, 1995: 29) (* see Appendix 15.08(x)).

Newid *change* **1** **mae newid yn** *change* **(a diffrans yn gwneud byd o wahaniaeth)** (lit untranslatable) CW *a change is as good as a rest* '**Mi fydda' i'n lico symud. Mae newid yn** *change* **mawr i mi**' *I'd like to move. A change is as good as a rest to me* (Wil Sam, 1995: 67). **2 newid byd** (lit *change of world*) *change in circumstances* '**Tipyn o newid byd, felly, i'r actor hynaws sy'n cymryd pob sialens fel y daw**' *Quite a change in circumstances, then, to the genial actor who takes each challenge as it comes* (*Television Wales*, 20 January 1996: 5).

Newydd **1** *new* **mae gen i gar newydd** *I've got a new car* **2** *news* '**Be 'di'r newydd drwg, doctor?**' *What's the bad news, doctor?* (Dewi Wyn Williams, 1995: 30) (* more usually **newyddion**). **3** *just* (with the periphrasic present or imperfect tense of **bod**) '**Newydd godi ydw i**' *I've just got up* (Mihangel Morgan, 1993(ii): 108). **4 newydd sbon (danlli (grai))** *brand (spanking) new* '**Pan ddaeth yr hen bobl adra o'r gwaith, dyma nhw'n deud wrtha i am fynd i bolisho fy sgidia a gwisgo'r dillad roeddwn i wedi eu cael yn newydd sbon danlli i fynd i gnebrwn Yncl Jo**' *When the old folks came home from work, they told me to go and polish my shoes and wear the clothes that I'd got brand spanking new for Uncle Joe's funeral* (Twm Miall, 1988: 63). **4 o'r newydd** *anew* '**Iddi hi, mae'r llyfr wedi bod yn gyfle i edrych o'r newydd ar ei sir ei hun**' *For her, the book has been an opportunity to look anew at her own county* (*Golwg*, 4 March 1993: 19).

Nhw see Appendix 15.

Nhwthau see Appendix 15.05-15.06.

Ni see Appendix 15.

Ni **1** in LW **ni** (**nid** before vowels) is emphasised in negative verbal forms, and **ddim** omitted '**Syr, nid wyf yn deilwng i ti ddod dan fy nho**' *Sir, I am not worthy to have you come under my roof* (Matthew 8:8). **2** in CW, **ni(d)** is omitted, or elided to just '**d**, and the emphasis is placed on **ddim** '**Dwi ddim yn gwbod**' *I don't know* (Gwenlyn Parry, 1979: 40) (* for extensive coverage of the use of **ni(d)** with verbal forms, see Appendices). **3 ni** is used in all registers of Welsh for emphasis '**Ni chei di fynd**' *You will not be allowed to go* (David Thorne, 1993: 349). **4 ni(d)** becomes **na(d)** when introducing negative clauses, *that* **yr oeddwn i'n gwybod na fyddai hi yno** *I knew that she would not be there* (* **na(d)** is often omitted in CW, although certainly not always, and the emphasis is placed on **ddim**, eg **yr oeddwn i'n gwybod fyddai hi ddim yno** *I knew that she wouldn't be there*) (** **ni(d)** becomes **nag** in SW here, eg '**Os nag yw e - ma 'na ddigon o'i dylwyth yn Babyddion**' *If he isn't - there are enough of his family who are Catholics* (Nansi Selwood, 1987: 129)).

'Nialwch (< **anialwch**) NW *junk, rubbish* '**Roedd 'na bob math o nialwch yn disgyn allan o'i bocedi fo**' *There was all sorts of junk falling out of his pockets* (Twm Miall, 1990: 115).

Nicloth (<E *neckcloth*) Dyfed **cadach poced** LW NW **ffunan boced** Anglesey **hances (boced)** LW NW **hancsiar** Dyfed **macyn** LW SW **neisied** LW Glam *handkerchief.*

Nico see **cachiad** (**1**).

Nid **1 ni** becomes **nid** before vowels: see **ni**. **2** LW NW before negative emphatic sentences '**Ac nid Henry o'dd yr unig un**' *And Henry was not the only one* (Nansi Selwood, 1987: 279) (* see also **dim** (**5**) and **nage**..

Ninnau see Appendix 15.05-15.06.

Nionod LW NW **winwns** LW SW *onions*

Nionyn LW NW **winwnsyn** LW SW *onion* **hen nionyn** (lit *old onion*) NW *fool, idiot* '**cer o' 'ma'r hen nionyn**' *get lost you old fool* (Beth Thomas and Peter Wynn Thomas, 1989: 89).

Niwc Caern *penny* '**Mae'r peth yn mynd i gostio niwc neu ddwy**' *The thing is going to cost a penny or two.*

Nobl (<E *noble*) CW *fine, good* '**Ma' bois felna'n ddicon cyffretin mewn gwaith glo; ond yn gymeriade nobl yn y bôn**' *Blokes like that are common enough in a coal mine; but they are fine basically* (Edgar ap Lewys, 1977: 11).

Noeth *naked* **noeth lymun** *stark naked* '**Y peth mwya' rhamantus iddo wneud erioed yw nofio'n noeth lymun yn oriau mân y bore yn y môr yng ngwlad Groeg**' *The most romantic thing he ever did is swim stark naked in the early hours of the morning in the sea in Greece* (*Sbec TV Wales*, 10 June 1995: 2).

Nogio NW *to break down, to refuse to go on* '**roedd hi wedi blino ar orfod bod yn fodlon ar chwe mân beiriant henffasiwn a phob un ohonynt yn chwannog i nogio ar adegau anghyfleus**' *she had tired of having to be satisfied with six small old-fashioned machines and each one of them prone to breaking down at inconvenient times* (Mihangel Morgan, 1993(ii): 11).

'Nôl (< **yn ôl**) **1** CW *back* '**O'dd rhaid 'ddo fe fynd nôl ...**' *He had to go back ...* (Sion Eirian, 1995: 26). **2** NW *to fetch, to get* '**Dos i nôl dy gwch Sam**' *Go and get your boat Sam* (Dafydd Huws, 1978: 39).

Nonsens (<E *nonsense*) CW *nonsense, rubbish* '**Na, nid siarad nonsens ydw i yn fy henaint**' *No, I'm not talking nonsense in my old age* (*Golwg*, 27 March 1997: 7).

Nos, noson, noswaith can all mean *evening* and *night* but each is only used in distinct and well-defined circumstances.

Nos **1** *night* (general sense) '**Nefoedd - oes rhaid i ni ddiodda hynna trw'r nos?**' *Heavens above - do we have to put up with that all night?* (Gwenlyn Parry, 1979: 46). **2 gyda'r nos** *in the evening* '**Gyda'r nos, roedd gwahoddiad i'r bobl leol oll ddod**' *In the evening, there was an invitation to all the local people to come* (*Barn*, September 1994: 33) (* note also in NW the use of this form as a noun to mean *evening*, eg **trwy'r gyda'r nos** *all evening*, **yn y gyda'r nos** *in the evening* etc., eg '**Synnwn i ddim blewyn na**

chodith hi at y gyda'r nos 'ma' *I wouldn't be a bit surprised if she didn't get up for this evening* (John Gwilym Jones, 1976: 18)). **3 nos da** *good night* (farewell) **'Nos da, Edward. Nos da, Mary'** *Good night, Edward. Good night, Mary* (Nansi Selwood, 1987: 181) (* see also Appendix 17.05(iv)). **4 nos dawch** (< **nos da iwch**) NW *good night* (farewell) **"Sna'm llawer o bwynt i mi ddŵad ar d'ôl di - ma' gen ti gur yn dy ben eto, debyg.' 'Nos dawch ...' 'Nos dawch. Cysga'n dawal"** *'There's not a lot of point in me coming after you - you've got a headache again, I suppose.' 'Good night ...' 'Good night. Sleep quietly'* (Dewi Wyn Williams, 1995: 24). **5 nos (Lun/Fawrth etc.)** *(Monday/Tuesday etc.)* *evening/night* **'Nos Wener odd Bob Blaid Bach a Connolly ym mreichia'i gilydd yn dynn ym morio canu'** *Friday night Bob Blaid Bach and Connolly were tightly in each other's arms singing with gusto* (Dafydd Huws, 1978: 38). **6 Nos Sadwrn bach** (lit *little Saturday night*) Arfon *Wednesday evening/night* (usually used in the context of going out drinking etc. mid week) **"Wyth o'r gloch nos Ferchar. Wel, yndi siwr Dduw,' me fi. 'Nos Sadwrn bach, ia?"** *'Eight o'clock Wednesday night. Well, yeah sure to God,' I said. 'Like Saturday night, innit?'* (Dafydd Huws, 1990: 93).

Noson (< **nos** and **hon**) **1** *evening* (general sense and after numerals) **'Noson dawel, anghyffredin o fwyn oedd hi'** *It was an uncommonly mild quiet evening* (Nansi Selwood, 1987: 209). **2** *night* (general sense and after numerals) **'Rhyw feddyliau felly oedd yn crynhoi wrth i mi wylio gwraig yr hen Charlie ar y teledu'r noson o'r blaen'** *Such thoughts were gathering as I watched old Charlie's wife on television the other night* (*Western Mail*, 2 December 1995: (Arena) 10). **3 noson lawen** *evening festival, Noson Lawen* **'Dyma'r tro cyntaf iddo gael ymuno yn y Noson Lawen'** *This was the first time that he was allowed to join in a Noson Lawen* (Nansi Selwood, 1987: 210).

Noswaith 1 SW *evening* (general sense and after numerals) **'Rwy'n credu bod ni wedi clywed digon am un nosweth'** *I think we've heard enough for one evening* (Nansi Selwood, 1987: 181). **2** SW *night* (general sense and after numerals) **'A ma' nhw'n mynd i aros am beder nosweth Anti Bran'** *And they're going to stay for four nights Auntie Bran* (Margiad Roberts, 1994: 117). **3 noswaith dda** *good evening* (greeting) **"Noswaith dda.' 'Noswaith dda i**

chithau, Siriol, a mwynhewch y gwyliau" *'Good evening.' 'Good evening to you as well, Siriol, and enjoy the holidays'* (Mihangel Morgan, 1993(i): 127).

Nosweithiau *evenings* (general sense) **'Oherwydd lleoliad y Ganolfan, does yna ddim llawer o Gymry yn dod draw am nosweithiau cymdeithasol'** *Because of the location of the Centre, not many Welsh people come over for social evenings* (*Golwg*, 16 November 1995: 17).

Nunlle (< **yn unlle**) NW *nowhere* **'Meddwl 'mod i'n dechra colli arnaf fy hun achos mi rois i'r tatws-yn-eu-crwyn i mewn yn y ffrij yn lle'r popdy, a wnes i ddim sylwi nes roedd hi bron yn hannar dydd pan agorais i ddrws y popdy a methu gweld run datan yn nunlla!'** *Thought that I was starting to go mad because I put the jacket potatoes in the fridge instead of the oven, and I didn't notice until it was almost midday when I opened the oven door and couldn't see a single potato anywhere!* (Margiad Roberts, 1994: 176).

'Ny (< **hynny**) SW *that, then* **'Alla i ddim aros tan 'ny'** *I can't wait until then* (Mihangel Morgan, 1993(ii): 14) (* see also **hynny**).

Nyni see Appendix 15.03-15.04.

Nyth *nest* **1 bach y nyth** see **cyw** (3). **2 codi nyth cacwn** (lit *to lift a hornets' nest*) *to stir things up* **'Mae cynghorwyr Sir Morgannwg Ganol wedi codi nyth cacwn drwy gynyddu eu lwfans bron pedwar cant y cant'** *Mid Glamorgan County councillors have stirred things up by increasing their allowance by nearly four hundred per cent* (*Western Mail*, 10 June 1995: (Weekender) 2). **3 tynnu nyth cacwn ar/yn fy mhen** (lit *to draw a hornets' nest to my head*) *to attract trouble* **'Ond fe dynnodd nyth cacwn ar ei ben hefyd trwy ddweud yn yr erthygl fod cenedlaetholdeb yn cael ei ddefnyddio fel esgus tros agwedd gul a chas at genhedloedd eraill'** *But he attracted trouble as well by saying in the article that nationalism was used as an excuse for a narrow-minded and hateful attitude towards other nations* (*Golwg*, 30 November 1995: 7).

Nythaid (lit *nestful*) CW *handful, small group* **'Yn ystod y blynyddoedd diwetha', mae yna nythaid o ffermwyr organig wedi datblygu yn Nyfed'** *During the last few years, a small group of organic farmers has developed in Dyfed* (*Golwg*, 10 November 1988: 18).

O o

Pronunciation

1 In South Wales, **'oe'** becomes a long **'o'** (which is illustrated in texts as either **'ô'** or just **'o'**)

coed	>	côd, co'd	trees
ddoe	>	ddô, ddo'	yesterday
oer	>	ôr, o'r	cold
loes	>	lôs, lo's	pain

'achos y co'd' *because of the trees* (Nansi Selwood 1987: 293)

'Tynnu côs yr hen Sais o'n i' *I was pulling the English bugger's leg* (Eirwyn Pontshân, 1973: 41)

2 In Pembrokeshire, **'oe'** becomes **'wê'** or **'ŵe'**

coed	>	cwêd	trees
coes	>	cwês	leg
oes	>	wês	are, is
oedd	>	wê'	was, were

'Wê'r hen ffermydd bach, wên nhw rhy dlawd i ffwrdo ceffyl, beth wên nhw'n alw *Clydesdale* **ne'r Cob Cwmra'g'** *The small little farms, they were too poor to afford a horse, what they used to call a Clydesdale or the Welsh Cob* (Ifan Owens in Gwyn Griffiths (ed.), 1994: 46)

(* the form **wês, wês** has become so common in Pembrokeshire that the phrase has become synonymous with the county and the area is often known as **gwlad y wês wês**, eg **'O Gilgerran yn Nyfed mae Leah Marian Jones yn hannu, ag acen fendigedig 'wês wês' ar ei hiaith'** *Leah Marian Jones comes from Cilgerran in Dyfed, with the excellent Pembrokeshire accent in her speech* (*Television Wales*, 3 February 1996: 5))

(** the forms **côd, ddô** etc. and **cwêd, cwês** etc. above have been contrary to standard Welsh orthography since 1928 as a circumflex is not employed before a long **'d'** or **'s'** when a long vowel would be expected; these forms however are found in informal texts, as the above examples illustrate)

O see Appendix 15.

O *from, of* **1 o (bawb/bobman/bopeth etc.)** *of all (people/places/things etc.)* **'Yr wythnos hon, roedd rhyw wraig yn traethu ar ardderchogrwydd Bill Clinton y godinebwr, o bawb!'** *This week, some woman was discussing the excellence of Bill Clinton the adulterer, of all people!* (*Golwg*, 7 April, 1994: 7). **2 o bob (bore/dydd etc.)** *of all (mornings/days etc.)* **'Mae rheswm yn dweud nad ydi'r lodes ddim mewn ffit stad i drafeilio heno o bob noson'** *Reason says that the girl isn't in a fit state to travel this evening of all evenings* (Islwyn Ffowc Elis, 1990(ii): 106).

O bach NW *pat, tap* **'Mi roddodd Mrs Huws o-bach i un o'r cwshins, a gwneud lle i mi ar y soffa'** *Mrs Huws gave a pat to one of the cushions, and made a place for me on the sofa* (Twm Miall, 1988: 55).

O dan *underneath* **o dan** is commonly used in CW to mean *under* as well as *underneath* **'Ge's i ddigon. Mi jwmpes drost yr ochor a fofiades i graig o dan yr ynys'** *I'd had enough. I jumped over the side and I swam to a rock under the island* (Angharad Dafis in Gwyn Griffiths (ed.), 1994: 53).

O 'ma (< **oddi yma**) CW *from here* **'Cerwch o 'ma cyn imi ffônio'r heddlu'** *Get away from here before I phone the police* (Mihangel Morgan, 1993(ii): 115).

O na 1 LW *if only ..., would that ...* (followed by the imperfect subjunctive: see Appendix 11.04-11.05) **'O na baet ti'n dŵad eto i 'mreuddwydion i fel cynt'** *Would that you would come unto my dreams as previously* (Robin Llywelyn, 1992: 144). **2** CW *oh no* **'O na! Ac mi redodd hi'n syth i'r llofft'** *Oh no! And she ran straight to the bedroom* (Angharad Tomos, 1991: 29).

O 'na (< **oddi yna**) CW *from there* **'O, tyd o 'na rŵan, del bach, be ti'n feddwl ydw i, iâr ori?'** *Oh, come from there now, love, what do you think I am, a hatching hen?* (Jane Edwards, 1989: 63) (* note should be made of the NW form **tyrd o'na** *come on*, eg **"Tyrd o'na,' meddai Elin. 'Mi wna i dy wynab di"** *'Come on,' said Elin. 'I'll do your face'* (Sonia Edwards, 1995: 70)).

Obeutu SW *about* **'Callia, ferch, mae 'da fi fater pwysig i'w drafod. Gwisga amdanat yn lle lolian obeutu'r fflat'** *Be sensible, love, I've got an important matter to discuss. Get dressed instead of lolling about the flat* (Penri Jones, 1982: 132).

Obitu (< **obeutu**) SW *about* **'Weda i stori wrthoch chi obitu hen gimeriad, Dai'r Henblas'** *I'll tell you a story about an old character, Dai from Henblas* (Ifan Owens in Gwyn Griffiths (ed.), 1994: 46).

Oboity (< **obeutu**) SW *about* **'[Roedden nhw'n moyn gair] oboitu'n daliade politicedd ni a'n gwaith gyda'r undeb'** *[They wanted a word] about our political beliefs and our work with the union* (Gareth Miles, 1995: 17).

Obythdu (< **obeutu**) SW *about* **'Fe a' i draw dros y Gatar i grynhoi'r da at 'i gilydd. Ma'n rhaid 'u rhifo nhw bob dydd nawr a'r holl ladron obythdu yn twcyd da a defed'** *I'll go over across Gatar [Mountain] to gather the cattle together. You have to count them every day nowadays with all the thieves about stealing cattle and sheep* (Nansi Selwood, 1987: 272).

Och *alas, woe* **och a gwae** (lit *alas and woe*) *how awful, how terrible* (usually used rhetorically) **'Dechreuodd pawb fwyta - ond och! a gwae! Ni allodd Deiniol roi yr un briwsionyn yn ei geg'** *Everybody started eating - but - how terrible! - Deiniol couldn't put a crumb in his mouth* (*Golwg*, 20 December 1990: 23).

O'ch chi, o'n nhw etc. see Appendix 5.01-5.04.

Ochr LW **ochor** CW *side* **1 (chwydu/rhegi etc.) ei ochr hi** LW NW *to (vomit/swear etc.) with gusto* **'Ni welodd erioed y fath wledd a bwytaodd yn helaeth ac yfed**

o'i ochor hi' *He had never seen such a feast and he ate extensively and drank with gusto* (Wiliam Owen Roberts, 1987: 74). **2 ochr yn ochr** *side by side* 'Tyfodd yr SNP, plaid genedlaethol yr Alban, ochr yn ochr â Phlaid Cymru yn ystod y chwedegau' *The SNP, the national party in Scotland, grew side by side with Plaid Cymru during the sixties* (Dafydd Wigley, 1992: 74).

Ochrau *sides* **o ochrau rhwyle** (lit *from the sides of somewhere*) *from the vicinity of somewhere* 'Hanai eu darpar ymgeisydd gwreiddiol, Wil Edwards (cyn aelod seneddol Meirionnydd) o ochrau Amlwch' *Their original prospective candidate, Wil Edwards (the former member of parliament for Meirionnydd) originated from the Amlwch area* (Dafydd Wigley, 1993: 180).

Odw, ody etc. see Appendix 1.

Oddi 1 oddi allan *from outside* 'Bu'n ddifyr cael dilyn yr ymgyrch oddi fewn ac oddi allan fel petai' *It was entertaining to follow the campaign from the inside and from the outside as it were* (*Barn*, December 1995/January 1996: 13). **2 oddi ar** (a) *off* 'Ei hoff dric fyddai dwyn sigaréts ei gwsmeriaid oddi ar y bar' *His favourite trick would be to steal his customers' cigarettes off the bar* (Vivian Wynne Roberts, 1995: 74); (b) *since* 'Mae bron pedair blynedd oddi ar i Syr Geraint Evans ei chynghori hi i feddwl o ddifri am yrfa ym myd cerddoriaeth' *It's nearly four years since Sir Geraint Evans advised her to think seriously about a career in the music world* (*Sbec TV Wales*, 10 June 1995: 12) (* see also **odd'ar** and '**ddar**). **3 oddi cartref** *away from home* 'Oddi cartre', fe fydd y bechgyn ifanc hyd yn oed yn aros yn y gwestai gorau' *Away from home, even the young boys stay in the best hotels* (*Golwg*, 2 March 1995: 13). **4 oddi dan/tan** *(from) below, (from) underneath* 'Pan ddaeth y cwmni o farchogion dros gopa'r twyn, gwelsant olygfa ryfeddol oddi tanynt' *When the company of knights came over the summit of the hill, they saw an amazing scene below them* (Nansi Selwood, 1993: 172). **5 oddi mewn** *from inside* 'Ymhen hir a hwyr clywodd [ef] gamau yn y lobi oddi mewn' *After a while [he] heard steps in the lobby within* (Islwyn Ffowc Elis, 1990(i): 77). **6 oddi wrth** *from* '[Mae Caeredin a Glasgow] yn bell bell oddi wrth ei gilydd yn y meddwl' *[Edinburgh and Glasgow are] very very far from each other in the mind* (R. Emyr Jones, 1992: 53). **7 oddi uchod** *from above, up above* 'I Owain Box, ei fethiant ef ei hun oedd hyn oll. Arwydd oddi uchod o'i anaddasrwydd i'w swydd' *To Owain Box, all this was his own failure. A sign from above of his unsuitability for the job* (Islwyn Ffowc Elis, 1974: 64). **8 oddi yma** *from here* 'Wyt ti wedi banio pawb oddi yma?' *Have you banned everyone from here?* (Vivian Wynne Roberts, 1995: 91) (* see also **o 'ma** and **odd'ma**). **9 oddi yna/yno** *from there* 'A'i g'leuo hi oddi yno wnes i'r noson honno' *And I hotfooted it from there that evening* (Vivian Wynne Roberts, 1995: 76) (* see also **o 'na**).

Odd'ar (< oddi ar) NW *off; since* 'Roedd hi'n gneud hi'n syth amdana' i, ac mi neidis odd' ar 'i ffor' hi yn y nic, 'nallt i?' *It was making straight for me, and*

I jumped out of its way just in time, you understand me? (Wil Sam, 1995: 166) (* see also '**ddar** and **oddi (2)**).

Odd'ma (< oddi yma) NW *from here* 'Mi fyddwn wedi mynd â hi odd'ma flynyddoedd yn ôl oni bai am ... amdano fo' *I'd have taken her from here years ago had it not been for ... for him* (Eigra Lewis Roberts, 1985: 98).

Oed *age* **1 (merch/pobl etc.) mewn oed** *adult (girl/people etc.)* 'A dyma fi wedi dod yma - yn ferch mewn oed wedi rhoi heibio bethau plentynnaidd' *And here I am having come here - an adult girl having put aside childish things* (Angharad Tomos, 1991: 141). **2 oed yr addewid** (lit *the promised age*) rhetorical name for old age, assumed to be seventy 'Ma' pobol sy'n loetran a thindroi o gwmpas oed yr addewid yn tueddu treulio tipyn bach o amser mewn mynwentydd' *People who loiter and hang around in old age tend to spend a fair bit of time in cemeteries* (Dafydd Rowlands, 1995: 51) (* seventy is the age that a person can reasonably expect to live according to the Bible: see Psalm 90:10). **3 yn f'oed a'm hamser** (lit *in my age and time*) of my age and experience 'Pa hawl sgin rhyw damad o benbwl di-glem fel chdi i ddeud wrtha i, Giovanni di Marco Villani, gŵr yn 'i oed a'i amser, dyn sydd wedi gweld petha â llygad y cnawd na welith rhyw was neidar sgothlyd fel chdi mewn oes o fyw!' *What right has some clueless idiot like you to tell me, Giovanni di Marco Villani, a man of this age and experience, a man who has seen things with the eyes of flesh that some little slimey snake like you will never see in a lifetime!* (Wiliam Owen Roberts, 1987: 58).

Oeddwn i, oeddet ti etc. see Appendix 5.01-5.04.

Oen *lamb* **1 oen llywaeth** *pet lamb* 'A dyma fi'n paredio i fyny'r grisai fatha oen llywaeth. Be uffar sy haru hon?' *I paraded upstairs like a pet lamb. What the hell's the matter with her?* (Dafydd Huws, 1990: 66). **2 oen swci** *pet lamb* 'Wedi'r cyfan, gall unrhyw lofrudd cignoeth edrych yn oen swci mewn siwt deidi' *After all, any brutal murderer can look like a pet lamb in a tidy suit* (*Golwg*, 8 April 1993: 27).

Oes *age, life, period* **1 am oes oesoedd** *for ever and ever* 'A dyma hi'n cymryd un cip ar yr awyr uwchben, a rhoi'i braich drwy fraich Robin, a deud na fydda hynny ddim am oes, ddim am oes oesoedd' *And she glanced at the sky above, and put her arm through Robin's arm, and said that that wouldn't be for ever, not for ever and ever* (Jane Edwards, 1989: 17). **2 ers oes Adda** (lit *since Adam's time*) CW *for a long time, for ages, for donkey's years* 'Tydy o wedi bod yma ers oes Adda!' *He hasn't been here for ages!* (Aled Islwyn, 1994: 76). **3 ers oes mul** (lit *since a donkey's life*) CW *for a long time, for ages, for donkey's years* 'Mae Ffebi wedi bod â'i llygaid ar Dan ers oes mul' *Ffebi has had her eyes on Dan for donkey's years* (Mihangel Morgan, 1994: 14). **4 ers oes pys** NW *for a long time, for ages, for donkey's years* 'Sumai con'? Ddim di gweld chdi ers oes pŷs!' *How's it going mate? Haven't seen* *you for ages!* (Dafydd Huws, 1978: 85). **5 hir oes i rywun** *long live someone* (exclamation) **'Hir oes i'r Saeson!'** *Long live the English!* (*Golwg*, 15 June 1995: 26).

Oes verbal form; the interrogative **oes?** can become **oes e?** in SW **"Ma' 'na fainc yn pen pella y medrwch chi eistedd arni.' 'Ôs e?'** *'There's a bench in the far end that you can sit on.' 'Is there?'* (Meic Povey, 1995(i): 38) (* see also Appendix 13.06, 13.09, 13.11-13.12).

Ofn LW CW **ofon** SW *fear* **1 codi ofn ar rywun** *to frighten someone* **'O fewn mis imi wneud fy stori dramor gynta' yn Ffrainc, roeddwn i allan yn Beirut. Roedd yn brofiad a gododd ofn arna' i'** *Within a month of doing my first foreign story in France, I was out in Beirut. It was an experience that frightened me* (Rhun Gruffydd in Dylan Iorwerth (ed.), 1993: 79). **2 mae arnaf ofn** *I'm afraid, I'm frightened* **'Mae arnaf ofn fy mod i'n deall meddwl y llofruddion weithiau'** *I'm frightened that I understand murderers' minds sometimes* (Mihangel Morgan, 1994: 51). **3 mae gen i ofn** NW *I'm afraid, I'm frightened* **'Dywedais eisoes fod gen i allu i lwyr anwybyddu pethau a phynciau nad oedd gen i ddiddordeb ynddyn nhw, ac felly 'roedd gyda'r pwnc hwn, mae gen i ofn'** *I've already said that I had the ability to completely ignore things and subjects in which I had no interest, and it was like this with this subject I'm afraid* (Alan Llwyd, 1994: 66).

Ofnadw (< **ofnadwy**) SW *awful* **'Mish October odd hi. Nosweth ofnadw. Cwch rwyfo odd y bad achub yr adeg 'ny chwel'** *It was October. An awful night. The lifeboat was a rowing boat at that time you see* (speaker in Christine Jones and David Thorne (eds.), 1992: 87).

Ofnatsan NW *awful* **'Mae hi'n brysur ofnatsan yn y siop acw'** *She's awfully busy in that shop.*

Offis (<E *office*) CW *office* **'Eisteddai Harri yng nghadair ei dad yn yr offis'** *Harri sat in his father's chair in the office* (Islwyn Ffowc Elis, 1990(ii): 37).

Ogla (< **aroglau**) NW *smell* **'Y cythral celwyddog iti! Sdim math o ogla smocio ar dy wynt di! Be' wyt ti wedi bod yn 'i wneud?'** *You lying little bugger! There's no smell of smoking on your breath! What have you been doing?* (Meic Povey, 1995(i): 7).

Ogleuo (< **arogleuo**) NW *to smell* **'Ew, alla' i ogleuo'r stwff o fa'ma, wsti'** *Heck, I can smell the stuff from here, you know* (Theatr Bara Caws, 1996: 39).

Ohono *from it, of it* **ohono'i hun** (lit *of its own*) *of its own accord* **'Curodd [e'r] drws a hwnnw'n agor yn wichlyd ohono'i hun'** *He hit the door and it opened squeakily of its own accord* (Robin Llywelyn, 1994: 62).

Ohonof fi, ohonot ti etc. see Appendix 16.09.

Oifad SW *to swim* **'Wy'n cofio amser pan o'dd dim ishe tryncs arno'ni ... Diw, diw, o'n! Oifad yn borcyn, a sychu wrth y tân'** *I remember the time when we didn't need trunks ... Good God, I do! Swim naked and dry by the fire* (Dafydd Rowlands, 1995: 63).

Ôl 1 ôl is seldom used as a singular noun in CW, except to mean *mark* **'Ma' ôl ei ben o ar gefn y gadair freichia, ôl ei din o ar y gadair wrth bwrdd, ôl ei law o ar y ffôn, ôl ei draed o ar bob mat a charpad ...'** *There's the mark of his head on the back of the armchair, the mark of his backside on the chair by the table, the mark of his hand on the phone, the mark of his feet on every mat and carpet ...* (Margiad Roberts, 1994: 74) (* the plural **olion** invariable means *remains*, eg **yr oedd olion y castell i'w gweld ar lan yr afon** *the remains of the castle could be seen on the side of the river*). **2 ar ôl** (a) *after* **"Dwi'n disgwyl potel am ddim yn ei lle hi, cofia,' galwodd Gregor ar ei ôl ac eistedd i lawr'** *'I expect a bottle for free in its place, you know,' Gregor called after him and sat down* (Robin Llywelyn, 1994: 169); (b) *behind, left* **'Ta faint o gyfoeth o'dd gyta nhw, dim ond lluwch sy ar ôl. The Great Leveller, ontefe?'** *However much wealth they had, only dust is left. The Great Leveller, isn't it?* (Dafydd Rowlands, 1995: 51). **3 ar ei hôl hi** (lit *behind her/it*) *behind the times* **'Ewch â'r canibal 'na o dad sy gynnoch chi o 'ma. Rhai fel fo sy wedi cadw'r dref 'ma ar 'i hôl hi'** *Take that cannibal of a dad you've got away from here. People like him have kept this town behind the times* (Penri Jones, 1982: 52). **4 tuag (at) yn ôl** *backwards* **'mae'n rhaid i ni feddwl am rywbeth fwy gwreiddiol a pheidio edrych gormod tuag yn ôl'** *we've got to think of something more original and stop looking backwards too much* (*Television Wales*, 13 January 1996: 15). **5 yn ôl** (a) *back* **'Lluchiodd [hi] y dillad gwely yn ôl a chododd'** *[She] flung the bedclothes back and got up* (Aled Islwyn, 1994: 106) (* also in NW **yn dôl** (< **yn dy ôl**), eg **'Sbïodd Ben Bach yn wirion arna fi cyn mynd yn-dôl i'w sêt'** *Ben Bach looked stupidly at me before going back to his seat* (Dafydd Huws, 1990: 85)) (** in NW the pronoun is often also included (eg **yn ôl > yn fy ôl**), eg **'mi ddeudis 'radag honno na ddown i byth yn f'ôl'** *I said then that I would never come back* (Robin Llywelyn, 1994: 150)); (b) *ago, back* **'Ond dwy flynedd yn ôl bu tân mawr - y cyffro mwya' welodd y lle ers dyddiau'r Mersey Beat, reit siŵr'** *But two years ago there was a big fire - the most excitement the place has seen since the days of the Mersey Beat, sure enough* (*Golwg*, 6 April 1995: Atolwg 2); (c) *according to* **'[Yr oedd] siwrnai ugain munud os nad hanner awr o'u blaen, yn ôl ei mam'** *[There was] a twenty minute if not half an hour journey in front of them, according to her mother* (Jane Edwards, 1993: 11). **6 yn ôl ac ymlaen** *backwards and forwards* **'Ylwch, Cymro Cymraeg yn dod allan o garchar ac yn torri'ch hen gyfraith chi eto, yn gwrthod talu ffein eto - be wnewch chi efo fi rŵan? Ac felly roedd hi nes on i fel cloc cwcw yn ôl a mlaen, nôl mlaen [i'r carchar]'** *Look, a Welsh speaker comes out of prison and breaks your bloody law again, refuses to pay a fine again - what will you do with me now? And so it was until I was like a cuckoo clock backwards and forwards [into prison]* (Angharad Tomos, 1985: 79). **7 yn ôl i mi** *up to me* **Wel, 'does dim rhaid i ti fynd, mae yn ôl i ti, ond mi fasa'n well gen i 'tasat ti'n mynd rŵan** *Well, you don't have to go, it's up to you, but I'd prefer if you went now.*

Ôl-reit (<E *alright*) CW *alright, OK* '**Dwi'n ol-reit rŵan, sti**' *I'm OK now, you know* (Sonia Edwards, 1995: 34).

O'n i, o't ti etc. see Appendix 5.01-5.04.

On'd (< **onid**) CW *if, unless* **1** on'd yw e SW *isn't it* etc. '**Mae rhywbeth i dwyllo rhywun arall yntefe, ond pan ma dyn yn twyllo'i hunan, mae dyn yn gneud tro gwan â'i hunan on 'dyw e?**' *There's something to fool someone else isn't there, but when someone fools himself, that person does himself a mean trick, doesn't he?* (Eirwyn Pontshân, 1973: 60). **2** on'd ydy NW *isn't it* etc. '**bobol annwyl, ond ydy'r amser yn mynd?**' *goodness me, doesn't time fly?* (Caradog Prichard, 1961: 70).

Oni bai see Appendix 11.05(v).

Onid LW **on'd** OW CW *if, unless* **1 onid** (and **on'd**) is invariably replaced in CW by **os na(d)** if it introduces a clause '**Dydy pobol ifanc heddiw ddim yn fodlon os na chân nhw falu a dinistrio**' *Young people today aren't content unless they can smash up and destroy* (Eigra Lewis Roberts, 1980: 93). **2 onid** (and **on'd**) is frequently rendered **yn** in CW, especially in NW, when it is part of a rhetorical question at the end of a sentence '**Mi wyddost yn iawn am hwnnw yn gwyddost?**' *You well know about that don't you?* (Wiliam Owen Roberts, 1990: 143) '**Does wybod**

adag hynny o lle mae'r bwledi'n dwad yn nac oes?' *There's no knowing then where the bullets come from is there?* (Wiliam Owen Roberts, 1990: 153). **3 onid e?** *is it not* etc. '**Dyna i chwi gyd-ddigwyddiad onid e?**' *There's a coincidence for you, is it not?* (*Barn*, August/September 1991: 58).

Ono i, ono ti etc. see Appendix 16.09.

Ontefe (< **onid yw efe**) SW *isn't it* etc. '**Cyd-ddigwyddiad trist ac anffodus, ontefe?**' *A sad and unfortunate coincidence, isn't it?* (Mihangel Morgan, 1994: 114).

Oriau *hours* **oriau mân y bore** *early hours of the morning* '**Fe ddaeth y penderfyniad cyntaf fy mod am fentro ar y ffordd yn ôl o Gaerdydd i'r Gogledd yn oriau mân y bore**' *The first decision that I was going to try came on the road back from Cardiff to North Wales in the early hours of the morning* (Elwyn Jones, 1991: 7).

O't ti, oedd e etc. see Appendix 5.01-5.04.

Ots NW *care, concern* **does dim ots gen i am ddim/neb** CW *I don't care about anything/anyone* '**Doedd hi ddim fel tasa llawer o ots ganddi fod ei tho hi'n gollwng, meddyliodd [o]**' *It wasn't as if she cared much that her roof was leaking, [he] thought* (Robin Llywelyn, 1994: 112).

P p

Pa *what which* **1 pa mor (dda/ddrwg etc.)** *how (good/bad etc.)* '**yn San Salvador, y brifddinas, fe sylweddolais pa mor ddifrifol oedd y sefyllfa**' *in San Salvador, the capital, I realised how serious the situation was* (Gwenda Richards in Dylan Iorwerth (ed.), 1993: 45). **2 pa'r un bynnag** (< **pa ryw un bynnag**) NW *anyhow, anyway* '**Mi fyddai'n well iddo godi llai am ei gig nad oedd ddim gwerth ei gael pa'r un bynnag na robio pensiwnïars tlawd er mwyn iddo gael pres i slotian**' *It'd be better for him to charge less for his worthless meat anyhow than robbing poor pensioners so that he can have money to hang around and drink* (Alun Jones, 1979: 25). **3 pa un ai ... neu ...** *either ... or ...* '**Yn awr, mae'n gorfod penderfynu pa un ai i wthio syniad o bleidleisio cyfrannol yn awr, neu aros yn amyneddgar am gyfle gwell**' *Now, he's got to decide either to reject the idea of proportional representation now, or wait patiently for a better opportunity* (*Golwg*, 1 February 1996: 7).

Padell ffrio LW NW **ffrimpan** SW *frying pan*

Pac (<E *pack*) **codi fy mhac** (lit *to lift my pack*) CW *to gather my things together, to set off* (often figuratively) '**Felly, dyma godi fy mhac eto, a mynd i fyw i blith trigolion Cwm Deri**' *So, I set off once again, and went to live among the inhabitants of Cwm Deri* (Alan Llwyd, 1994: 265).

Pader *Lord's prayer* **cyn wired â'r pader** (lit *as true as the Lord's prayer*) CW *Gospel truth* '**A chyn wired â'r pader, fe ddisgynnodd yng nghanol y rhes, ddeg**

troedfedd i ffwrdd' *And Gospel truth, [it] fell in the middle of the row, ten feet away* (Dic Jones, 1989: 146).

Pango SW **llewygu** LW NW *to faint*

Paham LW **pam** LW CW *why* **1** there are numerous nonsense replies in CW to a person's (usually a child's) incessant question **pam?** which are untranslateable "**Dwi'm isho mynd i' capal.**' '**Ma'n rhaid i chdi.**' '**Pam bo raid i mi?**' '**Achos bo pam yn peri, achos bo fi'n deud**" *'I don't want to go to chapel.' 'You have to.' 'Why do I have to?' 'Because I say so'* (Twm Miall, 1988: 94); "**Paid byth â newid.**' '**Pam?**' '**Pam, pam, pwys o ham**" *'Don't ever change.' 'Why?' 'Why, why, I dunno'* (Wil Sam, 1995: 195). **2 pam felly?** LW NW *why is that?* "**A be' ddigwydd pan weli di Sali?**' '**Mi synnet.**' '**Pam felly?**" *'And what happens when you see Sali?' 'You'd be surprised.' 'Why's that?'* (John Gwilym Jones, 1976: 21). **3 pam lai?** *why not?* '**gofynnodd iddo'i hun pam lai**' *he asked himself why not* (Islwyn Ffowc Elis, 1990(ii): 99). **4 pam 'ny?** (< **pam hynny**) SW *why's that?* '**Diwrnoda! Pam 'ny?**' *Days! Why's that?* (Nansi Selwood, 1987: 206).

Paid see Appendix 10.08.

Pais LW NW **paish** SW **1** *petticoat* "**Roeddet ti'n eiste' ar ben clawdd a rhimyn o dy bais di yn y golwg o dan dy ffrog di**' *You were sitting on top of an embankment and a strip of your petticoat was in view under your dress* (John Gwilym Jones, 1976: 60).

2 SW *effeminate man, poof* '**Te Lemwn! Glywsoch chi shwd beth? 'Na beth yw paish o ddyn!**' *Lemon tea! Did you ever hear such a thing? That's what a poof of a man is!* (Dafydd Rowlands, 1995: 96). **3 codi pais ar ôl piso** (lit *to lift (your) petticoat after pissing*) CW *to do something too late, to shut the stable door after the horse has bolted* '**Dwn i ddim pam wyt ti'n dal dig tuag ata'i, Gregor. Chdi adawodd Alice. Waeth ichdi heb â chodi pais rŵan**' *I don't know why you bear me a grudge, Gregor. You left Alice. You might as well not shut the stable door now* (Robin Llywelyn, 1994: 171).

Paldaruo NW *to go on, to jabber on* '**Mae'n ddigon hawdd iddo fo baldaruo ac yntau'n cael cyflog barnwr**' *It's easy enough for him to go on and he gets a judge's salary* (*Western Mail*, 23 May 1995: 9).

Palu *to dig* **palu celwyddau** *to lie (incessantly)* '**Palu c'lwyddau oedd hi beth bynnag. Taswn i wedi coelio fersiwn Bigw o hanes, un genhedlaeth fyddai rhyngddi a rhyw berson oedd yn byw ddechrau'r ganrif ddwytha**' *She was lying anyway. If I'd believed Bigw's version of history, there would be one generation between her and some person who was living at the start of the last century* (Angharad Tomos, 1991: 85).

Pallu 1 *to cease, to fail* (usually used in reference to memory) '**A diolch i lu o gyfeillion am gadarnhau ffeithiau pan oedd fy nghof yn pallu**' *And thanks to a host of friends for confirming facts when my memory failed me* (Dafydd Wigley, 1992: 10). **2** LW SW *to refuse* '**Ond mae hi'n pallu gwrando**' *But she refuses to listen* (Mihangel Morgan, 1994: 49). **3** LW SW *to be unable* (to do something of one's own accord) '**Ond teimlwn fy nghoesau'n pallu symud a'm sodlau'n suddo i'r llaid**' *But I felt my legs unable to move and my ankles sinking into the mud* (Mihangel Morgan, 1992: 80).

Pan *when* (conjunction) **1** in LW (and occasionally in CW) **pan** is followed by either **fydd** or **yw** in the present tense '**pan yw Mam a Dad yn mynd i'r gwely, ma' PAWB yn mynd i'r gwely**' *when Mam and Dad go to bed, EVERYONE goes to bed* (John Owen, 1994: 85); '**Iaith gynta'r ysgol yw Catalaneg, yna pan fydd y plant yn saith mlwydd oed mae Castalaneg yn cael ei chyflwyno**' *The first language of the school is Catalan, then when the children are seven years old Castilian Spanish is introduced* (*Barn*, December 1995/January 1996: 97). **2** in CW (and increasingly in OW) it is acceptable after **pan** to use **mae** in the present tense '**Fy hoff anifail? Ceffyl - pan mae o'n ennill**' *My favourite animal? A horse - when it wins* (*Golwg*, 2 September 1993: 3).

Pancosen LW NW **ffroesen** LW SW **crempogen** LW NW *pancake*

'Paned (< **cwpanaid**) NW *cuppa* (of tea, coffee etc.) '**Mi gymrwn ni banad rŵan 'ta**' *Let's have a cuppa now then* (Wil Sam, 1995: 186).

Pansan NW *effeminate man, poof* '**Yn ôl yr argraff hon y mae'r bardd yn dipyn o bansan**' *According to this impression, the poet is a bit of a poof* (Gwyn Thomas, 1976: 9).

Pant *hollow* **i'r pant y rhed y dŵr** (lit *water runs to the hollow*) proverb *money begets money* (the following example is a pun on this proverb) '**I'r pant y rhed y swyddi?**' *Money begets jobs?* (*Golwg*, 7 December 1995: 4).

Papur *paper* **papur bro** (lit *local area paper*) local Welsh-language newspaper '**Yr hyn sydd yn dda ydi fod y papur bro yn chwarae rhan ganolog yn cyhoeddi gwaith**' *What is good is that the local Welsh paper plays a central part in publishing work* (*Golwg*, 8 February 1996: 20).

Parc 1 *park* '**Lawr yn y parc o'n i**' *I was down in the park* (Eigra Lewis Roberts, 1985: 60). **2** Dyfed *field* '**Wê May Williams ... in gweud y gwir bod digon o sbort in y perci gwair 'slower dy**" *May Williams ... was telling the truth that there was a lot of fun in the hay fields in the past* (Morgan John in Gwyn Griffiths (ed.), 1994: 25).

Parch *respect* **uchel fy mharch** *highly-respected* '**Awgryma [hi] ... [y ffaith] fod y ddau yn uchel eu parch yng Nghymru sicrhaodd ddirgelwch eu perthynas**' *[She] suggests ... that [the fact that] the two were highly respected in Wales guaranteed the secrecy of their relationship* (*Y Cymro*, 19 July 1995: 1).

Parth *area, region* the use of **parth** is uncommon in the singular in CW, but the plural is common in the set phrase **y parthau hyn** *these parts* '**Yr enwocaf o'r brîd hwnnw yn y parthau hyn oedd Jac y Bardd**' *The most famous of that breed in these parts was Jac the Poet* (Dic Jones, 1989: 91)

Pe baswn i, pe baset ti etc. see Appendix 9.05(i).

Pe bawn i, pe baet ti etc. see Appendix 11.05(i).

Pe na bawn i, pe na baet ti etc. see Appendix 11.05(iii).

Pedwar *four* **ar fy mhedwar** (lit *on my four*) *on all fours* '**Rhuthrodd ar ei bedwar o amgylch bwrdd y llong yn erlid y morwyr a cheisio brathu'u coesau**' *He rushed around on all fours around the ship's deck persecuting the sailors and trying to bite their legs* (Wiliam Owen Roberts, 1987: 43).

Peglau NW *legs* '**Tyrd odd'ma ... Tyrd allan nerth dy begla**' *Come from there ... come out as fast as your legs will take you* (Caradog Prichard, 1961: 12).

Peidio 1 *to stop* '**Os yw traddodiadau Cymraeg i ffynnu ac i apelio'n fyd-eang, mae'n rhaid peidio â chopïo'r Gwyddelod**' *If Welsh traditions are to flourish and appeal worldwide, we must stop copying the Irish* (*Television Wales*, 13 January 1996: 15) (*see also Appendix 13.10(iv)). **2 peidio (chwerthin/mynd etc.)** *not to (laugh/go etc.), to refrain from (laughing/going etc.)* '**Mi ges i job i beidio chwerthin**' *I had a job not to laugh* (Vivian Wynne Roberts, 1995: 35). **3 ai peidio** *or not* '**A ddoist ti i benderfyniad 'te?**' '**Am be?**' '**Dod i Poole 'da fi ai peidio, wrth gwrs**" *'Did you come to a decision then?' 'About what?' 'Coming to Poole with me or not, of course'* (Aled Islwyn, 1994: 121). **4 neu beidio** *or not* '**mae'n anodd dweud ar y dechrau a yw hi'n colli'i phwyll mewn gwirionedd neu beidio**' *it's hard to say at the start if she's lost her mind really or not* (Mihangel Morgan, 1993(i): 36).

Peidiwch see Appendix 10.08.

Pell *far* **o bell** *from afar, from a distance* **'Cadwodd Morfudd ei chyfrinach dan glo a than gadwynau yn ei chalon ac yn nirgelwch ei chalon daliai i garu B.J. o bell'** *Morfudd kept her secret under lock and key and under the chains of her heart and in the secrecy of her heart she still loved B.J. from afar* (Mihangel Morgan, 1994: 77).

Pen 1 *head* **'Ysgwydodd y fam ei phen'** *The mother shook her head* (Rhydwen Williams, 1969: 57). **2** SW *mouth* **'Plygai ymlaen i lenwi'i phen. Roedd hi'n bwyta'n llafarus'** *She bent forward to fill her mouth. She was eating laboriously* (Mihangel Morgan, 1992: 91). **3** *end* **'mae'r enw'n dechrau cydio ymhlith yr yfwrs a rhai o bobol y capal sydd byth yn tywyllu drws y lle o un pen blwyddyn i'r llall'** *the name is starting to take a hold among drinkers and some chapel people who never darken the door of the place from the end of one year to the next* (Twm Miall, 1988: 14). **4** *top* **'[Yr oedd] fy mam yn llawn pryder gan fod rhywun wedi ei bachu hi i'n tŷ ni a dweud fy mod i wedi syrthio o ben clogwyn'** *[My mother] was full of worry as someone had hotfooted it to our house and said that I'd fallen from the top of a cliff* (Gwyn Thomas, 1995: 82). **5 ar ben (arnaf)** *at an end (for me), finished (for me), over (for me)* **'Mae gen i ormod i'w golli, achos mae gen i blentyn dwy oed. Taswn i'n colli cysylltiad efo fo, mi fasa hi ar ben arna' i'** *I've got too much to lose, because I've got a two-year-old child. If I lost touch with him, it would be over for me* (*Golwg*, 3 November 1988: 15). **6 ar ben (dod/saith o'r gloch etc.)** *(just) about (to come/seven o'clock etc.)* **'A phan ddôi [ef] allan o'r capel ar ben saith, fe'u gwelai'n mynd, y ddau, lincyn-loncyn i fyny'r ffordd'** *And when [he] came out of chapel at just about seven, he saw them going, both of them, slowly up the road* (Islwyn Ffowc Elis, 1974: 25). **7 ar ben fy helynt** (lit *on top of my trouble*) *up to my neck* **'Dyna fo, fydd hi byth a hefyd ar ben ryw helynt hefo rwbath, yn bydd'** *There you go, she'll be for ever and a day up to her neck with something, won't she* (Robin Llywelyn, 1992: 6). **8 ar ben fy nigon** *very happy* **'Pe bai modd cael gair ganddo hefyd byddai pawb ar ben eu digon'** *If it were possible to have a word with him as well everyone would be very happy* (Dewi Llwyd in Dylan Iorwerth (ed.), 1993: 129). **9 ar ben (rhywbeth)** *in addition to (something), on top of (something)* **'Wrth gwrs, y mae'n anodd, yn aml, i wybod pa nwyddau a wnaed yma ... Ar ben hynny, ceir llawer o gofroddion o ymddangosiad Cymreig wedi eu gwneud y tu allan i'r wlad'** *Of course, it's difficult, frequently, to know which goods were made here ... In addition to that, one finds a lot of souvenirs of Welsh appearance made outside the country* (*Y Cymro*, 18 May 1994: 2). **10 ar ben rhywun** CW *the matter with someone* **'Pwy? Fi? Gwarchod pawb, be sydd ar dy ben di, Gwern?'** *Who? Me? Heavens above, what's the matter with you, Gwern?* (Robin Llywelyn, 1992: 139). **11 ar ben set** NW *at the last minute* **'Bu raid iddyn nhw ddychwelyd yr eilwaith i Ynysodd y Galapagos oherwydd fod nam ar y camera. Yswiriant dalodd am y cwbl, ond roedd hi'n ben set arnyn nhw wedyn, tridiau i

deithio yno, tridiau i deithio'n ôl a llai nag wythnos i gael y rhaglen yn barod'** *They had to return a second time to the Galapagos Islands because there was a fault on the camera. Insurance paid for the lot, but it was all last minute afterwards, three days to travel there, three days to travel back and less than a week to get the programme ready* (*Golwg*, 10 October 1996: 13). **12 ar ben y ffordd** *on the road, on the way* (figuratively) **'Pwysleisiodd fod cadoediad yr IRA wedi gosod y gwahanol sectau ar ben y ffordd tuag at heddwch'** *He emphasised that the IRA's truce had put all the different sects on the road to peace* (*Y Cymro*, 10 May 1995: 15). **13 ar ei ben** *immediately, straightaway* **'Yfodd ei sudd oren ar ei ben'** *[He] drank his orange juice straightaway* (Mihangel Morgan, 1993(ii): 38). **14 ar fy mhen fy hun(an)** *on my own* **'Dw i eisiau bod ar fy mhen fy hun i gael meddwl am bethau'** *I want to be on my own in order to be able to think about things* (Mihangel Morgan, 1993(ii): 59) (* less commonly in SW **wrthyf fy hun**, eg **'arhosais yn y cyntedd wrthyf fy hun rhag tarfu ar y cwrdd'** *I waited in the entrance on my own so as not to disturb the church service* (Dic Jones, 1989: 287)). **15 ar fy mhen fy hun(an) bach** *all on my own* **'Ond oedd Anti Elin a Catrin wedi marw erbyn hynny, ac ar ben ei hun bach basa fo yn Bwlch tasa fo wedi dwad adra'** *But Auntie Elin and Catrin had died by then, and he'd have been all on his own at Bwlch if he'd come home* (Caradog Prichard, 1961: 152). **16 ben baladr** *throughout* (place) **'[Mae] mwy o angen darparu gwasanaeth dwyieithog drwy Gymru ben baladr'** *[There's] more need to provide a bilingual service throughout Wales* (*Golwg*, 10 November 1994: 3). **17 benben** (a) *face to face* **'Wrth geisio trefnu gweithgareddau i'r Gymdeithas newydd, deuthum benben â phroblemau yn syth'** *While trying to arrange activities for the new Society, I came face to face with problems immediately* (Dafydd Wigley, 1992: 31); (b) *head-on* **'fe fyddwn ni'n eu hymladd nhw ben-ben'** *we will fight them head-on* (*Golwg*, 16 February 1989: 13); (c) *at loggerheads, in disagreement* **'Roedd ymladdfa fawr ynddo. Y da a'r drwg benben â'i gilydd'** *There was a great fight in it. Good and evil at loggerheads with each other* (Wiliam Owen Roberts, 1987: 124). **18 ben bore** LW NW *first thing in the morning, in the early morning* **'Galwyd ar Elliw i swyddfa Mr Edwards ben bore Llun'** *Elliw was called to Mr Edwards's office first thing Monday morning* (Penri Jones, 1982: 31). **19 beth sydd ar ben rhywun?** *what's got into someone?* **'Be oedd ar ben ei dad yn achosi'r fath helynt?'** *What got into his father to cause such trouble?* (Eigra Lewis Roberts, 1985: 70). **20 bod ym mhen rhywun** *to get at someone* **'Mae Hughes y gweinidog yn ei ben o bob munud am y capel'** *Hughes the minister gets at him every minute about chapel* (*Television Wales*, 2 December 1995: 6) (* see also **mynd i ben rhywun** below). **21 (cael/dal etc.) dau ben llinyn ynghyd** (lit *to (get/keep etc.) two ends of a tape together*) *to make ends meet, to scrape a living* **'Wna i ddim gwadu na wn i ddim sut y buaswn i wedi dal dau ben llinyn ynghyd dros yr wythnosa diwetha 'ma oni bai amdanat ti'** *I won't *deny I don't know how I would have made ends meet these last few weeks had it not been for you* (Theatr Bara Caws, 1995: 81) (* see also **deupen**). **22 codi i ben rhywun** *to go to someone's head* (drink, idea etc.) **'Erbyn hyn roedd y ddiod wedi codi i'w ben a gwneud i'w gyhyrau gosi'n ysgafn'** *By now the drink had gone to his head and had made his muscles itch lightly* (Sonia Edwards, 1994: 44). **23 (cyrraedd/dod i [ben] etc.) pen fy nhennyn** *to (arrive at/come to etc.) the end of my tether* **'Roedd Giovanni di Marco Villiani yn prysur gyrraedd pen ei dennyn. Ar ôl ugain mlynedd o forwra doedd erioed wedi gweld y fath beth'** *Giovanni di Marco Villiani was quickly reaching the end of his tether. After twenty years at sea he had never seen such a thing* (Wiliam Owen Roberts, 1987: 59). **24 dod dros ben rhywun** *to come over someone, to take hold of someone* **'Nid gyda Dorothy y treuliodd Tracey'r noson cynt ond yn Rhif Dau efo'r Gwyddel! Beth ar wyneb y ddaear ddaeth dros ei phen hi?'** *Tracey didn't spend the previous night with Dorothy but in Number Two with the Irishman! What on earth had come over her?* (Eirug Wyn, 1994: 130). **25 dod i ben** *to come to an end, to finish* **'Ond mae'n ddigon hawdd cofio dechrau perthynas a sut y daeth i ben, dim ond y cyfnod rhwng y ddau begwn sy'n niwlog'** *But it's easy enough to remember starting a relationship and how it came to an end, only the period between the two poles is hazy* (Mihangel Morgan, 1993(ii): 91). **26 dod i ben â rhywbeth** *to come to terms with something, to get used to something* **'Chi byth yn dod i ben â dysgu beth yw actio'** *You never come to terms with learning what acting is* (*Golwg*, 23 June 1994: 16). **27 dod i ben y dalar** (lit *to come to the end of the ploughed field*) *to finish* (figuratively, and often by extension, death) **'Mi fydde 'na ryw hen gymeriade tebyg i Ianto, fydde'n dod yn nes at ben 'i dalar'** *There'd be some old characters like Ianto, who'd be coming to his journey's end* (Eirwyn Pontshân, 1973: 37). **28 dod i'r pen** *to come to a head* **'Roedd petha' wedi dod i'r pen. Roedd y boen a'r gofid yn llethol'** *Things had come to a head. The pain and worry were overwhelming* (*Golwg*, 4 May 1995: 3) (* see also **mynd i'r pen** below). **29 dros ben** (a) *exceptionally, very* **'Diolch yn fawr iawn i chi Thomas am y te, yr ydych yn garedig dros ben'** *Thank you very much Thomas for the tea, you're very kind* (Nora Richards in Gwyn Griffiths (ed.), 1994: 92); (b) *surplus, left over* **'Ysywaeth ni bu ganddi erioed ddimai dros ben er iddi weithio'n galed ar hyd ei hoes'** *More's the pity she never had a penny left over although she worked hard throughout her life* (Kate Roberts, 1960: 85). **30 dros fy mhen a'm clustiau** (lit *over my head and ears*) (a) *up to my neck* **'roedd ganddi hi ofn y basa fo'n landio mewn trwbwl dros ei ben a'i glustia'** *she was worried that he'd land up to his neck in trouble* (Twm Miall, 1988: 86); (b) *head over heels* **'Ro'dd e dros 'i ben a'i glustia mewn cariad â hi'** *He was head over heels in love with her* (Nansi Selwood, 1987: 49). **31 dyna ben arni** *that's the end of it, that's the end of the matter* **'Ond pe bawn yn cael cynnig y swydd, byddai'n rhaid symud, a dyna ben arni'** *But if I was offered*

the job, it would be necessary to move, and that's the end of it (Alan Llwyd, 1994: 262). **32 hen ben ar rywun** (lit *an old head on someone*) *experienced person, mature person, old hand* **'fe ddaw yn ferch lân, ac mae hen ben arni 'ishws'** *she'll be a good-looking girl, and she's mature already* (Nansi Selwood, 1987: 21). **33 i'r pen** *to the utmost* **'Mae ganddi lond tŷ o blant, teyrngarwch i'r syniad o deulu a rhywfaint o atgofion hapus a arweniodd at ei phenderfyniad i ymladd Yvonne i'r pen'** *She's got a houseful of children, loyalty to the idea of a family and some happy memories that led to her decision to fight Yvonne to the utmost* (*Western Mail*, 1 March 1997: (Arena) 5). **34 mae fy mhen yn troi** *my head is spinning* (bewilderment, disbelief, drink etc.) **'[Aeth e] i nôl diodydd iddyn nhw o'r bar. 'Dim i mi,' meddai hi wrth i'w phen ddechrau troi ar ôl y tri Drambuie'** *[He went] to fetch drinks for them from the bar. 'Not for me,' she said as her head started to spin after the three Drambuies* (Jane Edwards, 1993: 81). **35 mynd â'i ben iddo** *to collapse, to fall in* **'Mae cynllun i ddymchwel hen westy gwag sy'n mynd â'i ben iddo ger un o draethau pryderthaf Môn wedi ei groesawu gan drigolion lleol'** *A plan to demolish an old empty hotel that is falling in near one of the loveliest beaches in Anglesey has been welcomed by local people* (*Yr Herald*, 18 June 1994: 7). **36 mynd i ben rhywun** *to get at someone* **'Ac am nad oedd o'n gwrando, fel arfar, mi es i'w ben o a gofyn iddo fo pryd oedd o am fynd â ni i Landudno am y dwrnod'** *And because he wasn't listening, as usual, I got at him and asked him when he was going to take us to Llandudno for the day* (Margiad Roberts, 1994: 101) (* see also **bod ym mhen rhywun** above). **37 mynd i'r pen** *to come to a head* **'Mi arhoswn ni i weld be ddigwyddith - os aiff petha i'r pen, wel, ella y cofiwn ni am eich cynigion chi'** *We'll wait to see what happens - if things come to a head, well, perhaps we'll remember your offers* (Penri Jones, 1982: 84) (* see also **dod i'r pen** above). **38 o'm pen a'm pastwn** (lit *of my head and cudgel*) *of my own accord* **'Mae gen i ryw feddwl mai Mishtir a ddechreuodd y peth o'i ben a'i bastwn ei hun'** *I've got a vague idea that Mishtir started the thing of his own accord* (Dic Jones, 1989: 47). **39 off fy mhen** SW *mad, off my head, out of my mind* **'Nawr wy'n gallu gweud 'Ffyc Off' yn Ffrangeg! 'Na'r unig beth o'dd Spikey moyn gwbod ... Ma'r boi off 'i ben!!'** *Now I can say 'Fuck off' in French! That's the only thing Spikey wants to know ... the boy's off his head!!* (John Owen, 1994: 48). **40 pen bach** (lit *small head*) (a) *show-off* **'Wel am benna bach - Howard a Wendy. Nhw sy ar y ddau fwrdd hwylio fan acw'** *Well the show-offs - Howard and Wendy. That's them on the two windsurfers over there* (*Golwg*, 15 June 1989: 15); (b) *fool, idiot* **'Mae yna lot o ffarmwrs sy'n rêl penna bach, ac maen nhw fel plant sydd ar drip Ysgol Sul pan y maen nhw'n mynd allan am beint ar nos Sadwrn'** *There are a lot of farmers who are real idiots, and they're like children on a Sunday school outing when they go out for a pint on Saturday night* (Twm Miall, 1988: 14). **41 pen bandit** CW *head honcho, head man* **'[Mae'n dipyn]** *o ergyd* ddwedwn i i rai o ben bandits awdurdod cyfagos sydd wedi pregethu cymaint ar flaengarwch eu polisi iaith nhw' *[It is quite] a blow I would say to some of the head honchos of the neighbouring authority who have preached so much about the innovativeness of their language policy* (Golwg, 5 December 1996: 7). **42 pen dafad** (lit *sheep's head*) CW *fool, idiot* **'Ffŵl wyt ti! Penbwl! Pen dafad!'** *You're a fool! A fool! An idiot!* (Robin Llywelyn, 1992: 27). **43 pen draw** (lit *far end*) *limit* **'Ond mae yna ben draw i pa mor hir y medr hyn barhau'** *But there is a limit to how far this can continue* (Golwg, 1 February 1996: 19) (* see also **yn y pen draw** below and **di-ben-draw**). **44 pen fel swejen** (lit *head like a swede*) NW *splitting headache* **'Ella mai breuddwyd oedd hi i gyd ... nacia achos mae gen i ben fatha swejan eto'** *Perhaps it was all a dream .... nah 'cos I've got a splittin' head again* (Robin Llywelyn, 1994: 106). **45 pen i waered** *upside-down* **'Crogid yr aderyn marw wedyn â'i ben i waered'** *The dead bird was then hung upside-down* (Alan Llwyd, 1994: 30). **46 pen mawr** (lit *bighead*) CW *hangover* **'Newydd ddeffro'r oeddwn i ac mi roedd gen i ben mawr ac angen paned o goffi dda'** *I'd just woken up and I'd got a hangover and needed a cup of good coffee* (Robin Llywelyn, 1995: 26). **47 pen ôl** *backside* **'Estynnodd Richard ei droed allan a rhoddodd gic egnïol ym mhen ôl Hyw Twm'** *Richard stretched his foot out and gave an energetic kick to Hyw Twm's backside* (Eigra Lewis Roberts, 1985: 124). **48 pen praffaf i'r ffon** (lit *thickest end of the stick*) *the upper hand* **'Mae Paul yn eich caru chi, ond 'dydch chi ddim yn ei garu o. Gynnoch chi, felly, y mae pen praffa'r ffon'** *Paul loves you, but you don't love him. You've got, then, the upper hand* (Islwyn Ffowc Elis, 1990(ii): 64). **49 pen rwd** (lit *rust head*) Arfon *fool, idiot* **"Ylwch Gronwy,' medda hi'n neis i gyd. 'Fasa ots gynnoch chi beidio galw John yn 'Ben Rwd'?"** *'Look Gronwy,' she said all nice. 'Do you mind not calling John a 'Plonker'?'* (Dafydd Huws, 1978: 10) (* **rwd** < **rwden**). **50 pen sglefr** NW *slap-head* (usually in reference to baldness) **'doedd genna i ddim digon o gŷts i ofyn iddo fo esbonio'r peth i mi, rhag ofn iddo fo feddwl fy mod i'n yn dipyn o ben sglefr'** *I didn't have the guts to ask him to explain the thing to me, in case he thought that I was a bit of a slap head* (Twm Miall, 1988: 25) (* **sglefr** < **sglefrio** *to slide*). **51 pen sha lawr** (< **pen tua'r llawr**) SW *upside-down* **'Fel'na ma' pethe yn Awstralia, on'd ife. Popeth â'i ben sha lawr!'** *That's how things are in Australia, isn't it. Everything upside-down!* (Meirion Evans, 1996: 69). **52 pen tost** LW SW **cur (yn y) pen** LW NW *headache* **Roedd y meddyg o'r farn nad oedd y pennau tost yn ddim mwy nag effaith gorweithio** *The doctor was of the opinion that the headaches were no more than the effect of overworking.* **53 pen uchaf yn isaf** NW *upside-down* **'Giamster wyt ti am droi petha ben ucha'n isa - a gosod y bai wrth 'y nrws i bob tro'** *You're a bugger for turning things upside-down - and putting the blame at my door every time* (Meic Povey, 1995(ii): 61). **54 pen y daith** *journey's end* (often used allegorically to indicate the death/demise of something) **'Paid aros amdanaf, paid edrych yn ôl.**

Yn hytrach, rhed yr yrfa, dal ati, ac mi ddoi di i ben y daith' *Don't wait for me, don't look back. Rather, run the race, keep at it, and you'll come to journey's end* (Angharad Tomos, 1991: 144). **55 pen yn y gwynt** (lit *head in the wind*) *aimless, head in the clouds* **'y drwg efo Sioned ydi ei bod hi'n cymysgu gormod efo'r teip anghywir - rhyw lafnau fel Sam a'r Seus 'na sydd â'u pennau yn y gwynt o fore gwyn tan nos'** *the problem with Sioned is that she mixes too much with the wrong type - buggers like Sam and that Seus who've got their heads in the clouds morning, noon and night* (Penri Jones, 1982: 103). **56 pen yn fy mhlu** (lit *head in my feathers*) *ashamed, embarrassed, wrong* **"Meddwl dy fod ti 'di mynd i foddi d'hun,' medda fi wrth weld Bob Pant yn nesu â'i ben yn 'i blu. 'Fedrwn i'm, 'chan"** *'Thought you were going to drown yourself,' I said as I saw Bob Pant approaching embarrassed. 'I couldn't, mate'* (Jane Edwards, 1989: 33). **57 rhyw ben** *some time* **'Deud wrthyn nhw y galwa' i draw i' gweld nhw rhyw ben, pan ga' i amser'** *Tell them I'll call round to see them some time, when I get time* (Dewi Wyn Williams, 1995: 31). **58 tynnu (ffrae/trafferth etc.) yn fy mhen** (lit *to draw (an argument/trouble to my head) to attract (an argument/trouble etc.) to me* **"Ers pryd y'n ni'n becso am y gyfreth?' 'Rhy ffycin amal. Heb dynnu trwbwl am y'n penne'n ddi-angen fel hyn"** *'Since when have we worried about the law?' 'Too fucking frequently. Without attracting unnecessary trouble like this to us* (Sion Eirian, 1995: 22). **59 tynnu rhywun yn fy mhen** (lit *to draw someone to my head*) *to attract someone's unwanted attention, to attract someone's wrath* **'Dechreuais frathu'n ôl, yng ngolygyddol y cylchgrawn fel arfer. Mae'n wir hefyd fy mod yn tynnu rhai pobol yn fy mhen'** *I started to bite back, in the magazine's editorial usually. It's true as well that I attract some people's wrath* (Alan Llwyd, 1994: 177) (* also **tynnu rhywun am fy mhen**, eg **"Be oedd dy feddwl di, Gregor?' meddai Petrog. 'Isio tynnu'r milwyr am ein pennau ni? Rhaid ichdi gymryd dy gyfle pan ddaw o ichdi"** *'What were you thinking, Gregor?' asked Petrog. 'Want to attract the attentions of the soldiers to us? You've gotta take your chance when it comes to you'* (Robin Llywelyn, 1994: 9)). **60 ym mhob pen mae piniwn** (lit *in every head there is an opinion*) proverb *everyone has got their own ideas* **'A phen draw'r ddadl, wrth gwrs, yw'r casgliad na all y fath beth â barn fod o gwbl - dim ond piniwn. Ac mae un o'r rheiny ym mhob pen, medden nhw'** *And in the final analysis, the argument, of course, is the conclusion that there can't exist such a thing as judgement at all - only opinion. And there is one of those in every head, so they say* (Golwg, 5 September 1996: 12). **61 yn y pen draw** *in the final analysis, in the long run* **'mae unrhyw weithgaredd sy'n debyg o fod o gymorth i'r claf ei fynegi ei hun yn y pen draw yn siwr o fod yn help'** *any activity that's likely to be of support to the patient express himself in the long run is bound to be of help* (Golwg, 10 November 1988: 21).

Penbleth *quandary* **mewn penbleth** *confused, in a quandary* **'Roedd Mary hefyd mewn penbleth'** *Mary was also in a quandary* (Nansi Selwood, 1987: 65).

Penbwl (lit *tadpole*) NW *fool, idiot* **'Ffŵl wyt ti! Penbwl! Pen dafad!'** *You're a fool! A fool! An idiot!* (Robin Llywelyn, 1992: 27).

Penci NW *fool, idiot* **'Dyna wyt ti hefyd ... clwyddgi, cachgi, penci'** *That's what you are as well ... a liar, a shithead, an idiot* (Eigra Lewis Roberts, 1985: 124).

Penelin *elbow* **1 nes penelin nag arddwrn** (lit *nearer elbow then wrist*) *blood is thicker than water* **"Nes penelin nac arddwrn,' atebodd Richard Games. 'Ma gan y porthmyn sy'n delio ffordd yma ormod o berthnase sy'n dioddef oherwydd y rhyfel"** *'Blood is thicker than water,' Richard Games answered. 'The drovers who deal in these parts have got too many relations who are suffering because of the war'* (Nansi Selwood, 1987: 277). **2 wrth fy mhenelin** (lit *at my elbow*) *at hand* **'[Mae] hi 'di bod wrth 'y mhenelin ers pan o'n i'n ddim o beth'** *She's been at hand since I was very young* (Jane Edwards, 1993: 86).

Pengaled LW NW **stwbwrn** SW **ystyfnig** LW CW *stubborn*

Pen-gliniau LW CW **penna glinia** NW *knees*

Penmaenmawr town in NW jokingly used to mean *hangover* (lit *big stone head*) **'Ond dwyt ti ddim yn stopio ar ôl tri, George. Ti'n yfad mwy, lot mwy, a deffro bora wedyn hefo homar o benmaenmawr'** *But you don't stop after three, George. You drink more, a lot more, and wake up the following morning with a heck of a hangover* (Alun Ffred and Mei Jones, 1990: 36).

Penna glinia NW **pen-gliniau** LW CW *knees*

Pennaf *chief, main* **yn bennaf oll** *above all* **'Aed ati ... yn bennaf oll, i greu'r ymwybyddiaeth fod gan y Blaid siawns o ennill'** *They set about it ... above all, by creating the consciousness that Plaid Cymru had a chance of winning* (Dafydd Wigley, 1992: 71).

Penrhyn see Appendix 18.02.

Pentigili (< *pen at ei gilydd*) Dyfed *altogether, from end to end* **'Rwy wedi trafaelu Prydain pentigili, ac wy'n mynd â Chymru gyda fi i bobman'** *I've travelled Britain from end to end, and I've taken Wales with me everywhere* (Islwyn Ffowc Elis, 1990(i): 73).

Penwan LW SW *angry* **'O'dd Dan yn benwan nawr, ac yn timlo awydd mawr i roi cnoc farwol i Wil Bach y Clwddgi'** *Dan was angry now, and felt the urge to give a fatal blow to Wil Bach the Liar* (Dafydd Rowlands, 1995: 14).

Perfeddion *entrails, intestines* **perfeddion rhywbeth/ rhywle** *the depths of something/somewhere* (figuratively) **'[Yr oedd] 'na lwyth o Indiaid cochion rhywle ym mherfeddion y cyfandir yn siarad Cymraeg'** *[There was] a tribe of red Indians somewhere in the depths of the continent speaking Welsh* (*Sbec TV Wales*, 21 May 1994: 2).

Pert SW *pretty* **1 (chwarae/trafod y bêl etc.) yn bert** SW *to (play/handle the ball etc.) well* **'Diawsti, boi, whare teg i ti. Withest ti hwnna'n bert ta beth'** *Heavens, mate, fair play to you. You worked that one*

well anyway (Meirion Evans, 1996: 46). **2 un pert** (lit *a pretty one*) SW *a fine one* (in reference to a person) **'Un pert wyt ti Ianto i siarad. Wyt ti ddim yn cofio dy hunan, sbo'** *You're a fine one to talk, Ianto. You don't remember yourself, I suppose* (Meirion Evans, 1997: 46).

Perth LW SW Powys **gwrych** LW NW **shetin** Powys *hedge*

Perwyl LW *purpose* **i'r perwyl hwn/hwnnw** *to this/that effect, for this/that purpose* **'Mi gofiaf i mi ddweud rhywbeth i'r perwyl - 'Welis i erioed yr angen am rebelio fy hun"** *I remember that I said something to the effect - 'I never saw the need to rebel myself'* (Elwyn Jones, 1991: 228).

Perygl LW CW **peryg** CW *danger* **1** in NW the noun **perygl** *danger* is frequently used instead of the adjective **peryglus** *dangerous* **'Mae o'n gallu bod yn reit beryg a deud y gwir'** *He can be really dangerous to tell the truth* (Margiad Roberts, 1994: 12). **2 dim peryg** (lit *no danger*) CW *no chance, no way* **'Ond dach chi'n meddwl y credith Nain hynny? Dim peryg. Does gynni hi ddim ffydd yn yr hogan'** *But do you think Gran will believe that? No chance. She's got no faith in the girl* (Jane Edwards, 1989: 67). **3 dim (ffiars/uffar etc.) o beryg** NW *no bloody chance, no bloody way* **'Beth wnaeth penaethiaid S4C? Codi dau fys ar y Llywodraeth a mynnu fod gennym hawl fel cenedl i wasanaeth teilwng yn ein hiaith ein hunain? Dim ffiars o beryg!'** *What did the heads of S4C do? Lift two fingers at the Government and insist that we have a right as a nation to a worthy service in our own language? No bloody way!* (*Golwg*, 19 May 1994: 10). **4 peryg bywyd** CW *dangerous* **'Trodd pawb i syllu ar Deiniol wedi ei wisgo fel carw hefo pen carw go iawn ar ei ben. Un efo cyrn mileinig a pheryg bywyd'** *Everybody turned to stare at Deiniol dressed like deer with a genuine deer head on his head. One with savage and dangerous horns* (*Golwg*, 20 December 1990: 21).

Peryglus 1 *dangerous* **'Roedd ganddo dŷ yng Nghaerdydd ond roedd hi'n llawer rhy beryglus yma i wragedd a phlant'** *He had a house in Cardiff but it was much too dangerous here for women and children* (Nansi Selwood, 1993: 55). **2** *competent, skilled* **'Gŵyr darllenwyr Barddas eisoes ei fod yn fardd peryglus'** *Barddas's readers already know that he is a skilled poet* (*Barddas*, February 1997: 22).

Pesda see Appendix 18.02.

Petaet ti, petai e etc. see Appendix 11.05(i)-(iv).

Petaswn i, petaset ti etc. see Appendix 9.05.

Petawn i, petaet ti etc. see Appendix 11.05(i)-(iv).

Peth 1 *thing* **'Fe fuodd stori fowr am y peth yn y Cambrian News'** *There was a big story about the thing in the* Cambrian News (Eirwyn Pontshân, 1982: 80). **2** *some* **'[Yr oedd] Camilia yn sefyll o'i blaen yn ei hystafell beth amser yn ddiweddarach'** *Camilia [was] standing before her in her room some time later* (Wiliam Owen Roberts, 1987: 151). **3 bod o gwmpas fy mhethau** (lit *to be about my things*) *to be* *in the know, to be with it, to know what's going on* 'Roedd hwn yn wahanol, meddai Vic, roedd e'n llawn llathen, o gwmpas ei bethau, dw i'n siŵr. Yn fwy na hynny roedd e fel pe bai e'n deall ...' *This was different, said Vic, he was all there, he was with it, I'm sure. More than that it was as though he understood ...* (Mihangel Morgan 1993(ii): 51). **4 da o beth** *a good thing* 'Da o beth, felly, yw cael y gyfrol hon' *It's a good thing, therefore, to have this volume* (*Golwg*, 28 June 1990: 14). **5 ddim o beth** (lit *thing of nothing*) CW *kid, nipper, small child* 'Yr oedd gen i, er yn ddim o beth, ddiddordeb mewn chwedlau am y goruwchnaturiol' *I had, although only a nipper, an interest in tales about the supernatural* (Gwyn Thomas in Eleri Hopcyn (ed.), 1995: 91). **6 fawr o beth** (a) CW *(not) much of a thing* 'Ydio fawr o beth i gyd i ofyn ichdi ...?' *Is it much of a thing to ask you ...?* (Robin Llywelyn, 1992: 31); (b) CW *kid, nipper, small child* 'Cofio nhad pan o'n i fawr o beth. Dyn busnas oedd ynta' *Remember my dad when I was a nipper. He was a businessman* (Wiliam Owen Roberts, 1987: 41). **7 (gwaeth/gwell etc.) o beth coblyn** NW *a hell of a lot (worse/better etc.)* 'Fyddi di'n teimlo'n well o beth coblyn' *You'll feel a hell of a lot better* (Jane Edwards, 1993: 52). **8 mynd o gwmpas fy mhethau** (lit *to go about my things*) CW *to go about my business* 'Yna'n hollol ddirybudd, pan oedd pawb wedi codi y bore wedyn i fynd o gwmpas eu pethau, wedi i'r gwartheg gael eu godro, cerddodd Iolyn Offeiriad a'i gi o'r coed' *Then totally without warning, when everybody had got up the following morning to go about their business, after the cattle had been milked, Iolyn Offeiriad and his dog walked in from the woods* (Wiliam Owen Roberts, 1987: 108). **9 mynd trwy fy methau** (lit *to go through my things*) CW *to go through my paces, to go through my stuff* 'Am dro i dop pentra'r es i imi gael gweld Adar y Fflamau'n mynd drwy'u pethau ac yn gneud eu campau' *I went to the top of the village in order to be able to see the Flame Birds going through their paces and doing their tricks* (Robin Llywelyn, 1992: 30). **10 pawb at y peth y bo** *each to their own* 'O'm rhan fy hun, mae'n well gen i ddysgl weddol ddiaddurn fel oen Cymreig traddodiadol ... ond pawb at y peth y bo' *For my part, I prefer a relatively unadorned dish like traditional Welsh lamb ... but each to their own* (*Barn*, February 1995: 15). **11 peth felly** CW *such a thing* 'Wyt ti 'mewn cariad' efo fo, wyt? Beth bynnag ydi peth felly ...' *You're 'in love' with him, are you? Whatever such a thing is ...* (Dewi Wyn Williams, 1995: 52) (* similarly in the plural **pethau felly** *such things*, eg 'Mi fyddai Dafydd Morgan yn gwneud pethau felly' *Dafydd Morgan would do such things* (Bernard Evans, 1990: 16)) (** see also **ballu**). **12 peth goblyn o rywbeth** NW *hell of a lot of something* 'Mae yna beth coblyn o waith teithio, felly' *There's a hell of a lot of travelling, therefore* (*Golwg*, 27 July 1989: 8). **13 peth wmbredd o rywbeth** NW *a hell of a lot of something* 'fe ges gyfle i gyfarfod peth wmbredd o wahanol bobol a chlywed am eu problemau' *I had the opportunity to meet a hell of a lot of different people and hear about their problems* (Gwenlyn Parry in Eleri Hopcyn (ed.),

1995: 44). **14 rhyngof a'm pethau** (lit *between me and my things*) CW *about me, concerning me* 'paid â meddwl y cei di ddŵad acw i ofyn am help eto. Dwi wedi gorffan efo chdi, rhyngtho chdi a dy betha rŵan' *don't think you can come over to ask for help again. I've finished with you, everything to do with you now* (Twm Miall, 1988: 79). **15 y nesaf peth i (anhygoel/drychinebus etc.)** (lit *the next thing to (incredible/disastrous etc.)*) *next to (incredible/disastrous etc.)* 'Teg oedd cyfaddef yn gynharach nad oedd fy ngyrfa academaidd ym Manceinion yn un ddisglair! Yn wir, 'roedd y nesaf peth i drychinebus' *It was fair to admit earlier that my academic career in Manchester wasn't a distinguished one! Indeed, it was next to disastrous* (Dafydd Wigley, 1992: 41). **16 y nesaf peth i ddim** (lit *the next thing to nothing*) *next to nothing, hardly anything at all* 'yr oedd Harri'n gorfod dibynnu mwy ar synnwyr y fawd nag ar ei lygaid, gan na allai weld ond y nesaf peth i ddim' *Harry had to rely more on the rule of thumb than on his eyes, since he could see next to nothing* (Islwyn Ffowc Elis, 1990(ii): 45).

Pethau da NW **cisys** Dyfed **da-da** NW **fferins** NW **loshin** SW **melysion** LW CW **minciag** Powys **neisis** Pembs **taffins** Glam *sweets*

Pethe (< **pethau**) perceived traditional components of Welsh culture, such as **eisteddfodau** *eisteddfods*, **canu penillion** *verse singing*, **cerdd dant** *harp music* etc. 'Bu fy nhad-yng-nghyfraith ... yng nghanol 'y pethe' yno, ac ef oedd cadeirydd Cyngor Penllyn yn ystod brwydr Tryweryn' *My father-in-law ... was in the middle of 'y pethe' there, and he was also the chairman of Penllyn Council at the time of the battle for Tryweryn* (Dafydd Wigley, 1992: 86).

Petheuach see Appendix 14.06.

Peunes (lit *peahen*) CW *bitch, cow* (derogatory term for a woman) 'Dodd y ddwy beunas yna ddim am gal 'y nghuro fi' *Those two bitches weren't going to be allowed to beat me* (Dafydd Huws, 1978: 58).

Piau *to own* **1 piau** (and variants) is used extensively to form personal possessive pronouns: see Appendix 15.10(iv). **2 (pwyll/taw etc.)** piau hi (*discretion/silence etc.*) is best "Ti itha reit, Twm,' mynte Wil. 'Pwyll pia hi. Ma' ishe 'mbach o waith ditectif man'yn" *'You're quite right, Twm,' said Wil. 'Discretion is best. A little bit of detective work is needed here'* (Dafydd Rowlands, 1995: 102).

Pib LW SW **cetyn** LW NW *smoker's pipe*

Picio CW *to dart, to hurry* **picio (adre/i mewn etc.)** CW *to nip (home/in etc.), to pop (home/in etc.)* 'O'n i wedi picio adra i dre i ddeud wrth bawb am y briodas' *I'd popped home to Caernarfon to tell everyone about the wedding* (Dafydd Huws, 1990: 12).

Picwnen LW SW **cacynen** LW SW **gwenynen farch** LW NW *wasp*

Pidlen NW *knob, penis, willy* 'Cwbwl wnes i oedd sbïo ar 'i bidlan o' *All I did was look at his knob* (Meic Povey, 1995(i): 7).

Pidwch see Appendix 10.08.

Piffian *to giggle, to snigger* **piffian chwerthin** NW *to giggle, to snigger* '**Fiw imi edrych yn ei hwyneb hi neu mi faswn i'n piffian chwerthin**' *I daren't look in her face or I'd laugh* (Wil Sam, 1995: 12).

Pig 1 *beak* (of bird) **Yr oedd yr aderyn yn dal pryf yn ei big** *The bird was holding an insect in its beak.* **2** CW *nose* (figuratively) '**Petaech yn rhoi'ch pig i mewn yn y gegin, fe welech fod lle i bopeth a phopeth yn ei le**' *If you were to poke your nose into the kitchen, you would see that there is a place for everything and everything in its place* (*Barn*, February 1995: 15). **3** CW *gob, mouth, trap* (figuratively) "**Nes i ddim agor 'y mhig nes iddo fo sôn am y commercial traveller** 'na' *I didn't open my trap until he mentioned that commercial traveller* (Gwenlyn Parry, 1979: 47). **4 cael fy mhig i mewn** (lit *to get my beak in*) CW *to get my foot in the door* '**Bûm yn ffodus hefyd imi gael fy mhig i mewn ar ambell raglen deledu**' *I was also fortunate to get my foot in the door on numerous television programmes* (Dafydd Wigley, 1992: 87). **5** (**dodi/rhoi/taro** etc.) **fy mhig i mewn** CW *to butt in, to get a word in edgeways* (in a conversation) '**Er mwyn osgoi rhacor o anghytgord rhwng Twm a Dan dotws Wil ei big i miwn. 'Chi'n gwpod beth ma'nhw'n galw corryn yn y North, bois? Pryf copyn!**' *'In order to avoid more disagreement between Twm and Dan, Wil butted in. 'D'you know what they call a spider in North Wales, boys? Pryf copyn!'* (Dafydd Rowlands, 1995: 60).

Pigau *spikes* **ar bigau'r drain** (lit *on thorn pricks*) on tenterhooks '[**Yr oedd**] **Wali yn gwisgo'i anorác lwyd olau yn hytrach na'r un werdd, a'i fod o ar bigau'r drain ers meityn**' *Wali [was] wearing his light grey anorak rather than the green one, and he had been on tenterhooks for a spell* (Alun Ffred and Mei Jones, 1990: 24).

Pigiad CW *injection* '**Pigiad gawsoch chi?**' *Did you have an injection?* (Wil Sam, 1995: 142).

Pigo *to prick* **pigo bwrw (glaw)** *to start raining, to spit rain* '**Roedd hi'n pigo bwrw pan adewais i'r New Ely**' *It was starting to rain when I left the New Ely* (Twm Miall, 1990: 54).

Pigyn clust LW NW **clust dost** LW SW *earache*

Pìn *writing pen* **fel pìn mewn papur** (lit *like a pin in paper*) *immaculate* '**Pan ydach chi'n mynd i mewn i'w carafanau, maen nhw fel pin mewn papur**' *When you go into their caravans, they are immaculate* (*Golwg*, 29 April 1993: 22).

Pinnau *pins* **1 ar binnau** (lit *on pins*) *on tenterhooks* '**Pe bawn i'n byw ar yr A5, mi faswn innau'n dyheu am ffordd newydd. Petai gen i blant yno, mi faswn innau ar binnau wrth eu gweld nhw yn mentro allan i ganol y mwg egsost a'r peryglon**' *If I lived on the A5, I would also want a new road. If I had children there, I would be on tenterhooks seeing them venturing out into the middle of the exhaust fumes and dangers* (*Western Mail*, 25 March 1997: 11). **2 pinnau bach** (lit *little pins*) *pins and needles* '**Roeddwn i'n methu dallt ble'r oeddwn i pan deffrois i, a mreichiau i'n binna bach i gyd, ar ôl mynd i gysgu efo nwy law tu ôl i ngwegil**' *I didn't understand where I was when I woke up, and my*

arms were all pins and needles after going to sleep with my two hands behind the back of my neck (Caradog Prichard, 1961: 48).

Pi-pi CW *wee-wee* '**Dwi wedi bod yn trio'i ddysgu fo i bi-pi yn y pan ers wsnosa**' *I've been trying to teach him to wee-wee in the pan for weeks* (Margiad Roberts, 1994: 24).

Pip SW *glance, glimpse* (**bwrw/twlu** etc.) **pip dros rywbeth** SW *to (have a) glance over something, to (have a) look over something* '**Fe agorws e un llygad i dwlu pip ar Wil**' *He opened one eye to glance at Wil* (Meirion Evans, 1996: 67).

Pipo (<E *peep*) SW *to glance, to peep* '**Digwyddes bipo mas trwy'r ffenest, a finne wrth 'y nhunan nawr, a gweld ladi wen wrth dalcen tŷ**' *I happened to glance out through the window, and I was on my own now, and saw a white lady by the side of a house* (Eirwyn Pontshân, 1973: 63).

Pisiad CW *a pee, a piss* '**Doedd ganddo fawr o ddiddordeb yn hanes Llygad Bwyd chwaith. Aeth am bisiad a phan ddychwelodd roedd hwnnw wedi mynd i'w focs**' *He didn't have much interest in Llygad Bwyd's story either. He went for a piss and when he returned he had gone back into his box* (Robin Llywelyn, 1994: 19).

Piso CW *to pee, to piss* **1 piso cath** (lit *cat's pee*) CW *gnat's pee* (weak drink) '**Blas fatha piso cath ar y Brains 'ma**' *This Brains here tastes like gnat's pee* (Dafydd Huws, 1990: 151) (* Brains: beer brewed in Cardiff). **2 piso chwerthin** (lit *to piss laughing*) CW *to piss oneself laughing* "**Pwy uffar ydi Monica Saunders Lewis?' medd fi a dyma'r boi yn dechra piso chwerthin am fy mhen i**' *'Who the hell is Monica Saunders Lewis?' I said and the bloke started to piss himself laughing at me* (*Golwg*, 21 December 1989: 25) (* Monica: a novel by Saunders Lewis). **3 piso dryw** (lit *wren's pee*) NW *gnat's pee* (weak drink) "**cau hi a dos i neud panad inni.' Mynd wnaeth o. Panad piso dryw oedd hi hefyd**' *'shut it and go and make us a cuppa.' He went. It was a cup of gnat's pee as well* (Robin Llywelyn, 1992: 34). **4 piso dryw bach yn y môr** (lit *a wren's piss in the sea*) CW *a drop in the ocean* '**Yng nghyd-destun ehangach yr holl bethau eraill a ddigwyddodd yn y byd y prynhawn Sadwrn hwnnw, nid oedd yn ddim mwy na phiso dryw bach yn y môr - os cymaint**' *In the wider context of all the other things that happened in the world that Saturday afternoon, it was nothing more than a drop in the ocean - if that much* (*Golwg*, 18 February 1993: 14). **5 piso gwidw** (lit *widow's pee*) SW *gnat's pee* (weak drink) **Jiw Jiw, beth sy'n bod ar y cwrw 'ma, ma' fe fel piso gwidw** *Good God, what's wrong with this beer, it's like gnat's pee.* **6 piso mochyn** (lit *pig's pee*) (a) CW *to piss all over the place* "**W! Jest â marw isho pishad!' 'I'r llofft 'ta,' me fi. 'A dim piso mochyn!'**' *'Er! Bursting for a piss!' 'Upstairs then,' I said. 'And no pissing all over the place!'* (Dafydd Huws, 1990: 149); (b) CW *all over the place* '**A thria ditha gadw dy ll'gada ar y lôn, wir Dduw. Ti 'fath â phiso mochyn!**' *And you try and keep your eyes on the road, for God's sake. You're all over the bloody place!* (Sonia Edwards, 1994: 124). **7 piso yn erbyn**

y gwynt (lit *to piss against the wind*) CW *to do something useless* '**Ac er mai piso yn erbyn y gwynt oedd gwneud hynny, penderfynodd Wali nad oedd am ildio heb ymdrech**' *And although doing that was useless, Wali decided that he didn't want to give in without trying* (Alun Ffred and Mei Jones, 1990: 68).

Pistyllio *to pour* **pistyllio bwrw (glaw)** *to pour with rain* "**Coblyn o noson.**' '**Ydi?**' '**Pistyllio bwrw**" *'Hell of a night.' 'Is it?' 'Pouring with rain'* (John Gwilym Jones, 1976: 33).

Pisyn LW CW **pishyn** CW **1** *piece* (of something) '**o'dd Dan Bach y Blagard yn naddu pishyn o bren**' *Dan Bach the Blackguard was chipping a piece of wood* (Dafydd Rowlands, 1995: 72). **2** CW *a piece* (attractive person or thing) '**O'n i yn y parti hyn pa nosweth, reit, o'dd y fenyw hyn yno - bythdi fforti - yffarn o bishen**' *I was at this party one night, right, there was this woman there - about forty - a hell of a piece* (Twm Miall, 1990: 137). **3** SW *knob, penis, willy* '**Sdim byd yn wa'th na pwl o winecon yn dy bishyn di, myn yffarn i!**' *There's nothing worse than a bit of rheumatism in your knob, bloody hell!* (Dafydd Rowlands, 1995: 63).

Piti NW *pity* **1 piti garw** NW *a great shame* '**Mae hyn yn biti garw, gan fod y sgwrsio'n fywiog ac weithiau'n gyfoethog [yn y gyfres deledu]**' *This is a great pity, since the conversation is lively and sometimes rich [in the television series]* (*Y Cymro*, 18 May 1994: 2). **2 mae gen i biti (garw) dros rywun** NW *I feel (very) sorry for someone* '**Dew, roedd gen i biti dros Ceri yn y cnebrwng**' *God, I felt sorry for Ceri at the funeral* (Caradog Prichard, 1961: 31).

Piws CW **porffor** LW CW *purple*

Pladres NW *big woman* (often derogatory) '**Dyna sut y canfyddais fy hun yn y ganolfan waith yn wynebu pladres o ddynes mewn ofarols y tu ôl i ddesg**' *That's how I found myself in the job centre facing a big fat woman in overalls behind the desk* (Angharad Tomos, 1982: 18).

Plaid (*political*) *party* **1 o blaid rhywun/rhywbeth** *in favour of someone/something* '**doedd un dim wedi mynd o'u plaid er y noson honno**' *not a single thing had gone in their favour since that evening* (Wiliam Owen Roberts, 1987: 60). **2 y Blaid (bach)** (lit *the (dear/small) party*) CW *Plaid Cymru* (Welsh Nationalist Party) '**Bob dydd, trwy'r dydd, mae'r Blaid a Llafur a'r Democratiaid yng ngyddfau'i gilydd**' *Every day, all day, Plaid Cymru and Labour and the Democrats are at each other's throats* (*Western Mail*, 28 March 1995: 9).

Plant *children* **plant Mari** (lit *Mary's children*) CW *Roman Catholics* '**Mae'n debyg fod Harri Webb yn arfer dannod gwrth-Gymreictod 'plant Mari' yr ardal**' *Harri Webb used to upbraid the anti-Welshness of the Catholics of the area* (*Western Mail*, 11 October 1997: (Arena) 15).

Plantos see Appendix 14.07.

Pleidlais *vote* **bwrw pleidlais** *to cast a vote* '**Gofynnaf i chi fwrw'ch pleidlais dros gynnal Ymchwiliad Cyfreithiol i ymddygiad y Lluoedd Arfog**' *I ask you to cast your vote for holding the Legal Inquiry into the behaviour of the Armed Forces* (Gareth Miles, 1995: 64).

Plentyn *child* **plentyn siawns** *illegitimate child* '**Yr oedd llyfrau'r Cymry'n llawn o feddwi, a thwyllo, a phlant siawns**' *Welsh people's books were full of drunkenness, and deceiving, and illegitimate children* (Islwyn Ffowc Elis, 1990(i): 42).

Ples (<E *please*) CW *pleased* '**Fe alla'i roi adroddiad iddi hi fod ei daid yn blês**' *I can give her a report that his grandfather is pleased* (Islwyn Ffowc Elis, 1990(ii): 55).

Plethu *to fold, to plait* **plethu fy mreichiau** *to fold my arms* '**Mi gaeodd Anti Dil ei cheg o'r diwedd, ac mi blethodd hi ei breichia a sbio arna i fyny ac i lawr**' *Auntie Dil finally shut her mouth, and she folded her arms and looked me up and down* (Twm Miall, 1988: 158).

Plis (<E *please*) CW *please* '**Faint di o'r gloch plîs?**' *What time is it please?* (Simon Jones, 1989: 108).

Ploryn LW NW **tosyn** LW SW *pimple*

Plwc *pluck* **plwc cwrw** CW *Dutch courage* "**Mhen hir a hwyr gesh i ddigon o blwc cwrw i fynd draw ati i deud 'sumai'. Odd gino hi ddim llawer o fynadd siarad**' *After a while I had enough Dutch courage to go over to her and say 'hello'. She didn't have much patience to talk* (Dafydd Huws, 1978: 94).

Plwmp (<E *plump*) **yn blwmp ac yn blaen** NW *point blank, straight to the point* '**Wedi cael rhyw ddau neu dri [o beintiau o gwrw], un noson, mi benderfynais i ofyn iddo fo'n blwmp ac yn blaen be oedd ganddo fo o dan sylw**' *After having two or three [pints of beer], one evening, I decided to ask him point blank what he had in mind* (Twm Miall, 1988: 25).

Plwyf *parish* **ar y plwyf** (lit *on the parish*) *penniless, poor* '**Un o blant y 30au ydw i. Cyfnod tlawd os oeddech chi fel roeddwn i yn un o bedwar o blant i was ffarm a oedd yn ei gael ei hun yn ddiwaith ac ar y plwy' yn eitha' aml**' *I am a child of the 1930s. A poor time if you were as I was one of four children of a farm labourer who found himself out of work and penniless fairly often* (*Golwg*, 1 December 1994: 3).

Pnawn (< *prynhawn*) OW CW *afternoon* '**Yn y pnawn yr âi i siopa dros ei meistress a chrafu a glanhau llysiau at y cinio diwetydd**' *She used to go shopping in the afternoon for her mistress and scrub and clean the vegetables for the evening meal* (Harri Pritchard Jones, 1994: 25).

Po see **gorau** (7), Appendix 11.03(i), 14.14.

Pob *every* **1 pob un wan jac** CW *every single one* '**Mae'r awdurdodau am gofnodi pob un wan jac ohonyn nhw**' *The authorities want to register every single one of them* (Robin Llywelyn, 1994: 66). **2 pob yn ail (awr/dŷ etc.)** *every other (hour/house etc.)* '**Serennai'i gwên o bob yn ail dŷ, er mawr syndod i mi**' *Her smile shone from every other house, to my great surprise* (Mihangel Morgan, 1993(i): 139)

(* note **pob yn ail ddydd** > **pob yn eilddydd**, eg '**Mi ddylwn i gofio, a finne'n ffonio fo bob yn eilddydd bron**' *I should remember, as I phoned him every other day just about* (Islwyn Ffowc Elis, 1974: 73)) (** see also **ail (2)**).

Pobl LW CW **pobol** CW *people* note the use of adjectives with the noun, eg **pobl arall** *another people*, **pobl eraill** *other people* '**beth yw'r gwahaniaeth beth y mae pobl eraill yn ei wneud neu'n ei feddwl?**' *what's the difference what other people do or think?* (Mihangel Morgan, 1994: 13).

Pobman *everywhere* **1 dros bobman** *all over the place* "**Hen faw o faco am ddeuswllt yr owns,' medde fe, a pheswch [sic] a phoeri dros bob man**' '*Old shit tobacco for two shillings an ounce,' he said, and coughed and spat all over the place* (Eirwyn Pontshân, 1973: 10). **2 (gweiddi/llefain etc.) dros bobman** *to (shout/cry etc.) loudly* '**Ond cyn pen dim, roedd yn cysgu'n sownd ac yn chwyrnu'n swnllyd dros bob man**' *But in next to no time, he was sleeping soundly and was snoring noisily and loudly* (Wiliam Owen Roberts, 1987: 112). **3 ym mhobman** *everywhere* '**Mae'r ddinas wedi ei chynllunio'n gelfydd, dinas hardd, werdd a choedlannau deniadol ym mhobman**' *The city is planned artistically - a beautiful, green city and woods everywhere* (R. Emyr Jones, 1992: 78).

Pobol CW **pobl** LW CW *people* **1** the mutated form **bobol** is occasionally mutated further in CW to **fobol** '**Rodd 'rhen Gadwaladr miwn gopeth byse'r cymdocion newydd yn fobol barchus o leia**' *Old Cadwaladr hoped that the new neighbours would be respectable people at least* (Edgar ap Lewys, 1977: 68). **2 bobol annwyl** (lit *dear people*) CW *goodness me, heavens above* '**bobol annwyl, ond ydy'r amsar yn mynd?**' *goodness me, doesn't time fly?* (Caradog Prichard, 1961: 70). **3 bobol bach** (lit *dear people*) CW *goodness me, heavens above* '**Ond sôn am 'the art of coarse football'! Bobol bach!**' *But talk about 'the art of coarse football'! Goodness me!* (Dafydd Wigley, 1992: 46). **4 bobol mawr** (lit *great people*) CW *goodness me, heavens above* "**Pam, dach chi erioed wedi ffraeo?**' '**Bobol mawr, nag'dan, be' nath iti feddwl?**" *'Why, you haven't argued?' 'Heavens above, no we haven't, what makes you think that?'* (Meic Povey, 1995(i): 43).

Poeni *to worry* **na phoenwch** see Appendix 10.10(ii).

Poeriad *spit* **yr un boeriad â rhywbeth/rhywun** *the spitting image of something/someone* '**Un o'i disgyblion yno oedd taid Ian Woosnam y golffiwr - tyngai hi eu bod yr un boeriad â'i gilydd**' *One of her pupils there was Ian Woosnam the golfer's grandfather - she swore that they were the spitting image of each other* (Dic Jones, 1989: 19).

Poetshio NW *to fool around, to mess around, to tinker* '**Roedd o mewn clwb rygbi yn rhywle ac roedd hi'n ddigon hawdd dweud ei fod o wedi cael rhyw un neu ddau [o ddiodydd] oherwydd roedd o'n poetsho'n uffernol**' *He was in a rugby club somewhere and it was easy enough to say that he had had one or two [drinks] because he was fooling around terribly* (Twm Miall, 1988: 180).

Ponty see Appendix 18.05.

Popeth *everything* **popeth yn iawn** *everything (is) alright, everything (is) OK, that's alright, that's OK* "**Diolch i chi am ddod â mi**' ... '**Popeth yn iawn, Bigw. Dwi'n falch 'mod i wedi gallu dod â chi**" *'Thanks a lot for bringing me' ... 'That's OK, Bigw. I'm pleased that I could bring you'* (Angharad Tomos, 1991: 110).

Poptu *both sides* **o boptu i rywbeth** *either side of something* '**Eisteddai Emma Harris a Madge Parry o boptu'r tân yn rhif saith**' *Emma Harris and Madge Parry sat either side of the fire in number seven* (Eigra Lewis Roberts, 1985: 9).

Popty LW NW **ffwrn** LW SW *oven*

Porcyn SW *naked* '**Wrth gl'wed sibrwd Dan yn y twllwch, fe nidws Ifans y Bobi mas o wely Neli North yn borcyn ac yn ddyn i gyd!**' *On hearing Dan whispering in the darkness, Ifans the Bobby jumped out of Neli North's bed naked and all man!* (Dafydd Rowlands, 1995: 130) (* in SW the plural adjective **pyrcs** is also used, eg '**A miwn â nhw yn byrcs i'r afon**' *And in they went naked into the river* (Dafydd Rowlands, 1995: 64)).

Porffor LW CW **piws** CW *purple*

Port see Appendix 18.02.

Porthi *to feed* **1 porthi** can be used literally to mean *to feed*, but it is usually used only in the figurative sense '**[Yr oedd dwy wreigan] yn trio porthi'r pum mil hefo chwartar boilar o ddŵr poeth ac un pacad o** *Jammy Dodgers* [There were two women] trying to feed the five thousand with quarter of a boiler of hot water and a packet of Jammy Dodgers (Margiad Roberts, 1994: 151). **2** to indicate agreement by shouting, exclaiming etc. to a speech, sermon etc. "**Maen nhw'n meddwl mai deunydd eilradd yw llyfr Cymraeg.**' '**Mae hyn yn wir. Mae hyn yn wir,**' **porthodd Llysnafedd**' *'They think that a Welsh book is second rate material.' 'This is right. This is right,' concurred Llysnafedd* (Mihangel Morgan, 1993(i): 126).

Posibl LW CW **posib** CW *possible* **1 ag y sy'n bosibl** *as possible* '**Wel mi rydw i mor ffyddlon ag sydd bosib i ddyn fod, Mr Pierce**' *Well I'm as faithful as it's possible for a man to be, Mr Pierce* (Theatr Bara Caws, 1996: 22). **2 'does bosib** CW *surely not* '**Wel, fedar o ddim bod llawar gwaeth na'r gwanwyn does bosib ...!**' *Well, it can't be a lot worse than the spring surely not ...!* (Margiad Roberts, 1994: 55). **3 o bosib** *possibly* '**R. Williams Parry, o bosib, a ddysgodd werth cynildeb i mi**' *R. Williams Parry, possibly, taught me the value of economy* (Alan Llwyd, 1994: 56).

Pot *pot* **pot jam** (lit *jam pot*) CW adjective to describe anything amateur, domestic and generally perceived as second rate "**Ma' gin i safona.**' '**Safona pot jam**" *'I've got standards.' 'Second-rate standards'* (Gwenlyn Parry, 1992: 23).

Potes NW *soup* **rhyngof a'm potes** (lit *between me and my soup*) NW *about me, concerning me* "**Feri wel,' me fi, 'rhyngoch chi a'ch potas. Ond sut**

cewch chi'r sianti wigwam [o garafan] o
Wylfyrhamton? Go brin daw hi trw post" *'Very
well,' I said, 'that's your business. But how will you
get that shack of a wigwam [of a caravan] from
Wolverhampton? It's hardly likely to come through
the post'* (Wil Sam, 1987: 113).

Potshan SW *to fool around, to mess around, to tinker*
**'O'dd y dyn 'na wastad yn potshan yn ei gwtsh
sinc e yng ngwaelod yr ardd** *That bloke was always
tinkering in his zinc shed at the bottom of the garden.*

Powlio *to roll* **powlio dagrau** *to pour tears* **'Dim ond
rhyw un deigryn bach ddaru bowlio i lawr ei foch
o'** *Only one little tear poured down his cheek*
(Caradog Prichard, 1961: 88).

Pownd SW *pound* (weight) **'Ombitu naw ceinog y
pownd wên ni'n ga'l am samon pyr'ny. Wêdd e 'm
llawer, cofiwch, na wê'** *About nine pence a pound
we used to get for salmon at that time. It wasn't a lot,
you know, no it wasn't* (Angharad Dafis in Gwyn
Griffiths (ed.), 1994: 54).

Powyseg see Appendix 20.

Pregethu *to preach* **pregethu i'r cadwedig** *to preach to
the converted* **'Pregethu i'r cadwedig oedd y
rhaglen [deledu], efallai'** *The [television] programme
was preaching to the converted, perhaps* (*Golwg*, 7
January 1993: 26).

Prentisiaeth *apprenticeship* **bwrw prentisiaeth** *to
serve an apprenticeship* **'Beth bynnag, lle i egin
lenorion gael bwrw eu prentisiaeth oedd
Eisteddfod'** *Anyway, an Eisteddfod was a place for
budding writers to serve their apprenticeship*
(Mihangel Morgan, 1994: 65).

Prepian NW *to go on, to jabber on* **'Taw â dy brepian -
tydwi ddim yn credu mewn angylion'** *Stop your
jabbering on - I don't believe in angels* (Robin
Llywelyn, 1994: 126).

Pres (lit *brass*) NW *money* **'Tyrd acw fory, ac mi fydd y
pres gen i'** *Come over here tomorrow, and I'll have
the money* (Simon Jones, 1989: 79).

Pric (<E *prick*) **pric pwdin** (lit *pudding prick*) CW *drudge*
(someone who does menial jobs) **'Peidiwch â mynd
yn bric pwdin iddi, 'ngwas i'** *Don't become a
drudge for her, mate* (Twm Miall, 1990: 161).

Prifwyl (lit *main festival*) the National Eisteddfod **'fe
fydd ei sylwadau'n ychwanegu at y dadlau gan
mai nhw fydd yn gyfrifol am weinyddu grant y
Brifwyl ar ôl 1997'** *his comments will add to the
argument that they will be responsible for
administering the National Eisteddfod's grant after
1997* (*Golwg*, 18 January 1996: 5).

Pris LW CW **prish** SW *price*

P'run (< *pa ryw un*) CW *which (one)* **'Gormod o
frasder neu ormod o sigaréts, wn i ddim yn iawn
prun, oedd y llestair gwaethaf'** *Too much fat or too
many cigarettes, I don't know rightly which one, was
the worst hindrance* (R. Emyr Jones, 1992: 59).

P'run bynnag (< *pa ryw un bynnag*) CW *anyhow,
anyway* **'Allwn i ddim diodda neb arall p'run
bynnag'** *I can't stand anyone else anyway* (Gwenlyn
Parry, 1979: 26).

Pryd *meal* **1 pryd o fwyd** *a meal* **'Mae'n amser inni
fynd drwodd i gael pryd o fwyd'** *It's time for us to
go through for a meal* (Wiliam Owen Roberts, 1987:
74) (* the set phrase **pryd o fwyd** is far more
common in CW than just **pryd**). **2 pryd o dafod** SW
earful, telling off **'Roedd Vic ar fin rhoi pryd o dafod
iddo pan edrychodd ar y dyn am y tro cyntaf'** *Vic
was about to give him a telling off when he looked at
the man for the first time* (Mihangel Morgan, 1993(ii):
49).

Pryd *complexion, face* **pryd a gwedd** *appearance* **'Yn
ôl Paul Turner, 'roedd o'n berffaith ar gyfer y rhan
[yn y ffilm], ac yn debyg iawn i Hedd Wyn o ran
pryd a gwedd hefyd'** *According to Paul Turner, he
was perfect for the part [in the film], and very similar
to Hedd Wyn from the point of view of appearance as
well* (Alan Llwyd, 1994: 271).

Pryd *time* **1 ar y pryd** (a) *at the time* **'Plentyn o'n i ar y
pryd'** *I was a child at the time* (Mihangel Morgan,
1993(i): 83); (b) *simultaneous(ly)* **'Os ydach chi eisio
rhywun i gyfieithu ar y pryd, rydach chi'n sôn yn
syth bin am o leia' £25,000 y flwyddyn i gyflogi
rhywun'** *If you want someone to translate
simultaneously, you're talking straight away about at
least £25,000 a year to employ someone* (*Golwg*, 2
February 1995: 4). **2 ar brydiau** *at times,
occasionally* **'Fydd gen ti gywilydd ohonat ti dy
hun ar brydia'?'** *Are you ashamed of yourself at
times?* (John Gwilym Jones, 1976: 17). **3 ar hyn o
bryd** *at the moment* **'Ar hyn o bryd mae'n byw'n
alltud yn Washington'** *At the moment he lives as an
exile in Washington* (Tweli Griffiths, 1993: 185). **4 hen
bryd** *high time* **'Ti'm yn meddwl ei bod hi'n hen
bryd i ninna gael mynd i rwla cynnas, hefyd ...?'**
*Don't you think it's high time that we went somewhere
hot, as well ...?* (Margiad Roberts, 1994: 173).
5 mewn da bryd *in good time* **'Yn union fel y gwnâi
ar fwrdd ei long ar ddechrau mordaith, rhaid oedd
gofalu fod stôr digonol wedi ei osod i fewn mewn
da bryd'** *Exactly as he used to do on the deck of his
ship at the start of a sea voyage, it was necessary to
make sure that an adequate store was put in in good
time* (Dic Jones, 1989: 281). **6 mewn pryd** *in time*
**'Wel o'dd dim dewis nawr ond mynd nôl i ail-
godi'r talcen tŷ a gneud y gore o'r hen stôf, ond
gyrrhaeddon nhw dim ond mewn pryd cyn i'r tôs
chwyddo gymaint a bwrw'r talcen arall lawr'** *Well
there was no choice now but to go back and rebuild
the house gable and make the best of the old stove,
but they arrived just in time before the dough
exploded so much that it bashed down the other
gable end* (Eirwyn Pontshân, 1973: 111). **7 o bryd i'w
gilydd** *from time to time* **'O bryd i'w gilydd fe ddôi
awydd cryf arna i i wneud rhywbeth arall'** *From
time to time a strong urge would come over me to do
something else* (Islwyn Ffowc Elis in Eleri Hopcyn
(ed.), 1995: 26) (* this idiom is far more common than
the literal **o bryd i bryd**). **8 y pryd hyn/hynny** *this
time/that time, then* **'Wrth gwrs, ro'dd pob merch yn
gwisgo sgertiau byrion y pryd hynny'** *Of course,
every girl used to wear short skirts at that time*
(Mihangel Morgan, 1993(ii): 58) (* note the use of the
definite article here: **y pryd hynny**. The adverbial

form **bryd hynny** is also commonly used but is incorrect, eg '[**Gofynnodd ef**] **i Mam am ei chaniatâd i ddod ata i wnaeth e ac fe fodlonodd Mam, bryd hynny'** *[He asked] Mam for her permission to come to me and Mam agreed, that time* (Nansi Selwood, 1993: 177)).

Pryf *insect* **1** *hen bryf* (garw) (lit *good old insect*) NW *a character* '**Wel, yr hen bry, Ellis. Pwy ydy hi? Ydw i'n hadnabod hi?'** *Well, you old devil, Ellis. Who is she? Do I know her?* (Marion Eames, 1969: 177). **2 pryf cop(yn)** LW NW **corryn** LW SW *spider* '**Chi'n gwpod beth ma'nhw'n galw corryn yn y North, bois? Pryf copyn!'** *D'you know what they call a spider in North Wales, boys? Pryf copyn!* (Dafydd Rowlands, 1995: 60). **3 pryf genwair** LW NW **llyngyren ddaear** LW NW **mwydyn** LW SW *(earth)worm* '**Wyddoch chi fel bydd ych pidlan chi'n mynd i'w gilydd i gyd yn bath, yn crebachu nes bod hi'n ddim byd ond pry genwar mewn croen?'** *You know like your knob all shrinks up in the bath, shrivels up until it isn't much more than a worm in skin?* (Dafydd Huws, 1990: 21). **4 pryf llwyd** NW **mochyn daear** LW CW *badger* **Mi gafodd pryf llwyd ei ladd ar y ffordd fawr** *A badger was killed on the main road.*

Pryfaid see Appendix 14.04.

Prynu *to buy* **prynu cath mewn cwd** (lit *to buy a cat in a bag*) proverb *to buy a pig in a poke* '**Oedd, roedd hi wedi talu canpunt am giarifan bocs na welodd hi rioed mo'ni. Cath mewn cwd, hwnna sgin i'** *Yeah, she's paid a hundred quid for a box caravan that she'd never seen. Pig in a poke, that's what I mean* (Wil Sam, 1987: 113).

Prysur 1 *busy* '**Roedd yn amser prysur ac aeth wythnos heibio cyn i mi allu gadael cartref yn gynnar'** *It was a busy time and a week went by before I could leave home early* (Simon Jones, 1989: 133). **2** Glam *serious* **Ma golwg brysur arni hi** *She looks serious.* **3 prysur (ddod/fynd etc.)** *quickly (coming/going etc.)* '**Edrychais ar y gorwel a gweld cymylau du enfawr yn prysur ddod tuag atom'** *I looked at the horizon and saw enormous black clouds coming quickly towards us* (Gwenda Richards in Dylan Iorwerth (ed.), 1993: 47).

Pump (lit *five*) CW *hand(s)* (figuratively) '**Roedd hi'n stori wahanol pan gafodd y Jones Davies ieuengaf ei bump ar y lle'** *It was a different story when the younger Jones Davies got his hands on the place* (Eigra Lewis Roberts, 1985: 17).

P'un (< *pa un*) **1** CW *whether* '**Rydw i rhwng dau feddwl p'un ai dy wahardd di o'r dafarn 'ma am byth, T.C.!'** *I'm in two minds whether to ban you from this pub for ever, T.C.!* (Vivian Wynne Roberts, 1995: 71). **2** CW *which (one)* '**Yn awr, y mae gan un ohonynt, y naill neu'r llall, dw i ddim yn cofio p'un ... aderyn'** *Now, one of the them has, one or the other, I don't remember which one ... a bird* (Mihangel Morgan, 1993(i): 11). **3 p'un ... ai/neu ...** CW *whether ... or ...* '**Wel diawl, Mari yw hi p'un ai yw hi'n llawn neu beid'o 'achan'** *Well hell, she's Mary whether she's full or not mate* (Dic Jones, 1989: 206).

Punten CW *quid (pound of money)* '**Tyd â benthyg puntan imi, Magi'** *Lend me a quid, Magi* (Eigra Lewis Roberts, 1985: 5).

Pwdin *pudding* **1 (cymryd/dwyn etc.) pwdin rhywun** (lit *to (take/steal etc.) someone's pudding*) CW *to bother someone, to eat at someone* '**[Daeth] Pererin Byd i mewn a golwg poenus ar ei wynab o. 'Pwy sy 'di dwyn dy bwdin di eto?' meddwn i'n flin'** *Pererin Byd [came] in with a pained look on his face. 'What's up with you again?' I asked agitatedly* (Robin Llywelyn, 1992: 32). **2 gormod o bwdin a dagith y ci** (lit *too much pudding chokes the dog*) proverb *too much of a good thing is bad for you* (the following example is a pun on the above) '**Wrth ledaenu talent trwchus yn rhy denau [yn y byd teledu], mae peryg mawr i ormod o bwdin Glyn a Dafis dagu ni'** *By spreading good talent [in the television world] too thinly, there is a danger of too much of Glyn and Dafis being bad for us* (*Television Wales*, 16 March 1996: 15). **3 pwdin blew** (lit *hair pudding*) CW *fanny* (obscene reference to female genitalia) '**Amser cinio, wedi iddo fo fwyta ei frechdanau, mi aeth Raymond i forol am ei bwdin blew'** *Lunchtime, after he had eaten his sandwiches, Raymond went to get his bit of fanny* (Twm Miall, 1988: 123).

Pwdryn SW *lazy-bones* '**Roedd o byth a beunydd wedi blino. Esgus, fel rheol, i sbario cael mynd i'r ysgol.' 'Pwdryn!'** *He was forever and a day tired. An excuse, usually, for not having to go to school.' 'Lazy-bones!'* (Meic Povey, 1995(i): 39).

Pwdu SW *to sulk* '**Na fe, pwda di os ti'n moyn. Os o's well 'da ti ddishgwl ar y wal nag arno i'** *Alright then, you sulk if you want. If you'd rather look at the wall than me* (Meirion Evans, 1997: 55).

Pwlffacan Glam *to bother, to struggle* (with something) '**Pam y'ch chi'n pwlffacan â'r gât 'na, wy'i ddim yn gwpod. Nelen i ddim o fe'** *Why you bother with that gate, I dunno. I wouldn't do anything with it* (Dafydd Rowlands, 1995: 17).

Pwll *pool* **(clebran/siarad etc.) fel pwll (tro) (y môr)** (lit *to (chatter/speak etc.) like a (sea) (whirl)pool*) SW *to go on, to jabber on* '**Groeges wedi ymsefydlu fel newyddiadurwraig yn Llundain yw Aliki. Mae'n clebran fel pwll tro, ond mae'n alluog'** *Aliki is a Greek woman who has set up as a journalist in London. She jabbers on, but she's clever* (Tweli Griffiths, 1993: 72).

Pwmp (< *bwmp*) **heb (ddweud/ynganu etc.) pwmp o'm pen** CW *without (saying/uttering etc.) a word* '**Doedd yna neb yno pan aethon ni i mewn, ac mi syrfiodd Crosbi ni heb ddweud pwmp o'i ben'** *There was nobody there when we went in, and Crosbi served us without saying a word* (Twm Miall, 1988: 14).

Pwniad NW *blow, hit* '**Rhoes bwniad i'r hen gono nes oedd o'n baglu dros y ddesg ac yn glanio ar ei din ar lawr'** *I gave the old fogey a hit until he fell across the desk and landed on his arse on the floor* (Robin Llywelyn, 1994: 77).

Pwnio NW *to hit* '**Teimlodd Karl yn ei bwnio yn ei ystlys'** *He felt Karl hitting him in his side* (Islwyn Ffowc Elis, 1990(i): 102).

Pŵr (<E *poor*) **pŵr dab** (<E *poor dab*) SW *poor thing* **'O'dd e mor *embarrassed*, pŵar dab'** *He was so embarrassed, poor thing* (John Owen, 1994: 70).

Pwrpas *purpose* **i bob pwrpas** *to all intents and purposes* **"Roedd y *lansker* yn Sir Benfro i bob pwrpas yn ffin a gadwai ddwy gymdeithas a dwy iaith heb ymgymysgu'** *The lansker in Pembrokeshire was to all intents and purposes a border that kept the two societies and languages from mixing with each other* (Robert Owen Jones, 1997: 167).

Pwrs 1 *bag, purse* **'Y mae angen pwrs diwaelod i brynu o'r siopau bendigedig yma'** *You need a bottomless purse to buy from these excellent shops* (R. Emyr Jones, 1992: 26). **2** SW *dickhead* **'A shwd ma' pethe 'da ti te, 'rhen bwrs?'** *And how are things with you then, you old dickhead?* (Twm Miall, 1990: 137). **3** SW *balls* (male genitalia) **'[Ro'n i i lawr] ym mherfeddion ryc, a felse centipede o studs yn wurlitzo dros y nghefen i. Run pryd roiodd rywun droiad i mhwrs i'** *[I was down] in the middle of a ruck, and it was as though a centipede with studs was waltzing over my back. At the same time someone gave my balls a twist* (Sion Eirian, 1995: 10).

Pwt (bach) NW *love* (term of endearment for child or small animal) **'Pa stori wyt ti isio, pwt bach?'** *What story do you want, love?* (Miriam Llywelyn,1994: 23).

Pwy 1 *who* (interrogative) **"Pwy?'** **'Ti'n gwybod. Y canibal yn Silence of the Lambs"** *'Who?' 'You know. The cannibal in Silence of the Lambs'* (Geraint Lewis, 1995: 32). **2** SW *why* (interrogative) **'Pwy ishte wrth y tân wyt ti ar ddiwrnod braf fel hyn?'** *Why are you sitting next to the fire on a fine day like this?* (Nansi Selwood, 1987: 127). **3** SW indefinite amount or period **'Ffônia Mr Andy, fe roddais i'r rhif i ti bwy noson!'** *Phone Mr Andy, I gave you the number the other evening!* (Mihangel Morgan, 1993(ii): 15). **4** CW *what, which* **'Pwy siort o beth y'ch chi meddwl, Mr Joseph?'** *What sort of thing do you mean, Mr Joseph?* (Dafydd Rowlands, 1995: 75). **5 pwy 'na** (< **pwy yna**) CW *what's-her/his-name, so and so* **Mi wnaeth pwy 'na ffonio i chdi, neithiwr - ti'n gwybod, dw i byth yn cofio ei enw** *What's-his-name phoned for you last night - you know, I can never remember his name.*

Pwyll *discretion, sense* **1 gan bwyll (bach)** (a) LW SW *slowly and carefully* **'Cobyn bach yw ceffyl Philip ac mae e'n depyg i'w berchennog - yn gwneud popeth gan bwyll'** *Philip's horse is a small cob and he's very similar to his master - does everything slowly and carefully* (Nansi Selwood, 1987: 35); (b) LW SW *hold on, steady on* **"Gan bwyll 'nawr, Iorwerth, gan bwyll,' ebe Gwdig. 'Mae Vera wedi'n gwneud ni'n eitha' cysurus"** *'Steady on now, Iorwerth, steady on,' said Gwdig. 'Vera's made us very comfortable'* (Islwyn ffowc Elis, 1990(ii): 86). **2 gan bwyll mae mynd ymhell** (lit *slowly and carefully (one) goes far*) proverb *slow but sure wins the race* **'Aros di. 'Gan bwyll mae mynd ymhell.' Mae isha magu tipyn o nerth, gynta. Ddaw dim niwed i'r llafur am rai dyddia eto'** *You wait. 'Slow but sure wins the race.' You have to gain a bit of strength, first. No harm will come to the wheat for a*

few days yet (Nansi Selwood, 1987: 175). **3 yn fy iawn bwyll** (lit *in my right sense*) *in my right mind, sane* **'Wrth gwrs eu bod nhw'n bwysig. All neb yn 'i iawn bwyll wadu hynny'** *Of course they're important. Nobody in their right mind can deny that* (Eigra Lewis Roberts in Eleri Hopcyn (ed.), 1995: 59). **4 yn fy llawn bwyll** (lit *in my full sense*) *in my right mind, sane* **'Ond y naill ffordd neu'r llall byddai'n anodd esbonio sut y daeth unrhyw un yn ei lawn bwyll i'r cyflwr enbydus hwn'** *But one way or the other it would be difficult to explain how anyone in his right mind came to be in this terrible condition* (Wiliam Owen Roberts, 1987: 79).

Pwys *weight* **1 ar bwys** LW SW *near* **'Ar bwys y ffordd lydan yma y llofruddiwyd yr Arlywydd Sadat'** *Near the wide road here President Sadat was murdered* (R. Emyr Jones, 1992: 124). **2 codi pwys ar rywun** *to make someone (feel) sick, to make someone vomit* **'Alla i ddim aros yng nghwmni'r diawl yma ddim mwy, hogia! Mae o'n codi pwys arna i!'** *I can't stand this bugger's company anymore, lads! He makes me feel sick!* (Vivian Wynne Roberts, 1995: 87). **3 does dim pwys gen i am neb/ddim** NW *I don't care about anyone/anything* **"Efallai ei bod â'i chlust am y pared â ni yn gwrando ar bob gair yr wyt ti'n ei ddeud amdani,' meddai [hi] wrtho. 'Fymrym o bwys gen i"** *'Perhaps she's got her ear the opposite side of the wall to us listening to every word you say about her,' [she] said to him. 'I couldn't care less'* (Alun Jones, 1979: 32). **4 o bwys** *of importance* **"Pwy ... arall sy'n gwybod?' 'Neb o bwys"** *'Who ... else knows?' 'No one of importance'* (Meic Povey, 1995(i): 41).

Pwysau 1 *weight* **'Rwy'n colli pwysau'** *I'm losing weight* (Mihangel Morgan, 1994: 25). **2** *pressure* **'Ond ni allai ddal y pwysau, druan ohoni, a bu'n rhaid iddi fynd i'r ysbyty ym Mhen-y-bont ar Ogwr am gyfnod'** *But she couldn't take the pressure, the poor thing, and she had to go to hospital in Bridgend for a period* (Mihangel Morgan, 1994: 93). **3 wrth fy mhwysau (fy hun)** (lit *at my (own) weight*) *at my own speed, in my own time* **'Wrth ymestyn oriau agor [tafarnau], fe âi pobol adref wrth eu pwysau, bob yn dipyn'** *By extending [pub] opening hours, people would go home in their own time, gradually* (Golwg, 8 September 1994: 3). **4 yn fy mhwysau** (lit *in my own weight*) *at my own speed, in my own time* **'Felly yr euthum ymlaen yn fy mhwysau, fwy neu lai, am y pedair blynedd y bûm yn yr ysgol honno hyd nes cyrraedd at arholiad y C.W.B.'** *So I carried on at my own speed, more or less, for the four years I was at that school until I reached the C.W.B. exam* (Dic Jones, 1989: 124).

Pwysig *important* **hanfodol bwysig** *vitally important* **'Beth sy'n hanfodol bwysig, meddai Mr Williams, yw'r ffaith fod pobl leol yn llawer mwy hyderus'** *What is vitally important, Mr Williams said, is the fact that local people are a lot more confident* (Yr Herald, 23 April 1994: 20)

Pwyso *to weigh* **pwyso a mesur** (lit *to weigh and measure*) *to weigh up* (usually figuratively) **'Fel rheol roedd yn ŵr pwyllog a fyddai wastad yn pwyso a mesur pob dim yn ofalus cyn gwneud unrhyw**

benderfyniad' *As a rule he was a sensible man who would always weigh up everything carefully before making any decision* (Wiliam Owen Roberts, 1987: 23).

Pydru *to rot* **1 pydru arni** LW NW *to keep at it, to persevere* '**[Ces i] gomisiwn gan Ellis Gwyn a Wil Sam o Theatr y Gegin i ysgrifennu drama hir a phydru ati o ddifri**' *[I got] a commission from Ellis Gwyn and Wil Sam from Theatr y Gegin to write a long play and I kept at it in earnest* (Gwenlyn Parry in Eleri Hopcyn (ed.), 1995: 52). **2 pydru (cerdded/ mynd etc.)** LW NW *to (walk/go etc.) quickly* **Wrth bydru mynd ar draws y cae, baglodd y pêl- droediwr drosodd** *While going quickly across the pitch, the football player tripped over* **3 pydru ymlaen** LW NW *to carry on, to drag on* '**pan ddaeth yr arian i ben gadawyd y ddau ar eu pennau eu hunain unwaith eto, i bydru ymlaen orau y medrent**' *when*

the money came to an end the two were left on their own once again, to carry on as best they could (*Barn*, October 1995: 27).

Pyrcs see **porcyn** (note).

Pyrnu (< **prynu**) SW *to buy* '**Pryd ti mynd i byrnu rhai d'unan, gwed?**' *When you going to buy some of your own, say?* (Dafydd Rowlands, 1995: 25).

Pyr'ny (< **y pryd hynny**) SW *that time, then* '**We potsiers ofnadw i gal pyr'ny ...**' *There were terrible poachers around at that time ...* (speaker in Christine Jones and David Thorne (eds.), 1992: 85).

Pythewnos (< **Pythefnos**) SW *fortnight* "**Pryd 'dach chi'n mynd?**' '**Pythownos i nos Wener. Mynd ar ôl te, a dod 'nôl nos Satw'n**" *'When are you going?' 'Fortnight Friday night. Going after tea, and coming back Saturday night'* (Dafydd Rowlands, 1995: 117).

PH ph

Pharo see **twll** (6).

R r

Pronunciation

Frequently the final '**r**' in a limited number of nouns is dropped in colloquial Welsh

aradr	>	arad	plough
finegr	>	fineg	vinegar
ffenestr	>	ffenest	window
llanastr	>	llanast	mess

'**sychod newydd i'r arad**' *new ploughshares for the plough* (Dic Jones, 1989: 241) (* if another syllable follows, the dropped letter is restored in CW, eg **ffenestri** *windows*)

Rafin NW *thug, yob* '**Roedd y gynulleidfa yn Theatr yr Arcadia, Llandudno, yn gymysgedd ryfedd iawn - rafins mewn siacedi lledr, Albanwyr alltud mewn tartan ...**' *The audience in the Arcadia Theatre, Llandudno, were a remarkable mixture - yobs in leather jackets, exiled Scots in tartan ...* (*Golwg*, 14 November 1991: 12).

Ragarúg (< **rhegen yr ŷd**) NW *loud* "**Nage Hywel ma'n nhw'n weud yng Ngheredigion twel ond Hiwel,' medda Ben Bach fatha ragarug yn 'y nghlust sbâr i**' *'They don't say Hywel in Ceredigion you know but Hiwel,' said Ben Bach loudly in my spare ear* (Dafydd Huws, 1990: 75).

Randibŵ SW *noise and bother* '**Chlywes i shwd randibŵ mewn tŷ 'riôd ag odd drws nesa' 'co y bore hwnnw**' *I've never heard such noise and bother in a house as there was nextdoor that morning* (Edgar ap Lewys, 1977: 7).

'**Rargian** (< **yr argian** see entry) NW *goodness me, heavens above* "**Rargian, awn i ddim ar gyfyl y fan**

yn y cyflwr yma' *Heavens above, I wouldn't go near the place in this condition* (Penri Jones, 1982: 115).

'**Rargoel** (< **yr argoel** see entry) NW *goodness me, heavens above* '**O, 'rargol fawr - sbiwch ar ei wyneb hi**' *O, heavens above - look at her face* (Angharad Tomos, 1982: 59).

'**Rarswyd** (< **yr arswyd** see entry) NW *goodness me, heavens above* '**Rarswyd, mi rydwi'n ddigalon heddiw**' *Heavens above, I'm depressed today* (Angharad Tomos, 1982: 15).

Reidio (<E *ride*) CW *to ride* '**A fe a'th Wil i gysgu gan freuddwydio amdano yn cal'l hanner awr ecstra yn y gwely bob bore a reido i'r gwaith heb orfod nido o gefen 'i feic na cher'ed gyment ag un cam**' *And Will went to sleep dreaming about himself having an extra half an hour in bed every morning and riding to work without having to jump on the back of his bike nor walking as much as one step* (Meirion Evans, 1997: 82).

Reit (<E *right*) **1** *really* (adverb) '**Mae o'n gallu bod yn reit beryg a deud y gwir**' *He can be really dangerous to tell the truth* (Margiad Roberts, 1994: 12) (* the adverb usually comes before the adjective, as in the above example, but it can also come afterwards, eg '**Yna'n sydyn dyna hi'n mynd yn dawal reit a syllu i'r tân**' *Then suddenly she went really quiet and stared into the fire* (Jane Edwards, 1989: 43)). **2** *right* (adverb) '**fe'n deffrowyd tua 2.00 o'r gloch y bore gan ffrwydriad uchel reit wrth ymyl y tŷ**' *we were woken up about 2.00 o'clock in the morning by a loud explosion right by the house* (Gareth Miles, 1995: 15). **3 reit dda** NW *very good, very well* '**Ydi Sgrin y Gwifrau'n gweithio yn y tŷ 'ma? Reit dda**' *Does Sgrin y Gwifrau work in this*

house? *Very good* (Robin Llywelyn, 1992: 142).
4 reit ei wala SW *sure enough* '**Ma'r dyn yn** *genius* **reit i wala**' *The man's a genius sure enough* (Dafydd Rowlands, 1995: 79). **5 reit handi** CW *immediately, straightaway* "**Faint ydi'i oed o rŵan?' gofynnodd Mam. 'Bron yn bedwar mis.' 'Pedwar mis! Wel, ma' gofyn ichi ei fedyddio fo'n reit handi**' *'How old is he now?' asked Mam. 'Nearly four months.' 'Four months! Well, you'd better baptise him straightaway'* (Margiad Roberts, 1994: 131). **6 reit siŵr** NW *sure enough* '**Anghofiais i am y peiriant atab, do reit siŵr**' *I forgot about the answer phone, I did sure enough* (Robin Llywelyn, 1992: 8). **7 reit sydyn** NW *immediately, straightaway* '**Sandra! Dos i ofyn i dy fam lle mae hi'n cadw'r Beibl a'r llyfr emyna! Reit sydyn!**' *Sandra! Go and ask your mother where she keeps her Bible and the hymn book! Straightaway!* (Alun Ffred and Mei Jones, 1990: 10). **8 reit ulw (anodd/neis etc.)** NW *really really (hard/nice etc.)* '**A dweud y gwir yn onest roeddwn yn reit ulw ffond o'r hen foi bach**' *To tell the truth I was really really fond of the old lad* (Dafydd Huws, 1990: 106).

Rêl (<E *real*) **1** NW *real* '**Rêl gŵr mawr ydio hefyd**' *He's a real big bloke as well* (Robin Llywelyn, 1992: 12). **2 rêl boi** NW *a real lad* '**Oeddwn i'n rêl boi yn mynd i mewn trwy'r giat i cae efo Bleddyn Ifans Garth, a'r ruban gwyrdd ar fy mrest i**' *I was a real lad going through the gate to the field with Bleddyn Ifans from Garth and the green ribbon on my chest* (Caradog Prichard, 1961: 126).

Reu CW *grass, marijuana* '**Reu ydach chisio, Sabji! Dewch mi awn at y Pân Wala ar gornal Pansh Myrtli**' *Marijuana you want, Sabji! Come on let's go to the Pân Wala on the corner of Pansh Myrtli* (Robin Llywelyn, 1992: 90).

'Rioed (< **erioed**) **1** CW *ever, never* (past only) '**Ddudis i rioed 'mod i'n fyrjin, naddo?**' *I never said I was a virgin, did I?* (Gwenlyn Parry, 1979: 30) (* **'rioed** has strong negative connotations, and thus **ni(d)** and **ddim** are frequently omitted, as in the above example). **2** CW *always* (in the past) "**Sdim isho fi ddysgu Cymraeg yli ... Cymraeg ma'r cofis yn siarad 'rioed**' *You don't need to teach me Welsh you know ... Caernarfon people have always spoken Welsh* (Dafydd Huws, 1978: 16).

Rip-rap CW *one after the other* '[**Yr oedd] pedwar o geffyle wedi trigo yn Creigfryn, rip rap ar ôl ei gilydd**' *Four horses had died at Creigfryn, one after the other* (Francis Thomas in Beth Thomas and Peter Wyn Thomas (eds.), 1989: 122).

Robaitsh see Appendix 19.06.

'Roeddwn i, 'roeddet ti etc. see Appendix 5.01.

'Ro'n i, 'ro't ti etc. see Appendix 5.01.

Rong (<E *wrong*) CW *wrong* '**Hyd yn oed pan o'n i'n rong ... o'n i'n uffernol o styfnig, dallt**' *Even when I was wrong ... I was bloody stubborn, you understand* (Gwenlyn Parry, 1979: 93).

'Rom (< **gronyn**) NW *a bit* '**Ella mai 'rom bach yn foliog ydi o**' *Perhaps he's a little bit podgy* (Margiad Roberts, 1994: 209).

Rotshiwn (< **erioed ffashiwn**) **rotshiwn beth** NW *such a thing* '**welsoch chi rioed rotsiwn beth!**' *did you ever see such a thing!* (Gareth Miles, 1995: 37).

Rownd (<E *round*) **1 rownd y byd** CW *around the world, throughout the world* '**Pam defnyddio actorion sy'n ddi-Gymraeg i bob pwrpas pan fo digonedd o actorion Cymraeg a allai wneud y job gan mil gwell ar gael? Yr ateb ydi am fod y rhaglenni yn cael eu gwneud yn Saesneg hefyd er mwyn cael eu gwerthu rownd y byd**' *Why use actors who are non-Welsh-speaking to all intents and purposes when there are plenty of Welsh actors available who could do the job a hundred thousand times better? The answer is because the programmes are made in English as well in order to be sold around the world* (*Golwg*, 24 November 1994: 29). **2 rownd y flwyddyn** CW *all year round* '**Mae hi'n ddigon boring yn yr hen le 'ma rownd y flwyddyn, ond mae hi fel tasai'n waeth yma yn ystod yr haf**' *It's boring enough in this old dump all year round, but it's as though it's worse here during the summer* (Twm Miall, 1988: 130). **3 rownd y rîl** NW *all the time* '**maen nhw â'u cyllyll yng nghefn rhywun rownd y rîl**' *they've got their knives in someone's back all the time* (Twm Miall, 1988: 13).

'Run (< **yr un**) CW *(not) a single one* "**Pa stalwyn gath hi Defi?' 'Dene'r drwg. Chath hi 'run**' *'Which stallion did she have Defi?' 'That's the problem. She didn't get a single one'* (Simon Jones, 1989: 76).

Rw (< **rhyw**) CW *some* (see **rhyw** for examples of meaning) '**Mewn difri calon, pwy sydd eisiau gwrando ar rw rwtsh felna?**' *In all seriousness, who wants to listen to some old rubbish like that?* (Twm Miall, 1988: 44).

Rŵan (< **yr awr hon**) NW **nawr** LW SW *now* **rŵan hyn** NW *now, this minute* '**Rydw i'n mynd i roi terfyn ar y lol yma rŵan hyn. Rho'r gwn 'na i mi**' *I'm going to put an end to this nonsense this minute. Give me that gun* (Gareth Miles, 1995: 105).

Rwbath (< **rhywbeth**) NW *anything; something* (see **rhywbeth** for examples of meaning) "**Be oedd hynna?' 'Be?' 'Rwbath ...' 'Chlywis i ddim**' *'What was that?' 'What?' 'Something ...' 'I didn't hear anything'* (Gwenlyn Parry, 1979: 48).

Rwden LW NW **swejen** LW SW *swede*

Rwdins LW NW **swêj** LW SW *swedes*

Rwdlan NW *to waffle* "**Mae o fel Llyn Llydaw ynghanol mis Ionawr.' 'Paid â rwdlan**" *'It's like Llyn Llydaw in the middle of January.' 'Don't waffle'* (Alun Jones, 1979: 146).

Rwla (< **rhywle**) NW *anywhere; somewhere* (see **rhywle** for examples of meaning) '**Mi ellwch chi fynd i rwla'n y wlad 'ma i chwilio am waith 'chi Mr Jones**' *You can go anywhere in this country to look for work you know Mr Jones* (Dafydd Huws, 1978: 5).

Rwtsh CW *nonsense, rubbish* '**Rydyn ni'n licio'r teledu ac yn ei wylio bob nos er bod gormod o rwtsh yn cael ei ddangos y dyddiau hyn**' *We like the television and watch it every night although too much rubbish is shown these days* (Mihangel

Morgan, 1994: 47) (* also in Anglesey **rwtsh gybôl**, eg '**Dyn call, Dewyrth John ... credu mewn gneud petha'n iawn ... Dim rhyw addewidion gwely anga a rhyw rwtj gybôl**' *Sensible man, Uncle John ... believes in doing things properly ... Not deathbed*

promises and such nonsense (Jane Edwards, 1989: 51)).

'**Rydw i etc.** see Appendix 1.01.

Rynto i, ryntot ti etc. see Appendix 16.11.

RH rh

Rhaca LW SW **cribin** LW NW *(garden) rake*

Rhacs 1 *mess, ruined* '**[Mae'n] gallu dangos siwd o'dd y mywyd i'n mynd yn rhacs**' *[It] can show how my life was going to be a mess* (Sion Eirian, 1995: 46). **2 (blino/drysu etc.) yn rhacs** CW *to be completely (drunk/confused etc.)* '**Roeddwn i wedi blino'n rhacs neithiwr** *I was totally exhausted last night.* **3 rhacs (gaib)** CW *totally drunk* **Yr oedd fy nhad yn rhacs gaib yn y dre nos Sadwrn** *My father was totally drunk in town on Saturday night.* **4 rhacs gyrbibion** NW *totally ruined* '**Pwy fydda'n ddigon gwirion i roi benthyg i chdi? Mi falist gar Modryb Beryl tro hwnnw, 'i falu yn racs grybibion**' *Who'd be stupid enoough to lend it to you? You smashed up Auntie Beryl's car that time, smashed it up into a total ruin* (Meic Povey, 1995(ii): 70). **5 rhacs jibidêrs** CW *totally ruined* '**Ylwch, ddown ni byth o 'ma tan ben llanw ac mae'n debyg y bydd y cwch yn racs jibidres erbyn hynny**' *Look, we'll never get out of here until high tide and it's likely that the boat will be totally ruined by then* (Penri Jones, 1982: 19).

Rhacsio *to ruin, to wreck* '**Mwyaf sydyn dyma fi'n dechra teimlo cwilydd ofnadwy bo fi wedi racshio'r nyth buo ni'n ei rigio mor ddel ers misoedd**' *All of a sudden I started to feel terribly ashamed that I had wrecked the nest that we had been rigging up so nicely for months* (Dafydd Huws, 1990: 21).

Rhacsyn CW *mess, ruin, wreck* '**Aethom yno mewn racsyn o hen gar**' *We went there in a wreck of an old car* (Alan Llwyd, 1994: 106).

Rhad 1 *cheap* '**Ma'r lle'n mynd i ddŵad yn rhad, Huw**' *The place is going to come cheap, Huw* (Sonia Edwards, 1994: 79). **2** SW *free* '**Aeth [ef] i'r Amgueddfa. Arferai fynd yno'n aml. Câi fynd i mewn i le sych yn rhad**' *[He] went to the Museum. He used to go there frequently. He could go into a dry place for free* (Mihangel Morgan, 1993(ii): 38). **3 a geir yn rhad a gerdd yn rhwydd** *proverb easy come easy go* '**Wedi'r cwbwl, 'a geir a yn rhad a gerdd yn rhwydd**' - mae'r hen air yn wir bob tamaid am ferched' *After all, 'what is had cheaply is easily lost' - the old proverb is every bit as true about girls* (Marion Eames, 1969: 108). **4 yn rhad ac am ddim** *for free, gratis* '**Ti ar beth da man hyn on' dwyt ti? Llety, bwyd a ... phob dim arall ... ar blât yn rhad ac am ddim**' *You're on to a good thing here aren't you? Lodgings, food and ... everything else ... on a plate for free* (Dafydd Huws, 1990: 36).

Rhaffu *to rope* **rhaffu (brawddegau/celwyddau etc.)** *to string (sentences/lies etc.) together* '**Be ffwc oedd y boi 'ma'n batro? Lle oedd o'n cael ei syniada?**

Rhaffu clwydda a thaeru bo nhw'n wir ...' *What the fuck was this boy prattling on about? Where was he getting his ideas from? Stringing lies together and swearing that they were true ...* (Dafydd Huws, 1990: 121).

Rhag ofn *(just) in case* '**Estyn dy ddisgl, Angharad, rhag ofn y bydd hi'n sâl**' *Pass your bowl, Angharad, just in case she's ill* (Rhiannon Davies Jones, 1977: 113).

Rhagof i, rhagot ti etc. see Appendix 16.10.

Rhagor 1 *more* (nouns only) '**Diwetydd da i ti nawr. Do's gen i ddim rhacor o amser i wilia**' *Good evening to you now. I haven't got any more time to chat* (Nansi Selwood, 1987: 23). **2** *any more* (negative) "**Ydach chi'n fodlon?**' '**Nag'dw, fydda' i byth yn fodlon rhagor**" *'Are you satisfied?' 'No, I'll never be satisfied any more'* (Wil Sam, 1995: 222). **3** *rather* '**Fel arfer [y mae'r Almaenwr yn] hoffi bwyta ei brif bryd ganol dydd rhagor nag yn yr hwyr**' *Usually [the German] likes to eat his main meal at midday rather than in the evening* (R. Emyr Jones, 1992: 93).

Rhai (as a possessive pronoun) see Appendix 15.10(iii).

Rhaid *necessity, need* (see also Appendix 13.09-13.10) **o raid** *by necessity, through necessity* '**Ew, gwirion o ddewis 'ta gwirion o raid wyt ti? Y?**' *Heck, are you stupid through choice or through necessity? Eh?* (Wil Sam, 1995: 86).

Rhain (< **y rhai hyn**) *these* '**O ble y cafodd Edwart y rhain a pham roedd e'n eu cadw nhw fel hyn?**' *Where did Edwart get these from and why was he keeping them like this?* (Mihangel Morgan, 1992: 24) (* **rhain** must always be preceeded by the definite article, **y** *the*, as in the above example).

Rhan *part* **1 ar ran** *on behalf of* '**Dydyn nhw ddim yno ar ran pobol Cymru i ddwyn pwysau ar y Llywodraeth**' *They are not there on behalf of the people of Wales to bring pressure on the Government* (*Golwg*, 20 April 1995: 8). **2 dod i ran rhywun** *to become of someone, to happen to someone* '**Beth bynnag a ddaw i'w ran fe fyddwn i gyd yn gyfoethach o'i glywed, o'i weld ac o'i adnabod**' *Whatever becomes of him we will all be the richer for hearing him, for seeing him and for knowing him* (*Western Mail*, 23 April 1994: (Weekender) 4). **3 o ran** (a) *by way of, for, in the way of* '**Ond yr oedd [y ceffyl] hwn yn wahanol. Neidiai o ran hwyl, am wn i**' *But this [horse] was different. He used to jump for fun, as far as I know* (Dic Jones, 1989: 35); (b) *from the point of view of* '**O ran arddull a chywirdeb iaith maent oll yn**

gymharol gydradd er fod un neu ddau yn rhy flodeuog' *From the point of view of style and correctness of language they are all more or less equal although one or two are too flowery* (W. Rhys Nicholas, 1988: 15). **4 o ran hynny** *as far as that is concerned, for that matter* **'Hyd yma chefais i mo'r cyfle i holi arlywydd, na brenin o ran hynny'** *Until now I haven't had the chance to interview a president, nor a king for that matter* (Dewi Llwyd in Dylan Iorwerth (ed.), 1993: 136). **5 y rhan amlaf** *for the most part* **'[Roedd e] ychydig bach yn siometig gan taw fe, ran amla, o'dd yn trefnu trips ym Mhontafon'** *[He was] a little bit disappointed since he, for the most part, use to arrange trips in Pontafon* (Dafydd Rowlands, 1995: 115). **6 y rhan fwyaf** *the majority, the most part* **'Tir a gwartheg ydi achos y rhan fwya o gwffio a welwch chi'r ffordd yma'** *Land and cattle is the cause of the majority of fighting you'll see in these parts* (Wiliam Owen Roberts, 1987: 27) (* the noun **mwyafrif** *majority* is used with absolute numbers, for example in mathematics or politics, while **y rhan fwyaf** is used extensively in CW in reference to more general amounts). **7 y rhan fynychaf** LW SW *for the most part* **'Ran fynycha', mae'r holl drefniadau sy'n cael eu gwneud i sicrhau cynhyrchu rhaglenni mewn gwlad estron yn mynd yn ddi-rwystr'** *For the most part, all the arrangements, done to safeguard producing [television] programmes abroad, go ahead without hindrance* (*Television Wales*, 31 August 1996: 9).

Rhaniad LW CW **rhesen (wen)** LW NW *(hair) parting*

Rhawg see **ymhen** (2)

Rhech CW *fart* **rhech** can also be used adjectivally in CW to indicate something worthless, most notably in the set phrases **ci rhech** *a useless dog* and **rhech dafad** (lit *sheep's fart*) CW something totally worthless **'Y cwbwl a welai Gregor oedd cloben o ddynes fawr a gwallt mawr ar dop ei phen yn llusgo ci rhech ar ei hôl'** *All that Gregor saw was a big fat woman with a lot of hair on top of her head dragging a useless dog behind her* (Robin Llywelyn, 1994: 37); **'Dydi teyrngarwch ynddo'i hun ddim gwerth rhech dafad yng ngolwg Paul'** *Loyalty is worth bugger all in Paul's opinion* (Wil Sam, 1995: 245).

Rhefru NW *to go on, to jabber on* **'Mae'i cheg hi cymaint â'i thin hi, a'r un mor brysur, a does gen i ddim amser i wrando arni'n rhefru heddiw'** *Her mouth is as big as her arse, and just as busy, and I haven't got time to listen to her jabbering on today* (Vivian Wynne Roberts, 1995: 72).

Rhegi 1 *to swear* **'Mi wn i o'r gora na neith hi mo'r tro i weiniodog parchus regi'n gyhoeddus'** *I know very well that it wouldn't do for a respectable minister to swear in public* (Wil Sam, 1997: 53). **2** *to curse* **"Ia,' ychwanegodd Tecwyn, 'a phwy wyt ti'n mynd i gael i'w regi, 'te, Arthur?"** *'Yes,' added Tecwyn, 'and who are you going to have to curse, then, Arthur?'* (Alun Ffred and Mei Jones, 1990: 25).

Rhei'cw (< **y rhai acw**) NW *them, those* **'Mi roth 'y nghalon i dro pan weles i [y defaid]. Sut gythgam ydw i'n mynd i gal y rhei'cw o'cw heb i'w styrbio

nhw?'** *My heart gave a start when I saw [the sheep]. How the hell am I going to get them from there without disturbing them?* (Islwyn Ffowc Elis, 1974: 41) (* **rhei'cw** must always be preceeded by the definite article, **y** *the*, as in the above example).

Rheidrwydd *necessity* **o reidrwydd** *by necessity, through necessity* **'Ond a ydi hynny o reidrwydd yn golygu fod yn rhaid i S4C gael ei gohebydd ei hun yn y fan a'r lle?'** *But does that mean by necessity that S4C has got to have its own correspondent in the very place?* (Dewi Llwyd in Dylan Iorwerth (ed.), 1993: 133).

Rheina (< **y rhai yna**) CW *them, those* **'a beth am yr holl bobl ddiog, faint o'r rheina a ddisgyblwyd er sefydlu'r egwlys?'** *and what about all the lazy people, how many of those were disciplined since the establishment of the church?* (Mihangel Morgan, 1993(ii): 121) (* **rheina** must always be preceeded by the definite article, **y** *the*, as in the above example).

Rheiny (< **y rhai hynny**) LW CW *them, those* **'Ond yn bennaf oll [dw i'n] cofio treio siarad Cymraeg, i gael peidio â bod yn wahanol i'r plant eraill, ond y rheiny'n mynnu troi i'r Saesneg efo mi'** *But most of all [I] remember trying to speak Welsh, in order not to be different from the other children, but those [children] insisted on turning to English with me* (Marion Eames in Eleri Hopcyn (ed.), 1995: 5) (* **rheiny** must always be preceeded by the definite article, **y** *the*, as in the above example).

Rhemp *excess* **(mynd) yn rhemp** *(to become) like the plague* **'fe alla'i ddweud yn hollol onest bod cyffuriau a diod yn rhemp'** *I can say totally honestly that drugs and drink are a plague* (*Golwg*, 24 March 1994: 11).

Rhesen (wen) LW NW **rhaniad** LW CW *(hair) parting*

Rheswm *reason* **wrth reswm (pawb)** *of course, within reason* **'Roedd yr wythnos ddiwetha'n un drist i ferched ... am fod dwy ddynes gyhoeddus wedi gwneud sioe ohonyn nhw eu hunain. Y gynta', wrth reswm pawb, oedd Fergie'** *Last week was a sad one for women ... because two public women had made a show of themselves. The first, of course, was Fergie* (*Western Mail*, 30 January 1996: 9).

Rhew LW NW Pembs **iâ** LW SW *ice*

Rhewi LW CW **fferru** LW NW **sythu** LW SW *to freeze* **1 rhewi'n gorn** *to freeze solid* **'Ma' bob peipan a chafn a phwll wedi rhewi'n gorn'** *Every pipe and trough and pool has frozen solid* (Margiad Roberts, 1994: 23). **2 rhewi'n dalp** *to freeze solid* **'Fe a' i â chi lan ati. Mae fel pe bai wedi'i rhewi'n dalp'** *I'll take you up to her. It's as though she's frozen solid* (Nansi Selwood, 1987: 252).

Rhif *number* **rif y gwlith** (lit *number of the (morning) dew*) *numberless amount, infinite amount* **'roedd llythyron eraill, rif y gwlith, yn powlio i lawr y grisiau'** *there were other letters, an infinite amount, rolling down the stairs* (Robin Llywelyn, 1994: 178) (* note the mutation of **rhif** in the idiom).

Rhigol *groove, rut* **mynd i rigol** (lit *to go to a rut*) *to get stuck in a rut* **'Mae'n hawdd mynd i rigol wrth sôn jyst am rai petha o hyd'** *It's easy to get stuck in a rut* *while just talking about some things again and again* (Wil Sam, 1995: 11).

Rhisiart *Richard* **Rhisiart a Glenys** CW (lit *Richard and Glenys*) supposed archetypal middle class, middle-aged Welsh-speaking couple **'Wrth gwrs fod yna Rhisiarts and Glenysus sy'n troi trwyn ar bawb sy'n methu â threiglo'n deche neu'n methu â fforddio telyn'** *Of course there are Richards and Glenyses who turn their noses up at everyone who can't mutate correctly and who can't afford a harp* (*Golwg*, 1 June 1995: 3).

Rhoces Pembs *girl* **"Helo, rocesi', medde Joe, dan werthin'** *'Hello, girls,' said Joe laughing* (Nora Richards in Gwyn Griffiths (ed.), 1994: 69) (* see also **'es**).

Rhocyn Pembs *lad* **'hen ddyn ffein yw Dafy, mor shonc 'i sharad a'i glyw â rocyn ifanc'** *Dafydd is a fine old bloke, his conversation and hearing as sharp as a young lad's* (Nora Richards in Gwyn Griffiths (ed.), 1994: 62).

Rhochian *to grunt* **rhochian cysgu** *to sleep noisily* **'[Mi wnes i] nelu am y ciando lle oedd Joni Wili 'mrawd yn rhochian cysgu ers oria ar ôl sesh pnawn'** *I headed for bed where my brother Joni Wili had been sleeping noisily for hours after the afternoon drinking session* (Dafydd Huws, 1990: 13).

Rhod *wheel* **1 mae'r rhod yn troi** (lit *the wheel turns*) the wheel has come full circle **'mae'r rhod wedi troi ac erbyn hyn maen nhw'n ymddangos yn rhinweddau braidd yn hen ffasiwn'** *the wheel has come full circle and by now they appear rather old fashioned virtues* (Mary Wiliam, 1978: 107). **2 o rod i rod** (lit *from wheel to wheel*) from generation to generation **'Mae gweledigaeth yn syml a sefydlog. Ond gwelai Harri nad felly'r cyfrwng, gall hwnnw newid o rod i rod; ac felly y bu hi'** *A vision is simple and established. But Harri saw that the medium was not thus, that that could change from generation to generation; and so it was* (*Barn*, February 1995: 16).

Rhoi LW CW **dodi** LW SW *to place, to put* **1 rhoi amdanaf** *to put on* (clothes) **'Aeth Mary at y gist fawr a thynnodd allan yr ŵn wlanen, goch. Ceisiodd ei rhoi amdani, a gwenodd Gwenni'** *Mary went over to the large box and pulled out the red woollen gown. She tried to put it on, and Gwenni smiled* (Nansi Selwood, 1987: 78). **2 rhoi braw i rywun** *to startle someone* **'roedd rhyw olwg llwglyd wyllt arno, fel pe bai rhywbeth wedi rhoi braw iddo o'r newydd'** *he looked sort of wild and hungry, as though something had startled him anew* (Wiliam Owen Roberts, 1987: 95). **3 rhoi benthyg rhywbeth i rywun** *to lend something to someone* **'Dwi wedi rhoi menthyg un gardigan iddi hi am ei bod hi'n cwyno'i bod yn oer'** *I've lent her a cardigan because she was complaining it was cold* (Angharad Tomos, 1985: 18). **4 rhoi clec ar fy (mawd/nhafod etc.)** *to click my (finger/tongue etc.)* **'Edrach i'r to ddaru Bet ac ysgwyd ei phen mewn anobaith a rhoi clec ar ei thafod yr un pryd'** *Bet looked up to the ceiling and shook her head and tutted at the same time* (Margiad Roberts, 1994: 68). **5 rhoi clec i ddiod** (lit *to give a drink a bang*) CW *to down a drink in one go, to knock back a drink* **'Roedd hi'n nesu at stop**

tap yn y Stag, a Roger wedi'i dal hi ... Rhoddodd glec i wisgi bychan cyn troi yn ôl at ei beint o seidr'** *It was getting on to stop-tap in the Stag, and Roger was drunk ... He knocked back a small whisky before turning back to his pint of cider* (Angharad Jones, 1995: 88). **6 rhoi coel ar rywbeth** *to believe something, to give credence to something, to give something credibility* **"Doedd dim modd rhoi coel ar y stori, wrth gwrs'** *There was no way of giving the story credibility, of course* (Alan Llwyd, 1994: 105). **7 rhoi cynnig ar rywbeth** *to give something a try* **'Os byddai'r ddawn yn wirioneddol ddiffygiol, bydden ni'r merched yn magu hyder i roi cynnig arni ein hunain'** *If the skill was really lacking, us girls would pluck up courage to give it a try ourselves* (Marion Eames in Eleri Hopcyn (ed.), 1995: 4). **8 rhoi'r ffidil yn y to** (lit *to put the fiddle in the roof*) *to give up* **'Penderfynodd Glyn Davies roi'r ffidil yn y to ar ôl ail adroddiad feirniadol ar weithgareddau'r Bwrdd'** *Glyn Davies decided to give up after the second critical report on the Board's activities* (*Y Cymro*, 18 May 1994: 5). **9 rhoi'r gorau i rywbeth** *to give up something* **'Mae chwarter y bobol sy'n pysgota gyda chyryglau ar Afon Tywi ger Caerfyddin yn mynd i roi'r gorau iddi'** *A quarter of the people who fish with coracles on the River Tywi near Carmarthen are going to give it up* (*Golwg*, 23 September 1993: 7). **10 rhoi gwybod i rywun** *to inform someone* **'roedd hefyd yn anelu at roi gwybod i'r Cymry gartre' am fywyd eu cyd-wladwyr a ymfudodd tros yr Iwerydd'** *he was also aiming at informing Welsh people at home about the lives of their fellow countrymen who had emigrated across the Atlantic* (Dylan Iorwerth, 1993: 104). **11 rhoi heibio rhywbeth** *to give up something, to stop something* **'A bod yn fanwl gywir, penderfynais roi heibio'r Llywyddiaeth ym Mehefin 1984'** *To be strictly correct, I decided to give up the Presidency in June 1984* (Dafydd Wigley, 1993: 162). **12 rhoi stop ar rywbeth** *to put a stop to something* **'Rhoddodd hynny hefyd stop ar yr enedigaeth eiriol am gyfnod'** *That also put a stop to the verbal birth for a period* (D. Elwyn Jones, 1991: 7). **13 rhoi taw ar rywbeth/rywun** *to silence something/someone* **'Ond doedd dim dewin fedrai roi taw ar Mos unwaith y dechreuai'** *But there wasn't a magician who could silence Mos once he had started* (Jane Edwards, 1993: 94). **14 rhoi traed arni** (lit *to put a foot on it*) CW *to hurry, to shift* **'Traed dani rŵan neu mi fydd Prydderch y Sgŵl yn disgwyl amdanoch chi yn y drws efo' gansan'** *Hurry up now or Prydderch the schoolteacher will be waiting for you at the door with his cane* (Miriam Llywelyn, 1992: 31). **15 rhoi yng ngwlych** LW SW **mwydo** LW NW **socian** LW CW **trochi** LW NW *to soak* (clothes etc.) **'Rydach chi wrthi hi'n ddi-stop o tua saith nos Sadwrn, o'r funud rydach chi'n rhoi reis yn wlych'** *You're at it non-stop from about seven o'clock Saturday night, from the minute you soak the rice* (Wil Sam, 1995: 235).

Rhoid (< **rhoi**) NW *to place, to put* **'Frogit odd y nesa i roid pwniad i fi pan ddechreuish i chwrnu nes 'mlaen'** *Frogit was the next to give me a hit when I started to snore later on* (Dafydd Huws, 1978: 62).

Rhos see Appendix 18.06.

'Rhoswch see Appendix 10.05.

Rhoth see Appendix 4.05(vi).

Rhowd see Appendix 12.04(v).

Rhwdlan see rwdlan

Rhwng LW CW rhynt SW between

Rhwym bound rhwym o (ddigwydd/fynd etc.) bound to (happen/go etc.) 'Ni threfnwyd mo'r cyfarfod cyfrinachol hwn ymlaen llaw. Roedd yn rhwym o ddigwydd' This secret meeting was not arranged beforehand. It was bound to happen (Mihangel Morgan, 1994: 75).

Rhybudd warning ar fyr rybudd at short notice 'A sgwn i pam nad ydyn nhw yma? Rydach chi wedi galw'r cyfarfod yma ar fyr rybudd' And I wonder why they aren't here? You've called this meeting at short notice (Eirug Wyn, 1994: 158).

Rhych furrow 1 (na) rhych na chefn (lit furrow nor unploughed field) head or tail O'n i'n methu gwneud rhych na chefn o'r nodiadau blêr yn y llyfr I couldn't make head or tail of the untidy notes in the book. 2 (na) rhych na gwellt (lit furrow nor grass) head or tail "Dwn i'm', meddwn inna'n methu gneud rhych na gwellt o'i baldaruo fo' 'I dunno', I said failing to make head or tail of his nonsense (Robin Llywelyn, 1992: 46). 3 (na) rhych na rhawn (lit furrow nor horse hair) head or tail 'Ond er bod eu hathrawon yn methu â gwneud rhych na rhawn ohonynt, roeddent yn medru cyfathrebu â'i gilydd mewn arwyddion' But although their teachers couldn't make head or tail of them, they could communicate with each other in signs (Golwg, 17 April 1997: 12).

Rhydd free rhydd i bawb ei farn, ac i bob barn ei llafar proverb everyone (is) free to his opinion, and to each opinion its utterance "Un gwirion iawn ydw i'n dy gael di.' 'Rhydd i bawb ei farn' 'I find you a very stupid person.' 'Everyone is free to his opinion' (Wil Sam, 1995: 27).

Rhyfedd strange, wonderful 'does rhyfedd CW no wonder 'Does ryfadd nad ydi o'n siarad efo hi' No wonder he isn't speaking to her (Meic Povey, 1995(ii): 22).

Rhygnu to grate, to rub 1 rhygnu arni LW NW to plod on 'Fedrwn i'm [boddi fy hun], 'chan. Gweld pobman mor ddel. Meddwl y basa'n well imi rygnu arni am sbel eto' I couldn't [drown myself], mate. Saw everything so pretty. Though it'd be better for me to plod on for a spell yet (Jane Edwards, 1989: 33). 2 rhygnu byw LW NW to scrape a living, to scrape by 'Erbyn yr ail ganrif ar bymtheg nid oedd y drefn farddol draddodiadol ond megis yn rhygnu byw' By the seventeenth century the traditional bardic order was barely scraping by (Robert Owen Jones, 1997: 155). 3 rhygnu ymlaen LW NW to carry on, to drag on 'Dim ond mewn amgylchiadau eithriadol y gellir cyfiawnhau rhygnu ymlaen pan fyddai newid ychydig ar y trywydd yn dod â llwyddiant yn lle methiant' Only in exceptional circumstances can carrying on be justified when a slight change in the trail brings success instead of failure (Dafydd Wigley, 1992: 41).

Rhyngof i, rhyngot ti etc. see Appendix 16.11.

Rhynt SW rhwng LW CW between

Rhyw 1 sex beth ydi rhyw'r anifail 'ma? What's the sex of this animal? 2 any, some 'Welsoch chi ffos? Ceunant? Pwll? Cafn? Dŵr? Ar y ffordd yma? Rhyw ddiferyn?' Did you see a ditch? A ravine? A pool of water? A gutter? Water? On the way here? Any drop [of water]? (Wiliam Owen Roberts, 1987: 60). 3 CW bloody (intensifying adjective) 'Fydda' i ddim fel ti, ta beth. Byw fel ryw wadden, byth yn gweld golau dydd' I wouldn't be like you, anyhow. Living like some bloody mole, never seeing daylight (Geraint Lewis, 1995: 9). 4 CW a bit, sort of (before verb-nouns) 'rwy'n rhyw deimlo fod y gyfres [deledu] ar ei hyd wedi blino' I sort of feel that the [television] series throughout has become tired (Golwg, 29 September 1994: 29). 5 o'r iawn ryw of the right sort 'Yr oedd yn dyddynnwr a garddwr o'r iawn ryw' He was a crofter and gardener of the right sort (Dic Jones, 1989: 109). 6 rhyw dipyn a bit, some 'Fe aeth [e] ati i roi rhyw dipyn o ragymadrodd cyn dod at y cwestiwn mawr, holl bwysig' [He] went at it to give a bit of an introduction before coming to the all-important, big question (Edgar ap Lewys, 1977: 82). 7 rhyw gymaint a bit, some 'Rydw i'n credu i'r achlysur hwnnw effeithio rhyw gymaint ar ein perthynas' I think that that occasion affected our relationship a bit (Angharad Tomos, 1991: 7). 8 rhyw lawer (not) very much 'Ni chysgodd y Rhaglaw rhyw lawer' The Governor didn't sleep very much (William Owen Roberts, 1987: 89). 9 rhyw ychydig a (little) bit 'Er unioned ei annel fel rheol, yn enwedig lle'r oedd 'nelu cerrig at boteli pyst telffon yn y cwestiwn, methodd o ryw ychydig' Despite the accuracy of his aim usually, especially where aiming stones at bottles on telephone posts was in the question, he failed by a little bit (Dic Jones, 1989: 115).

Rhywbeth 1 something 'Byddai rhywbeth yn siwr o ddigwydd maes o law' Something was sure to happen later on (Wiliam Owen Roberts, 1987: 183). 2 anything "Wel'ist ti het Anti Dora?' 'Do.' 'Mi wisgith honna rywbeth" 'Did you see Auntie Dora's hat?' 'Yes, I did.' 'She'll wear anything' (John Gwilym Jones, 1976: 58). 3 rhywbeth-rywbeth CW any-old-thing 'doedd y golygydd na'i bartner ddim yn fodlon ar greu 'rwbath rwbath" neither the editor nor his partner were content with creating 'any-old-thing' (Yr Herald, 21 January 1995: 3).

Rhywle 1 somewhere 'Rhywle yn y coed, yn uchel ar y creigiau roedd rhywun yn gwylio' Somewhere in the trees, high on the rocks someone was watching (Wiliam Owen Roberts, 1987: 147). 2 anywhere 'Llan-y-groes, ia? Rhyfedd inni fod heb gyfarfod yn rhywle o'r blaen' Llan-y-groes, eh? Strange that we haven't met anywhere before (John Gwilym Jones, 1976: 62). 3 rhywle-rywle all over the place, everywhere 'oedd ei lys o fel nyth morgrug a phawb yn rhedeg i rwla rwla' his court was like an ant's nest and everyone was running all over the place (Robin Llywelyn, 1992: 82).

Rhywrai some people 'Roedd rhywrai wedi ymosod ar gartre' teulu'r bachgen nos Lun' Some people had attacked the home of the boy's family Monday night (*Golwg*, 1 February 1996: 6).

Rhywsut *somehow* **rhywsut-rhywsut** *any-old-how* '**Camodd pawb rywsut rywsut dros y gwair hir gwlyb yn rhannu ambarel efo'r naill a'r llall**' *Everybody strode any-old-how across the long wet grass sharing an umbrella with one another* (Angharad Tomos, 1991: 131).

Rhywun 1 *someone* '**maen nhw â'u cyllyll yng nghefn rhywun rownd y rîl**' *they've got their knives in someone's back all the time* (Twm Miall, 1988: 13). **2** *anyone* '**I rhywun oedd ar ei ben ei hun, yn ysu i

gyrraedd yr hwyl, roedd [y rhaglen deledu yn] berffaith er mwyn codi'r ysbryd**' *To anyone who was on his own, itching to reach the fun, [the television programme] was perfect to raise spirits* (*Golwg*, 20 March 1997: 25). **3** *one* (unspecified pronoun) '**Yr oedd hi, fel y buasai rhywun yn disgwyl, yn deall y sefyllfa i'r dim**' *She, as one would expect, understood the situation exactly* (Dafydd Huws, 1990: 252). **4 rhywun-rhywun** *any-old-so-and-so, any old Tom, Dick and Harry* '**Ddim yn ffysi, 'neiff rhywun rywun y tro**' *Not fussy, any old so-and-so will do* (Jane Edwards, 1993: 39)

S s

Pronunciation

1 In South Wales '**s**' is often pronounced '**sh**' after an '**i**'

dewis	>	dewish	*to choose*
disgwyl	>	dishgwl	*to look* (SW)
isel	>	ishel	*low*
mis	>	mish	*month*
pris	>	prish	*price*

'**Dishgwl ar ôl dy hunan**' *Look after yourself* (Twm Miall, 1990: 176)

2 In North Wales the final '**s**' is occasionally pronounced '**sh**' in the first person singular in the simple past (the primordial forms **es i** and **des i** are more common) and a very limited number of other words, most notably **ots** *care*

ces i	>	cesh i	*I got*
des i	>	desh i	*I came*
ots	>	otsh	*care*

'**Ddesh i adra o'r gwaith**' *I came home from work* (Dafydd Huws, 1978: 52)

3 '**Si**' can be pronounced '**sh**' when a consonant follows, and is normally pronounced '**sh**' when a vowel follows. It is common in more informal texts for the spelling to reflect this pronunciation

| sinach | > | shinach | *fool* |
| siŵr | > | shiŵr | *sure* |

'**mi oedd y shinach bach Preis yna'n gwbod hefyd**' *that little idiot Preis knew as well* (Gwenlyn Parry, 1979: 93)

'**Sa fo, 'sa hi** etc. see Appendix 9.03(iv).

'**Sa i, 'sa ti** etc. see Appendix 1.06(i).

Saff (<E *safe*) **1** NW *safe* '**Gyrhaeddodd Drudwen adra'n saff 'ta?**' *Did Drudwen arrive home safely then?* (Margiad Roberts, 1994: 138). **2** NW *certain, sure* '**Ac er 'mod i wedi hen arfar hefo Now yn siarad yn ei gwsg ma' un peth yn saff, dydw i ddim am ddechra dŵad i arfar hefo fo'n canu!**' *And although I've long since got used to Now talking in his sleep, one thing is certain, I don't want to start getting used to him singing!* (Margiad Roberts, 1994: 91). **3 saff Dduw** NW *absolutely certain, sure to God*

'**Bob tro 'dan ni'n mynd allan ma hi'n gneud yn saff Dduw nad ydi Gari a finna yn ista efo'n gilydd**' *Every time that we go out she makes absolutely certain that Gary and I don't sit next to each other* (Dafydd Huws, 1990: 73). **4 (yn) saff i ti/chi** NW *really, you can be sure* '**Falle fydd na fowr o alw am borthor, ond ffeindia i rhywbeth, yn sâff i ti**' *Perhaps there isn't much call for a porter, but I'll find something, you can be sure* (Geraint Lewis, 1995: 9). **5 (yn) saff Dduw i ti/chi** NW *honest to God, you can be sure to God* '**Fel 'na oedd eu meddylia nhw'n gweithio, saff Dduw i chi**' *That's how their minds work, you can be sure to God* (Dafydd Huws, 1990: 136).

Sang 1 dan ei sang SW *full to the brim, overflowing* '**Amser cinio yn yr ysgol ac mae'r neuadd â'i nenfwd uchel dan ei sang**' *Lunchtime in the school and the hall with its high ceiling is full to the brim* (Angharad Jones, 1995: 15). **2 sang-di-fang** CW *any-old-how, untidy* '**Mae'r lle'n sandifang pryd bynnag y galwch chi heibio**' *The place is untidy whenever you call by* (Irma Chilton, 1989: 37).

Sais *Englishman* **Sais** is commonly used adjectivally in CW, eg **brenin y Sais** (lit *king of the Englishman*) *English king*, **gwlad y Sais** (lit *land of the Englishman*) *England*, **iaith y Sais** (lit *language of the Englishman*) *the English language* '**Cawn yr argraff wrth wylio [y ffilm] bod y Cymry yn siarad iaith y Sais mewn ffordd rwystredig ac araf**' *We get the impression while watching [the film] that the Welsh speak the English language in a frustrated and slow way* (*Golwg*, 22 June 1995: 20).

Saith *seven* **saith (gwaith) gwaeth** (lit *seven (times) worse*) *ten times worse* '**Ond o'dd rhaid i mi gyfadda bo fi wedi mynd i botio'n saith gwaeth a bo fi'n landio mewn mwy o drwbwl nag o'n i wedi neud ers oesoedd**' *But I had to admit that I had started to mess around ten times worse and that I was landing in more trouble than I had done for ages* (Dafydd Huws, 1990: 173).

Sâl LW NW **anhwylus** SW **cwla** NW **tost** LW SW *ill, sick* **sâl eisiau rhywbeth** NW *to really want something* '**Pan ddaeth hi'n amsar cinio, oeddwn i'n sâl eisio bwyd**' *When it was lunchtime, I really wanted food* (Caradog Prichard, 1961: 106).

Salw LW SW **hyll** LW CW *ugly*

Salwch LW NW **tostrwydd** LW SW *illness, sickness*

'San ni, 'sach chi etc. see Appendix 1.06(i).

'San ni, 'sach chi etc. see Appendix 9.03(iv).

'Sanau (< *hosanau*) CW *socks, stockings* **'Sanau [rygbi] Cymru y'n nhw!'** *They're Welsh [rugby] socks!* (Geraint Lewis, 1995: 19).

'Sat ti, 'sa fo etc. see Appendix 9.03(iv).

Sathru LW NW **damsang** LW SW *to trample* **sathru ar gyrn rhywun** (lit *to trample on someone's corns*) *to hurt someone's feelings* **'Yn raddol, fe wnaeth i'r sefydliad fod yn ofalus rhag sathru ar ein cyrn'** *Gradually, it caused the establishment to be careful lest they hurt our feelings* (Golwg, 5 May 1994: 9).

Sawl 1 sawl (un) *how many?* **'Sawl gwaith ry' ni'n clywed am weithwyr yn cael eu gorfodi i siarad Saesneg gyda'i gilydd?'** *How many times do we hear of workers being forced to speak English to each other?* (*Television Wales*, 10 February 1996: 15). **2 sawl (un)** *several* (followed by single noun only) **'yn dilyn pob Eisteddfod mae sawl un [dyn] yn y llys am or-yfed'** *following every Eisteddfod several [people] are in court for drinking too much* (*Television Wales*, 20 January 1996: 20). **3 sawl un o rywbeth** *several of something* (followed by plural noun only) **'Mae sawl un o'r cantorion cyngherddau gala'r gorffennol wedi cadw cysylltiad clos â'r Cwmni Opera Cenedlaethol'** *Several of the gala concert singers of the past have kept a close link with the National Opera Company* (*Golwg*, 4 March 1993: 20). **4 y sawl** *those* (clause only) **'Ma'r sawl sydd yn edrach ar ôl Cae Tudor yn bwysicach na neb arall yn y Clwb'** *Those who look after Cae Tudor are more important than anyone else in the Club* (Ieuan Parry, 1993: 87).

Sawr LW CW **aroglau** LW NW **gwynt** LW SW *smell*

Sawru LW SW **arogleuo** LW NW **gwyntio** LW SW *to smell*

Sbecian NW *to glance, to peep* **'Mi es i rownd i'r cefna er mwyn cael sbecian, ac mi welais i Yncl Dic yn cau cyrtans y llofft gefn'** *I went round to the back street in order to be able to peep, and I saw Uncle Dic closing the curtains of the back bedroom* (Twm Miall, 1988: 37).

Sbel(an) (<E *spell*) CW *short period, spell* **'Byse pob gêm yn mynd yn iawn am spel, ond yn ddi-ithriad byse 'no screch a stop'** *Every game would go well for a spell, but without exception there would be a scream and [it would] stop* (Edgar ap Lewys, 1977: 53).

Sbens (<E *spence*) NW *cupboard under the stairs* **'Wel sôn am fwchio. Roeddan nhw wrthi ym mhobman: ar ben bwrdd, yn y bàth, yn y sbens, yn yr hows bach ...'** *Well talk about fucking. They were at it everywhere: on top of the table, in the bath, in the cupboard under the stairs, in the toilet ...* (Twm Miall, 1990: 72).

Sbesial (<E *special*) CW *special* **'Be' sy'n gneud athrawon yn bobl mor blydi sbesial?'** *What makes teachers such bloody special people?* (Sonia Edwards, 1993: 29).

Sbio NW *to look* **'Mi sbiodd Doris yn amheus arnan ni'** *Doris looked doubtfully at us* (Twm Miall, 1990: 133).

Sbit (<E *spit*) **yr un sbit â rhywbeth/rhywun** *the spitting image of something/someone* **'ma' Edward 'run spit â Harri, 'mrawd'** *Edward's the spitting image of Harry, my brother* (Meic Povey, 1995(ii): 62).

Sbloet(s) *explosion* (of activity, fun etc.) **'Ddiwedd yr wythnos ddiwetha', roedd S4C yn cynnal eu sbloet gyhoeddusrwydd flynyddol'** *At the end of last week, S4C was holding its annual publicity explosion* (*Golwg*, 7 February 1991: 9).

'Sbo (<E *(I) suppose so*) SW *I suppose, you know* **"Sdim byd yn wa'th na corff â'r lliced ar acor, o's e?'** 'Nago's, sbo,' mynte Sam** *'There's nothing worse than a corpse with the eyes open, is there?' 'No, I suppose,' said Sam* (Dafydd Rowlands, 1995: 15).

Sboner SW *boyfriend* **'Fodan 'di 'wejen', a 'sboner' ydi boi. Dydyn nhw ddim yn gall lawr Sowth 'ma'** *A girlfriend is wejen, and a boyfriend is sboner. They're half mad down here in the South* (Dafydd Huws, 1978: 30).

Sbort (<E *sport*) **gwneud sbort am ben rhywun** *to make fun of someone* **'Yr oeddent yn bendant o'r farn y câi'r teiliwr well bwyd na hwy a'u tuedd oedd gwneud sbort am ei ben'** *They were definitely of the opinion that the tailor had better food than them and their tendency was to make fun of him* (Mary Wiliam, 1978: 47).

Sbri *fun* **ar y sbri** *on the binge, on the drink* **'... daru o ddechra mynd i feddwi a cael ei hel adra o Chwaral am fynd ar ei sbri'** *... he started getting drunk and being sent home from the quarry for going on the binge* (Caradog Prichard, 1961: 148).

Sbrigyn (< *ysbrigyn*) *stick* **sbrigyn o (ddyn/fachgen etc.)** (lit *stick of a (man/boy etc.)*) CW *slip of a (man/boy etc.)* **'Mi gawsoch chi'ch magu i dwtsied eich cap a dweud 'syr' wrth bob sbrigyn o sgweiar'** *You were brought up to touch your cap and say 'sir' to every slip of a squire* (Islwyn Ffowc Elis, 1990(i): 66).

Sbrych (< *brych*) NW *dickhead* **'Pam na fasa'r sbrych uffar wedi gofyn i ni ddarllen Llyfr Mawr y Plant?'** *Why hadn't that bloody dick-head asked us to read Llyfr Mawr y Plant?* (Twm Miall, 1988: 73).

Sbryddach o (ddyn/fachgen etc.) NW *weakling of a (man/boy etc.)* **"Pwy oedd y Maelor Jones 'ma 'dwch?' medda fi. 'Dyn heb orffan crasu, 'te 'ngwas i. Ia, sbryddach o ddyn"** *'Who was this Maelor Jones then?' I asked. 'A half-wit, you know mate. Yeah, a weakling of a man'* (Twm Miall, 1990: 160).

Sbwbach (< *bwbach*) NW *fool, idiot* **'Yli'r sbwbach! Ti'n gwybod yn iawn mai hen drwyn ydi hi'** *Look you idiot! You well know that she's an old snob* (Vivian Wynne Roberts, 1995: 64).

'Sbydu (< *disbyddu*) **1** NW *to empty, to use up* **'Mi ddôn nhw yn un heidiau cyn bo hir i sbydu'r gweddill ohonom o'r tir'** *They'll come in one swarm* *before long to empty the remainder of us from the land* (Robin Llywelyn, 1994: 140). **2 ei 'sbydu hi** *to hotfoot it, to scarper off* **'O'n i'n gneud 'y ngora i guddiad 'y ngheg gam achos o'n i'n teimlo fatha'i sbydu hi o 'na a beichio crïo** *I was doing my best to hide my snarl because I felt like clearing off and bursting into tears* (Dafydd Huws, 1990: 77).

'Sda fi, 'sda ti etc. see Appendix 13.06(i)(e), 13.06(ii), 13.06(iii).

'Sdim see Appendix 13.04(iv), 13.06(i)(e), 13.10(iii), 13.12(iii).

'Se fe, 'se hi etc. see Appendix 9.03(iv).

Sefyll 1 *to stand* **'Safodd i aros ei dro gydag amynedd'** *He stood to wait his turn with patience* (Sonia Edwards, 1994: 81). **2** SW *to stay, to wait* **'O'dd e'n sefyll 'da fi nithwr a'r nosweth cynt'** *He was staying with me last night and the previous night* (Twm Miall, 1990: 104). **3 sefyll arholiad** *to sit an examination* **'Gall dysgwyr profiadol sefyll Arholiad Tystysgrif yn y Gymraeg, Prifysgol Cymru'** *Experienced Welsh learners can sit the University of Wales Examination Certificate in Welsh* (Robert Owen Jones, 1997: 394). **4 sefyll yn stond** *to stand stock still* **'Ond safwn yn stond y diwrnod hwnnw, yn syllu ar y 'Sgodyn fel petawn yn ei weld am y tro cyntaf'** *But I stood stock still that day, staring at the Fish as though I was looking at it for the first time* (Angharad Tomos, 1982: 29). **5 sefyll yn y bwlch** (lit *to stand in the pass*) *to make a stand* **'Ond safodd Cadfridogion y Lluoedd Arfog yn y bwlch, a sefydlu Llywodraeth Filwrol Wlatgarol'** *But the Generals of the Armed Forces made a stand, and established a Patriotic Military Government* (Gareth Miles, 1995: 60).

Seiat *fellowship meeting, religious meeting* **cael seiat** (lit *to have a fellowship meeting*) CW *to hold a pow-wow* **'Yn ddiweddarach yn y Bull cafwyd seiat'** *Later in the Bull a pow-pow was held* (Alun Ffred and Mei Jones, 1990: 37) (* see also **cynnal (3)**).

Seis (<E *size*) CW *size* **'Fasat ti byth ym meddwl basa fo'n medru rhoid cweir i Now Gwas Gorlan a fonta ddim ond hannar ei seis o'** *You'd never have thought that he could beat up Now Gwas Gorlan as he's only half his size* (Caradog Prichard, 1961: 96).

Sêl *seal* **sêl bendith** *seal of approval* **'Pwy roddodd sêl bendith ar y rheol hurt yma?'** *Who gave the seal of approval to this stupid rule?* (William Owen Roberts, 1987: 24).

Sêl (<E *sale*) CW *sale* **Mi brynais i'r dillad mewn sêl yn y dre** *I bought the clothes in a sale in town.*

'Sen i, 'set ti etc. see Appendix 9.03(iv).

Sen *rebuke, snub* **bwrw sen ar rywbeth/rywun** *to insult something/someone* **'Mae eu dehongliad o'm hadolygiad ... yn cynnwys ensyniad sy'n bwrw sen ar fy niffuantrwydd fel adolygydd'** *Their interpretation of my review ... includes an insinuation which insults my sincerity as a reviewer* (Golwg, 20 May 1993: 8).

'Sennau (< asennau) CW *hips* **'[Mi wnaeth o frysio] atan ni, rhoi ei ddwy law ar ei 'sennau, sbio ar**

bawb a deud: 'Oes 'na rywun wedi gweld John Bee Hive?"** *[He rushed up] to us, put his hands on his hips, looked at everyone and said: 'Has anyone seen John Bee Hive?'* (Twm Miall, 1988: 66).

Senten NW *penny* (usually figuratively) **'Arglwydd, sôn am deimlo'n giami. Odd gin i ddim sentan i gal y mheint nesa'** *Christ, talk about feeling miserable. I didn't have a penny to get my next pint* (Dafydd Huws, 1978: 9).

Serio *to brand* **serio ar y meddwl** (lit *to brand on the mind*) *to create a lasting impression, to imprint on the mind* **'Roedd y ffilmio o'r gornestau ... yn serio ar y meddwl greulondeb y gamp o focsio'** *The filming of the contests ... imprints on the mind the cruelty of the sport of boxing* (Golwg, 7 January 1993: 27).

Sesh (<E *session*) CW *drinking binge, drinking session* **'[Mi wnes i] nelu am y ciando lle oedd Joni Wili 'mrawd yn rhochian cysgu ers oria ar ôl sesh pnawn'** *I headed for bed where my brother Joni Wili had been sleeping noisily for hours after the afternoon drinking session* (Dafydd Huws, 1990: 13).

'Set ti, 'se fe etc. see Appendix 9.03 (iv).

'Sgen i, 'sgen ti etc. see Appendix 13.06(i)(d), 13.06(ii), 13.06(iii).

Sgersli bilîf (<E *scarely believe*) CW *I don't think so, I hardly think so* **'Iawn, efallai, petai eisiau sgrifennu am rygbi Cymru, ond Streic Fawr Chwarel y Penrhyn? Er cystal sgwennwr ydi Welland, sgersli bilîf'** *OK, perhaps, if he wanted to write about Welsh rugby, but the Great Strike at Penrhyn Quarry? Although Welland is a very good writer, I don't think so* (John Ogwen, 1996: 98).

'Sgidiau (< esgidiau) CW *shoes* **'Gei gadw 'rhen sgidia 'ma os lici di'** *You can keep these old shoes if you like* (Wil Sam, 1995: 166).

Sgil *behind* **yn sgil rhywbeth** *in the wake of something* **'roedd Llafur a Phlaid Cymru yn uchel eu cloch yn sgil eu llwyddiant hwy'** *Labour and Plaid Cymru were full of themselves in the wake of their success* (Y Cymro, 11 May 1994: 3).

Sglaffio NW *to gulp down, to wolf down* **'Ac mi aeth Nel ar ei hôl hi ar ôl yfad i photal bop i'r gwaelod a sglaffio darn mawr o gacan gyraints'** *And Nel went to fetch her after drinking her bottle of pop to the bottom and wolfing down a big piece of currant cake* (Caradog Prichard, 1961: 10).

Sglefr see **pen (50)**.

'Sglod (< ysglodion) **sglod a sgod** (< ysglodion a physgod) CW *fish and chips* **'Mae un o'm cymdogion i wedi'i weld e yn Llandaf yn prynu sglod a sgod'** *One of my neighbours has seen him in Llandaff buying fish and chips* (Mihangel Morgan, 1993(ii): 72).

'Sglyf (< ysglyfaeth) NW *fool, idiot* **"Rhen sglyf.' 'Taw. Ma' nhw'n cael cwrt - ma' nhw'n cael jêl yn Lloegar am ddeud geiria glanach lawar na hwnna"** *'You old idiot.' 'Be quiet. They go to court - they go to jail in England for saying much nicer words than that'* (Wil Sam, 1995: 92).

'Sglyfath (< ysglyfaeth) NW *fool, idiot* '**ma'r Mici Tiwdor bach 'na rêl sglyfath**' *that bloody Mici Tiwdor is a real idiot* (Gwenlyn Parry, 1992: 14).

Sgori SW *to score* **Mae Llanelli wedi sgori sawl cais** *Llanelli have scored several tries.*

'Sgota (< pysgota) CW *to fish* '**Roeddwn i tua naw oed ar y pryd, ac roedd yna griw ohonon ni yn sgota efo ffyn**' *I was about nine years old at the time, and there was a crew of us fishing with rods* (Twm Miall, 1988: 23).

Sgoth see **trybolâu.**

Sgrech *scream, shriek* **mynd yn sgrech arnaf** (lit *to become a scream to me*) *to put me in a tight spot* '**Os ese'n sgrech arnon ni am gino, hole Mam gwpwl o'r sgadan o'r gasgen fowr wêdd hi'n cadw'n speshal at y swydd**' *If we were in a tight spot for lunch, Mam would fetch a couple of herrings from the large barrel she used to keep specially for the purpose* (Nora Richards in Gwyn Griffiths (ed), 1994: 58).

Sgrialu NW *to dash, to scarper, to screech* '**Ond pan agorais i fy llygaid, roedd y car yn sgrialu rownd y gornal heibio i'r Amgueddfa ac i gyfeiriad y Central Police Station**' *But when I opened my eyes, the car was screeching round the corner past the Museum and in the direction of the Central Police Station* (Twm Miall, 1990: 38).

Sgrîn Caern *quid* (pound of money) '**[Mi wnes i chwilio] am bishyn sgrîn i dalu'r bys ond dyma fi'n cofio'n sydyn. Newidish i'n nillad a 'does gin i 'run ddima goch arna fi nag oes?**' *[I searched] for a quid coin to pay for the bus but then I remembered suddenly. I changed my clothes and I didn't have a brass farthing on me did I?* (Dafydd Huws, 1978: 67).

Sgut (< esgud) NW *enthusiastic person, keen person* '**Yr oedd Robert Pugh bob amser yn sgut am bryfocio**' *Robert Pugh was always a keen one for provocation* (Islwyn Ffowc Elis, 1990(i): 56).

Sguthan (lit *wood pigeon*) CW *bitch, cow* (derogatory term for a woman) '**Edrychodd Iolo ar y cylchgronau a dewis dau a mynd â nhw at y cownter i'w rhoi i'r hen sguthan**' *Iolo looked at the magazines and chose two and took them to the counter to give to the old cow* (Mihangel Morgan, 1993(ii): 115).

Sgwarnog (< ysgyfarnog) CW *hare* **codi sgwarnog** (lit *to raise a hare*) CW *to go after a red herring* '**Pwy fyddai'n feirniad teledu? Dyna i chi gwestiwn sy'n codi sawl sgwarnog**' *Who would be a television critic? There's a question for you that goes after several red herrings* (*Television Wales*, 29 July 1995: 2).

Sgwennu (< ysgrifennu) NW *to write* '**Sgwennodd y dyn y dderbyneb a'i roi i Roli**' *The man wrote out the receipt and gave it to Roli* (Simon Jones, 1989: 79).

Sgŵd (< ysgŵd) SW *bonk, shag* (sexual act) '**Wedyn, mi ddechreuodd hi redeg ei dwylo i fyny ac i lawr fy 'senna i, ac ar draws fy mol i. Roedd 'na sgŵd ar y cardia; ro'n i wedi synhwyro hynny ers meitin**' *Then, she started running her hands up and*

down my sides, and across my stomach. A shag was on the cards; I'd sensed that for a while (Twm Miall, 1990: 129).

'Sgwn i (< ys gwn i) CW *I wonder* '**Sgwn i be mae rhywun yn 'i neud allan ar fora mor braf?**' *I wonder what someone is doing out on such a fine morning?* (Wiliam Owen Roberts, 1987: 115).

Sgwrfa *beating, thrashing* **Yli, mae'r hogyn 'na yn mynd i gael sgwrfa os nad ydy o newid ei ffyrdd** *Look, that bloke is going to get beaten up if he doesn't change his ways.*

Sha (< tua) SW *about, towards* **1 sha (lan/i lawr/nôl etc.)** SW *(up/down/back etc.)wards* '**Fel'na ma' pethe yn Awstralia, on'd ife. Popeth â'i ben sha lawr!**' *That's how everything is in Australia, isn't it. Everythings is upside down!* (Meirion Evans, 1996: 69). **2 sha thre** (< tua thref) SW *homewards* '**Wel, to cut a long story short, es i sha thre 'da hi, twel. O'dd lle bach nêt 'da hi, 'ed**' *Well, to cut a long story short, I went home with her, you see. She had a tidy little place as well* (Twm Miall, 1990: 137).

Shetin Powys **gwrych** LW NW **perth** LW SW Powys *hedge*

'Shgwl, 'shgwlwch see Appendix 10.05.

Shwd (< sut) SW *how* **1 shwd (beth/ddamwain/job etc.)** SW *such a (thing/accident/job etc.)* '**Ma' shwt beth i gael â hunan-barch**' *There is such a thing to be had as self-respect* (Geraint Lewis, 1995: 9). **2 shwd gymaint** SW *so much* '**Mae yna shwt gymaint o fiwrocratiaeth yn y Gymdeithas**' *There's so much bureaucracy in the Society* (*Golwg*, 13 October 1994: 11). **3 shw(d) mae** SW *hello, how are things* '**Gweni, shw mae? Ble ti wedi bod?**' *Gweni, how are things? Where've you been?* (Mihangel Morgan, 1992: 69).

Sianco see **man (1).**

Siani 1 CW *Fanny* (girl's name) '**Nage wir, wedyn dal di dy af'el ynddo ef, Siani!**' *No indeed, so you keep your hold on him, Fanny!* (Nansi Selwood, 1993: 155). **2** CW *fanny* (slang term for female genitalia) '**"Y nghorff i yw e!' medda Siân, a chodi'i sgert a thynnu deg pâr o nicyrs a dangos y crachod cnwch mwyaf uffernol welodd neb rioed ... ar hyd ei siani hi**' *'It's my body!' said Siân, and lifted up her skirt and pulled out ten pairs of knickers and showed the most bloody disgusting pubic scabs anyone's ever seen ... all along her fanny* (Dafydd Huws, 1990: 226). **3** NW *effeminate man, poof* '**Ofn sydd gen ti? Rhyw shani o rwbath fuost ti rioed**' *Frightened are you? You were always something of a poof* (Eigra Lewis Roberts, 1985: 93).

Siâp *shape* **1 dim siâp ar rywun** CW *clueless, useless* **Cyn belled ag y mae'r gwaith yn y cwestiwn, 'does dim siâp arni hi o gwbl** *As far as work is concerned, she's completely clueless.* **2 gwneud siâp arni** CW *to get a move on, to hurry* '**roedd 'na ffwc o Jyrman mowr hyll yn bygwth sticio beionèt i fyny'i din o os na fysa fo'n gneud siâp arni**' *there was a fuck of a big ugly German threatening to stick a bayonet up his arse if he didn't get a move on* (Dafydd Huws, 1990: 239).

Siapio to shape **1 ei siapio hi** CW to hotfoot it, to scarper off 'Mi es yn ôl a dweud wrth yr hogia am ei siapio hi' I went back and told the lads to hotfoot it (Vivan Wynne Roberts, 1995: 153). **2 siapio hi** CW to get a move on, to hurry 'Âf i ffônio'r vet. I weud 'tho fe i siâpio hi' I'll go and 'phone the vet. To tell him to get a move on (Geraint Lewis, 1995: 80).

Siarad to speak, to talk **1 siarad dwli** SW to talk nonsense 'Peidiwch â siarad dwli! Nid bob dydd mae dyn yn cael cyfle i swpera yng nghwmni menyw bert fel chi' Don't talk nonsense! It isn't every day that a man gets a chance to have supper in the company of a pretty girl like you (Penri Jones, 1982: 54). **2 siarad lol** NW to talk nonsense 'Mae hyn yn codi calon y creadur bach sy'n cael ei labelu fel hen sinach bach negyddol sy'n siarad lol' This raises the spirits of a little creature who is labelled a silly negative old fool who talks nonsense (Golwg, 29 August 1997: 7). **3 siarad yn fain** see **A** (Pronunciation). **4 siarad yn fras** (lit to speak generally) to speak lewdly 'Does arnoch chi ddim ofn i rhywbeth eich taro chi, d'wch, yn siarad mor fras?' You're not frightened of something hitting you, then, speaking so lewdly? (Penri Jones, 1982: 48).

Siarp NW fast, quick (adverb only) 'Mi fydd Mam yn eich hel chi adra os na cherddwch chi'n siarpach' Mam will send you home if you don't walk faster (Caradog Prichard, 1961: 46).

Siawns 1 CW chance 'Ia, siawns i ni gael noson fach yma cyn llwytho *supplies*' Yeah, a chance for us to have a quiet night here before loading supplies (Theatr Bara Caws, 1996: 42). **2** NW perhaps 'Petai oriau yfed yn llai caeth, a'r tafarnau yn agored yn hwyrach siawns y byddai pobol yn dysgu yfed yn gallach' If the drinking hours were less strict, and the pubs were open later perhaps people would learn to drink more sensibly (Golwg, 8 September 1994: 3). **3 ar siawns** by chance Des i ar draws y llyfr ar siawns I came across the book by chance. **4 siawns gen i** NW I suppose 'Hy, siawns unrhyw un neud brechdan, siawns gen i' Huh, anyone can make a sandwich, I suppose (Miriam Llywelyn, 1994: 69).

Sicr certain, sure **1 sicr Dduw** CW absolutely certain, sure to God Mae hynny'n wir, sicr Dduw That's true, sure to God. **2 yn sicr i ti/chi** CW really, you can be sure Wel, yn sicr i ti, maen nhw wedi mynd adref Well, you can be sure, they've gone home. **3 yn sicr Dduw i ti/chi** CW absolutely certain, you can be sure to God Mi fedra i ddeud wrtha ti, yn sicr Dduw i ti, fod y berthynas hon drosodd I can tell you that this relationship is over, you can be sure to God.

Siglo LW SW **ysgwyd** LW NW to shake **1 siglo cwt rhywun** (lit to shake someone's tail) SW to make someone pay for something, to sort someone out 'Rhen Flagard! Yn bwrw Barti bach am ddim byd. Fe shigla i dy gwtyn di nawr, machan i! O naf, y diawl!' You old Blagard! Hitting Barti bach for nothing. I'll sort you out, mate! Oh, I will, you bugger!' (Edgar ap Lewys, 1977: 24). **2 siglo fy nghwt** (lit to shake my tail) SW to consider myself fortunate "Ti'n falch, Gweni fach?' meddai [ef]. 'Wel, sigla dy gwt 'te' 'You happy, Gweni fach?' [he] asked. 'Well, consider yourself fortunate then' (Mihangel Morgan, 1992: 11).

Simsan to totter **simsan** is used in NW in the sense of ill, dodgy 'O'dd 'na olwg simsan ar diawl arno fo. O'dd hi'n amlwg bo fo wedi cysgu yng nghoctel cabinet HTV neithiwr' He looked bloody dodgy. It was obvious that he had slept last night in HTV's cocktail cabinet (Dafydd Huws, 1990: 246).

Sinach NW fool, idiot 'Oedd gin i ofn neb ... dim diawl o beryg ... a mi oedd y shinach bach Preis yna'n gwbod hefyd ... 'Na ti rech 'lyb os buo na un rioed' I was frightened of no one ... no bloody chance ... and that little idiot Preis knew as well ... There's a wet fart for you if there ever was one (Gwenlyn Parry, 1979: 93).

Sinc (< E chink) **dim sinc na sôn am rywbeth** CW no mention of something, no sign of something 'Wel, mi ddoith hanner awr wedi deg, ond dim o Shelana. A cwarter i - ond dim sinc na sôn amdani' Well, half-past ten arrived, but nothing of Shelana. And quarter to - but there was no sign of her (Wyn Jones in Christine Jones and David Thorne (eds.), 1992: 37).

Siomi to disappoint, to be disappointed **cael fy siomi ar yr ochr orau** to be pleasantly surprised 'Cael fy siomi ar yr ochr orau wnes i, gan fwynhau arddull y cyflwyno a'r dewis o gerddoriaeth yn fawr iawn [ar y rhaglen deledu]' I was pleasantly surprised, very much enjoying the style of presentation and the choice of music [on the television programme] (Golwg, 31 March 1994: 29).

Siôn Siôn **1 Siôn a Siân** Siôn and Siân (used derogatorily about a couple who behave like an old married pair) Go brin pythefnos y maen nhw wedi bod yn canlyn, ond maen nhw'n ymddwyn fel rhyw Siôn a Siân yn barod They've scarcely been going out with each other for a fortnight, but already they're behaving like an old married pair. **2 Siôn blewyn coch** (lit red hair John) CW fox 'Ddechrau'r ganrif hon, byddai gwyddau Aberhiwlech yn pori wrth y llyn drwy'r haf ac nid aflonyddai Sion Blewyn Coch byth arnynt' At the beginning of this century, Aberhiwlech geese would graze by the lake all summer and a fox would never bother them (Simon Jones, 1989: 27). **3 Siôn Corn** Father Christmas 'I ble'r aeth y Dafydd bach direidus hwnnw a arhosai am Siôn Corn yn y tywyllwch ...?' Where did that mischievous little Dafydd go who used to wait for Father Christmas in the dark ...? (Alan Llwyd, 1994: 323). **4 Siôn Cwsg** (lit John Sleep) figurative person who takes you away to sleep (cf going to the land of Nod) 'Lawer gwaith yr ymleddais yn gyndyn yn erbyn Siôn Cwsg' Several times I fought stubbornly against sleep (Dic Jones, 1989: 132) (* see also **huwcyn**). **5 Siôn-pob-gwaith** Jack-of-all-trades Mae Roger yn trio gwneud pob dim dan haul - mae e'n meddwl ei fod yn rhyw Siôn pob-gwaith Roger tries to do everything under the sun - he thinks that he is some Jack-of-all-trades. **6 Siôn llygad y geiniog** a worldly-wise person, a parsimonious person Rhyw Siôn llygad y geiniog y buodd 'nhad erioed My father was always a mean person.

Sioni 1 SW person from the industrial valleys of South Wales '[Yr oedd] llawer ohonynt yn Shonis o'r Gweith'e' A lot of them [were] valleys people from *industrial South Wales* (Dic Jones, 1989: 210). **2 Sioni-fenyw** SW *effeminate man, poof* '[Gwnes i chwerthin] ar ôl iddynt fynd wrth feddwl am yr hen ferch hyll yna yn blysio ar ôl dyn yr un mor hen, ac yn dipyn o Sioni-fenyw, a'r un mor hyll â hi ei hun' *[I laughed] after they went thinking about that ugly old maid lusting after a man just as old, and a bit of a poof, and just as ugly as herself* (Mihangel Morgan, 1994: 15). **3 Sioni-bob-ochor** CW *person who sits on the fence* 'Tad annwyl, ydech chi'n meddwl mai Shoni-bob-ochor ydw i, yn rhoi'r gore i ferch ac wedyn yn rhuthro'n ôl ati â 'ngwynt yn 'y nwrn ac yn dweud, 'Sorri, fach ...'' *Heavens above, do you think that I sit on the fence, give up a girl and then rush back to her out of breath and say, 'Sorry, love ...'* (Islwyn Ffowc Elis, 1990(i): 192).

Siop *shop* **siop siafins** (lit *shavings shop*) *mess* 'nid fel 'siop siafins' y bydda i'n cofio'r lle ond fel rhywle wnaeth i mi deimlo yn falch fy mod yn perthyn i genedl sy'n dal 'yma o hyd'' *I won't remember the place as a mess but as somewhere that made me proud to belong to a nation that is 'still here'* (*Y Cymro*, 10 May 1995: 2).

Siort (< E *sort*) **siort orau** NW *very well* "Popeth yn iawn?' 'Siort ora, diolch. Peint o lager, os gwelwch yn dda" *'Everything alright?' 'Very well, thanks. Pint of lager, please'* (Alun Jones, 1979: 79).

Sir *county* **1** Welsh counties employ **sir**, eg **Sir Benfro** *Pembrokeshire*, while most English counties are referred to by **swydd**, eg **Swydd Warwick** *Warwickshire*. **2 Sir Bemro** (< **Sir Benfro**) Pembs *Pembrokeshire* 'os gall y Ffrensh ga'l tapestri in Bayeux, pam na allwn ni in Shir Bemro ga'l tapestri' *if the French can have a tapestry in Bayeux, why can't we have a tapestry in Pembrokeshire* (*Golwg*, 27 February 1997: 12). **3 Sir Gâr** (< **Sir Gaerfyrddin**) CW *Carmarthenshire* 'Mae bechgyn sir Gâr yn adnabod ei gilydd, mae'n rhaid' *Boys from Carmarthenshire know each other, they must do* (Mary Wiliam, 1978: 40).

Sitrws CW *smithereens* 'Heb ddweud 'run gair wrth ein gilydd, dyma ni'n gafael mewn bricsan bob un, a'u lluchio nhw drwy'r ffenast nes roedd hi'n shitrws' *Without saying a word to each other, we grabbed hold of a brick each, and flung them through the window until it was in smithereens* (Twm Miall, 1988: 17).

Siw (no lit meaning) **dim siw na miw** CW *not a sound* 'Dro arall does dim siw na miw i'w glywed' *Another time there isn't a sound to be heard* (Dewi Llwyd in Dylan Iorwerth (ed.), 1993: 130).

Siwgr LW CW **siwgir** SW **siwgwr** NW *sugar* **siwgr ferch** CW *effeminate man, poof* 'Mi geshi bwl reit hegar o fod yn siwgwr genod pan o'n i tua deuddag oed' *I had a really rough period of being a poof when I was about twelve years old* (Dafydd Huws, 1990: 46).

Siwps (blino/drysu etc.) **yn siwps** SW *to be completely (tired/confused etc.)* 'Wy'n siwps. Ishe cysgu. Ishe molchi' *I'm tired. Want to sleep. Want to wash* (Sion Eirian, 1995: 21).

Siŵr 1 *certain, sure* 'Ydach chi'n siŵr?' *Are you sure?* (Marion Eames, 1969: 84). **2** CW *of course* 'O paid â bod yn gas hefo fo. Ci bach ydi o siŵr, ac mae o isio lot o fwytha' *Oh don't be horrible to him. He's a puppy of course, and he wants a lot of petting* (Margiad Roberts, 1994: 85). **3 mae'n siŵr** *to be sure* "Roedd ganddo fo'i resyma', mae'n siŵr' *He had his reasons, to be sure* (John Gwilym Jones, 1976: 17). **4 mae'n siŵr gen i** *I'm sure* 'Ond mae pawb wedi ei ddefnyddio fo unwaith neu ddwy siŵr gen i' *But everyone's used it once or twice I'm sure* (*Golwg*, 22 February 1996: 18). **5 siŵr iawn** CW *more than likely, of course, sure enough* 'Tydi'r haul byth yn twnnu ar Pen Llyn Du, medda fo, dyna pam mae nhw'n ei alw fo'n Pen Llyn Du siwr iawn' *The sun never shines on Pen Llyn Du, so he said, that's why they call it Pen Llyn Du sure enough* (Caradog Prichard, 1961: 50). **6 siŵr o fod** *bound to be, I imagine, most likely, probably* 'Clyw, Harri, da fachgen, aros hyd y bore, mae popeth yn siŵr o fod yn iawn' *Listen, Harry, there's a good lad, stay until the morning, everything I imagine is alright* (Islwyn Ffowc Elis, 1990(ii): 44). **7 yn siŵr Dduw** CW *absolutely certain, sure to God* 'Dwi'n siŵr Dduw bod ti'n brysur' *I'm sure to God that you're busy* (Gwenlyn Parry, 1979: 23). **8 yn siŵr i ti/chi** CW *really, you can be sure* 'Fydd o ddim yn hir! Wedi mynd i ddanfon Valerie, hen ffrind ysgol iddo fo, adra ... Wedi taro ar rywun mae o, yn siwr i chi!' *He won't be long! Taken Valerie, an old school friend of his, home ... Bumped into someone he has, you can be sure!* (Meic Povey, 1995(i): 29). **9 siŵr Dduw i ti/chi** CW *honest to God, you can be sure to God* 'Siŵr Dduw i ti, mae dy fam wedi mynd adref' *You can be sure to God, your mam's gone home.*

Siwrnai 1 *journey* 'Gan bod y siwrne'n hir walle fydde fe'n danto ar ddarllen cywydde Dafydd ap Gwilym' *As the journey's long perhaps he'd tire of Dafydd ap Gwilym's poems* (Dafydd Rowlands, 1995: 119). **2** SW *as soon as* 'Siwrne eich bod chi wedi mynd mewn i'r cyflwr hynny, mae'n anodd iawn i ddod mas ohono fe' *As soon as you get into this condition, it's very hard to get out of it* (*Golwg*, 15 September 1994: 11). **3** SW *once* 'gad i ni dreio shwrne 'to' *let's try once again* (Nora Richards in Gwyn Griffiths (ed), 1994: 69). **4 siwrnai seithug** *wasted journey, useless journey* "Ffwl', meddwn inna wrthyf fy hun amdano fo'n afradu'r oll ar siwrna seithug' *'Fool', I said to myself about him wasting it all on a useless journey* (Robin Llywelyn, 1992: 35).

Slac LW SW **llac** LW NW *slack*

Slashen CW *stunner* (attractive woman) 'Fe droiws pob un ohonyn nhw ei liced i'r un cyfeiriad. O'dd hi'n slashen o ferch' *Every one of them turned their eyes in the same direction. She was a stunner of a girl* (Dafydd Rowlands, 1995: 123).

Slaten (<E *slate*) SW *slate* "Diolch iti, Maggie,' mynte Wil. 'Dod e ar 'yn slaten i, nei di?' *'Thanks, Maggie,' said Wil. 'Put it on my slate, will you?'* (Dafydd Rowlands, 1995: 29).

'Slawer (< **ers llawer**) see **dydd**.

Slebog NW *bugger, creep* '**Mi oedd yr hen slebog John Cae Pistyll yna wedi bod yn dwyn fala yn y berllan**' *That old creep John from Cae Pistyll had been stealing apples in the orchard* (Ieuan Parry, 1993: 70).

Slecs *small pieces of coal* (**gwerthu/llenwi etc.**) **fel slecs** (lit *to (sell/fill up etc.) like small pieces of coal*) CW *to (sell/fill up etc.) quickly* '**Tua naw fel deudodd y fodan dyma hi'n dechra llenwi fel slecs**' *About nine as the girl said it started to fill up quickly* (Dafydd Huws, 1978: 16).

Sledj (<E *sledge*) SW *fool, idiot* '**Gat dy lap, y sledj**' *Stop talking nonsense, you idiot* (Dafydd Rowlands, 1995: 88).

Slei (<E *sly*) **1 ar y slei** CW *on the quiet, on the sly, surreptitiously* '**falla y bysa 'na siawns i gael rhyw lowciad bach ar y slei, rwan ac yn y man**' *perhaps there'll be a chance to have a quick swig on the sly, every now and then* (Twm Miall, 1990: 76). **2 yn slei bach** CW *on the quiet, on the sly, surreptitiously* '**A pan fydda Nain yn ffwndro mi fydda'n mynd allan o tŷ'n slei bach heb i neb ei gweld hi**' *And when Gran became senile she used to leave the house surreptiously without anyone seeing her* (Caradog Prichard, 1961: 104).

Sleifar o (**frecwast/bryd o fwyd etc.**) NW *hell of a (breakfast/meal etc.)* '**Gawson ni sleifar o frecwast wedyn a'r ddau ohonon ni'n teimlo'n well**' *We had a hell of a breakfast afterwards and both of us felt better* (Robin Llywelyn, 1992: 41).

Slo (<E *slow*) **slo bach** NW *gradually, slowly* '**Wedyn dyma fo'n stopio siarad am y Jyrmans efo ni a cherddad yn slo bach at y gadar**' *Then he stopped speaking about the Germans to us and walked slowly to the chair* (Caradog Prichard, 1961: 28).

Slobs (**slei**) CW *pigs, the filth* (slang term for the police) '**Ond be' odd hyn am slobs? O'n i ddim yn ffansïo mynd i drwbwl efo rheiri**' *But what was this about pigs? I didn't fancy getting into trouble with them* (Dafydd Huws, 1978: 85).

Slochian CW *to slurp* (drinks etc.) '**Tra odd yr hogia'n slochian yfad drw'r pnawn yn aros am yr ail sioe, o'n i'n sylwi ar y fodan fach ddel**' *While the lads were slurping drinks all afternoon waiting for the second show, I was looking at the small pretty girl* (Dafydd Huws, 1978: 94).

Slofi NW *to slow down* '**Dew, ydw i dest a cholli ngwynt, medda Huw tu ôl i mi, ac roeddwn inna'n dechra slofi**' *God, I've just about lost my breath, said Huw behind me, and I myself was beginning to slow down* (Caradog Prichard, 1961: 46).

Slotian NW *to go drinking* '**Mi fyddai'n well iddo godi llai am ei gig nad oedd ddim gwerth ei gael pa'r un bynnag na robio pensiwnïars tlawd er mwyn iddo gael pres i slotian**' *It'd be better for him to charge less for his worthless meat anyhow than robbing poor pensioners so that he can have money to go drinking* (Alun Jones, 1979: 25).

'Slywen (< *llysywen*) CW *eel* "**Ollyngais i bowlan bwdin reis ar lawr cyn cinio ac ma'n gas gen i**

feddwl am godi E.T. rhag ofn iddo fynta lithro fel sliwan trwy 'nwylo fi**' *I dropped a bowl of rice pudding on the floor before lunch and I hate to think about picking up E.T. in case he slips like an eel through my hands as well* (Margiad Roberts, 1994: 212).

S'mae (< **sut mae hi**) NW *hello, how are things?* '**S'ma'i? 'N o lew? Hwyr eto?**' *How are things? Alright? Late again?* (Dewi Wyn Williams, 1995: 14).

Smalio NW *to pretend* '**Huw aeth gyntaf i smalio cuddiad tu ôl i'r wal, ac wedyn dyma finna'n gneud run fath**' *Huw went first and pretended to hide behind the wall, and then I went and did the same thing* (Caradog Prichard, 1961: 8).

'Smera (< **gwagsymera**) **1** NW *to be nosey* '**Unwaith es i i mewn yno, mi ddechreuais i smera o gwmpas y lle. Fedrwn i ddim peidio rywsut. Roedd rhaid i mi gael gwybod be oedd yn y ciarpad bag**' *Once I was inside there, I started to nosey about the place. I couldn't stop myself somehow. I had to know what was in the carpet bag* (Twm Miall, 1990: 164). **2** NW *to hang around, to potter about* '**Roedd 'na olwg dipresd arni hi. Wedi smera rhyw chydig o gwmpas y lle, mi es i'n f'ôl i lawr staer**' *She looked depressed. After hanging around a bit about the place, I went back downstairs* (Twm Miall, 1990: 97).

Smic (no lit meaning) **dim smic** CW *not a sound* '**Doedd yna ddim smic o sŵn, dim ond cân yr afon ac ambell i dderyn**' *There wasn't a sound, only the song of the river and the odd bird* (Twm Miall, 1988: 20).

'Smo fi, 'smo ti etc. see Appendix 1.06(iii).

Smonach (< **hwsmonaeth**) CW *mess* '**Ydw i wedi gwneud smonach ohoni?**' *Have I made a mess of it?* (Dafydd Huws, 1990: 11).

Smwddio LW CW **stilo** Pembs *to iron*

'Sneb see Appendix 13.11 (iv).

So (<E *so*) SW *so, therefore* '**So, yn y deg eiliad o'dd nawr ar ôl o'r cyfnod ymarfer, o'n i'n meddwl 'mod i'n saff**' *So, in the ten seconds that were left of the exercise class, I thought that I was safe* (John Owen, 1994: 127) (*** so** invariably comes at the beginning of a sentence/clause, as in the above example).

'So fi, 'so ti etc. see Appendix 1.06(ii).

Sobor o (**ddiddorol/ddefnyddiol etc.**) CW *especially (interesting/useful etc.)* '**roedd gwybodaeth bendant am natur y sgwrs yn sobor o brin**' *definite information about the nature of the conversation was especially scarce* (Dewi Llwyd in Dylan Iorwerth (ed.), 1993: 129).

Sobrwydd *sobriety* **sobrwydd** (**mawr**) (lit (*great*) *sobriety*) CW *goodness me, heavens above* "**Ydach chi'n caru 'Nhad?' 'Sobrwydd, dwn i ddim**" *'Do you love Dad?' 'Heavens, I don't know'* (Wil Sam, 1995: 239).

Socian LW CW **mwydo** LW NW **rhoi yng ngwlych** LW SW **trochi** LW NW *to soak* (clothes etc.)

'Soch chi, 'son nhw etc. see Appendix 1.06(ii).

Sodro 1 NW *to place, to put* '**Dyma Marx yn straffaglu yn ei chwildod i roid nymbyr ei ffôn ar fat-cwrw a dyma finna'n ei sodro fo'n saff ym mhocad 'y nhin**' *Marx struggled in his drunkenness to put his 'phone number on a beer mat and I put it safely in my back pocket* (Dafydd Huws, 1990: 31). 2 NW *to hit* '**Gwna di hynna eto, yr uffarn bach, a mi sodra i di**' *Do that again, you little bugger, and I'll hit you* (Twm Miall, 1990: 92).

'Son ni, 'soch chi etc. see Appendix 1.06(ii).

Sôn *to mention* 1 **sôn** is used as a noun to indicate general conversation, *talk* '**Roedd ef a Mary wedi bod yn amharod i gredu'r sôn am baratoadau i godi melin newydd ar dir Trebanog**' *He and Mary had been unready to believe the talk about the preparations to build a new mill on Trebanog land* (Nansi Selwood, 1993: 108). 2 *heb sôn rhywbeth let alone something, not to mention something* '**Nid oeddwn erioed wedi ystyried y posibilrwydd, heb sôn am gynllunio gyrfa o'r fath**' *I had never considered the possibility, let alone planned such a career* (Dafydd Wigley, 1992: 43). 3 *sôn am rywbeth to mention something, to talk about something* '**Mi wyddoch am be dwi'n sôn**' *You know what I'm talking about* (Wiliam Owen Roberts, 1987: 129) (* see also **am** (3)). 4 *yn ôl pob sôn by all accounts* '**sglaffiwyd [y clust] un noson gan glamp o lygoden pan oedd yn faban yn ôl pob sôn**' *[the ear] was scoffed down by a massive rat when he was a baby by all accounts* (Wiliam Owen Roberts, 1987: 10). 5 *yn ôl y sôn apparently* '**doedd Glyn ddim yn brin o ryw geiniog neu ddwy yn ôl y sôn**' *Glyn wasn't short of the odd penny or two apparently* (Twm Miall, 1988: 156).

Sorri'n bwt NW *to sulk* "**Ia ond un oedd gin ti'n dechra', medda fynta wedi sorri'n bwt**' *'Yes but you only had one in the beginning', he said sulkingly* (Robin Llywelyn, 1992: 36).

Sownd 1 *stuck* '**roedd y fodrwy yn sownd dynn am ei fys**' *the ring was stuck tightly on his finger* (Wiliam Owen Roberts, 1987: 84). 2 *firm, secure, tight* '**Mi wnes i arwydd ar Banjo i ni fynd oddi yno, ond mi gaeodd y mwlsyn ei lygaid yn sownd**' *I made a sign to Banjo for us to leave, but the idiot closed his eyes firmly* (Twm Miall, 1988: 133). 3 *sownd wrth ei gilydd CW joined together, right next to each other* '**Roedd dau dŷ bychan sownd wrth ei gilydd ar werth**' *There were two small houses right next to each other for sale* (Mary Wiliam, 1978: 93).

Sowth (<E *south*) 1 NW *South Wales* '**er mwyn gwybod pwy oeddan ni'n feddwl dyma ni'n ei alw fo yn Joni Sowth pan ddaeth o i aros yn Blw Bel, am mai hogyn o Sowth oedd o**' *in order to know who we meant we called him Joni Sowth when he came to stay at the Blue Bell, because he was a lad from South Wales* (Caradog Prichard, 1961: 87). 2 **(Iesu Grist/Duw etc.) o'r Sowth** NW *Good God, Jesus Christ etc.* (blasphemous exclamation) '**Iesu Grist o'r Sowth, doedd Yncl Dic ddim yn bell ohoni pan ddywedodd o mai twat gwirion oedd Huws**' *Jesus Christ, Uncle Dick wasn't far wrong*

when he said Huws was a stupid twat (Twm Miall, 1988: 44).

Stag Arfon *glimpse, look* '**Dyma [ni] sleifio'n nes i gael stag**' *[We] crept closer to have a look* (Penri Jones, 1982: 91).

Stagio Arfon *to look* '**Erbyn hyn rodd lot o bobol yn y siop wedi stopio i stagio ar y twrw a'r sgrechian**' *By now a lot of people in the shop had stopped to look at the noise and screaming* (Dafydd Huws, 1978: 54).

Staer (<E *stair*) Powys *stairs* **i fyny('r) staer** Powys *upstairs* '**Mi ddiflannodd Anti Dil i fyny'r staer, ac mi ddechreuais inna hepian cysgu ar y soffa**' *Auntie Dil disappeared upstairs, and I started to snooze on the sofa* (Twm Miall, 1988: 167).

'Stalwm (< *ers talwm*) NW *a long time ago, for a long time, for ages* '**[Roedd] hogia Pen-y-darran yn gneud pererindod bob blwyddyn i biso ar fedd Crawshay, y dyn glo drwg 'nw, am be nath o i'r wêr ym Merthyr stalwm ...**' *The Pen-y-darran lads [used to] make a pilgrimage every year to piss on the grave of Crawshay, that evil coal-owner bloke, for what he did to the ordinary people in Merthyr ages ago ...* (Dafydd Huws, 1990: 240).

Stalwyn NW **march** LW SW *stallion*

Stâr (<E *stair*) SW *stairs* **lan stâr** SW *upstairs* '**Ta prun ni, dynnodd hi ei ffroc bant lan stâr**' *Anyway, she took off her dress upstairs* (Twm Miall, 1990: 137)

Starfio (<E *starve*) CW *to be starving* '**Mi gymerwn jochiad rŵan myn diân, brandi bach cnesol, finnau'n starfio'n fan'ma**' *I'll have a shot now bloody hell, of a quick warming brandy, and I'm starving here* (Robin Llywelyn, 1994: 106).

Stecs see **chwysu** (3) and **gwlyb** (5).

'Steddfod (< *eisteddfod*) CW *eisteddfod* '**Roedd Gwenan wedi clywed fod dynion ambiwlans yn flin gacwn bob wythnos Steddfod**' *Gwenan had heard that the ambulancemen get really irritable every Eisteddfod week* (Jane Edwards, 1993: 58).

'Stedda, 'steddwch see Appendix 10.05.

Stepan CW *step* (usually only literally) '**Be chi moyn fi neud, jest roi fe ar stepyn drws?**' *What do you want me to do, just put it on the doorstep?* (Dafydd Rowlands, 1995: 30).

Stelcian Arfon *to lurk* '**Wyddoch chi fel byddwch chi ar ôl saith beint. Ond yn sydyn dyma fi'n gweld rwbath yn stelcian tu nôl i'r pilar yn agos at y bar**' *You know how you are after seven pints. But suddenly I saw something lurking behind a pillar close to the bar* (Dafydd Huws, 1990: 94).

'Sti (< *a wyddost ti*) NW *you know* '**Nid fa'ma wyt ti i fod 'sti**' *You're not suppose to be here, you know* (Gwenlyn Parry in Eleri Hopcyn (ed.), 1995: 50).

Sticil SW **camfa** LW CW *(foot)stile*

Stîd NW *blow, hit* '**Wn i ddim be wna i ag o chwaith. Ei longyfarch o am drïo 'ta rhoi uffar o sdid iddo fo am fethu**' *I don't know what I'll do with him either. Congratulate him for trying or give him a hell of a hit for failing* (Alun Jones, 1979: 95).

Stido 1 NW *to hit* **Ti'n 'ngyrru i o'm co weithiau, dw i am dy stido di** *You drive me mad sometimes, I want to hit you.* **2 stido bwrw** Arfon *to pour with rain* **'Mi fuo hi'n stido bwrw am yr wythnos gyfa'** *It was pouring with rain for the whole week* (Ieuan Parry, 1993: 54).

Stilo Pembs **smwddio** LW CW *to iron*

'Stiniog see Appendix 18.02.

Stiwdent (<E *student*) CW *student* **'Ma 'na filoedd o stiwdants yn dwad i'r 'Ely' yn un criwia mowr ac yn ista mewn cylch a chadw powb arall allan'** *There are thousands of students that come to the 'Ely' as one big group and sit in a circle and keep everyone else out* (Dafydd Huws, 1978: 9).

Stiwpid (<E *stupid*) CW *stupid* **'Dwi'm lecio'r gêm yna! Hen gêm stiwpid ydi hi!'** *I don't like that game! It's a stupid old game!* (Meic Povey, 1995(ii): 29).

Stôl 1 *stool* **''Roeddem wedi'n dal rhwng dwy stôl'** *We'd been caught between two stools* (Dafydd Wigley, 1993: 433). **2** Pembs *chair* **Ble mae'r stôl?** *Where's the chair?* **3** NW *ladder* **"Ystol ydi *ladder*,' me fi yn digwydd gwbod yn well na fo am unwaith'** *'Ystol is a ladder,' I said happening to know better than him for once* (Dafydd Huws, 74).

Stop *stop* **ar stop** *at a stop, at a standstill* **'roedd y byd ar stop, doedd dim gorffennol na dyfodol, dim ond prynhawn diflas arall'** *the world was at a stop, there was no past or future, just another boring afternoon* (Twm Miall, 1988: 9).

Stopi SW *to stop* **'Mae [Hefin] yn dal macyn dros ei drwyn ac yn edrych yn well. Mae'r gwaedu wedi stopi'** *[Hefin] is holding a handkerchief over his nose and looks better. The bleeding has stopped* (Geraint Lewis, 1995: 43).

Stopio *to stop* **stopio'n stond** *to stop dead* **'Ac mi stopiodd hi'n stond a rhythu'n gas a brathu'n swta: 'Dwi'm yn dy nabod di, ydw i?"** *And she stopped dead, stared threateningly and asked curtly 'I don't know you, do I?'* (Wiliam Owen Roberts, 1987: 115).

Strach CW *bother, fuss, stress* **''Dw inna wedi blino. Wedi blino'n gorfforol heb sôn am flino ar y defaid a'r ŵyn 'ma a'r holl strach sydd hefo nhw'** *I myself am tired. Physically tired let alone tired with the sheep and lambs and all the stress there is with them* (Margiad Roberts, 1994: 40).

Straea NW *to gossip* **Roedd yr hogia'n meddwl fod y blacmel yn syniad grêt, oherwydd roeddan nhw'n casáu Louisa am ei bod hi wastad yn straea** *The lads thought that the blackmail was a great idea, because they hated Louisa because she's always gossiping.*

Straffaglu NW *to struggle* **'Dwi wedi bod yn y Steddfod am wythnos, ond dydi hynny ddim cweit 'run fath â holide go iawn, mae o'n debycach i wythnos o waith caled oherwydd bod rhywun yn gorfod straffaglian i fynd at y bar yn y pybs drwy'r dydd'** *I've been to the Eisteddfod for a week, but that isn't quite the same as a real holiday, it's more like a week of hard work because you have to struggle to get to the bar in the pubs all day* (Twm Miall, 1988: 129).

Straffig NW *trouble* **'Geuthon ni dipyn o straffig dy ffendio di deud gwir'** *We had a bit of trouble finding you to be honest* (Dafydd Huws, 1990: 142).

Stranciau NW *antics, tricks* **'Yn y cyfamser, oddi tanynt, yr oedd Llys cyfan yn adweithio i'r stranciau, neu'n eu hanwybyddu'** *In the meantime, below them, the whole Court was reacting to the antics, or ignoring them* (Alun Jones, 1979: 14).

Stremp NW *mess* **'Ceisiodd Pat roi ei holl sylw i'r smwddio ond cyn sicred ag y câi un rhan o'r crys i drefn byddai rhan arall yn stremp o grychiadau'** *Pat tried to focus as her attention on the ironing but as sure as she got one part of the shirt into order another part would be a mess of creases* (Eigra Lewis Roberts, 1985: 33).

Strim-stram-strellach CW *all over the place, topsy-turvy* **'A dyma Bethan i mewn i stydi'i thad, yn hirgoes, fain, a'i gwallt strim-stram-strellach bron â chuddio'i llygaid'** *And then Bethan came into her father's study, long legs, thin, and her hair all over the place just about hiding her eyes* (Islwyn Ffowc Elis, 1974: 103).

'Strywo (< *distrywio*) SW *to destroy, to ruin, to spoil* **'Gwraig annibynnol oedd hon i fod, braidd yn styfnig, un nad oedd yn dibynnu ar neb. Unig blentyn hefyd, ac wedi ei strywo braidd'** *She was supposed to be an independent woman, somewhat stubborn, someone who did not depend on anyone. [She was] also an only child, and was somewhat spoilt* (Lyn Ebenezer, 1986: 18).

Stumiau *gestures, movements* **1 gwneud stumiau** *to make gestures, to pull faces* **'Roedd yr hen ddiawl bach drwg yn gwneud stumiau arna i y diwrnod o'r blaen'** *The naughty little devil was pulling faces at me the other day* (Alun Jones, 1979: 95). **2 tynnu stumiau** *to make gestures, to pull faces* **'Mae Luned yn tynnu stumiau, yn paratoi'i thafod er mwyn chwythu swigan'** *Luned is pulling faces, preparing her tongue for blowing a bubble* (Sonia Edwards, 1995: 18).

Stwbwrn (<E *stubborn*) SW **pengaled** LW NW **ystyfnig** LW CW *stubborn*

Stwc(yn) (lit *milk pail*) CW *short person* **'Yr oedd mor ddoniol, mor eiddgar, stwcyn tew â dwy rudd fel dau domato'** *He was so funny, so ardent, a short fat person with two cheeks like two tomatoes* (Islwyn Ffowc Elis, 1990(i): 72).

Stwna NW *to fiddle about, to mess around* **'Ar ôl cinio mi es i i'r tŷ gwydr i dynnu lladron odd' ar y tymatos ac i stwna a lladd amser'** *After lunch I went into the greenhouse to take the thieves off the tomatoes and to mess around and kill time* (Margiad Roberts, 1994: 98).

Stŵr LW CW **mwstwr** LW SW **sŵn** LW CW **twrw** LW CW *noise*

'Styllio (< *pistyllio*) *to gush, to pour* (usually blood or water) **'Pan edrychais i ar gefn fy llaw roedd hi'n stillio gwaedu'** *When I looked at the back of my hand it was gushing blood* (Caradog Prichard, 1961: 73).

Styrio (<E *to stir*) NW *to move, to shift* '**Nefi, 'di hi'n hannar awr wedi tri'n barod? Rhaid i mi styrio; hwyl i chi rwan!**' *Heavens, is it half past three already? I've got to shift, 'bye now!* (Sonia Edwards, 1993: 21).

Sul *Sunday* **1 (dydd) Sul pys** NW *for ever and a day, month of Sundays* '**Doedd bosib eu bod wedi rhoi cynhebrwng iawn i bob un o'r milwyr, mi fydden nhw wrthi tan ddydd Sul pys**' *It wasn't possible that they gave a proper funeral to each one of the soldiers, they'd be at it for a month of Sundays* (Angharad Tomos, 1991: 54). **2 Sul, gŵyl a gwaith** (lit *Sunday, holiday and work*) *all the time, morning, noon and night* '**O fore gwyn, o bedwar ban, Sul, gŵyl a gwaith mae'r hen blant bach yn cyrraedd atom**' *From first thing in the morning, from all four corners of the world, morning, noon and night the little bloody children arrive at our house* (Robin Llywelyn, 1995: 137).

Surbwch CW *misery* '**Mae'r Surbwch yn casáu'r Nadolig â chas perffaith**' *The Misery hates Christmas with a perfect hatred* (*Golwg*, 17 December 1992: 21).

Sut 1 *how* '**Sut gwn i?**' *How do I know?* (Wil Sam, 1995: 103). **2** NW *eh, what* "**Lle 'dach chi?**' Yr oedd y llais yn floesg a distaw. 'Sut?' 'Inspector yn lle?**" *'Where are you?' The voice was faltering and quiet. 'Eh?' 'An inspector where?'* (Alun Jones, 1979: 58). **3 pob sut a modd** CW *every which way* '**Trïodd Deiniol a Huwi rhyngddyn nhw, trwy bob sut a modd, dynnu y pen carw i ffwrdd**' *Deiniol and Huwi tried between them, through every which way possible, to pull the deer head off* (*Golwg*, 20 December 1990: 22). **4 sut (le/dy etc.) ...?** CW *what kind of (place/house etc.) ...?* '**Roedd hi'n awyddus i gael gwybod sut le fyddai ym Modwigiad wedi i'r gwaith ddod i ben**' *She was anxious to know what kind of place Bodwigiad would be after the work had finished* (Nansi Selwood, 1987: 42). **5 sut mae (hi)?** NW *hello, how are things* "**Sut mae hi, Nel?' 'Iawn, diolch**" *'How are things, Nel?' 'Fine, thanks'* (John Gwilym Jones, 1976: 40).

Swadan NW *blow, hit* '**Roedd o wastad yn ysu am gael rhoi swadan i rywun ac mi gefais i un ganddo fo lawar gwaith**' *He was always itching to be able to give someone a blow and I had one off him several times* (Twm Miall, 1988: 65).

Swêj LW SW **rwdins** LW NW *swedes*

Swejen LW SW **rwden** LW NW *swede*

'Swigen (< *chwysigen*) CW *bubble, blister* '**Ond doedd yna ddim un sgwigan ar fy nhraed i, beth bynnag**' *But there wasn't a single blister on my feet, anyhow* (Caradog Prichard, 1961: 54).

Swllt *shilling* **swllt** is still used figuratively in CW to indicate small amounts of money '**Ia, mi geith ddŵad i hel arian y clwb fory, ac mi fydda' i'n morol y bydd pob swllt yn cael ei dalu**' *Yeah, he can come to collect the club money tomorrow, and I'll make sure that every penny is collected* (Wil Sam, 1995: 52).

Swm *sum* **swm a sylwedd** (lit *sum and substance*) *the long and short, the sum total* '**Cysgu, deffro, cael bwyd, cael gwared ohono - dyna oedd swm a sylwedd ein bywydau**' *Sleep, wake up, get food, get rid of it - that was the sum total of our lives* (Angharad Tomos, 1982: 30).

'Swn i, 'sat ti etc. see Appendix 9.03(iv).

Sŵn LW CW **mwstwr** LW SW **stŵr** LW CW **twrw** LW CW *noise* **sŵn ym mrig y morwydd** (lit *sound in the top of the mulberry trees*) *rumour* "**Roedd Harriet wedi clywed rhyw sŵn ym mrig y morwydd fod yna gyfres [deledu] Gymraeg newydd ar y gweill**' *Harriet heard a rumour that there was a new Welsh language [television] series on the go* (Lyn Ebenezer, 1986: 27) (* from 2 Samuel 5:24).

Swp *heap* **1 swp sâl** NW *sick as a pig, sick as a parrot* '**Y diwrnod cynta oedd y gwaetha un. Bu [e'n] swp sâl a chwydodd o'i ochor hi**' *The first day was the very worst. [He] was as sick as a pig and threw up with gusto* (Wiliam Owen Roberts, 1987: 29). **2 (disgyn etc.) yn swp** *to (fall etc.) in a heap* '**Un ddyrnod arall ar ganol ei dalcen ac yr oedd [o] yn hedfan ar draws y ffordd ac yn disgyn yn swp wrth y llidiart**' *Another blow in the middle of his forehead and [he] was flying across the road and fell in a heap by the gate* (Alun Jones, 1979: 51).

Sy' (< *sydd*) see **sydd**.

Sych *dry* **1 sych-dduwiol** (lit *godly-dry*) CW *sanctimonious* '**O wrando arni'n rhedeg arnyn nhw roedd Gwenan wedi disgwyl gweld criw sych-dduwiol, wyneb hir**' *Listening to her running them down Gwenan was expecting to see a long-faced, sanctimonious crew* (Jane Edwards, 1993: 50). **2 sych garthen** NW *bone dry, dry as a bone, dry as dust* '**Go damia Robin Wylan Wen a'i faco. Duw a ŵyr lle mae o'n 'i gael o. Mae ambell owns yn sych fel blydi carthan**' *Bugger Robin from Wylan Wen and his tobacco. God knows where he gets it. The odd ounce is as dry as a bloody bone* (Alun Jones, 1979: 133). **3 sych gorcyn** SW *bone dry, dry as a bone, dry as dust* '**A'm bwriad oedd rhannu'r wobr â'm 'brawd' a'm hanogodd ar lwyfan y fuddugoliaeth i fod yn 'araf, araf ... paid anobeithio', ac a 'sychodd y môr' yn sych gorcyn hyd i'r gwaelod**' *And my intention was to share the prize with my 'brother' who persuaded me on to the stage of victory to be 'very slow ... don't despair' and who 'wiped the sea' bone dry to the bottom* (Dic Jones, 1989: 146). **4 sych grimp(in)** NW *bone dry, dry as a bone, dry as dust* '**Mi ddechreuodd fy nghoesa i grynu, ac mi aeth fy ngheg i'n sych grimpin**' *My legs started to shake, and my mouth went as dry as a bone* (Twm Miall, 1990: 41).

Syched *thirst* **1 codi syched arnaf** *to make me thirsty* '**[Mi wnes i baned] ugeiniau o weithiau'r dydd, am fod Mos yn cwyno fod paentio yn codi syched arno**' *[I made a cuppa] dozens of times a day, because Mos complained that painting made him thirsty* (Jane Edwards, 1993: 35) (* see also **torri (1)**. **2 mae syched arnaf** *I am thirsty* "**Sychad arna i, hogia,' medda Bobo. 'Be am i ni fynd i 'Reglwys Bach am banad**" *'I'm thirsty,' said Bobo. 'What about us going to 'Reglwys Bach for a cuppa?'* (Jane Edwards, 1989: 48).

Sydyn 1 *sudden* '**Ac yn sydyn fe sylweddolais pam**' *And suddenly I realised why* (Lyn Ebenezer, 1991: 146). **2** NW *quick* '**Ar y ffordd i mewn i'r maes fore Sadwrn cynta'r Eisteddfod, mi ges i gip sydyn ar y map**' *On the way into the field on the first Saturday of the Eisteddfod, I had a quick look at the map* (*Golwg*, 14 August 1997: 20).

Sy(dd) 1 *which, who* '**Yr ydym am ichwi wybod, frodyr, am y rhai sydd yn huno**' *We want you to know, brethren, about those who sleep* (1 Thessalonians 4:13). **2** *there is/are* (end of clause/sentence only) '**A dim ond chydig iawn o bobol chwaethus sy**' *There are only a very few tasteful people* (Jane Edwards, 1989: 21) (* also in CW for emphasis **sy(dd) (y)na** (see also Appendix 13.10-13.11), eg '**Dim ond ychydig o glustogau sydd 'na**' *There are only a few pillows there* (Sonia Edwards, 1995: 10)). **3 sy'n** (< **sydd yn**) *which, who* '**Hwn yw fy nghorff, sy'n cael ei roi er eich mwyn chwi**' *This is my body, which is given for you* (Luke 22:19) (* **sy'n** is acceptable in LW, as in the above example). **4 sydd ddim** CW **nad yw/ydynt** LW *which/who doesn't, which/who aren't* '**Nid oes unrhyw gyfundrefn arall ... sydd ddim yn gwneud camgymeriadau sylfaenol yn yr un modd**' *There isn't any other system ... which doesn't make basic mistakes in the same way* (*Y Faner*, 25 January 1991: 4) (* **sydd ddim** is not considered correct in LW (see Morgan D. Jones, 1965: 44), although it is increasingly acceptable in OW. The LW forms **nad yw/ydynt** are very uncommon in CW in this context. Less common is the (incorrect) form **nad sydd** in CW, eg '**Hyd y galla' i ganfod prin bod yna unrhyw fath o goleg yn bod bellach nad sy'n cynnig cyrsiau mewn darlledu**' *As far as I can see there are hardly any colleges in existence nowadays that don't offer courses in broadcasting* (*Golwg*, 19 September 1996: 9)). **5 (y byd/Gymru etc.) sydd ohoni** *(the world/Wales etc.) in which we live* '**Mae'r Gymraeg yn goroesi ym myd busnes ac yn datblygu yn yr oes dechnolegol sydd ohoni**' *The Welsh language survives in the business world and is developing in the technological age in which we live* (*Yr Herald*, 23 April 1994: 21).

Sylw *notice* **1 dan sylw** *in mind, in question, under scrutiny* '**Yr ardal dan sylw yma yw Cwm Tawe**' *The area in question here is the Swansea Valley* (*Llais Llyfrau*, Autumn 1995: 13). **2 tynnu sylw rhywun at rhywbeth** *to draw someone's attention to something* '**Bwriad eu protest oedd tynnu sylw at eu hanniddigrwydd ynglŷn â pholisïau'r llywodraeth**' *The intention of their protest was to draw attention to their dissatisfaction in connection with the policies of the government* (*Yr Herald*, 23 April 1994: 21).

Sym, symwch see Appendix 10.05.

Symud tŷ LW CW **mudo** LW NW **mwfyd** SW *to move house*

'Symol (< **rhesymol**) **1** NW *mediocre, middle-of-the-road, OK* '**Y gwir amdani yw fod amryw o'r rhai a droes eu cotiau yn aelodau seneddol digon symol a gadawent y Blaid Lafur oherwydd y pwysau**' *The truth about it was that several of the people who turned their coats were mediocre enough members of parliament and they left the Labour Party because of the pressure* (Dafydd Wigley, 1993: 127). **2** NW *poorly, very ill* '**Roedd fy nhad wedi gwella rhyw dipyn, ond mae o'n 'symol rŵan eto**' *My father had improved a bit, but he's poorly now again.*

Synnu *to surprise* **1 synnwn i damaid** *I wouldn't be a bit surprised* '**Cuddio nhw dan sêt ma'r cythral, synnwn i damad**' *The bugger's hiding them under the seat, I wouldn't be a bit surprised* (Jane Edwards, 1989: 31). **2 synnwn i daten** CW *I wouldn't be a bit surprised* '**Synnwn i daten na fydd erthygl Dydd Gŵyl Dewi yn y *Western Mail* yn y ganrif nesaf yn olrhain hanes Bobi yr enciliwr gan weld fod y Gymraeg wedi ennill tir drwy ei weledigaeth o**' *I wouldn't be a bit surprised if there is an article on Saint David's Day in the Western Mail in the next century tracing the history of Bobby the recluse seeing that the Welsh language had gained ground as a result of his vision* (*Western Mail*, 1 March 1997: (Arena) 15). **3 synnwn i ddim** *I wouldn't be a bit surprised* '**Sut fwyd sy tua Sbaen 'na? Lot o gig tarw a malwod a slywennod, cŵn a chathod, synnwn i ddim**' *What kind of food do you get over in Spain then? Lots of bull's meat and snails and eels, dogs and cats, I wouldn't be a bit surprised* (Jane Edwards, 1993: 21).

Syrffed *surfeit, tedious* **1 bod yn syrffed ar rywun** *to be tedious for someone* '**yr oedd yr holl Gymraeg a'r Cymreictod garw o'i gwmpas yn syrffed arno**' *all the Welsh language and rough Welshness around him was tedious for him* (Islwyn Ffowc Elis, 1990(ii): 13). **2 hyd (at) syrffed** *ad nauseum* '**Canlyniad hyn oedd arafu'r cyfan [o'r rhaglen deledu] - hyd at syrffed weithiau**' *The result of this was slowing down all [of the television programme] - ad nauseum sometimes* (*Golwg*, 7 January 1993: 27).

Syrffedu *to get fed up* '**Ond erbyn 1971, 'roeddwn wedi hen syrffedu ar Lundain**' *But by 1971 I had long since got fed up of London* (Dafydd Wigley, 1992: 98).

Syrthio LW NW *to fall* **syrthio ar fy mai** LW NW *to admit I'm wrong* '**Roedd S4C yn syrthio ar ei bai ac wedi cynnig ad-dalu y swm yn llawn o'u cyllid breifat**' *S4C has admitted its mistake and has offered to pay back the sum fully from their private budget* (*Golwg*, 25 May 1995: 8).

Syth *straight* **syth bìn** NW *immediately, straightaway* '**Wyt ti'n bwriadu mynd yn d'ôl yn syth bin?**' *Do you intend going back straightaway?* (Meic Povey, 1995(i): 25).

Sythu 1 *to straighten* '**Mewiodd cath fechan lwyd a sythodd ei chefn**' *A small grey cat mewed and straightened her back* (Wiliam Owen Roberts, 1990: 72). **2 sythu** LW SW **fferru** LW NW **rhewi** LW CW *to freeze* '**'Ngore, 'Nhad, ond rwy isha cynhesu rywfaint gynta. Rwy wedi sythu mâs mynna**' *OK, dad, but I want to warm up a bit first. I've frozen out there* (Nansi Selwood, 1987: 88).

T t

Pronunciation

In North Wales '**t**' is added to the ending of a small number of words

bwyall	>	bwyallt	axe
deall	>	dallt, deallt	to understand
tunnell	>	tunnallt	tonne

'os ydi'r 'wyallt bach 'ne ar gael' *if that small axe is available* (Simon Jones, 1989: 157)

Ta 1 ta beth (< **beth bynnag**) (a) SW *anyhow, anyway* '**Doedd gan y Somaliaid unlle i fynd ta beth**' *The Somalis didn't have anywhere to go anyway* (Guto Harri in Dylan Iorwerth (ed.), 1993: 59); (b) SW *whatever* '**Ta beth ddigwyddith, fydd hi'n benwythnos bendigedig**' *Whatever happens, it'll be a brilliant weekend* (*Television Wales*, 2 March 1996: 5). **2 ta ble** (< **ble bynnag**) SW *wherever* '**Wy ddim yn gweud 'mod i'n gwbod yn gwmws ble ma' Geneva, ond ta ble ma' fe wy'n siŵr bod John Calfin yn troi yn 'i fedd draw 'na**' *I'm not saying I know exactly where Geneva is, but wherever it is I'm sure that John Calvin is turning in his grave over there* (Meirion Evans, 1996: 24). **3 ta faint** (< **pa faint bynnag**) SW *however much* '**Ta faint o gyfoeth o'dd gyta nhw, dim ond lluwch sy ar ôl**' *However much wealth they had, only dust is left* (Dafydd Rowlands, 1995: 51). **4 ta p'un** (< **pa un bynnag**) SW *anyhow, anyway* '**Ta p'un, o'dd e dal ar 'i draed**' *Anyway, he was still on his feet* (John Owen, 1994: 70). **5 ta p'run** (< **pa ryw un bynnag**) SW *anyhow, anyway* '**Wel, i cut a long story short, es i sha thre 'da hi, twel. O'dd lle bach nêt 'da hi, 'ed. Ta prun ni, dynnodd hi ei ffroc bant lan stâr**' *Well, to cut a long story short, I went home with her, you see. She had a tidy little place, as well. Anyway, she took off her dress upstairs* (Twm Miall, 1990: 137). **6 ta pwy** (< **pwy bynnag**) SW *whoever* '**Do'dd e fawr o fardd, ta pwy o'dd e**' *He wasn't much of a poet, whoever he was* (Nansi Selwood, 1987: 114). **7 ta shwd** (< **sut bynnag**) SW *however* '**Mae pawb yn gwybod popeth am bawb arall yn y lle 'ma - ta shwd maen nhw'n ceisio cuddio pethe**' *Everyone knows everything about everyone else in this place - however they try and hide things* (Bernard Evans, 1990: 69). **8 ta waeth** (< **pa waeth bynnag**) (a) CW *anyhow, anyway* '**Ta waeth, cyrradd Tir Bach naethon ni o'r diwadd**' *Anyway, we arrived at Tir Bach in the end* (Robin Llywelyn, 1992: 51); (b) CW *never mind* '**Yndi, mae o'n dŵad hefo'r job, wn i, ond ... Ta waeth, picia nôl ein dillad ni reit handi, nei di ...**' *Yeah, it comes with the job, I know, but ... Never mind, pop back and fetch our clothes quickly, will you ...* (Robin Llywelyn, 1995: 43).

'**Ta** (< **ynteu**) NW *or* '**Wyt ti am fynd â fi i rwla cyn i'r defaid 'ma ddechra dŵad ag ŵyn, 'ta be?**' *Do you want to take me somewhere before the sheep start having lambs, or what?* (Margiad Roberts, 1994: 16).

'**Ta** (< **ynteu**) NW *then* '**Ble ti wedi bod 'ta?**' *Where've you been then?* (Gwenlyn Parry, 1979: 23) (* '**ta** is

used extensively as a stopgap in conversation in NW, as in the above example; see also '**de**, '**te**, **ynde**).

Taclau 1 CW *rascals* '**O'r taclau anghyfrifol! Mi'ch lladda'i chi!**' *Of all the irresponsible stupid buggers! I'll kill you!* (Robin Llywelyn, 1992: 46). **2** CW *balls* (slang term for genitalia) '**A fuos i rioed cyn agosad i dywallt tecelliad o ddŵr berwedig dros ei dacla fo**' *And I've never been so close to pouring a kettle of boiling water over his bollocks* (Margiad Roberts, 1994: 179).

Tacluso LW CW **cymhennu** LW SW **cymoni** LW SW **teidio** CW **twtio** LW CW *to tidy*

Tad 1 *father* '**Tydi hynna ddim yn deg, Dad!**' *That's not fair, Dad!* (Meic Povey, 1995(ii): 38). **2** NW *of course* (usually only in reponse to a question) '**Sgin ti drywdded?' 'Oes tad**' *'You got a licence?' 'Yes of course'* (Robin Llywelyn, 1994: 82). (* **tad** < **yn enw'r Tad**). **3 o'r tad (annwyl)** (lit *of the (dear) father*) CW *goodness me, heavens above* '**O'r tad annw'l! meddai Mary, 'Tomos eto!**' *'Heavens above!' said Mary, 'Tomos again!'* (Nansi Selwood, 1987: 249). **4 tad annwyl** (lit *dear father*) CW *goodness me, heavens above* '**Greta'n un ohonyn nhw! Tad annwyl, mae bywyd yn beth rhyfedd**' *Greta's one of them! Goodness me, life's a strange thing* (Islwyn Ffowc Elis, 1990(ii): 79). **5 tad gwyn** LW NW **llystad** LW SW *stepfather* '**Dafydd oedd ei thad gwyn hi**' *Dafydd was her stepfather.*

Tada NW *daddy* '**Be wnai Lisi? Mae bod adre efo ti a Tada wedi dangos i mi mor erchyll ydi'r cyfan**' *What shall I do Lisi? Being home with you and Daddy shows me how awful it all is* (Angharad Tomos, 1991: 49).

Tad-cu LW SW **taid** LW NW *grandfather*

'**Tae** see Appendix 11.05(ii) and **fel** (**8**).

Taeru *to insist, to swear* **1 taeru du yn wyn** *to swear black is white* '**mi fasa [o] wedi saethu rhyw ddau ramblar digywilydd hefo sana coch gerddodd reit trwy ganol un cae ŷd yn taeru du yn wyn fod 'na lwybr cyhoeddus yno**' *[he] would've shot two awful ramblers with red socks who walked right through the middle of one cornfield swearing black is white that there was a public footpath there* (Margiad Roberts, 1994: 147). **2 taeru'n ddu las** (lit *to swear blue black*) *to swear blind* '**Maen nhw i gyd run fath, dydyn? Taeru'n ddu las bod hi'n fain arnyn nhw ond pan ma hi'n mynd i'r pwsh, ma 'na wastad rwbath bach ar ôl yng ngwaelod y sach, does?**' *They're all the same, aren't they? Swear blind that things are tight for them but when it comes to the push, there's always a little something left at the bottom of the sack, isn't there?* (Dafydd Huws, 1990: 236).

Taflyd (< **taflu**) NW *to throw* '**I be oeddach di isio taflyd fy mhethau i gyd i'r môr?**' *Why did you want to throw all my things into the sea?* (Robin Llywelyn, 1995: 22).

Tafod *tongue* **1 ar dafod (leferydd)** *in everyday speech, in the spoken language, locally* '**Mae e'n cofio'r gair**

ar dafod leferydd ym Môn ar ddechrau'r ganrif' *He remembers the word in everyday speech in Anglesey at the beginning of the century* (*Golwg*, 6 April 1989: 31). **2 (blaen/llym etc.) fy nhafod** (lit *(forward/sharp etc.) my tongue*) forward/sharp etc. in speech or manner '**Un blaen ei thafod oedd y gymdoges honno, gyda llaw, a thipyn o gymeriad**' *That neighbour was forward, by the way, and a bit of a character* (Alan Llwyd, 1994: 172).

Tafol LW SW **clorian** LW NW *(weighing) scales*

Tafoli LW SW **cloriannu** LW NW *to weigh up*

Taffia (< *Taffy* (< **Dafydd**) and *mafia*) CW élite reputed to run Wales, often assumed to be Welsh-speaking or from the Valleys communities of South Wales '**Fel awdures ydw i yn un o'r Taffia tybed?**' *As a writer I wonder if I am one of the Taffia?* (*Western Mail*, 6 August 1996: 11).

Taffins Glam **cisys** Dyfed **da-da** NW **fferins** NW **loshin** SW **melysion** LW CW **minciag** Powys **neisis** Pembs **pethau da** NW *sweets*

Tai *houses* **tai mas** SW *farm buildings* '**byddai gwarcheidwaid y** *'defence of the realm'* **yn pocro yma thraw hyd y tai ma's a'r ydlannau**' *the guardian of the 'defence of the realm' would be poking around here and there in the farm buildings and the rickyards* (Dic Jones, 1989: 67).

'Tai see Appendix 11.02(ii) and **fel** (**8**).

Taid LW NW **tad-cu** LW SW *grandfather*

Tail LW CW **dom** SW *manure*

Taith *journey* **ar daith** (lit *on a journey*) *on tour* '[Mae'n] golygu colli tri neu bedwar o gynyrchiadau [y Theatr Gymraeg] sy'n mynd ar daith' *[It] means losing three or four [Welsh Theatre] productions that go on tour* (*Golwg*, 1 February 1996: 7).

Talcen 1 *forehead* '**Cyn iddi benderfynu un ai i grio neu i weiddi daethai Mam ati a rhoi ei phen ar ei mynwes a chusanu'i thalcen yn dyner, dyner**' *Before she decided whether to cry or to shout her Mam came to her and put her head on her breast and kissed her forehead very, very gently* (Mihangel Morgan, 1992: 14). **2** *gable* (of building) '**Draw yn y pen pella, roedd ei fainc yn cymryd hanner y talcen**' *Over in the far end, his bench took up half the gable end* (Eirug Wyn, 1994: 10). **3** *coalface* '**Ac o'r bore hwnnw mi o'dd Wil Hwnco Manco, y dyn pwyllog a'r gwithwr gofalus a'r aelod blaenllaw o'r Dosbarth Ambiwlans, yn gwitho yn yr un talcen â Dai Lluwch**' *And from that morning Wil Hwnco Manco, the sensible man and careful worker and prominent member of the Ambulance Class, was working the same coalface as Dai Lluwch* (Meirion Evans, 1996: 89). **4 (bwrw/taro etc.) rhywbeth yn ei talcen** (lit *to(hit/knock etc.) something on the forehead*) CW *to (hit/knock etc.) something on the head, to finish off something, to settle something* '**Oni bai'i fod wedi addo i Iorwerth, buasai wedi taro'r mater yn ei dalcen yn y fan a'r lle**' *Were it not for the fact that he had promised Iorwerth, he would have settled the matter there and then* (Islwyn Ffowc Elis, 1990(ii): 132). **5 (llyncu/yfed etc.) rhywbeth ar ei**

dalcen CW *to (swallow/drink etc.) something in one go* '**Yfa di hwnna ar dy dalcan rwan**' *Drink that in one go now* (Caradog Prichard, 1961: 180). **6 talcen caled** (lit *hard coalface*) CW *difficult period, hard patch* (figuratively) '**Y teimlad yr oeddwn i'n ei gael oedd ei fod yn dal i wynebu talcen rhyfeddol o galed**' *The feeling I had was that he was still facing an incredibly hard patch* (*Golwg*, 14 September 1995: 7).

Tali see **byw** *(to live)* (**5**).

Talu *to pay* **1 talu sylw** *to pay attention* '**Ond aed ymlaen â'r ymarfer heb dalu sylw i wyneb pwdlyd Gwen**' *But they carried on with the exercise without paying attention to Gwen's sulky face* (Angharad Jones, 1995: 120) (* thus **dalier sylw** (**'D.S.'**) equates with *nota bene* (*N.B.*)). **2 talu'r pwyth yn ôl** *to get revenge* '**Ma' pawb yng Nghymru'n gwbod pan fod yr Eisteddfod yn Gogland y Gogs sy'n ca'l popeth, ac yn y De, ma'n beirnied ni yn talu'r pwyth 'nôl**' *Everybody in Wales knows that when the Eisteddfod is in the North the North Walians get everything, and in the South, our adjudicators get revenge* (John Owen, 1994: 181).

Talwm 1 ers talwm NW *a long time ago, for a long time, for ages* '**Ers talwm, roedd hithau hefyd ddigon o gwmpas ei phethau i wenu**' *Previously, she was also sufficiently with it to smile* (Angharad Tomos, 1991: 11). **2 sut wyt ti/ydych chi ers talwm?** NW *how are you, it's been ages?* '**Helo, sud wyt ti erstalwm?**' *Hello, how are you? It's been a long time* (Caradog Prichard, 1961: 196).

Tamaid 1 *bit* '**Bu i Gaerfaddon i gael ymdrochi yn y dyfroedd iachusol yno ond doedd hi ddim tamaid gwell wedyn**' *She went to Bath to bathe in the healing waters there but she wasn't a bit better afterwards* (Mihangel Morgan, 1992: 23). **2** CW *a bite to eat* '**Bet yn picio draw jyst cyn cinio ac mi arhosodd i gael rhyw damad hefo ni'n diwadd**' *Bet popped over just before lunch and stayed to have a bite to eat with us in the end* (Margiad Roberts, 1994: 30). **3** CW *bit on the side* (lover of no consequence) '**Y wraig 'di honna efo chi? 'Ta'r tamad ...**' *Is that the wife with you? Or the bit on the side ...* (Dewi Wyn Williams, 1995: 14). **4 pob tamaid** *every bit* '**Fy nhuedd i fel Cymro yw mynd i Iwerddon, ond roedd y daith hon gystal pob tamaid**' *My tendency as a Welshman is to go to Ireland, but this trip was every bit as good* (*Television Wales*, 27 January 1996: 10). **5 tamaid i aros pryd** (lit *a bit to wait a meal*) (a) *a bite to eat* "**Sgin dy nain ddim byd gwell inni na dŵr, Iwerydd?' medd un gan dynnu'i choes. 'A dim sôn am damiad i aros pryd na dim?**" *'Hasn't your grandmother got anything better for us than water, Iwerydd?' asked one pulling her leg. 'And no mention of a bite to eat or anything?'* (Robin Llywelyn, 1994: 24); (b) CW *taster* (figuratively) '**Y mae angen llawer mwy na hynny i lwyr fwynhau'r ymweliad ac i wneud cyfiawnder [ag Helsinki]. Tamaid i aros pryd a gefais i**' *A lot more than that is needed to really enjoy the visit and to do justice [to Helsinki]. I had a taster* (R. Emyr Jones, 1992: 83).

Tamp NW **llaith** LW CW *damp*

Tamprwydd NW **lleithder** LW CW *dampness*

Tân *fire* **1 ar dân** (a) *on fire* **'O's 'na rwbath ar dân 'ma, dudwch? Dwi'n clwad ogla' llosgi'** *Is there something on fire here, then? I can smell burning* (Alan Llwyd, 1994: 24); (b) *very keen, wildly enthusiastic* (figuratively) **'Mae Iwan Stanley ar dân dros yr iaith'** *Iwan Stanley is very keen for the language* (*Golwg*, 13 October 1994: 11). **2 tân ar groen rhywun** (lit *fire on someone's skin*) *an irritant* **'Ei hen ffrind o'i dyddiau ysgol oedd Goronwy, ond roedd e'n dân ar groen Lewis, a'r merched'** *Goronwy was her old friend from her schooldays, but he was an irritant to Lewis, and the girls* (Mihangel Morgan, 1994: 120). **3 tân oer** (lit *cold fire*) *prepared fire* **'Fydda' i ddim chwinciad yn codi lludw a gwneud tân oer'** *I won't be a second collecting the ash and making a prepared fire* (Margiad Roberts, 1994: 185). **4 tân siafins** (lit *shavings fire*) *flash in the pan* **'A rhyw nos Fercher, wedi i Jones gweinidog ddyall taw nage tân siafins o'dd ffyddlondeb yr aelod newydd hwn o'r cwrdd wthnos, dyma fentro galw arno fe mla'n'** *And one Tuesday night, after Jones the minister realised that this new member's faith from the weekly meeting was not a flash in the pan, he ventured to call him forward* (Meirion Evans, 1996: 14).

Tarfu *to disturb* **tarfu ar rywbeth/rywun** *to disturb something/someone, to interrupt something/someone* **'Weithiau rydach chi'n teimlo eich bod chi'n tarfu ar ddioddefaint pobl ac mae hynny'n gwneud ichi sylweddoli pa mor giaidd y mae newyddion yn gallu bod'** *Sometimes you feel that you are disturbing people's suffering and that makes you realise how brutal news can be* (Rhun Gruffydd in Dylan Iorwerth (ed.), 1993: 83).

Taro 1 *to hit* **'O'dd yr ogla yn ddigon â'ch taro chi lawr'** *The smell was enough to hit you over* (Dafydd Huws, 1990: 146). **2** *to suit* **'Fydde hynny ddim yn taro i chi, ta beth'** *That won't suit you, anyhow* (Nansi Selwood, 1993: 92). **3 cael fy nharo'n wael** *to become ill* **'Cafodd ei daro'n wael wythnos cyn Eisteddfod Genedlaethol Llanelli'** *He became ill the week before the Llanelli National Eisteddfod* (Lyn Ebenezer, 1991: 60). **4 taro ar rywun** *to bump into someone* **'Falla mai digwydd taro ar 'i gilydd ddaru nhw'** *Perhaps they happened to bump into each other* (Jane Edwards, 1989: 13). **5 taro deg** (lit *to hit ten*) *to hit the mark* **'Yli rwan, ma' rhaid i mi gael comedi sefyllfa fydd yn taro deg yn y Gogledd a'r De'** *Look now, I've got to have a situation comedy that'll hit the mark in North and South Wales* (Gwenlyn Parry in Eleri Hopcyn (ed.), 1995: 53). **6 taro deuddeg** (lit *to hit twelve*) *to hit the mark* **'Nhw yw'r cynta' i gyfadde' nad ydynt wedi taro deuddeg gyda phob ffilm'** *They are the first to admit that they haven't hit the mark with every film* (*Barn*, September 1995: 21) (* **taro deg** and **taro deuddeg** are often reduced to just **taro**, eg **'Dydi** *Stondin Sulwyn* **ddim bob amser yn taro fel rhaglen [radio]'** *Stondin Sulwyn doesn't always work as a [radio] programme* (*Golwg*, 17 June 1993: 28)). **7 taro heibio** NW *to drop in, to drop by* **'Er mawr syndod imi, gofynnodd [ef] a hoffwn daro heibio i rhif 11 Downing Street'** *To my great*

surprise, [he] asked if I would like to drop by 11 Downing Street (Dafydd Wigley, 1993: 318). **8 taro'r post i'r pared glywed** (lit *to hit the post so that the wall can hear*) *to give someone a subtle hint, to drop a hint* **'Mae S4C dan y chwyddwydr ar ôl deng mlynedd o fodolaeth, a tharo'r post i Lundain a hysbysebwyr glywed y mae'r hogia'** *S4C is under the microscope after ten years of existence, and the lads are dropping a subtle hint to London and the advertisers* (*Golwg*, 29 April 1993: 3). **9 taro rhech** CW *to fart* **'Roedd J.S. erbyn hyn yn ddyn trist a phenisel ac o'r herwydd caeodd y drws ffrynt yn glep tra tarodd Deiniol glamp o rech'** *J.S. by now was a sad and downcast man and as a result he slammed the front door shut while Deiniol farted loudly* (*Golwg*, 20 December 1990: 22).

Ta-ra CW *goodbye, ta-ra* **'O'dd hi'n mynd i Gaerdydd iddi nôl e ddiwedd y dydd, 'na pam etho i ddim syth 'na. Ta ra'** *She was going to Cardiff to fetch him at the end of the day, that's why I didn't go straight there. Ta-ra* (John Owen, 1994: 178).

Tast (<E *taste*) SW *taste* (both literally and figuratively) **'Rodd Gus Barton mwy gyta'i thast mympwyol hi'** *Gus Barton was more to her arbitrary taste* (Edgar ap Lewis, 1977: 45).

'Taswn i, 'taset ti etc. see Appendix 9.05(ii)-(iii).

Ta-ta NW *goodbye, ta-ra* **'Rhaid imi'i gluo hi. Ta ta rwan. Ta ta, medda Huw. Gwela i di fory'** *I've got to shoot off. Bye bye now. Ta-ra, said Huw. I'll see you tomorrow* (Caradog Prichard, 1961: 85).

Taten LW SW **tysen** LW NW *potato*

Tatws LW NW **tato** SW *potatoes*

Taw 1 taw LW SW **mai** LW NW *that* (to introduce an emphatic clause) **'Gadewch imi ddatgan taw gwaith caled fydd y cyfan'** *Let me declare that it will all be hard work* (*Y Faner*, 13 April 1990: 8). **2 os taw** SW *if* (to introduce an emphatic clause) **'Ein rygbi? Ai dyna'r unig beth y'n ni'n enwog amdano ar draws y byd? Duw a'n helpo, os taw e'** *Our rugby? Is that the only thing we're famous for throughout the world? God help us, if it is* (Geraint Lewis, 1995: 23) (LW and OW prefer **ai**: see **ai** (**2**)).

Taw see **tewi**.

'Tawn i, 'taet ti etc. see Appendix 11.05(ii).

'Te (< *ynteu*) *then* **'Pobol odd yn pigo anan ni 'elly ia. Wedyn odd raid i ni gwffio 'nôl 'te!'** *People were picking on us you know, weren't they. So we had to fight back then* (Gareth Wyn Jones in Beth Thomas and Peter Wynn Thomas (eds.), 1989: 92) (* **'te** is used extensively as a stopgap in conversation in NW, as in the above example; see also **'de**, **'ta** and **ynde**).

Tebyg 1 *similar* **'Yn hynny o beth, roedd Bigw a finnau'n debyg'** *As far as that was concerned, Bigw and I were similar* (Angharad Tomos, 1991: 31). **2** *probably* **'Debyg iawn, 'doedd Lora ddim mewn gwirionedd yn golygu'r hyn a ddywedai'** *Very probably, Lora did not in reality mean what she was saying* (T. Glynne Davies, 1974: 245). **3 mae'n debyg** *probably* **'pwrpas hyn, mae'n debyg, oedd dangos pa mor ffiaidd oedd y tai'** *the purpose of* *this, probably, was to show how disgusting the houses were* (*Barn*, Novermber 1990: 38). **4 na, debyg** NW *not likely, suppose not* **"Now, ordris di dwrci gan Cae Rwtan?' 'Y fi? Naddo debyg"** *'Now, did you order a turkey from Cae Rwtan?' 'Me? Not likely'* (Margiad Roberts, 1994: 229). **5 pur debyg** NW *more than likely* **'mae'n bur debyg nad yw yn cytuno fawr ddim gyda chynnwys y llyfr'** *more than likely he hardly agrees at all with the contents of the book* (Elwyn Jones, 1991: 9). **6 (Cymro/Gwyddel etc.) a'm tebyg** *a (Welshman/Irishman etc.) and people like me* **'Ti'n gweld, ar ddiwadd y dydd does ganddon ni, y chdi a fi a'n tebyg, ddim hyd yn oed do uwch 'n penna'** *You see, at the end of the day, we haven't got, you and me and people like us, even a roof over our heads* (Margiad Roberts, 1994: 214). **7 yn ôl pob tebyg** *in all probability* **'Ond jôc sâl oedd y cyfan, yn ôl pob tebyg'** *But it was all a bad joke, in all probability* (*Barn*, March 1995: 4).

Tegil SW *kettle* **'Diawsti, so'r tegil mla'n 'da ti 'te?'** *Heavens, you haven't got the kettle on then?* (Meirion Evans, 1997: 41).

Teid (<E *tide*) Dyfed *tide* **'Wên nw'n arfer gweud nag o'dd 'm byd yn digwydd yn Lland'och, 'm ond y teid yn dod miwn a'r teid yn my' ma's'** *They used to say that nothing use to happen in St Dogmaels, just that the tide came in and the tide went out* (Angharad Dafis in Gwyn Griffiths (ed.), 1994: 55).

Teidi (<E *tidy*) CW *good, smart, tidy* **'daw o at ei goed unwaith y ceith o swydd ddysgu deidi a phriodi rhyw hogan bach gall a setlo i lawr'** *he'll come to his senses once he gets a good teaching job and marries some sensible little girl and settles down* (Wiliam Owen Roberts, 1990: 99).

Teidio (<E *tidy*) CW **cymhennu** LW SW **cymoni** LW SW **tacluso** LW CW **twtio** LW CW *to tidy*

Teie (< **tai**) **teie mas** Pembs *farm buildings* **'A wedyn on nw'n roi [y bachyn] lan wrth ryw bîm in un o'r teie mâs'** *And afterwards they put up [the hook] on some beam in one of the farm buildings* (Elizabeth John in Beth Thomas and Peter Wynn Thomas (eds.), 1989: 132).

Teimlad *feeling* **dan deimlad** *emotional* **'Dyma ei araith olaf fel prifathro'r ysgol. Ac mae dan deimlad'** *This is his last speech as school headmaster. And he's emotional* (Angharad Jones, 1995: 167).

Telerau *conditions, terms* **dod i delerau â rhywbeth** *to come to terms with something, to get used to something* **'Wedi'r deugain oed, deuai dirywiad y corff yn ffactor yr oedd yn rhaid dygymod ag o, a dysgai'r hunan i ddod i delerau â'r ffaith ei fod yn darfod'** *After reaching forty, the physical decline of the body became a factor that had to be coped with, and to teach the self to come to terms with the fact that it is dying* (Angharad Tomos, 1991: 112).

Terfyn *boundary, end* **tynnu tua'r terfyn** *to draw to a close* **'Ro'n i'n gwybod fod y contract yn tynnu tua'i derfyn, ond doeddwn i ddim yn siŵr iawn pryd ro'n i i fod i orffan'** *I knew that the contract was drawing to its close, but I wasn't very sure when I was supposed to finish* (Twm Miall, 1990: 164).

Tesog *hot, sunny* **hir felyn tesog** *hot, hazy and sunny* **'A pha beth gwell i'w wneud yng nghanol rhewynt y gaeaf na hel atgofion melys am ddyddiau hirfelyntesog'** *And what better thing to do in the middle of the icy wind of winter than fondly reminisce about scorching hot days* (*Sbec TV Wales*, 31 December 1994: 11).

Testun *subject* **1 testun sbort** *laughing stock* **'Byddai Glenda a fo yn destun sbort yr ardal am fisoedd'** *Glenda and him would be the laughing stock of the area for months* (*Golwg*, 29 June 1989: 17). **2 testun siarad** *subject of conversation* **'... digon yw dweud y bydd y tîm yn destun siarad i bawb cyn bo hir'** *... it's enough to say that the team will be the subject of conversation before long* (*Y Cymro*, 25 September 1996: 22).

Tew *fat, thick* **yn dew ac yn denau** *commonplace* **'Ond wedyn, os oedd Lesli Pritchard yn gwybod, mae'n debyg fod y stori'n dew ac yn denau ar hyd strydoedd Llanfair-glan-Alaw erbyn hyn'** *But then, if Lesli Pritchard knew, it likely that the story is common knowledge on the streets of Llanfair-glan-Alaw by now* (Sonia Edwards, 1994: 83) (* this idiom can be reduced to just **yn dew**, eg **'Does 'na ddim rhy ofalus i fod y dyddia yma efo'r blydi AIDS 'ma'n dew, nag oes?'** *There's no being too careful these days with that bloody AIDS commonplace, is there?* (Dafydd Huws, 1990: 145)).

Tewi *to be silent* **1 taw/tewch** (lit *be quiet*) NW *get away, you don't say* **"[Doeddan nhw] ddim am fynd ar gyfyl Regwlys eto nes bod y Rhyfal wedi stopio.' 'Tewch mam.' 'Do yn wir"** *'[They didn't] want to go near the Church again until the War had stopped.' 'Get away, mam.' 'Yes, really'* (Caradog Prichard, 1961: 27). **2 taw/tewch â dweud** (lit *silence with speaking*) NW *get away, you don't say* **"Un o foch Môn ydw i.' 'Tewch â deud"** *'I'm from Anglesey.' 'Get away'* (Twm Miall, 1990: 156). **3 taw/tewch â sôn** (lit *silence with talking*) NW *get away, you don't say* **'Taw a sôn, dyna'r tro cyntaf i mi wybod fod gan Harriet Ifan fam wen'** *Get away, that's the first time for me to find out that Harriet Ifan's got a stepmother* (Angharad Tomos, 1982: 42).

Teyrn (lit *monarch, sovereign*) CW *tyrant* (figuratively) **'Roedd Anti Dil yn trio llywodraethu pawb, roedd hi fel teyrn'** *Auntie Dil was trying to rule everyone, and she was a tyrant* (Twm Miall, 1988: 158).

Ti see Appendix 15.

Tidrâth see Appendix 18.02.

Tin *backside* **1 ar fy nhin** (lit *on my backside*) NW *there and then* **'Peth nesa dyma 'na foi efo mwng mawr coch yn dwad allan o ddrws y Fontana de Trevi. A Iesu Gwyn o'r South! Fuo jest i mi ga'l fflatan ar y 'nhîn!'** *The next minute this bloke with a big red beard came out of the Fontana de Trevi door. Jesus Christ! I nearly had a fit there and then!* (*Golwg*, 21 December 1989: 25). **2 dan din** (lit *under backside*) *underhand* **'O'n nhw'n gwbod y baswn i wedi gwneud mwy o ymdrech taswn i wedi cael gwbod eu bod nhw'n mynd i gystadlu. Bastads tan din'** *They knew I would have made more of an effort if I'd known that they were going to compete. Underhand bastards*

(Mihangel Morgan, 1994: 134). **3 tin dros ben** *head over heels, arse over tip* '**Ceunant coediog, heulog braf oedd o hefyd a finna'n plymio ac yn plymio nes oedd fy stumog i'n gneud tin dros ben y tu mewn imi**' *It was a nice and sunny, wooded ravine as well and I fell and fell until my stomach was going head over heels inside me* (Robin Llywelyn, 1992: 21). **4 tin y nyth** CW *baby of the family, youngest child in the family* '**Ond bydd tin-y-nyth yn dilyn cwrs gradd yn y Gymraeg am y tair blynedd nesaf**' *But the youngest in the family will be pursuing a degree course in Welsh for the next three years* (*Western Mail*, 11 October 1997: (Arena) 15).

Tipyn *a bit, a little* **1 bob yn dipyn** *bit by bit, gradually* '**Bob yn dipyn, cyhoeddwyd y cerddi hyn yn *Barddas*'** *Bit by bit these poems were published in Barddas* (Alan Llwyd, 1994: 194). **2 cryn dipyn** *a fair bit, a fair few* '**enillodd gyda'r araith orau a glywais erioed mewn unrhyw gyfarfod enwebu, ac yr wyf wedi mynychu cryn dipyn erbyn hyn**' *he won with the best speech I have ever heard in any nomination meeting, and I've been to a fair few by now* (Elwyn Jones, 1991: 130). **3 o dipyn** *by a long chalk, by far, considerably* '**Gyrrodd o'i glwb i'w dŷ yn dra gofalus. Nid oedd yn sobor o dipyn**' *He drove from his club to his house extremely carefully. He wasn't sober by a long chalk* (Islwyn Ffowc Elis, 1990(ii): 99). **4 o dipyn i beth** *after a while, gradually* '**O dipyn i beth diflannodd yr orymdaith yn araf i lawr y stryd**' *Gradually the procession disappeared slowly down the street* (Wiliam Owen Roberts, 1987: 67). **5 tipyn go lew** NW *a fair bit, quite a bit* '**roedd yn golygu dipyn go lew i mi**' *it meant quite a bit to me* (Angharad Tomos, 1991: 129). **6 tipyn o beth** *quite a thing* **Mi fasai'n dipyn o beth gael dringo yn yr Andes** *It would be quite a thing to be able to go climbing in the Andes.*

Tir *land* **ar dir y byw** *in the land of the living* '**Mae William Pughe yn dal ar dir y byw**' *William Pughe is still in the land of the living* (*Golwg*, 20 April 1995: 10).

Tishio? (< **a wyt ti eisiau?**) NW *d'you want?* '**Be ddiawl tisio?**' *What the hell d'you want?* (Robin Llywelyn, 1992: 49).

Titshyr (<E *teacher*) CW *teacher* '**Ma' gin y titsiar act anodd i'w ddilyn**' *The teacher's got a hard act to follow* (Sonia Edwards, 1994: 131).

Tithau see Appendix 15.05-15.06.

Tiwn (<E *tune*) **tiwn gron** (lit *a whole tune*) *repetitively* (derogatory) '**Ond roedd hi'n ddiflas gwrando ar y dynion oedd wastad yn ista yn yr un lle wrth y bar ym mhob pŷb, yn deud yr un hen betha drosodd a throsodd, fel tiwn gron**' *But it was boring listening to the men who always sit in the same place by the bar in every pub, saying the same old things over and over repetitively* (Twm Miall, 1990: 171) (* see also **tôn**).

Tlawd *poor* **1 tlawd a balch** (lit *poor and proud*) common response to the common question **sut wyt ti?** etc. *how are you?* etc. '**Sut wyt ti ers talwm?**' '**Yr un peth ag erioed, tlawd a balch**' '*How are you, it's been ages?*' '*Same as ever, poor and proud.*' **2 yr**

hen dlawd NW *poor thing* "**Mi es ati hi, ond mae arna' i ofn 'mod i'n rhy hwyr. Roedd hi â'i phen yn y gwtar.**' "**Rhen dlawd**" '*I went to her, but I'm afraid I was too late. She had her head in the gutter.*' '*Poor thing*' (Wil Sam, 1995: 193).

To *generation* **y to sy'n codi** *the younger generation* '**Y mae'n amheus i ba raddau y defnyddir llawer [o'r dywediadau] bellach, gan gymaint yr anwybodaeth o'r Beibl sydd ymhlith y to sy'n codi**' *It is doubtful to what extent many [of the sayings] are used nowadays, such as the ignorance of the Bible among the younger generation* (*Llais Llyfrau*, Summer 1994: 14).

'To (< **eto**) SW *again, yet* '**Gwed e 'to ... Gwed y gwir wrthi Lind**' *Say it again ... Tell her the truth Lind* (Sion Eirian, 1995: 44).

Toeau, toeon see Appendix 14.03.

'Toedd see Appendix 5.02(iii), 13.06(v).

'Toes see Appendix 13.06(i)(c), 13.10(iii), 13.12(ii), 13.12(v).

Tollti (< **tywallt**) NW *to pour* '**Pam na fasat ti'n daflu dy blydi *prawn cocktail* i'w wyneb o ... a tolldi dy *lasagne* dros 'i ben moel o ...**' *Why don't you throw your bloody prawn cocktail in his face ... and pour your lasagne over his bald head ...* (Gwenlyn Parry, 1979: 53).

Tomen *mound, pile* **1 ar fy nhomen fy hun** (lit *on my own pile*) *on my own patch* '**Y mae'n werth ymweld â Dulyn pe bai dim ond i gyfarfod â'r Gwyddel cyffredin, yn ei holl afiaith, ar ei domen ei hun**' *It is worth visiting Dublin if only to meet the ordinary Irish person, in all his mirth, on his own patch* (R. Emyr Jones, 1992: 105). **2 ar y domen** (sgrap) *on the scrapheap* '**Be ddaru Cymru i Brenda? Be ddaru ni 'mond ei defnyddio i'r eithaf, a'i lluchio ar domen scrap**' *What did Wales do for Brenda? What did we do but use her to the utmost, and then fling her on the scrapheap* (Angharad Tomos, 1985: 114).

Tomos see Appendix 19.04.

Ton *wave* **(draw) dros y don** (lit *over (across) the wave*) *overseas* '**Draw dros y don yn y Stêts bu'r cyfryngau wrthi ers misoedd yn 'casglu tystiolaeth**'" *Overseas in the States the media has been at it for months 'collecting evidence'* (*Golwg*, 22 September 1994: 29).

Tôn *tune* **tôn gron** (lit *a whole tune*) *repetitively* (derogatory) '**Yno i wneud 'job o waith' yr oedden nhw - fel y dywedodd y rhan fwyaf ar dôn gron pan geisiwyd eu holi**' *They were there to do 'a job of work' - as the majority said repetitively when it was attempted to question them* (Guto Harri in Dylan Iorwerth (ed.), 1993: 67) (* see also **tiwn**).

Torchi *to roll* **torchi fy (llewys/nhrowsus etc.)** *to roll up my (shirtsleeves/trousers etc.)* '**Yr oedd hi, fel y buasai rhywun yn disgwyl, yn deall y sefyllfa i'r dim, a bu'n taer erfyn ar ei gŵr i drochi ei lewys unwaith yn rhagor**' *She understood, as one would expect, the situation exactly, and would earnestly implore her husband to roll up his shirtsleeves once more* (Dafydd Huws, 1990: 252).

Torheulo LW NW **bolaheulo** LW SW *to sunbathe*

Toriad *cut* **yn nhoriad fy mogail** (lit *in the cutting of my navel*) *instinctively, through and through* "**Ffrynt rispectabl i anlladrwydd noeth. Ac 'r ydwi i'n dewis 'y ngeiriau.' 'Tewch â sôn.' 'Mae o yn nhoriad ei bogail hi**" *'A respectable front to naked wantonness. And I'm chosing my words.' 'Get away.' 'It's her through and through'* (Huw Roberts, 1981: 46).

Torri *to break, to cut* **1 torri ar fy nhraws** *to interrupt me* "**Syr, Mr Dafis, syr ...' Torrodd llais Emyr ar draws y llifeiriant geiriau**' *'Sir, Mr Dafis, sir ...'* *Emyr's voice interrupted the flow of words* (Bernard Evans, 1990: 37). **2 torri bedd** *to dig a grave* '**Gallwn i fyth torri bedd iddo fe yng ngolwg y llyged 'na'** *I could never dig him a grave in view of those eyes* (Bernard Evans, 1990: 24). **3 torri crib rhywun** (lit *to cut someone's crest*) *to humble someone* '**Ymysg trwch ein gwleidyddion, ni cheir fawr o ymdrech i gynnig gweledigaeth a chyfeiriad, ond yn hytrach bodlonir ar geisio torri crib gwrthwynebwyr trwy fân-feirniadu negyddol**' *Among the majority of our politicians, there is not much of an effort to offer vision and direction, but rather it is accepted to try and humble opponents through petty, negative criticism* (*Barn*, April 1995: 4). **4 torri cwys (newydd)** *to cut a (new) furrow* (often used figuratively) '**Ddeufis ar ôl gadael gofal Awdurdod Addysg Clwyd, mae Ysgol Emrys ap Iwan yn Abergele wedi torri cwys newydd eto - trwy gynnig brecwast i'r disgyblion**' *Two months after leaving the care of Clwyd Education Department, Emrys ap Iwan School has broken new ground again - by offering breakfast to the pupils* (*Golwg*, 4 March 1993: 5). **5 torri Cymraeg â rhywun** (lit *to cut Welsh with someone*) *to speak to someone* '**Ceisiai [hi] dorri Cymraeg ag ef i roi'r syniad ei bod yn deall pob gair**' *[She] tried to speak to him in order to give the idea that she understood every word* (Rhydwen Williams, 1969: 9). **6 torri cŷt** NW *to create an impression* '**Ond o nabod Dei Dwyn Wya, torri cyt oedd o'n dangos ei hun yn bwysig**' *But from knowing Dei Dwyn Wya, creating an impression by showing off was important* (Robin Llywelyn, 1992: 16). **7 torri dadl** *to settle an argument* '**Chikako's, y bwyty Siapaneaidd yn Mill Lane, Caerdydd - gellwch dorri dadl wleidyddol yno dros bysgod amrwd, nwdls da a gwin reis**' *Chikako's, the Japanese restaurant in Mill Lane, Cardiff - you can settle a political argument there over raw fish, good noodles and rice wine* (*Barn*, April 1997: 32). **8 torri fy enw** *to sign* '**Torrodd Richard Games ei enw ar y gofrestr**' *Richard Games signed the register* (Nansi Selwood, 1987: 33). **9 torri fy ngwddf** (lit *to break my throat*) CW *to break my neck, to kill myself* (usually figuratively) '**Dwi ddim yn bwriadu torri 'ngwddf yn ymladd un unbennaeth er mwyn syrthio i freichiau un arall**' *I don't intend breaking my neck fighting one tyranny in order to fall into the arms of another one* (Tweli Griffiths, 1993: 58). **10 torri fy rhych fy hun** (lit *to cut my own furrow*) *to do my own thing* '**Mi fydda i'n cael y teimlad wrth wrando ar Nain yn hel atgofion, ei bod hi wedi trio ei gora glas, ar un cyfnod, i ddŵad yn rhan o'r hen le 'ma, ond ... Mae'n debyg ei bod hi wedi gorfod torri ei rhych ei hun**' *I get the*

feeling listening to Nain reminiscing that she tried her level best, at one time, to become part of this old place here, but ... Probably she was forced to do her own thing (Twm Miall, 1988: 100). **11 torri fy syched** *to quench my thirst* '**Na i ddim seino yn erbyn y ddiod ... Nath hi ddim drwg eriôd i fi. Yn wir, fe nath lawer o dda. Fe dorrodd 'yn syched i, fe gododd 'yn ysbryd i**' *I won't sign up against drink ... It never did me any harm. In fact, it did a lot of good. It quenched my thirst, it cheered me up* (Eirwyn Pontshân, 1982: 81) (* see also **syched**). **12 torri gair â rhywun** (lit *to break a word with someone*) CW *to speak to someone* '**Wnaethon ni ddim cwrdd ag ef na thorri gair ag ef yn ystod y flwyddyn gyntaf**' *We didn't meet him or speak to him during the first year* (Mihangel Morgan, 1994: 33). **13 torri tir newydd** *to break new ground* '**Eto, ymhen tua blwyddyn, mae hi am dorri tir newydd i'r iaith Gymraeg**' *Yet, within about a year, she wants to break new ground for the Welsh language* (*Golwg*, 27 April 1989: 22). **14 torri'r garw** *to break the ice* '**Edrychai [ef] yn amheus ac yn ddrwgdybus arnaf, heb ddweud dim. Mentrais innau dorri'r garw**' *[He] looked dubiously and suspiciously at me, not saying anything. I ventured to break the ice* (Alan Llwyd, 1994: 57). **15 torri'r ias** *to break the ice* '**eglurodd [hi] mai amser i dorri'r ias yn unig a gafodd hyd yma**' *[she] explained that she had only had time to break the ice up until now* (*Cambrian News*, 7 October 1994: 1).

Tost LW SW **anhwylus** SW **cwla** NW **sâl** LW NW *ill, sick*

Tostrwydd LW SW **salwch** LW NW *illness*

Tosyn LW SW **ploryn** LW NW *pimple*

Towlu (< **taflu**) SW *to throw* '**Ond gas hi 'i thowlu mas o'r ysgol merched, a cyn bo hir o'dd hi wedi cyfnewid y llwy arian am bigyn nodwydd syringe**' *But she was thrown out of the girls' school, and soon she'd exchanged the silver spoon for the prick of a syringe needle* (Sion Eirian, 1995: 41).

Trachefn *again* **trachefn a thrachefn** *again and again* '**Rhoddwyd ef yn y gwely o'r diwedd, ond daliai i godi drachefn a thrachefn**' *He was put in bed at last, but he kept getting up again and again* (Simon Jones, 1989: 190).

Traddodi *to deliver* **traddodi (darlith/pregeth etc.)** *to deliver (a lecture/sermon etc.)* '**Traddododd ei ddarlith enwog ar Dic Penderyn i Gyngor yr Undebau Llafur a'r Blaid Lafur ym Merthyr**' *He delivered his famous lecture on Dic Penderyn to the Trade Union Council and the Labour Party in Merthyr* (*Barn*, February 1995: 16).

Traed *feet* (see also **troed**) **1 â'm traed yn rhydd** (lit *with my feet free*) *at large, free* '**Mi glywais i fod Ffowc â'i draed yn rhydd!**' *I heard that Ffowc is free!* (Vivian Wynne Roberts, 1995: 102). **2 cael traed** (lit *to get feet*) *to disappear, to walk off* (objects, possessions etc.) **Dw i byth yn benthyg fy recordiau, oherwydd maen nhw'n tueddu cael traed a diflannu** *I never lend my records, because they tend to walk off and disappear.* **3 cael fy nhraed danaf** (lit *to get my feet under me*) (a) *to steady* *myself* '**Cododd Mary oddi ar y stôl isel ond cydiodd ymyl ei gŵn yn y goes ôl a baglodd ychydig 'nôl ychydig. Cydiodd Richard yn ei llaw nes iddi gael ei thraed dani**' *Mary got up off the low stool but the edge of her gown caught on the back leg and she stumbled a bit backwards. Richard grabbed her hand until she steadied herself* (Nansi Selwood, 1987: 89); (b) *to establish myself* '**cyfaddefaf serch hynny imi orfod ymdrechu'n galed i gael fy nhraed danaf ar adeg digon anodd i'r cwmni**' *I admit however that I had to struggle hard to establish myself at a hard enough time for the company* (Dafydd Wigley, 1992: 110). **4 cael fy nhraed o dan y bwrdd** (lit *to get my feet under the table*) CW *to be accepted into the family* (in reference to marriage etc.) '**Hei! Paid â meddwl bod ti'n ca'l dy dra'd dan bwrdd fan hyn, gwd boi ... Er 'mod i'n gallu gweld y gnei di wraig tŷ dda i rywun**' *Hey! Don't think you're getting yourself established here, mate ... Although I can see that you'd make a good housewife for someone* (Aled Islwyn, 1994: 109). **5 codi ar fy nhraed** *to get up, to stand up* '**Cwympodd Non yn erbyn y wal a phan gododd ar ei thraed sylwodd fod y peiriant yn symud tuag ati**' *Non fell against the wall and when she got up she noticed that the machine was moving towards her* (Mihangel Morgan, 1993(ii): 17). **6 (dodi/rhoi etc.) traed arni** (lit *to (place etc.) feet on it*) CW *to get a move on* '**Pan gwelsech chi Betsi'n gwascu 'i gire mâs rhwng dwy wefus dynn, a'r ddou lycad mawr glas-ddu fel dwy seren wib, yna byse'n bryd doti'ch trâd yn y tir, a'i baglu hi am ych bywyd**' *When you see Betsi forcing her words out through two tight lips, and her two big black-blue eyes like two shooting stars, then it's time to get a move on and hotfoot it for your life* (Edgar ap Lewys, 1977: 21). **7 gwneud traed tuag at rywle** (lit *to make feet towards somewhere*) CW *to make a move towards somewhere* '**Gwell i ti neud trâd sha thre i newid o'r dillad 'na**' *You'd better make a move home to change from those clothes* (Edgar ap Lewys, 1977: 51). **8 traed brain** (lit *crows' feet*) CW *like a spider's* (untidy and illegible writing) '**[Doedd] dim ond cerdyn yn sgrifen draed brain ei mam yn dweud eu bod yn bwriadu aros yn Blackpool**' *[There] was only a card in her mother's spider's writing saying that they intended staying in Blackpool* (Jane Edwards, 1993: 99). **9 traed i fyny** (lit *feet up*) NW *upside-down* '**Rhuthrodd Adam at y gwely a thynnu'r gwrthban a'r cynfasau oddi arno a'r fatras hithau oddi ar y ffrâm ac yna'r gwely ben lawr traed i fyny'n chwilio am ei brae**' *Adam rushed to the bed and pulled the blanket and sheets off it and then the mattress off the frame and then turned the bed round upside-down looking for his prey* (Robin Llywelyn, 1994: 76). **10 traed moch** (lit *pigs' feet*) CW *mess* '**ma petha'n mynd yn draed moch os ti'n dal i fyw adra**' *things become a mess if you still live at home* (Dafydd Huws, 1990: 13) (* thus **mae'n draed moch arnaf** (lit *it is pigs' feet for me*) CW *I'm in a mess* '**Treuliau hael oedd treuliau'r llyfrgell; mi fyddai wedi bod yn draed moch arno fel arall**' *The library expenses were generous expenses; he would have been in a mess otherwise* (Robin Llywelyn, 1994: 158)). **11 tynnu fy nhraed**

ataf (lit *to draw my feet to me*) *to die* '**Wrth i fusnesau ymhobman dynnu'u traed atyn, mae cwmni Iceland o Lannau Dyfrdwy yn estyn eu hadenydd eto**' *As businesses everywhere die, Iceland from Deeside is expanding again* (Golwg, 25 May 1995: 6). **12 yn nhraed fy 'sanau** (lit *in the feet of my socks*) *in my socks* '**Gwisga rwbath wir Dduw. Sdim byd gwaeth na dyn yn trio deud rwbath pwysig yn 'i drons a'i draed sana**' *Put something on for God's sake. There's nothing worse than a man trying to say something important in his pants and socks* (Gwenlyn Parry, 1992: 57) (* **'sanau < hosanau**).

Trafferth *trouble* **mewn trafferth** *in trouble* '**Gan 'i fod e'n gymint o foi am iconomics fe feddyliodd John ma purion peth fydde rhoi'i gyfrwystra ariannol ar waith drw helpu pobol sy mewn trafferth gyda bois yr incom tacs**' *Since he was such a keen one for economics John thought that it'd be a good idea to put his financial cunning to work by helping people who were in trouble with the income tax boys* (Eirwyn Pontshân, 1982: 47).

Trai *ebb* (of the sea) **ar drai** *ebbing, on the wane* '**A Marcsiaeth - ac yswaeth, y maes glo - ar drai, fe ddylai Ceidwadwyr Cymru roi ystyriaeth ddwys i'r ffaith fod un o'u meddylwyr gorau o blaid Senedd i'r Alban a Chynulliad i Gymru**' *With Marxism - and certainly, the coalfield - on the wane, the Welsh Conservatives should give serious consideration to the fact that one of their best thinkers is in favour of a Scottish Parliament and a Welsh Assembly* (Golwg, 24 March 1994: 7).

Trallwm see Appendix 18.02.

Tranau (< **taranau**) NW *thunder* '**Mi neith dipyn o law trana les i'r tyfiant**' *A bit of thunder rain will do some good to the vegetation* (Gwenlyn Parry, 1979: 19).

Trannoeth *the next day* **trannoeth y ffair** (lit *the day after the fair*) CW *the morning after the night before* '**Hwyrach y gwelsom benllanw cenedlaetholdeb [yn Quebec ar ôl y bleidlais am annibyniaeth] ... Go brin fod hyn yn bosiblrwydd cryf ac ystyried ymateb pawb drannoeth y ffair fel petai**' *Perhaps we saw the high tide of nationalism [in Quebec after the vote for independence] ... This is hardly a strongly possibility considering everyone's response the morning after the night before as it were* (Barn, December 1995: 12).

Traul *expense* **1 ar draul rhywbeth** *at the expense of something* '**Llwyddodd i berswadio Elen nad oedd o wedi bwriadu 'gor-wneud pethau' yn y gwaith ar draul eu perthynas**' *He managed to persuade Elen that he didn't intend to 'over-do things' at work at the expense of their relationship* (Sonia Edwards, 1993: 62). **2 bwrw'r traul** *to count the cost* '**Mi ddarun ein dau symud dan y goedan Orenj Pyipin i fwrw'r draul a mochal**' *Both of us moved under the Orange Pippin tree to count the cost and to shelter* (Wil Sam, 1987: 22).

Traws *across* **ar draws ei gilydd** (lit *over each other*) *on top of each other* (figuratively) '**Fydd 'na ddim trefn ar ôl i'r lleill godi, dim ond chwilio am y peth**

yma a'r peth acw, a phawb ar draws 'i gilydd ac am y gora'n gweiddi' *There won't be any order after the others get up, just looking for this thing here and that thing there, and everyone on top of each other shouting as much as possible* (Jane Edwards, 1989: 18).

Traws see Appendix 18.02.

Trech *dominant* **1** mynd yn drech na rhywbeth/rhywun *to get the better of something/someone* 'Wi 'di 'sgwennu ato fe i ymddiheuro. Wi hyd yn oed wedi hala llun o'r plant. Mae'r peth yn mynd yn drech na fi' *I've written to him to apologise. I've even sent a picture of the kids. The thing's getting the better of me* (Geraint Lewis, 1995: 37). **2** trech gwlad nag arglwydd *proverb a country is greater than a lord* 'Trech gwlad nag Arglwydd! Do, mi rydan ni wedi ennill brwydr fawr, ond peidiwch da chi a llaesu dwylo rŵan' *A country is greater than a lord! Yes, we've won a great battle, but don't, I beg of you, give up now* (Theatr Bara Caws, 1995: 73). **3** trechaf treisied, gwannaf gwaedded (lit *most dominant violate, weakest cry*) *proverb let the strong strangle, let the weak wail* 'Motto y nhad o'dd trechaf treisied, gwannaf gwaedded. Erbyn heddi dy'n ni ddim yn lico mynd mor bell â hynny - y'n ni yn lico mynd ymhellach ...' *My father's motto was let the strong strangle, let the weak wail. Nowadays we don't like going as far as that - we like going further ...* (Sion Eirian, 1995: 34). **4** yn drech na rhywun *too much for someone* 'Ond roedd doniau Neli, y cyfuniad perffaith o ferch ifanc brydferth a phen busnes diguro, yn drech na Rowlands' *But Neli's skills, the perfect combination of a beautiful young girl and an unbeatable business head, was too much for Rowlands* (Mihangel Morgan, 1993(i): 27).

Tref *town* **1** tre'r Cofi(s) (lit *town of the Caernarfonite(s)*) CW *Caernarfon* 'Oni bai fod Wokingham mor bell o dre'r Cofis, mi faswn i'n taeru fod John Redwood yno hefyd - ac yn cymryd nodiadau' *Apart from the fact that Wokingham is so far from Caernarfon, I would have sworn that John Redwood was there as well - and taking notes* (*Golwg*, 25 May 1995: 3) (see also Appendix 18.02). **2** tre'r Jacs (lit *town of the Jacks*) CW *Swansea* 'Ar hyn o bryd, mae'r cwmni Twin Town Productions yn saethu ffilm rad £1.8 miliwn o'r enw *Hot Dogs* yn nhre'r Jacs' *At the moment, Twin Town Productions is shooting a cheap £1.8 million film called* Hot Dogs *in Swansea* (*Golwg*, 5 September 1996) (* see also Appendix 18.02). **3** tre'r Sosban (lit *town of the saucepan*) CW *Llanelli* 'yr oedd y craen wedi codi'r ddau Faen Porth erbyn y daeth yn amser i mi fwrw am dre'r Sosban' *the crane had lifted the two gate stones by the time it came for me to head for Llanelli* (Dic Jones, 1989: 275) (* Llanelli used to be world centre for tin production and thus, by correlation in popular imagination, saucepans) (** see also Appendix 18.02). **4** tua thre SW *home(wards)* 'Nodiodd Emyr ei ben, a chaeodd y gât o'i ôl, yna trodd, ac yn lle mynd yn ôl tua thre, aeth allan o'r pentref' *Emyr nodded his head, and shut the gate behind him, then turned, and instead of going back home, went out of the village* (Bernard Evans, 1990: 56) (* see also **sha (2)**).

Trefn LW CW **trefen** SW *arrangement, order, system*

Treial (< **trio**) CW *to try* 'Na, rhowch gyfle iddo fe, bois. Be' ti'n treial gweud, Hefin?' *No, give him a chance, boys. What are you trying to say, Hefin?* (Geraint Lewis, 1995: 40).

Treigl *course, turn* **treigl** (amser/dyddiau etc.) *the passage (of time/days etc.)* 'Pa stori annedwydd ac anhyfryd oedd y tu ôl i'r dianc a'r ddamwain? Efallai, gyda threigl y dyddiau ... y dôi Greta'n ddigon cryf i gyfaddef' *What unhappy and unpleasant story was behind the escape and the accident? Perhaps, with the passage of days ... Greta would become strong enough to confess* (Islwyn Ffowc Elis, 1990(ii): 113).

Treni (< **trueni**) **1** SW *poor thing* Be' ti wedi 'neud, treni? *What've you done, you poor thing?* **2** SW *shame* 'Treni 'se 'ti'n gwpod 'Home, Sweet Home''' *Shame you don't know 'Home, Sweet Home'* (Dafydd Rowlands, 1995: 41).

Tresio *to thrash* **tresio bwrw** NW *to pour with rain* ''Roedd yr elfennau'n cael hwyl am fy mhen, yn anwiredda'r rhagolygon tywydd a gyhoeddais mor hyderus y noson gynt. Bwrw, tresio bwrw a ddylai, meddyliais' *The elements were making fun of me, telling lies about the weather forecast I announced the night before. It should rain, pour with rain, I thought* (John Gwilym Jones, 1979(ii): 60).

Treth 1 *tax* Mae'r Llywodraeth am godi'r dreth incwm eto *The Government wants to raise income tax again.* **2** CW *bother, burden* (figuratively) '[Mae'r] ras i sicrhau fod y tâp fideo yn cyrraedd y peiriant priodol mewn da bryd yn profi'n fwy o dreth wrth i mi fynd yn hŷn!' *The race to make sure that the video tape reaches the appropriate machine in time [is] proving more of a burden to me as I get older!* (Dewi Llwyd in Dylan Iorwerth (ed.), 1993: 137). **3** bod yn dreth ar rywun *to be a burden on someone* 'Mae nyrsio dy fam wedi bod yn dipyn o dreth arnat ti, wir' *Nursing your mother has been a bit of a burden on you, really* (Islwyn Ffowc Elis, 1990(i): 142).

Trigo 1 *to dwell, to inhabit, to live* '['Roedd] Rhys Thomas a'i wraig Rachel a'u chwech o blant yn trigo yno' *Rhys Thomas and his wife Rachel and their six children [used to] live there* (Dic Jones, 1989: 114). **2** LW SW Powys *to die* (animals only) 'dwi'n cofio fo'n deud odd y ceffyle yn trigo yn Creigfryn' *I remember him saying that the horses were dying in Creigfryn* (Francis Thomas in Beth Thomas and Peter Wynn Thomas (eds.), 1989: 122).

Trin *to handle* **1 trin a thrafod** (lit *to handle and discuss*) *to deal with, to discuss* 'Does gen i ddim amheuaeth fod trin a thrafod y pynciau mwyaf cymhleth mewn modd sy'n ddifyr a dealladwy ar radio a theledu yn gwbl bosib'' *I have no doubt that it is totally possible to discuss the most complex subjects in an entertaining and understandable way on radio and television* (Dewi Llwyd in Dylan Iorwerth (ed.), 1993: 134). **2 trin rhywun** (lit *to handle someone*) NW *to have sex with someone* 'Yn ôl y sôn mae Betsan Bawb yn cael ei thrin gan Gwil Sgrin Bach' *Apparently Betsan Bawb is being shagged by Gwil Sgrin Bach* (Robin Llywelyn, 1992: 7).

Triw (<E *true*) CW *genuine, honest, true* '**Ac mi aeth Hannah yn rhy bell heno drwy ymosod yn ffiaidd ar Peron, gan wybod yn iawn fod ei thad wedi bod yn driw i'r blaid honno erioed**' *And Hannah went too far tonight by fiercely attacking Peron, well knowing that her father had always been true to that party* (Wiliam Owen Roberts, 1990: 96).

Tro (time) **1 tro** is used in a general sense to mean an unspecific time and is used in all registers of Welsh far more frequently than other nouns, such as **amser**, as the example below illustrates '**Y tro hwn fe fydd ennill yr un mor bwysig â'r dull o chwarae**' *This time winning will be just as important as the way of playing* (Golwg, 8 February 1996: 4). **2 am y tro** *for now, for the time being* '**Bore da, Mr Price, dyna i gyd am y tro**' *Good morning, Mr Price, that's all for the time being* (Mihangel Morgan, 1993(ii): 62). **3 ambell (i) dro** *occasionally, the odd occasion, the odd time* '**amball dro mi oedd [David] yn cael dŵad ar ei wylia i Tŷ'n Twlc**' *occasionally [David] was allowed to come on his holidays to Tŷ'n Twlc* (Ieuan Parry, 1993: 38). **4 ar fyr o dro** *in next to no time* '**Aeth y bachgen i fyny'r grisiau ar ras ac ar fyr o dro dychwelodd gyda Mary a Margaret**' *The boy went upstairs in a race and in next to no time returned with Mary and Margaret* (Nansi Selwood, 1987: 20). **5 cyn pen dim o dro** *in next to no time* '**[Y] sôn ydi y bydd cyrch arall ar diroedd y Gynghrair cyn pen dim o dro**' *[The] talk is that there will be another campaign on the Alliance's lands in next to no time* (Robin Llywelyn, 1992: 62). **6 dros dro** *temporary* '**Ceisiodd [hi] argyhoeddi ei hun nad dyma oedd diwedd y daith, ac mai yn y Cartref dros dro yn unig yr oedd**' *[She] tried to convince herself that that wasn't the end of the journey, and that she was only temporarily in the Home* (Angharad Tomos, 1991: 112). **7 ers tro byd** *a long time ago, for a long time, for ages* '**Roedd hi angan brêc-pads ers tro byd**' *It had needed break-pads for ages* (Margiad Roberts, 1994: 81). **8 fawr o dro** *next to no time* '**Fyddwn ni fawr o dro yn cyrraedd yno rŵan**' *We'll be next to no time getting there now* (Angharad Tomos, 1991: 110). **9 mewn byr o dro** *in next to no time* '**teitl, awdur, cyhoeddwr, lle a dyddiad ac mewn byr o dro roedd wedi llenwi'r tudalen i'r gwaelod un**' *title, author, publisher, place and date and in next to no time he had filled the page to the very end* (Robin Llywelyn, 1994: 47). **10 mewn dim o dro** *in next to no time* '**Roedd George yn dipyn o giamster ar ddartiau ac wedi betio peint y gêm; roedd ganddo dri yn y banc mewn dim o dro**' *George was a bit of a master at darts and had bet a pint a game; he had three in the bank in next to no time* (Alun Ffred and Mei Jones, 1990: 26). **11 o dro i dro** *from time to time* '**Godineb yn ystyr ehangaf y gair oedd yr unig beth a ddeuai o dan y lach o dro i dro**' *Adultery in the widest sense of the word was the only thing that came under fire from time to time* (Mihangel Morgan, 1993(ii): 121). **12 rhyw dro** *some time* '**Ma' rhaid inni fynd ryw dro**' *We've got to go some time* (Gwenlyn Parry, 1979: 35). **13 tro ar ôl tro** *time after time* '**Ac felly roedd hi dro ar ôl tro**' *And that's how it was time after time* (Angharad Tomos, 1991: 94). **14 trosodd a thro** *over and over* '**Maen nhw'n**

bryderon a wyntyllwyd drosodd a thro yn ein swyddfa' *They are worries that are aired over and over in our office* (Western Mail, 22 November 1997: (Arena) 15). **15 trwodd a thro** *through and through* '**Rwyt ti mewn fflach yn ei 'nabod o drwodd a thro**' *You'll know him in a flash through and through* (John Gwilym Jones, 1976: 51). **16 (un/dau etc.) ar y tro** *(one/two etc.) at a time* '**Y drefn yn y cyfnod hwnnw fyddai perfformio tri chynhyrchiad yn yr Eisteddfod Genedlaethol, yna teithio'r tri chynhyrchiad trwy Gymru, un ar y tro wrth reswm**' *The arrangement at that time would be to perform three productions in the National Eisteddfod, then tour the three productions throughout Wales, one at a time of course* (John Ogwen, 1996: 149). **17 ymhen dim (o dro)** *in next to no time* '**Ymhen dim wedyn fe gasglodd y brenin fintai o filwyr**' *In next to no time afterwards the king collected together a company of soldiers* (Wiliam Owen Roberts, 1987: 46). **18 ymhen fawr o dro** *in next to no time* '**Ymhen fawr o dro, roedd golygyddion y Gorllewin yn anfon eu merched dela' i Tripoli, gan obeithio manteisio ar wendidau'r Cyrnol**' *In next to no time the Western editors were sending their prettiest girls to Tripoli, hoping to take advantage of the Colonel's weaknesses* (Tweli Griffiths in Dylan Iorwerth (ed.), 1993: 19).

Tro (turn) **1** *go, turn* '**Mae'r olygfa'n debyg i farchnad fawr yn llawn anifeiliaid yn aros eu tro i gael eu gwerthu**' *The view is similar to a large market full of animals waiting their turn to be sold* (Tweli Griffiths, 1993: 191). **2** *turning* (on path, road etc.) '**Cyn 'i fod o wedi diflannu heibio'r tro, pwy ddaeth i'r golwg ond Eli Mê**' *Before he'd disappeared past the turning, who came into view but Eli Mê* (Jane Edwards, 1989: 27). **3 gwneud y tro** (a) *to do, to suffice* '**Chwarae teg iddi hi. Doedd hi ddim cystal â Mam, ond roedd hi'n gneud y tro, o dan yr amgylchiada**' *Fair play to her. She wasn't as good as Mam, but she'd do, under the circumstances* (Twm Miall, 1990: 91); (b) *to do the job, to do the trick* '**Pe na bai hi ond wedi tynnu crib drwy'i gwallt a gwisgo'r dilledyn agosaf at law mi fyddai hynny wedi mwy na gwneud y tro**' *If she had only combed her hair and had worn the nearest piece of clothing to hand that would have more than done the trick* (Sonia Edwards, 1994: 15). **4 hen dro (i mi)** NW *(I am) unlucky, (I am) unfortunate* "**Mi oedd o'n deallt, Tom.' 'Hen dro. A fynta i' weld yn gwella. Pob dim i weld yn mynd yn iawn**" *'He understood, Tom.' 'Unlucky. And he seemed to improve. Everything seemed to go well'* (Meic Povey, 1995(i): 24). **5 mynd am dro** *to go for a walk* '**Ambell b'nawn, pan fyddai'n braf, byddwn yn mynd am dro**' *The odd afternoon, when it was fine, I'd go for a walk* (Angharad Tomos, 1982: 31). **6 mynd am dro yn y car** *to go for a drive in the car, to go for a spin in the car* '**Byddai'n well ganddi hi fod wedi mynd am dro'n y Fiat bach coch**' *She would have preferred to have gone for a spin in the little red Fiat* (Jane Edwards, 1993: 105). **7 tro ar fyd** *complete change in circumstances* '**[Ond daeth] tro ar fyd wrth i is-ddiwylliant y bobl ifanc fagu nerth**' *[But] a complete change in circumstances [came] as young* people's subculture gained strength (*Sbec TV Wales*, 11 February 1995: 2). **8 tro gwael** *mean trick* '**Roedd eu calonnau'n llawn cydymdeimlad efo Seus ac am ddial am y tro gwael**' *Their hearts were full of sympathy for Seus and wanted revenge for the mean trick* (Penri Jones, 1982: 40). **9 tro pedol** *U-turn* '**[Mae] Plaid yn gwadu tro pedol**' *Plaid Cymru deny a U-turn* (*Golwg*, 1 July 1993: 4). **10 tro sâl** LW NW *mean trick* '**Dwedwch i mi Vera, pwy wnaeth dro sâl â chi?**' *Tell me, Vera, who played a mean trick on you?* (Islwyn Ffowc Elis, 1990(ii): 135). **11 tro salw** LW SW *mean trick* '**Fflur, ma'n wir flin 'da fi ond fe fydda i'n meddwl yn fawr iawn ohonoch chi am byth. Tro salw ond ...**' *Fflur, I'm really sorry but I'll always think a great deal of you. A mean trick but ...* (Penri Jones, 1982: 78). **12 tro trwstan** *unlucky turn* '**Ar fore fel heddiw, mae'n bosibl y bydd sawl un wedi cael tro trwstan, neu o leiaf wedi cael achos i wenu oherwydd rhywbeth mwy digri nag arfer**' *On a morning like today, it's possible that several people will have had an unlucky turn, or at least will have had a cause to smile because of something more amusing than usual* (Robin Williams, 1992: 90).

Trochi LW CW **mwydo** LW NW **rhoi yng ngwlych** LW SW **socian** LW NW *to soak* (clothes etc.)

Troed *foot* (see also **traed**) **1 ar droed** *afoot* '**Gallai ddweud bod rhywbeth mawr ar droed pan edrychodd ar wynebau'r ddau**' *He could say that there was something big afoot when he looked at the faces of the two* (Wiliam Owen Roberts, 1987: 80). **2 wrth droed rhywbeth** *at the foot of something* '**Ac, yn addas iawn, fe ddechreuodd y gyfres [deledu] yng ngwaelod yr ardd - gan fod gardd Dei tafliad rhaff o dringfa ddramatig yn Nant Peris, wrth droed yr Wyddfa**' *And, appropriately enough, the [television] series started at the bottom of the garden - since Dei's garden is a rope's throw away from a dramatic climb in Nant Peris, at the foot of Snowdon* (*Television Wales*, 23 March 1996: 15).

Troeon 1 *times* '**Ond yr oedd yn ddigon mawr ... i godi'r un arswyd arni y tro hwn â'r troeon o'r blaen**' *But it was big enough... to cause her the same fear this time as the times before* (Islwyn Ffowc Elis, 1990(ii): 23). **2 troeon yr yrfa** *the circumstances of life* '**O'dd hi'n fodan handi stalwm cyn i droeon yr yrfa ddechra'i rhygnu hi lawr**' *She was an attractive woman a long time ago before the circumstances of life started to grind her down* (Dafydd Huws, 1990: 14).

Troi *to turn* **1 ei throi hi am rywle** *to head for somewhere* '**Wnaeth Drudwen ddim codi tan ganol bora, a phan benderfynodd hi y basa'n well iddi ei throi hi am y cae gwair mi newidiodd i'w jîns**' *Drudwen didn't get up until mid-morning, and when she decided she would prefer to head for the hay field she changed into her jeans* (Margiad Roberts, 1994: 127). **2 newydd droi** (lit *just turned*) *just gone* (time) '**Wrth ddod i mewn drwy'r drws cefn fe sylwais, er fy mrys gwyllt, fod bag chwarel fy nhad yn hongian y tu ôl i'r drws - peth rhyfedd iawn a hithau ddim ond newydd droi pedwar**' *While coming in through the back door I noticed, despite my great rush, that my dad's quarry bag was hanging up*

behind the door - a strange thing as it had just gone four (John Ogwen, 1996: 11). **3 troi a thrafod** SW *to toss and turn* (while asleep) '**Methu cysgu neithiwr 'te. Troi a thrafod drw'r nos. Hunllefa, chi'n dallt**' *Couldn't sleep last night you know. Tossed and turned all night. Nightmares, you understand* (Dafydd Rowlands, 1995: 128). **4 troi a throsi** *to toss and turn* (while asleep) '**Dyma fi yn troi a throsi am un o'r gloch bora**' *Here I am tossing and turning at one o'clock in the morning* (Dafydd Huws, 1990: 11). **5 troi ar fy sawdl** (lit *to turn on my heel*) *to turn around* '**Ac ar ôl rhoid fy ngobennydd i'n iawn a lapio dillad gwely amdanaf fi, a rhoid cisan imi, dyma Mam yn troi ar ei sawdl a mynd allan trwy drws siambar**' *And after putting my pillow right and wrapping my bedclothes around me, and giving me a kiss, Mam turned around and went out through the bedroom door* (Caradog Prichard, 1961: 159). **6 troi ar wella** *to turn (out) for the better* '**Pethau'n troi ar wella, toeddan? Wedi colli allan braidd oedd Gregor, yndê?**' *Things have turned out for the better, haven't they? Gregor's lost out a bit, hasn't he?* (Robin Llywelyn, 1994: 164). **7 troi arnaf** *to make me (feel) sick, to make my stomach turn* '**Roedd agwedd drahaus Saudi Arabia yn troi arna' i tra oeddwn yno**' *Saudi Arabia's arrogant attitude made my stomach turn while I was there* (Guto Harri in Dylan Iorwerth (ed.), 1993: 64). **8 troi at wella** *to turn (out) for the better* '**Erbyn dydd Mercher, roedd y tywydd wedi troi at wella**' *By Tuesday, the weather had turned for the better* (Jane Edwards, 1993: 55). **9 troi dalen newydd** (lit *to turn a new page*) *to start again, to start afresh, to turn over a new leaf* '**Ond dyna fo, ma'r dŵr yna wedi llifo o dan y bont ers tro byd rŵan, ac ma 'na gyfle i ni droi dalen newydd bob amser, yn does?**' *But there you are, that water flowed under the bridge a long time ago now, and we've always got a chance to turn over a new leaf, haven't we?* (Twm Miall, 1988: 47). **10 troi fy ffêr** LW NW *to twist my ankle* '**Bu bron i mi droi fy ffêr wrth neidio i lawr y grisiau**' *I almost twisted my ankle while jumping down the stairs* (Angharad Tomos, 1982: 28). **11 troi fy nghlos** (lit *to turn my breeches*) NW *to go to the toilet* '**A fysat ti ddim yn chwerthin chwaith tasa adar yn troi clos am dy ben di**' *And you wouldn't laugh either if a bird went to the toilet on your head* (Miriam Llywelyn, 1994: 14). **12 troi fy mhen** (lit *to turn my head*) *to twist my mind, to corrupt me* '**Y coleg drodd ei ben o**' *College twisted his mind* (Islwyn Ffowc Elis, 1990(ii): 153). **13 troi fy nhroed** (lit *to turn my foot*) *to twist my ankle* '**a phan ofynnodd un o'r dynion i mi fynd i chwarae ffwtbol, mi fuo'n rhaid i mi wrthod, a dweud fy mod i wedi troi fy nhroed**' *and when one of the men asked me to go and play football, I had to refuse and say that I'd twisted my ankle* (Twm Miall, 1988: 139). **14 troi heibio** *to drop by, to drop in* '**Nid ag amser y mae Hywel A yn mesur teilyngdod. 'Fasai 'n ddim ganddo 'nhroi i heibio efo diolch yn fawr a wats aur**' *Hywel A doesn't measure worthiness with time. He would think nothing of dropping in with a big thank you and a gold watch* (Huw Roberts, 1981: 9). **15 troi rhywun heibio** *to jilt someone* '**Rhai yn gofidio am arian, priodasau, arholiadau, iechyd; rhai yn caru,** eraill yn troi eu cariadon heibio, rhai yn ffraeo' *Some worrying about money, marriages, exams, health; some loving, others jilting their loved ones, some arguing* (Mihangel Morgan, 1992: 20). **16 troi trwyn ar rywun/rywbeth** *to turn one's nose up at someone/something* '**Wrth gwrs fod yna Rhisiarts a Glenysus sy'n troi trwyn ar bawb sy'n methu â threiglo'n deche neu'n methu â fforddio telyn'** *Of course there are Rhisiarts and Glenyses who turn up their nose at everyone who can't mutate correctly or who can't afford a harp* (*Golwg*, 1 June 1995: 3). **17 troi'r dŵr at fy melin fy hun** (lit *to turn the water towards my own mill*) *to turn things to my own advantage* '**byddai'r tri ohonynt yn magu hyder ... Yr hyder i siarad yn uchelgloch, i weiddi, i chwerthin, i bryfocio a bod yn ffraeth i unrhyw sylw a throi unrhyw sefyllfa yn ddŵr i'w melin'** *the three would gain confidence ... The confidence to speak loudly, to shout, to laugh, to provoke and be witty to any comment and turn any situation to their own advantage* (Mihangel Morgan, 1994: 128). **18 troi'r tu min at rywun** (lit *to turn the sharp end to someone*) LW NW *to become curt with someone* **"Caewch ych hen gegau hyllion', meddwn inna wrthyn nhw'n troi tu min'** '*Shut your bloody ugly mouths', I said to them curtly* (Robin Llywelyn, 1992: 35). **19 troi'r drol** (lit *to turn the cart*) NW *to upset the applecart* **"Dydi Gwen ddim isio cyfarfod dy fam felly, Wali?' 'Dyw, nacdi. Tydi hi ddim am droi'r drol, medda hi"** *'Gwen doesn't want to meet your Mam then, Wali?' 'Goodness me, no. She doesn't want to upset the applecart, so she says'* (Alun Ffred and Mei Jones, 1990: 39).

Trol LW NW **cart** LW SW **cert** LW SW *cart*

Trôns CW *drawers, knickers, pants, swimming trunks etc.* (generally any piece of underclothing) '**Fawr ddim o'i le - chwys iachus. Rhaid tynnu'r trywsus 'na a'r drons'** *Not much wrong - a healthy sweat. Must take off those trousers and pants* (Bernard Evans, 1990: 18).

Tros LW CW **trost** NW *over*

Trosodd LW CW **trosto** SW *over* (adverb) **trosodd a throsodd** *over and over* '**Stwffio cinio! Stwffio pawb! Fedra i'm cario 'mlaen fel hyn! Fedra i ddim! FEDRA I DDIM! medda fi dan sgrechian a sdampio 'nhroed ar y llawr drosodd a throsodd'** *Stuff lunch! Stuff everybody! I can't carry on like this! I can't! I CAN'T! I said screaming and stamping my feet on the ground over and over* (Margiad Roberts, 1994: 76).

Trosof fi, trosot ti etc. see Appendix 16.12.

Trosto SW **Trosodd** LW CW *over* (adverb)

Trothwy *threshold* **ar drothwy** (cyfnod newydd/ Nadolig etc.) *on the threshold (of a new period/Christmas etc.)* '**Pwy a ŵyr, efallai ein bod ar drothwy oes aur y gohebydd Cymraeg'** *Who knows, perhaps we are on the threshold of the golden age of the Welsh correspondent* (*Llais Llyfrau*, Summer 1994: 12).

Truan *miserable, poor, wretched* **1 (dyn/merch etc.) druan** CW *poor (man/girl etc.)* '**Beth bynnag**

fyddai'r gwir am wahanol sefyllfaoedd, gallai un rheolwr druan o blith y dwsin ei gael ei hun yn gyfrifol am bob diffyg a methiant a fu yn ystod yr wythnos'** *Whatever the truth about different situations, any poor manager from among many could find himself responsible for every fault and failure there was during the week* (Dafydd Wigley, 1992: 111). **2 druan â rhywun** CW *poor someone* '**Druan â'r cynghorau lleol newydd wedyn, maen nhw'n rhy brysur yn penderfynu faint fydd costau'r aelodau'** *Poor new local councils then, they're too busy deciding how much the members' costs will be* (*Golwg*, 25 May 1995: 3). **3 druan bach** SW *poor thing* '**Wê 'dag e olwg fowr arnon ni fel plant achos wêdd 'y nhad, druan bach, wedi ca'l 'i ladd yn y Rhyfel Cynta yn fachgen ifanc peder ar hugen o'd'** *He kept an eye on us children 'cos dad, poor thing, had been killed in the First [World] War as a twenty-four-year-old young lad* (Charles Ladd in Gwyn Griffiths (ed), 1994: 11). **4 druan (ohonof/ ohonot etc.)** CW *poor thing* "**Roedd Meilir, druan ohono, wedi achosi rhyfel cartref bron'** *Meilir, poor thing, had almost started a civil war* (Alan Llwyd, 1994: 208).

Trugaredd *mercy* **1 o drugaredd** (lit *of mercy*) CW *thank heavens* '**O drugaredd doedd fawr neb o gwmpas y siop *chips*'** *Thank heavens there was hardly anyone around the chip shop* (Jane Edwards, 1989: 17). **2 trwy drugaredd** *mercifully* '**[Dyna'r] lle nad oedd wedi clywed amdano a'r lle nad oedd (drwy drugaredd!) yn mynd i'w weld fyth'** *[That] was the place he had never heard about and the place where (mercifully!) he was never going to see* (Wiliam Owen Roberts, 1987: 103). **3 y drugaredd fawr** CW *goodness me, heavens above* "**O, y drugaredd fawr,' medd Huws a chuddio ei wyneb efo'i ddwylo - roedd o jest â chrio'** *'Oh, heavens above,' said Huws and hid his face with his hands - he was just about to cry* (Twm Miall, 1988: 76).

Trugareddau (lit *mercies*) **1** CW *bits and pieces, knick-knacks* '**Ond am ryw reswm cerddais i mewn i siop fach trugareddau ail-law'** *But for some reason I walked into a small secondhand knick-knacks shop* (Mihangel Morgan, 1994: 102). **2** NW *balls* (male genitalia) '**Drw'r cefn buo raid i mi fynd drosd ryw ffens hôm-mêd lle buo ond y dim i mi adal 'y nhrugaredda ar weiran-bigog'** *I had to go through the back over some home-made fence where I almost left my balls on barbed-wire* (Dafydd Huws, 1990: 192).

Trwbwl *trouble* **mewn trwbwl** *in trouble* '**Roedd y brawd yn gwneud ei waith arferol ar y fferm pan ddaeth y teimlad iddo fod ei chwaer mewn trwbwl'** *The brother was doing his usual work on the farm when the feeling came over him that his sister was in trouble* (Simon Jones, 1989: 36).

Trwch *thickness* **1 (mewn) trwch (y) blewyn** *(within) a hair's breadth* '**daeth [ef] o fewn trwch blewyn i ennill Tlws Pat Neill'** *[he] came within a hair's breadth to winning the Pat Neill Prize* (Alan Llwyd, 1994: 319). **2 trwy'r trwch** *through and through* '**Hawdd gen i gredu 'i fod o'n perthyn i rywun yn y**

cyffinia. **Tydy'r tacla'n perthyn i'w gilydd trwy'r trwch?'** *I find it easy to believe that he's related to someone in the vicinity. Aren't the buggers related to each other through and through?* (Aled Islwyn, 1994: 161).

Trwodd LW NW **trwyddo** LW SW *through* (adverb)

Trwof i, trwot ti etc. see Appendix 16.13.

Trwsio LW NW **cyweirio** LW SW *to fix, to mend*

Trwyddo LW SW **trwodd** LW NW *through* (adverb)

Trwy *through* **1 (bywiogi/cynhyrfu etc.) trwof/trwot etc.** *to completely (liven up/excite etc.)* '**Roedd Ahmad wedi cynhyrfu trwyddo'** *Ahmad had got completely excited* (Wiliam Owen Roberts, 1987: 22). **2 trwyddi draw** *through and through, throughout* '**Y neges drwyddi draw yw fod y car yma wedi dal i fyny gyda'r ceir tebyg eu maint o wledydd eraill Ewrop'** *The message through and through is that this car has caught up with similar size cars from other European countries* (*Golwg*, 20 April 1989: 15) (* if a specifically masculine object is referred to, then **trwyddo draw** is used, eg '**Ond drwyddo draw, mae'n gyfeithiad cysact a sensitif'** *But through and through, it's an exact and sensitive translation* (*Barn*, February 1996: 34)).

Trwyn *nose* **1 hen drwyn** (lit *old nose*) NW *snob* '**Ti'n gwybod yn iawn mai hen drwyn ydi hi'** *You know well that she's an old snob* (Vivian Wynne Roberts, 1995: 64). **2 trwyn yn y gwynt** (lit *nose in the wind*) *aimless, head in the clouds* ''**Ro'n i wedi cymyd cawn i danio'r Gomer ne Tryc 1 a ffwr fo yn hapi boi a nhrwyn yn gwynt'** *I had assumed that we would be able to start Gomer or Truck Number 1 and I'd be off a happy boy without a care* (Wil Sam, 1987: 83).

Trybini *trouble* **mewn trybini** *in trouble* '**mae'n ymddangos fod y ddau mewn trybini mawr ...'** *it appears that the two are in a lot of trouble ...* (*Golwg*, 15 June 1989: 15).

Trybolâu NW *filth, mire* **trybolâu sgoth** NW *disgusting filth* '**Sgwn i pwy gafodd y syniad myll bod deryn yn gwllwng ei din ar ych corun moel chi'n lwcus? ... Sychu'r drybola sgoth efo Kleenex a'i adael o ar 'y mhen jest rhag ofn, ia'** *I wonder who had the daft idea that a bird dropping its arse on your bald head was lucky? ... Wipe off the disgusting filth with a Kleenex and leave it on my head just in case, innit* (Dafydd Huws, 1990: 172) (* **sgoth** < **ysgothi**).

Trychfil (lit *insect*) NW *love* (term of affection for a child) '**mae o yn ei wely a dyna lle dylet titha fod, yr hen drychfil bach, yn lle mynd o gwmpas i gadw reiat radeg yma o'r nos'** *he's in his bed and that's where you should be as well, you little rascal, instead of going around making mischief at this time of night* (Caradog Prichard, 1961: 7).

Trymder *heaviness* **trymder y (gaeaf/nos etc.)** *middle of the (winter/night etc.)* '**Nid oes angen dweud mai yn yr haf, ym mis Gorffennaf, yr ymwelais i â Helsinki y ddau dro y bûm yno. Fe fyddai'n amhosibl mynd yn agos i'r lle yn nhrymder gaeaf gan mor drwchus y rhew yn y porthladd prysur'** *It is not necessary to say that I visited Helsinki in the summer, in July, the two occasions I was there. It would be impossible to go near the place in the middle of winter since the ice is so thick in the busy harbour* (R. Emyr Jones, 1992: 76).

Tryweryn *river in North Wales dammed in the 1960s for Liverpool City Corporation thereby destroying a Welsh-speaking community at Capel Celyn; cause célèbre of Welsh nationalists and synonymous with the perceived and actual mistreatment of Wales by England* '**Methiannau dan ni wedi'u cael ar ôl hynny. Ddylai Tryweryn ddim fod wedi digwydd. Ddylai'r Arwisgo ddim fod wedi digwydd. Ond digwydd ddaru nhw'** *We've had failures after that. Tryweryn shouldn't have happened. The Investiture shouldn't have happened. But they did happen* (Angharad Tomos, 1985: 62).

Trywydd *scent, trail* **ar drywydd rhywbeth/rhywun** *on the trail of something/someone* '**mae un o arweinwyr yr heddlu oedd ar drywydd yr F.W.A. yn hollol ddiedifar am yr achos llys'** *one of the police leaders who was on the trail of the F.W.A. is totally unrepentant about the court case* (*Golwg*, 23 February 1989: 15) (* **FWA** *Free Wales Army, clandestine revolutionary movement of the 1960s*).

Tsiep (<E *cheap*) SW *cheap* '**Raid ti fyta rwbeth Lind. Ma byw ar win chep a dôp yn mynd i whare'r ber a dy du fiwn di'** *You've got to eat something Lind. Living on cheap wine and dope is going to play havoc with your insides* (Sion Eirian, 1995: 11).

Tsiampion (<E *champion*) NW *excellent, great, marvellous* '**Nag oes, diolch, dwi'n ddi-fai a dweud y gwir, yndw, tshiampion diolch yn fawr i chi'** *No, thanks, I'm blameless to be honest, I am, marvellous thank you very much* (Twm Miall, 1988: 47).

Tu *side* **1 (y) tu allan** *outside* '**Pan dach chi tu allan, dach chi'n meddwl am lonyddwch carchar fel cyfle i fyfyrio'** *'When you're outside, you think of the peace of prison as an opportunity to think'* (Angharad Tomos, 1985: 75). **2 (y) tu blaen** *'front'* '**O'r tu blaen i'r Fforden yr oedd handlen i'w thanio'** *On the front of the Ford there was a handle to start it up* (Dic Jones, 1989: 27). **3 (y) tu cefn** *behind* '**Pan ddaeth [hi] ar y bws roedd gwraig ifanc gydag e ond mae honno wedi mynd i eistedd y tu cefn iddo'** *When [she] came on the bus there was a young woman with him but she's gone and sat behind him* (Mihangel Morgan, 1992: 22). **4 (y) tu chwith(ig) allan** *back to front, inside out* '**Dwi'n deud wrtha chi, fydd gen i ffansi weithia, ffansi troi'r tŷ 'ma tu chwithig allan'** *I tell you, I've got a fancy sometimes, a fancy to turn the house inside out* (Margiad Roberts, 1994: 89). **5 (y) tu chwyneb allan** NW *back to front, inside out* ''**Rydw i'n dy 'nabod di. Dy 'nabod di tu chwyneb allan'** *I know you. Know you inside out* (John Gwilym Jones, 1976: 37). **6 (y) tu draw (a)** *beyond* **Maen nhw wedi mynd tu draw rheswm** *They've gone beyond reason*; (b) *other side* **Mae Nant Gwrtheyrn tu draw i'r mynydd yna** *Nant Gwrtheyrn is the other side of that mountain*. **7 (y) tu fas** SW *outside* '**Nid yn y cwrdd wy ishe fe, ond fan hyn, tu fa's i ddrws y cefen'** *I don't want it in the service, but here, outside* *the back door* (Meirion Evans, 1996: 45). **8 (y) tu fewn (y) tu fas** SW *back to front, inside out* **Mae hi'n gwisgo ei chrys tu fewn tu fas** *She's wearing her shirt inside out.* **9 (y) tu hwnt (a)** *beyond* **'Roedd y beili'n llawn o ddynion a cheffylau, ac o'r buarth tu hwnt gallent glywed cynnwrf'** *The backyard was full of men and horses, and from the yard beyond they could hear a commotion* (Nansi Selwood, 1987: 235); **(b)** *exceptionally, very* **'O ma fa'n falch tu hwnt ohonyn nhw'** *Oh he's exceptionally proud of them* (Nansi Selwood, 1987: 213). **10 (y) tu mewn** *inside* **'Ond y tu mewn, yn yr efail roedd y gof yn dal i waldio â'i forthwyl'** *But inside, the blacksmith was still striking with his hammer in the smithy* (Wiliam Owen Roberts, 1987: 169) (* also adverbially **(y) tu fewn**, eg **'Roedden nhw'n gweithio y tu fewn i'r adeilad** *They were working inside the building*). **11 (y) tu ôl** *behind* **'Tu ôl i'r bar roedd 'na slashan o hogan'** *Behind the bar there was a gorgeous girl* (Vivian Wynne Roberts, 1995: 16). **12 (y) tu wyneb allan** *back to front, inside out* **'Ond tydi rhywun ddim isio nabod pawb yn yr un ffordd. Hynny ydi, efo Brenda ron i'n 'i nabod hi tu wyneb allan'** *But you don't want to know everyone in the same way. That is, with Brenda I knew her inside out* (Angharad Tomos, 1985: 73).

Tua *towards* **tua (Llanberis, Llanelli etc.)** CW *down (Llanberis, Llanelli etc.) way* **'Pan o'n i'n stiwdant tua'r Bala 'na, mi fyddwn i'n ca'l cryn anhawstar i ddallt pam bod y Beibil yn sôn am ddynion a merched fel *dynion*'** *When I was a student down Bala way, I'd find it quite hard to understand why the Bible talked about men and women as men* (Wil Sam, 1997: 53).

Tunnell LW CW **tunnellt** NW *tonne*

Twcyd (< dwgyd < dwyn) SW *to steal, to take* **'Ma'n rhaid 'u rhifo nhw bob dydd nawr a'r holl ladron obythdu yn twcyd da a defed'** *You've got to count [the animals] every day now with all the thieves about the place nicking cattle and sheep* (Nansi Selwood, 1987: 272).

'Twel (< yr wyt ti'n gweld) SW *you see* **'Maen nhw'n unig, twel, rhai ohonyn nhw'n unig iawn'** *They're lonely, you see, some of them are very lonely* (Mihangel Morgan, 1994: 50).

Twf *growth* **llawn dwf** *fully grown* **'Ar ôl gorfod ymuno â'r fyddin a gadael am y ffosydd y dechreuodd ddod i'w lawn dwf fel bardd'** *After having to join the army and leave for the trenches he started to become fully grown as a poet* (*Barn*, February 1995: 36).

Twlc mochyn LW SW **cwt mochyn** LW NW *pigsty*

Twlu (< taflu) SW *to throw* **'Beth bynnag ma Mary'n meddwl - dwla i'r bitch ma mas nawr'** *Whatever Mary thinks - I'll throw this bitch out now* (Sion Eirian, 1995: 31).

Twll *hole* **1 (blino/drysu etc.) yn dwll** *to be completely (tired/confused etc.)* **'[Yr oedd y] criw a finne wedi blino'n dwll'** *The crew and myself [were] completely tired* (Tweli Griffiths, 1993: 71). **2 twll dan grisiau** NW*cupboard under the stairs* **'[Gwnest ti brepian]**

am yr hogia wrth dy nain a gyrru honno allan efo'i ffon ar 'u hola nhw a chditha'n cuddio yn twll dan grisia'** *[You sneaked] to you gran about the boys and sent her out with her stick after them and you hid in the cupboard under the stairs* (Eigra Lewis Roberts, 1985: 131). **3 twll dan stair** Powys *cupboard under the stairs* **Mae'r dillad yn y twll dan stair** *The clothes are in the cupboard under the stairs.* **4 twll dan stâr** SW *cupboard under the stairs* **Wi'n credu fod Wil y ci yn cwato yn y twll dan stâr** *I think that Will the dog is hiding in the cupboard under the stairs.* **5 twll dy din** CW *fuck off, up yours* **'Mwsolini, twll dy dîn di'** *Mussolini, up yours* (Dic Jones, 1989: 76). **6 twll dy din di Pharo** NW *fuck you arsehole* **'Be' ffwc wy' ti 'di neud i'r drws 'na? ... TWLL DY DIN DI PHARO'** *What the fuck have you done to that door? ... FUCK YOU ARSEHOLE* (Twm Miall, 1990: 61). **7 twll (tin) i ti/chi** CW *stuff you, up yours* **"Balls i bobol y Steddfod!' 'Twll i'r Academi!"** *'Balls to the Eisteddfod people!' 'Stuff the Academy!'* (Gwenlyn Parry, 1992: 22). **8 twll tin** CW *arsehole* **Mae hi gymaint o dwll tin** *She's such an arsehole.* **9 twll (tin) o le** CW *shit-hole, total dump* **'A thwll o le yw John O'Groats, dim byd mwy na phenrhyn diflas sy'n swatio yn strem y gwynt'** *And John O'Groats is a total dump, nothing more than a boring stretch of land that swats in the gusts of wind* (Lyn Ebenezer, 1996: 57). **10 twll tin y byd** (lit *arsehole of the world*) CW *biggest dump in the world, biggest shit-hole in the world* **'A dyma'r antur. Aros am goffi a brechdan grasu yn nhwll din y byd'** *And this is the adventure. Waiting for a coffee and a baked sandwich in the biggest dump in the world* (Robin Llywelyn, 1994: 40). **11 twll tin pob (Cymro/Sais etc.)** CW *every (Welshman/Englishman etc.) is an arsehole* **'Un o'i bechodau marwol yng ngolwg ei wrthwynebwyr oedd dechrau dysgu Cymraeg - iddyn nhw mae hynny bron mor eithafol â gwisgo beret a sbectol ddu a chanu 'Twll Din Bob Sais"** *One of his fatal sins in the opinion of his opponents was starting to learn Welsh - to them that is almost as extreme as wearing a beret and dark glasses and singing 'Every Englishman's an Arsehole'* (*Golwg*, 18 May 1995: 30).

Twllu (< tywyllu) NW *to darken* **"Ti ddim ofn 'ta?' 'Na 'dw i' 'Ma' hi 'di twllu hefyd"** *'You're not frightened then?' 'No I'm not' 'It's got dark as well'* (Gwenlyn Parry, 1979: 20).

Twmffat (lit *funnel*) NW *fool, idiot* **"Be 'di 'ap'?' Rhuodd Arthur, 'Mab 'de. Y twmffat!"** *'What's 'ap'?' 'Son, isn't it. You idiot,' roared Arthur* (Ieuan Parry, 1993: 12).

Twpsyn *fool, idiot* **'Rhif fy ffôn i, y twpsyn!'** *The number of my phone, you idiot!* (John Gwilym Jones, 1976: 11).

Twrch daear LW NW **gwadden** SW **gwahadden** LW SW *mole*

Twrw LW CW **mwstwr** LW SW **stŵr** LW CW **sŵn** LW CW *noise*

Twsu (< tywysu) **dim twsu na thagu** (lit *no leading or choking*) *no cajoling* **'Doedd na thwsu na thagu - petaem yn dibynnu arno ef, ni fuasai'r nofel hon**

erioed wedi gweld golau dydd' *There was no cajoling - if we were depending on him, this novel would never have seen the light of day* (Dafydd Huws, 1990: 252).

Twt 1 CW *tidy* **'Edrychodd Dorchas o'i chwmpas a gwelodd fod pob man yn dwt ac yn lân'** *Dorchas looked around her and saw that everywhere was tidy and clean* (Marion Eames, 1969: 117). **2** CW *small* **Mae Ryan yn fachgen twt** *Ryan is a small boy* (* by extension **twt** is also used in reference to a small child or animal, eg **Paid â phoeni am y plant ysgol - dim ond twts ydyn nhw** *Don't worry about the schoolchildren - they're only nippers*). **3 twt lol** CW *load of old nonsense* **"Be' dach chi'n chwara?" 'Tw lêt, pal. 'Ni wedi dechre.' 'Twt lol, mi fedrwn ail-ddechra'** *'What are you playing?' 'Too late, pal. We've started.' 'Load of old nonsense, we could restart'* (Meic Povey, 1995(i): 50). **4 twt twt** CW *tut tut* (disapproval) **'Twt! Twt. Dyna'r peth lleia alla i 'neud, a ninne'n dou yn hen ffrindie ysgol'** *Tut, tut! That's the very least thing I can do, and both of us being old school friends* (Edgar ap Lewis, 1986: 64).

Twtio LW CW **cymhennu** LW SW **cymoni** LW SW **tacluso** LW NW **teidio** CW *to tidy*

Twtshiad (<E *touch*) CW *to touch* **'O'dd 'na ryw hen foi wrthi'n palu yno a dyma fo'n twtshad pig ei gap pan welodd o ni'** *There was some old bloke at it digging there and he touched the tip of his cap when he saw us* (Dafydd Huws, 1990: 135).

Twtshio (<E *touch*) CW *to touch* **"'Dach chi rioed yn meddwl ymfudo, 'ta 'dach chi 'di cael llond bol ar gwrw'r Ship?' 'Taw, byth, twtsio yn y sglyfath!"** *'You're never thinking of emigrating are you, or are you just fed up with the beer in the Ship?' 'Get away, never ever touch the bloody stuff'* (Theatr Bara Caws, 1996: 29).

Twyllu see **tywyllu**.

Twym LW SW **cynnes** LW NW *warm*

Twymo LW SW **cynhesu** LW NW *to (get) warm*

Tŷ *house* **1 tŷ bach** (lit *little house*) CW *toilet* **"A ddaru chi geisio perswadio eich tad?' 'Do, ['roedd o] yn isda ar sêt y tŷ bach'** *'Did you try to persuade your father?' 'Yeah, [he was] sitting on the toilet seat'* (Meic Povey, 1995(ii): 34). **2 tŷ haf** (lit *summer house*) *holiday home* **'Awran neu ddwy wedyn a finna fawr nes i'r lan dyma fi'n gweld ar ochor ffridd uwchlaw'r ffordd fwthyn bach fatha tŷ ha'** *An hour or two later and not much closer to success I saw on the side of a mountain pasture above the road a small cottage like a holiday home* (Robin Llywelyn, 1992: 10). **3 tŷ gwartheg** Pembs *cowshed* **Mae'r anifeiliad yn y tŷ gwartheg heno** *The animals are in the cow house tonight*. **4 tŷ unnos** (lit *overnight house*) *hovel, shack* **'Cawsom ryddid i ffilmio'r cartrefi israddol a gâi eu troi'n fflatiau moethus. Doedden nhw'n fawr amgenach na thai unnos, ond roedd pob un yn cynnwys teledu, rhewgell a pheiriant golchi'** *We had the freedom to film the substandard houses that had been turned into luxurious flats. They weren't much better than shacks, but each one had a television, a freezer and a washing machine* (Tweli

Griffiths, 1993: 173) (* **tŷ unnos** traditionally houses of the rural population were built literally overnight).

Tybed *do you suppose, I wonder, is that so* **'Doedd Edward ddim yn yr angladd heddiw. Ble'r oedd e, tybed?'** *Edward wasn't at the funeral today. Where was he, do you suppose?* (Nansi Selwood, 1987: 16).

Tyd see Appendix 10.05.

Tydi see Appendix 15.03-15.04.

'Tydw i, 'twyt ti etc. see Appendix 1.

Tyfn NW **dwfn** LW CW **dwfwn** SW *deep*

Tylluan LW NW **gwdihŵ** SW *owl*

Tymor *season* **yn ei dymor** *in season* **'[Byddai hi allan] yn y caeau gyda'r gwrywod yn cwympo swêds neu dynnu tato yn eu tymor'** *[She'd be out] in the fields with the men cutting swedes or pulling up in season potatoes* (Golwg, 29 August 1996: 12).

Tynnu *to draw, to pull* **1 tynnu am (amser etc.)** *to get on (for time etc.)* **'Ond a hitha'n tynnu am saith rŵan, dydi Now byth yn tŷ'** *But as it's getting on for seven now, Now is never in the house* (Margiad Roberts, 1994: 207). **2 tynnu ar ôl rhywun** *to take after someone* (appearance) **"Merch ddeniadol iawn ydi hi.' 'Tynnu ar f'ôl i, sawl un wedi dweud'** *'She's a very attractive girl.' 'Takes after me, several people have said'* (Meic Povey, 1995(ii): 24). **3 tynnu ar rywbeth** (a) *to draw upon something* **'Mi ddylen ni - ac rwy'n sgrifennu fel un o'r rhyngwladwyr Cymreig - dynnu ar ein hetifeddiaeth y Cymry tramor'** *We should - and I am speaking as one of the Welsh internationalists - draw upon our heritage of the Welsh people abroad* (Golwg, 9 February 1989: 17); (b) *to detract from something* **'Ac er nad oedd hyn i fod yn y Parlwr Du, dydi hyn ddim yn tynnu dim oddi ar lwyddiant y Tŵr'** *Although this wasn't to be at Point of Ayr, this does not detract from the success of the Tower [colliery]* (Golwg, 29 August 1996: 10). **4 tynnu ar rywun** *to attack someone, to criticise someone* **"Be sy'n bod Bigw?' 'Hogia bach 'na sy'n tynnu arna i'** *'What's the matter Bigw?' 'Those little lads are getting at me'* (Angharad Tomos, 1991: 93). **5 tynnu at (amser etc.)** *to get on (for time etc.)* **'Mae hi'n tynnu at hanner dydd yn awr'** *It's getting on towards midday now* (Yr Herald, 5 November 1994: 6). **6 tynnu at ei gilydd** *to draw together* **'Fe rybuddiodd Cadeirydd newydd y mudiad sy'n ceisio tynnu dysgwyr a siaradwyr Cymraeg at ei gilydd fod rhaid i bawb weithio gyda'i gilydd'** *The new Chair of the movement that tries to draw Welsh speakers and learners together warned that everyone had to work together* (Golwg, 6 May 1993: 7). **7 tynnu ato** *to contract, to draw in, to shrink* **'Ella mai 'rom bach yn foliog ydi o ... Tasa fo'n cael amsar i dynnu'i fol ato eto, mi fasa'n gallu bod yn chwip o fustach'** *Perhaps he's a little bit podgy ... If he had time to shrink his stomach again, he could be an excellent bullock* (Margiad Roberts, 1994: 209). **8 tynnu (cadach/clwt etc.) dros rywbeth** *to wipe (with a cloth/rag etc.) something* **'Ond fedra i'm cael amsar i dynnu cadach gwlanan dros 'y ngwynab, o un pen dwrnod i'r llall, yn fa'ma'** *But I can't get the time to*

wipe my face with a flannel, from one end of the day to the next, here (Margiad Roberts, 1994: 69).
9 tynnu ((oddi) amdanaf) to take off (clothes) **'ella y tynna' i 'nghrys'** perhaps I'll take off my shirt (Margiad Roberts, 1994: 121). **10 tynnu ymlaen** to get on (age) **'Roedden nhw'n bâr oedd wedi byw yn agos iawn i'w lle, yn ddau a ddaliai barch y gymdogaeth, ac yn ddau oedd yn tynnu'n 'mlaen'** They were a pair who had lived very close to their place, two who had the respect of the neighbourhood, two who were getting on (Eirug Wyn, 1994: 128).

Tysen LW NW **taten** LW SW potato

Tywallt LW NW **arllwys** LW SW to pour **tywallt y glaw** LW NW to pour with rain **'Ei di i nunlle heno a hithau'n tywallt y glaw'** You won't go anywhere

tonight with it pouring with rain (Robin Llywelyn, 1994: 112).

Tywydd weather **tywydd mawr** CW stormy weather **'Tueddir i feio'r set deledu am bob un drwg yn ein cymdeithas, o drais i dywydd mawr'** There is a tendency to blame the television set for everything bad in society, from violence to stormy weather (Barn, March 1995: 21).

Tywyllu to darken **tywyllu drws rhywle** (lit to darken the door of somewhere) CW to go near somewhere **'Na, fydda i byth yn twllu tai tafarna'** No, I'd never go near pubs (Jane Edwards, 1989: 65) (* this idiom is invariably used negatively, as in the above example).

TH th

'Th see Appendix 15.09.

Thanciw (<E 'thank you') **1 thanciw mawr** NW thank you very much **'Liciat ti fynd i edrach am dy fodryb Elin, Corris?' 'Na liciwn, thanciw mawr"** 'Do you want to go and look out for your Aunt Elin from Corris?' 'No I don't, thank you very much' (Wil Sam, 1995:

241). **2 thanciw fawr** SW thank you very much **'Na, na, well i fi bido, bydd Elsi'n ffilu dyall ble odw i. Thenciw fawr i chi 'run peth'** No, no, I'd better not, Elsi won't understand where I am. Thank you very much just the same (Meirion Evans, 1997: 109).

'Tho i, 'tho ti etc. see Appendix 16.14 (note).

U u

Pronunciation

The letter **'u'** (and the letter **'y'** (**y glir** see Y (Pronunciation) below)) is pronounced differently in North and South Wales. To a North Walian, the following pairs of words have different sounds, whereas to most South Walians they are pronounced as if they were homophones

llin	flax	llun	picture
mil	thousand	mul	donkey
ti	you	tŷ	house

The **'u'** in NW is a centralised vowel whereas in SW it is realised as a frontal vowel (examples taken from Beth Thomas and Peter Wynn Thomas, 1989: 30).

'U see Appendix 15.08(xi).

Uch (in personal names) see Appendix 19.02.

Uchaf LW CW **uchela** SW highest

Uchelach SW **uwch** LW CW higher

Uffach (< **uffern**) **1** SW bloody (intensifying adjective) **Ble mae'r diawl uffach nawr?** Where's the bloody idiot now? **2** SW bloody hell **'Uffach, ma' dychymyg 'da'r bachan 'ma ôs!'** Bloody hell, this lad's got an imagination, hasn't he! (Meic Povey, 1995(i): 39). **3 (beth/ble etc.) uffach ...** SW (what/where etc.) the hell ... **'Beth yffach wyt ti'n wneud?'** What the hell are you doing? (Mihangel Morgan, 1993(ii): 17). **4 uffach o (ben tost/storm etc.)** SW hell of a (headache/storm etc.) **'Mae lot o Gymry yn gweld y**

cyfle i fynd mewn grwp o Gymry Cymraeg a chael uffach o amser da' There are a lot of Welsh people who see the opportunity to go in a group of Welsh speakers and have a hell of a good time (Golwg, 17 November 1988: 13). **5 uffach gôls** SW bloody hell **'Yffach gols, paid gofyn i fi. Alla i ddim cofio mor bell 'nôl â hynny'** Bloody hell, don't ask me. I can't remember as far back as that (Lyn Ebenezer, 1991: 66).

Uffar (< **uffern**) **1** NW hell **'Mi ês i ngwely yn ôl reit. Gysgais i? Sgersli bilîf. Uffar ar y ddaear, hwnna sgin i'** I went to bed straight away. Did I sleep? Hardly think so. Hell on earth, that's what I mean (Wil Sam, 1987: 126). **2** NW fool, idiot **'Be gythraul ti 'di bod yn 'neud i fyny 'na? Tyrd 'laen yr uffar diog'** What the hell have you been doing up there? Come on you lazy bugger (Theatr Bara Caws, 1996: 28). **3** NW bloody (intensifying adjective) **"Pwy oedd hi, yr 'Yellow Rose o' Texas' ia? ... Yr hogan bach 'na o Gaerwen ...' 'Uffar o beryg"** 'Who was she, the 'Yellow Rose o' Texas' eh? ... That little girl from Gaerwen . . .' 'No bloody way' (Dewi Wyn Williams, 1995: 25). **4** NW bloody hell **"Dwi'n disgwl.' 'O uffar!' 'Be ddudoch chi?' 'Disgwl, tydw. Disgwl! Disgwl, a fo 'di'r tad'** 'I'm pregnant.' 'Oh bloody hell!' 'What did you say?' 'Pregnant, I am. Pregnant! Pregnant, and he's the father' (Gwenlyn Parry, 1992: 54). **5 (beth/ble etc.) uffar ...** NW (what/where etc.) the hell ... **'Siarad yr iaith? Siarad yr iaith?! Be uffar ti'n feddwl dw i'n mynd i'w wneud, neno'r Arglwydd?'** Speak the language? Speak the language?! What the hell do you think I'm going to

do, for God's sake? (Wiliam O Roberts, 1990: 196).
6 uffar o (gur pen/storm etc.) NW *hell of a
(headache/storm etc.)* **'Ma'n bosib i ni gael beth
uffar o hwyl yn fama sti'** *It's possible for us to have
a hell of a laugh here you know* (Gwenlyn Parry,
1979: 27).

Uffern 1 *hell* **'Y ddwy gath gythrel! Cerwch i uffern!'**
You two bloody cats! Go to hell! (Nansi Selwood,
1993: 156). **2** CW *fool, idiot* **'Gwna di hynna eto, yr
uffarn bach, a mi sodra i di'** *Do that again, you little
bugger, and I'll hit you* (Twm Miall, 1990: 92). **3** CW
bloody (intensifying adjective) **'Do'dd hithe ddim
balchach na finne o ga'l pansi uffern yn fab'** *She
was no more pleased than I was to have a bloody
pansy as a son* (Aled Islwyn, 1994: 119). **4 (beth/ble
etc.) uffern ...** CW *(what/where etc.) the hell ...*
**'Tybad be uffarn oedd y rhein yn ei wneud yn
cymryd rhan yn y gystadleuaeth?'** *I wonder what
the hell these people were doing taking part in the
competition?* (Twm Miall, 1988: 68). **5 uffern dân** (lit
hell fire) CW *bloody hell* **'Ond seiran car plisman
oedd o, a hwnnw'n agosáu ... 'Uffarn dân. Be
nesa?"** *But it was the siren of a police car, and it was
getting nearer ... 'Bloody hell, what next?'* (Margiad
Roberts, 1994: 60). **6 uffern gynddaredd** (lit *rabid
hell*) CW *bloody hell* **'Taflodd Wil ei bin sgrifennu ar
y bwrdd a chodi. 'Uffern gynddaredd!' taranodd'**
*Will threw his writing pen on the table and got up.
'Bloody hell!' he thundered* (Islwyn Ffowc Elis,
1990(i): 33).

Ufflon (< yfflon) NW *bits, pieces* **ufflon o (gur
pen/storm etc.)** NW *hell of a (headache/storm etc)*
'Fflur: Ufflon o beth handi ym marn yr hogia i gyd'
*Fflur: Hell of a handy piece in the opinion of all the
lads* (Penri Jones, 1982: 11).

Ulw *cinders* **1 bod yn (wallgof/feddw etc.) ulw** *to be
completely (mad/drunk etc.)* **'Bu i mi ail feddwl
droeon; mi gredais fy mod yn wallgof ulw i
ddechrau ar y fath fenter'** *I reconsidered numerous
times; I believed that I was completely mad to start
such a venture* (Elwyn Jones, 1991: 7). **2 (gwylltio/
meddwi etc.) yn ulw (dân)** *to get completely
(furious/drunk etc.)* **'Ni wyddai Harri beth i'w
wneud, pa un ai colli'i dymer yn ulw dân ynteu
chwerthin'** *Harri didn't know what to do, either to
lose his temper completely or to laugh* (Islwyn Ffowc
Elis, 1990(i): 258).

Un *one* **1 (cyntaf/mwyaf etc.) un** *the very (first/biggest
etc.)* **'Ar yr olwg gyntaf un, hawdd fyddai casáu yr
hogyn'** *At the very first impression, it would be easy
to hate the lad* (Barn, February, 1995: 25). **2 fy un i
etc.** see Appendix 15.10(iii). **3 un ai ... neu ...** *either
... or ...* **'Mae'r trai naill a llanw'r llall yn rhedeg i'w
gilydd rywsut, a phwy erioed a fedrodd ddweud yr
union eiliad y bydd y teid yn troi? Mae un ai ar
droi neu wedi troi bob amser'** *The ebb and tide run
into each other somehow, and who ever could tell the
exact second when the tide would turn? It's either
about to turn or has turned every time* (Dic Jones,
1989: 177). **4 yr un** (a) *each* **"roedd rhaid i ni ofalu
am 10 neu 11 portfolio polisi yr un'** *we had to look
after 10 or 11 policy portfolios each* (Dafydd Wigley,

1993: 413); (b) *the same* **'Ugain mlynedd yn
ddiweddarach, mae'r dymuniad yr un'** *Twenty
years later, the wish is the same* (Dafydd Wigley,
1993: 11); (c) *(not) a single one* **'Ddalltis i run gair
ddeudodd o'** *I didn't understand a single word he
said* (Robin Llywelyn, 1992: 6). **5 yr un mor
(dda/ddrwg etc.)** *just as (good/bad etc.)* **'Yr un mor
ddigalon yw'r diffyg diddordeb, yn ôl pob golwg,
mewn rhaglenni Cymraeg ar y radio a'r teledu'**
*Just as depressing is the lack of interest, by all
accounts, in Welsh programmes on radio and
television* (Golwg, 17 November 1988: 4).

Undeb *union* **mewn undeb mae nerth** proverb *in unity
is strength* (the following example is a variation on the
above) **'Eto i gyd mae nhw'n gorfod wynebu'r
ffaith mai mewn undod mae grym'** *Yet they've got
to face the fact that in unity is strength* (Sbec TV
Wales, 21 May 1994: 13).

Undydd (lit *one day*) **undydd unnos** (lit *one day one
night*) *overnight* **'[Caewyd] Stormont, senedd
ddatganoledig chwe sir Gogledd Iwerddon, mewn
undydd unnos'** *Stormont, the devolved senate for
the six counties of Northern Ireland, [was closed]
overnight* (Barn, September 1995: 13).

Unfan (lit *same place*) **(aros/sefyll etc.) yn ei unfan** *to
(stay/stand etc.) in the same place* **'Ti'n goro bod yn
ddewr i aros yn dy unfan'** *You've got to be brave to
stay in the same place* (Robin Llywelyn, 1994: 111).

Unfryd *unanimous* **unfryd unfarn** *of one accord,
unanimous* **'Ma 'na dipyn o drafod ar y bregath ar y
ffordd allan, a phawb yn unfryd unfarn mai cadw'i
bregath fawr tan nos mae o'** *There's a bit of a
discussion about the sermon on the way out, and
everyone is unanimous that he's keeping the big
sermon until the evening* (Jane Edwards, 1989: 21).

Unig swydd see (**unswydd**) (note).

Union *exact; straight* **1 ar fy union** *immediately,
straightaway* **'Dos di adra ar dy union rwan'** *You go
home straightaway now* (Caradog Prichard, 1961:
54). **2 yn union** LW *exactly* **'Faint yn union mae
Sam Elliott i fod i gael gwybod?'** *How much exactly
is Sam Elliott supposed to know?* (Eirug Wyn, 1992:
50). **3 yn union syth** NW *immediately, straightaway*
**'[Yr oedd] ei fab i gychwyn ar daith yn union syth
i grombil cyfandir tywyll, i grud yr Inffidel i ladd
Brenin Ffrainc'** *His son [was] to start on a journey
straightaway to the centre of a dark continent, to the
cradle of the Infidel to kill the King of France* (Wiliam
Owen Roberts, 1987: 23). **4 yn union deg** NW
immediately, straightaway **'Os caf fynd i'm llofft yn
union deg efallai cawn ni gwbwlhau'r manylion yn
y bore ...'** *If I can go to my bedroom straightaway
perhaps we can finish the details in the morning ...*
(Robin Llywelyn, 1994: 27).

Unioni *to rectify* **unioni'r cam** *to right a wrong* **'Does
dim un o ddramâu Huw Lloyd Edwards wedi'u
cynhyrchu'n ddiweddar iawn ac unioni'r cam
oedd un o fwriadau'r cwmni'** *Not one of Huw Lloyd
Edwards's plays has been produced very recently
and to right a wrong was one of the company's
intentions* (Golwg, 27 April 1989: 21).

Unswydd (lit *of one purpose*) **(dod/mynd etc.) yn unswydd** *to (come/go etc.) on the express purpose* **'Ond ma'n rhaid i mi barchu pawb sy'n galw i 'ngweld i yn Ganol Cae achos dim galw wrth basio ma' nhw ond dŵad yma yn un swydd'** *But I've got to respect everyone who calls to see me at Canol Cae because they don't call while passing but come on the express purpose* (Margiad Roberts, 1994: 176) (* note also in SW the form **(dod/mynd etc.) yn unig swydd,** eg **'Fe gest ti dy rybuddio i aros odd'ma. Dod 'ma'n unig swydd i achosi gofid i mi wnest ti?'** *You were warned to stay away from here. Came here on the express purpose of worrying me, did you?* (Nansi Selwood, 1987: 162)).

Unwaith *once* **1 ar unwaith** *at once* **'Mae'n rhaid i ti ddod acw ar unwaith'** *You have to come here at once* (Wiliam Owen Roberts, 1987: 22). **2 unwaith ac am byth** *once and for all* **'Mae'n bosib' mai rhyfel Viet Nam a newidiodd newyddiaduraeth ryfel unwaith ac am byth'** *It's possible that it was the Vietnam war which changed war journalism once and for all* (Dylan Iorwerth, 1993: 6). **3 unwaith yn rhagor** *once more* **'Penderfynais y dylai'n llwybrau gwrdd unwaith yn rhagor'** *I decided that our paths should meet once more* (Dafydd Huws, 1990: 111).

Ust *hush, shush* **'Ust, glywsoch chi'r crafu ar y ffenest?'** *Hush, did you hear the scratching on the window?* (Robin Llywelyn, 1995: 42).

Uwch LW NW **uchelach** SW *higher*

Uwchben *above* **1 (synfyfyrio/meddwl etc.) uwchben rhywbeth** *to (reflect/ think etc.) about something* **'Es inna i ista'n gongol caetsh oddi wrtho fo i gael pendroni uwchben fy helynt'** *I went to sit in the cage corner from him in order to worry about my trouble* (Robin Llywelyn, 1992: 47). **2 uwchben fy nigon** *very happy* **'Wedes i wrth Clem y byddet ti uwchben dy ddigon'** *I told Clem that you'd be very happy* (Aled Islwyn, 1994: 48).

Uwd *porridge* **yr uwd a redo** (lit *the porridge that runs*) NW *well I never* **'Wel yr uwd a redo, dyna i chi be oedd anti-cleimacs go iawn'** *Well I never, that's what you call a real anti-climax* (Twm Miall, 1988: 166).

W w

Pronunciation

1 In colloquial Welsh a **'w'** is often replaced by an **'f'** (this interchange also works vice-versa, see **F** (Pronunciation))

cawod	>	cafod	shower
tywod	>	tyfod	sand
lliwio	>	llifo	to colour

'Roedd y tyfod yn wlyb ar ôl y glaw mawr *The sand was wet after the heavy rain*

2 In South Wales an initial **'chw'** become **'w'**, see **Ch** (Pronunciation).

'W SW *mate* **'Chi'n gwpod bo' fi ddim yn lico rheina, w!'** *You know I don't like them, mate!* (Dafydd Rowlands, 1995: 21) (* 'w here is almost used as a punctuation mark in SW).

Wa' (< **fy ngwas i**) Bala area of NW *mate* **'Wyt ti wedi chwarae yn gôl o'r blaen, wa'?'** *Have you played in goal before, mate?* (Alun Ffred and Mei Jones, 1990: 78).

Wâc (<E *walk*) **mynd am wâc** SW *to go for a walk* **'Fi wedi bod am wâc. Lawr ar bwys yr afon'** *I've been for a walk. Down by the river* (Meic Povey(i), 1995: 47).

Wadio *to hit* **'Do'dd e ddim wedi mynd ymhell pan ga's e 'i ddal gyta torf o ddynon - a nhw ddwcswn yr arian a'i wado fe'n ddidrugaredd'** *He hadn't gone far when he was caught by a large crowd of men - and they took his money and hit him without mercy* (Nansi Selwood, 1987: 243).

Waeth (< **ni waeth**) **1 waeth befo** (< **ni waeth beth a fo**) NW *never mind* **'Na, ni ellid fy nghyhuddo i o'i wadu. Waeth befo beth ddywedai neb'** *No, you couldn't accuse me of denying it. Never mind what anyone said* (Angharad Tomos, 1982: 18). **2 waeth gen i am rywbeth/rywun** NW *I don't care about anything/anyone* **'Waeth gen i amdanyn nhw. A mi fydda i'n mynd i weithio'n Chwaral flwyddyn nesa'** *I don't care about them. And I'll be going to work in the quarry next year* (Caradog Prichard, 1961: 146). **3 waeth i mi (wneud rhywbeth) (ddim)** LW NW *I might as well (do something)* **'Seilam ... ond dyna fo, waeth i mi fod yn fan'no ddim'** *An asylum ... but there you go, I might was well be there* (Angharad Tomos, 1982: 62) (* see also **cystal** and **man** (1)-(2)). **4 Waeth i mi heb wneud rhywbeth** NW *I might as well not do something* **'Ond waeth heb â hiraethu am y fan honno bellach. Roedd hi'n ta-ta Lerpwl, ac yn ta-ta Rosie hefyd'** *But one might as well not get nostalgic about that place anymore. It was ta-ta Liverpool, and ta-ta Rosie as well* (Eigra Lewis Roberts, 1985: 32).

Waldio *to hit* **'Esgob, mi fasa d'Yncl Now wedi dy waldio di tasa fo wedi dy ddal di'** *Goodness me, your Uncle Now would've hit you if he'd caught you* (Caradog Prichard, 1961: 37).

'Walle (< **efallai**) SW *perhaps* **'Gan bod y siwrne'n hir walle fydde fe'n danto ar ddarllen cywydde Dafydd ap Gwilym'** *Since the journey is long perhaps he'd tire of reading Dafydd ap Gwilym's cywyddau* (Dafydd Rowlands, 1995: 119).

Wan see **pob** (1).

'Wannwyl (< **Duw annwyl**) NW *goodness me, heavens above* **'Wannwyl! Roedd yna ogla da arno!'** *Goodness me! It smelt good!* (Eirug Wyn, 1994: 19).

'Was i (< **fy ngwas i**) CW *mate* **'Tyrd yn dy flaen, was'** *Come on, mate* (Caradog Prichard, 1961: 45).

'Wash i (< **fy ngwas i**) NW *mate* '**Mae hi 'di canu arnat ti, washi**' *It's over for you, mate* (Robin Llywelyn, 1992: 45).

Watsh *watch* **mynd fel watsh** (lit *to go like a watch*) NW *to go like clockwork* '**[Yr oedd y] trefniada i gyd yn mynd fel watsh**' *The arrangements [were] all going like clockwork* (Margiad Roberts, 1994: 193).

Wath (< **gwaith**) SW *because* "**Ishte lawr, Marie Thomas Hughes,' minte hi, 'wa'th dwi'n gwbod dy gwircs di**" *'Sit down, Marie Thomas Hughes,' she said, 'because I know your quirks'* (May Williams in Gwyn Griffiths (ed.), 1994: 82).

'Wchi (< **a wyddoch chi**) NW *you know* '**Pregethwr fydd hwn, w'chi**' *He'll be a preacher, you know* (Islwyn Ffowc Elis in Eleri Hopcyn (ed.), 1995: 25).

Wê CW *stop, whoaah* '**Wê! Wê! Dwi'n dod ffor'ma'n amal ... rhyw dair milltir lawr y lôn draw fan'cw ... ar y chwith, mae 'na *Chinese Restaurant*'** *Whoaah! Whoaah! I come to these parts frequently ... about three miles down that road there ... on the left, there's a Chinese Restaurant* (Vivian Wynne Roberts, 1995: 26).

Wedi *after* **1 wedi'ny** (< **wedi hynny**) SW *afterwards* '**Ond fuodd hi ddim byw yn hir wedi'ny**' *But she didn't live long afterwards* (Mihangel Morgan, 1994: 111). **2 wedi went** (< **wedi** and E *went*) CW *gone* '**byddai o'n gonar, wedi *went* os na chadwai 'i hen fodiau iddo'i hun**' *he'd be a goner, gone if he didn't keep his fingers to himself* (Jane Edwards, 1993: 47).

Wê(dd) see '**O**' (Pronunciation).

Wejen SW *girlfriend* "**Lle fydd hi'n cysgu ...?' 'Sori?' 'Y wejen; y Valmai 'ma ...**" *'Where will she be sleeping?' 'Sorry?' 'The girlfriend; this Valmai ...'* (Meic Povey, 1995(i): 20).

Wêr (< **gwerin**) CW *folk, ordinary people* '**[Roedd] hogia Pen-y-darran yn gneud pererindod bob blwyddyn i biso ar fedd Crawshay, y dyn glo drwg 'nw, am be nath o i'r wêr ym Merthyr stalwm ...**' *The Pen-y-darran lads [used to] make a pilgrimage every year to piss on the grave of Crawshay, that evil coal owner bloke, for what he did to the ordinary people in Merthyr ages ago ...* (Dafydd Huws, 1990: 240).

Wermod *wormwood* **wermod** is occasionally used in NW figuratively to mean *bitter* '**Tywalltodd Mati baned iddi ei hun a'i sipian gyda blas, gan gofio'r holl baneidiau y bu'n eu hyfed yma, ar ei phen ei hun, a'r rheini'n wermod ar ei thafod**' *Mati poured herself a cuppa and sipped, remembering all the cuppas she had drunk here, on her own, and they were bitter to her tongue* (Eigra Lewis Roberts, 1985: 16).

Wês see '**O**' (Pronunciation).

Wfft see **naw** (2).

Whilber SW **berfa** LW NW *wheelbarrow*

Wi see Appendix 1.03.

Wil *Will, William* **cael Wil i'w wely** (lit *to get Will into bed*) CW idiom used to describe successfully concluding something '**cytunodd y Llywodraeth i ychwanegu'r gwelliannau hyn i'm Mesur innau hefyd, a thrwy hynny ei gryfhau'n sylweddol. Mae sawl ffordd o gael Wil i'w wely!**' *the Government agreed to add these improvements to my Bill as well, and through this strengthened it signficantly. There are several ways of successfully concluding something!* (Dafydd Wigley, 1993: 209).

Wilia (< **chwedleua**) Glam *to chat, to speak, to talk* '**Arglwydd mawr! Paid â wilia shwt ddwlu, nei di!**' *Heavens above! Don't talk such nonsense, will you!* (Dafydd Rowlands, 1995: 14).

Wilias see Appendix 19.06.

Winwnsyn LW SW **nionyn** LW NW *onion*

Winwns LW SW **nionod** LW NW *onions*

Wir (< **gwir**) **1** CW *indeed, really* '**Dwn i ddim pwy ydi'r gwaetha, wir, y chi neu George Sholto**' *I don't know who's the worst, really, you or George Sholto* (Theatr Bara Caws, 1995: 56). **2 wir Dduw** CW *absolutely certain, sure to God* "**Di 'di dechra 'ta? ... Ydi! ... Ydi, wir Dduw, ti'n iawn ...**' *Has it started then? ... It has! ... It has, sure to God, you're right ...* (Gwenlyn Parry, 1979: 79). **3 wir i ti/chi** CW *really, you can be sure* '**Na, wir i ti nawr. Wi'n gwybod bod e ddim yn swnio fel'ny i ti nawr**' *No, really now. I know it doesn't sound like that to you now* (Geraint Lewis, 1995: 42). **4 wir Dduw i ti/chi** CW *honest to God, you can be sure to God* '**Wir Dduw i ti rŵan, gosbyl, God's onyr, cris croes tân poeth torri 'mhen a torri 'nghoes. Ma nhw'n gneud te a choffi am ddim ac ma nhw'n gadal i chdi smocio**' *'Honest to God now, gospel, God's honour, cross my heart and hope to die. They make tea and coffee for nothing and they let you smoke* (Twm Miall, 1988: 131). **5 wir yr** NW *really* (at the end of clause/sentence only) '**Na, dos di, fydda i'n iawn, wir yr**' *No, you go, I'll be alright, really* (Jane Edwards, 1993: 107).

Wmbredd see **peth** (13).

Wmla(dd) (< **ymladd**) SW *to fight* '**fu-ws [e] yn wmladd yn ffyrnig ddi-ildio yn un o fanne pellennig yr Ymerodreth Brydeinig**' *[he] fought furiously without giving up in one of the remote spots of the British Empire* (Dafydd Rowlands, 1995: 91).

Wmed Dyfed *face* '**Ma' 'na ryw syniad i gal am fynd i'r nefoedd mai dyn ag wmed hir ... mai dyn parchus felna sy'n fwy addas i fynd i'r nefoedd**' *There is some idea about that to go to heaven a man's got to have a long face ... a respectable man like that is more suitable to go to heaven* (Eirwyn Pontshân, 1973: 118).

Wncwl (<E *uncle*) SW *uncle* '**Ma' Wnwcl Now moin ei gino fe ar y ford ddouddeg o'r gloch *on the dot*, dyna wedodd Wncwl Cen**' *Uncle Now wants his lunch on the table at twelve o'clock on the dot, that's what Uncle Cen said* (Margiad Roberts, 1994: 78).

Wnifeintodd (< **ni wn i faint** and the plural ending **-oedd**) Pembs *I dunno how long* '**A ma' rhai meniwod wedi bod in fishi ers wnifeintodd in stitsho**' *And there are some women who've been busy for I dunno how long sewing* (Golwg, 27 February 1997: 12).

Wnelo see Appendix 11.06.

Wrth *by, to, with* **wrthi** *at it* '**Penderfynais dderbyn y cynnig. 'Roeddwn i wrthi yn cynllunio dyfodol newydd'** *I decided to accept the offer. I was at it preparing a new future* (Alan Llwyd, 1994: 225).

Wrth gwrs *of course* in SW the form **wrth gwrs'ny** (< **wrth gwrs hynny**) is heard when the wording is stated in isolation **"Pe byset ti'n hôl y doctor fe nelet ti rywfent o dd'ioni.' 'Doctor?' 'Wrth gwrs 'ny!"** *'If you got a doctor you'd do some good.' 'A doctor?' 'Of course!'* (Islwyn Ffowc Elis, 1974: 73).

Wrthyf, wrthyt etc. see Appendix 16.14.

Wrthyf fy hun see **pen** (14).

Wsnos (< wythnos) NW *week* '**Anhygoel! Dwrnod arall heb ddiferyn o law. Yr ail ddwrnod sych wsnos yma**' *Incredible! Another day without a drop of rain. The second dry day this week* (Margiad Roberts, 1994: 116).

'Wsti (< a wyddost ti) NW *you know* '**Hogan ifanc oeddwn i radag honno, wsti**' *I was a young girl at that time, you know* (Caradog Prichard, 1961: 44).

Wy see Appendix 1.03.

Wyddfa, Yr *Snowdon* **petai'r Wyddfa'n troi'n gaws** (lit *if Snowdon were to turn into cheese*) *and pigs might fly* '**O'n i'n meddwl y byddai'r Wyddfa'n troi'n gaws cyn y bydda na'r diferyn lleia o [alcohol] yn ymddangos ar dir sanctaidd [yr Eisteddfod]**' *I though that pigs might fly before the smallest drop [of alcohol] would appear on the sacred soil [of the Eisteddfod]* (*Western Mail*, 20 January 1996: (Arena) 10).

Wylo LW CW **crio** LW NW **llefain** LW SW *to cry*

Wyneb *face; surface* **1 (beth/ble** etc.) **ar wyneb y ddaear ...?** (lit *(what/where etc.) on the surface of the earth ...?*) CW *(what/where etc.) on earth ...?* '**Beth ar wyneb y ddaear oedd wedi digwydd i'w mam?**' *What on earth had happened to her mother?* (Angharad Tomos, 1991: 26). **2 mae gen i wyneb** *I've got a cheek, I've got a nerve* '**Doedd gen i mo'r**

wyneb i wisgo'r sbectol y tu allan i'r masg' *I didn't have the nerve to wear the glasses outside the mask* (Tweli Griffiths, 1993: 123). **3 wyneb i waered** *upside-down* '**Daliodd Hyw Twm y cwdyn plastig â'i wyneb i waered**' *Hyw Twm held the plastic bag upside down* (Eigra Lewis Roberts, 1985: 124).
4 wyneb yn wyneb *face to face* '**Rhythrodd [ef] am y barrau a daeth wyneb yn wyneb â Magi Goch**' *[He] rushed for the bars and came face to face with Magi Goch* (Eigra Lewis Roberts, 1985: 129).

'Wys (< fy ngwas i) SW *mate* '**Ma' [y ferch] 'on yn bishyn, wys. Bertach na Annie ni, myn jawl i!**' *This [girl] is a piece, mate. Prettier than our Annie, bloody hell!* (Dafydd Rowlands, 1995: 99).

Wysg *track* **1 wysg fy nghefn** *backwards* "**Cym ier.' Na, sa i'n credu, frawd, a'r pedwar ohonon ni yn cerdded wysg y'n cefne. 'Kill the Welsh bastards**" *'Come here.' No, I don't think so, brother, and the four of us [were] walking backwards. 'Kill the Welsh bastards'* (John Owen, 1994: 63). **2 wysg fy ochr** *sideways* "**Roedd y golau crwn i fod i syrthio arno yn ystod un araith, ond methodd o ryw droedfedd neu ddwy, a bu'n rhaid iddo symud wysg ei ochor yn ara' bach i fynd i ganol y golau**' *The round lights were supposed to fall on him during a speech, but they failed by the odd inch or two, and he had to move sideways slowly to get into the middle of the light* (Alan Llwyd, 1994: 62). **3 wysg fy nhin** CW *arse first, backside first* '**You go now!**' *meddai gan ddangos y drws i ni. Ac wysg ein tinau yr aethom allan i'r nos*' *'You go now!' he said showing us the door. And arse first we went out into the night* (Vivian Wynne Roberts, 1995: 31). **4 wysg fy nhrwyn** (lit *nose first*) CW *aimlessly, freely* '**Petai yno rŵan byddai wrthi'n llowcio 'i brecwast yn ei hawydd am wisgo'i hesgidiau cerdded a chychwyn allan. Crwydro wysg ei thrwyn o lwybr i lwybr a'r ddaear yn rhoi o dan ei thraed**' *If she was there now she would be at it gulping down her breakfast in her desire to put on her walking shoes and to start off. To wander freely from path to path with the earth giving under her feet* (Eigra Lewis Roberts, 1985: 112).

Y y

Pronunciation

1 The letter **'y'** can be pronounced in two distinct ways. The **y dywyll** is found in the definite article and particle **y** *the, that*, a limited number of monosyllabic words (eg **fy** *my*, **dy** *your*, **yn** *in*) and in the main stem of a word (eg **cymydog** *neighbour*). The **y glir** is found in the majority of monosyllabic words (eg **tŷ** *house*, **mynd** *to go*) and as the final vowel in polysyllabic words (eg **hynny** *that*, **mynydd** *mountain*).

2 In South Wales, most notably in Pembrokeshire, **y dywyll** can become **y glir**

dynion	> **dinon**	*men*
mynydd	> **mini'**	*mountain*
symud	> **simid**	*to move*
yn	> **in**	*in*

'**we ishe dou ne dri o ddinion at y *job* 'na**' *two or three men were needed for that job* (speaker quoted in Christine Jones and David Thorne (eds.), 1992: 86)

3 In Dyfed, **y dywyll** can become **'w'** in the first and second syllables in polysyllabic words (in addition to the tendency noted above)

Cymraeg	> **Cwmrâg**	*Welsh*
cymryd	> **cwmrid**	*to take*
cymydog	> **cwmwdog**	*neighbour*

'**Sdim dowt y dyle pob Sais sy'n dod i fyw i gefen gwlad fod yn barod i ddysgu Cwmrâg**' *There's no doubt that every Englishman who comes to live in rural Wales should be ready to learn Welsh* (*Golwg*, 25 May 1995: 30)

4 In colloquial Welsh, the initial **'y'** is frequently dropped with words starting **'ym'**

ymolchi	> **'molchi**	*to wash*
ymestyn	> **'mestyn**	*to pass, to reach, to stretch*

'**Mi fasa'n llawar harddach i chdi fynd i molchi a gwisgo**' *It'd be a lot nicer for you to go and wash and get dressed* (Jane Edwards, 1989: 20) (* these forms should not be mutated further (eg **ymestyn** > **mestyn** > **festyn**) but this does occasionally happen in colloquial Welsh, although it is not considered grammatically correct, eg '**wrth i'w gorff festyn a mynd i'w gilydd**' *as his body stretched and shrank* (Jane Edwards,1989: 32))

5 The majority of words of more than two syllables beginning with **'ys'** have a second, and older, form without the initial **y**

ysgrifennu	< **sgrifennu** [**sgwennu** CW]	*to write*
ysgyfarnog	< **sgyfarnog** [**sgwarnog** CW]	*hare*
ystafell	< **stafell**	*room*

'**Ond mae'n well gen i sgwennu**' *But I prefer to write* (Wiliam Owen Roberts, 1987: 93) (* the form with the initial **y** is most often used in standard written Welsh)

6 In South Wales it is common for the ending **'yd'** (pronounced *id*) to be added to a limited number of verbs

agor	> **agoryd**	*to open*
cau	> **caeyd**	*to close*
cwrdd	> **cwrddyd**	*to meet*
edrych	> **'drychyd**	*to look*
move	> **mwfyd**	*to move*

'**Wel, o'dd hi'n drychid arno i trwy'r amser**' *Well, she was looking at me all the time* (Twm Miall, 1990: 137) (* this ending is found in the standard form of a limited number of verbs, eg **cymryd** *to take*, and in the archaic spelling of some common verbs, eg **dywedyd** (> **dweud**) *to say*, **gwneuthyd** (> **gwneud**) *to do, to make* etc.)

7 In North Wales the ending **'yd'** is very occasionally added to a very limited number of verbs (this tendency is far less noticeable than in South Wales, as noted above)

glynu	> **glynyd**	*to stick*
taflu	> **taflyd**	*to throw*

'**I be oeddach di isio taflyd fy mhethau i gyd i'r môr?**' *Why did you want to throw all my things into the sea?* (Robin Llywelyn, 1995: 22)

Y (**yr** before vowels) 1 *the* (the definite article) **y tŷ** *the house* (* in CW, particulary in NW, the definite article can be omitted before monosyllabic words, eg '**Ac mi aeth Huw a finna i mewn trwy tŷ i sied yn cefn**' *And Huw and I went in through the house to the shed in the back* (Caradog Prichard, 1961: 171)). 2 meaningless particle before people's titles '**Rwy am weld y Meistr Morgan Prys William**' *I want to see Master Morgan Prys William* (Nansi Selwood, 1993: 112). 3 *that* (pre-verbal particle) '**Gwyddwn y cawn groeso ganddynt**' *I knew that I would be welcomed by them*' (Kate Roberts, 1976: 24) (* frequently **y** is omitted here, eg '**Na fe, o'n i'n gwbod byddet ti'n grac**' *That's it, I knew you'd be angry* (John Owen, 1994: 110)). 4 CW *eh, what* '**Ydach chi'n dallt pa ddiwrnod ydi heddiw? Y?**' *Do you understand what day it is today? Eh?* (Angharad Tomos, 1982: 46). 5 **y** (**lembo/cariad etc.**) *(you/the etc.) idiot/love etc.* (form of address in the accusative) "**Mi fasa'n well i mi fynd adra rhag ofn i mi gal niwmonia.**' '**Chei di ddim, y gwirion**" *'I'd better go home lest I catch pneumonia.' 'You can't, you idiot'* (Jane Edwards, 1989: 39) (* the form **yr hen** (**gariad/ffŵl etc.**) i mi/ti etc. is used for emphasis, eg '**yr hen gena cas iddo fo**' *the spiteful old bugger* (Caradog Prichard, 1961: 18) and also in SW the form **yr hen** (**gariad/ffŵl etc.**) **ag ef**, eg '**yr anwar diawl ag ef!**' *the uncivilised bugger!* (Eirwyn Pontshân, 1982: 23)).

Y Bermo see Appendix 18.02.

Y Ble'na see Appendix 18.02.

Y Bont see Appendix 18.04.

Y Borth see Appendix 18.02.

Y Dinas see Appendix 18.03.

Y fi, y ti etc. see Appendix 15.03-15.04.

Y mae, y maent hwy etc. see Appendix 1.

Y Rhos see Appendix 18.06.

Y Trallwm see Appendix 18.02.

'Y see Appendix 15.08(v).

Ych see Appendix 15.08(xi).

Ych-â-fi CW *ugh* 'Ych-a-fi, mae'n rhy felys ac yn llugoer hefyd!' *Ugh, it's too sweet and it's lukewarm as well!* (Mihangel Morgan, 1993(ii): 10).

Ŷch chwi, ŷch chi etc. see Appendix 1.

Ychwaneg see **chwaneg**.

Ydoedd see Appendix 5.02(i).

Ydw i, ydy o etc. see Appendix 1.

Yfory *tomorrow* **yfory nesaf** (lit *the next tomorrow*) *the very next day, tomorrow* (emphasised) 'buaswn yn gwneud yr un peth eto yfory nesaf ac nid wyf erioed wedi gofidio bod yn driw i fy egwyddorion' *I would do the same thing again tomorrow and I have never worried about being true to my principles* (Elwyn Jones, 1991: 186).

Yffach (< **uffach** < **uffern**) SW *hell* 'Beth yffach wyt ti'n wneud?' *What the hell are you doing?* (Mihangel Morgan, 1993(ii): 17).

Yffern (< **uffern**) SW *hell* 'O yffarn! Beth ddiawl!' *Oh hell! What the hell!* (Dafydd Rowlands, 1995: 65).

'Yli (< **gweli di**) NW *look* (imperative) 'Ond sbia arno fo. Yli. Mae o'n chwysu fel mochyn' *But look at him. Look. He's sweating like a pig* (Wiliam Owen Roberts, 1987: 55).

'Ylwch (< **gwelwch chwi**) NW *look* (imperative) "Ylwch Gronwy,' medda hi'n neis i gyd. 'Fasa ots gynnoch chi beidio galw John yn 'Ben Rwd'?" *'Look Gronwy,' she said all nice. 'Do you mind not calling John 'Ginger'?'* (Dafydd Huws, 1978: 10).

Ŷm ni, ŷch chwi etc. see Appendix 1.

Yma 1 *here* 'Ydych chi'n mwynhau bod yma yn Llandaf?' *Do you enjoy being here in Llandaff?* (Nansi Selwood, 1993: 96). 2 CW *this* (adjective) 'A beth oedd tu ôl i'r siarad neis-neis yma?' *And what was behind this nice-nice talk?* (Nansi Selwood, 1993: 92) (* the use of **yma** here, and its abbreviated form '**ma** (see entry), is increasingly common instead of the forms **hon** and **hwn**). 3 **yma ac acw** *here and there* 'Daeth un o'r merched gweini o'r tu ôl i'r cownter i ganol y llawr gan bwyntio yma ac acw at y darnau llestri' *One of the serving girls came from behind the counter to the middle of the floor pointing here and there at the pieces of crockery* (Islwyn Ffowc Elis, 1990(i): 208). 4 **yma a thraw** *here and there* 'Rhedodd yn ddigyfeiriad yma a thraw i chwilio am *kiosk*' *He ran directionlessly here and there looking for a telephone kiosk* (Jane Edwards, 1993: 98).

Ymaith LW CW **bant** SW **i ffwrdd** LW NW *away*

Ymhell *far, afar* **heb fod ymhell o rywle** *not far from somewhere* 'Heb fod ymhell o farics y Ffiwsiliwyr

Cymreig fe sefydlwyd Canolfan Heddwch' *Not far from the Welsh Fusiliers' barracks a Peace Centre was set up* (*Golwg*, 23 May 1996: 15).

Ymhen *(with)in* 1 **ymhen hir a hwyr** *after a while, eventually* 'Ymhen hir a hwyr gwelwyd [tîm rygbi] Penybont yn taflu i lein dda ac yn dechrau rhedeg' *After a while Bridgend [rugby team] were seen throwing to a good line and starting to run* (*Y Faner*, 10 April 1992: 21). 2 **ymhen y rhawg** *after a while, eventually* 'Ac yno, ar ganol Parc y Corn, pan gyrhaeddodd Roger ymhen y rhawg ... y cneifiwyd y llwdn' *And there, in the middle of Parc y Corn, when Roger arrived after a while ... the young animal was sheared* (Dic Jones, 1989: 117).

Ymlaen *forward* **dod ymlaen** *to come on* "Dw i ddim yn dŵad,' medda fi a chwilio ym môn clawdd am le esmwyth i roi 'mhwysau. 'Paid â siarad yn wirion, tyd yn dy flaen" *'I'm not coming,' I said and looked in the hedge for a comfortable place to rest. 'Don't talk nonsense, come on'* (Jane Edwards, 1989: 39).

Ymyl *edge, side* 1 **wrth ymyl** *near* 'Tasach chi 'rioed wedi bod ar y bws i Morfa Bychan o'r blaen mi fysach chi'n medru gesio fod 'na lan y môr wrth ymyl achos mae tywod wedi hel wrth ochr y ffordd' *If you'd ever been on the bus to Morfa Bychan before you could guess that the seaside was near because sand has collected by the side of the road* (Miriam Llywelyn, 1994: 60). 2 **yn fy ymyl** *by me, next to me* 'Ddaru mi sefyll mewn ciw i fynd i'r capel, ac on i'n sefyll yn 'i hymyl hi' *I stood in a queue to go to chapel, and I was standing by her* (Angharad Tomos, 1985: 68).

Yn 1 *in* **yn Abertawe** *in Swansea* (* **yn** here should not be abbreviated to '**n** (see Morgan D. Jones, 1965: 25), although it is occasionally in place names, eg **Cae'n coed** (lit *field in the trees*) and informal texts, eg 'Gŵr Sylvia, oedd yn gweithio'n y ffatri ddillad efo'i mam, oedd John Chrysanths' *John Chrysanths, who worked in the clothes factory with her mother, was Sylvia's husband* (Jane Edwards, 1993: 19)) (** see also Appendix 17.07 (i)-(ii)). 2 *verbal particle* **Mae Gwyn yn dod** *Gwyn is coming* (* **yn** is abbreviated to '**n** following a vowel, but not if emphasis is required, eg 'Roedd hi *yn* bisin yr adeg honno, daria hi' *She was an attractive girl then, damn her* (Islwyn Ffowc Elis, 1990(i): 103)) (** see also Appendix 1.09.

Yn (< **fy**) see Appendix 15.08(vi).

Yn (< **ein**) see Appendix 15.08(xi).

Yn (< **onid**) see **onid**.

Ŷn ni, ŷch chwi etc. see Appendix 1.

Yna 1 *there* 'Cyfoethog ydyn nhw yna' *They're rich there* (Robin Llywelyn, 1992: 121) (* **yna** and its abbreviated form '**na** (see entry) is used extensively with the verbal form **mae**, see Appendix 13.11-13.12). 2 CW *that* (adjective) 'A lle cawsoch chi'r wybodaeth yna?' *And where did you get that information?* (Eigra Lewis Roberts, 1985: 158) (* the use of **yna** here, and its abbreviated form '**na** (see entry), is increasingly common instead of the forms

honno and **hwnnw**). **3** *then* '**Ac yna cofiodd fod y ferch ifanc ar ffo ... byddai pethau'n ddrwg arni hi, ac arno yntau o ran hynny**' *And then he remembered that the girl was fleeing ... things would be bad for her, and for him for that matter* (Wiliam Owen Roberts, 1987: 118).

Yncl (<E *uncle*) NW *uncle* '**Mi es i i deimlo mor dipresd ar ddechrau'r ail wythnos, fel y bu'n rhaid i mi fynd i weld Yncl Dic**' *I became so depressed at the start of the second week, that I had to go and see Uncle Dic* (Twm Miall, 1988: 61).

Ynde (< **ynteu**) NW *then* '**Chdi oedd isio, medda chdi, yndê ... yndê?**' *You wanted to, you said, then ... eh?* (Robin Llywelyn, 1994: 161) (* **ynde** is used extensively as a stopgap in conversation in NW, as in the above example; see also '**de**, '**te** and '**ta**).

Yndefe (< **onid ydyw ef**) SW *isn't it* etc. '**A dyna'r co' cynta sy gen i 'mod i wedi gweld gwerth mewn bywyd yntefe**' *And that's the first memory that I've got having seen the value in life, innit* (Eirwyn Pontshân, 1973: 8).

Yndw, yndwyt etc. see Appendix 1.08.

Yndydy (< **onid ydyw**) NW *isn't it* etc. '**ond dyna fo, mae'n rhy hawdd i mi siarad yn' tydi?**' *but there you go, it's too easy for me to speak isn't it?* (Eirug Wyn, 1994: 43).

Ynof fi/i, ynot ti etc. see Appendix 16.15.

Yntau see Appendix 15.05-15.06.

Ynte (< **ynteu**) see **ynde**.

Ynys *island* **Ynys y Cedyrn** (lit *the Island of the Strong*) name for the British Isles in some Welsh tales from the Middle Ages and earlier; it is occasionally used rhetorically '**Tynnodd rhai cyfeillion fy sylw, er enghraifft, at y 'Prydeindod' a berthyn i ni fel Cymry drwy'r Brydain, y buom unwaith, fel Pobl Geltaidd, yn unig berchenogion arni - y Brydain Frythonig, 'Ynys y Cedyrn'**' *Some friends drew my attention, for example, to the 'Britishness' that belonged to us as Welsh people via the 'Britain' that we were, as a Celtic People, the only owners of - the Britain of the Ancient Britons, 'the Island of the Strong'* (*Barn*, September 1995: 13).

Yr *the, that* before vowels (see **y**) in CW, the emphasis is often placed on the '**r**' (eg **yr ysgol** > '**rysgol**) '**Ond wyt ti'n meddwl fyddan nhw'n chwerthin am ein penna ni yn Rysgol?**' *But do you think that they'll laugh at us in school?* (Caradog Prichard, 1961: 146).

Yr oedd gennyf, yr oedd rhaid i mi etc. see Appendix 13.

Yr oeddwn, yr oeddet etc. see Appendix 5.01-5.04.

Yr ydwyf, yr wyf etc. see Appendix 1.01-1.04.

Ys (lit *as*) **1 ys dywed/dywedodd (mam/pawb etc.)** LW SW *as (mam/everyone etc.) says/said* '**O'n i'n gwpod bod llysenwe gyta'i ffrindie fe, ei 'gronies' e, sgwetws Mam**' *I knew his friends had nicknames, his 'cronies', as Mam said* (Dafydd Rowlands, 1995: 9) (* **ys dywedodd** > **ys gwedodd** > **ys gwetws** Glam). **2 ys gwn i** *I wonder* '**Ys gwn i beth oedd yn bod arno?**' *I wonder what was wrong with him?* (Mihangel Morgan, 1993(ii): 51).

Ysbryd *spirit* **isel fy ysbryd** (lit *low my spirit*) *depressed* "**Ytych chi wedi cl'wad rhywbeth o hanes Edward Rumsey'n ddiweddar?**' gofynnodd Elisabeth, wrth weld bod sôn am drafferthion Aberbrân yn peri i'w mam fod yn isel ei hybryd' *'Have you heard anything about Edward Rumsey recently?' asked Elisabeth, seeing that the talk about the Aberbrân troubles had depressed her mother* (Nansi Selwood, 1993: 119).

Ysgol 1 *school* '**O'n i'n byw yn y pentre, ac fe es i i'r ysgol yn ifanc iawn**' *I used to live in village, and I went to school very young* (Eirwyn Pontshân, 1973: 8). **2** SW *ladder* '**Fe ddalws Dan yr ysgol shigletig, ac fe ddringws Wil yn ofalus bwyllog**' *Dan held the shaking ladder, and Will climbed up cautiously and slowly* (Dafydd Rowlands, 1995: 68).

Ysgwyd LW NW **siglo** LW SW *to shake*

Ysgwydd *shoulder* **1 dros ysgwydd** (lit *over shoulder*) *reluctantly* '**fe ddywedodd Ysgrifennydd Cymru, dros ysgwydd bron, fod arolwg yn cael ei gynnal i Fwrdd Datblygu Cymru Wledig**' *the Secretary of State for Wales said, almost reluctantly, that a survey was being conducted into the Development Board for Rural Wales* (*Golwg*, 24 March 1994: 10). **2 ysgwydd wrth ysgwydd** *shoulder to shoulder* '**[Aethon nhw i brynu] tsips i ginio yng nghaffi Ffred ac yn sefyll wedyn ysgwydd wrth ysgwydd a boddi sŵn y dref hefo lleisiau'r wlad**' *[They went to buy] chips for dinner in Fred's café and stood afterwards shoulder to shoulder and drowned the noise of town with country accents* (Sonia Edwards, 1995: 68).

Ystyfnig LW CW **pengaled** LW NW **stwbwrn** SW *stubborn*

Ystyr *meaning* **ar lawer ystyr** *in many ways* '**Ar lawer ystyr, mi roedd Ron Davies yn wirion i fentro'i ddylanwad ym maes datganoli er mwyn gwneud pwynt ar raglen deledu Gymreig**' *In many ways, Ron Davies was stupid to risk his authority in the devolution field in order to make a point on a Welsh television programme* (*Golwg*, 7 March 1996: 3).

Yw ef, yw hi etc. see Appendix 1.

Introduction to the Appendices

(i) Appendices 1-13 cover some of the salient variations found in verbal forms in literary, official and spoken Welsh, together with idiomatic and colloquial usage. The student is advised to have a copy of *Y Llyfrau Berfau* by D. Geraint Lewis (Llandysul, Gwasg Gomer, 1995) which has a comprehensive collection of the forms found in literary and official Welsh, although it does not include some of the variations of colloquial usage.

(ii) Appendices 14-17 cover some of the more general grammatical variations of literary, official and colloquial Welsh and again the student is advised to have a good contemporary grammar book to hand. *A Comprehensive Welsh Grammar/Gramadeg Cymraeg Cynhwysfawr* by David A. Thorne (Oxford, Blackwell, 1993) and *Gramadeg y Gymraeg* by Peter Wynn Thomas (Caerdydd, Gwasg Prifysgol Cymru, 1996) are good reference works.

(iii) The remaining appendices cover a range of subjects that will help inform the reader of some of the context of Welsh language culture.

(iv) The appendices are as follows

1 The Present Tense
2 The Future-Present Tense
3 The Future Tense
4 The Simple Past Tense
5 The Imperfect Tense
6 The Imperfect Habitual Tense
7 The Perfect Tense
8 The Pluperfect Tense
9 The Conditional Tense
10 The Imperative
11 The Subjunctive Mood
12 The Impersonal
13 Miscellaneous Verbal Forms
14 Nouns and Adjectives
15 Pronouns
16 Prepositions
17 Mutations
18 Place Names
19 Personal Names
20 Dialects
21 The Use of English in Welsh
22 Broydd Cymru

Appendix 1: The Present Tense

1.01 **Bod** *to be* conjugates as follows

LW	OW & CW	
yr ydwyf/wyf fi/i	'rydw/'rwy/dw i	*I am*
yr ydwyt/wyt ti	'rwyt/wyt ti	*you are*
y mae ef	mae e	*he is*
y mae hi	mae hi	*she is*
yr ydym/ŷm ni	'rydym/ydyn/'dyn ni	*we are*
yr ydych/ŷch chwi	'rydych/ydych/'dych chi	*you are*
y maent hwy	maen nhw	*they are*
nid ydwyf/wyf fi/i (ddim)	'dydw/dw i ddim	*I'm not*
nid ydwyt/wyt ti (ddim)	'dwyt ti ddim	*you're not*
nid ydyw/yw ef (ddim)	'dydy e ddim	*he's not*
nid ydyw/yw hi (ddim)	'dydy hi ddim	*she's not*
nid ydym/ŷm ni (ddim)	'dydyn/'dyn ni ddim	*we're not*
nid ydych/ŷch chwi (ddim)	'dydych/'dych chi ddim	*you're not*
nid ydynt/ŷnt hwy (ddim)	'dydyn/'dyn nhw ddim	*they're not*
a ydwyf/wyf fi/i?	ydw/dw i?	*am I?*
a ydwyt/wyt ti?	wyt ti?	*are you?*
a ydyw/yw ef?	ydy e?	*is he?*
a ydyw/yw hi?	ydy hi?	*is she?*
a ydym/ŷm ni?	ydyn/'dyn ni?	*are we?*
a ydych/ŷch chwi?	ydych/'dych chi?	*are you?*
a ydynt/ŷnt hwy?	ydyn/'dyn nhw?	*are they?*

1.02 Notes on 1.01

(i) The LW forms can be used interchangeably, eg **yr ydwyt ti** can also be **yr wyt ti** *you are*.

(ii) The OW and CW forms can be used interchangeably, eg **rydyn ni** or **ydyn ni** or **'dyn ni** *we are*.

(iii) The most common first person singular form in OW and CW is **dw i** which is occasionally written as one word **dwi** *I am*.

(iv) The third person singular forms **ydy** and **dydy** are often written **ydi** and **dydi** (which are further shortened in CW to **'di** (see entry)). It is debatable how acceptable **ydi** is in OW but, although it was rejected by **Cymraeg Byw** (see entry), it is frequently used in more informal contexts in OW.

(v) The plural forms **rydyn ni** and **rydych chi** etc. *we are, you are* etc. are sometimes spelt **ryden ni** and **rydech chi**, although this is generally not acceptable in OW.

(vi) Occasionally **maen nhw** *they are* is spelt **mae nhw**, although this is generally not acceptable in LW or OW.

1.03 There are further differences between NW and SW in the present tense

NW	SW	
dw i	wi/wy i	*I am*
rwyt ti	rwyt ti	*you are*
mae o	ma' e/fe	*he is*
mae hi	ma' hi	*she is*
rydan/dan ni	dŷn/ŷn ni	*we are*
rydach/dach chi	dŷch/ŷch chi	*you are*
maen nhw	ma'n nhw	*they are*
tydw i ddim	wi/wy ddim	*I'm not*
twyt ti ddim	dwyt ti ddim	*you're not*
tydi o ddim	dyw e ddim	*he's not*
tydi hi ddim	dyw hi ddim	*she's not*

tydan/dan ni ddim	dŷn/ŷn ni ddim	*we're not*
tydach/dach chi ddim	dŷch/ŷch chi ddim	*you're not*
tydan/dan nhw ddim	dŷn/ŷn nhw ddim	*they're not*
ydw i?	odw i?	*am I?*
wyt ti?	wyt ti?	*are you?*
ydi o?	ody/yw e/fe?	*is he?*
ydi hi?	ody/yw hi?	*is she?*
ydan/dan ni?	odyn/ŷn ni?	*are we?*
ydach/dach chi?	odych/ŷch chi?	*are you?*
ydan/dan nhw?	odyn/ŷn nhw?	*are they?*

1.04 Notes on 1.03:

(i) These forms are confined to CW (unless the forms coincide with LW and OW forms).

(ii) The forms in 1.01 and 1.03 are not mutually exclusive. A North Walian, for example, will use **dw i ddim** *I'm not* as well as **tydw i ddim**.

(iii) See 1.06 and 1.07 below for additional negatives in SW.

(iv) These forms are mutually exclusive between NW and SW. It would be very unusual for a North Walian, for example, to say **dyw e ddim** and similarly for a South Walian to say **tydy o ddim** *he isn't*.

1.05 In CW, the first part of the construction is often elided and the emphasis is placed on the pronoun (except in the third person)

'Be ti'n wneud? Paid â mynd ar dy bedwar! Be ti'n feddwl wyt ti, dafad?!' *What you doing? Don't go on all fours! What d'you think you are, a sheep?!* (Margiad Roberts, 1994: 59);

'Pam ti'n gofyn?' *Why you asking?* (Jane Edwards, 1989: 41)

(* this tendency is more pronounced among the younger generation of Welsh speakers).

1.06 In SW there are further distinct negative forms, based on the following

(i) The contraction of the archaic form **nid oes ohanaf (yn mynd etc.)**

'sa fi/i'n mynd	*I'm not going*	**'san ni'n mynd**	*we're not going*
'sa ti'n mynd	*you're not going*	**'sach chi'n mynd**	*you're not going*
'sa fe'n mynd	*he's not going*	**'san nhw'n mynd**	*they're not going*
'sa hi'n mynd	*she's not going*		

'Sa' i'n cymryd steroids' *I don't take steroids* (Geraint Lewis, 1995: 8).

(ii) The contraction of the form **nid oes ohonof (yn mynd etc.)**

'so fi/i'n mynd	*I'm not going*	**'son ni'n mynd**	*we're not going*
'so ti'n mynd	*you're not going*	**'soch chi'n mynd**	*you're not going*
'so fe'n mynd	*he's not going*	**'son nhw'n mynd**	*they're not going*
'so hi'n mynd	*she's not going*		

'Ond so fe'n defnyddio'i dalent, twel Bleddyn, dyna yw'r broblem. Ond 'na fe, so pawb 'run fath' *But he doesn't use his talent, you see Bleddyn, that's the problem. But there you are, not everyone is the same* (Twm Miall, 1990: 105).

(iii) The contraction of the form **nid oes dim ohonof (yn mynd etc.)**

'smo fi/i'n mynd	*I'm not going*	**'smon ni'n mynd**	*we're not going*
'smo ti'n mynd	*you're not going*	**'smoch chi'n mynd**	*you're not going*
'smo fe'n mynd	*he's not going*	**'smon nhw'n mynd**	*they're not going*
'smo hi'n mynd	*she's not going*		

'Smo fi'n mynd i weld soccer, i ti na neb arall' *I'm not going to see soccer, for you or for anyone else* (Dafydd Huws, 1978: 21).

173

1.07 In SW the negative can also be formed by placing **nag** before the verbal form (this form is particularly common in the Swansea area)

nag wi'n mynd	*I'm not going*
nag wyt ti'n mynd	*you're not going*
nag yw e'n mynd	*he's not going*
nag yw hi'n mynd	*she's not going*
nag ŷn ni'n mynd	*we're not going*
nag ŷch chi'n mynd	*you're not going*
nag ŷn nhw'n mynd	*they're not going*

'**Nagw i'n hollol siŵr**' *I'm not totally sure* (Twm Miall, 1990: 141).

1.08 Answers to questions are as follows

LW	OW & CW
ydwyf (nac ydwyf/wyf)	ydw (nac ydw)
ydwyt (nac ydwyt/wyt)	wyt (nac wyt)
ydyw (nac ydyw/yw)	ydy (nac ydy)
ydym (nac ydym/ym)	ydyn (nac ydyn)
ydych (nac ydych/ych)	ydych (nac ydych)
ydynt (nac ydynt/ynt)	ydyn (nac ydyn)

(* see entry **na**)

The answers in the present tense also vary between NW and SW:

NW	SW
yndw (nag ydw)	odw (nag odw)
yndwyt (nag wyt)	odwyt (nag wyt)
yndy (nag ydy)	ody (nag ody/yw)
yndan (nag ydan)	odyn (nag odyn)
yndach (nag ydach)	odych (nag odych)
yndan (nag ydan)	odyn (nag odyn)

'**Mae Gregor yn tybied mai honno ydi gwlad y llaeth a'r mêl**,' eglurodd Iwerydd. '**Yndi, wn i**" *'Gregor thinks that that is the land of milk and honey,' explained Iwerydd. 'Yeah, I know'* (Robin Llywelyn, 1994: 141);

'**Ma' nhw yn y** *caves* **nawr, sbo**.' '**Otyn, siwr o fod**" *'They're in the caves now, I suppose.' 'Yeah, I would imagine'* (Dafydd Rowlands, 1995: 44).

1.09 In CW the following forms can be added to replies for emphasis

dw i yn	ni yn
ti yn	chi yn
mae e yn (SW)	maen nhw yn
mae o yn (NW)	
mae hi yn	

'**Dw i'n poeni amdano fo. Dw i yn**' *I worry about it. I do* (*Golwg*, 20 October 1994: 14);

'**Chi'n ddigon cryf i'w gwrthsefyll n'w, Mrs. Davies**.' '**Be' wyddoch chi!**' '**Chi yn, chi'n gwybod**" *'You're strong enough to stand up to them, Mrs. Davies.' 'What do you know!' 'You are, you know'* (Meic Povey, 1995 (i): 45).

1.10 Emphatic sentences are as follows

LW	OW & CW	
Dafydd ydwyf/wyf fi/i	Dafydd ydw/dw i	*I'm David*
Dafydd ydwyt/wyt ti	Dafydd wyt ti	*you're David*
Dafydd ydyw/yw ef	Dafydd ydy e	*he's David*
Siân ydyw/yw hi	Siân ydy hi	*she's Siân*
Cymry ydym/ŷm ni	Cymry ydyn/'dyn ni	*we're Welsh*
Cymry ydych/ŷch chwi	Cymry ydych/'dych chi	*you're Welsh*
Cymry ydynt/ŷnt hwy	Cymry ydyn/'dyn nhw	*they're Welsh*

They also take the following forms in NW and SW

NW	SW	
Dafydd ydw i	**Dafydd odw i**	*I'm David*
Dafydd wyt ti	**Dafydd wyt ti**	*you're David*
Dafydd ydy o	**Dafydd ody/yw e/fe**	*he's David*
Siân ydy hi	**Siân ody/yw hi**	*she's Siân*
Cymry ydan/dan ni	**Cymry odyn/ŷn ni**	*we're Welsh*
Cymry ydach/dach chi	**Cymry odych/ŷch chi**	*you're Welsh*
Cymry ydan/dan nhw	**Cymry odyn/ŷn nhw**	*they're Welsh*

1.11 Notes about 1.10

(i) The interrogative is formed by placing **ai** before the sentence (see entry).

(ii) The negative is formed by placing **nid** before the sentence, or **dim** and **nage** in CW and SW respectively (see entries).

Appendix 2: The Future-Present Tense

2.01 This tense is referred to by some grammars as the future tense and by others as the present tense: it can be used to mean both the future and the present according to circumstances.

2.02 The future-present is used in the following instances to convey the present tense

(i) To convey the present tense in a concise manner

'Fynyddoedd llwyd, a gofiwch chwi / helyntion pell y dyddiau gynt?' *Grey mountains, do you remember / the distant troubles of former days?* (Iorwerth Peate in Thomas Parry (ed.), 1962: 479)

(* because of its compactness this tense is favoured in poetry, as in the above example, and LW in general).

(ii) To convey the habitual present, but not the present continuous. For example

Dw i'n smocio *I'm smoking, I smoke* (present);

Smocia i *I'll smoke, I smoke* (future-present).

(iii) With a limited number of verbs, namely **clywed** *to hear,* **gweld** *to see,* **gwybod** *to know,* **gallu** *to be able to* and **medru** *to be able to.* Of these, the most commonly used by far in the future-present in CW are **gallu** and **medru**

'Alla i ddim aros tan 'ny' *I can't wait until then* (Mihangel Morgan, 1993 (ii): 14);

"Fedri di ddim mynd adra heno.' 'Pam na fedar o?" *'You can't go home tonight.' 'Why can't he?'* (John Gwilym Jones, 1976: 12).

(iv) With **pam** *why* and **os** *if*

'Pam na ddewch chi a Margaret draw i Fodwigiad i aros dros yr haf?' *Why don't you and Margaret come over to Bodwigiad to stay over the summer?* (Nansi Selwood, 1987: 19)

(* the use of the present tense here **pam nad ydych chi'n dod ...?** means *why aren't you coming ...?*);

mi af i adre os y daw e cyn bo hir *I'll go home if he comes soon.*

(v) Generally, however, people use in speech the forms found in Appendix 1 to convey the present. In most instances the future-present refers to the future.

2.03 The future-present is used in the following instances to convey the future tense

(i) The future-present conveys a degree of resolve in the future, while the future tense (Appendix 3) is more neutral in tone. For example

Edrycha i ar y teledu *I'll look at television* (come what may);

Bydda i'n edrych ar y teledu *I'll look at television* (if I've got nothing else to do).

(ii) To convey the future, but not the future continuous. For example

Pan ddewch chi i mewn, bydda i'n siarad *when you come in, I'll be speaking* (future continuous);

Pan ddewch chi i mewn, siarada i *when you come in, I'll speak* (future).

2.04 **Canu** *to sing* conjungates as follows

LW	OW & CW	
canaf fi/i	cana i	*I (will) sing*
ceni di	cani di	*you (will) sing*
cân ef	canith/caniff e	*he (will) sing(s)*
cân hi	canith/caniff hi	*she (will) sing(s)*
canwn ni	canwn ni	*we (will) sing*
cenwch chwi	canwch chi	*you (will) sing*
canant hwy	canan nhw	*they (will) sing*
ni chanaf fi/i (ddim)	chana i ddim	*I do/will not sing*
ni cheni di (ddim)	chani di ddim	*you do/will not sing*
ni chân ef (ddim)	chanith/chaniff e ddim	*he does/will not sing*
ni chân hi (ddim)	chanith/chaniff hi ddim	*she does/will not sing*
ni chanwn ni (ddim)	chanwn ni ddim	*we do/will not sing*
ni chenwch chwi (ddim)	chanwch chi ddim	*you do/will not sing*
ni chanant hwy (ddim)	chanan nhw ddim	*they do/will not sing*
a ganaf fi/i?	gana i?	*will/do I sing?*
a geni di?	gani di?	*will/do you sing?*
a gân ef?	ganith/ganiff e?	*will/does he sing?*
a gân hi?	ganith/ganiff hi?	*will/does she sing?*
a ganwn ni?	ganwn ni?	*will/do we sing?*
a genwch chwi?	ganwch chi?	*will/do you sing?*
a ganant hwy?	ganan nhw?	*will/do they sing?*

2.05 Notes on 2.04

(i) The verb and pronoun in the first person singular are often pronounced as one word

'Mi rega'i pwy fynna'i lle mynna'i pan fynna'i' *I'll curse who I like where I like when I like* (Islwyn Ffowc Elis, 1990(i): 281).

(ii) The third person singular is irregular in a number of verbs in LW and the reader is referred to *Y Llyfr Berfau* by D. Geraint Lewis (Llandysul, Gwasg Gomer, 1995) for a comprehensive coverage of these forms. However, the only third person forms that are generally common in CW are **gall** and **medr**, which becomes **medar** in NW

mi all fod yma yn rhywle *it could be here somewhere*;

'Y Fo fedar eich helpu chi' *It is He who can help you* (Islwyn Ffowc Elis, 1990(ii): 126).

(iii) The third person forms ending in **'-ith'** and **'-iff'** found in OW and CW can only be used to convey the future and not the present

'Mae hyn wedi digwydd imi o'r blaen a mi ddigwyddith eto' *This has happened to me before and it'll happen again* (Gareth Miles, 1995: 26).

2.06 There are a number of irregular verbs

(i) **cael** *to have, to get*

LW	OW & CW	
caf fi/i	caf fi/i	*I'll get*
cei di	cei di	*you'll get*
caiff ef/hi	caiff e/hi (ceith o/hi NW)	*he'll/she'll get*
cawn ni	cawn ni (cewn ni SW)	*we'll get*
cewch chwi	cewch chi	*you'll get*
cânt hwy	cân nhw	*they'll get*

(ii) **dod** *to come*

LW	OW & CW	
deuaf/dof fi/i	**dof fi/i** (**dwa i** SW)	*I'll come*
deui/dei/doi di	**dei/doi di**	*you'll come*
daw ef/hi	**daw e/hi** (**deith o/hi** NW)	*he'll/she'll come*
deuwn/down ni	**down ni**	*we'll come*
deuwch/dewch chwi	**dewch chi, dowch chi**	*you'll come*
deuant/dônt hwy	**dôn nhw** (**dwa nhw** SW)	*they'll come*

(iii) **gwneud** *to do, to make*

LW	OW & CW	
gwnaf fi/i	**gwnaf fi/i**	*I'll make*
gwnei di	**gwnei di**	*you'll make*
gwna ef/hi	**gwna/gwneith e/hi**	*he'll/she'll make*
gwnawn ni	**gwnawn ni** (**gwnewn ni** SW)	*we'll make*
gwnewch chwi	**gwnewch chi**	*you'll make*
gwnânt hwy	**gwnân nhw**	*they'll make*

(iv) **gwybod** *to know*

LW	OW & CW	
gwn i	**gwn i**	*I'll know*
gwyddost ti	**gwyddost ti**	*you'll know*
gŵyr ef/hi	**gŵyr e/hi**	*he'll/she'll know*
gwyddom ni	**gwyddon ni**	*we'll know*
gwyddoch chwi	**gwyddoch chi**	*you'll know*
gwyddant hwy	**gwyddan nhw**	*they'll know*

(v) **mynd** *to go*

LW	OW & CW	
af fi/i	**af/i**	*I'll come*
ei di	**ei di**	*you'll come*
â ef/hi	**aiff/eith e/hi**	*he'll/she'll come*
awn ni	**awn ni** (**ewn ni** SW)	*we'll come*
ewch chwi	**ewch chi**	*you'll come*
ânt hwy	**ân nhw**	*they'll come*

(vi) Verbs ending in '**-bod**' and '**-fod**' employ forms based on **bod**, eg **adnabod** > **adnabyddaf etc.** (see Appendix 3).

2.07 Notes on 2.06

(i) **Gwneud** is used as an auxiliary to form the future and future-present

'**sgwenna i'r llythyr 'na i chdi, os nei di addo un peth i mi**' *I'll write that letter for you, if you'll promise me one thing* (Jane Edwards, 1993: 69);

'**Mi wna i ddweud. Tro nesa bydda i adra**' *I'll say. Next time I'm home* (Meic Povey, 1995(i): 15).

(ii) **Gwneud** is also used a tag with the imperative

'**Trïa ddallt, 'nei di**' *Try and understand, will you* (Jane Edwards, 1993: 45);

'**Symydwch wnewch chi!**' *Move will you!* (Wiliam Owen Roberts, 1987: 205).

(iii) **Gwybod** is used rhetorically in NW, but not in SW (the simple past is usually used in English)

'**Wyddost ti fod pobol Sbaen yn rhoi llygod mawr yn y gwin i roi cic ynddo fo?**' *Did you know that Spanish people put rats in wine to give it a kick?* (Miriam Llywelyn, 1994: 89).

(iv) The forms based on **bod**, eg **adnabyddaf** *I (will) know*, etc. are generally confined to LW and the periphrasic forms are preferred in OW and CW, eg **dw i'n 'nabod**, **byddaf yn 'nabod etc.**

177

2.08 The answers in the future-present use a finite number of verbs

'mi fedar Valerie gysgu yn 'i stafall o!' 'Na fedrith!' 'O! medar!' *'Valerie can sleep in his room!' 'No she can't!' 'Oh yes she can!'* (Meic Povey, 1995(i): 17);

'Ddowch chi efo mi i'r dre?' gofynnodd mam un tro. 'Am ichi ddewis ffrog imi.' Heb fy neall fy hun rhuthrais i ateb, 'Dof' *'Will you come with me to town?' mam asked once. 'I want you to choose a dress for me.'* Without *understanding myself I rushed to answer, 'Yes'* (John Gwilym Jones, 1979(ii): 32).

However, it is more common for the appropriate forms of **gwneud** to be used instead in reply in CW

'Fe gofiwch am hynna tra byddwch chi byw.' 'Gwnaf, o gwnaf, misys' *'You'll remember that for the rest of your life.' 'Yes, I will, oh yes I will, missus'* (Eirwyn Pontshân, 1982: 39);

'Tyrd â chusan fach i mi 'ta' ... 'Na wna', wir' *'Give me a quick kiss then' ... 'No, I won't, really'* (Marion Eames, 1969: 67).

Appendix 3: The Future Tense

3.01 **Bod** *to be* conjugates as follows

LW	OW & CW	
byddaf fi/i	bydda i	*I'll be*
byddi di	byddi di	*you'll be*
bydd ef/hi	bydd e/hi	*he'll/she'll be*
byddwn ni	byddwn ni	*we'll be*
byddwch chwi	byddwch chi	*you'll be*
byddant hwy	byddan nhw	*they'll be*
ni fyddaf fi/i (ddim)	fydda i ddim	*I won't be*
ni fyddi di (ddim)	fyddi di ddim	*you won't be*
ni fydd ef/hi (ddim)	fydd e/hi ddim	*he/she won't be*
ni fyddwn ni (ddim)	fyddwn ni ddim	*we won't be*
ni fyddwch chwi (ddim)	fyddwch chi ddim	*you won't be*
ni fyddant hwy (ddim)	fyddan nhw ddim	*they won't be*
a fyddaf fi/i?	fydda i?	*will I be?*
a fyddi di?	fyddi di?	*will you be?*
a fydd ef/hi?	fydd e/hi?	*will he/she be?*
a fyddwn ni?	fyddwn ni?	*will we be?*
a fyddwch chwi?	fyddwch chi?	*will you be?*
a fyddant hwy?	fyddan nhw?	*will they be?*

3.02 The future tense is also used to convey the habitual present

'Mae'n blentyn tawelach na'i frawd, ac yn llawer mwy swil nag o. Byddaf fi a Janice yn meddwl fod haenau cudd o ddyfnderoedd iddo' *He's a much quieter child than his brother, and much more shy than him. Janice and I think that there are layers of hidden depths in him* (Alan Llwyd, 1994: 321).

3.03 Replies are as follows

byddaf	na fyddaf
byddi (di)	na fyddi (di)
bydd	na fydd
byddwn	na fyddwn
byddwch	na fyddwch
byddant	na fyddant
(**byddan** OW CW)	(**na fyddan** OW CW)

Appendix 4: The Simple Past Tense

4.01 **Bod** *to be* conjugates as follows

LW	OW & CW	
bûm i	bues i	*I was*
buost ti	buest ti	*you were*
bu ef/hi	buodd e/hi	*he/she was*
buom ni	buon ni	*we were*
buoch chwi	buoch chi	*you were*
buon nhw	buont/buant hwy	*they were*
ni fûm i (ddim)	fues i ddim	*I wasn't*
ni fuost ti (ddim)	fuest ti ddim	*you weren't*
ni fu ef/hi (ddim)	fuodd e/hi ddim	*he/she wasn't*
ni fuom ni (ddim)	fuon ni ddim	*we weren't*
ni fuoch chwi (ddim)	fuoch chi ddim	*you weren't*
ni fuont/fuant hwy (ddim)	fuon nhw ddim	*they weren't*
a fûm i?	fues i?	*was I?*
a fuost ti?	fuest ti?	*were you?*
a fu ef/hi?	fuodd e/hi?	*was he/she?*
a fuom ni?	fuon ni?	*were we?*
a fuoch chwi?	fuoch chi?	*were you?*
a fuont/fuant hwy?	fuon nhw?	*were they?*

4.02 Notes on 4.01

(i) Verbs that end in '**-bod**' and '**-fod**' employ forms based on **bod** in LW, eg **darganfod** *to discover* > **darganfûm** *I discovered*.

(ii) In the third person singular there are also the forms **buo** in NW and **bu-ws** in Glam

'**Cael-a-chael fuo hi**' *It was touch-and-go* (Dafydd Huws, 1990: 150);

'**bachan od os bu-ws un erio'd**' *a strange lad if ever there was one* (Dafydd Rowlands, 1995: 9).

(iii) The form **a fu** (*which/who were*) is used extensively idiomatically to mean *gone by, in the past*

'**Mae Hopkyn a Parri, prif gymeriadau dwy gyfres [o nofelau] gan John Ellis Williams, yn perthyn i oes a fu**' *Hopkyn and Parri, the chief characters of two series [of novels] by John Ellis Williams, belong to an age gone by* (*Golwg*, 19 April 1990: 20).

(iv) **Byw** *to live* and **marw** *to die* use the forms **bu fyw** *lived* and **bu farw** *died*

'**Bu farw'r Tywysog Dafydd ap Llywelyn**' *Prince Dafydd ap Llywelyn died* (Rhiannon Davies Jones, 1987: 228);

'**Bu fyw am ran olaf ei oes fel gwasanaethwr ein duw Gwyllawg**' *He lived the last part of is life as servant of our god Gwyllawg* (Bryan Martin Davies, 1988: 20).

However, although the above forms are common in OW and CW, the forms **bywiodd** *lived* and **marwodd** *died* are also comparatively common in NW

'**Sawl teulu farwodd o newyn dros y ddegawd dwetha ...?**' *How many families died of starvation over the last decade ...?* (Wiliam Owen Roberts, 1987: 95);

'**Ma' pob dyn fywiodd wedi deisyfu plentyn**' *Every man who has lived has wanted a child* (Meic Povey, 1995(ii): 45).

(v) The simple past of **bod** can also be used periphrastically to form the simple past of other verbs

'**Fuesh i'n ista fatha lemon yn Theatr y Showman yn gweld *Y Cylch Sialc***' *I sat like a lemon in the Showman Theatre watching* The Chalk Circle (Dafydd Huws, 1990: 83).

(vi) The simple past of **bod** can also be used in the perfect

'**Fuoch chi ar longe mowr, Capten?**' '**Dew, do**', **fydde'r Capten yn ateb. 'Fe fues i ar Enid Mary, fe fues i ar Sally Ann**' *'Have you ever been on big ships, Captain?' Good God, yes,' the Captain would say. 'I've been on the Enid Mary, and I've been on the Sally Ann'* (Eirwyn Pontshân, 1982: 66).

4.03 A standard verb, such as **colli** *to lose*, conjugates in the simple past as follows:

LW	OW & CW	
collais i	collais i	*I lost*
collaist ti	collaist ti	*you lost*
collodd ef/hi	collodd e/hi	*he/she lost*
collasom ni	collon ni	*we lost*
collasoch chwi	colloch chi	*you lost*
collasant hwy	collon nhw	*they lost*
ni chollais i (ddim)	chollais i ddim	*I didn't lose*
ni chollaist ti (ddim)	chollaist ti ddim	*you didn't lose*
ni chollodd ef/hi (ddim)	chollodd e/hi ddim	*he/she didn't lose*
ni chollasom ni (ddim)	chollon ni ddim	*we didn't lose*
ni chollasoch chwi (ddim)	cholloch chi ddim	*you didn't lose*
ni chollasant hwy (ddim)	chollon nhw ddim	*they didn't lose*
a gollais i?	gollais i?	*did I lose?*
a gollaist ti?	gollaist ti?	*did you lose?*
a gollodd ef/hi?	gollodd e/hi?	*did he/she lose?*
a gollasom ni?	gollon ni?	*did we lose?*
a gollasoch chwi?	golloch chi?	*did you lose?*
a gollasant hwy?	gollon nhw?	*did they lose?*

4.04 Notes on 4.03

(i) In the singular, the forms **colles i**, **collis i** and **collest ti**, **collist ti** are also common in CW

'**Pan weles i ti gynta**' *When I saw you first* (Sion Eirian, 1995: 50);

'**Be' ddeudist ti?**' *What did you say?* (Meic Povey, 1995(i): 16).

(ii) In the third person singular in West Glamorgan the form **collws e/hi** *he/she lost* is common

''**Beth wy'i fod i' neud 'te?' gofynnws Wil**' *'What am I supposed to do?' asked Wil* (Dafydd Rowlands, 1995: 26).

(iii) Due to the influence of LW, it is common for '**s**' to be sounded in the plural in OW and CW, to give **collson**, **collsoch** and **collson**

'**Pryd ofynsoch chi iddi, mam?**' *When did you ask her, mam?* (Meic Povey, 1995(i): 15);

'**Un baned gymer'soch chi hyd yn hyn**' *You've only had one cuppa up to now* (Aled Islwyn,1994: 140).

(iv) In a sentence with a series of verbs, only the first verb is usually conjugated, especially in fast moving narratives (although this applies in any tense, it is particularly marked in the simple past)

'**Yn sydyn cododd Rob, rhoi un llam at ochr y clawdd, codi carreg fawr oddi arno, rhuthro'n ôl a gollwng y garreg yn ei phwysau ar drwyn y car, chwerthin yn lloerig a rhedeg nerth ei draed i gyfeiriad y tŷ**' *Suddenly Rob got up, gave a jump to the side of the embankment, picked up a large stone off it, rushed back and dropped the stone in his own time on the front of the car, laughed madly and ran full pelt in the direction of the house* (John Gwilym Jones, 1979(ii): 17).

(v) In an abnormal sentence, the construction 'subject + **a** + verb' is used

'**A Job a atebodd ac a ddywedodd ...**' *And Job answered and said ...* (Job 12:1).

This construction was once common in the Bible but has not been used in recent translations (the above example is from the 1955 edition), although it is still very occasionally used for rhetorical effect in CW. However, the construction 'subject + **a** + verb' is also used in a mixed sentence (see D.A. Thorne, 1993: 370), and although this construction can be found with any tense, it is particularly common in CW with the simple past

'**Chi ddoth â hi yma. Chi canmolodd hi i'r entrychion, chi ddeudodd mor hapus baswn i. Chi roth glustog dan fy mhen i a stôl dan fy nhraed i ...**' *You brought her here. You praised her sky-high, you said how happy I'd be. You put a pillow under my head and a stool under my feet ...* (Wil Sam, 1995: 191).

4.05 There are a number of irregular verbs

(i) **cael** *to get, to receive*

LW	OW & CW	NW	SW	
cefais i	ces i	ces i	ceso i	*I had*
cefaist ti	cest ti	cest ti	ceso ti	*you had*
cafodd ef/hi	cafodd e/hi	caeth o/hi	cas e/hi	*he/she had*
cawsom ni	cawson ni	caethon ni	ceson ni	*we had*
cawsoch chwi	cawsoch chi	caethoch chi	cesoch chi	*you had*
cawsant hwy	cawson nhw	caethon nhw	ceson nhw	*they had*

(ii) **dod** *to come*

LW	OW & CW	
deuthum i	des i	*I came*
daethost ti	dest ti (doist ti NW)	*you came*
daeth ef/hi	daeth e/hi (dôth o/hi NW)	*he/she came*
daethom ni	daethon ni	*we came*
daethoch chwi	daethoch chi	*you came*
daethant hwy	daethon nhw	*they came*

(iii) **gwneud** *to make, to do*

LW	OW & CW	
gwneuthum i	gwnes i	*I did*
gwnaethost ti	gwnest ti	*you did*
gwnaeth ef/hi	gwnaeth e/hi	*he/she did*
gwnaethom ni	gwnaethon ni	*we did*
gwnaethoch chwi	gwnaethoch chi	*you did*
gwnaethant hwy	gwnaethon nhw	*they did*

(iv) **mynd** *to go*

LW	OW & CW	
euthum i	es i	*I went*
aethost ti	est ti	*you went*
aeth ef/hi	aeth e/hi	*he/she went*
aethom ni	aethon ni	*we went*
aethoch chwi	aethoch chi	*you went*
aethant hwy	aethon nhw	*they went*

(v) There are further variations of these verbs in the first person singular in Glam and Pembs

LW	OW & CW	Glam	Pembs	
cefais i	ces i	cetho i	cesim i	*I had*
deuthum i	des i	detho i	desim i	*I came*
euthum i	es i	etho i	esim i	*I went*
gwneuthum i	gwnes i	gwnetho i	gwnesim i	*I did*

'**Etho i i'r gegin i gael diod cyn mynd i'r gwely**' *I went to the kitchen to get a drink before going to bed* (John Owen, 1994: 70);

'**Gesum i 'nala? Dim ario'd 'da beili**' *Was I caught? Never by a bailey* (Griff Thomas in Gwyn Griffiths (ed.), 1994: 77).

(vi) Verbs similar to **cloi** *to lock* **rhoi** *to put* and **troi** *to turn* are also irregular

LW	OW & CW	
trois i	troais i	*I turned*
troist ti	troaist ti	*you turned*
troes ef/hi	trodd e/hi	*he/she turned*
troesom ni	troeon ni	*we turned*
troesoch chwi	troeoch chi	*you turned*
troesant hwy	troeon nhw	*they turned*

(* note the third person singular form of **rhoi** *to put* **rhoes** LW OW **rhodd** LW CW **rhoth** NW eg '**Pa lyfr roth Bet iti?**' *Which book did Bet give you?* (John Gwilym Jones, 1979(i): 58)).

4.06 Notes on 4.05

(i) **Gwneud** is used extensively as an auxiliary to form the simple past with other verbs, particularly in NW

'**Mi wnês ddweud**' *I did say* (Meic Povey, 1995(i): 21);

'**Ond wnaethon nhw ddim dweud dim byd chwyldroadol o newydd**' *But they didn't say anything revolutionarily new* (*Television Wales,* 8 June 1996: 15).

(ii) **Gwneud** is used in an abnormal sentence

'**Gyrru cychod allan a wnaethant**' *They sent out boats* (Dafydd Ifans and Rhiannon Ifans (eds.), 1980: 21);

'**Ond sefyll wnaeth aelodau'r gynulleidfa drwy gydol yr awr a hanner o wasanaeth**' *But the members of the congregation stood throughout the hour and a half service* (*Golwg,* 11 January 1990: 24).

4.07 (i) **Darfu**, the past form of **darfod** *to finish*, is used as an auxiliary to form the simple past in NW

'**Oherwydd ein bod am achub y Gymraeg y darfu inni ymladd y frwydr honno**' *Because we want to save the Welsh language we fought that battle* (*Golwg,* 19 May 1994: 10).

(ii) In NW, the form **ddaru** (< **darfu**) is used extensively to form the simple past in the form **ddaru i mi (wneud rhywbeth)** *I did (something)*

'**Dyna ddaru nhad ddeud, beth bynnag**' *That's what my dad said, anyway* (Caradog Prichard, 1961: 138);

'**Ddaru o 'rioed fy nhwtsiad i**' *He never touched me* (Meic Povey, 1995(ii): 36);

'**Gweld yn y papur ddaruch chi?**' *Saw in the paper did you?* (Wil Sam, 1995: 211).

(iii) **Ddaru** can be used in NW instead of the simple past forms of **gwneud**

'**Y cwbl ddaru mi drwy'r cinio Dolig llynedd oedd syllu mewn rhyfeddod arni**' *All I did all Christmas lunch last year was stare in amazement at her* (Angharad Tomos, 1991: 11);

'**Mi ddaru mi beth gwirion neithiwr yn mynd â'r gwpan i'r gwely efo fi**' *I did a stupid thing last night taking the cup to bed with me* (Angharad Tomos, 1985: 60).

(iv) **Ddaru** can be further reduced to '**aru**

'**Aru chi gysgu'n iawn o'ch dau, Ifan?**' *Did you sleep well, out of the two of you, Ifan?* (Robin Llywelyn, 1995: 43).

Appendix 5: The Imperfect Tense

5.01 **Bod** *to be* conjugates as follows

LW	OW & CW	CW
yr oeddwn i	'roeddwn i	'ro'n i
yr oeddet/oeddit ti	'roeddet ti	'ro't ti
yr oedd ef/hi	'roedd e/hi	'roedd e/hi
yr oeddem ni	'roedden ni	'ro'n ni
yr oeddech chwi	'roeddech chi	'ro'ch chi
yr oeddynt hwy	'roedden nhw	'ro'n nhw
nid oeddwn i (ddim)	'doeddwn i ddim	'do'n i ddim
nid oeddet/oeddit ti (ddim)	'doeddet ti ddim	'do't ti ddim
nid oedd ef/hi (ddim)	'doedd e/hi ddim	'doedd e/hi ddim
nid oeddem ni (ddim)	'doedden ni ddim	'do'n ni ddim
nid oeddech chwi (ddim)	'doeddech chi ddim	'do'ch chi ddim
nid oeddynt hwy (ddim)	'doedden nhw ddim	'do'n nhw ddim
a oeddwn i?	oeddwn i?	o'n i?
a oeddet/oeddit ti?	oeddet ti?	o't ti?
a oedd ef/hi?	oedd e/hi?	oedd e/hi?
a oeddem ni?	oedden ni?	o'n ni?
a oeddech chwi?	oeddech chi?	o'ch chi?
a oeddynt hwy?	oedden nhw ?	o'n nhw?

5.02 Notes on 5.01

(i) The third person LW form **ydoedd** is used usually at the end of emphatic sentences

'Rhos y Gadair' oedd ffugenw'r bardd hwnnw, ac awgrymodd rhai wrthyf mai Dic Jones ydoedd' *'Rhos y Gadair' was the nom-de-plume of that poet, and some people suggested to me that it was Dic Jones* (Alan Llwyd, 1994: 105).

(ii) In CW the particle **yr**, and its abbreviated form, can be dropped altogether

'O'dd e'n neis siarad ag Îfs' *It was nice speaking to Îfs* (John Owen, 1994: 79).

(iii) In NW **'doeddwn i etc.** can become **'toeddwn i etc.**

'Toeddwn i ddim yn ei nabod o o gwbwl' *I didn't know him at all* (Robin Llywelyn, 1992: 70);

(iv) The imperfect tense translates into English as the following

(a) the imperfect

'Am be' 'roeddech chi'n siarad?' *What were you talking about?* (John Gwilym Jones, 1976: 39);

(b) the habitual past

'Wyddest ti, 'roedd hen frân ar ben coeden ym Mryn-gwyn yn fy watsho i'n hou ac yn disgw'l 'i chyfle i godi'r had' *You know, an old crow on top of a tree at Bryn-gwyn used to watch me sowing and used to wait for his opportunity to pick up some seed* (Dic Jones, 1989: 201)

(* **arfer** *habit* is frequently added in CW to reinforce the idea of the habitual past, eg **'Ro'n i'n arfer cysgu 'da hon'na'** *I used to sleep with her* (Mihangel Morgan, 1993(i): 19));

(c) the simple past

'O'n i'n meddwl bod hwnna'n ateb gwir dda' *I thought that that was a really good answer* (John Owen, 1994: 115).

5.03 Replies are as follows

LW	OW & CW	CW
oeddwn (nac oeddwn)	oeddwn (nac oeddwn)	o'n (nag o'n)
oeddet (nac oeddet)	oeddet (nac oeddet)	o't (nag o't)
oedd (nac oedd)	oedd (nac oedd)	oedd (nag oedd)
oeddem (nac oeddem)	oedden (nac oedden)	o'n (nag o'n)
oeddech (nac oeddech)	oeddech (nac oeddech)	o'ch (nag o'ch)
oeddent (nac oeddent)	oedden (nac oedden)	o'n (nag o'n)

(* see entry **na**)

5.04 A number of common verbs and verbal forms use the periphrastic imperfect to convey the simple past (the simple past and imperfect forms of some of these verbs are usually confined to LW)

(i) **(ad)nabod** *to know*

'O'r braidd yr oedden ni'n nabod ein gilydd' *We scarcely knew each other* (Mihangel Morgan, 1994: 94);

(ii) **coelio** *to believe*

'Doedd o ddim yn coelio fod hyn yn digwydd!' *He didn't believe that this was happening!* (Wiliam Owen Roberts, 1987: 185);

(iii) **credu** *to believe, to think*

'Ro'dd y wraig yn credu 'nawr 'mod i wedi gwario'r arian 'ma i gyd ar oferedd yntefe' *The wife thought now that I'd spent all this money on self-indulgence didn't she* (Eiwyn Pontshân, 1973: 79);

(iv) **deall** *to understand*

'Yr oedd hi, fel y buasai rhywun yn disgwyl, yn deall y sefyllfa i'r dim' *She, as one would expect, understood the situation exactly* (Dafydd Huws, 1990: 252);

(v) **eisiau** *to want*

'**O'dd Siân isho mynd jest cyn i ni gyrradd**' *Siân wanted to go just before we arrived* (Dafydd Huws, 1990: 185)

(* **eisiau** is a noun that is used in a verbal context; it is not therefore preceded by **yn**);

(vi) **gallu** *to be able to*

'**Ond roeddech chi'n gallu gweld na ddele'r truan ddim i hela gyda neb eto**' *But you could see that the poor thing wouldn't go hunting with anyone again* (Bernard Evans, 1990: 24);

(vii) **gobeithio** *to hope*

'**Roeddwn i'n gobeithio fy mod i'n diodda o gastro entyreitus, ond roeddwn i'n gwybod yn fy nghalon mai cachu brics yr oeddwn i**' *I hoped that I was suffering from gastroenteritis, but I knew in my heart that I was shitting bricks* (Twm Miall, 1988: 63);

(viii) **gwybod** *to know*

'**Na fe, o'n i'n gwbod byddet ti'n grac**' *That's it, I knew you'd be angry* (John Owen, 1994: 110)

(* see 5.08 (iv) below);

(ix) **medru** *to be able to*

'**Felly, yr oedd rhyw gyfran o sgwïeriaid Cymru yn medru Saesneg cyn 1536**' *Thus, some portion of Welsh squires could speak English before 1536* (John Davies, 1990: 225);

(x) **meddwl** *to think*

'**Roeddwn i'n meddwl am funud ei bod hi'n mynd i ddweud ei bod hi wedi cael clec**' *I thought for a minute that she was going to say that she'd got a bun in the oven* (Twm Miall, 1988: 148);

(xi) **moyn** SW *to want*

'**O'n i'n moyn siarad â fe abythdi'r broblem**' *I wanted to speak to him about the problem* (John Owen, 1994: 79);

(xii) **ofni** *to fear*

'**Nid oedd 'nhad yn ofni eira chwaith, na neb o ffermwyr a bugeiliaid yr ardal**' *My father didn't fear snow either, nor did any of the area's famers and shepherds* (Simon Jones, 1989: 125);

(xiii) **perthyn** *to belong*

'**Roedd hi'n garedig ac yn gydwybodol ond doedd dim cynhesrwydd yn perthyn iddi**' *She was kind and conscientious but no warmth belonged to her* (Nansi Selwood, 1993: 49);

(xiv) **poeni** *to worry*

'**Ac yn waeth na hynny, doeddwn i ddim yn poeni**' *And worse than that, I didn't worry* (Lyn Ebenezer, 1991: 102).

5.05 A standard verb, **hoffi** *to like*, conjugates as follows

LW	OW & CW	
hoffwn i	hoffwn i	*I'd like*
hoffet/hoffit ti	hoffet ti	*you'd like*
hoffai ef/hi	hoffai fe/hi	*he'd/she'd like*
hoffem ni	hoffen ni	*we'd like*
hoffech chwi	hoffech chi	*you'd like*
hoffent hwy	hoffen nhw	*they'd like*
ni hoffwn i (ddim)	hoffwn i ddim	*I wouldn't like*
ni hoffet ti (ddim)	hoffet ti ddim	*you wouldn't like*
ni hoffai ef/hi (ddim)	hoffai fe/hi ddim	*he/she wouldn't like*
ni hoffem ni (ddim)	hoffen ni ddim	*we wouldn't like*
ni hoffech chwi (ddim)	hoffech chi ddim	*you wouldn't like*
ni hoffent hwy (ddim)	hoffen nhw ddim	*they wouldn't like*
a hoffwn i?	hoffwn i?	*would I like?*
a hoffet ti?	hoffet ti?	*would you like?*
a hoffai ef/hi?	hoffai fe/hi?	*would he/she like?*

a hoffem ni?	hoffen ni?	*would we like?*
a hoffech chwi?	hoffech chi?	*would you like?*
a hoffent hwy?	hoffen nhw?	*would they like?*

5.06 Notes on 5.05

(i) In the first person singular in SW the form **hoffen i** is common

'**Talen i fe nôl gynted gallen i**' *I'd pay him back as soon as I could* (Geraint Lewis, 1995: 37).

(ii) Note should be made of the construction **hoffwn i fod wedi (dod/mynd etc.)** *I would like to have (come/gone etc.)*

'**fe alle hi fod wedi cael ei hachub**' *she could have been saved* (*Television Wales*, 21 December 1996: 12).

(iii) These compact forms can be used to convey the timeless conditional (see Appendix 9), whereas the imperfect periphrastic form using **yr oeddwn i'n hoffi etc.** is only associated with the past

"**A be' ddigwydd pan weli di Sali?**' '**Mi synnet**' *'And what happens when you see Sali?' 'You'd be surprised'* (John Gwilym Jones, 1976: 21).

5.07 Answers take the appropriate form of the verb

''**Liciat ti fynd i edrach am dy fodryb Elin, Corris?**' '**Na liciwn, thanciw mawr**'' *'Would you like to go and look for Auntie Elin from Corris?' 'No I wouldn't, thanks very much'* (Wil Sam, 1995: 241).

The most common replies are based on **gwneud**

LW	OW & CW
gwnawn (na wnawn)	gwnawn (na wnawn)
gwnait (na wnait)	gwnait (na wnait)
gwnâi (na wnâi)	gwnâi (na wnâi)
gwnaem (na wnaem)	gwnaen (na wnaen)
gwnaech (na wnaech)	gwnaech (na wnaech)
gwnaent (na wnaent)	gwnaen (na wnaen)

Werthai e'r car i chi am £500? Na wnâi *Would he sell the car to you for £500? No he wouldn't.*

5.08 A number of verbs are irregular in the imperfect tense, some of which have a distinct version in SW and Pembs based on the stem of the subjunctive mood

(i) **cael** *to get, to receive*

LW	OW & CW	SW	Pembs	
cawn i	cawn i	celen i	cesen i	*I had*
caet ti	caet ti	celet ti	ceset ti	*you had*
câi ef/hi	câi fe/hi	cele fe/hi	cese fe/hi	*he/she had*
caem ni	caen ni	celen ni	cesen ni	*we had*
caech chwi	caech chi	celech chi	cesech chi	*you had*
caent hwy	caen nhw	celen nhw	cesen nhw	*they had*

'**Ar dir pella'r ffarm fe gelech chi ambell i sgwarnog**' *On the furthest part of the farm you had the odd hare* (Bernard Evans, 1990: 24).

(ii) **dod** *to come*

LW	OW & CW	SW	Pembs	
down i	down i	delen i	desen i	*I came*
deuet ti	deuet ti	delet ti	deset ti	*you came*
deuai/dôi ef/hi	deuai/dôi fe/hi	dele fe/hi	dese fe/hi	*he/she came*
deuem ni	deuen ni	delen ni	desen ni	*we came*
deuech chwi	deuech chi	delech chi	desech chi	*you came*
deuent hwy	deuen nhw	delen nhw	desen nhw	*they came*

'**Bues i bron â gweud 'tho Îfs am y penwythnos ond bob tro delen i'n agos, stopen i**' *I almost told Îfs about the weekend but every time I came close, I'd stop* (John Owen, 1994: 95).

(iii) **gwneud** *to do, to make*

LW	OW & CW	SW	Pembs	
gwnawn i	gwnawn i	gnelen i	gnesen i	*I made*
gwnaet ti	gwnaet ti	gnelet ti	gneset ti	*you made*
gwnâi ef/hi	gwnâi fe/hi	gnele fe/hi	gnese fe/hi	*he/she made*
gwnaem ni	gwnaen ni	gnelen ni	gnesen ni	*we made*
gwnaech chwi	gwnaech chi	gnelech chi	gnesech chi	*you made*
gwnaent hwy	gwnaen nhw	gnelen nhw	gnesen nhw	*they made*

'**Ond nele'r ficar ddim byd fel'na, b'an!**' *But the vicar wouldn't do anything like that, mate!* (Dafydd Rowlands, 1995: 101).

(iv) **gwybod** *to know*

LW	OW & CW	
gwyddwn i	gwyddwn i	*I knew*
gwyddet ti	gwyddet ti	*you knew*
gwyddai ef/hi	gwyddai fe/hi	*he/she knew*
gwyddem ni	gwydden ni	*we knew*
gwyddech chwi	gwyddech chi	*you knew*
gwyddent hwy	gwydden nhw	*they knew*

'**Gwyddai [ef] yn burion sut i frifo**' *[He] knew well how to hurt* (Sonia Edwards, 1994: 94).

(v) **mynd** *to go*

LW	OW & CW	SW	Pembs	
awn i	awn i	elen i	esen i	*I went*
aet ti	aet ti	elet ti	eset ti	*you went*
âi ef/hi	âi fe/hi	ele fe/hi	ese fe/hi	*he/she went*
aem ni	aen ni	elen ni	esen ni	*we went*
aech chwi	aech chi	elech chi	esech chi	*you went*
aent hwy	aen nhw	elen nhw	esen nhw	*they went*

'**wê [yr asen yn] leico ca'l basned o ddiod 'da John pan ese fe miwn i dafarn *Clover Hill* in y Dinas**' *[the donkey] liked to have a basinful of drink with John when he went into the Clover Hill pub in Dinas* (Nora Richards in Gwyn Griffiths (ed.), 1994: 70).

Appendix 6: The Imperfect Habitual Tense

6.01 **Bod** *to be* conjugates as follows

LW	OW & CW	
byddwn i	byddwn i	*I'd be*
byddet/byddit ti	byddet ti	*you'd be*
byddai ef/hi	byddai fe/hi	*he'd/she'd be*
byddem ni	bydden ni	*we'd be*
byddech chwi	byddech chi	*you'd be*
byddent hwy	bydden nhw	*they'd be*
ni fyddwn i (ddim)	fyddwn i ddim	*I wouldn't be*
ni fyddet/fyddit ti (ddim)	fyddet ti ddim	*you wouldn't be*
ni fyddai ef/hi (ddim)	fyddai fe/hi ddim	*he'd/she'd be*
ni fyddem ni (ddim)	fydden ni ddim	*we'd be*
ni fyddech chwi (ddim)	fyddech chi ddim	*you'd be*
ni fyddent hwy (ddim)	fydden nhw ddim	*they'd be*
a fyddwn i?	fyddwn i?	*would I?*
a fyddet/fyddit ti?	fyddet ti?	*would you?*
a fyddai ef/hi?	fyddai fe/hi?	*would he/she be?*
a fyddem ni?	fydden ni?	*would we?*
a fyddech chwi?	fyddech chi?	*would you?*
a fyddent hwy?	fydden nhw?	*would they?*

6.02 Notes on 6.01

(i) Note needs to be made of how the imperfect habitual translates into English. For example, **byddwn yn Llangollen bob haf** can be translated as

> I'd be in Llangollen every summer
> I used to be in Llangollen every summer
> I was in Llangollen every summer

(ii) This tense also conveys the timeless conditional, eg **byddwn i'n mynd adre petai arian gen i** *I'd go home if I had money* (see Appendix 9).

Appendix 7: The Perfect Tense

7.01 The perfect tense is formed by replacing the **yn** found in the periphrastic present tense with **wedi**

Yr wyf i yn mynd *I go, I am going* > **Yr wyf wedi mynd** *I have gone*

All the variations of the present tense are therefore relevant to the perfect tense (see Appendix 1).

7.02 The negative can be conveyed, in addition to the conventional way, by replacing **wedi** with **heb** in positive forms of the verb

'Bydd Catrin Salsbri heb ddychwelyd i Leweni' *Catrin Salsbri will not have returned to Lleweni* (R. Cyril Hughes, 1975: 48)

(* **heb** should not be used with a negative verbal form but occasionally this error does occur in spoken and written Welsh, eg **'Dydi o heb daro deuddeg'** *It hasn't worked* (*Barn*, June 1989: 6)).

7.03 **Wedi** in the perfect is frequently abbreviated to **'di** in CW (see entry).

7.04 The appropriate verbal forms in the present tense are used to answer questions in the perfect

Ydych chi wedi gweld y ffilm? Ydw *Have you seen the film? Yes, I have.*

However, as the tense is in the past, it is common, particularly in NW, to hear the answers **do** and **naddo** in CW

"Rwyt ti wedi bod yn hogyn da iawn i mi.' 'Do?' *'You've been a very good lad to me.' 'Have I?'* (Wil Sam, 1995: 178).

Appendix 8: The Pluperfect Tense

8.01 The pluperfect is where there is the greatest discrepancy between the forms used in LW, OW and CW.

8.02 **Bod** *to be* conjugates as follows in LW

buaswn i	*I had been*
buaset/buasit ti	*you had been*
buasai ef	*he had been*
buasai hi	*she had been*
buasem ni	*we had been*
buasech chwi	*you had been*
buasent hwy	*they had been*

8.03 Notes on 8.02

(i) These LW forms of **bod** are rare in OW and CW when they indicate the pluperfect as the meaning has been usurped by the conditional (see Appendix 9). However, these forms are occasionally used to mean the pluperfect in CW

'Buasai Iolo yn byw yng nghwmni Arise Evans am wyth mlynedd' *Iolo had been living in Arise Evans's company for eight years* (Mihangel Morgan, 1993(ii): 113);

'Buasai dramor am fis, ond fe'i gwysiwyd adre' *He had been abroad for a month, but he was summoned home* (Eirug Wyn, 1994: 177).

(ii) Verbs ending in **'-bod'** and **'-fod'** form their pluperfect by using **bod**, eg **gwybuaswn** *I had known* etc. However, these forms are very uncommon in OW and CW.

8.04 (i) A standard verb, such as **colli** *to lose*, conjugates in LW in the pluperfect as follows

collaswn i	*I had lost*
collasit ti	*you had lost*
collasai ef/hi	*he/she had lost*
collasem ni	*we had lost*
collasech chwi	*you had lost*
collasent hwy	*they had lost*

(ii) There are a number of irregular verbs in the pluperfect in LW

aethwn i	*I had gone*
cawswn i	*I had got*
daethwn i	*I had come*
gwnaethwn i	*I had made*

(iii) Conjugated verbal forms in the pluperfect are very uncommon in OW or CW and comparatively rare even in LW.

8.05 The pluperfect is formed in OW and CW by combining the imperfect and perfect tenses

Yr oeddwn i wedi mynd i'r dre *I'd gone to town*

For variations on the imperfect and perfect tenses, see Appendices 5 and 7.

8.06 The negative is formed in the standard way, eg **doeddwn i ddim wedi mynd i'r dre** *I hadn't gone to the town.* However, in CW, particularly in NW, it is common to replace **wedi** with **heb** to convey the negative

'**Roeddwn heb siarad Cymraeg ers misoedd a dyma'r criw yn dod draw am tua pythefnos!**' *I hadn't spoken Welsh for months and then the crew came over for about a fortnight!* (*Television Wales*, 1 March 1997: 5).

8.07 Note the CW forms **'laswn i, 'laset ti etc.** (< **gallaswn i, gallasit ti etc.**) *I might (have), you might (have)* etc.

'**Mi lasat fod yn lwcus - dibynnu arnach di mae o, fedra'i ddim gaddo dim byd - ond ti'n sbio ar ddwy, dair blynedd ar y lleia. Mi lasa fod yn fwy, cofia**' *You might be lucky - depends on you it does, I can't promise anything - but you're looking at two, three years at least. It could be more, you know* (Robin Llywelyn, 1994: 185).;

'**Cyrradd y cwpwr-lysh a 'ngwynt yn 'y nwrn ond - O! Rargwlydd laswn i feddwl - toedd hwnnw wedi'i sbydu hefyd, toedd?!**' *Reached the booze cupboard out of breath but - Oh! Christ I might have thought - that was all used up as well, wasn't it?!* (Dafydd Huws, 1990: 20).

Appendix 9: The Conditional Tense

9.01 The conditional tense can be conveyed by the imperfect habitual (see Appendix 6) and the imperfect (see Appendix 5), which are the preferred forms in LW.

9.02 The conditional in OW and CW is formed periphrastically using the LW pluperfect of **bod**

baswn i	*I would*	**faswn i ddim**	*I wouldn't*
baset ti	*you would*	**faset ti ddim**	*you wouldn't*
basai fe/hi	*he/she would*	**fasai fe/hi ddim**	*he/she wouldn't*
basen ni	*we would*	**fasen ni ddim**	*we wouldn't*
basech chi	*you would*	**fasech chi ddim**	*you wouldn't*
basen nhw	*they would*	**fasen nhw ddim**	*they wouldn't*
faswn i?	*would I?*		
faset ti?	*would you?*		
fasai fe/hi?	*would he/she?*		
fasen ni?	*would we?*		
fasech chi?	*would you?*		
fasen nhw?	*would they?*		

9.03 Notes on 9.02

(i) These forms are based on the pluperfect of **bod**, and therefore **baswn i etc.** now invariably means in OW and CW *I would* etc. rather than *I had been* etc. As the above forms are confined to OW and CW, it would be incongruous to use the LW forms **ni fuasent hwy etc.** to convey the conditional.

(ii) In NW the form **byswn i etc.** is also common

'Mater o farn ydi doethineb mynd i ganu'n Saesneg, ond yn bersonol fyswn i ddim wedi gwneud' *The sense of singing in English is a matter of opinion, but personally I wouldn't have done it* (*Television Wales*, 22 June 1996: 22).

(iii) The imperfect habitual (Appendix 6) and the conditional are not mutually exclusive and can be used in conjunction with each other

Mi fyddwn i'n mynd i'r dref, ond mi faswn i'n leicio i ti ddod efo fi *I'd go to town, but I'd like you to come with me.*

(iv) In CW the conditional can be further reduced:

OW & CW	SW	NW
baswn i	'sen i	'swn i
baset ti	'set ti	'sat ti
basai fe/hi	'se fe/hi	'sa fo/hi
basen ni	'sen ni	'san ni
basech chi	'sech chi	'sach chi
basen nhw	'sen nhw	'san nhw

'O'n i'n teimlo fel se'r byd wedi dod i ben' *I felt as though the world had come to an end* (Geraint Lewis, 1995: 70);

'Ond 'sa'n gas gen i orfod dewis' *But I'd hate to have to decide* (Meic Povey, 1995(i): 27).

9.04 There are a few forms of the conditional that are not expressed periphrastically in CW, and the most common of these is **leicswn i** *I'd like*

'Beth licsen i neud yw codi tŷ yn hunan yn rhywle' *What I'd like to do is build a house myself somewhere* (Aled Islwyn, 1994: 109)

(* note **leicswn i** > **licsen i** SW).

9.05 (i) *If* with the conditional is conveyed by **pe baswn i etc.**, which is elided to **petaswn i etc.**

'A dweud y gwir, petasen ni'n genedl gwbl onest, fe ddaeth S4C i fod oherwydd pwysau'r gynulleidfa' *To tell the truth, if we were a totally honest nation, S4C came into being because of audience pressure* (*Golwg*, 21 November 1996: 9).

(ii) **Petaswn i etc.** is further elided to **'taswn i etc.**

'Heddiw rydw i'n teimlo fel taswn i'n fam iddi hi' *Today I feel as if I'm a mother to her* (Sonia Edwards, 1995: 33).

(iii) The negative is conveyed by **(pe)taswn i ddim** (it would be incongruous to use the LW form **pe na buaswn i**)

'Taswn i ddim yn byw yma, mi faswn i'n byw yn Abertawe *If I didn't live here, I'd live in Swansea.*

9.06 The conditional perfect replaces **yn** with **wedi**

"Tasa ti'n llofrudd, 'tasa ti wedi berwi deg o blant yn fyw, wnawn i fyth' *If you were a murderer, you'd have boiled ten kids alive, I never would* (Meic Povey, 1995(i): 27).

Appendix 10: The Imperative

10.01 **Bod** *to be* conjugates as follows

—

bydd/bydda
bid/boed/bydded

byddwn
byddwch
byddent

10.02 Notes on 10.01

(i) By far the most common forms are the second person forms **bydd** and **byddwch**

'**Bydd dawal!**' *Be quiet!* (Wiliam Owen Roberts, 1987: 220);

'**Byddwch ddistaw y ddau ohonoch chi**' *Be quiet the two of you* (Robin Llywelyn, 1992: 98).

(ii) The third person singular forms **bid** and **boed** are generally confined to set phrases and the following are the most common

(a) **bid â fo am hynny** *be that as it may*

'**Bid â fo am hynny, clamp o gymwynas oedd cyhoeddi'r llyfr hwn**' *Be that as it may, publishing this book was an enormous bonus* (*Llais Llyfrau*, Summer 1994: 15);

(b) **bid sicr** *to be sure*

'**Mae'r datblygiad hwn yn rhywbeth i'w groesawu, bid sicr**' *This development is something to be welcomed, to be sure* (*Barn*, April 1995: 44);

(c) **bid siŵr** *to be sure*

'**Yn y cyfnod hwnnw a basiodd yr oedd llawer anhwylustod bid siŵr**' *In that period that passed there was a lot of inconvenience to be sure* (Robin Williams, 1992: 12);

(d) **boed hynny fel y bo** *be that as it may*

'**Boed hynny fel y bo, cyfaddefaf i mi fwynhau fy mhrofiadau yn hen ddinas Barcelona**' *Be that as it may, I admit that I enjoyed my experiences in the old city of Barcelona* (R. Emyr Jones, 1992: 112).

(iii) The third person singular form **bydded** is comparatively common

'**Bydded goleuni**' *Let there be light* (Genesis 1:3);

'*Goddefgarwch* **yw'r gair allweddol mewn polisi o'r fath; na fydded i ni anghofio hynny**' *Tolerance is the key word in such a policy; let us not forget that* (Dafydd Huws, 1978: 59).

(iv) The form **byddent** is rare and has been superseded by the forms in 10.07 below.

(v) Verbs ending in '**-bod**' and '**-fod**' follow **bod**, eg **gwybyddwch eich pwnc** *know your subject*.

10.03 The standard imperative forms for a typical verb, such as **canu** *to sing*, are as follows

—

cân
caned

canwn
cenwch
canent

10.04 Notes on 10.03

(i) The most common forms are the second person forms **cân** and **cenwch**

Cân y gorau y gelli di!	*Sing the best you can!*
Cenwch y bennill nesaf!	*Sing the next verse!*

(* **canwch** is often used in OW and CW instead of **cenwch**).

(ii) For emphasis, the pronouns **ti** (and **di**) and **chi** can be added

'**Cred ti be' ti mo'yn**' *You believe what you want* (Geraint Lewis, 1995: 33);

"**Mi a' i, ta. Os nad oes 'na rwbath arall ...**' '**Dim byd. Cerwch chi**" *I'll go, then. Unless there's something else ...' 'Nothing. You go'* (Sonia Edwards, 1993: 55).

(iii) The third person singular form is not common in CW, having been replaced by **gad** (see below), although it is occasionally used

'**Peidied neb â meddwl mai dyna fydd diwedd y stori hon, fodd bynnag**' *Let no one think that that is the end of this story, however* (*Barn*, February 1995: 4);

'**Ma Mam yn gneud sŵn gysgu. Cysged hi; nid hi ydi'r unig un**' *Mam is making sleeping noises. Let her sleep; she's not the only one* (Jane Edwards, 1989: 22).

(iv) The third person singular is very common in two set phrases

(a) **costied a gostio** *cost what it may*

'**Fe fyddwn yn barod i dalu am y pryd fy hunan, costed â gostio**' *I would be prepared to pay for the meal myself, cost what it may* (R. Emyr Jones, 1992: 27);

(b) **doed a ddelo** *come what may*

'**Ac yn y fan a'r lle, doed a ddelo, mi benderfynais i nad o'n i'n mynd i fyw heb wylia!**' *And there and then, come what may, I decided that I wasn't going to live without holidays!* (Margiad Roberts, 1994: 197).

(v) The third person plural, **canent** *let them sing*, is rare in all registers of Welsh.

10.05 There are a number of common second person forms that are irregular or confined to certain areas and are not referred to in most grammars or manuals

	2nd singular	2nd plural	
aros	aros	arhoswch	*wait*
	arhosa	'rhoswch CW	
bwyta	bwyta	bwytewch	*eat*
	byt SW		
codi	cod	codwch	*get up*
	coda		
	cwyd SW		
cymryd	cym NW	cymerwch	*take*
	cymer	cymrwch SW	
	cymra SW	cymwch NW	
disgwyl SW	'shgwl SW	'shgwlwch SW	*look*
dod	dere * LW SW	dewch	*come*
	tyrd * LW NW	dowch NW	
	tyd * NW		
no infinitive	doro	dorwch	*give, put*
	dyro		
dweud	dŵad NW	'dwch NW	*say*
	dywed	dywedwch	
	gwed SW	gwedwch SW	
edrych	'drycha NW	'drychwch NW	*look*
	edrych	edrychwch	
eistedd	eistedd	eisteddwch	*sit*
	ishte SW		
	'stedda CW	'steddwch CW	
gwatshio NW	gwatshia NW	gwatshiwch NW	*look*
gweitshia NW	gweitshia NW	gweitshiwch NW	*wait*
gwrando	grinda SW	grindwch SW	*listen*
	gwranda	gwrandewch	
		gwrandwch CW	
no infinitive	hwda NW	hwdiwch NW	*take*
	hwde NW	hwrwch SW	
	hwre SW		
mynd	cer	cerwch	*go*
	dos LW NW	doswch NW ewch	
symud	sym NW	symudwch	*move*
	symud		
	symuda		

(* **dere**, **tyd** and **tyrd** are from the archaic (and redundant) verb **dyredeg**).

10.06 Notes on 10.05

(i) In NW there is a tendency to add 'a' to the stem of second person singular forms, eg **arhosa** *wait*. In SW, however, the tendency is to prefer the shorter word, eg **aros** *wait*.

(ii) The imperative forms of **dywed**, namely **dŵad**, **'dwch**, and **dywedwch** are used idiomatically (see entries), as are the imperative forms of **cofio** (see entry).

(iii) Note needs to be made of the imperatives of **dod â rhywbeth** *to bring something,* and **mynd yn ôl rhywbeth** *to fetch something*

'**Ewadd, Tecs, achan! Tyrd â chadair i fama, yli**' *Heck, Tecs, mate! Bring a chair here, look* (Sonia Edwards, 1994: 11);

'**I be - i be yda chi isio'r bocs r amser hyn o'r nos?**' '**Dos di i n ôl o, os wnei di! Wnei di?**' *'Why - why do you want the box at this time of the night?' 'You go and get it, if you will! Will you?'* (Rhydwen Williams, 1969: 104).

10.07 **Gad** and **gadewch/gadwch**, imperatives of **gadael** *to leave*, are used extensively as auxiliaries to form the imperative in CW, followed by **i mi etc.**

'**Gad imi ddangos iti**' *Let me show you* (Caradog Prichard, 1961: 68);

'**Gad inni fynd i'r caffe dros y ffordd i'w gwylio hi**' *Let's go to the cafe over the road to watch her* (Mihangel Morgan, 1993(ii): 24).

10.08 The negative is formed by the use of **peidio** *to stop*, most commonly in the forms **paid â** and **peidiwch â**

'**Paid ti a dweud celwydd rŵan**' *Don't you tell a lie now* (Meic Povey, 1995(i): 7);

'**Peidiwch â sôn wrth Dad!**' *Don't mention it to Dad!* (Meic Povey, 1995(i): 6)

(* **â** (**ag** before vowels) is often omitted in this construction, particularly in SW, eg '**Paid gweud 'na trwy'r amser**' *Don't say that all the time* (Geraint Lewis, 1995: 52))

(** **peidiwch** becomes **pidwch** in SW, eg '**O Mary, pidwch â meddwl am fynd i unman ar hyn o bryd**' *Oh Mary, don't think about going anywhere at the moment* (Nansi Selwood, 1993: 32)).

10.09 In SW, **gad(wch)**, from **gadael** *to leave*, is commonly used to convey the negative imperative, but usually only in reference to speech

'**O gad dy gelwydd, Hefin**' *Oh, stop your lies, Hefin* (Geraint Lewis, 1995: 8);

'**Gat dy lap, y sledj!**' *Stop your gossiping, you idiot!* (Dafydd Rowlands, 1995: 102).

10.10 (i) In LW **na** can be placed before the imperative to form the negative

'**Na soniwch wrth eich plant am yr hyn a fu**' *Do not talk to your children about what passed* (Robin Llywelyn, 1994: 175).

(ii) The use of **na** in CW is rare except occasionally in NW and in the following set phrases

(a) **na hidia/hidiwch** *don't worry, never mind*

"**Sut y gwyddech chi?**' '**Na hidiwch sut y gwn i**' *'How did you know?' 'Never mind how I know'* (Islwyn Ffowc Elis, 1974: 23);

(b) **na phoenwch** *don't worry*

'**Mi fydda i'n iawn, gobeithio. Na phoenwch, Mair**' *I'll be alright, I hope. Don't worry, Mair* (Aled Islwyn, 1994: 105).

10.11 The impersonal imperative is formed by adding '**er**' to the stem

Agorer y pen arall	*Open other end*
Gweler y cyfarwyddiadau	*See the instructions*

The negative is formed by placing **na** (**nac** before vowels unless the vowel is the result of mutating '**g**')

Na wthier	*Do not push*
Nac agorer	*Do not open*

10.12 On public signs etc. the following forms are common

Dim cŵn	*No dogs*
Dim ysmygu	*No smoking*
Ni chaniateir cŵn	*Dogs are not allowed*
Ni chaniateir ysmygu	*Smoking is not allowed*

Appendix 11: The Subjunctive Mood

11.01 In OW and CW, the subjunctive is seldom used except in certain set phrases, sayings and proverbs, although some feel this to be a loss in the expressiveness of the language (Morgan D. Jones, 1965: 51). Generally, the subjunctive is used when there is an element of doubt, imagination or general uncertainty. The Welsh name for the tenses is **y modd dibynnol**, literally 'the dependent mood': the subjunctive depends on other information or action.

11.02 The present subjunctive of **bod** *to be* is as follows

bwyf/byddwyf i	*I am*
bych/byddych ti	*you are*
bo/byddo ef/hi	*he/she is*
bôm/byddom ni	*we are*
boch/byddoch chwi	*you are*
bônt/byddont hwy	*they are*

11.03 Notes on 11.02

(i) In the third person singular **po** is sometimes used instead of **bo**, most commonly in phrases of the **gorau po (gyntaf/fwyaf etc.)** type: see **gorau** (**5**).

(ii) The subjunctive is still used extensively with the following (in CW **bo** here is often confused with the infinitive **bod**)

(a) **cyn** *before*

Mae'n rhaid gwerthu'r stoc cyn bo'r pris yn gostwng *We've got to sell the stock before the price drops*;

(b) **fel** *as, so*

'Rydw i'n mynd i Tyrpag bron bob dydd i wneud rhyw joban neu ddwy i Nain fel y bo'r galw' *I go to Tyrpag just about every day to do some job or other for Gran according to demand* (Twm Miall, 1988: 99);

(c) **lle** *where*

'[Bydd gan wleidyddion y Cynulliad Cymreig yr] hawl i gyfarfod ymlaen llaw â swyddogion a gwleidyddion yno a chysylltu'n uniongyrchol lle bo rhaid' *[The politicians of the Welsh Assembly will] have the right to meet beforehand with officers and politicians there and to link up directly where necessary* (Golwg, 10 July 1997: 6);

(d) **nes** *until*

'Mi fydda i'n gwitho nes bo'r llwch yn tasgu!' *I'll work until the dust is jumping!* (Meirion Evans, 1996: 86);

(e) **pan** *when*

'ni ellir disgwyl dim byd arall pan fo cynhyrchwyr, cyfarwyddwyr ac actorion yn ysgrifennu trwy'i gilydd' *one cannot expect anything else when producers, directors and actors write through each other* (Barn, October 1996: 34);

(f) **tra** *while*

''Mam a Meri Elan yn mynd ato fo i fyw. Torri'r cartra, Jane bach!' Safodd Jane, plât mewn un llaw a thywel yn y llall. **'Ddim tra bo anadl -!''** *'Mam and Meri Elan are going to live with him. Breaking up the home, Jane bach!' Jane stood up, a plate in one hand and a towel in the other. 'Not while a breath ...!'* (Rhydwen Williams, 1969: 67).

11.04 The imperfect subjunctive is as follows

bawn/byddwn i	*I was*
baet/bait/byddet/byddit ti	*you were*
bai/byddai ef/hi	*he/she was*
baem/byddem ni	*we were*
baech/byddech chwi	*you were*
baent/byddent hwy	*they were*

11.05 Notes on 11.04

(i) The imperfect subjunctive is most commonly found in CW in the following forms after the conjunction **pe**

petawn i	(< **pe bawn i**)	*if I were*
petaet/petait ti	(< **pe baet/bait ti**)	*if you were*
petai e/hi	(< **pe bai ef/hi**)	*if he/she were*
petaen ni	(< **pe baem ni**)	*if we were*
petaech chi	(< **pe baech chwi**)	*if you were*
petaen nhw	(< **pe baent hwy**)	*if they were*

'**Petawn i'n cael eistedd**' *If I were allowed to sit down* (Huw Roberts, 1981: 20)

(* in the third person singular, the form **petae** is also common, eg '**Petae rhywun yn eu gweld hefo'i gilydd ... wel ...**' *If someone were to see them with each other ... well ...* (Sonia Edwards, 1994: 50)).

(ii) **petawn i etc.** can be further reduced in CW to '**tawn i etc.**

'**Be ddeudodd o?**' '**Deud y cawswn i'r tŷ gynno fo - tawn i'n gadal Mr. Edmunds**' *'What did he say?' 'He said that I'd have the house from him - if I were to leave Mr. Edmunds'* (Rhydwen Williams, 1969: 109).

(iii) The negative is **pe na bawn i** *if I were not*

'**Ond hyd yn oed pe na bawn eisoes wedi sylweddoli pwysigrwydd cael chwarae teg ac iawndal i chwarelwyr a'u teuluoedd, byddwn wedi dysgu'n bur sydyn**' *But even if I had not already realised the importance of getting fair play and compensation for the quarrymen and their families, I would learn fairly quickly* (Dafydd Wigley, 1993: 72).

(iv) In CW the negative **petawn i ddim** is common

'**A byddai [hi] wedi cysgu ymlaen am oriau petai'r ffôn ddim wedi canu dros y lle**' *[She] would have slept on for hours if the phone hadn't rung so loudly* (Jane Edwards, 1993: 9).

(v) Note the form **oni bai** (lit *unless*) *were it not for (the fact)*

'**Oni bai'i fod wedi addo i Iorwerth, buasai wedi taro'r mater yn ei dalcen yn y fan a'r lle**' *Were it not for the fact that he had promised Iorwerth, he would have knocked the matter on the head there and then* (Islwyn Ffowc Elis, 1990(ii): 132).

11.06 Verbs can form the subjunctive by adding endings to the stem but these forms are so rare nowadays in all registers of Welsh as not to warrant attention here. The recent version of the Bible, for example, has significantly deleted these subjunctive forms. However, the subjunctive of **gwneud** is used idiomatically in NW in the form **wnelo** *concerning, to do with*

''**Roeddwn hefyd yn unig blentyn, ac mae'n bosib fod a wnelo hynny rywbeth â'r penderfyniad**' *I was also an only child and it is possible that that had something to do with the decision* (Dafydd Wigley, 1992: 19);

'**Ond beth sy a wnelo hynny â bedyddio Huw Powys?**' *But what has that got to do with baptising Huw Powys?* (Islwyn Ffowc Elis, 1990(ii): 80).

Appendix 12: The Impersonal

12.01 The impersonal for a standard verb, **codi** *to build,* is as follows

codir y tŷ	*the house is/will be built*
codid y tŷ	*the house was built*
codwyd y tŷ	*the house was built*
codasid y tŷ	*the house had been built*

12.02 Notes on 12.01

(i) The doer of the action is denoted by **gan** (and **(gy)da** in SW), eg **codir y tŷ gan John** *the house is/will be built by John.* For variations of **gan** and **(gy)da** see Appendix 13.05-13.06.

(ii) Note the following forms

fe'i codir	*it is built* (note no mutation)
fe'u codir	*they are built*
nis codir	*it is not built/they are not built*

(iii) These forms are favoured in LW and OW because they are concise and compact, and although not common they are not unknown in CW.

12.03 In CW the following impersonal forms are favoured

mae'r tŷ'n cael ei godi	*the house is (being) built*
bydd y tŷ'n cael ei godi	*the house will be built*
roedd y tŷ'n cael ei godi	*the house was (being) built*
cafodd y tŷ ei godi	*the house was built*
roedd y tŷ wedi	*the house had been built*
(cael) ei godi	

12.04 A number of verbs are irregular in the impersonal, and a full list can be found in *Y Llyfr Berfau* by D. Geraint Lewis (Llandysul, Gwasg Gomer, 1995). However, reference needs to be made to the following irregular CW forms

(i) **awd** (< **aethpwyd**) *went*

'**Fe ddaeth yr ambiwlans, ac fe awd â'r hen ddyn, a Twm, i'r hospital**' *The ambulance came, and the old man, and Twm, was taken to hospital* (Eirwyn Pontshân, 1982: 68)

(* **mynd â** *to take* (see **mynd (2)**));

(ii) **cawd** (< **cafwyd**) *was had, was received*

'**Cawd fowr iawn o bysgod y flwyddyn 'ny**' *Not many fish were had that year* (Angharad Dafis in Gwyn Griffiths (ed.), 1994: 49);

(iii) **dowd** (< **daethpwyd**) *came*

'**Wên ni'n cal llond pen o swper fan co un nos Sul pan ddowd at y mater**' *We were having a mouthful of supper over there one Sunday night when [we] came to the matter* (Wyn Jones in Christine Jones and David Thorne (eds.), 1992: 36);

(iv) **gwnawd** (< **gwnaethpwyd**) *was made*

Gwnawd y bwyd yng Nghymru *The food was made in Wales*;

(v) **rhowd** (< **rhoddwyd**) *was put*

'**Mi rowd y peth i lawr yn glep**' *The thing was put down with a bang* (Wil Sam, 1997: 52).

Appendix 13: Miscellaneous Verbal Forms

13.01 The verbal forms for *should* are the following

LW	OW & CW	NW	SW	
dylwn i	dylwn i	dylwn i	dylen i	*I should*
dylet/dylit ti	dylet ti	dylat ti	dylet ti	*you should*
dylai ef/hi	dylai fe/hi	dylai fo/hi	dyle fe/hi	*he/she should*
dylem ni	dylen ni	dylan ni	dylen ni	*we should*
dylech chwi	dylech chi	dylach chi	dylech chi	*you should*
dylent hwy	dylen nhw	dylan nhw	dylen nhw	*they should*

13.02 Notes on 13.01

(i) Occasionally the forms **dylswn i etc.** are used in CW, particularly in NW, due to the influence of the pluperfect

'**Plaid Cymru ddylsen ni'i galw hi**' *We should call it Plaid Cymru* (Aled Islwyn, 1994: 143).

(ii) Occasionally in the first person the form **dyliwn i** is used in NW

'**Dwi'n gwbod mod i wedi gwneud yr hyn na ddyliwn i**' *I know I've done what I shouldn't* (Wiliam Owen Roberts, 1987: 264).

(iii) The pluperfect forms in LW **dylaswn i etc.** are rare in OW and CW and have largely been replaced by the forms **dylwn i fod wedi** *I should have* etc.

'**Ddeudis i y dylan ni fod wedi stopio i brynu rhwbath yn y Marks & Sparks 'na wrth ymyl Dover on'd do?**' *I said that we should have stopped to buy something in that Marks and Sparks by Dover didn't I?* (Wiliam Owen Roberts, 1990: 175)

(* occasionally a combination of the above is found, eg '**Ddynion, dylasech fod wedi gwrando arnaf fi**' *Men, you should have listened to me* (Acts 27:21)).

(iv) The impersonal is **dylid** (together with the uncommon **dylasid** in the pluperfect)

'**Dylid yn sicr fod wedi gwahaniaethu rhwng idiomau Seisnigaidd**' *Certainly, Anglicised idioms should have been differentiated between* (*Llais Llyfrau*, Winter 1996:18).

13.03 The noun **eisiau** is used verbally as follows

LW & CW	OW & CW	NW	SW	
y mae eisiau arnaf	dw i eisiau	dw i isho	wy i ishe	*I want*
y mae eisiau arnat	rwyt i eisiau	rwyt ti isho	rwyt ti ishe	*you want*
y mae eisiau arno	mae e eisiau	mae o isho	ma' fe ishe	*he wants*
y mae eisiau arni	mae hi eisiau	mae hi isho	ma' hi ishe	*she wants*
y mae eisiau arnom	rydyn ni eisiau	rydan ni isho	ŷn ni ishe	*we want*
y mae eisiau arnoch	rydych chi eisiau	rydach chi isho	ŷch chi ishe	*you want*
y mae eisiau arnynt	maen nhw eisiau	maen nhw isho	ma' nhw ishe	*they want*

13.04 Notes on 13.03

(i) The LW forms are frequently used in OW and CW, with the appropriate changes to the preposition **ar** (see Appendix 16.03)

'**mae arnaf eisiau bod yn aelod seneddol yn ein Senedd ein hunain ar dir Cymru**' *I want to be a member of parliament in our own Parliament on Welsh soil* (Dafydd Wigley, 1993: 448);

'**Does arnaf i ddim eisiau meddwl am yr hyn maen nhw'n ei wneud yn y gwely**' *I don't want to think about what they're doing in bed* (Sonia Edwards, 1995: 34).

(ii) The forms noted in OW, CW, NW and SW are subject to all the varieties of the present tense noted in Appendix 1. In SW the verbal form **moyn** (see entry) is more common than **eisiau**.

(iii) The form **mae gennyf eisiau** is also common (for variations of **gan** see below) in all registers of Welsh in NW

'**Ma' gen i isio nôl blawd eto**' *I want to fetch some flour again* (Margiad Roberts, 1994: 167);

'**Mae gen i eisie ichi wybod amdano fo**' *I want you to know about him* (Islwyn Ffowc Elis, 1990(ii): 62).

(iv) Note the form **mae eisiau i mi (fod rhywle/wneud rhywbeth etc.)** *it is necessary for me (to be somewhere/do something etc.)*

'**Ma braich gof in dod in gryf in naturiol - 'sdim ishe iddo fe fod in labwst o ddyn**' *A blacksmith's arm becomes strong naturally - it's not necessary for him to be a big lump of a bloke* (Ifan Owen in Gwyn Griffiths (ed.), 1994: 46).

(v) The answers to questions with **eisiau** can take the following forms

(a) In LW and CW

"'**Does arnat ti ddim eisio'r brandi yma rŵan, debyg?**' '**Nac oes, wir**" *'You won't want this brandy now, I suppose?' 'No, not really'* (Huw Roberts, 1981: 35);

(b) In OW and CW

'**Ydach** *chi isio fi,* **[ga i fod]** *mor hy â gofyn?*' '**Ydw**' *'Do you want me, [may I be] so bold as to ask?' 'Yes, I do'* (Wil Sam, 1995: 215);

(c) In NW **oes** and **nac oes** are often used in response to questions using the CW forms

'**Mam, dwi isio pi-pi!**' '(Sibrwd) **Nagoes!**' '**Oes!**' '**Wel, cer i cae 'ta!**' '**Na-a!**' *'Mam, I want to wee-wee!' '(Whispering) No you don't!' 'Yes I do!' 'Well, go to the field then!' 'No-o!'* (Margiad Roberts, 1994: 145).

(vi) The past is formed in the imperfect (see Appendix 5.04(v)).

13.05 (i) The preposition **gan** is used to denote possession in LW and CW (most notably in NW)

LW	OW & CW	
y mae gennyf i	**mae gen i**	*I've got*
y mae gennyt ti	**mae gen ti**	*you've got*
y mae ganddo ef	**mae ganddo fe/fo**	*he's got*
y mae ganddi hi	**mae ganddi hi**	*she's got*
y mae gennym ni	**mae gennyn ni**	*we've got*
y mae gennych chwi	**mae gennych chi**	*you've got*
y mae ganddynt hwy	**mae ganddyn nhw**	*they've got*

'**Mae gen i gur yn fy mhen**' *I've got a headache* (Robin Llywelyn, 1994: 130).

(ii) The forms **gen i etc.** are subject to a considerable amount of variation in CW

OW & CW	CW variations
gen i	**gin i**, **genna i** NW
gen ti	**gin ti**
ganddo fe/fo	**gynno fo** NW, **gento fe** Powys
ganddi hi	**gynni hi** NW, **genti hi** Powys
gennyn ni	**gynnon ni** NW, **ganddon ni**
gennych chi	**gynnoch chi** NW, **ganddoch chi**
ganddyn nhw	**gynnon nhw** NW, **ganddon nhw**,
	gennyn nhw

'**Gynnoch chi, felly, y mae pen praffa'r ffon**' *You, then have the upper hand* (Islwyn Ffowc Elis, 1990(ii): 64).

(iii) In SW, **gyda** and its abbreviated form **'da** is used extensively to denote possession instead of **gan**

mae gyda fi	**mae'da fi**
mae gyda ti	**mae 'da ti**
mae gyda fe	**mae 'da fe**
mae gydag e	**mae 'dag e**
mae gyda hi	**mae 'da hi**
mae gyda ni	**mae 'da ni**
mae gyda chi	**mae 'da chi**
mae gyda nhw	**mae 'da nhw**

'**Ma' afi llo neis 'da fi wthnos 'ma**' *I've got nice calf liver this week* (Meirion Evans, 1996: 60).

13.06 Notes on 13.05

(i) In the negative

(a) In LW, **nid oes** replaces **mae**

'**Ond nid oes ganddo wreiddyn ynddo'i hun, a thros dro y mae'n para**' *But since he has no root, he lasts only a short time* (Matthew 13:21);

(b) In OW and CW, **nid oes** becomes **'does** and the emphasis is placed on **ddim**

'**Does gynnon ni ddim ffrindia**' *We haven't got any friends* (Wil Sam, 1995: 92);

(c) In NW, **'does** can become **'toes**

'**Toes gin i ddim beiro'** *I haven't got a biro* (Wil Sam, 1995: 58);

(d) In CW, **'does gen i ddim** can also be abbreviated to **'sgen i ddim**

''**Sgynnoch chi ddim cwilydd, dudwch?'** *Have you no shame, then?* (Gwenlyn Parry, 1979: 57);

(e) In SW, **does dim (gy)da fi** is further abbreviated to either **sdim 'da fi** or **'sda fi ddim**

'**Sdim lot o gewc 'da fi ar opera'** *I haven't got much to say on opera* (Dafydd Rowlands, 1995: 41);

(ii) In the interrogative, **(a) oes** precedes **gan** and **(gy)da**

'**Oes gynnoch chi ddigon amdanoch, d'wch?'** *Are you wearing enough, then?* (Wil Sam, 1995: 236)

(* with the definite article, **ydyw** (and variants: see Appendix 1) is used, eg '**Ydi popeth gen ti?'** *You got everything?* (Sonia Edwards, 1994: 49));

In CW, **(a) oes gen i?** and **oes (gy)da fi?** etc. can be abbreviated to **'sgen i?** and **'sda fi?** respectively

'**Sgin ti bres?'** *You got any cash?* (Robin Llywelyn, 1994: 9).

(iii) In clauses, **sydd gennyf** etc. and **sydd (gy)da fi** etc. can be abbreviated in CW to **'sgen i** and **'sda fi**

'**ma'r ferch 'ma 'sda chi wedi newid tipyn yn ddiweddar'** *This girl you've got has changed a bit recently* (Nansi Selwood, 1987: 82);

'**ond co' fatha gogo sgin i'** *but I've got a memory like a sieve* (Dafydd Huws, 1990: 76).

(iv) In the imperfect, **yr oedd** precedes **gan** and **(gy)da**

Yr oedd gen i arian *I had money*

In OW and CW **yr oedd** becomes **'roedd**

'**Ond roedd gin i ddau'** *But I had two* (Wil Sam, 1995: 80).

(v) In the imperfect the negative **nid oedd** precedes **gan** and **(gy)da**

'**Nid oedd ganddynt blant'** *They did not have children* (Luke 1:7);

In OW and CW, **nid oedd** becomes **'doedd** and the emphasis is placed on **ddim**

'**Doedd gan Barzani ddim syniad'** *Barazani didn't have a clue* (Tweli Griffiths, 1993: 155);

In NW, **'doedd** can become **'toedd**

'**toedd ganddi hi ddim het am ei phen'** *she didn't have a hat on her head* (Caradog Prichard, 1961: 25).

(vi) After the conjunction **a** *and*, **gennyf** etc. can become **a chennnyf** etc. in LW

'**Roedd yn ddyn a chanddo dalp go lew o addysg y tu mewn iddo'** *He was a man with a fair amount of education inside him* (Wiliam Owen Roberts, 1987: 64).

(vii) After an adjective, **gen i** etc. means the figurative *I find*

'**Y rhai melfed, coch ydi'r gorau gen i'** *The velvet, red ones are the best I find* (Sonia Edwards, 1995: 10);

'**Mae hynny'n rhyfedd gen i braidd'** *I find that somewhat amazing* (Sonia Edwards, 1995: 12).

(viii) In reference to time, **gen i** etc. can be used to mean *I make it*

'**Faint o'r gloch ydi hi ganddoch chi rŵan?'** *What time do you make it now?* (Theatr Bara Caws, 1995: 31).

(ix) The phrases **be' sy' gen i** (< beth sydd gennyf i) and in SW **be sy' 'da fi** (< beth sydd gyda fi) can be used idiomatically to mean *if you get my gist, if you get what I mean*

'**Hebddo fo, does 'na ddim hwyl - ddim ysbryd. Ti'n dallt be sgin i'** *Without him, there's no fun - no spirit. You understand my gist* (Alun Ffred and Mei Jones, 1990: 40);

'**Ie, wi'n gweld be' s'da ti'** *Yeah, I see what you mean* (Geraint Lewis, 1995: 39).

13.07 (i) In the present tense, reported speech and implied reported speech is referred to with the following verbal forms

LW	OW & CW	
meddaf i	meddaf i	I say
meddi di	meddi di	you say
medd ef/hi	medd fe/hi	he/she says
meddwn ni	meddwn ni	we say
meddwch chwi	meddwch chi	you say
meddant hwy	meddan nhw	they say

'pwy meddwch chwi ydwyf fi?' *who do you say I am?* (Matthew 16:15).

(ii) In the imperfect, reported speech and implied reported speech use the following forms

LW	OW & CW	
meddwn i	meddwn i	I said
meddet/meddit ti	meddet ti	you said
meddai ef/hi	meddai fe/hi	they said
meddem ni	medden ni	we said
mwddech chwi	meddech chi	you said
meddent hwy	medden nhw	they said

'Fedra'i mo'u cadw nhw,' meddai [ef]' *'I can't keep them,' [he] said* (Islwyn Ffowc Elis, 1990(i): 206).

13.08 Notes on 13.07

(i) By far the most common forms used for reported speech are the imperfect forms.

(ii) In SW the following forms are also used, particularly in the third person singular and plural

myntwn i	I said	mynten ni	we said
myntet ti	you said	myntech chi	you said
mynte fe/hi	he/she said	mynten nhw	they said

"Ife?' mynte Percy, yn ffugio swildod' *'Is it?' said Percy, pretending to be shy* (Dafydd Rowlands, 1995: 41).

(iii) Less common are the forms, used only with reported speech, **ebr**, **ebe** and **eb**

"O'n i ddim yn dy ddishgwl di mor gynnar,' ebe hi' *'I wasn't expecting you so early,' she said* (Meirion Evans, 1996: 65)

(* although **ebe etc.** is still used in parts of SW, as in the above example, it is increasingly uncommon and has been replaced in the Bible by **meddaf etc.**; see, for example, Psalms 137:4, Acts 5:9).

(iv) After implied reported speech, **meddaf etc.** can also mean *so I say* etc.

'Hannar gwyddal ydi o meddan nhw' *He's half Irish so they say* (Eirug Wyn, 1994: 17).

(v) The form **meddaf i chi etc.** means *I tell you* etc.

'Euthum ar goll yn fuan wedyn, meddant i mi' *I got lost soon afterwards, so they tell me* (Dic Jones, 1989: 15).

(vi) The impersonal is **meddir** (and **meddid** in the imperfect)

'Pethau fel hyn sy'n clymu pobl meddir' *Things like this bind people together so it is said* (Mihangel Morgan, 1993(ii): 91).

13.09 The verb-noun **rhaid** is used to denote necessity

LW	OW & CW	
y mae rhaid i mi	mae rhaid i mi	I have to
nid oes rhaid i mi	'does dim rhaid i mi	I don't have to
a oes rhaid i mi?	oes rhaid i mi?	do I have to?

13.10 Notes on 13.09

(i) For variations on **i mi etc.** see Appendix 16.08.

(ii) Note should also be made of the form **mae'n rhaid i mi**

'**Ond mae'n rhaid imi fynd, Huw**' *But I've got to go, Huw* (Marion Eames, 1969: 96).

(iii) In the negative, **'does** can become **'toes** in NW

'**Toes dim rhaid i ti fynd rŵan** *You don't have to go now.*

(iv) Note the different meanings of the following forms

'**Does dim rhaid i mi fynd** *I don't have to go;*

Mae rhaid i mi beidio mynd *I must not go, I must refrain from going, I must stop going*

(* see **peidio**).

(v) Rhetorical questions are followed by adding **on'd oes** (< **onid oes**) and **nac oes** in the negative

Mae rhaid i chi fynd, on'd oes? *You have to go, don't you?*

'**Does dim rhaid i chi fynd, nac oes?** *You don't have to go, do you?*

(vi) Note needs to be made of the rhetorical use of the form **mae'n rhaid**

'**O'n i'n meddwl 'i fod o'n anfarth o le ers talwm. Coesa byr oedd gin i mae'n rhaid**' *I always used to think that it was an enormous place. I must have had short legs* (John Ogwen, 1996: 192);

'**Mae bechgyn sir Gâr yn adnabod ei gilydd, mae'n rhaid**' *Boys from Carmarthenshire know each other, they must do* (Mary Wiliam, 1978: 40).

(vii) In the past, **yr oedd etc.** is favoured

'**Roedd yn rhaid i mi ddŵad**' *I had to come* (Sonia Edwards, 1994: 38).

(viii) The subject of a sentence is denoted by **wrth**

''**Roedd yn rhaid wrth weithwyr yn y ffwrneisi copr a haearn**' *Workers were needed in the copper and iron furnaces* (Robert Owen Jones, 1997: 244).

(ix) **Gofyn** is also used extensively in the same context: see entry.

13.11 Note needs to be made of **mae** with an indefinite subject and the use of **yna**, which is frequently shortened to '**na**, in CW

LW & CW	CW	
mae dyn yma	mae 'na ddyn 'ma	*there's a man here*
nid oes dyn yma	'does 'na ddim dyn 'ma	*there isn't a man here*
a oes dyn yma?	oes 'na ddyn 'ma?	*is there a man here?*

13.12 Notes on 13.11

(i) The use of **yna** and its abbreviated form '**na** here can add emphasis, but generally it is used in CW for clarity

'**O, oes. Ma' 'na wahaniaeth**' *Oh, yes. There is a difference* (Sonia Edwards, 1994: 111);

'**Does 'na ddim triog**' *There isn't any treacle* (Wil Sam, 1995: 114);

'**Oes yna un arall?**' *Is there another one?* (Huw Roberts, 1981: 61).

(ii) In the negative '**does** can become '**toes** in NW

'**Toes yma neb felly**' *There's no one here then* (Wil Sam, 1995: 41).

(iii) In the negative **sdim (byd)** (<**nid oes dim (byd)**) is also common in CW

'**Sdim byd yn well na tamed bach o'r *rough cut*, o's e Neli!**' *There's nothing better than a bit of the rough cut, is there Neli!* (Dafydd Rowlands, 1995: 103).

(iv) In the negative **nid oes neb** *nobody* becomes '**does neb** in CW, which can be further elided to '**sneb**

'**Heblaw am rygbi 'sneb wedi clywed am Gymru**' *Apart from rugby nobody has heard of Wales* (Geraint Lewis, 1995: 31).

(v) In rhetorical questions **onid oes** can become **on'd oes**, which can further become **on'd oes e?** in SW and **yn toes** in NW

'Sdim byd yn wa'th na corff â'r lliced ar acor, o's e?' *There's nothing worse than a body with the eyes open, is there?* (Dafydd Rowlands, 1995: 15);

Mae 'na lot o bobol yma, yn toes? *There are a lot of people here, aren't there?*

(vi) **Yna** (and **'na**) can be used with other verbal forms for emphasis

oes 'na raid i mi fynd? *do I really have to go?*

oes 'na gar gynnon nhw? *have they really got a car?*

(vii) In the imperfect, the same pattern is repeated

LW & CW	CW	
yr oedd dyn yma	'roedd 'na ddyn 'ma	*there was a man here*
nid oedd dyn yma	'doedd 'na ddim dyn 'ma	*there wasn't a man here*
a oedd dyn yma?	oedd 'na ddyn 'ma?	*was there a man here?*

Appendix 14: Nouns and Adjectives

14.01 Nouns can be repeated twice to mean *such and such*

'fedrwch chi ddim dweud fod y person a'r person yn sicr o ddatblygu cancr' *you can't say that such and such a person is sure to develop cancer* (Golwg, 20 May 1993: 9);

'Bûm yn meddwl fwy nag unwaith beth yw'r cof cyntaf sydd gennyf; yr enghraifft gynharaf yn fy mywyd y medrwn ddweud i sicrwydd mai fi own i, yn y fan a'r fan, yn gwneud y peth a'r peth, ar y pryd a'r pryd' *I've thought more than once what is my first memory; the earliest memory in my life that I can say with certainty that it was me, in such and such a place, doing such and such a thing, at such and such a time* (Dic Jones, 1989: 12).

14.02 The gender of a small number of nouns varies between NW and SW (illustrated with the adjectives **hwn** and **hon** to highlight the difference)

NW (feminine)	SW (masculine)	
y boen hon*	y poen hwn	*this pain*
y dafarn hon*	y tafarn hwn	*this pub*
y droed hon	y troed hwn	*this foot*
y glust hon*	y clust hwn	*this ear*
y gornel hon*	y cornel hwn	*this corner*
y gwpan hon*	y cwpan hwn*	*this cup*

NW (masculine)	SW (feminine)	
y breuddwyd hwn*	y freuddwyd hon	*this dream*
y cinio hwn*	y ginio hon	*this lunch*
y cyflog hwn*	y gyflog hon	*this wage*
yr eiliad hwn	yr eiliad hon*	*this second*
y nifer hwn*	y nifer hon	*this number*
y munud hwn	y funud hon	*this minute*

The forms highlighted * are preferred in LW.

14.03 There are a small number of nouns that have different plural forms in NW and SW

LW & CW	NW	SW	
blynyddoedd	blynyddoedd	blynydde*	*years*
cathod	cathod	cathe	*cats*
cloeau, cloeon	cloeau	cloeon	*locks*
llythyrau	llythyrau	llythyron	*letters*
mynyddoedd	mynyddoedd	mynydde	*mountains*
toeau, toeon	toeau	toeon	*roofs*

(* **blynydde** < **blynyddedd**)

14.04 The pronunciation of plurals does not vary in the dialects for the most part, except for the forms ending in '**-ed**' in NW which can also become '**-aid**', eg **merched** > **merchaid** *girls*, **pryfed** > **pryfaid** *insects*

'**be ddigwydd os ydy pryfaid, er enghraifft, yn cosi rhywun?**' *what happens if insects, for example, scratch someone?* (Wiliam Owen Roberts, 1987: 216);

'**Oedd byth cweit ddigon sobor i wneud dim. 'Blaw hel merchaid**' *He was never quite sober enough to do anything. Except chase girls* (Meic Povey, 1995(ii): 19).

14.05 In NW an '**s**' can be added to a singular noun to form the plural

'**A rhai fel'na ydi ffarmwrs**' *And farmers are like that* (Margiad Roberts, 1994: 13);

It is also common in North Wales for an '**s**' to be added to the existing plural, eg **mwncwn** > **mwncwns** *monkeys*

'**gostyngai [ef] i'r un lefel a mwncwns***' *it lowered [him] to the same level as monkeys* (Angharad Tomos, 1982: 41)
(* the standard plural here is **mwncïod**).

14.06 The ending '**-ach**' can be added to a plural noun to indicate a degree of contempt, eg **pethau** *things* > **petheuach** *junk*

'**rhyw fân betheuach a brynasai Padi oedd gweddill y dodrefn**' *the rest of the furniture was some petty junk that Padi had bought* (Eirug Wyn, 1994: 15).

14.07 The ending '**-os**' can be added to a plural noun to indicate most commonly a degree of endearment, eg **plant** *children* > **plantos** *little dears*

'**i agor presante da'n gwragedd a'n plantos**' *to open our presents with our wives and little ones* (Sion Eirian, 1995: 33)

(* **plantos** is by far the most common example of this).

14.08 Adjectives, except for a few very common exceptions such as **hen** *old*, **prif** *chief*, and **unig** *only*, come after the noun, eg **y tŷ gwyn** *the white house*. However, in LW the adjective can also come before the noun and this is especially common in poetry:

'**y caregog dir**' *the rocky land* (W. J. Gruffydd in Thomas Parry (ed.), 1962: 435).

14.09 Adjectives can be repeated twice for emphasis:

'**Merch bert oedd hi hefyd - gwallt hir melyn a dau lygad glas, glas**' *She was a pretty girl as well - long blonde hair and deep blue eyes* (Dic Jones, 1989: 56);

'**Aeth ei gorff yn drymach, drymach**' *His body became heavier and heavier* (Rhiannon Davies Jones, 1987: 194).

14.10 Adjectives often have a distinct feminine form

masculine	feminine	
bychan	**bechan**	*small*
cryf	**cref**	*strong*
dwfn	**dofn**	*deep*
gwyn	**gwen**	*white*
melyn	**melen**	*yellow*
tlws	**tlos**	*pretty*
trwm	**trom**	*heavy*

All the above feminine forms are common in all registers of Welsh. However, some of the more esoteric feminine adjectival forms (eg **gwleb** (< **gwlyb** *wet*), **hell** (< **hyll** *ugly*), **seth** (< **syth** *straight*)) are redundant even in LW.

14.11 A number of adjectives have distinct plural forms

singular	plural	
budr NW	**budron** NW	*dirty*
caled	**celyd**	*hard*
du	**duon**	*black*
gwyn	**gwynion**	*white*

These plurals are found in LW and in stock vocabulary, eg **gwartheg duon Cymreig** *Welsh black cattle*, **mwyar duon** *blackberries*, but generally they are uncommon in OW and CW, except perhaps in NW

'gobeithion gweigion' *empty hopes* (Robin Llywelyn, 1994: 57);

'Ffeithie celyd, cas' *Hard, horrible, facts* (Islwyn Ffowc Elis, 1974: 97).

14.12 Equative adjectives can be expressed in two ways

cyn bwysiced â	*as important as*
mor bwysig â	*as important as*

Both forms are common in all registers of Welsh throughout Wales, although one writer (Robyn Léwis, 1993: 53 & 104) has suggested that **cyn bwysiced â** is the favoured form in NW, and **mor bwysig â** is the favoured form in SW.

14.13 In SW, the irregular equative forms **mor belled** *so far*, **mor hired â** *as long as* etc. are also common, although they are not acceptable in LW and OW:

'o'dd wedi bod yn ddigon tywyll mor belled' *it had been dark enough so far* (Meirion Evans, 1996: 77);

'Fe gydiodd e yn y cwdyn papur a'i dwlu fe mor belled â galle fe' *He grabbed a paper bag and threw it as far as he could* (Meirion Evans, 1996: 99).

14.14 Proportionate equality is expressed in English in the comparative (eg *the bigger the house, the bigger the price*), but in Welsh the superlative is used and is usually preceded by **po**

'Serch hynny, mae gan bob unigolyn ei ran i'w chwarae a pho fwyaf sy'n rhannu'r baich, mwyaf tebygol ydym o lwyddo' *However, each individual has got his part to play and the more who share the burden, the more likely we are to succeed* (Dafydd Wigley, 1992: 9).

In addition, this construction can be reinforced by the addition of **yn y byd** (lit *in the world*) with the superlatives

'Mwya'n byd o fusnas, mwya'n byd o bobol; a mwya'n byd o bobol, mwya'n byd o geir' *The more business, the more people; and the more people, the more cars* (Wil Sam, 1995: 79);

'A hwya'n y byd rydych chi'n gadael i'r pethau hyn fod, mwya 'da chi'n gweld eu colli' *And the longer you leave these things be, the more you miss them* (Angharad Tomos, 1991: 135).

Appendix 15: Pronouns

15.01 Simple pronouns are as follows

LW	OW & CW	
i, fi	**i, fi**	*I, me*
ti	**ti, chdi** NW	*you*
ef	**e** OW SW **o** NW	*he, him, it*
	fe SW **fo** NW	
	fa Glam	
hi	**hi**	*she, her, it*
ni	**ni**	*we, us*
chwi	**chi**	*you*
hwy	**nhw**	*they, them*

15.02 Notes on 15.01

(i) In LW, the pronoun is omitted where possible if the verb or preposition indicates the person

'Daeth y Phariseaid a'r Sadwceaid ato, ac i roi prawf arno gofynasant iddo ddangos iddynt arwydd' *The Pharisees and Sadducees came to him, and tested him by asking him to show them a sign* (Matthew 16:1);

In OW, it is also common for the pronoun to be omitted for succinctness

'A ydych yn cael digon o waith?' *Do you obtain enough work?* (questionnaire from economic strategy policy document for the Llŷn Peninsula, 1988);

The pronoun is usually retained in CW for clarity, but it can be omitted if an ending makes it obvious.

(ii) Occasionally, the pronoun can come before the verb (most notable in Glam)

'Chi synnech faint o wŷr cefnog y plwyf sy'n 'angofio' talu'r degwm' *You'd be surprised how many rich men in the parish 'forget' to pay the tithe* (Nansi Selwood, 1987: 97);

'Chi ddylech glywed Herbert Price' *You should hear Herbert Price* (Nansi Selwood, 1987: 218).

(iii) In the first person, **fi** is used after prepositions, eg **gyda fi** *with me* (except **i mi** *to me*), and as the object, eg **credwch chi fi** *believe you me*.

(iv) In the second person singular **chdi** (from the independent double pronoun: see below) is used extensively in NW with prepositions, eg **heblaw chdi** *apart from you* and conjunctions, eg **'well na chdi'** *better than you* (Sonia Edwards, 1995: 19).

(v) In OW **e** is the favoured third person singular, but occasionally the NW form **o** is also used

'Mae'r enw Canu Natur yn nodi'n ddigon cyflawn beth yw o' *The name Nature Poetry notes fairly completely what it is* (Gwyn Thomas, 1976: 99).

(vi) **Fa** Glam **fe** OW SW **fo** OW NW are used after prepositions, eg **gyda fe** *'with him'*, after verbal forms ending in **'-ai'** in CW, eg **dylai fe**, *he should,* and **fo** with the NW form **ddaru** (see Appendix 4.07).

(vii) When **hi** comes after a vowel in SW it can be pronounced **'ddi**

'Crist, o'dd golwg ffwrch arni 'ddi' *Christ, she looked like she wanted a shag* (Twm Miall, 1990: 137).

(viii) To translate *it,* the pronoun reflects the gender of the subject

mae'r car yn las, ac mae e'n hen *the car's blue and it's old*

mae'r gadair yn las, ac mae hi'n hen *the chair's blue, and it's old*

When an unspecified subject is referred to, then **hi** is used

mae hi'n oer *it's cold*

mae hi'n anodd *it's hard*

However, in CW it is also common for **e** SW and **o** NW to denote unspecified subjects

'Mae o'n hollol naturiol ei bod hi eisiau gweld llefydd cyfarwydd' *It's totally natural that she wants to see familiar places* (Angharad Tomos, 1991: 34);

'Na, na, na, mae o'n ddiddorol' *No, no, no, it's interesting* (Wiliam Owen Roberts, 1990: 49).

(ix) The use of the pronouns of address, **chi** and **ti** *you,* varies widely from family to family and from area to area, but nonetheless there are discernable patterns

(a) **Chi** is used with figures of authority (teachers, employers etc.), older people (parents, grandparents etc.), strangers, in some areas when speaking to a girl or woman and when speaking to more than one person. It is also the favoured form in teaching Welsh to adults as it is less gramatically complicated than **ti**. If no specific person is addressed, the impersonal is generally used, eg **gellir gweld yr afon o fan hyn** *one/you can see the river from here.*

(b) **Ti** (and **chdi** in NW) is used with a person in the same age group, a friend, a child, an animal and God.

(c) Although there is little empirical evidence, it would appear that Welsh speakers are becoming more informal in everyday speech and are more prepared to use **ti** instead of the more distant **chi**. For example, for the generation born before 1945, a boy would address a girl of the same age group as **chi**, and would certainly address an older person in this manner. However, people nowadays invariably address each other as **ti**, regardless of sex and how long they have known each other, although this is not to imply that **chi** is uncommon.

(d) Consistency is important in the use of **chi** and **ti** and it sounds incongruous to use them interchangeably. However, there is some evidence that the large number of second language Welsh-speaking children, often the products of English-speaking homes and Welsh-language schools, show a tendency to use **chi** and **ti** interchangeably, but with an emphasis on **chi** (Glyn E. Jones, 1988: 229-238).

(e) The third person singular is also used occasionally as the pronoun of address in Dyfed

'Ef oedd y cyntaf i mi ei glywed a siaradai yn y trydydd person bob amser - 'Shw ma' fe? ... Gweded e, 'nawr 'te, shwd a'th hi arno fe i gw'mpo fel 'na?' *He was the first person I heard who used to speak in the third person all the time - 'How are you? ... Tell me, now then, how did you fall like that?'* (Dic Jones, 1989: 90).

(x) The LW forms **chwi** and **hwy** are rare in the spoken language except in the most formal circumstances and they are confined in the written language to a very high literary register. However, due to the weight of tradition they are very unlikely to disappear.

15.03 Unlike English, Welsh also has independent double pronouns

LW	OW & CW	
myfi	**(y) fi**	*I, me*
tydi	**(y) ti, (y) chdi** NW	*you*
efô, efe	**(y) fe** OW CW **(y) fo** NW	*he, him, it*
hyhi	**(y) hi**	*she, her, it*
nyni	**(y) ni**	*we, us*
chwychwi	**(y) chi**	*you*
hwynt-hwy	**(y) nhw**	*they, them*

15.04 Notes on 15.03

(i) Independent double pronouns are used for emphasis

'Roedd e'n dibynnu arni'n llwyr; hyhi oedd y byd i gyd iddo' *He depended completely on her; <u>she</u> was the whole world to him* (Mihangel Morgan, 1992: 35);

'Y fi gafodd y job ddiflas o dywallt a chrafu'r jam yn ôl i'r sosban' *<u>I</u> got the boring job of pouring and scraping the jam back into the saucepan* (Miriam Llywelyn, 1994: 72).

(ii) Double pronouns can be used in isolation, hence their name '<u>independent</u> double pronouns'. They do not depend on other words for their meaning and are used after conjunctions

'Roedd pawb arall yn gwybod ond hyhi' *Everyone else knew but her* (Mihangel Morgan, 1992: 52);

"Pwy bia'r cwt, y siop 'ma?' 'Fi a chdi lad' *'Who owns the hut, this shop?' 'Me and you lad'* (Wil Sam, 1995: 68).

15.05 Again also unlike English, Welsh also has conjunctive pronouns

LW	OW & CW	
minnau, finnau, innau	**minnau, finnau, innau**	*I, me*
tithau	**tithau, dithau, chdithau** NW	*you*
yntau	**yntau, fyntau, fonta** NW	*he, him, it*
hithau	**hithau**	*she, her, it*
ninnau	**ninnau**	*we, us*
chwithau	**chithau**	*you*
hwythau	**nhwthau**	*they, them*

15.06 Notes on 15.05

(i) Conjunctive pronouns cannot be used in isolation: they are used in conjunction or in contrast with other nouns or pronouns

'Mae Mati a minnau am fynd i'r dref ddydd Mercher' *Mati and I want to go to town on Wednesday* (Kate Roberts, 1976: 27).

(ii) Conjunctive pronouns can be used to add emphasis

'mae'r môr yn fawr ac yn gryf a finna'n fach' *the sea is big and strong and I'm so small* (Miriam Llywelyn, 1994: 61);

"Ollyngais i bowlan bwdin reis ar llawr cyn cinio ac ma'n gas gen i feddwl am godi E.T. rhag ofn iddo fynta lithro fel sliwan trwy 'nwylo fi' *I dropped a bowl of rice pudding on the floor before lunch and I hate to think about picking up E.T. in case he slips like an eel through my hands as well* (Margiad Roberts, 1994: 212).

(iii) Essentially, conjunctive pronouns have the effect of adding the sense of *and me as well, and me included* etc. to a pronoun

'Rydw i'n dy garu di, Cit.' 'A minna'n dy garu ditha' *'I love you, Kit.' 'And I love you too'* (John Gwilym Jones, 1979(i): 66).

15.07 Dependent pronouns take the following forms, illustrated with the noun **pen** *head*

LW	OW & CW	
fy mhen i	**fy mhen i**	*my head*
dy ben di	**dy ben di**	*your head*
ei ben ef	**ei ben e** OW SW	*his head*
	ei ben o NW	
ei phen hi	**ei phen hi**	*her head*
ein pennau ni	**ein pennau ni**	*our heads*
eich pennau chwi	**eich pennau chi**	*your heads*
eu pennau hwy	**eu pennau nhw**	*their heads*

15.08 Notes on 15.07

(i) These forms can also be used to express the pronoun object of a verb noun

'**y mae Herod â'i fryd ar dy ladd di**' *Herod wants to kill you* (Luke 13:31).

(ii) In LW, the emphasis is on the initial dependent pronoun

'**Ei atgyfodiad oedd dy wanwyn**' *His revival was your spring* (Gwenallt in Thomas Parry (ed.), 1962: 474).

(iii) In CW the emphasis is frequently on the second dependent pronoun, with even the initial dependent pronoun being omitted altogether

'**Mi fydd criw ni'n mynd yn fuan i fachu seti canol**' *Our crew are going soon to grab the middle seats* (Miriam Llywelyn, 1994: 21);

'**Tyrd i lle ni heno**' *Come to our place tonight* (Dafydd Huws, 1978: 80).

(iv) In the first and second person singular, the following forms are common among younger Welsh-speakers, although these forms are often viewed with hostility by many other Welsh-speakers

pen fi	*my head*
pen ti	*your head*

'**Sa i 'di gweld ti ers wythnos**' *I haven't seen you for a week* (John Owen, 1994: 60);

'**Mi nath yr un peth digwydd i brawd fi, Wal!**' *The same thing happened to my brother, Wal!* (Ieuan Parry, 1993: 54).

(v) In CW, **fy** is usually elided to just '**y** or omitted altogether and the emphasis placed on the mutation

'**O'n i'n gneud 'y ngora glas i guddiad 'y ngheg gam**' *I was doing my level best to hide my snarl* (Dafydd Huws, 1990: 77);

'**Iesu odd hi'n braf cal sticio 'mhen allan drw' ffenast y trên**' *Jesus it was nice to be able to stick my head out of the train window* (Dafydd Huws, 1978: 36).

(vi) In the first person in CW, **fy** can also be pronounced **yn**

'**Ddeudish i ddim byd, dim ond rejistro enw'r ceffyla yn 'yn meddwl yn ddistaw bach**' *I didn't say anything, just registered the horses' name in my mind surreptiously* (Dafydd Huws, 1978: 68);

'**Gymrodd hi bum peint o 'Whitbread' Meild i fi ddod at yn hun**' *It took five pints of Whitbread Mild for me to come to myself* (Dafydd Huws, 1978: 56).

(vii) Very occasionally in CW the first person form **fy mhen fi** is used

'**Mi fuasai llawn cystal gen i gael ci bychan, crwn hefo coesau byr i gysgu wrth draed fy ngwely fi yn y nos**' *I would find it just as good to a have a small, round dog with short legs sleep at the foot of my bed at night* (Sonia Edwards, 1995: 57).

(viii) In the third person in CW, **ei** can be reduced to '**i**

'**Ble ma i gapal o, Benjamin?**' *Where's his chapel, Benjamin?* (Rhydwen Williams, 1969: 71).

(ix) In the third person singular in CW, the forms **ei ben fe** SW and **ei ben fo** NW can also be used

'**Ma'i dŷ fe'n wag**' *His house is empty* (Aled Islwyn, 1994: 45);

'**Ei enw fo?**' *His name?* (John Gwilym Jones, 1979(i): 58).

(x) **Ei** (and its abbreviated forms **'i** and **'w**) is also used in verbal forms (but not **ei ... ef**) when its English equivalent would not be used, most notably with the verbs **dweud**, **gwneud** and **meddwl**

'**Wyddai o ddim beth arall i'w ddweud**' *He didn't know what else to say* (Alun Ffred and Mei Jones, 1990: 15);

'**Beth mae e'n 'i feddwl**' *What does he mean?* (Dic Jones, 1989: 206);

'**Be ddylet ti ei wneud ydi codi benthyciad**' *What you should do is get a loan* (Wiliam Owen Roberts, 1990, 50).

(xi) Plural dependent pronouns can also be pronounced as follows in CW, and informal texts often reflect this

yn pennau ni	*our heads*
ych pennau chi	*your heads*
'u pennau nhw	*their heads*

''**Rydan ni hogia Adfer yn gneud rwbath am y sefyllfa yn lle ista ar yn tina mewn pybs yn malu cachu**' *Us Adfer lads are doing something about the situation instead of sitting on our arses in pubs bullshitting* (Dafydd Huws, 1978: 86);

'**Mi af i ddweud ych bod chi ma**' *I'll go and say that you're here* (Rhydwen Williams, 1969: 95).

15.09 Possessive pronouns can be abbreviated in a number of circumstances, and there are a number of important variations in CW.

(i) **Fy** *my* and **dy** *your* become **'m** and **'th** after the following

a	*and*		**na**	*than*
a	*which, who*		**ni**	*negative particle*
â	*as, with*		**o**	*from, of*
fe	*meaningless verbal particle*		**oni**	*no, if not*
			pe	*if*
gyda	*with*		**y**	*that, which*
i	*to*			
mi	*meaningless verbal particle*			

'**Y mae fy iau i yn hawdd ei dwyn, a'm baich i yn ysgafn**' *For my yoke is easy and my burden is light* (Matthew 11:30);

'**Rob ydi popeth i'th fam**' *Rob is everything to your mam* (John Gwilym Jones, 1979(ii): 59).

(ii) The forms **'m** and **'th** are not unknown in CW, as the above example by John Gwilym Jones demonstrates, and they are common in certain set phrases, proverbs and idioms. Nonetheless, they are generally ignored in the spoken language

'**Efallai i Nhad sylweddoli**' *Perhaps my dad realised* (Dic Jones, 1989: 129);

'**amdana i a 'nheulu**' *about me and my family* (Wiliam Owen Roberts, 1990: 144);

'**Cadw i dy ochor y blydi ffŵl**' *Keep to your side you bloody fool* (Huw Roberts, 1981: 15).

(iii) **Fy** can also be abbreviated to **'n** (see 15.08 (vi) above)

'**O'dd 'y ngeirfa i'n dirywio erbyn hyn - a'n *resistance* i**' *My vocabulary was degenerating by now - and my resistance* (John Owen, 1994: 83).

(iv) In the third person, **ei** and **eu** are reduced to **'i** and **'u** respectively after any vowel, eg **gyda'i thad** *with her father*, **golchi'u ceir** *washing their cars*. However, note should be made of the form **i'w**, which follows the preposition **i**, eg **i'w dad e** *to his father*, which can be pronounced **iddi** in SW (see also 15.02(vii) above).

'**O'dd hi'n mynd i Gaerdydd iddi nôl e**' *She was going to Cardiff to fetch him* (John Owen, 1994: 178);

'**A fu-ws Anni'n driw idd'i gair 'ed**' *And Annie was true to her word as well* (Dafydd Rowlands, 1995: 62).

15.10 Possessive pronouns take the following forms in LW

eiddof	*mine*
eiddot ti	*yours*
eiddo ef	*his*
eiddi hi	*hers*
eiddom ni	*ours*
eiddoch chwi	*yours*
eiddynt hwy	*theirs*

'**eiddof fi yw'r tir**' *the land is mine* (Leviticus 25:23).

207

(i) These forms are very rare nowadays in all registers of Welsh and, except on a limited number of occasions such as in the above example, they have been deleted from the Bible. The only common form in everyday use is that found on correspondence **yr eiddoch yn gywir** *yours sincerely.*

(ii) The following forms are found in all registers of Welsh, which uses **eiddo** with dependent pronouns, although they are most commonly found in LW

fy eiddo i	*mine*
dy eiddo di	*yours*
ei eiddo ef	*his*
ei heiddo hi	*hers*
ein heiddo ni	*ours*
eich eiddo chwi	*yours*
eu heiddo hwy	*theirs*

'**Ei heiddo hi oedd y castell y nos hon**' *The castle was hers this night* (Rhiannon Davies Jones, 1987: 47);

'**Roedd llygaid pawb ar T.C. - pawb yn gwylio pob symudiad o'i eiddo**' *Everyone's eyes were on T.C. - everyone was watching every movement of his* (Vivian Wynne Roberts, 1995: 68).

(iii) The most common forms to denote possessive pronouns are as follows

fy un i	*mine, my one*	**fy rhai i**	*mine, my ones*
dy un di	*yours, your one*	**dy rai di**	*yours, your ones*
ei un e OW SW	*his, his one*	**ei rai e** OW SW	*his, his ones*
ei un o NW		**ei rai o** NW	
ei hun hi	*hers, her one*	**ei rhai hi**	*hers, her ones*
ein hun ni	*ours, our one*	**ein rhai ni**	*ours, our ones*
eich un chi	*yours, your one*	**eich rhai chi**	*yours, your one*
eu hun nhw	*theirs, their one*	**eu rhai nhw**	*theirs, their one*

'**Mae Lynwen Frazer wedi gorffen ei hun hi**' *Lynwen Frazer has finished hers* (Miriam Llywelyn, 1994: 44);

'**Well gin i ista ar lechan drws Nain na nunlla. Ma hi'n uwch na'n hun ni**' *I prefer to sit on Nain's doorstep than anywhere else. Its higher than ours* (Jane Edwards, 1989: 26);

''**Chydig iawn wn i am reddfau neb ond fy rhai i fy hun**' *I know very little about anyone else's instincts but my own ones* (John Gwilym Jones, 1976: 60);

'**Fymryn yn hŷn na'n rhai i 'lly**' *A bit older than mine then* (Wiliam Owen Roberts, 1990: 190).

(iv) In LW, and predominantly in NW, **biau/piau** is used extensively with the independent double pronoun to denote the possessive

'**Myfi piau dial**' *Revenge is mine* (Hebrews 10:30);

'**Ni biau Eryri**' *Snowdonia is ours* (Rhiannon Davies Jones, 1977: 107);

'**Ew, welais i rioed gymaint o bres efo'i gilydd o'r blaen, a fi pia nhw i gyd**' *Heck, I'd never seen so much money together before, and it's all mine* (Theatr Bara Caws, 1995: 48);

'**Drychwch,**' meddai Gwenan, '**pwy sy pia hwn?**' *'Look,' said Gwenan, 'whose is this?'* (Jane Edwards, 1993: 20).

(v) In SW, **berchen/perchen** is used with the independent double pronoun to denote the possessive

Fi sy berchen e *It's mine*

(vi) The prepositional forms **i mi** etc. can be used with family and friends to denote the possessive

'**Roedd hi unwaith yn gariad i mi**' *She was once a girlfriend of mine* (Robin Llywelyn, 1994: 127).

Appendix 16: Prepositions

16.01 The prepositional forms that follow are those most commonly used in the various registers of Welsh, although this is not a comprehensive list. The literary Welsh forms are taken from the grammars of David A. Thorne and Stephen J. Williams, while the official Welsh forms are taken from *Ffurfiau Ysgrifenedig Cymraeg Llafar* (see bibliography).

16.02 **Am**

LW	OW & CW	NW	SW
amdanaf fi/i	amdana i	amdana i	amdano i
amdanat ti	amdanat ti	amdanat ti/amdana chdi	amdanot ti
amdano ef	amdano fe/fo	amdano fo	amdano fe
amdani hi	amdani hi	amdani hi	amdani hi
amdanom ni	amdanon ni	amdanan ni	amdanon ni
amdanoch chwi	amdanoch chi	amdanach chi	amdanoch chi
amdanynt hwy	amdanyn nhw	amdanan nhw	amdanon nhw

(* In parts of NW **amdan** is also used in addition to the primordial form **am**, eg '**Mae hi wedi distewi yno erbyn hyn a rhyw gysgodion wedi hel amdan y plas mawr gwyn**' *It has quietened down there by now and some shadows have collected around the large white mansion* (*Golwg*, 11 May 1995: 19))

16.03 **Ar**

LW	OW & CW	NW	SW
arnaf fi/i	arna i	arna i	arno i
arnat ti	arnat ti	atnat ti/arna chdi	arnot ti
arno ef	arno fe/fo	arno fo	arno fe
arni hi	arni hi	arni hi	arni hi
arnom ni	arnon ni	arnan ni	arnon ni
arnoch chwi	arnoch chi	arnach chi	arnoch chi
arnynt hwy	arnyn nhw	arnan nhw	arnon nhw

16.04 **At**

LW	OW & CW	NW	SW
ataf fi/i	ata i	ata i	ato i
atat ti	atat ti	atat ti/ata chdi	atot ti
ato ef	ato fe/fo	ato fo	ato fe
ati hi	ati hi	ati hi	ati hi
atom ni	aton ni	atan ni	aton ni
atoch chwi	atoch chi	atach chi	atoch chi
atynt hwy	atyn nhw	atan nhw	aton nhw

16.05 **Gan** see Appendix 13.05-13.06.

16.06 **Gyda** see Appendix 13.05-13.06.

16.07 **Heb**

LW	OW & CW	NW	SW
hebof fi/i	hebddo i	hebdda i	hebddo i
hebot ti	hebddot ti	hebddat ti, hebdda chdi	hebddot ti
hebddo ef	hebddo fe/fo	hebddo fo	hebddo fe
hebddi hi	hebddi hi	hebddi hi	hebddi hi
hebom ni	hebddon ni	hebddan ni	hebddon ni
heboch chwi	hebddoch chi	hebddach chi	hebddoch chi
hebddynt hwy	hebddyn nhw	hebddan nhw	hebddon nhw

16.08 **I**

LW	OW & CW	NW	SW
im, imi	i fi, i mi	i mi	i fi
it, iti	i ti	i ti/i chdi	i ti
iddo ef	iddo fe/ fo	iddo fo	iddo fe
iddi hi	iddi hi	iddi hi	iddi hi
in, inni	i ni	i ni	i ni
iwch, ichwi	i chi	i chi	i chi
iddynt hwy	iddyn nhw	iddyn nhw	i nw

16.09 O

LW	OW & CW	NW	SW
ohonof fi/i	ohono i	ohona i	ohono i
ohonot ti	ohonot ti	ohonat ti, ohona chdi	ohonot ti
ohono ef	ohono fe/fo	ohona fo	ohono fe
ohoni hi	ohoni hi	ohoni hi	ohoni hi
ohonom ni	ohonon ni	ohonan ni	ohonon ni
ohonoch chwi	ohonoch chi	ohonach chi	ohonoch chi
ohonynt hwy	ohonyn nhw	ohonan nhw	ohonon nhw

(* In CW **ohonof** etc. can be abbreviated to **ono i** etc., eg **'Ma' sawl ffordd o ddod mas o'ni'** *There are several ways of getting out of it* (Eirwyn Pontshân, 1973: 93))

16.10 Rhag

LW	OW & CW	NW	SW
rhagof fi/i	rhagddo i	rhagdda i	rhagddo i
rhagot ti	rhagddot ti	rhagddat ti, rhagdda chdi	rhagddot ti
rhagddo ef	rhagddo fe/fo	rhagddo fo	rhagddo fe
rhagddi hi	rhagddi hi	rhagddi hi	rhagddi hi
rhagom ni	rhagddon ni	rhagddan ni	rhagddon ni
rhagoch chwi	rhagddoch chi	rhagddach chi	rhagddoch chi
rhagddynt hwy	rhagddon nhw	rhagddan nhw	rhagddon nhw

16.11 Rhwng

LW	OW & CW	NW
rhyngof fi/i	rhyngddo i	rhyngdda i
rhyngot ti	rhyngddot ti	rhyngddat ti, rhyngdda chdi
rhyngddo ef	rhyngddo fe/fo	rhyngddo fo
rhyngddi hi	rhyngddi hi	rhyngddi hi
rhyngom ni	rhyngddon i	rhyngddan i
rhyngoch chwi	rhyngddoch chi	rhyngddach chi
rhyngddynt hwy	rhyngddyn nhw	rhyngddan nhw

SW	SW
rhyngto i	rynto i
rhyngtot ti	ryntot ti
rhyngto fe	rynto fe
rhyngti hi	rynti hi
rhyngton ni	rynton ni
rhyngtoch chi	ryntoch chi
rhyngton nhw	rynton nhw

16.12 Tros (dros)

LW	OW & CW	NW	SW
trosof fi/i	drosto i	drosta i	drosto i
trosot ti	drostot ti	drostat ti, drosta chdi	drostot ti
trosto ef	drosto fe/fo	drosto fo	drosto fe
trosti hi	drosti hi	drosti hi	drosti hi
trosom ni	droston ni	drostan ni	droston ni
trosoch chwi	drostoch chi	drostach chi	drostoch chi
trostynt hwy	drostyn nhw	drostan nhw	droston nhw

16.13 Trwy (drwy)

LW	OW & CW	NW	SW
trwof fi/i	drwyddo i	drwydda i	drwyddo i
trwot ti	drwyddot ti	drwyddat ti,drwydda chdi	drwyddot ti
trwyddo ef	drwyddo fe/fo	drwyddo fo	drwyddo fe
trwyddi hi	drwyddi hi	drwyddi hi	drwyddi hi
trwom ni	drwyddon ni	drwyddan ni	drwyddon ni
trwoch chwi	drwyddoch chi	drwyddach chi	drwyddoch chi
trwyddynt hwy	drwyddyn nhw	drwyddan nhw	drwyddon nhw

16.14 Wrth

LW	OW & CW	NW	SW
wrthyf fi/i	wrtho i	wrtha i	wrtho i
wrthyt ti	wrthot ti	wrthat ti, wrtha chdi	wrthot ti
wrtho ef	wrtho fe/fo	wrtho fo	wrtho fe
wrthi hi	wrthi hi	wrthi hi	wrthi hi
wrthym ni	wrthon ni	wrthan ni	wrthon ni
wrthych chwi	wrthoch chi	wrthach chi	wrthoch chi
wrthynt hwy	wrthyn nhw	wrthan nhw	wrthon nhw

(* In SW **wrtho i etc.** is often abbreviated to **'tho i etc.**, most commonly with the verbal form **dweud wrth rywun** *to tell someone*, eg **'Reit ... Uh, jyst galw o'n i i weud 'thot ti am fod yn barod erbyn saith o'r gloch'** *Right ... Er, I was just calling to tell you to be ready by seven o'clock* (William Gwyn, 1996: 53))

16.15 Yn

LW	OW & CW	NW	SW
ynof fi/i	ynddo i	yna i	yndo i
ynot ti	ynddot ti	yna ti, yna chdi	yndot ti
ynddo ef	ynddo fe/fo	yno fo	yndo fe
ynddi hi	ynddi hi	yni hi	yndi hi
ynom ni	ynddon ni	ynan ni	yndon ni
ynoch chwi	ynddoch chi	ynach chi	yndoch chi
ynddynt hwy	ynddyn nhw	ynan nhw, ynyn nhw	yndon nhw, yndyn nhw

Appendix 17: Mutations

17.01 Mutations are a result of the development of Welsh over the centuries from the original Brythonic language in the Dark Ages and thus the correct application of the rules of mutation is an essential component of the spoken and idiomatic language. It also needs to be borne in mind that one of the primary purposes of mutations is to make the language easier to pronounce and mistakes jar on the Welsh ear. For example, the sentence **mae dyn ar pen y pont** *there is a man on top of the bridge* is harder for a native Welsh speaker to say than the correct **mae dyn ar ben y bont** (see Gwyn Thomas, 1977: 76).

17.02 In literary and official Welsh there are very clear and well-defined rules of mutation which are generally strictly adhered to (for a comprehensive coverage, see D.A. Thorne, 1993: 22-82).

17.03 It must be emphasised that the differences in mutations between literary and spoken Welsh are not great. One authority has stated

it must be recorded that, as things stand, most Welsh-speakers mutate as they have always done, and that the rules of mutation are still essentially the same in the written language and in the dialects. In very few cases can spoken Welsh, local or common, be said to have developed a system different from that of the standard literary language (Dafydd Glyn Jones, 1988: 140).

17.04 The notes that follow indicate some of the most common variations in colloquial Welsh from the mutations of the literary language. There are other minor variations, but they do not follow any clear discernable pattern.

17.05 Variations in the soft mutation

(i) The soft mutation of **bach** *small* is often ignored in NW after singular feminine nouns

'hogan bach' *a small girl* (Caradog Prichard, 1961: 151);

'o'r ysgol bach' *from the small school* (Gwyn Thomas in Eleri Hopcyn (ed.), 1995: 89).

(ii) In LW verbal forms of **bod**, such as **bydd, bu** etc., are frequently not mutated in the negative

'Yr Arglwydd yw fy mugail, ni bydd eisiau arnaf' *The Lord is my shepherd, I shall not want* (Psalm 23:1);

This lack of mutation is unusual in OW and CW, but not unknown

'Ni byddai hynny'n ddim i synnu ato heddiw' *That would not be anything to be surprised about today* (Dic Jones, 1989: 29).

(iii) **Braf** *fine* does not undergo the soft mutation in any circumstance, eg **mae'n braf** *it's sunny*. However, **braf** is very occasionally mutated to **fraf** after singular feminine nouns in SW, eg **noswaith fraf** *a fine evening*.

(iv) The soft mutation of **'d'** does not occur after some nouns ending in **'-s'**, eg **nos da** *good night* **ewyllys da**, *goodwill*, **wythnos diwethaf** *last week*. However, with the latter example it is also common to see in CW **wythnos ddiwethaf**

'fel petai wedi ei gladdu'r wythnos ddiwetha" *as though he'd been buried last week* (Dic Jones, 1989: 38).

(v) Slang and borrowed words beginning with **'g'**, such as **giami** *dodgy*, **giamocs** *antics*, and **giamster** *person who is good at something*, frequently do not undergo the soft mutation

'Arglwydd, sôn am deimlo'n giami. Odd gin i ddim sentan i gal y mheint nesa' *God, talk about feeling dodgy. I didn't have a brass farthing for my next pint* (Dafydd Huws, 1978: 9);

'Diflannodd [y stripper] i'r twllwch yng nghornol y clwb ar ôl ryw bum munud o giamocs' *[The stripper] disappeared into the darkness of a corner of the club after some five minutes' antics* (Dafydd Huws, 1978: 94);

'Roedd George yn dipyn o giamstar ar ddartiau' *George was a bit good at darts* (Alun Ffred and Mei Jones, 1990: 26).

(vi) The mutation of **'ll'** is frequently ignored in CW, and this is occasionally reflected in OW

'seren llenyddol' *a literary star* (*Sbec TV Wales*, 25 February 1989: 8);

'yr holl ffordd o Llanbabo' *all the way from Deiniolen* (Caradog Prichard, 1961: 121).

Conversely, **'ll'** is mutated when it should not be after **un** *one* and the particle **yn**

'[Yr oedd y llyfr yn] un law pan ymestynnodd hefo'i law arall am y Kit-Kat' *[The book was in] one hand when he stretched with the other for the Kit-Kat* (Wiliam Owen Roberts, 1990: 120);

'Duw, ma hwn yn le mawr!' *God, this is a big place!* (Nansi Selwood, 1987: 155).

(vii) The particles **fe** and **mi** before verbs (see entries) are often dropped in CW leaving positive forms mutated (the meaning is not affected)

'Gerddodd e bant' *He walked away* (John Owen, 1994: 46);

'Gesh i doman o gardia' *I got a pile of cards* (Dafydd Huws, 1990: 117).

17.06 Variations in the aspirant mutation

(i) The aspirant mutation is often ignored altogether in CW (with the notable exception of **ei** *her*, following which it is always used)

'Gyda côd ysgrifenedig' *with a written code* (*Golwg*, 8 December 1988: 13);

'tri cynhyrchydd' *three producers* (*Barn*, October 1990: 4).

It was suggested by advocates of **Cymraeg Byw** (see entry) that the aspirant mutation should be discarded altogether (with the exception of **ei** *her*). However, this mutation is such an integral part of the language that it is always retained in LW and OW, and is more common in CW than is often supposed.

(ii) The aspirant mutation of **'c'**, **'p'** and **'t'** in verbal forms is often replaced, though not invariably, by the soft mutation in CW

LW	CW	
ni cherddodd Idwal	**gerddodd Idwal ddim**	*Idwal didn't walk*
ni phrynodd Minwel	**brynodd Minwel ddim**	*Minwel didn't buy*
ni thalodd Beca	**dalodd Beca ddim**	*Beca didn't pay*

(see Beth Thomas and Peter Wynn Thomas, 1989: 80-81).

17.07 Variations in the nasal mutation

(i) The nasal mutation after the preposition **yn** *in* is often replaced by the soft mutation in CW

LW & CW	CW	
ym Mangor	**yn Fangor**	*in Bangor*
yn Llantrisant	**yn Lantrisant**	*in Llantrisant*
ym Mhwllheli	**yn Bwllheli**	*in Pwllheli*
yn Nhreforys	**yn Dreforys**	*in Morriston*

'Lle ma' hogia dre i gyd sy' yn Gaerdydd ...?' *Where are all the town lads who are in Cardiff ...?* (Dafydd Huws, 1978: 9);

'ma'n rhaid i mi barchu pawb sy'n galw i 'ngweld i yn Ganol Cae' *I have to respect everyone who calls to see me at Canol Cae* (Margiad Roberts, 1994: 176).

(ii) Frequently, however, in CW the nasal mutation is ignored altogether with place names, especially with those beginning with '**b**', '**d**', '**p**' and '**t**'

LW & CW	CW	
ym Mlaenau	**yn Blaenau**	*in Blaenau*
yn Neiniolen	**yn Deiniolen**	*in Deiniolen*
ym Mhenrhyn	**yn Penrhyn**	*in Penrhyn*
yn Nhywyn	**yn Tywyn**	*in Tywyn*

'**Fonia Jo a Gladys yn Brithlwyd**' *Phone Jo and Gladys in Brithlwyd* (Angharad Tomos, 1982: 55).

17.08 Miscellaneous variations in mutations

The conjunction **bod** *that* is often not mutated in CW with dependent pronouns

'**Meddwl wedyn - naturiol - bod fi'n y lle rong ia**' *Thought afterwards - naturally enough - that I was in the wrong place, didn't I*' (Dafydd Huws, 1978: 13);

'**Ond ti'n meddwl bod e'n siarad gair o Gymraeg?**' *But do you think that he speaks a word of Welsh?* (Dafydd Huws, 1990: 184).

Appendix 18: Place Names

18.01 The definitive authority on Welsh place names is *Rhestr o Enwau Lleoedd* edited by Elwyn Davies (Caerdydd, Gwasg Prifysgol Cymru, 1957).

18.02 There are a number of place names that have a distinct colloquial Welsh form or local pronunciation, mostly in North and West Wales, and the following is a list of the most common

LW & CW	CW	
Aberffraw	**Berffro**	*Aberffraw*
Abergwaun	**Abergweun**	*Fishguard*
Abergwyngregyn	**Aber**	*Abergwyngregyn*
Abermaw	**Y Bermo**	*Barmouth*
Abertawe	**Tre'r Jacs**	*Swansea*
Aberystwyth	**Aber**	*Aberystwyth*
Bethesda	**Pesda**	*Bethesda*
Betws-y-Coed	**Bet's-y-Coed, Betws**	*Betws-y-Coed*
Blaenau Ffestiniog	**'Stiniog, (Y) Bl'ena**	*Blaenau Ffestiniog*
Caernarfon	**C'narfon, Tre'r Co bach**	*Caernarfon*
Caerfyrddin	**C'fyrddin**	*Carmarthen*
Castellnewydd Emlyn	**Castellnewy'**	*Newcastle Emlyn*
Cricieth	**Cricath**	*Cricieth*
Deiniolen	**Llanbabo, Llanbabs**	*Deiniolen*
Dinbych	**Dimbach**	*Denbigh*
Llan Ffestiniog	**Llan, 'Stiniog**	*Llan Ffestiniog*
Llanbedr Pont Steffan	**Llambed, Llanbed**	*Lampeter*
Llanberis	**Llanbêr**	*Llanberis*
Llanelli	**Tre'r Sosban**	*Llanelli*
Llanfairpwllgwyngyll	**Llanfair PG**	*Llanfairpwllgwyngyll*
Machynlleth	**Mach**	*Machynlleth*
Merthyr Tudful	**Merthyr**	*Merthyr Tydfil*
Nantlle	**Nanlla**	*Nantlle*
Penrhyndeudraeth	**Penrhyn**	*Penrhyndeudraeth*
Porthaethwy	**Y Borth**	*Menai Bridge*
Porthmadog	**Port**	*Porthmadog*
Trawsfynydd	**Traws**	*Trawsfynydd*
Trefdraeth	**Tidrâth**	*Newport* (Pembs)
Y Gaerwen	**G'erwen**	*Caerwen*
Y Trallwng	**(Y) Trallwm**	*Welshpool*

18.03 There are a small number of towns and villages with **Dinas** as the first element, eg **Dinas Cross**, **Dinas Dinlle**, **Dinas Mawddwy etc.**, and these are occasionally reduced to **Y Dinas** in colloquial Welsh

'**[Yr oedd yr asen yn] leico ca'l basned o ddiod 'da John pan ese fe miwn i dafarn *Clover Hill* in y Dinas**' *[The donkey used to] like having a basinful of drink with John when he went into the Clover Hill pub in Dinas Cross* (Nora Richards in Gwyn Griffiths (ed.), 1994: 70)

(* note **dinas** here refers to a historical encampment, fortress etc. which is a masculine noun and not to the feminine noun **dinas** which means *city*).

18.04 There are a number of towns and villages with **Pont** and **Bont** as the first element, eg **Pontrhydfendigaid**, **Pontypridd**, **Pontarddulais, etc.**, and these are often reduced to **Y Bont** in colloquial Welsh

'**Ni fyddai hanes yr Eisteddfod yn y chwech a'r saithdegau yn gyflawn heb sôn am gyfraniad Bois y Bont, hen ffrindiau o Bontrhydfendigaid**' *The history of the Eisteddfod in the sixties and seventies would not be complete without mentioning the contribution of the Lads from the Bont, old friends from Pontrhydfendigiaid* (Lyn Ebenezer, 1991: 152).

18.05 In Wenglish (see Introduction), places names beginning with **Bont** and **Pont** can become **Ponty** (most commonly with the name **Pontypridd** in SW)

'**Mam bach! 'Dan ni wedi pasio Ponty!**' *Bloody hell! We've passed Pontypridd!* (Dafydd Huws, 1990: 92).

18.06 There are a small number of towns and villages with **Rhos** as the first element, eg **Rhosllannerchrugog**, **Rhostryfan etc.**, and these are often reduced to **Rhos** and **Y Rhos** in colloquial Welsh

'**Erbyn heddiw, fe fydd mwy na mil o bobl wedi gweld sioe Rhos '90 - ymgais pentre' Rhosllannerchrugog i ail-agor drysau canolfan y Stiwt ar ôl deng mlynedd ac i adfywio bywyd cymdeithasol**' *By today, more than a thousand people will have seen the Rhos '90 show - the village of Rhosllannerchrugog's attempt to reopen the doors of the Institute after ten years and revive social life* (*Golwg*, 5 April 1990: 8).

Appendix 19: Personal Names

19.01 Traditional male Welsh names employ **ap** (*son of*) or **ab** before vowels

Dafydd ap Gwilym (lit *Dafydd son of Gwilym*)
Guto ab Owain (lit *Guto son of Owen'*)

These traditional names are evident in many contemporary Welsh surnames

Bowen (< **ab Owain**)
Beynon (< **ab Einion**)
Pritchard (< **ap Rhisiart**)
Parry (< **ap Harri**)
Pugh (< **ap Huw**)

19.02 Traditional female Welsh names employ **ferch** (lit *daughter of*), and its derivatives **erch** and **uch**

Branwen ferch Llŷr (lit *Branwen daughter of Llŷr*)
Margiad uch Ifan (lit *Margaret daughter of Ifan*)

19.03 Surnames employing **ap** and **ab** have enjoyed something of a revival in recent years although they are still uncommon. The use of **ferch** in a surname, however, is extremely rare nowadays and girls are more likely to have **ap** or **ab** in their surname rather than **ferch**, eg **Nia ap Tomos**. Although this is strictly illogical, it is no more illogical than, for example, 'Sarah MacDonald' (*Mac*, Gaelic for *son of*).

19.04 The most common surnames in Wales today are based on male Christian names and are a result of the Anglicisation of Welsh names following the Acts of Union between England and Wales in 1536 and 1543

Davies	Humphries	Thomas
Edwards	Jenkins	Williams
Evans	Jones	
Griffiths	Lloyd	
Hughes	Roberts	

Some of these surnames are often given a Welsh spelling

Dafis (< **Davies**)
Huws (< **Hughes**)
Llwyd (< **Lloyd**)
Tomos (< **Thomas**)

19.05   One trend, particularly among those employed in the media and the arts, is to drop a surname and for a Welsh middle name to become the surname

Dafydd Iwan Jones > **Dafydd Iwan**
Alan Lloyd Roberts > **Alan Llwyd**

19.06   In North Wales the following forms are common in speech

Ifas (< **Evans**)
Jôs (< **Jones**)
Robaitsh (< **Roberts**)
Wilias (< **Williams**)

'**Gryffudd Ifas oedd pawb yn ei alw fo, wsti, ond Gruffydd Evans oedd ei enw iawn o'** *Everyone called him Gryffudd Ifas, you know, but Gruffydd Evans was his proper name* (Caradog Prichard, 1961: 135).

19.07   As a result of the widespread use of a limited number of surnames, nicknames are common in Welsh-speaking communities

'**Tina beth sy wedi newid yn rhyfedd iawn yn ystod yn amser i yw'r ffugenwe. Wêch chi'n nabod neb braidd heb bo ffugenw arno fe. Dim ond Jonesys a Dafisys wê 'na, wê pawb 'run enwe a wê raid ca'l ffugenwe wedyn, fel Champion, Pechadur, Shincs, Dai Goch, Tincer i nabod nhw'** *That's what's changed amazingly in my time is nicknames. You hardly knew anyone who didn't have a nickname. There were only Joneses and Davieses, everyone had the same name, and so you had to have nicknames, like Champion, Pechadur, Shincs, Dai Goch and Tincer in order to know who they were* (Johnny Jones in Gwyn Griffiths (ed.), 1994: 43);

'**Roedd y mewnlifiad o bobol cefn gwlad mor lluosog yr adeg hynny, a chymaint ohonynt o'r un enw, nes bod yn rhaid, er mwyn eu hadnabod a gwybod pwy oedd pwy, rhoi enw'r pentre neu'r fferm o ble y daethent fel math o gyfenw wrth eu henwau bedydd. Nid o unrhyw amharch na bychander y daeth yr enwau yma yn rhan naturiol o eirfa'r fro'** *The influx of people from rural Wales was so common at that time, and so many of them had the same name, it was necessary, in order to know them and to know who was who, to put the name of the village or farm where they came from as a type of surname next to their christian names. These names became part of the natural vocabulary of the area and were not the result of a lack of respect or to belittle them* (Edgar ap Lewys, 1986: 8).

19.08 In literary Welsh authors often choose, or are referred to by, a nom-de-plume associated with

(i) a middle name

John Ceiriog Hughes > **Ceiriog**

(ii) an associated place name

William Williams from Pantycelyn > **Pantycelyn**

(iii) translating elements of a name into Welsh and/or adapting a traditional name

Robert Ambrose Jones > **Emrys ap Iwan**

(iv) a name of poetic resonance

Ellis Evans > **Hedd Wyn**

(* **eisteddfodau** and other literary competitions often require entrants to submit under a nom-de-plume to ensure impartiality).

19.09 In colloquial Welsh, surnames are often added to or replaced by the following

(i) the name of a house, farm, village or town

Gwyn Roberts from Bangor > **Gwyn Bangor**

(ii) the name of a job or place of employment

Richard Burton, employed at the Co-op shop > **Richard Co-op**

(iii) the name of a business

Sir David Maxwell-Fyffe [post-war Conservative minister in Wales associated with Fyffe bananas] > **Dai Bananas**

(iv) a personal trait

William Jones, prone to lying > **Wil Bach y Clwyddgi**

Appendix 20: Dialects

20.01 The traditional view of Welsh dialects can be found in *A Welsh Grammar: Historical and Comparative* by J. Morris-Jones (Oxford, Clarendon Press, 1913), which divides Wales into four distinct dialect areas. Loosely, the dialects spoken in these areas correlate with the following

Gwyndodeg	North-west Wales
Powyseg	Northern Mid Wales and North-east Wales
Dyfedeg	South-west Wales
Gwenhwyseg	South-east Wales

20.02 The major study of Welsh dialectology in the recent past is *A Linguistic Geography of Wales* by Alan R. Thomas (Cardiff, University of Wales Press, 1973), although this is mainly concerned with variations in vocabulary rather than pronunciation and grammar. Thomas identified three major dialect areas, and further divided these into east and west

North-west Wales and North-east Wales
West Mid Wales and East Mid Wales
South-west Wales and South-east Wales

Thomas further divided these six dialect areas into sixteen minor speech areas. However, in many respects Thomas's dialect areas correspond with those identified by Morris-Jones and it is possible to speak in general terms of distinct, geographically-based dialect areas.

20.03 The descriptions that follow are broad-brush portraits of the main Welsh dialects and are based on the following areas:

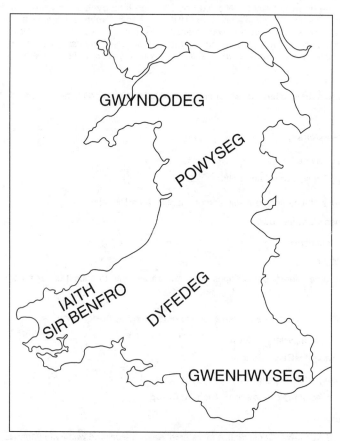

The dialect spoken in Northern Pembrokeshire and Southern Ceredigion, referred to as **iaith Sir Benfro**, is traditionally viewed as part of the **Dyfedeg** dialect but it contains a sufficient number of unique, distinctive features to justify inclusion here as a separate dialect in its own right.

20.04 However, it must be borne in mind that the change from one dialect area to another is gradual and thus it would inappropriate and misleading to give definitive boundaries to these areas.

20.05 The use of the words **Gwyndodeg**, **Powyseg** etc. is generally confined to academic circles and the following are used in colloquial Welsh

LW & CW	CW	
Gwyndodeg	iaith y gogledd (-orllewin)	
Powyseg	iaith y canolbarth	
Dyfedeg	iaith Dyfed	
	iaith y gorllewin ⎫	iaith y de
Gwenhwyseg	iaith Morgannwg ⎬	iaith y Sowth (NW)
	iaith Gwent ⎭	

20.06 **Gwyndodeg: iaith y gogledd(-orllewin)**

(i) *Pronunciation*

(a) '**ai**' found in the final syllable becomes '**a**', eg **tamaid** > **tamad** *bit*
(b) '**ai**' found in the middle of a limited number of words becomes '**i**', eg **eraill** > **erill** *others*
(c) a final '**au**' becomes '**a**', eg **brechdanau** > **brechdana** *sandwiches*
(d) a final '**e**' becomes '**a**', eg **darllen** > **darllan** *to read*
(e) a limited number of words change a final '**s**' to '**sh**', eg **ots** > **otsh** *care*
(f) a limited number of words add '**t**' to the stem, eg **tros** > **trost** *over*
(g) '**u**' is a centralised vowel.

(ii) *Vocabulary*

allan	*out*
nain	*grandmother*
llefrith	*milk*
gwrych	*hedge* (* Anglesey **gwrychyn**)
hances	*handkerchief* (* Anglesey **ffunan boced**)
hogyn	*lad*
lôn	*lane*
llwynog	*fox*
rŵan	*now*

(iii) *Syntax*

'tydi o ddim yn gwybod	*he doesn't know*
'toes dim car gynno fo	*he hasn't got a car*
mi gaeth o'r llyfra ddoe	*he got the books yesterday*
mi ddaru fo ddechra heddiw/	*he started today*
mi ddechreuodd o heddiw	
be' sy' matar arnat ti?	*what's the matter with you?*

20.06 **Powyseg: iaith y canolbarth**

(i) *Pronunciation*

(a) a long '**a**' becomes a long '**e**', eg **bach** > **bech** *small*
(b) '**ai**' found in the final syllable becomes '**e**', eg **tamaid** > **tamed** *bit*
(c) a final '**au**' becomes '**e**', eg **brechdanau** > **brechdane** *sandwiches*
(d) '**i**' is inserted into words beginning '**ca/ga**' and '**ce/ge**', eg **cael** > **ciael** *to have*, **geneth** > **gieneth** *girl*
(f) '**u**' is a centralised vowel.

(ii) *Vocabulary*

allan	*out*	**hances**	*handkerchief*
nain	*grandmother*	**còg**	*lad*
taid	*grandfather*	**lôn**	*lane*
llaeth	*milk*	**llwynog**	*fox*
shetin	*hedge*	**rŵan**	*now*

(iii) *Syntax*

'dydi o ddim yn gwybod	*he doesn't know*
'does dim ciar gynno fo	*he hasn't got a car*
ciafodd o'r llyfre ddoe	*he got the books yesterday*
mi ddechreuodd o heddiw	*he started today*
be' sy'n bod arnat ti?	*what's the matter with you?*

20.07 Dyfedeg: iaith y gorllewin

(i) *Pronunciation*

(a) '**ae**' becomes '**a**', eg **traeth** > **tra'th** *beach*
(b) '**ai**' found in the final syllable becomes a long '**e**', eg **byddai ef** > **bydde fe** *he would*
(c) a final '**au**' becomes '**e**', eg **dechrau** > **dechre** *to start*
(d) '**au**' found in a limited number of monosyllabic words become '**ou**', eg **dau** > **dou** *two*
(e) an initial '**chw**' becomes '**w**', eg **chwarae** > **'ware** *to play*
(f) an initial '**d**' becomes '**j**', eg **diawl** > **jawl** *devil*
(g) '**d**' found in the middle of a limited number of words becomes '**sh**', eg **cydio**> **cytshio** *to grab*
(h) a final '**dd**' can be dropped, eg **newydd** > **newy'** *new*
(i) '**eu**' found in the middle of words can be pronounced '**oi**', eg **beudy** > **boidy** *cow-house*
(j) a final '**i**' is dropped, eg **smocio** > **smoco** *to smoke*
(k) '**oe**' becomes '**o**', eg **coed** > **co'd** *trees*
(l) '**s**' following '**i**' usually becomes '**sh**', eg **dewis** > **dewish** *to choose*
(m) '**u**' is a frontal vowel.

(ii) *Vocabulary*

mas	*out*
mam-gu	*grandmother*
tad-cu	*grandfather*
lla'th	*milk*
clawdd	*hedge*
nicloth	*handkerchief*
crwt(yn)	*lad*
lôn	*lane*
cadno	*fox*
nawr	*now*

(iii) *Syntax*

'sa fe'n gwybod/	*he doesn't know*
'smo fe'n gwybod	
'sdim car 'da fe/	*he hasn't got a car*
'sdim car 'dag e	
cas e'r llyfre ddo'	*he got the books yesterday*
fe ddechreuodd e heddi	*he started today*
be' sy'n bod arnot ti?	*what's the matter with you?*

20.08 Iaith Sir Benfro

(i) *Pronunciation*

(a) '**ae**' becomes '**a**', eg **traeth** > **tra'th** *beach*
(b) '**ai**' found in the final syllable becomes a long '**e**', eg **byddai ef** > **bydde fe** *he would*
(c) a final '**au**' becomes '**e**', eg **dechrau** > **dechre** *to start*
(d) '**au**' found in a limited number of monosyllabic words becomes '**ou**', eg **dau** > **dou** *'two'*
ef) an initial '**chw**' becomes '**w**', eg **chwarae** > **'ware** *to play*
(f) an initial '**d**' becomes '**j**', eg **diawl** > **jawl** *devil*
(g) '**d**' found in the middle of a limited number of words becomes '**sh**', eg **cydio** > **cytshio** *to grab*
(h) a final '**dd**' is dropped, eg **newydd** > **newy'** *new*
(i) '**eu**' found in the middle of words can be pronounced '**oi**', eg **beudy** > **boidy** *cow-house*
(j) a final '**i**' is dropped, eg **smocio** > **smoco** *to smoke*
(k) '**oe**' becomes '**wê**' or '**ŵe**', eg **coed** > **cwêd** *trees*
(l) '**s**' following '**i**' usually becomes '**sh**', eg **dewis** > **dewish** *to choose*
(m) '**u**' is a frontal vowel
(n) '**y dywyll**' becomes '**y glir**', eg **mynydd** > **mini'** *mountain* or becomes '**w**', eg **Cymraeg** > **Cwmrâg** *Welsh*

(ii) *Vocabulary*

mas	*out*
mam-gu	*grandmother*
tad-cu	*grandfather*
lla'th	*milk*
claw'	*hedge*
nicloth	*handkerchief*
rhocyn	*lad*
feidir	*lane*
cadno	*fox*
nawr	*now*

'sa fe'n gwybod/	he doesn't know
'smo fe'n gwybod	
'sdim car 'da fe/	he hasn't got a car
'sdim car 'dag e	
cas e'r llyfre dwe	he got the books yesterday
fe ddechreuodd e heddi	he started today
be' sy'n bod arnot ti?	what's the matter with you?

20.09 Gwenhwyseg: iaith Morgannwg/Gwent

(i) *Pronunciation*

(a) '**ae**' becomes a long '**a**' or a long '**e**', eg **traeth** > **tra'th, tre'th** *beach*
(b) a long '**a**' becomes a long '**e**', eg **tad** > **ted** *father*
(c) '**ai**' found in the final syllable becomes '**a**', eg **byddai ef** > **bydda fa** *he would*
(d) a final '**au**' becomes '**a**', eg **dechrau** > **dechra** *to start*
(e) '**au**' found in a limited number of monosyllabic words becomes '**ou**', eg **dau** > **dou** *two*
(f) an initial '**chw**' becomes '**w**', eg **chwarae** > '**ware** *to play*
(g) an initial '**d**' becomes '**j**', eg **diawl** > **jawl** *devil*
(h) '**d**' found in the middle of a limited number of words becomes '**sh**', eg **cydio** > **cytshio** *to grab*
(i) a final '**e**' can become '**a**', eg **pymtheg** > **pymthag** *fifteen*
(j) '**eu**' found in the middle of words can be pronounced '**oi**', eg **beudy** > **boidy** *cow-house*
(k) a final '**i**' is dropped, eg **smocio** > **smoco** *to smoke*
(l) '**oe**' becomes '**o**', eg **coed** > **co'd** *trees*
(m) '**s**' following '**i**' usually becomes '**sh**', eg **dewis** > **dewish** *to choose*
(n) '**u**' is a frontal vowel
(o) a consonant is hardened in the final syllable (this is known as a **calediad**), eg **cegin** > **cecin** *kitchen*, **cadair** > **cater** *chair*, **nabod** > **napod** *to know* (* it is not always the final syllable, eg **adnod** > **atnod** *Biblical verse*)

(ii) *Vocabulary*

mas	out
mam-gu	grandmother
tad-cu	grandfather
lla'th	milk
perth	hedge
neisied	handkerchief
crwt(yn)	lad
lôn	lane
cadno	fox
nawr	now

(iii) *Syntax*

'sa fe'n gwybod/	he doesn't know
'smo fe'n gwybod/	
nag yw e'n gwybod	
'sdim car 'da fa/	he hasn't got a car
'sdim car 'dag e	
cas e'r llyfra ddo'	he got the books yesterday
fe ddechreodd e heddi/	he started today
fe ddechrews e heddi	
be' sy'n bod arnot ti?	what's the matter with you?

Appendix 21: The Use of English in Welsh

21.01 The English language has had an immense influence on both literary and spoken Welsh throughout the centuries and it is therefore appropriate here to briefly refer to English in the context of colloquial and idiomatic usage. The only major study to date of the use of English in Welsh is *The English Element in Welsh* by T. H. Parry-Williams (London, Honourable Society of Cymmrodorion, 1923) but this refers to early borrowings and is of limited importance in discussing the contemporary complex sociolinguistic situation.

21.02 Due to the Acts of Union between England and Wales in 1536 and 1543, Welsh was banished from all official domains. The language therefore did not become the normal medium of communication in many spheres of life, such as law and administration. This situation has only recently been redressed as Welsh has developed as a medium of education, the Welsh media has become established and the language has moved towards official recognition. Nevertheless, centuries of official neglect and disregard have meant that many speakers today, even when they work through the medium of Welsh, are often unsure or even suspicious of Welsh terminology. Thus, for example, **brôdcastio**, **riterio** and **trystio** may be preferred to **darlledu** *to broadcast*, **ymddeol** *to retire* and **ymddiried** *to trust*. If Welsh existed in a more homogenous and linguistically healthy society, many indigenous words regarded as esoteric by many would have a far greater currency in everyday speech.

21.03 Nevertheless, it was inevitable that English was going to influence Welsh, even if Wales had managed to withstand the current degree of cultural and political assimilation better. This influence can be seen most clearly in its vocabulary and one leading academic has observed (author's translation)

The influence of the English language on Welsh is a fact. Not only today, but for centuries: five minutes browsing through Geiriadur Prifysgol Cymru *[University of Wales Dictionary] will convince any doubter of our debt to the English language for a large proportion of our vocabulary. It would be a great folly, therefore, to try and idealise the Welsh language through pretending that the English language has not influenced it at all* (Peter Wynn Thomas, 1996: 11).

21.04 The use of English vocabulary in Welsh should not be seen in essence as a sign of weakness: all living languages adopt and borrow words for their own use and advantage. For example, the words **bildings**, **fisitors** and **iws** are obvious borrowings but they have developed their own distinctive meanings in colloquial Welsh (see entries). In fact, it is remarkable how few words have been imported into Welsh, given the cultural pressure from England, and more recently from the United States, and the perusal of any written article in a Welsh magazine, newspaper or novel will show how comparatively few words are not of Celtic origin.

21.05 As a result of the official neglect of Welsh over the centuries, it has become commonplace for English words to be used instead of indigenous Welsh words, the coining of new words has been stifled (this is gradually being rectified), and even common everyday objects are referred to by an English word. Subsequently, in colloquial Welsh it can sound more 'natural' to use an English word in an everyday context than a more esoteric Welsh one. Elis Gwyn Jones has noticed this tendency by the dramatist Wil Sam who freely uses English words and forms in his plays to reflect the everyday speech of his native Pen Llŷn (author's translation)

There is a rich background for anyone whose ear is alive to the way people speak, and [Wil Sam] wrote all his plays with a passionate interest in speech. It is not an academic interest at all, and his intention is not to influence anyone to speak correct, idiomatic, rural Welsh. He writes what he hears, or what can be heard today, and a very honourable place is given to the eccentric spoken style of many characters, as the author did of course with Ifans y Tryc. Sometimes, then, an English word is more correct and suitable to his task, and more Welsh as well than the Welsh word would be (Elis Gwyn Jones in Wil Sam, 1995: 61).

21.06 Welsh learners therefore need to be sensitive about the use of esoteric Welsh words in everday speech. For example, the majority of Welsh speakers will use **ofertecio** (<E *to overtake*) rather than **goddiweddyd** in everyday speech and it might sound incongruous to say in an informal conversation, for example, **mae'n rhaid i ti oddiweddyd y car 'ma** rather than **mae'n rhaid i ti ofertecio'r car 'ma** *you've got to overtake this car*. Nevertheless, the situation is improving and the increasing influence of the Welsh media has brought many words into mainstream use.

21.07 The use of English in Welsh is now an integral part of Welsh popular culture and the use and awareness of the two language manifest themselves in puns, jokes and the like. This can give idiomatic and colloquial Welsh a creative tension that would not exist in a monolingual situation.

21.08 The following are some of the English words, given an approximate Welsh spelling, that are often used as well as the standard Welsh word in the spoken language (this list is far from comprehensive):

alright	olreit	lovely	lyfli
auntie	anti	make	mêc
anyway	eniwê	nonsense	nonsens
back (of building)	bac (SW)	office	offis
(not) bad	(ddim yn) bad	please	plîs
balance	balans	quite	cweit
beef	bîff (NW)	right	reit
bloody (slang intensifier)	blydi	sale	sêl
bound (to happen)	bownd (o ddigwydd)	sly	slei
boy	boi	so	so
chemist	cemist	special	sbesial
concern	consýrn	student	stiwdent
doubt	dowt	South (Wales)	Sowth (NW)
drink	drinc (SW)	teacher	titshyr
football	ffwtbol	true	triw
great	grêt	uncle	yncl (NW)
line	lein	well	wel
lot	lot	wrong	rong

'**Be' sy'n gneud athrawon yn bobol mor blydi sbesial?**' *What makes teachers such bloody special people?* (Sonia Edwards, 1993: 29);

'**Ma' gin y titsiar act anodd i'w ddilyn**' *The teacher's got a hard act to follow* (Sonia Edwards, 1994: 131).

21.09 In addition, there are a number of English words in the spoken language that have been made Welsh by the addition of an ending or have a distinct pronunciation and are used in addition to the standard Welsh word (again this list is far from comprehensive)

busy	bishi (SW)	misdemeanours	mistiminars
to bother	boddran	to move house	mwfyd (SW)
to brag	bragan	nationalist	nashi
buddy	byt, byti (Glam)	off his head	off ei ben (SW)
cheap	tsiep (SW)	safe	saff
to cook	cwcan (SW), cwcio	I scarcely believe it	sgersli bilîf
danger	dansier (SW)	spell (time)	sbel, sbelan
dangerous	dansierus (SW)	stairs	staer (SW Powys) stâr (SW)
drop	dropyn	step	stepan
dust	dwst (SW)	stubborn	stwbwrn
to enjoy	joio (SW)	taste	tast (SW)
flour	fflŵr (SW)	to touch	twtshiad, twtshio
to fly	fflio (NW)	uncle	wncwl (SW)
gun	gwn (NW)	the very (people/thing etc.)	y feri (bobl/beth etc.)
heart attack	harten	walk	wac (SW)
just	dest/jest/jyst	what's the matter?	be sy matar? (NW)
mean	mên (SW)		

'**Wel smo Nia yn mo'yn boddran 'da ti chwaith**' *Well Nia doesn't want to bother with you either* (Mihangel Morgan, 1994: 84);

'**Mae yna garfan dda o bobol yng Nghymru sydd wrth eu bodd yn clywed haeriadau mai'r 'nashis' a'r 'crachach' Cymraeg sydd â'r dylanwad a'r grym yn S4C**' *There's a good group of people in Wales who love to hear assertions that the 'Welsh nationalists' and the 'elite' have the influence and power in S4C* (*Golwg*, 8 February 1996: 6).

21.10 In colloquial Welsh by far the most common English words made Welsh are verbs where the original English verb has been changed by the addition of '**io**' or '**o**'. For example

to crash	crashio
to drive	dreifio
to fancy	ffansïo
to save	safio
to starve	starfo (SW)
to suit	siwtio
to tempt	temtio
to use	iwsio

'**Yn wir, 'roedd yn fendith o beth na chymerodd hi erioed yn ei phen i ddysgu dreifio car**' *In fact, it was a blessing that she never took it upon herself to learn to drive a car* (Dic Jones, 1989: 128).

21.11 The use of English in Welsh is an inescapable fact and a language can borrow thousands of words and yet still flourish. The influence of English only becomes undesirable when the syntax of Welsh is interfered with and a form of **bratiaith** develops (see Introduction). For better or for worse, the influence of English is unrelenting and all-pervasive and one authority has stated (author's translation):

By now, however, the monolingual Welsh-speaking Welshman is only a memory: except for some young children, everyone who can speak Welsh can speak English as well. And whatever the force of the arguments in favour of bilingualism, the cruel truth is that the influence of the English language is penetrating ever deeper into the essence of Welsh (Peter Wynn Thomas, 1996: 11).

Appendix 22: Broydd Cymru

22.01 Wales can currently be divided into three distinct geographical areas, namely **Y Fro Gymraeg**, Welsh Wales and British Wales. Although the divisions are not traditional as such, these areas have distinct economic, political and linguistic characterisitics. These divisions are controversial but nonetheless an awareness of them informs much of contemporary debate in Wales.

22.02 The boundaries of these areas do not follow distinct physical lines but can be loosely illustrated as follows

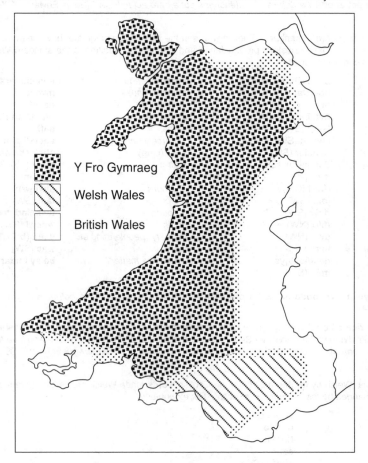

Y Fro Gymraeg

Welsh Wales

British Wales

22.03 **Y Fro Gymraeg**

(i) *Economy*. This area is characterised by a fragile economic base and is largely dependent on the primary industries of quarrying and agriculture together with tourism. Various measures are being undertaken and supported by Government agencies to broaden the economic base of the region. The demography of the area is characterised by a declining population base masked by inward migration, predominantly from England.

(ii) *Politics*. All the major British political parties have areas of support in the area but the region is generally characterised by independent politics. All the Members of Parliament for Plaid Cymru, the Welsh nationalist party, represent constituencies in this region.

(iii) *Language*. This area is the heartland of the Welsh language and it is still largely the language of the community. The survival of the language here as an everyday medium of communication is essential for its long-term prospects.

22.04 *Welsh Wales*

(i) *Economy*. This area was heavily industrialised in the nineteenth century, primarily for coal mining and iron and steel production. The area has recently undergone major economic restructuring with the introduction of a more diverse manufacturing base and tertiary industries, although the local economy is fragile and perhaps over-dependent on inward investment. Commuting to the industrialised towns and cities on the coast is important but there has been very little recent inward migration.

(ii) *Politics*. The area is characterised by the hegemony of the Labour Party and has a strong radical tradition. Plaid Cymru sees this area as essential to its long-term strategy of appealing to the broader Welsh electorate and breaking out of its political base in North and West Wales but although it has had notable successes at the local level it has yet to substantially break the political mould.

(iii) *Language*. The area was formerly a stronghold of the Welsh language but it was abandoned in the late nineteenth and twentieth century by many of the working class as they exchanged religious nonconformity, Liberalism and the Welsh language for International Socialism and the English language. This was exacerbated by large-scale immigration from England and elsewhere and institutional neglect of the Welsh language. However, Welsh speakers still constitute a significant proportion of the population and to the west Welsh still survives as a community language. The language is likely to make significant gains here in the future as a result of bilingual education policies and the growth in the numbers of Welsh learners. The area has a strong Welsh identity, even in areas where the language is no longer spoken at a community level.

22.05 *British Wales*

(i) *Economy*. South Pembrokeshire, the Gower Peninsula and the Welsh Borders are characterised by a rural economy with some scattered pockets of industry. The North Wales coastline is characterised by tourism developments associated with North-west England. The ports of Cardiff and Newport in South Wales have a substantial industrial base and an expanding service sector.

(ii) *Politics*. These areas are largely indistinguishable from the rest of the United Kingdom in their political allegiances. Plaid Cymru has its lowest support base here.

(iii) *Language*. South Pembrokeshire, the Gower Peninsula and parts of the Border area lost the Welsh language centuries ago but have recorded very slight increases in numbers in the recent past. In Cardiff there are, however, very significant numbers of Welsh speakers although proportionally they form a small part of the population. Nonetheless the language is becoming increasingly important in the service sector and large numbers of Welsh speakers have moved here from **Y Fro Gymraeg**.

22.06 With the growth of telecommunications and the mobilisation of society, it is open to question how relevant it is to refer to homogenous communities or even areas. There is now the unprecedented phenomenon of individuals and groups of Welsh speakers isolated in the larger community and this will have repercussions for the type of Welsh spoken.

BIBLIOGRAPHY

(i) *Biblical Books*

All Biblical references are to the 1988 Welsh translation of the Bible (Swindon, Cymdeithas y Beibl, 1988), unless otherwise stated, and translations into English have been cross-referenced with the New International Version (London, Hodder & Stoughton, 1973). In the Introduction, reference is made to the 1975 Welsh translation of the New Testament (Llundain, Y Gymdeithas Feiblaidd Frytanaidd a Thramor).

(ii) *Dictionaries*

Collins Spurrell Welsh Dictionary 1991. Glasgow: HarperCollins.
Geiriadur Prifysgol Cymru: A Dictionary of the Welsh Language 1950—. Cardiff: University of Wales Press.
Evans, H. Meurig 1981: *Y Geiriadur Cymraeg Cyfoes*. Llandybïe: Hughes a'i Fab.
Evans, H. Meurig and Thomas, W. O. 1958: *Y Geiriadur Mawr*. Llandysul: Gwasg Gomer.
Griffiths, Bruce and Jones, Dafydd Glyn 1995: *The Welsh Academy English-Welsh Dictionary*. Cardiff: University of Wales Press.

(iii) *Grammars and Other Works on Language*

Awberry, G. M. 1991: *Blas ar Iaith Sir Benfro*. Llanrwst: Gwasg Carreg Gwalch.
Ball, Martin J. (ed.) 1988: *The Use of Welsh*. Clevedon: Multilingual Matters.
Cyd-Bwyllgor Addysg Cymru 1991: *Ffurfiau Ysgrifenedig Cymraeg Llafar*. Caerdydd: Cyd-Bwyllgor Addysg Cymru.
Davies, Cennard 1988: Cymraeg Byw. In M. J. Ball (ed.), pp 200-210.
Davies, Elwyn (ed.) 1957: *Rhestr o Enwau Lleoedd*. Caerdydd: Gwasg Prifysgol Cymru.
Edwards, J. 1985: *Talk Tidy: The Art of Speaking Wenglish*. Cowbridge: D. Brown and Sons.
Evans, J. J. 1965: *Diarhebion Cymraeg/Welsh Proverbs*. Llandysul: Gwasg Gomer.
Fynes-Clinton, O. H. 1913: *The Welsh Vocabulary of the Bangor District*. London: Oxford University Press.
Howells, Erwyd 1990: *Dim Ond Pen Gair*. Aberystwyth: Cymdeithas Lyfrau Ceredigion.
Jones, Bedwyr Lewis 1987: *Blas ar Iaith Llŷn ac Eifionydd*. Llanrwst: Gwasg Carreg Gwalch.
Jones, Bedwyr Lewis 1991: *Enwau*. Llanrwst: Gwasg Carreg Gwalch.
Jones, Berwyn 1988: Official Welsh. In M. J. Ball (ed.), pp 172-81.
Jones, Christine and Thorne, David (eds.) 1992: *Dyfed: Blas ar ei Thafodieithoedd*. Llandysul: Gwasg Gomer.
Jones, Dafydd Glyn 1988: Literary Welsh. In M. J. Ball (ed.), pp 125-71.
Jones, Glyn E. 1988: The Pronouns of Address in Welsh. In M. J. Ball (ed.), pp 229-38.
Jones, Huw 1994: *Y Gair yn ei Bryd: Casgliad o Ymadroddion o'r Beibl*. Caernarfon: Gwasg Pantycelyn.
Jones, Morgan D. 1965: *Cywiriadur Cymraeg*. Llandysul: Gwasg Gomer.
Jones, Morris and Thomas, Alan R. (1977): *The Welsh Language: Studies in its Syntax and Semantics*. Cardiff: University of Wales Press.
Jones, R. E. 1975: *Llyfr o Idiomau Cymraeg*. Abertawe: Gwasg John Penry.
Jones, R.E. 1987: *Ail Lyfr o Idiomau Cymraeg*. Abertawe: Gwasg John Penry.
Lewis, Ceri W. (ed.) 1987: *Orgraff yr Iaith Gymraeg. Rhan II: Geirfa*. Caerdydd: Gwasg Prifysgol Cymru.
Lewis, D. Geraint 1995: *Y Llyfr Berfau*. Llandysul: Gwasg Gomer.
Léwis, Robyn 1993: *Blas ar Iaith Cwmderi*. Llanrwst: Gwasg Carreg Gwalch.
Morgan, T. J. 1952: *Y Treigladau a'u Cystrawen*. Caerdydd: Gwasg Prifysgol Cymru.
Morris-Jones, J. 1913: *A Welsh Grammar: Historical and Comparative*. Oxford: University Press.
Parry-Williams, T. H. 1923: *The English Element in Welsh*. London: Honourable Society of Cymmrodorion.
Pwyllgor Iaith a Llên Bwrdd Gwybodau Celtaidd Prifysgol Cymru 1928: *Orgraff yr Iaith Gymraeg*. Caerdydd: Gwasg Prifysgol Cymru.
Roberts, Anna E. 1988: Age-Related Variation in the Welsh Dialect of Pwllheli. In M. J. Ball (ed.), pp 104-22.
Thomas, Alan R. 1973: *A Linguistic Geography of Wales*. Cardiff: University of Wales Press.
Thomas, Beth and Thomas, Peter Wynn 1989: *Cymraeg, Cymrâg, Cymrêg ... Cyflwyno'r Tafodieithoedd*. Caerdydd: Gwasg Tâf.
Thomas, Ceinwen 1979: Y Tafodieithegydd a 'Chymraeg Cyfoes', *Llên Cymru*, XIII, pp113-52.
Thomas, Gwyn 1977: *Ymarfer Ysgrifennu*. Abertawe: Gwasg Christopher Davies.
Thomas, Peter Wynn 1996: *Gramadeg y Gymraeg*. Caerdydd: Gwasg Prifysgol Cymru.
Thomas, Siân 1988: A Study of *Calediad* in the Upper Swansea Valley. In M. J. Ball (ed.), pp 85-97.
Thorne, David A. 1993: *A Comprehensive Welsh Grammar/Gramadeg Cymraeg Cynhwysfawr*. Oxford: Blackwell Publishers.
Wiliam, Mary 1978: *Dawn Ymadrodd*. Llandysul: Gwasg Gomer.
Williams, Siân 1981: *Ebra Nhw*. Caernarfon: Gwasg Gwynedd.
Williams, Stephen J. 1980: *Elfennau Gramadeg Cymraeg*. Caerdydd: Gwasg Prifysgol Cymru.

(iv) *Newspapers, Journals and Periodicals*

Barddas	*The Independent*
Barn	*Tu Chwith*
Busnes i Fusnes	*Wales on Sunday*
Cambrian News	*Western Mail*
Golwg	*Y Cymro*
Llais Llyfrau	*Y Dinesydd*
Sbec TV Wales	*Y Faner*
Television Wales	*Yr Herald*

(v) *Literary Texts*

ap Lewys, Edgar 1977: *Hiwmor y Glöwr*. Talybont: Gwasg y Lolfa.
ap Lewys, Edgar 1986: *Hwyl o Fro'r Glöwr*. Talybont: Gwasg y Lolfa.
Bennett, Androw 1994: *Dirmyg Cyfforddus*. Talybont: Gwasg y Lolfa.
Chilton, Irma 1989: *Mochyn Gwydr*. Llandysul: Gwasg Gomer.
Davies, Bryan Martin 1988: *Gardag*. Llandybïe: Gwasg Christopher Davies.
Davies, T. Glynne 1974: *Marged*. Llandysul: Gwasg Gomer.
Davies, John 1990: *Hanes Cymru*. London: Penguin Books.
Eames, Marion 1969: *Y Stafell Ddirgel*. Llandysul: Gwasg Gomer.
Eames, Marion 1982: *Y Gaeaf Sydd Unig*. Llandysul: Gwasg Gomer.
Ebenezer, Lyn 1986: *Clecs Cwmderi*. Caerdydd: Hughes a'i Fab.
Ebenezer, Lyn 1991: *Cae Marged*. Caernarfon: Gwasg Gwynedd.
Ebenezer, Lyn 1996: *Crwydro Celtaidd*. Caerdydd: Hughes a'i Fab.
Edwards, Jane 1976: *Dros Fryniau Bro Afallon*. Llandysul: Gwasg Gomer.
Edwards, Jane 1989: *Blind Dêt*. Llandysul: Gwasg Gomer.
Edwards, Jane 1993: *Pant yn y Gwely*. Llandysul: Gwasg Gomer.
Edwards, Sonia 1993: *Glas ydi'r Nefoedd*. Caernarfon: Gwasg Gwynedd.
Edwards, Sonia 1994: *Cysgu ar Eithin*. Caernarfon: Gwasg Gwynedd.
Edwards, Sonia 1995: *Gloynnod*. Caernarfon: Gwasg Gwynedd.
Eirian, Siôn 1979: *Bob yn y Ddinas*. Llandysul: Gwasg Gomer.
Eirian, Siôn 1995: *Epa yn y Parlwr Cefn*. Caerdydd: Dalier Sylw.
Elis, Islwyn Ffowc 1974: *Marwydos*. Llandysul: Gwasg Gomer.
Elis, Islwyn Ffowc 1990(i): *Cysgod y Cryman*. Llandysul: Gwasg Gomer.
Elis, Islwyn Ffowc 1990(ii): *Yn Ôl i Leifior*. Llandysul: Gwasg Gomer.
Evans, Bernard 1990: *Glaw Tyfiant*. Llanrwst: Gwasg Carreg Gwalch.
Evans, Meirion 1996: *Straeon Ffas a Ffridd*. Llandysul: Gwasg Gomer.
Evans, Meirion 1997: *Straeon Ffas a Ffridd: Yr Ail Gyfrol*. Llandysul: Gwasg Gomer.
Ffred, Alun and Jones, Mei 1990: *Rhagor o Hanesion C'mon Midffîld*. Caerdydd: Hughes a'i Fab.
Griffiths, Gwyn (ed.) 1994: *Wês Wês Pentigily*. Llandysul: Gwasg Gomer.
Griffiths, Tweli 1993: *Tra'n Teithio*. Caerdydd: Hughes a'i Fab.
Gwyn, William 1996: *Pobol y Cwm*. Caerdydd: Hughes a'i Fab.
Hopcyn, Eleri (ed.) 1995: *Dylanwadau*. Llandysul: Gwasg Gomer.
Hughes, R. Cyril 1975: *Catrin o Ferain*. Llandysul: Gwasg Gomer.
Huws, Dafydd 1978: *Dyddiadur y Dyn Dwad*. Pen-y-Groes: Cyhoeddiadau Mei.
Huws, Dafydd 1990: *Un Peth 'di Priodi Peth Arall 'di Byw*. Talybont: Gwasg y Lolfa.
Ifans, Dafydd and Ifans, Rhiannon (eds.) 1980: *Y Mabinogion*. Llandysul: Gwasg Gomer.
Iorwerth, Dylan (ed.) 1993: *Gohebydd Tramor*. Caerdydd: Gwasg Prifysgol Cymru.
Islwyn, Aled 1994: *Unigolion Unigeddau*. Llandysul: Gwasg Gomer.
Jenkins, Geraint H. 1983: *Hanes Cymru yn y Cyfnod Modern 1530-1760*. Caerdydd: Gwasg Prifysgol Cymru.
Jones, Angharad 1995: *Y Dylluan Wen*. Llandysul: Gwasg Gomer.
Jones, Alun 1979: *Ac yna Clywodd Swn y Môr*. Llandysul: Gwasg Gomer.
Jones, Alun 1989: *Plentyn y Bwtias*. Llandysul: Gwasg Gomer.
Jones, Dic 1989: *Os Hoffech Wybod*. Caernarfon: Gwasg Gwynedd.
Jones, Elwyn D. 1991: *Y Rebel Mwyaf?* Caernarfon: Gwasg Gwalia.
Jones, R. Emyr 1992: *Pymtheg Dinas*. Llandysul: Gwasg Gomer.
Jones, Harri Pritchard 1994: *Ar y Cyrion*. Llandysul: Gwasg Gomer.
Jones, John Gwilym 1976: *Rhyfedd y'n Gwnaed*. Dinbych: Gwasg Gee.
Jones, John Gwilym 1979(i): *Yr Adduned*. Llandysul: Gwasg Gomer.
Jones, John Gwilym 1979(ii): *Tri Diwrnod ac Angladd*. Llandysul: Gwasg Gomer.
Jones, Penri 1982: *Dan Leuad Llŷn*. Talybont: Gwasg y Lolfa.
Jones, Rhiannon Davies 1977: *Llys Aberffraw*. Llandysul: Gwasg Gomer.
Jones, Rhiannon Davies 1985: *Dyddiadur Mari Gwyn*. Llandysul: Gwasg Gomer.
Jones, Rhiannon Davies 1987: *Cribau Eryri*. Caernarfon: Gwasg Gwynedd.
Jones, Rhiannon Davies 1989: *Barrug y Bore*. Caernarfon: Gwasg Gwynedd.

Jones, Robert Owen 1997: *Hir Oes i'r Iaith: Agweddau ar Hanes y Gymraeg a'r Gymdeithas*. Llandysul: Gwasg Gomer.

Jones, Simon 1989: *Straeon Cwm Cynllwyd: Atgofion Simon Jones Tan-y-bwlch*. Llanrwst: Gwasg Carreg Gwalch.

Jones, T. Llew 1980: *O Dregaron i Bungaroo*. Llandysul: Gwasg Gomer.

Lewis, Geraint 1995: *Y Cinio*. Caerdydd: Dalier Sylw.

Léwis, Robyn 1994: *Cymreictod Gweladwy. Cyfrol I: Rhith a Ffaith*. Llandysul: Gwasg Gomer.

Llwyd, Alan 1994: *Glaw ar Rosyn Awst*. Caernarfon: Gwasg Gwynedd.

Llywelyn, Miriam 1994: *Miri a Mwyar ac Ambell Chwip Din*. Llandysul: Gwasg Gomer.

Llywelyn, Robin 1992: *Seren Wen ar Gefndir Gwyn*. Llandysul: Gwasg Gomer.

Llywelyn, Robin 1994: *O'r Harbwr Gwag i'r Cefnfor Gwyn*. Llandysul: Gwasg Gomer.

Llywelyn, Robin 1995: *Y Dŵr Mawr Llwyd*. Llandysul: Gwasg Gomer.

Miall, Twm 1988: *Cyw Haul*. Talybont: Gwasg y Lolfa.

Miall, Twm 1990: *Cyw Dôl*. Talybont: Gwasg y Lolfa.

Miles, Gareth 1995: *Hunllef yng Nghymru Fydd*. Caerdydd: Dalier Sylw.

Morgan, Mihangel 1992: *Hen Lwybr a Storïau Eraill*. Llandysul: Gwasg Gomer.

Morgan, Mihangel 1993(i): *Dirgel Ddyn*. Llandysul: Gwasg Gomer.

Morgan, Mihangel 1993(ii): *Saith Pechod Marwol*. Talybont: Gwasg y Lolfa.

Morgan, Mihangel 1994: *Te gyda'r Frenhines*. Llandysul: Gwasg Gomer.

Nicholas, W. Rhys (ed.) 1984: *Cyfansoddiadau a Beirniadaethau Llanbedr Pont Steffan*. Llandysul: Gwasg Gomer.

Ogwen, John 1996: *Hogyn o Sling*. Caernarfon: Gwasg Gwynedd.

Owen, John 1994: *Pam fi, Duw, Pam fi?* Talybont: Gwasg y Lolfa.

Parry, Gwenlyn 1979: *Y Tŵr*. Llandysul: Gwasg Gomer.

Parry, Gwenlyn 1992: *Panto*. Llandysul: Gwasg Gomer.

Parry, Ieuan 1993: *Bachgen Bach o Fryncoch*. Llanrwst: Gwasg Carreg Gwalch.

Parry, Thomas (ed.) 1962: *The Oxford Book of Welsh Verse*. Oxford: University Press.

Phillips, Rhiain 1995: *Yn Erbyn yr Haul*. Dinbych: Gwasg Gee.

Pontshân, Eirwyn 1973: *Hyfryd Iawn*. Talybont: Gwasg y Lolfa.

Pontshân, Eirwyn 1982: *Twyll Dyn*. Talybont: Gwasg y Lolfa.

Povey, Meic 1995(i): *Wyneb yn Wyneb*. Caerdydd: Dalier Sylw.

Povey, Meic 1995(ii): *Perthyn*. Llanrwst: Gwasg Carreg Gwalch.

Prichard, Caradog 1961: *Un Nos Ola Leuad*. Caernarfon: Gwasg Gwalia.

Roberts, Huw 1981: *Hywel A.* Llanrwst: Gwasg Carreg Gwalch.

Roberts, Eigra Lewis 1980: *Mis o Fehefin*. Llandysul: Gwasg Gomer.

Roberts, Eigra Lewis 1985: *Ha' Bach*. Llandysul: Gwasg Gomer.

Roberts, Eigra Lewis 1988: *Cymer a Fynnot*. Llandysul: Gwasg Gomer.

Roberts, Kate 1960: *Y Lôn Wen*. Dinbych: Gwasg Gee.

Roberts, Kate 1972: *Gobaith a Storïau Eraill*. Dinbych: Gwasg Gee.

Roberts, Kate 1976: *Yr Wylan Deg*. Dinbych: Gwasg Gee.

Roberts, Margiad 1994: *'Sna'm Dianc i'w Gael*. Llanrwst: Gwasg Carreg Gwalch.

Roberts, Vivian Wynne 1995: *Pictiwrs Picasso*. Talybont: Gwasg y Lolfa.

Roberts, Wiliam Owen 1987: *Y Pla*. Llanrwst: Gwasg Carreg Gwalch.

Roberts, Wiliam Owen 1990: *Hunangofiant (1973-1987) Cyfrol I - Y Blynyddoedd Glas*. Llanrwst: Gwasg Carreg Gwalch.

Rowlands, Dafydd 1995: *Licyris Olsorts*. Caerdydd: Hughes a'i Fab.

Sam, Wil [Jones, W.S.] 1987: *Ifas Eto Fyth*. Talybont: Gwasg y Lolfa.

Sam, Wil 1995: *Deg Drama*. Llanrwst: Gwasg Carreg Gwalch.

Sam, Wil 1997: *Llifeiriau*. Llanrwst: Gwasg Carreg Gwalch.

Selwood, Nansi 1987: *Brychan Dir*. Caernarfon: Gwasg Gwynedd.

Selwood, Nansi 1993: *Y Rhod yn Troi*. Caernarfon: Gwasg Gwynedd.

Theatr Bara Caws 1995: *Bargen*. Llanrwst: Gwasg Carreg Gwalch.

Theatr Bara Caws 1996: *Hwyliau'n Codi*. Llanrwst: Gwasg Carreg Gwalch.

Thomas, Gwyn 1976: *Y Traddoddiad Barddol*. Caerdydd: Gwasg Prifysol Cymru.

Thomas, R.S. 1995: *ABC Neb*. Caernarfon: Gwasg Gwynedd.

Thomas, Rhiannon 1988: *Byw Celwydd*. Llandysul: Gwasg Gomer.

Tomos, Angharad 1982: *Hen Fyd Hurt*. Talybont: Gwasg y Lolfa.

Tomos, Angharad 1985: *Yma o Hyd*. Talybont: Gwasg y Lolfa.

Tomos, Angharad 1991: *Si Hei Lwli*. Talybont: Gwasg y Lolfa.

Wigley, Dafydd 1992: *O Ddifri*. Caernarfon: Gwasg Gwynedd.

Wigley, Dafydd 1993: *Dal Ati*. Caernarfon: Gwasg Gwynedd.

Williams, Dewi Wyn 1995: *Leni*. Llanrwst: Gwasg Carreg Gwalch.

Williams, Robin 1992: *Colofn Bapur*. Llandysul: Gwasg Gomer.

Williams, Rhydwen 1969: *Cwm Hiraeth: Y Briodas*. Llandybïe: Christopher Davies.

Wyn, Eirug 1994: *Smôc Gron Bach*. Talybont: Gwasg y Lolfa.

English-Welsh Reference Index

Aberffraw	Appendix 18.02
Abergwyngregyn	Appendix 18.02
Aberystwyth	Appendix 18.02
able, to be ~ to	**cael (2), galler, gallu, medru**
able to (speak Welsh/ *play the piano etc.), to be ~*	**medru**
about	**abythdi, ambwyti, ambythdi, bwytu, byti, bythdi, hanes (2), marce, obeutu, obiti, oboity, obythdu, sha, tua**
about it	**am (5)(a)**
about me	**peth (14), potes**
about something, to *(reflect/think etc.) ~*	**uwchben (1)**
above	**uwchben**
above all	**anad (1), pennaf**
abroad	**lled (1)**
abrupt	**ffwrbwt**
absolutely certain	**saff (3), sicr (1), (3), siŵr (7), wir (2)**
abundance	**llond (10)**
accepted into the family, *to be ~ (marriage etc.)*	**traed (4)**
accident	**damwain**
accident, by ~	**damwain**
accidentally	**damwain**
accord, of its own ~	**ohono**
accord, of my own ~	**gwirfodd, pen (38)**
accord, of one ~	**unfryd**
according to someone	**chadal, chwedl, ôl (5)(c)**
account	**cyfrif**
account, on any ~	**cyfrif (2)**
accounts, by all ~	**golwg (5), (10), sôn (4)**
ache, to ~	**cosi, gwynegu**
achievement	**camp**
achievement, quite an ~	**camp (2)(a)**
acre	**acer, cyfer**
across	**deddf, traws**
act, parliamentary	**deddf**
ad nauseum	**syrffed (2)**
addicted to something	**caeth (1)**
addition to (something), in ~	**pen (9)**
addition to that, in ~	**hynny (4)**
Adjectives	Appendix 14.07-14.14
admire someone, to ~	**meddwl (2)**
admit, to ~	**cyfadda**
admit I'm wrong, to ~	**cwympo, disgyn, syrthio**
adult (girl/people etc.)	**oed (1)**
advance, to ~	**mynd (7)**
afar	**ymhell**
afar, from ~	**hirbell, pell**
afoot	**cerdded (3), troed (1)**
afraid, I'm ~	**ofn (2)-(3)**
after	**ôl (2)(a), wedi**
after all	**cwbl, cyfan (2)**
afternoon	**pnawn**
afterwards	**wedi**
again	**eto, 'lwêth, 'to, trachefn**

again and again	**hyd (14), trachefn**
age	**oed, oes**
age, in ripe old ~	**gwth (2)**
age and experience, of my ~	**oed (3)**
age, rhetorical name for old ~	**oed (2)**
ages, for ~	**ache, cantoedd, dydd (1), hydoedd (1)-(2), oes (2)-(4), 'stalwm, talwm (1), tro (time) (7)**
ages, how are you, *it's been ~?*	**dydd (2), talwm (2)**
age, old ~	**henaint**
age does not come alone, *old ~*	**henaint**
agitate, to ~	**corddi, cynhyrfu**
ago	**ôl (5)(b)**
agreement by shouting etc. *to a sermon, speech etc.*	**porthi (2)**
aim, to ~	**anelu**
aimless	**pen (55), trwyn (2)**
aimlessly	**wysg (4)**
alas	**och**
alike	**cilydd (5)**
alive and well	**byw (to live) (9)**
all	**cwbl, cwbwl, cyfan, hyd (4)(b), i gyd**
all four corners of the world	**ban**
all in all	**cyfan (1)**
all of a sudden	**mwyaf (3)**
all over	**hyd (4)(c)**
alleviate something */someone, to ~*	**llaw (7)**
allowed to, to be ~	**cael (2)**
almost	**braidd (1), bron (1), (3), jest (2)**
almost (did something), I ~	**dim (14)**
almost (do something)	**bron (2)**
almost (three years old/ *happy etc.)*	**bron (4)**
along	**hyd (4)(a)**
already	**ishws**
alright	**go (5)(a), gorau (6)(b), iawn (2), ôl-reit**
alright, are you ~?	**go (8)(c)**
alright, that's ~	**popeth**
also	**'ed, 'fyd**
alternate(ly)	**ail (1)-(2)**
although	**er (1)**
altogether	**pentigili**
always	**hyd (13)(c)**
always (in the past)	**erioed (2), 'rioed (2)**
amiss, something ~	**drwg (3)**
amount, infinite ~	**rhif**
amount, insignificant ~	**llond (1ll)**
amount, negligible ~	**llond (1ll)**
amount, numberless ~	**rhif**
amuse, to ~	**difyrru**
analysis, in the final ~	**pen (61)**
ancient	**hen (2)**
and	**a, ac**
and so on	**ac, ballu, blaen (1)**
anew	**newydd (4)**

angel	**angel**
angel abroad,	
and a devil at home, an ~	**angel**
angle	**gogwydd**
angle, at an ~	**gogwydd**
Anglesey	**Môn**
Anglesey, derogatory	
description of people from ~	**moch (2)**
Anglesey person	**Monwysyn**
Anglesey, rhetorical name for ~	**gwlad (2), Môn (1)**
angry	**blin (1), crac, penwan**
annoy me, to ~	**gwrychyn**
anthracite coalmining	
areas of South Wales	**glo (1)**
antics	**castiau, giamocs,**
	stranciau
any	**rhyw (2)**
anybody	**neb (1)**
anyhow	**pa (2), p'run bynnag,**
	ta (1)(a), (4)-(5), (8)(a)
any more (negative)	**bellach (2), mwyach,**
	rhagor (2)
any-old-how	**rhywsut, sang (2)**
any-old-so-and-so	**rhywun (4)**
any-old-thing	**rhywbeth (3)**
anyone	**neb (1), rhywun (2)**
anything	**dim (1), rwbath,**
	rhywbeth (2)
anyway	**eniwe, pa (2), p'run**
	bynnag,
	ta (1)(a), (4)-(5), (8)(a)
anywhere	**rwla, rhywle (2)**
apparently	**sôn (5)**
appear, to ~	**brigo (3), fei, gweld (7)**
appearance	**gwedd, pryd**
apple of my eye, the ~	**cannwyll**
apprenticeship	**prentisiaeth**
approximately	**bras (2)**
are	**'di, ma', Appendix 1**
are (easy/difficult) for me,	**ar (3)**
things ~	
area	**parth**
area, native ~	**bro**
area, rural ~	**cefn (8)**
aristocratic	**gwaed (1)**
arm	**braich**
arm's length, at ~	**braich (2)**
arm in arm	**braich (1)**
arm, under my ~	**cesail**
armful	**llond (5), (7), (9)**
armpit	**cesail**
around here	**ffordd (5), (6)**
arrangement	**trefen, trefn**
arrive, to ~	**cyrraedd**
arse first	**wysg (3)**
arse over tip	**tin (3)**
arsehole	**twll (8)**
arsehole, every (Welshman,	
Englishman etc.) is an ~	**twll (11)**
arthritis	**crycmala,**
	cryd cymalau,
	gwynegon
as	**fel (1), megis**
as far as	**hyd (7)(b)**

as it were	**fel (8), megis**
as soon as	**siwrnai (2)**
as soon as	
(he comes/she comes etc.)	**man** (time) **(2)**
as though	**fel (8)**
as well	**'ed, 'fyd**
ashamed	**pen (56)**
ashamed, I'm ~	**cywilydd (2)**
ashore	**glan (a)**
aside, to (place/put/turn etc.) ~	**neilltu**
ask, to ~	**gofyn**
asked for twice,	
what is nice is ~	**moes**
assuming	**bwrw (3)**
astray	**cyfeiliorn**
at all, not to (care/worry etc.) ~	**botwm (2)**
at it	**wrth**
at large	**traed (1)**
at the (very)	
(latest/least/most etc.)	**fan (1)**
attack, to ~	**dwyn (1)**
attack someone, to ~	**lladd (4), tynnu (4)**
attain the standard, to ~	**cyrraedd**
attempt, to ~	**cynnig (1)**
attend to, to ~	**'morol (1)**
attract (an argument/	
trouble etc.) to me, to ~	**pen (58)**
attract someone's unwanted	
attention, to ~	**pen (59)**
attract someone's wrath, to ~	**pen (59)**
attract trouble, to ~	**nyth (3)**
auntie	**anti, bopa (1), dodo**
Aunt Sally	**cocyn**
available	**cael (4), clawr**
avoid, to ~	**gadael (2)**
avoid speaking plainly, to ~	**hel (8)**
awake	**di-hun, effro**
away	**bant, i ffwrdd, ymaith**
away from home	**oddi (3)**
awful	**cythgam, cythreulig,**
	diawchedig, diawledig,
	ofnadw, ofnatsan
awfully (hot/interesting etc.)	**cythgam, cythreulig,**
	diawchedig,
	diawledig
awkward	**giami**
axe	**bwyall, bwyallt**
axle	**echel**
baby, big ~ (derogatory)	**bapa**
baby of the family	**cyw (3), (6), tin (4)**
bachelor	**llanc**
back	**cefen, cefn, cewn,**
	'nôl (1), ôl (5)(a), (b)
back (of building, street etc.)	**bac**
back to back	**cefn (9)**
back to front	**tu (4)-(5), (8), (12)**
background, proverb on the	
influence of someone's ~	**cyw (7)**
backside	**pen (47), tin**
backside first	**wysg (3)**
backwards	**ôl (4), wysg (1)**
backwards and forwards	**ôl (6)**
bad	**difrifol (2), drwg (1)**
bad (negative only)	**ffôl (2)**

bad, as ~	cyn waethed, cyndrwg, cynddrwg	become of someone, to ~	rhan (2)
		become overly familiar with	
bad, not ~	go (5)(a), bad	someone, to ~	ewn (2), hy
bad, so ~	cyn waethed,	bed	ciando
	cyndrwg, cynddrwg	bed and sleep, domestic	
badger	mochyn daear, pryf (4)	term for ~	cae (1)-(2)
bag	cwd (1), pwrs (1)	bedroom	llofft (2)
balance	balans, mantol	bee in my bonnet, a ~	chwilen (1)
balance, in the ~	clorian, mantol	beef	biff
balls (male genitalia)	cwd (2), pwrs (3),	beer	cwrw
	taclau (2),	beetle	chwilen
	trugareddau (2)	before	anad, cyn
bang, to ~	ffusto	before long	cyn (1)
bank	glan	before, the (day/week etc.) ~	blaen (6)
bankrupt	hwch	beg of someone, to ~	erfyn (2)
barley	barlys, haidd	beg of you, I ~	da (2)
Barmouth	Appendix 18.02	begin, to ~	cychwyn
base of my		beginning is two-thirds of work	deuparth
ears/hair etc.), the ~	bôn (3)	beginning, the very ~	cychwyn (4)-(5),
bash to bits, to ~	malu (4)		dechrau (3)-(4)
bash up, to ~	malu (4)	behalf of, on ~	rhan (1)
bashed to bits	jibidêrs	behave, to ~	behafio
basically	bôn (5), bras (2)	behind	ôl (2)(b), sgil, tu (3), (11)
bastard	con(t) (1), cotsyn	behind something/someone	cwt (5)
battle	cad	belief	coel
battle, to ~	cad (3)	believe, I ~	glei, gwlei
bawl with tears, to ~	gweiddi	believe, to ~	hyderu
be that as it may	Appendix 10.02(ii)(a), (d)	believe something, to ~	rhoi (6)
be, to ~	bod (1)	bell	cloch
be with it, to ~	peth (3)	belly button	bogail, botwm (1)
beak	pig (1)	benefit	lles, budd
bean	ffeuen	benefit, for my own ~	budd, lles
bear	arth	benefit (of something/	
bear, to ~	esgor	someone), for the ~	budd
bear a grudge against		benumb, to ~	merwino
someone, to ~	dal (9)	beserk	cynddeiriog
bear fruit, to ~	dwyn (2)	beside(s)	'blaw
bear it in mind	cofio (1)	best	gorau
beard	locsyn	best, at ~	gorau (2)
beat, to ~	ffusto	best, (discretion/	
beat around the bush, to ~	hel (8)	silence etc.) is ~	piau (2)
beat someone, to ~		best, level ~	gorau (3)
(to something)	achub (1)	best of all	gorau (4)
beating	cosfa, cot(en), crasfa,	Bethesda	Appendix 18.02
	curfa, cweir, cwrbits,	better	gwell (1)
	sgwrfa	better, for the ~	er (2)
because	achos, wath	better late than never	gwell (4)
because of something/	corn (b)	better off	ennill (1)
someone ~		better, the	
beck and call, to be at		(sooner/bigger etc.) the ~	gorau (5)
someone's ~	dawnsio	between	rhwng, rhynt
become		Betws-y-Coed	Appendix 18.02
(an actor/teacher etc.), to ~	mynd (8)	beyond	hwnt, tu (6)(a), (9)(a)
become an obsession for		bigger	mwy
someone, to ~	chwilen (2)	biggest	mwyaf
become bald, to ~	moeli	Bill, the ~ (police)	glas (6)
become bewildered, to ~	colli (4)	binge, on the ~	sbri
become competent in		bird	aderyn, 'deryn (1)
something, to ~	croesi	birds	adar
become curt		birds of a feather	
with someone, to ~	troi (18)	flock together	adar
become dusty, to ~	hel (15)	biscuit	bisged(en), bisgïen
become furious, to ~	colli (6), gwylltio (1)-(2)	bishop	esgob
become ill, to ~	taro (3)	bit	tamaid (1)

bit, a ~	'rom, rhyw (4), (6)-(7), tipyn	bone of contention, the ~	asgwrn (1)
		(bone)marrow	mêr
bit, a fair ~	ceiniog (2)(b), go (5)(b), tipyn (2), (5)	bones	esgyrn
		bonk	sgŵd
bit, a (little) ~	rhyw (9)	Bont (in place names)	Appendix 18.04-18.05
bit by bit	fesul (1), (3), tipyn (1)	book	llyfr, llyfyr
bit, every ~	tamaid (4)	booze	lysh
bit on the side		boozer	lyshwr
(lover of no consequence)	tamaid (3)	bore	crinc
bit, quite a ~	tipyn (5)	boring	dienaid (1)
bitch (derogatory term		born in a barn, to be ~	
for a woman)	ceilioges, cnawes, cotsan, hulpan, jadan, peunes, sguthan	(not closing doors)	magu (1)
		bother	strach, treth (2)
		bother, to ~	boddran, mwydro (2), pwlffacan
bite to eat, a ~	tamaid (2), (5)(a)		
bite, to ~	brathu, cnoi (2)	bother, to ~ (health)	hambygio
biting (cold) (weather)	gafael (6)	bother someone, to ~	pwdin (1)
bits	ufflon	bound	caeth, rhwym
bits and pieces	trugareddau (1)	bound to be	siŵr (6)
bitter	wermod	bound to (happen/go etc.)	bownd, rhwym
black and blue	cleisiau	boundary	terfyn
blade of grass, a ~	blewyn (2)	bowl	dishgil (note)
Blaenau Ffestiniog	Appendix 18.02	box	bocs
bless you (after sneezing)	bendith (1)	boyfriend	cariad, sboner
blessed, (I am) ~	byd (8)(a)	brains	brêns
blessing	bendith	branch, to ~	brigo
blind	dall	brand, to ~	serio
blind as a bat	dall	breach	adwy
blister	'swigen	bread	bara
block, stumbling ~	maen (3)	bread, daily ~	bara (1), ffon (1)
bloke	boi (1)	breadth	lled
bloke, big ~	crymffast	break, to ~	torri
blonde girl	blondan	break down, to ~	nogio
blood	gwaed	break my neck, to ~	torri (9)
blood, blue ~	gwaed (1)	break new ground, to ~	torri (13)
blood, in the ~	natur (3)	break the ice, to ~	torri (14)-(15)
blood is thicker than water	penelin (1)	breath	anadl, anal, gwynt (2)
bloody (intensifying adjective)	blydi, cythraul (2)-(3), diawl (4), (10), jawl (4), rhyw (3), uffach (1), uffar (3), uffern (3)	breath of fresh air, a ~	chwa
		breath, out of ~	anadl (1), gwynt (4)
		breath of life, the ~	anadl (2)
		breeze	chwa
blooming (light curse)	bondigrybwyll	brevity	byrder
blow	clatshen, chwelpan, ffatan, lab, lempan, pwniad, stîd, swadan	brew, to ~	bragu, macsu
		bribe	cildwrn
		bribe someone, to ~	iro (1)
blow (to the ears)	bonclust, cernod, clusten	brief	byr
		brim, full to the ~	llawn (2)-(3), sang (1)
blow, to ~	chwythu	bring forth, to ~	esgor
blow my chance, to ~	chwythu	bring pressure to bear	
blue	glas (2)	on something/someone, to ~	dwyn (6)
blue (risqué)	coch	bring to an end, to ~	dwyn (3)
blush, to ~	cochi	bring to mind, to ~	dwyn (4)
boast, to ~	bostio, bragan, brolio, jiarffio	bring someone to their	
		senses, to ~	coed
boat	bad, cwch	bring something/someone, to ~	dod (1)
body	corff	bring to a successful	
body, over my dead ~	crogi (1)	conclusion, to ~	bwcwl
boil, to ~	berwi (1)	bring up, to ~	codi (4), magu
boiling	berw (1)	brink	min
bold	hy	bristles	gwrychyn
bone	asgwrn	brood, to ~	hel (16)(a)
bone to pick with someone, a ~	asgwrn (2)	brother	brawd
bone dry	sych (2)-(4)	bruised all over	cleisiau
bone, dry as a ~	sych (2)-(4)	bruises	cleisiau

bubble	**'swigen**
buckle down, to ~	**bodloni**
bugbear	**bwgan**
bugbears	**bwganod**
bugger	**diawch (1), diawl (2), jawl (1), slebog**
buggered, I'm ~	**cachu (1), diawl (9)**
build, to ~	**codi (2)**
build up confidence, to ~	**magu (4)**
bullshit, to ~	**malu (2)**
bullshitter	**mylliwr**
bullying	**brwnt (2)**
bump into someone, to ~	**taro (4)**
bun in the oven (crude reference to pregnancy)	**clec, llyncu (2), magu (3)**
burden	**treth (2)**
burden on someone, to be a ~	**treth (3)**
burn, to ~	**llosgi**
burn completely, to ~	**llosgi (2)**
burn the candle at both ends, to ~	**llosgi (1)**
burn to a cinder, to ~	**llosgi (2)**
bush	**llwyn**
busy	**bishi, prysur (1)**
busy, very ~	**ffair**
but (negative only)	**llai**
butt in, to ~	**pig (5)**
butterfly	**glöyn byw, iâr fach yr haf**
buttermilk	**enwyn, llaeth**
button	**botwm**
buy, to ~	**prynu, pyrnu**
buy a pig in a poke, to ~	**prynu**
by	**wrth**
by (oaths only)	**myn**
by far	**digon (3), llawer (5), tipyn (3)**
by me	**ymyl (2)**
by then	**hynny (5)**
cabbage	**bresych, cabetsh**
Caernarfon	**tref (1), Appendix 18.02**
Caernarfon, person from ~	**Cofi**
Caernarfon, person from ~ town	**co' (2), Cofi (1)**
Caernarfon, person from rural hinterland of ~	**co' (3), Cofi (2)**
Caerwen	**Appendix 18.02**
cajoling, no ~	**twsu**
calf	**llo**
call, to ~	**galw**
call upon something/ someone, to ~	**galw (2)**
called	**enw (2)**
calve, to ~	**bwrw (10)**
calves	**lloiau**
can be sure, you ~	**gallu, gwir (8), saff (4), sicr (2), siŵr (8), wir (3)**
can be sure to God, you ~	**gwir (9), saff (5), sicr (3), siŵr (9), wir (4)**
can bet, you ~	**gallu**
can't teach an old dog new tricks, you ~	**cast**

candle	**cannwyll**
cannabis	**mwg (1)-(2)**
cannabis resin	**cig (3)**
captive	**caeth**
Cardigan, area around ~	**godre**
care	**ots**
care, to ~	**carco, gofalu**
care a jot, (not) to ~	**hidio (2)-(3), botwm (2)**
care about anything/anyone, I don't ~	**ots, pwys (3), waeth (2)**
careful	**carcus, gofalus**
care less, couldn't ~	**ffeuen**
careless (attitude/ behaviour etc.)	**i ffwrdd**
Carmarthen	**Appendix 18.02**
Carmarthenshire	**sir (3)**
carrots	**caraitsh, caretsh, moron**
carry, to ~	**cario, cyrchu**
carry coals to Newcastle, to ~	**cyrchu, iro (2)**
carry on, to ~	**bwrw (14), clatsho, mynd (6)-(7), pydru (3), rhygnu (3)**
cart	**cart, cert, trol**
carte blanche	**hynt (3)**
cast, to ~	**bwrw (2)**
cast a vote, to ~	**pleidlais**
cast in stone	**deddf**
cast (iron/lead etc.), to ~	**bwrw (11)**
cast lots, to ~	**coelbren**
cast off, to ~	**bwrw (13), cwch**
cast off (a cold/ homesickness etc.), to ~	**bwrw (5)**
cat	**cath, giaman**
cat out of the bag, to (let/drop etc.) the ~	**cath (1)**
catch, to ~	**bachu, dal (1), dala**
Catholics, Roman ~	**plant**
cattle	**da (byw), gwartheg**
caught (in the act), to be ~	**copsan**
cause	**achos**
cause a disturbance, to ~	**cadw (9)**
cause someone to think, to ~	**hala (5)**
cause something, to ~	**esgor**
cease, to ~	**pallu (1)**
Ceredigion, person from ~	**Cardi**
certain	**saff (2), sicr, siŵr (1)**
chair	**stôl (2)**
chalk, by a long ~	**tipyn (3)**
chance	**hap, siawns (1)**
chance, by ~	**hap (1)-(2), siawns (3)**
chance, no ~	**perygl (2)**
chance, no bloody ~	**perygl (3)**
change	**newid**
change in circumstances	**newid (2)**
change in circumstances, complete ~	**tro** (turn) **(7)**
change is as good as a rest, a ~	**newid (1)**
character	**cymeriad**
character, a ~	**cymêr, pryf (1)**
character, a shady ~	**aderyn, cymeriad**
charge, in ~	**awenau (1), llyw (2)**
charge, to ~ (money)	**codi (6)**

chase, to ~	cwrso
chase girls, to ~	hel (18)
chase men, to ~	hel (9)
chat, to ~	wilia
cheap	rhad (1), tsiep
cheap and nasty	ceiniog (2)(a), dimai (1), (4)
cheat, to ~	cafflo, ffalsio (1)
cheek, I've got a ~	wyneb (2)
cheeky	eger (3), ewn
cheer someone up, to ~	calon (2)
cheers (drinking)	iechyd (3)
chemist	cemist
chest	brest
chew, to ~	cnoi (1)
chew the cud, to ~	cnoi (4)
chick	cyw (1)
chief	pennaf
child	plentyn
child, illegitimate ~	plentyn
child, small ~	peth (5), (6)(b)
child in the family, youngest ~	cyw (3), (6), tin (4)
childhood	bore (1)
children	plant
choice, by ~	dewis (2)
choir	côr
choir, male voice ~	côr
choose, to ~	dewis, dewish
chop, I'm for the ~	cachu (1), diawl (9)
chore	joban/job(yn)
chores	jobsys
Christ	Crist
Christmas	'dolig
Church, the Calvinist Methodist ~	corff
churn, to ~	corddi
cinders	ulw
circle	cylch
circumstances of life, the ~	troeon (2)
clean	glân
clean, to ~	clau, cnau, llnau
clear	clir
clearer	clir
clear off	bachu (1), heglu (2), miglo (2)
clear out (a cowhouse/shed etc.), to ~	carthu (1)
clear (my throat/ear etc.), to ~	carthu (2)
click my (finger/tongue etc.), to ~	rhoi (4)
climb, to ~	dringad
cloak	cochl
close	agos
close, to ~	cau
close to the mark	agos (1)-(2)
close, very ~	dim (13)(b)
closed	cau (1)
closer	agosach, nes
closest	agosaf, nesaf
cloud has a silver lining, every ~	haul (2)
clue, I haven't got a ~	clem (1)
clueless	siâp (1)
coal	glo
coalface	talcen (3)
coarse	bras
cock	coc, cocyn
cockerel	ceiliog
collapse, to ~	pen (35)
collect, to ~	clasgu, codi (5), hel, hela
collect New Year's Gifts, to ~	hel (6)
collection	clasgad
college	coleg
colour	lliw
comb	crib
come on	o 'na (note)
come, to ~	dod, dwâd, dŵad (1)
come across something/ someone, to ~	dod (4)
come first served, first ~	melin (1)
come into view, to ~	fei
come on, to ~	ymlaen
come round, to ~	dod (2)
come to, to ~	dod (2)
come to a head, to ~	pen (28), (37)
come to an end, to ~	dirwyn, pen (25)
come to terms with something, to ~	arfer (2), pen (26), telerau
come to the fore, to ~	amlwg, brig (4)
come to the rescue, to ~	adwy
come to think of it	deall (2), meddwl (1)
come over someone, to ~	dod (3), pen (24)
come what may	Appendix 10.04(iv)(b)
commonplace	tew
commotion	cyffro (1)
communication between us, no ~	Cymraeg (5)
compare, to ~	cymharu
compared to something/ someone	cymharu
competent	peryglus (2)
company	cwmni
complain, to ~	achwyn, conan, cwyno
complete something, to ~	maen (1)
completely	bron (5)(a)
completely (liven up/excite etc.), to ~	trwy (1)
completely (mad/drunk etc.), to be ~	ulw (1)
completely (tired/confused etc.), to be ~	glân (2), rhacs (2), siwps, twll (1)
complexion	pryd
compose poetry, to ~	canu (5)
concern	consyrn, ots
concerned about their own problems, everyone is ~	bys (5)
concerned, as far as that is ~	rhan (4)
concerned, as far as this is ~	cyswllt
concerning	Appendix 11.06
concerning me	peth (14), potes
concluding something, idiom about successfully ~	Wil
conditions	telerau
conform, to ~	bodloni
confused	penbleth

connection	**cyswllt**
consecutively	**bron (5)(b)**
consequence, of no ~	**diddrwg didda**
consider, to ~	**cysidro**
consider myself fortunate, to ~	**siglo (2)**
considerably	**tipyn (3)**
conspiracy	**cynllwyn**
content	**bolon**
continue, to ~	**mynd (6)**
contract, to ~	**tynnu (7)**
contrary	**croes**
contrary, on the ~	**gwrthwyneb**
contrary to something, to be ~	**croes (1)**
contrary, to the ~	**gwrthwyneb**
control, in ~	**awenau (1)**
cook, to ~	**cwcan, cwcio, digoni (2)**
core, to the ~	**carn, mêr**
corner	**ban, cil**
corner of my eye, the ~	**cil**
corrupt me, to ~	**troi (12)**
cost, to ~	**costi**
cost what it may	**Appendix 10.04(iv)(a)**
count the cost, to ~	**traul (2)**
countries	**gwledydd**
country	**gwlad**
country is greater than a lord, a ~	**trech (2)**
county	**sir**
couple who behave like an old married pair	**Siôn (1)**
courage, Dutch ~	**plwc**
course	**hynt, treigl**
court, in ~	**gwell (6)**
cover	**caead, clawr**
cover of something, under the ~	**cochl**
cow (derogatory term for a woman)	**ceilioges, cnawes, cotsan, hulpan, jadan, peunes, sguthan**
coward	**cachgi**
cowardly	**llwfwr, llwfr**
cowshed	**glowty, tŷ (3)**
craving	**blys**
crawling with something, to be ~	**berwi (3)**
create a lasting impression, to ~	**serio**
create an impression, to ~	**torri (6)**
credit to something/ someone, all ~	**clod (2)**
credit, to something/ someone's ~	**clod (1)**
creep	**cynffonwr, slebog**
creep up to someone, to ~	**crafu (1), ffalsio (2)**
crest	**brig, crib**
crestfallen	**ceiliog**
crew	**criw**
Cricieth	**Appendix 18.02**
critical of everybody, to be ~	**lach (1)**
criticise, to ~	**beirniadu**
criticise severely, to ~	**beirniadu**
criticise someone, to ~	**lladd (4), tynnu (4)**
crooked	**cam (2)**
crop up, to ~	**brigo (3)**
cross, to ~	**croesi**
cross my heart and hope to die	**Crist (1)-(2)**
crow	**brân**
crown of the head	**corun**
crush, to ~	**malu**
cry, to ~	**crio, llefain, wylo**
cry buckets, to ~	**llefain (1)**
cry profusely, to ~	**llefain (1)**
cuckoo	**cog**
cuff, off the ~	**brest**
cunt	**con(t) (1), cotsan**
cup	**dishgil**
cupboard under the stairs	**cwtsh (3), twll (2)-(4), sbens**
cuppa (of coffee, tea etc.)	**dishgled, 'paned**
curl up, to ~	**cilydd (6)**
curse, to ~	**rhegi (2)**
custom	**arfer**
custom, as is my ~	**arfer (3)**
cut	**toriad**
cut from the same cloth	**llathen (2)**
cut, to ~	**torri**
cut, to ~ (grass, peat etc.)	**lladd (2)**
cut a (new) furrow, to ~	**torri (4)**
daddy	**data, tada**
daily	**beunydd**
damn, to ~	**damio**
damn (it all)	**damio, damo**
damp	**llaith, tamp**
dampness	**lleithder, tamprwydd**
dance, to ~	**dawnsio**
danger	**dansier, peryg, perygl**
dangerous	**dansierus, perygl (1), (4), peryglus (1)**
dare not do something, I ~	**fiw, gwiw**
dark ages, the ~ (rhetorically)	**arth**
darken, to ~	**twllu, tywyllu**
darkness, utter ~	**fagddu**
dart, to ~	**picio**
dash (it all)	**dario, daro, drapio, dratio, fflamia (1)**
dash, to ~	**sgrialu**
David	**Dewi**
dawn to dusk, from ~	**bore (2)**
day	**diwrnod, dwarnod, dydd**
day to remember, a ~	**diwrnod (2)**
day and all night, all ~	**beunydd**
day, during the ~	**lliw (1)**
day, for ever and a ~	**byth (3)-(4), Sul (1)**
day, every ~	**beunydd**
day, that ~	**dwthwn**
day, the next ~	**trannoeth**
day, the very next ~	**yfory**
daylight, in broad ~	**cefn (6)**
deal with, to ~	**trin (1)**
dear	**annwyl**
dear, the old ~ (usually mother)	**fod**
death, figurative reference to ~	**pen (27), (54)**
decrease, on the ~	**gwaered, i lawr**
deep	**dwfn, dwfwn, tyfn**

Deiniolen	Appendix 18.02	*do, to ~*	**gneud, gwneud,**
deliver			**'neud, tro** (turn) **(3)(a)**
(a lecture/sermon etc.), to ~	**traddodi**	*do as one pleases, to ~*	**mynnu (2)**
deliverance	**gwared**	*do my head in about*	
demand, according to the ~	**galw (3), gofyn (2)**	*something, to ~*	**mopio, mwydro (4)**
demolish, to ~	**dymchwel**	*do my own thing, to ~*	**torri (10)**
Denbigh	**Dinbych,** Appendix 18.02	*do something too late, to ~*	**pais (3)**
depress someone, to ~	**melan (1)**	*do something useless, to ~*	**cyrchu, iro (2), piso (7)**
depressed	**melan (2), ysbryd**	*do the job, to ~*	**tro** (turn) **(3)(b)**
depression	**melan**	*do the trick, to ~*	**tro** (turn) **(3)(b)**
depths of something/		*do what one likes, to ~*	**mynnu (2)**
somewhere, the ~	**perfeddion**	*do with, to ~*	Appendix 11.06
desire	**awydd, chwant**	*dodgy*	**bethma (1), giami,**
despite	**er (5)**		**simsan**
despite that	**hynny (6)**	*dog*	**ci**
destroy, to ~	**'strywo**	*dog, a useless ~*	**rhech**
detailed	**manwl**	*dog's bollocks, the ~*	**ceilliau**
detract from something, to ~	**tynnu (3)(b)**	*dogs*	**cŵn**
devil	**cythraul (1), diawl (1),**	*dominant*	**trech**
	gŵr (2), jawl (1)	*donkey's years, for ~*	**oes (2)-(4)**
dialect	**iaith (1)**	*door nail, as dead as a ~*	**marw (4)-(5)**
Dialects, Welsh ~	Appendix 20	*dope*	**mwg (1)-(2)**
Dick	**Dic**	*dosh* (money)	**mags**
dickhead	**brych, coc, cotsyn,**	*dote, to ~*	**dwlu, gwirioni, hurto**
	cwd (3), cwdyn,	*doubled-over*	
	pwrs (2), sbrych	*(with laughter etc.)*	**dyblau**
die, to ~	**aped, huno (2), marw,**	*doubles*	**dyblau**
	traed (11)	*doubt*	**dowt**
die, to ~ (animals only)	**trigo (2)**	*doubt, to ~*	**amau (1)**
difficult for someone, to be ~		*doubt it, I don't ~*	**amau (3)**
(financially)	**main (2)**	*doubt, without ~*	**heb (2)**
dig, to ~	**palu**	*down*	**gwaered, i lawr**
dig a grave, to ~	**torri (2)**	*down a drink in one go, to ~*	**rhoi (5)**
dig, to ~ (ditch, grave etc.)	**agor (2)**	*down-and-out*	**caridym**
dilemma	**caeth (2),**	*doze, to ~*	**cysgu, hepian, huno (3)**
	cyfyng-gyngor	*drag on, to ~*	**pydru (3), rhygnu (3)**
diligent	**dyfal**	*dragon*	**draig**
Dinas (in place names)	Appendix 18.03	*dragon will give the start,*	
dirtiness	**bryntni, budreddi**	*the red ~*	**draig**
dirty	**brwnt (1), budr (1),**	*draw, to ~*	**llun (2)(a), tynnu**
	budur	*draw in, to ~*	**tynnu (7)**
disabled	**ffaeledig, methedig**	*draw to a close, to ~*	**terfyn**
disagree, to ~	**gweud (2)**	*draw someone's attention to*	
disagreeable	**cas**	*something, to ~*	**sylw (2)**
disagreement, in ~	**pen (17)(c)**	*draw the short straw, to ~*	**blewyn (8)**
disappear, to ~		*draw together, to ~*	**tynnu (6)**
(objects, possessions etc.)	**traed (2)**	*draw upon something, to ~*	**tynnu (3)(a)**
disappear off the face of the		*drawers*	**trôns**
earth, to ~	**darfod**	*dream*	**breuddwyd**
disappoint, to ~	**siomi**	*dregs*	**gwehilion**
disappointed, to be ~	**ail (3), siomi**	*dregs of society*	**gwehilion**
disappointment	**cam (8)(b)**	*dress, to ~*	**gwisgo**
discretion	**pwyll**	*dressed, to get ~*	**gwisgo**
discuss, to ~	**trin (1)**	*drink*	**diod, drinc, lysh**
dishes	**llestri**	*drink, on the ~*	**sbri**
dispersed	**chwâl (b), gwasgar**	*drinker*	**lyshwr**
distance	**hirbell**	*drinking binge*	**sesh**
distance, at a ~	**hirbell**	*drinking session*	**sesh**
distance, from a ~	**pell**	*drip* (feeble person)	**llinyn (2), llo (1)-(2)**
distinction	**bri**	*drive, to ~*	**dreifio, gyrru (1)**
distract someone, to ~	**echel**	*drive fast, to ~*	**gyrru (4)**
disturb, to ~	**mwydro (2), tarfu**	*drive home, to ~*	**hel (1)**
disturb something/		*drive home something, to ~*	**maen (1)**
someone, to ~	**tarfu**	*drive like mad, to ~*	**gyrru (4)**

drive out of somewhere, to ~	**hel (3)**
drive someone mad, to ~	**hala (6)**
drop (to drink)	**dropyn**
drop a hint, to ~	**taro (8)**
drop by, to ~	**taro (7), troi (14)**
drop in, to ~	**taro (7), troi (14)**
drop in the ocean, a ~	**piso (4)**
drop, to ~	**gollwng (1)**
drudge	**gwas (3), pric**
drunk	**cwrw, chwil, dal (19), diod, meddw**
drunk, totally ~	**caib (2), chwil, honco, meddw (1)-(2), rhacs (3)**
dry	**sych**
dubious	**giami**
duck	**chwaden**
dump in the world, biggest ~	**twll (10)**
dump, total ~	**twll (9)**
dumps, down in the ~	**melan (2)**
dunno	**'mbo**
dunno, I ~	**dwn i'm**
dunno how long, I ~	**wnifeintodd**
during	**adeg (2), hyd (4)(b)**
dusk	**brig (2)-(3)**
dust	**dwst, llwch**
dust, dry as ~	**sych (2)-(4)**
dust, to ~	**dwsto, llwch**
dwell, to ~	**trigo (1)**
dying to do something	**bogail (1), bol (4), gwddw, marw (2)**
each	**un (4)(a)**
each (one)	**bobo**
each to their own	**barn, clemau (2), gwirioni, peth (10)**
eager	**eger (2)**
eagle eye	**llygad (4)**
earache	**clust dost, pigyn clust**
earful	**llond (2), (12), pryd (meal) (2)**
earlier	**cynt**
early	**bore (3)**
earn, to ~	**ennill**
earn my living, to ~	**ennill (3), hel (13)(a)**
earn my place, to ~	**ennill (2)**
earnest, in ~	**difrif (2)**
earth, (what/where etc.) on ~ ?	**aflwydd, andros (3), byd (3), cebyst, coblyn (1), cynllwyn, daear, wyneb (1)**
(earth)worm	**llyngyren ddaear, mwydyn, pryf (3)**
easier	**haws, hawddach**
easier said than done	**dweud (6)**
easiest	**hawsaf, hawddaf**
easily, not ~	**chwarae (5)**
easy come easy go	**rhad (3)**
easygoing	**budr (2)**
eat, to ~	**bwyta, bita, hel (12)**
eat at someone, to ~	**pwdin (1)**
eating you, what's ~	**cnoi (3)**

ebb (of the sea)	**trai**
ebbing	**trai**
echo	**carreg**
economise, to ~	**cynilo**
edge	**min, ymyl**
education,	
proverb in praise of ~	**arf**
eel	**'slywen**
effect, to this/that ~	**perwyl**
eh	**sut (2), y (4)**
eisteddfod	**'steddfod**
Eisteddfod, the National ~	**cenedlaethol, prifwyl**
either ... or ...	**naill (2), pa (3), un (3)**
elbow	**elin, penelin**
electric	**'lectrig**
élite reputed to run Wales	**Taffia**
embankment	**clawdd**
embarrassed	**pen (56)**
emotional	**teimlad**
emphasis	**hen (3), yn (2) (note), yr, Appendices**
empty, to ~	**gwacáu, gwagio, 'sbydu (1)**
end	**diwedd, pen (3), terfyn**
end (for me), at an ~	**pen (5)**
end to end, from ~	**pentigili**
end of my tether, to (arrive at/ come to etc.) the ~	**pen (23)**
end of it, that's the ~	**diwedd (2), pen (31)**
end of the matter, that's the ~	**diwedd (2), pen (31)**
end, the very ~	**diwedd (4)**
end, without ~	**di-ben-draw**
endless	**di-ben-draw**
England	**clawdd, Lloegar, Lloeger, Lloegr, Sais**
England and Wales	**Cymru (2)**
English in Welsh, use of ~	Appendix 21
Englishman	**Sais**
Englishman (adjectival use of ~)	**Sais**
Englishman,	
derogatory term for typical ~	**Jac (2)**
enjoy, to ~	**joio (1)**
enjoy a great deal, to ~	**joio (2)**
enjoy something, to ~	**hwyl (3)**
enough	**digon**
enough, more than ~ (quantity)	**digon (2)**
entertaining	**budr (2)**
enterprise	**antur**
entertain, to ~	**difyrru**
enthusiastic	**eger (2)**
enthusiastic, wildly ~	**tân (1)(b)**
entirety, in its ~	**hyd (3)**
entrails ~	**perfeddion**
equal, without ~	**ail (4)**
erection (sexual)	**codiad (2), cwnnad (2)**
errand	**neges**
escape, to ~	**dengyd, denig, jengyd**
especially good	**arbennig**
especially (interesting/ useful etc.)	**sobor**
essence	**hanfod**
essence, in ~	**hanfod (1)-(2)**
establish myself, to ~	**traed (3)(b)**

estimate	**amcan**
estimate, to ~	**amcan**
etcetera	**blaen (1)**
ethnic background	**croen (1)**
euphemism	**gair (4)**
Evan	**Ifan**
even	**hyd (12)**
even (worse/better etc.)	**byth (6)**
evening	**diwetydd, nos (2)** (note)
evening (general sense)	**noson (1), noswaith (1)**
evening festival	**noson (3)**
evening, good ~ (greeting)	**noswaith (3)**
evening, in the ~	**hwyr (2), (4), nos (2)**
evening, (Monday/Tuesday etc.) ~	**nos (5)**
evening, the ~	**min (3)**
evening, Wednesday ~	**nos (6)**
evenings (general sense)	**noseithiau**
eventually	**ymhen (1)-(2)**
ever (future only)	**byth (1)**
ever (past only)	**erioed (1), 'rioed (1)**
ever, for ~	**byth (2)**
ever, for ~ and ~	**byth (5), oes (1)**
every	**pob**
every now and then	**hyn (5)**
every other (hour/house etc.)	**pob (2)**
every single one	**pob (1)**
every which way	**sut (3)**
everybody	**copa (3)**
everything	**dim (15), popeth**
everything in life has to be paid for	**diwedd (1)**
everything (is) alright	**popeth**
everything (is) OK	**popeth**
everywhere	**pobman (3), rhwyle (3)**
exact	**cwmws, union**
exactly	**blewyn (6), cwmws, union (2), dim (12)**
exactly right	**llygad (5)**
excellent	**boi (2), camp (1), go (5)(c), tsiampion**
exceptionally	**pen (29)(a), tu (9)(b)**
excess	**rhemp**
excitement	**cyffro (1)**
exhaust, to ~	**hario**
exist, to ~	**bod (1), byw** (to live) **(3)**
expense, at something/ someone's ~	**corn (a)**
expect, to ~	**disgwyl (1), erfyn (1)**
expectations, against all ~	**disgwyl (5)**
expected, as ~	**disgwyl (6)**
expecting, she's ~	**disgwyl (4)**
expense	**traul**
expense of something, at the ~	**traul (1)**
explosion (of activity, fun etc.)	**sbloet(s)**
extent, to a great ~	**graddau (2)**
extent, to an ~	**graddau (1)**
extent, to some ~	**graddau (3)**
extent, to such an ~	**graddau (4)**
extinguish, to ~	**diffod, diffodd**
eye	**llygad (1)**
eye to eye	**llygad (7)**

eye, to (look/stare etc.) someone right in the ~	**byw** (quick) **(2)**
eyes	**llygada, llygaid**
face	**gwyneb, pryd, wmed, wyneb**
face to face	**pen (17)(a), wyneb (4)**
faces	**clemau (1)**
fact, in ~	**gwirionedd**
fact of the matter, the ~	**gwir (6)**
factories, mines etc. of South Wales	**gweithie**
fail, to ~	**'cau, ffaelu, ffliwt, gwellt, methu (2), pallu (1)**
fail completely, to ~	**ffaelu (2)-(3), methu (4)-(5)**
faint, to ~	**gwasgfa, llewygu, pango**
fair(ground)	**ffair**
fairly	**go**
fall, to ~	**cwympo, disgyn, syrthio**
fall in, to ~	**pen (34)**
falter, to ~	**cloffi**
fame	**bri**
famous	**bri (2)**
fanny (female genitalia)	**camagara, pwdin (3), siani (2)**
Fanny (girl's name)	**siani (1)**
far	**pell, ymhell**
farm	**ffarm**
farm buildings	**bildings, tai (1), teie**
farm, funny ~ (mental home)	**ffarm**
farm track	**ffordd (2), lôn (4)**
farmyard	**buarth, clos, iard**
fart	**rhech**
fart, to ~	**taro (9)**
farthing, brass ~ (figuratively)	**ceiniog (1), dimai (2)-(3), magan**
fashion	**ffasiwn**
fashion, in ~	**bri (1)**
fast	**cloi, clou, siarp**
fast, to (walk/run etc.) as ~ as possible	**nerth (2)-(4)**
fast, figurative reference to anything that moves ~	**milgi**
fat	**tew**
fate	**hap**
father	**tad (1)**
Father Christmas	**Siôn (3)**
father like son, like ~	**mam (1)**
fault	**bai**
fault, at ~	**bai (1)**
fault, I'm at ~	**bai (3)**
favour of someone/ something, in ~	**plaid (1)**
fear	**ofn, ofon**
feat	**camp**
feather one's nest, to ~	**hel (17)**
February	**mis (2)**
feeble	**llywaeth**
feed, to ~	**porthi (1)**
feel, to ~	**clywed (2)**
feel instinctively, to ~	**clywed (3)**

feel like doing something, I ~	awydd (2), blys (2), chwant (2)	flash lightning, to ~	lluchedu, melltio, melltennu
feel sorry for someone, I ~	chwith (2), gresyn (2)	flash of lightning	llucheden, mellten
feel sorry for someone, to ~	bechod (4), blin (2)	flat	gwastad
feel (very) sorry		flat on my back	gwastad
for someone, I ~	piti (2)	fledgling (teacher/solicitor etc.)	cyw (4)
feeling	teimlad	flesh	cig (2)
feet	traed	flicker of (fire/hope etc.), a ~	llygedyn
fell, to ~	cwympo	flier, high ~	ceffyl (1)
festival	gŵyl	flirt	hoeden
fetch, to ~	hôl, 'mofyn, 'morol (2),	floor	llawr
	'moyn (2), mynd (9),	flour	blawd, can, fflŵr
	'nôl (2)	flowers	blodau
few	ambell	fluent	glân (1)(b)
few, a fair ~	tipyn (2)	fly (on trousers)	balog, copis(h)
fiddle about, to ~	stwna	fly, to ~	fflio, hedeg, hedfan
field	cae, maes, parc (2)	foal, to ~	bwrw (10)
field of battle, the ~	cad (1)	foam, to ~	malu (3)
fight, to ~	clatsho, cwffio,	fold, to ~	plethu
	wmla(dd)	fold my arms, to ~	plethu
fight on, to ~	clatsho	folk	gwerin (1)-(2), gwreng, wêr
fighting that leads to blood		follow, to ~	calyn, canlyn
being shed	gwaed (2)	follow someone blindly or	
fill, to ~	llanw (2), llenwi	treacherously, to ~	ci (1)
fill my face, to ~	hel (12)	fool	bwbach, ffwlbart,
filth	trybolâu		hulpyn, lembo, lob,
filth, disgusting ~	trybolâu		llymbar, mwlsyn,
filth, the ~ (police)	slobs		nionyn, pen (40)(b), (42),
find, to ~ (figuratively only)	cael (3),		(49), penbwl, penci,
	Appendix 13.06(vii)		sbwbach, 'sglyf,
find something/someone, to ~	cael (6), dod (4)		'sglyfath, sinach, sledj,
find out about something, to ~	gwybod (2)		twmffat, twpsyn,
fine	braf, clên, ffein, ffeind,		uffar (2), uffern (2)
	iawn, nobl		
finger	bys	fool around, to ~	poetshio, potshan
finger in the pie	bys (1), (2)	foolish	ffôl (1)
finger on it, to		forward	ymlaen
(put/place etc.) my ~	bys (4)	foot	troed
(finger)nail	gewin	foot of something, at the ~	troed (2)
finish, to ~	'bennu, cwpla, darfod,	football	ffwtbol
	dwyn (3), pen (25), (27)	(foot)stile	camfa, sticil
finish off something, to ~	talcen (4)	for	am, amdan, cyfer (2),
finish things off, to ~	cau (6)		er (2), rhan (3)(a)
finish work for the day, to ~	cadw (8)	for it (rebuke)	cael (7)
finished (for me)	pen (5)	for, (things etc.) are	
finished, I'm ~	canu (11)	(easy/difficult etc.) ~ me	ar (3)
fire	tân	force home, to ~	hel (1)
fire, on ~	tân (1)(a)	force, in ~	grym
fire, prepared ~	tân (3)	force out of somewhere, to ~	hel (3)
fire, under ~	lach (2)	force, physical ~	bôn (1)
firm	sownd (2)	forefront, at the ~	cad (2)
first	cyntaf	forget, to ~	cof (5)
fish, to ~	'sgota	forehead	talcen (1)
fish and chips	'sglod	form of address	
Fishguard	Appendix 18.02	in the accusative	y (5)
fit	ffit, gwiw	form, some ~	llun (1)
fit as a fiddle, as ~	cneuen	fortnight	pythewnos
fit, total ~	ffit	forward/sharp etc.	
fix, to ~	cyweirio, trwsio	in speech or manner	tafod (2)
flash	gwib	four	pedwar
flash, in a ~	amrantiad (1)-(2),	fours, on all ~	pedwar
	cachiad, gwib	fox	cadno, llwynog,
flash in the pan	tân (4)		Siôn (2)

fragmented	candryll	generation	cenhedlaeth, to
fray, unto the ~	cad (3)	generation, from ~ to ~	rhod (2)
free	rhad (2), rhydd,	generation, the younger ~	cenhedlaeth, to
	traed (1)	gentleman	gŵr (1)
free, for ~	dim (6), rhad (4)	gentlemen	boneddigion
freedom, complete ~	hynt (3)	gentleness	mwynder
freely	wysg (4)	gentry	byddigions
freeze, to ~	fferru, rhewi, sythu (2)	genuine	go (7), triw
freeze hard, to ~	chwipio	gestures	stumiau (1)
freeze solid, to ~	rhewi (1)-(2)	get away	tewi (1)-(3)
frequent	aml	get away from here	bachu (1)
friend	cyfaill	get it (rebuke)	cael (7)
friend, bosom ~	cyfaill	get, to ~	hôl, 'mofyn, 'morol (2),
friend, close ~	cyfaill		'moyn (2),
friends	llawiau		mynd (9), mynnu (1),
fright	braw		'nôl (2)
frighten someone, to ~	braw, hala (4), ofn (1)	get a beer belly , to ~	magu (2)
frightened, I'm ~	ofn (2)-(3)	get a move on, to ~	siâp (2), siapio (2),
fringe, the Celtic ~	cyrion		traed (6)
frog	broga, llyffant	get a word in edgeways, to ~	pig (5)
from	o, oddi (6)	get ahead, to ~	mynd (7)
from above	oddi (7)	get all sweaty, to ~	chwys (9)
from afar	pell	get an erection, to ~	min (2)
(from) below	oddi (4)	get annoyed, to ~	gweld (4)
from here	o 'ma, oddi (8), odd'ma	get at someone, to ~	blewyn (7), cega,
from inside	oddi (5)		pen (20), (36)
from now on	hyn (8)-(9)	get better, to ~	blaen (5)
from outside	oddi (1)	get completely	
from then on	hynny (10)	(furious/drunk etc.), to ~	ulw (2)
from there	o 'na, oddi (9)	get confused, to ~	ffwndro
(from) underneath	oddi (4)	get fed up, to ~	digon (1), 'laru, llond (1),
front	blaen, tu (2)		syrffedu
front, in ~	blaen (2)	get frosty, to ~	brigo
frugal, to be ~	llygad (3)	get in front of someone	blaen (4)
fuck	ffwc, ffwrch	get hold of something/	
fuck of a (man/girl etc.)	ffwc (3)	someone, to ~	gafael (3)
fuck off	twll (5)	get into the swing, to ~	
fuck, to ~	bwchio, ffwcio,	(speech, sermon etc.)	hwyl (9)
	ffwrchio	get my breath back, to ~	gwynt (5)
fuck, (what/where etc.) the ~	ffwc (1)	get my foot in the door, to ~	pig (4)
fuck you arsehole	twll (6)	get my gist, if you ~	Appendix 13.06(ix)
fucking (good/bad etc.)	ffwc (2)	get on, to ~	blaen (5)
full	brith (4), llawn, llond	get on, to ~ (age)	tynnu (10)
full of myself	cloch, llond (6)	get on (for time etc.), to ~	tynnu (1), (5)
fun	hwyl, sbri	get on with someone, to ~	cyd-dynnu, dod (5),
fun and games	hwyl (6)		gwneud (2)
funeral	angladd, cynhebrwng	get one's own back at	
furious	gwyllt (2)	someone, to ~	blewyn (7)
furious, absolutely	cacwn (1), candryll	get out and about, to ~	codi (7)
furniture	celfi, dodrefn,	get out of my sight, to ~	golwg (8)
	moddion tŷ	get stuck in a rut, to ~	rhigol
furrow	rhych	get revenge, to ~	talu (2)
fuss	strach	get rid of something/	
gable (of building)	talcen (2)	someone, to ~	gwared (2)
gallop	carlam	get stuffed	naw (2)
gallop, at a ~	carlam	get the better of something/	
gap	adwy	someone, to ~	blaen (4), trech (1)
gate	clwyd, gât, giât, iet,	get to grips with something,	
	llidiart	to ~	gafael (4)-(5)
gather, to ~	hel, hela	get to know someone, to ~	'nabod
gather dust, to ~	hel (15)	get up, to ~	codi (3), traed (5)
gather my things		get used to something, to ~	arfer (2), pen (26),
together, to ~	hel (11), pac		telerau
Gender of Nouns	Appendix 14.02	get what I mean, if you ~	Appendix 13.06(ix)

gift	dawn	go through my paces, to ~	peth (9)
gift of the gab, the ~	dawn	go through my stuff, to ~	peth (9)
giggle, to ~	piffian	go to bed, to ~	clwydo
ginger (red-haired)	cochen, cochyn	go to hell, to ~	crogi (2)
girl	croten, 'es, fodan,	go to someone's head, to ~	pen (22)
	hogen, lodes, los,	go, to (swallow/drink etc.)	
	llances, merch,	something in one ~	talcen (5)
	rhoces	go to the bog, to ~	House of Lords
girl, strapping ~	llafnes	go to the dogs, to ~	cŵn (2)
girlfriend	cariad, wejen	go to the toilet, to ~	House of Lords , troi (11)
girls	gennod	go (very) well, to ~	mynd (5)
give	moes	goat	gafr
give credence to something, to ~	rhoi (6)	gob (mouth)	hopran, pig (3)
give rise to something, to ~	esgor	goblin	coblyn
give someone a subtle hint, to ~	taro (8)	God	arglwydd (1), brenin,
give something a try, to ~	rhoi (7)		Dew, Duw (6), Jiw (1)
give something credibility, to ~	rhoi (6)	God (euphemism for ~)	brensiach, duwc,
give up, to ~	rhoi (8)		duwcs, duwch,
give up something, to ~	rhoi (9), (11)		duwedd, dyn (3)(a)-(d)
give vent to my grievances, to ~	arllwys (2)	God forbid	na (2)
glad	llon	God, good ~	arglwydd (4)-(5),
glad, I'm ~	balch		Duw (4), (6), sowth (2)
glance	cipolwg, pip	God help me	Duw (3)
glance, to ~	pipo, sbecian	God, honest to ~	gwir (9), saff (5), sicr (3),
glance over something,			siŵr (9), wir (4)
to (have a) ~	cipolwg, pip	God knows	Duw (1)
glimpse	cipolwg, pip, stag	God save me	Duw (2)
glitters is not gold, all that ~	aur	God save us	Duw (5)
glutton	bolgi	God squad (religious fanatics)	criw
gnat's pee (weak drink)	piso (1), (3), (5)	God, sure to ~	saff (3), sicr (1),
gnats	chwiw (1), gwybed		siŵr (7), wir (2)
go	tro (1)	God's sake, for ~	mwyn (2), (5)-(6)
go, to ~	hel (14), mynd	going around	lled (1)
go about my business, to ~	peth (8)	gold	aur
go after a red herring, to ~	'sgwarnog	gone	wedi (2)
go against something, to ~	croes (1)	gone by	Appendix 4.02(iii)
go and get lost, to ~	cachu (3), canu (12),	good	da, gwd, nêt, nobl,
	crafu (2)		teidi
go and get stuffed, to ~	cachu (3), canu (12),	good, as ~	cystal, cystled,
	crafu (2)	good, fairly ~	go (8)(a)
go and meet trouble, to ~	gofid	good, for my own ~	lles
go bright red, to ~	cochi	good for nothing	da (4), didda, diddim
go drinking, to ~	slotian	good, so ~	cystal, cystled
go for a drive in the car, to ~	tro (turn) (6)	goodbye	da (1), hwyl (8), (11),
go for a spin in the car, to ~	tro (turn) (6)		ta-ra, ta-ta
go for a walk, to ~	tro (turn) (5), wâc	goodness me	achlod, annwyl,
go for it, to ~	mynd (3)		argian (1)-(4), argoel,
go hell for leather, to ~	cath (2), fflamia (2)		arswyd (1), (3)-(4),
go like clockwork, to ~	watsh		bois (2), brenin,
go mad, to ~	colli (6), gwyllt (1),		brensiach, desu, diar,
	gwylltio, gwylltu,		diawst, dyn (3)(d),
	myll (2), myllio (3)		engoch, esgob (1)-(3),
go near somewhere, to ~	tywyllu		esgyrn, gwarchod,
go, on the ~	gweill		hawyr, iechyd (2),
go on, to ~	berwi (2), bwrw (9),		iechydwriaeth,
	cyboli, chwilbawen,		iesgob, jiw (2), mam (2),
	hefru, janglo,		mawredd (1)-(3),
	mwydro (1), myllio (2),		myn (6), nef, nefi (1)-(4),
	paldaruo, prepian,		nefoedd (2)-(3), (5)-(6),
	pwll, rhefru		nen (1)-(2), neno (1)-(5),
go on an errand, to ~	neges		pobol (2)-(4), 'rargian,
go out with someone, to ~	calyn, canlyn (2)		'rargoel, 'rarswyd,
go senile, to ~	ffwndro, myllio (1)		sobrwydd, tad (3)-(4),
go shopping, to ~	neges		trugaredd (3), 'wannwyl

goodness knows	dyn (3)(c)	hair, a ~	blewyn
goodness' sake, for ~	asiffeta, bendith (2)-(3), mwyn (1), (3)-(4)	hair, false ~	gwallt dodi, gwallt gosod
goodwill	gwirfodd	hair on body or animal	blew
goose pimples	croen (2)	(hair) parting	rhaniad, rhesen (wen)
Gospel truth	pader	hair's breadth, within a ~	trwch (1)
gossip, an old ~	ceg (3)	half	hanner
gossip, to ~	clebran, cleber, hel (7), (19), lap(an), straea	half, by ~	hanner (3)
		half, in ~	hanner (4)
grab, to ~	bachu, gafael	halfpenny	dimai
grab someone's attention, to ~	hoelio	Halloween	Clangaea'
grasp, to ~	cydiad, cytshio, gafael	hammer, to ~	chwalu (2)
gradually	araf (2), fesul (1), (3), slo, tipyn (1), (4)	hand	llaw
		hand, at ~	llaw (8), penelin (2)
grandfather	tad-cu, taid	hand-in-hand	llaw (4)
grandmother	mam-gu, nain	hand, old ~	llaw (3)(a), pen (32)
grandparents	nain (note)	hand over fist	canfed
grasp of (Welsh/ information etc.)	crap	hand, the upper ~	pen (48)
		hand to mouth, from ~	llaw (5)
grasp, to ~	cydio, cydied, cytsio, gafael	handful	llond (4), nythaid
		handkerchief	cadach poced, ffunan boced, hances (boced), hancsiar, macyn, neisied, nicloth
grass	gwellt, reu		
grate, to ~	rhygnu		
gratis	dim (6), rhad (4)		
grease, to ~	iro	handle	carn, dolen
great	grêt, mwyaf (4) tsiampion	handle, to ~	trin
		hand(s)	pump
great (worry/pain etc.)	calon (3)	hands	dwylo
great(ly)	garw (2)	hang, to ~	crogi
green	glas (1)	hang around, to ~	mwydro (3), 'smera (2)
green (innocent)	glas (3)	hang on, to ~	dal (10)
greetings (archaic)	henffych (well)	hangover	pen (46), Penmaenmawr
grey	glas (4)	happen to someone, to ~	rhan (2)
greying (hair)	brith (3)	happy and the sad, the ~	llon
greyhound	milgi	happy, very ~	bodd (2), cog, pen (8), uwchben (2)
grief	gofid		
grind, to ~	malu	harden, to ~	cledu
grip, to ~	gafael	harder	anoddach, anos
groove	rhigol	hardest	anodda(f), anosaf
(ground)frost	barrug, llwydrew	hardly	braidd (2), (5), go (1)
group, nursery ~	cylch	hardly anyone	fawr (2)
group, small ~	nythaid	hardly anything	fawr (3)
grown, fully ~	twf	hardly anything at all	peth (16)
growth	twf	hardly likely	camp (2)(b)
grunt, to ~	rhochian	hare	sgwarnog
guess	amcan	harvest	cnaea'
guess, to ~	amcan	haste	brys, hast
guise, in its new ~	gwedd	hate, I ~	cas
gullet (throat)	llwnc	hate, to ~	cas
gulp down, to ~	llowcio, sglaffio	hateful is the man who does not love the land that	
gun	dryll, gwn	rears him	gŵr (3)
guns, big ~	hoelion	have	'di
gush, to ~	'styllio	have, to ~	cael (1), Appendix 13.05-13.06
gust	chwa		
gust of wind	gwth (1)	have a bun in the oven, to ~	magu (3)
gusto, to (vomit/swear etc.) with ~	ochr (1)	have a drink, to ~	bys (3)
		have a good time, to ~	jolihoetian
guts	cratshiad, llond (3)	have a gutsful, to ~	llond (1)
gutsful	bocs, ceubal	have a relationship with	
Gwynedd, rhetorical name for ~	cadernid	someone, to ~	calyn, canlyn
habit	arfer	have enough, to ~	digoni (1)
had it, I've ~	cachu (1), diawl (9)	have fun at something, to ~	hwyl (3)
hail, to ~	bwrw (8)	have my say, to ~	dweud (1)
hail(stones)	cesair, cenllysg		

have sex with someone, to ~	cefn (3), trin (2)		neno (1)-(5), pobol (2)-
have to, to ~	gorffod, goro, gorod,		(4), 'rargian, 'rargoel,
	Appendix 13.09-13.10		'rarswyd, sobrwydd,
have to do something, I ~	gofyn (1)		tad (3)-(4), trugaredd (3),
hay cart	gambo		'wannwyl
he	hwn (2), hwnna,	*heaviness*	trymder
	hwnnw (2),	*heck*	ew, ewadd
	'nacw, Appendix 15	*hedge*	clawdd, gwrych, perth,
head	copa (2), pen (1)		shetin
head, completely off my ~	cynddeiriog	*heed, to ~*	hidio
head for somewhere, to ~	anelu, bwrw (15),	*he-goat*	bwch
	gwneud (1), troi (1)	*hell*	uffar (1), uffern (1),
head, to (hit/knock etc.)			yffach, yffern
something on the ~	talcen (4)	*hell (exclamation)*	diawch (2), (4), diawcs,
head honcho	pen (41)		diawl (3), (6), jawch (1)-
head, in my ~	cof (2)		(2), jawl (2)-(3)
head in the clouds	pen (55), trwyn (2)	*hell, bloody ~*	Deu, myn (2)-(5),
head is spinning, my ~			(7)-(11), uffach (2), (5),
(bewilderment etc.)	pen (34)		uffar (4), uffern (5)-(6)
head man	pen (41)	*hell of a (breakfast/meal etc.)*	sleifar
head needs looking at, my ~		*hell of a (headache/storm etc.)*	andros (2), coblyn (2),
(stupidity)	clymu		cythraul (5), diawl (7),
head, off my ~	pen (39)		uffach (4), uffar (6),
head or tail	rhych (1)-(3)		ufflon
head-on	pen (17)(b)	*hell of a lot of something*	peth (12)-(13)
head over heels	pen (30)(b), tin (3)	*hell of a lot*	
headache	cur, pen (52)	*(worse/better etc.), a ~*	peth (7)
headache, splitting ~	pen (44)	*hell, (what/where etc.) the ~*	cythraul (4), diawch (3),
health	iechyd (1)		diawl (5), uffach (3),
health, your good ~ (drinking)	iechyd (3)		uffar (5), uffern (4)
healthy-looking	llond (8)	*hell with something, to ~*	diawl (8)
heap	swp	*hell, to (go/run etc.) like ~*	coblyn (3)
heap, to (fall etc.) in a ~	swp (2)	*hello, how are things?*	shwd (3), s'mae, sut (5)
hear, to ~	clywed (1)	*helm*	llyw
hearing	clyw	*helm, at the ~*	llyw (2)
hearing, hard of ~	clyw	*help*	help
heart	calon	*help, to ~*	helpu
heart, at ~	mêr	*help someone, to ~*	cynnal (2)
heart attack	harten	*helping hand*	help
heart of the matter	calon (1)	*hen*	giâr
heartburn	dŵr, diffyg traul, llosg	*her*	hon (2), honco (manco),
	cylla		honna, honno (2),
heat (of a meeting etc.)	berw (2)		'nacw, Appendix 15
heaven	gwlad (6), nef,	*here*	dyma (1), fa'ma, fan (3),
	nefoedd (1)		'ma, man (place) (3),
heaven help me	dyn (3)(a)-(b),		yma (1)
	gwarchod, helpu,	*here and there*	fan (4)(a), hwnt,
	nefoedd (4)		yma (3)-(4)
heaven's sake, for ~	bendith (2)-(3), enw (3)	*here, there and everywhere*	fan (4)(b)
heavens	entrychion, nefoedd (1)	*heron*	caran
heavens above	achlod, annwyl,	*hesitant, to be ~*	cloffi
	argian (1)-(4), argoel,	*hesitate, to ~*	cloffi
	arswyd (1), (3)-(4),	*hiccup, to ~*	igian
	bois (2), brenin,	*hide, to ~*	cuddiad, cwato
	brensiach, desu, diar,	*higher*	uchelach, uwch
	diawst, dyn (3)(d),	*highest*	uchaf, uchela
	engoch, esgob (1)-(3),	*highway*	ffordd (3)-(4), heol,
	esgyrn, gwarchod,		lôn (3), (5)
	hawyr, iechyd (2),	*hill*	gallt (1)
	iechydwriaeth, iesgob,	*hill, wooded ~*	gallt (2)
	mam (2), mawredd (1)-	*hilt*	carn
	(3), myn (6), nef,	*him*	hwn (2), hwnna,
	nefi (1)-(4), nefoedd (2)-		hwnnw (2),
	(3), (5)-(6), nen (1)-(2),		'nacw, Appendix 15

him (over there)	**hwnco (manco)**	*houses*	**tai**
hips	**'sennau**	*hovel*	**tŷ (4)**
hire, for ~	**llog**	*how*	**fel (2), shwd, sut (1)**
history	**hanes (1)**	*how are you?*	
hit	**clatshen, chwelpan,**	*(common reponse to ~)*	**tlawd (1)**
	ffatan, lab, lempan,	*how awful (rhetorically)*	**och**
	pwniad, stîd, swadan	*how (good/bad etc.)*	**faint, pa (1)**
hit, to ~	**bwrw (1), colbio,**	*how many?*	**sawl (1)**
	pwnio, sodro (2),	*how many/much*	**faint**
	stido (1), taro (1),	*how terrible (rhetorically)*	**och**
	wadio, waldio	*however*	**ta (7)**
hit the mark, to ~	**taro (5)-(6)**	*however much*	**ta (3)**
hold on	**pwyll (1)(b)**	*hug*	**cwtsh (1)**
hold, to ~	**cydiad, cytsio, cynnal,**	*hug, to ~*	**cwtshio**
	dal (2)	*huge*	**mwyaf (4)**
hold a pow-wow, to ~	**seiat**	*huge (house/mountain etc.),*	
hold court, to ~	**cynnal (3)**	*a ~*	**clamp, hongliad,**
hold my ground, to ~	**dal (11)**		**homar, horwth**
hold my horses, to ~	**dal (10)**	*humble someone, to ~*	**torri (3)**
hold my own, to ~	**dal (11)**	*hundred*	**cant**
holding me back, there's no ~	**dal (18)**	*hundred (medieval*	
hole	**twll**	*administrative unit)*	**cantref**
holiday home	**tŷ (2)**	*hundred and one, a ~*	**cant, mil**
hollow	**pant**	*hundredth*	**canfed**
home, at ~	**adref (1) (note)**	*hundredfold, a ~*	**canfed**
home, to (hit/knock etc.) ~	**adref (2)**	*hunger*	**cythlwng**
homesick, I'm ~	**hiraeth**	*hungry*	**cythlwng**
homesickness	**hiraeth**	*hurry*	**brys, hast**
home(wards)	**adref (1), sha (2),**	*hurry, in a ~*	**brys, hast**
	tref (4)	*hurry, to ~*	**brysio, hastu, picio,**
honest	**triw**		**rhoi (14), siâp (2),**
honest, to be ~	**a (4)(a)-(b)**		**siapio (2)**
honestly	**gwir (4)**	*hurt someone's feelings, to ~*	**damsang, sathru**
honey	**mêl**	*husband*	**gŵr**
honour	**anrhydedd**	*hush*	**hisht, ust**
honour, in ~	**anrhydedd**	*hut*	**cwt (2), cwtsh (2)**
hook, to ~	**bachu**	*ice*	**iâ, rhew**
hope	**gobaith**	*idea*	**amcan**
hope, in ~	**gobaith (3)**	*ideas, everyone has got*	
hope, (no) ~ in hell	**gobaith (1)-(2), hôps**	*their own ~*	**pen (60)**
hope, to ~	**gobeithio**	*idiot*	**bwbach, ffwlbart,**
hope, to greatly ~	**gobeithio (3), hyderu**		**hulpyn, lembo, lob,**
hope to high heaven, to ~	**gobeithio (2)**		**llymbar, mwlsyn,**
horn	**corn**		**nionyn, pen (40)(b),**
horror	**arswyd**		**(42), (49), penbwl,**
horrors, little ~ (children)	**'ffernols**		**penci, sbwbach, 'sglyf,**
horse	**ceffyl**		**'sglyfath, sinach, sledj,**
horse, on my high ~ (indignant)	**cefn (1)**		**twmffat, twpsyn,**
horse's mouth, the ~	**llygad (6)**		**uffar (2), uffern (2)**
hospital associated with lunacy	**Dinbych**	*if*	**onid, on'd**
hot	**tesog**	*if (to introduce an emphatic*	
hotfoot it, to ~	**bachu (3), baglu,**	*clause)*	**ai (2), mai (2), taw (2)**
	coedio, cymryd (6),	*if only ...*	**o na (1)**
	gloywi, goleuo,	*ignore, to ~*	**gadael (2)**
	gwadnu, gwân,	*ill*	**anhwylus, cwla, sâl,**
	heglu (1), miglo (1),		**simsan, tost**
	'sbydu (2), siapio (1)	*ill, very ~*	**'symol (2)**
hot hazy and sunny	**tesog**	*illegitimate (son/child etc.)*	**gordderch, llwyn**
hour	**awr**	*illness*	**salwch, tostrwydd**
hour, whole ~	**awr (1)**	*image*	**ffunud**
hours	**oriau**	*image of something/*	
hours, in daylight ~	**lliw (1)**	*someone, the spitting ~*	**ffunud, poeriad, sbit**
hours of the morning, early ~	**oriau**	*imagination*	**dychymyg**
house	**tŷ**	*imagination at full flight*	**dychymyg**

imagine, I ~	**gwybod (1), siŵr (6)**	*iron*	**haearn**
immaculate	**glân (1)(a), pìn**	*iron, to ~*	**smwddio, stilo**
immediately	**blaen (7), gair (1),**	*irritant, an ~*	**tân (2)**
	man (time) **(2), pen (13),**	*is*	**'di, ma'**, Appendix 1
	reit (5), (7), syth,	*is it?* (at end of indirect	
	union (1), (3)-(4)	statements)	**ai (4), ife**
immigrant	**mewnfudwr**	*is it not etc.*	**onid (3)**
impasse	**caeth (2),**	*is that so*	**tybed**
	cyfyng-gyngor	*island*	**ynys**
Imperative, The ~	Appendix 10	*Isles, the British ~*	**gwledydd**
impetuously	**hyll (1)**	Isles, the British ~	
implore someone, to ~	**erfyn (2)**	(rhetorical name for)	**ynys**
implore you, I ~	**da (2)**	*isn't it etc*	**on'd (1)-(2), ontefe,**
importance, of ~	**pwys (4)**		**yndefe, yndydy**
important	**pwysig**	*it*	**hon (2), honna,**
important, vitally ~	**pwysig**		**honno (2), hwn (2),**
imprint on the mind, to ~	**serio**		**hwnna, hwnnw (2),**
in	**miwn, yn (1)**		**'nacw**, Appendix 15
inch as good, every ~	**blewyn (3)**		
inch, within an ~	**dim (13)(b)**	*it is* (following a noun,	
incomer (man/people etc.)	**dŵad (2)**	adjective and verb-noun)	**am (5)(b)**
increase	**codiad (1), cwnnad (1),**	*it's all the same*	**brawd**
	cynnydd	*ivy*	**eiddew, iorwg**
increase, on the ~	**cynnydd, i fyny**	*jabber on, to ~*	**berwi (2), bwrw (9),**
increasingly	**fwyfwy**		**cyboli, chwilbawen,**
indeed	**gwir (7), wir (1)**		**hefru, janglo,**
indefinite amount or period	**pwy (3)**		**mwydro (1), myllio (2),**
independence, historical			**paldaruo, prepian,**
personification of loss of			**pwll, rhefru**
Welsh ~	**llyw (1)**	*Jack*	**Jac**
indigestion	**diffyg traul, dŵr (1),**	*Jack-of-all-trades*	**Siôn (5)**
	llosg cylla	*jail*	**jêl**
indulge, to ~	**dwnd(r)an**	*jealousy between singers*	**cythraul (6)**
inform someone, to ~	**rhoi (10)**	*Jesus, euphemism for ~*	**lesgob**
informed about something,		*Jesus* (exclamation)	**'Esu**
to be ~	**gwybod (2)**	*Jesus Christ* (exclamation)	**arglwydd (2)-(3),**
inhabit, to ~	**trigo (1)**		**lesu (1)-(4), sowth (2)**
injection	**pigiad**	*jiffy, in a ~*	**cachiad**
injustice, to do someone an ~	**cam (9)**	*jilt someone, to ~*	**troi (15)**
innocent look	**llygaid**	*joie de vivre*	**modd (5)**
insect	**pryf**	*joined together*	**sownd (3)**
inside	**tu (10)**	*jointly*	**cyd**
inside out	**tu (4)-(5), (8), (12)**	*jot, not to* (care/worry etc.) *a ~*	**botwm (2)**
insist, to ~	**mynnu (1), taeru**	*journey*	**siwrnai (1), taith**
instant	**chwinciad**	*journey, useless ~*	**siwrnai (4)**
instant, in an ~	**chwinciad (1)-(2)**	*journey, wasted ~*	**siwrnai (4)**
instinct	**greddf**	*journey's end*	**pen (54)**
instinct, by ~	**greddf**	*judgement*	**barn**
instinctively	**greddf, mêr, toriad**	*junk*	**'nialwch**
insult something/someone, to ~	**sen**	*just*	**dest, jest, 'mond,**
intended	**arfaeth**		**newydd (3)**
intention	**arfaeth, bwriad**	*just about*	**bron (1), (3), jest (1)-(2)**
intentionally	**bwriad**	*just about* (to do something)	**bron (2), min (1)**
intents and purposes, to all ~	**pwrpas**	(just) *about* (to come/	
interest (money)	**llog**	seven o'clock etc.)	**pen (6)**
interrogate, to ~	**holi (1)-(2)**	*just as* (good/bad etc.)	**un (5)**
interrogate someone, to ~	**holi (3)**	*just* (as good/as bad etc.)	**llawn (1)**
interrupt me, to ~	**torri (1)**	*just gone*	**troi (2)**
interrupt something/		(just) *in case*	**'cofn, rhag ofn**
someone, to ~	**tarfu**	*just so that I can* (go/look etc.)	**dim (11)(a)**
intestines	**perfeddion**	*just then*	**hyn (4)**
intimate(ly) (conversation)	**ceg (2)**	*keen, very ~*	**tân (1)(b)**
intuition	**greddf**	*keep, to ~*	**cadw (1)**
invite, to ~	**estyn (3), gwadd**	*keep at it, to ~*	**dal (8), gyrru (3),**
			pydru (1)

keep in touch, to ~	cadw (6)
keep off, to ~	cadw (4)
keep things on an even keel, to ~	cadw (5)
keep to something, to ~	dal (7)
kettle	tegil
kettle, familiar term for a ~	Morgan
key	agoriad, allwedd, 'goriad
kick, to ~	cicio
kicking and biting love grows, through ~	cicio (2)
kid	peth (5), (6)(b)
kill, to ~	lladd (1)
kill myself, to ~	torri (9)
kind	ffein, ffeind
kind, of this ~	math (2)
kind of (place/ house etc.), what ~	sut (4)
kind, this ~	math (4)
king	brenin
kitten, as weak as a ~	brechdan (5), cath (3)
knees	pen-gliniau, penna glinia
knickers	trôns
knick-knacks	trugareddau (1)
knitting-needles	gweill
knitting wool	'dafedd
knob	cal(a), coes (1), conyn, gwialen, pidlen, pisyn (3)
knock back a drink, to ~	rhoi (5)
knot	cwlwm
knotted up	cwlwm
know, as far as I ~	gwybod (1), (7)
know, I ~	mwn
know, not as far as I ~	gwybod (3)
know, to ~	gwybod
know, to ~ (a person or place)	adnabod, 'nabod
know, to be in the ~	peth (3)
know what's going on, to ~	peth (3)
know, you ~	cofio (1), 'chi, ch'mod, 'sbo, 'sti, 'wchi, 'wsti
knowing, there's no ~	dal (16), gwybod (5)
knowing, without my ~	gwybod (6)
knows, who ~	gwybod (5), (8)
knuckle sandwich (punch)	brechdan (3)
labour, hard physical ~	gwaith (work) (2)(a)
lack of parts makes widowed arts	gweddw
lad	boi (1), còg, crwt(yn), hogyn, llanc, rhocyn
lad, a good ~	gwas (1)
lad, a real ~	rêl (2)
lad, big ~	crymffast
lad, bit of a ~	'deryn (2)
lad, strapping ~	llafn
ladder	stôl (3), ysgol (2)
ladies and gentlemen	boneddigion
lads	bois (1)
lager lout	lembo
lamb	oen
lamb, pet ~	oen (1)-(2)
lame, to be ~	cloffi

Lampeter	Appendix 18.02
land	gwlad, tir
land of the living, in the ~	tir
land, the never-never ~	fan (2)
land, the promised ~	man (place) (2)
lane	feidir, gwli, lôn (1)
language	iaith
language, person who is obsessed by ~	ieithgi
language, in the spoken ~	llafar, tafod (1)
language, the English ~	iaith (3), Sais
language, the Welsh ~	Cymraeg
lap	arffed, côl, glin
last	dwytha
last, at ~	diwedd (3)
late	diweddar (2), hwyr
late, very ~	glas (5)
later on	maes (1), nes
laugh, to ~	chwerthin
laugh at something/ someone, to ~	chwerthin (1), hwyl (2)
law	cyfraith
lay down, to ~	gorfadd
lay down the law, to ~	dweud (4)
lay-about	caridym
lazy-bones	pwdryn
lazy, to be ~	jogi
lead, in the ~	blaen (2)
leak, to ~	gollwng (3)
lean	main
learn, to ~	dysgu
learn off by heart, to ~	dysgu (1)
least	lleiaf
least, at ~	lleiaf
leather	lledr, lledar, lleder
leave, to ~	gadael, hel (14)
leave me alone, to ~	gadael (3)
leave me be, to ~	gadael (3)
leave someone alone, to ~	gadael (4)
leave the house, to ~	codi (7)
left	chwith, ôl (2)(b)
left over	pen (29)(b)
leg	coes
leg, peg ~	coes (2)
leg, wooden ~	coes (2)
legs	baglau, peglau
leisurely	dow-dow, ling-di-long
lend something to someone, to ~	rhoi (3)
length	hyd
length and breadth of somewhere	hyd (6)
less	llai
let alone something	sôn (2)
let, to ~	gosod
let go, to ~	gollwng (2)
let in, to ~	gollwng (3)
let the strong strangle, let the weak wail	trech (3)
level, grass-roots ~	llawr
liar	celwyddgi
lick, to ~	lapo, llyfu, llyo
lie	celwydd
lie (incessantly), to ~	palu

lie, white ~	**celwydd**
lies	**clwyddau**
life	**byw** (to live) (2), **bywyd, hanes** (4), **oes**
life, high ~	**bywyd**
life of me, for the ~	**byw** (to live) (8), **marw** (1), (3)
light	**golau**
light, to ~	**goleuo**
light, to ~ (fire etc.)	**cynnau**
light, (it is) easy to ~ a fire on an old hearth (proverb about relationships)	**cynnau**
light-fingered (prone to theft)	**dwylo**
like	**cyfryw, fatha, fel** (1), **ishta, megis**
like, and the ~	**cyfryw** (1)
like, I would ~ etc.	**caru**
like something, to ~	**cymryd** (2)
like that	**fel** (6)-(7)
like, to ~	**hoffi, leicio**
limestone, piece of ~	**calchen**
limit	**pen** (43)
line	**lein** (1)
link	**cyswllt, dolen** (1)-(2)
listen, to ~	**grindo, gwrando**
listen intently, to ~	**gwrando**
little	**bach** (1)
little, a ~	**tipyn**
little (wiser/worse/better etc.)	**fawr** (1)
live, to ~	**byw, trigo** (1)
live from hand to mouth, to ~	**byw** (to live) (4)
live it up, to ~	**byw** (to live) (6), **jolihoetian**
live, (the world/Wales etc.) in which we ~	**sydd** (5)
live together, to ~ (before/instead of marriage)	**byw** (to live) (5)
live with someone, to (come/go etc.) and ~	**byw** (to live) (7)
liver	**afu, iau**
Llan Ffestiniog	Appendix 18.02
Llanberis	Appendix 18.02
Llanelli	**tref** (3), Appendix 18.02
Llanfairpwllgwyngyll	Appendix 18.02
load of old nonsense	**lol** (1)-(2), **twt** (3)
load, whole ~	**llond** (10), (13)
locally	**llafar, tafod** (1)
lock	**clo**
lock and key, under ~	**clo** (2)
locked	**clo** (1)
loft	**lofft, llofft** (1)
loggerheads, at ~	**pen** (17)(c)
long	**hir, llaes**
long and short, the ~	**swm**
long, for how ~	**hyd** (1)
long live someone (exclamation)	**oes** (5)
long since (left/gone/arrived etc.)	**hen** (4)
longer	**hirach, hwy**
longest	**hira(f), hwyaf**
longing	**hiraeth**

look	**stag**
look	**'yli, 'ylwch**
look, to ~	**disgwyl** (2), **dishgwl, 'drychyd, sbïo, stagio**
look after, to ~	**gwarchod**
look famished, to ~	**bwyta** (2)
look for a bit on the side, to ~	**hel** (13)(b), (21)
look (good/bad/ugly etc.), to ~	**golwg** (4)
look over something, to (have a)	**cipolwg, golwg** (3), **pip**
look like I need a good square meal, to ~	**bwyta** (2)
looking, (messy/strong/ ugly etc.) ~	**golwg** (2)
Lord	**arglwydd**
Lord, euphemism for ~	**argian**
Lord's prayer	**pader**
lose, to ~	**colli** (1)
lose one's temper, to ~	**colli** (6)
lose touch with someone, to ~	**colli** (3)
loss	**coll, colled**
lost	**coll**
lot	**coelbren, lot, llawer**
lot, a ~	**ceiniog** (2)(b)
lot, an awful ~	**lot, llawer** (3)
lot of (things/people etc.), a ~	**crugyn**
loud	**ragarúg**
loud as I can, to (sing/shout etc.) as ~	**nerth** (1)
loudly, to (shout/cry etc.) ~	**lle** (4), **pobman** (2)
lout	**rafin**
love	**bach** (2), **blewyn** (1), **blodyn, cariad, co'** (1), **cradur, cradures, creadur, creadures, cyw** (2), (5), **del, pwt, trychfil**
love, in ~	**cariad**
love, my ~	**'mach**
love, to ~	**caru**
lovely	**lyfli**
low	**isel, ishel**
lower	**is, ish, ishelach**
lowest	**isaf, ishela(f)**
luck	**lwc**
luck, good ~	**lwc** (1)
luck to you, good ~	**hwyl** (11)
luckily	**lwc** (2)
lucky me	**byd** (8)(b)
lurk, to ~	**stelcian**
lust	**blys**
macho	**i gyd**
Machynlleth	Appendix 18.02
mad	**cynddeiriog, myll, pen** (39)
mad, totally ~	**cynddeiriog**
magic	**hud**
magical	**hud**
maid, old ~	**merch**
main	**pennaf**
maintain, to ~	**cynnal** (1), **dal** (3)
majesty	**mawredd**
majority, the ~	**rhan** (6)
make	**mêc**

make, to ~	gneud, gweithio (2), gwneud, 'neud	masturbate, to ~	halio
make a (din/noise etc.), to ~	cadw (7), codi (8)	mate	'achan, bachan, ba'n, bŷt, byti, con(t) (2), 'chan, gwas (2), gw-boi, gw-girl, llaw (3)(b), mỳn, 'w, wa', 'was i, 'wash i, 'wys
make a mountain out of a molehill, to ~	môr		
make a move towards somewhere, to ~	traed (7)		
make a point (of something), to ~	gwneud (3)	mate, old ~ (girl)	coes (3)
make a stand, to ~	sefyll (5)	mates	llawiau
make do, to ~	digoni (1)	mates, if ~, ~	mêts
make ends meet, to ~	deupen, pen (21)	matter, for that ~	rhan (4)
make excuses, to ~	hel (10)	matter, in this ~	cyswllt
make fun of someone, to ~	hwyl (2), (5), sbort	matter with someone, the ~	pen (10)
make gestures, to ~	stumiau (1)-(2)	matter, what's the ~?	be' (2)-(3)
make it, I ~ (time)	Appendix 13.06(viii)	matter with me?, what's the ~	beth (1)
make me feel like doing something, to ~	awydd (1), blys (1), chwant (1)	matter with you?, what's the ~	cnoi (3), haru (1)
		matters, in such ~	hynny (11)
make me (feel) sick, to ~	troi (7)	mattock	caib
make me thirsty, to ~	syched (1)	meal	pryd (meal)
make my stomach turn, to ~	troi (7)	meal, a ~	pryd (meal) (1)
make someone (feel) sick, to ~	cyfog (1), pwys (2),	mean	mên
make someone heave, to ~	cyfog (2)	mean, to ~	meddwl
make someone pay for something, to ~	siglo (1)	meaning	ystyr
		means	modd
make someone retch, to ~	cyfog (2)	means, by all ~	cyfrif (1)
make someone vomit, to ~	cyfog (1), pwys (2)	meat	cig (1)
make the most of something, to ~	gwneud (4)	media, term for person working in the ~	cyfryngi
make up for something, to ~	gwneud (5)	medicine	ffisig, meddyginiaeth, moddion
man	dyn (1), gŵr	mediocre	'symol (1)
man, effeminate ~	bopa (2), brechdan (4), cadi, mifi-mahafan, pais (2), pansan, siani (3), Sioni (2), siwgr	meet, to ~	cwarfod, cwrdd, cwrdda
		meeting, fellowship ~	seiat
		meeting, religious ~	seiat
		melancholy	melan
		memories	cofion
man, the old ~ (father)	co' (4)	memory	cof
man who has a high regard of himself	jiarff	memory, hazy ~	cof (4), (12)
		memory like a sieve	cof (7)
man who has his hands all over a woman	ci (2)	memory, vague ~	cof (4), (12)
		memory, vivid ~	cof (6)
manly	i gyd	Menai Bridge	Appendix 18.02
manner	gwedd, modd	Menai Straits, rhetorical name for the ~	Menai
manner, in such a ~	fel (4)		
manse	mans	mend, to ~	cyweirio, trwsio
manse, (son/family etc.) of the ~ (respectability)	manse	mention, to ~	sôn
		mention of something, no ~	sinc
mantle	cochl	mention, not the slightest ~	arlliw
manure	dom, tail	mention something, not to ~	sôn (2)
many	llawer (4)	mention something, to ~	sôn (3)
many a (man/girl etc.)	aml (1), llawer (2)	mercifully	trugaredd (2)
many, as ~	cymaint	mercy	trugaredd
many, so ~	cymaint	Merthyr Tydfil	Appendix 18.02
many (years/weeks etc.)	llawer (1)	merry	llon
mare	caseg	mess	cawl, ffradach, llanast, llanastr, rhacs, rhacsyn, siop, smonach, stremp, traed (10)
marijuana	reu		
mark	ôl (1)		
marriage, derogatory reference to ~	cynhebrwng		
marvellous	tsiampion	mess around, to ~	poetshio, potshan, stwna
master	meistr		
master, complete and utter ~	meistr (2)	mess up, to ~	cawlio
master, we all have a ~	meistr (1)	message	neges

messiness	annibendod, blerwch
messy	anniben, blêr
middle of the hedge, the ~	bol (2), bôn (2)
middle of the night, in the~	lliw (3)
middle-of-the-road	diddrwg, didda, 'symol (1)
middle of the (winter/night etc.)	cefn (7), trymder
might as well (do something), I ~	cystal, man (time) (1) (5), waeth (3)
might as well not do something, I ~	waeth (4)
might (have), I ~	Appendix 8.07
migration into rural Wales, English ~	mewnlifiad
milk	llaeth, llefrith
mill	melin
mincing words, without ~	blewyn (4)-(5)
mind	bryd
mind, in ~	cof (11), golwg (7), sylw (1)
mind, in my right ~	pwyll (3)-(4)
mind, out of my ~	cof (1), pen (39)
mind on something, to (set/put etc.) my ~	bryd (1)
minute	munud
minute, at the last ~	pen (11)
minute, in a ~	munud (6)
minute, the last ~	munud (5)
minute, this ~	munud (3), rŵan
mire	trybolâu
misdemeanours	mistiminars
misdemeanours, children's ~ and parents	brân (2)
miserable	truan
miserly	mên
misery	crinc, surbwch
misfortune	aflwydd
misleading, figurative reference to something ~	llwynog
miss someone, I ~	chwith (3)
miss, to ~	colli (2), methu (1)
miss school, to ~	mitshio
miss someone, to ~	gweld (3), (5)
missing	coll
mistake	camgymeriad, camsyniad
mistress	gordderch
moan at someone, to ~	cega
mole	gwadden, gwahadden, twrch daear
moment	meitin, moment
moment, at that ~	hyn (4), munud (4)
moment, at the ~	moment, munud (1), pryd (time) (3)
moment, weak ~	awr (2)
money	pres
money begets money	pant
Montgomeryshire, rhetorical name for ~	mwynder
month	mis, mish
month of Sundays	Sul (1)
mood, in a bad ~	hwyl (4)

mood, in a (good/bad etc.) ~	hwyl (7)
Mood, The Subjunctive ~	Appendix 11
moon, once in a blue ~	amser (3)
more	mwy, rhagor (1)
more (food/help etc.)	'chwaneg
more (measurements)	gwell (2)
more often than not	aml (3)-(4), mwy
more or less	mwy
more than anyone	anad (2)
more than likely	siŵr (5), tebyg (5)
Morgan	Morgan
morning	bora, bore
morning after the night before, the ~	trannoeth
morning, early ~ (rhetorical)	ieuenctid
morning, first thing in the ~	bore (4), cŵn (1), pen (18)
morning, in the early ~	bore (4), cŵn (1), pen (18)
morning, noon and night	Sul (2)
Morris	Morus
mortals, ordinary ~	meidrolion
most	mwyaf
most, at ~	gorau (2), mwyaf (1)
most likely	siŵr (6)
most often	aml (2)
mostly	mwyaf (2)
mother	mam
mould, in the same ~	llathen (2)
mound	tomen
mouth	ceg, genau, hopran, pen (2), pig (3)
mouth off, to ~	cega
move, to ~	cyffro (2), styrio
move house, to ~	mudo, mwfyd, symud tŷ
movement for restoration of Welsh-speaking heartland	adfer
movements	stumiau
much, that ~	cymaint
mud	llaca, llaid, mwd
mull over something, to ~	cnoi (5)
mumble, to ~	bwyta (1)
mummy	mami
music to my ears	mêl (1)
Mutations	Appendix 17
naked	noeth, porcyn
naked, stark ~	noeth
nail, to ~	hoelio
nails	hoelion
name	enw
name for/of something/ someone, the ~	enw (1)
Nantlle	Appendix 18.02
nastily, (to look/smile etc.) ~	hyll (2)
nasty	brwnt (2), cas
nation	cenedl
nation without a language, a nation without a heart, a ~	cenedl
national	cenedlaethol
Nationalist, Welsh ~	nashi
Nationalist, covert ~ groups	meibion
Nationalists, *cause célèbre* of Welsh ~	Tryweryn

natural	bogail (2)
nature	natur (1)
nature, by ~	natur (4)
naughtiness	drygioni
naughty	drwg (1)
naughty, to be ~	castiau, dryga, drygioni
navel	bogail, botwm (1)
near	pwys (1), ymyl (1)
near (negative only)	cyfyl
nearby	llaw (8)
nearer	agosach, nes
nearest	agosaf, nesaf
nearly	braidd (1)
necessity	rhaid, rheidrwydd
necessity, by ~	rhaid, rheidrwydd
necessity, through ~	rhaid, rheidrwydd
neck, up to my ~	pen (7), (30)(a)
need	angen, rhaid
need, I ~	angen (1)
need, in ~	angen (2)
negative verbal forms	dim (3)-(5), 'm, nage, ni (1)-(3), nid (2)
neglect, to ~	gadael (2)
neither before nor after	cynt
neither ... nor ...	na(c)
nerve, I've got a ~	wyneb (2)
nest	nyth
never (future only)	byth (1)
never (past only)	erioed (1), 'rioed (1)
never ever	byth (5)
never mind	hidio (1), ta (8)(b), waeth (1), Appendix 10.10(2)(a)
nevertheless	hynny (6)
New Year's gift	calennig, clennig
new	newydd (1)
new, brand (spanking) ~	newydd (4)
Newcastle Emlyn	Appendix 18.02
Newport	Appendix 18.02
news	hanes (3), newydd (2)
newspaper, local Welsh-language ~	papur
next	nesaf
next to (incredible/disastrous etc.)	peth (15)
next to me	ymyl (2)
next to nothing	peth (16)
nice	braf, clên, deche, neis
nice and (happy/leisurely etc.)	braf, neis
nicer	neis (note), clên (note)
night (general sense)	nos (1), noson (2), noswaith (2)
night, good ~ (farewell)	nos (3)-(4)
night, (Monday/Tuesday etc.) ~	nos (5)
night, Wednesday ~	nos (6)
nightfall	brig (2)-(3)
nine	naw
nip (home/in etc.), to ~	picio
nipper (child)	peth (5), (6)(b)
nitty gritty	glo (2)
no	na, naci, naddo, nage
no ifs or buts	heb (2)
no one	neb (2)
nobody	neb (2)
nobody is perfect	bai (4)
noise	mwstwr, stŵr, sŵn, twrw
noise and bother	randibŵ
none	neb (3)
nonetheless	eto
nonsense	cybôl, dwli, lol, nonsens, rwtsh
nonsense, someone who talks ~	mwydryn
non-stop, to (bullshit/talk etc.) ~	melin (2)
north	gogledd
nose	trwyn
nose (figuratively)	pig (2)
nosey, to be ~	busnesa, busnesan, busnesu, 'smera (1)
not	'im
(not) a single one	un (4)(c)
not all there	call (2), chwarter, hanner (1)-(2), llathen (1)
not bad	bad
not far from somewhere	nepell (1)-(2), ymhell
not likely	tebyg (4)
not much of a (thing/place etc.)	fawr (4)
not to (laugh/go etc.)	peidio (2)
(not) very much	rhyw (8)
nota bene (NB)	talu (1)
nothing	dim (2)
nothing, absolutely ~	affliw
nothing at all	dim (9)
nothing for it	am (6)
nothing, good for ~	didda diddim
nothing wrong (with something/someone)	dim (8)
notice	sylw
notice, at short ~	rhybudd
noun	enw
November	mis (3)
now	cofio (1), munud (3), nawr, rŵan
now and then	nawr (1)-(3)
now, by ~	bellach (1), hyn (6)
now, for ~	tro (time) (2)
nowhere	nunlle
number	rhif
numerous people	byd (1)
nurture, to ~	magu
nut	cneuen
nuts (mad)	call (2), chwarter, hanner (1)-(2), llathen (1)
oaf	bustach
oath	llw
obsession	chwilen (1)
obtain, to ~	mynnu (1)
obvious	amlwg
occasion, the odd ~	tro (time) (3)
occasional	ambell
occasionally	gwaith (time) (1), pryd (2), tro (time) (3)
odd (man/girl etc.), the ~	ambell (1)
odd one (or two), the ~	ambell (2)

of	o	otherwise	fel (5)
of all (mornings/days etc.)	o (2)	out	allan (1), mas
of all (people/		outskirts	cyrion
places/things etc.)	o (1)	outside	tu (1), (7)
of course	rheswm, siŵr (2), (5),	oven	ffwrn, popty
	tad (2),	over	tros, trost
	wrth gwrs	over (adverb)	trosodd, trosto
off	'ddar, oddi (2)(a),	over and over	tro (time) (14), trosodd
	odd'ar	over (for me)	pen (5)
off, (well/comfortably/		over for me, it's ~	canu (11)
happily etc.) ~	byd (5)	(over) there	'co, 'cw, dacw, fan'co,
off we go	cart		fan'cw, ffordd (1), (7),
Offa's Dyke	clawdd		man'co
offend my ears, to ~	merwino	overflowing	llawn (2)-(3), sang (1)
offer, to ~	cynnig (2)	overnight	undydd
office	offis	overseas	ton
often	aml	overturn, to ~	'moelyd
oh no	o na (2)	owe someone something,	
oil, to ~	iro	I/you etc. ~	ar (2)
OK	bad, go (5)(a), (8)(a),	owl	gwdihŵ, tylluan
	gorau (6)(b), iawn (2),	own	hun(an)
	ôl-reit, 'symol (1)	own, all on my ~	pen (15)
OK, that's ~	popeth	own, on my ~	llwt, pen (14)
old	hen (1)	own, to ~	bia, piau
old know,		pain	dolur
the young suppose, the ~	hen (5)	pan, frying ~	ffrimpan, padell
older	henach, hŷn	pancake	crempogen, ffroesen,
oldest	henaf, hynaf		pancosen
on	acha, ar	pants	trôns
on and on	hyd (14)	paper	papur
on end (time)	bwygilydd	par, without ~	ail (4)
on the up	i fyny	paradise	man (place) (2)
once	siwrnai (3), unwaith	parents can only see virtue	
once and for all	unwaith (2)	in their children	gweld (6)
once, at ~	clatsh, unwaith (1)	park	parc (1)
once more	unwaith (3)	parish	plwyf
one	un	part	rhan
one (before nouns)	naill (1)	part, for the most ~	mwyaf (2), rhan (5), (7)
one (unspecified pronoun)	dyn (2), rhywun (3)	part, the most ~	rhan (6)
one, a fine ~	pert (2)	particle before people's titles,	
one after the other	bron (5)(b), rip-rap	meaningless ~	y (2)
one by one etc.	fesul (2)	particle in front of verbs,	
one ... the other, the ~	naill (3)	meaningless ~	fe, mi
onion	nionyn, winwnsyn	particle, verbal ~	yn (2)
onions	nionod, winwns	parts, these ~	ffordd (5), (6), parth
only	dim (10), 'mond	parts, those ~	ffordd (1), (7)
on(wards) (time)	allan (2)	pass	adwy
open	agor (4)	pass away, to ~	huno (2)
open, to ~	agor	pass the time, to ~	difyrru
opinion, everyone is free		pass, to ~ (things to someone)	estyn (2)
to his ~, and to each ~ its		passage (of time/	
utterance	rhydd	days etc.), the ~	treigl
opposite	gwrthwyneb	past, in the ~	Appendix 4.02(iii)
opposition, despite		pat	o bach
someone's intense ~	dannedd (3)	patch of land, a ~	clwt (2)
or	ai (3), 'ta	patch, hard ~	talcen (6)
or not	peidio (3)-(4)	patch, on my own ~	tomen (1)
order	trefen, trefn	path	llwybr, llwybyr
order to, in ~	er (4)	patience	'mynedd
other, (after/		pay, to ~	talu
against etc.) each ~	cilydd (2)	pay attention, to ~	talu (1)
other, or ~	cilydd (7)	pee, a ~	pisiad
other (day/week etc.), the ~	blaen (6)	pee, to ~	dŵr (2), piso
other, with each ~	cilydd (1)	peep, to ~	pipo, sbecian

pelt, full ~	ffwrbŵt	pigs might fly, and ~	Wyddfa
Pembrokeshire	sir (2)	pigsty	cwt (4), twlc mochyn
Pembrokeshire,		pile	tomen
linguistic boundary in ~	Lansker	pimple	ploryn, tosyn
penis	cal(a), coes (1),	pins	pinnau
	conyn, gwialen,	pins and needles	pinnau (2)
	pidlen, pisyn (3)	pipe	corn
penitent	edifar	piss, a ~	pisiad
penniless	plwyf	piss all over the place, to ~	piso (6)(a)
penny	ceiniog, magan, niwc,	piss, to ~	dŵr (2), piso
	senten	piss off someone, to ~	melan (1)
Penrhyndeudraeth	Appendix 18.02	piss oneself laughing, to ~	piso (2)
people	pobl, pobol	pissed off	melan (2)
people and the aristocracy,		pissed, totally ~	caib (2), chwil, honco,
ordinary ~	gwreng		meddw (1)-(2)
people like me, a (Welshman/		pitch black	bol (1)
Irishman etc.) and ~	tebyg (6)	pity	gresyn, piti
people, ordinary ~	gwerin (1)-(2), gwreng,	place	fan, lle (1),
	llawr (b), wêr		man (place) (1),
people, other ~	pobl	place, all over the ~	piso (6)(b),
people, some ~	rhywrai		pobman (1), rhywle (3),
people who do not deserve			strim-stram-strellach
their good circumstances	moch (3)	Place Names	Appendix 18
perhaps	'ella, 'fallai, hwyrach,	place, to (stay/stand etc.)	
	siawns (2), walle	in the same ~	unfan
period	adeg (1), oes	place where ... , ... the ~	man (place) (5)
period, difficult ~	talcen (6)	place, the very ~	fan (5)(a)
period, short ~	cetyn (2), sbel(an)	place, to ~	gosod, dodi, rhoi,
perseverance pays	dyfal		rhoid, sodro (1)
persevere, to ~	blaen (5), bwrw (14),	places	llefydd, lleoedd
	dal (8), gyrru (3),	plague, (to become) like the ~	rhemp
	pydru (1)	Plaid Cymru	plaid (2)
person, enthusiastic ~	garw (3), sgut	plain, flat ~	llawr
person, experienced ~	llaw (3)(a), pen (32)	plait, to ~	plethu
person, feeble ~	llinyn (2), llo (1)-(2)	play, to ~	chwarae
person from industrial valleys		play a musical instrument, to ~	canu (2)
of South Wales	Sioni (1)	play havoc, to ~ (health etc.)	chwarae (4)
person, keen ~	garw (3), sgut	play hide and seek, to ~	chwarae (1)-(2)
person, mature ~	pen (32)	play on words	gair (3)
person, miserable ~	cranc	play tricks, to ~	castiau
person, parsimonious ~	Siôn (6)	playgroup, children's ~	cylch
person, short ~	stwc(yn)	place, all over the	rhywle (3), strim-
person, the older the ~			stram-strellach
the more stupid the ~	henach	pleasant	braf, clên
person who is very		please	gweld (8)-(9), plis
good at something	giamster	pleased	ples
person who sits on the fence	Sioni (3)	pleased, I'm ~	balch, da (5)
person, worldly-wise ~	Siôn (6)	pleased, very ~	bodd (2)
Personal Names	Appendix 19	pleasure	bodd
persuade someone, to ~	dwyn (5)	plod on, to ~	rhygnu (1)
pet, to ~	maldodi, mwytho	plot	cynllwyn
petticoat	pais (1), paish	plough	arad, aradr
petty	mân	pluck	plwc
pick and choose, to ~	dewis (1)	pluck up courage, to ~	magu (4), (6)
pick up, to ~	codi (5)	plump	llond (8)
picture	llun	Plural of Nouns	Appendix 14.03-14.07
piece	pisyn (1)	Plural of Adjectives	Appendix 14.11
piece, a ~		poet	bardd
(attractive person or thing)	pisyn (2)	poetry	canu (5)
piece of bread and butter	bara (2), brechdan (2)	point	iws
pieces	ufflon	point blank	plwmp
pieces of coal, small ~	slecs	point of view of, from the ~	rhan (3)(b)
pig	bolgi	point, straight to the ~	plwmp
pigs	moch, slobs	point, what's the ~?	haws

police, slang term for the ~	glas (6), slobs
polish, to ~	gloywi
(political) party	plaid
Pont (in place names)	Appendix 18.04-18.05
poof	bopa (1), brechdan (4), cadi, mifi-mahafan, pais (2), pansan, siani (3), Sioni (2), siwgr
pool	pwll
poor	plwyf, tlawd, truan
poor (in reference to reading, language etc.)	clapiog
poor (man/girl etc.)	truan (1)
poor someone	bechod (2), truan (2)
poorly	'symol (2)
pop (home/in etc.), to ~	picio
porridge	uwd
Porthmadog	Appendix 18.02
possibility	modd (1)
possible	modd (1), posib, posibl
possible, as ~	posibl (1)
possible, as (far/soon etc.) as ~	modd (2)
possible, if ~	modd (4)
possibly	posibl (3)
pot	pot
pot belly	ceubal
potato	taten, tysen
potatoes	tato, tatws
potter about, to ~	'smera (2)
pound (weight)	pownd
pour, to ~	arllwys, tywallt, pistyllio, 'styllio, tollti, tywallt
pour my heart out, to ~	bol (3)
pour with rain, to ~	arllwys (1), dymchwel, gwragedd, stido (2), pystyllio, tresio, tywallt
pour tears, to ~	powlio
power	grym
power, in ~	grym
practice makes perfect	dyfal
praise	clod
prate, to ~	cega
preach, to ~	pregethu
preach to the converted, to ~	pregethu
prefer, I ~	gwell (5)
pregnant, to be ~	magu (3)
pregnant, she's ~	disgwyl (4)
preparation, in ~	arfaeth, gweill
prepare, to ~	gweithio (2), hwylio (2)
Prepositions	Appendix 16
presently	man (time) (4), munud (6)
pressure	pwysau (2)
pretend, to ~	cogio, cymryd (1)(a), esgus, ffugio, smalio
pretend to be busy, to ~	dal (13)
pretend to work, to ~	dal (13)
pretty	del, pert
prevent, to ~	nadu
price	pris, prish
prick, to ~	pigo
prick up my ears, to ~	moeli

prime, in my ~	blodau
probability, in all ~	tebyg (7)
probably	siŵr (6), tebyg (2)-(3)
problem, the ~	drwg (6)
proceed, to ~	mynd (6)
progress, to ~	mynd (7)
promiscuous, to be ~	hel (13)(b), (21)
promise, to ~	addo, gaddo
promise the earth, to ~	addo
Pronouns	Appendix 15
protect, to ~	gwarchod
proud	balch
provided that I can (go/look etc.)	dim (11)(b)
pubic hair	cedor
publicly	coedd
pudding	pwdin
pull, to ~	tynnu
pull faces, to ~	stumiau (1)-(2)
pull in opposite directions, to ~	croes (2)
pull to bits, to ~	crïau (2)
pun	gair (3)
punch bag	cocyn
pure	glân
purple	piws, porffor
purpose	iws, perwyl, pwrpas
purpose, for this/that ~	perwyl
purpose, to (come/go etc.) on the express ~	unswydd
purr, to ~ (cat)	canu (8)
purse	pwrs (1)
push, to ~	hwpo, hwrjio
put, to ~	dodi, gosod, rhoi, rhoid, sodro (1)
put a stop to something, to ~	rhoi (12)
put me in a tight spot, to ~	sgrech
put on, to ~ (clothes)	rhoi (1)
put on weight, to ~	magu (2)
put someone off their stride, to ~	echel
put the blame on someone, to ~	bai (2)
quality, of ~	gafael (1)
quality, with ~	gafael (1)
quandary	penbleth
quandary, in a ~	penbleth
quarry	cwar, chwarel
quarter	cwarter, chwarter
quench my thirst, to ~	torri (11)
question	cwestiwn
question, in ~	cwestiwn, sylw (1)
question, to ~	holi
question thoroughly, to ~	holi (1)-(2)
question someone thoroughly, to ~	holi (3)
questions, particle before ~	a (verbal particle) (1)-(2)
questions, to introduce indirect ~	ai (1)
queue	cwt (1)
quick	cloi, clou, siarp, sydyn (2)
quick (of candle/eye/nail)	byw
quick, to the ~	byw (quick) (1)
quick (word/chat etc.), a ~	bach (3)

quicker	cynt	regards, (best) ~ (in letter etc.)	cofion
quick(ly)	handi	region	parth
quickly	byrder	regret, to ~	'difaru
quickly and busily	mân	regret, to greatly ~	'difaru (2)
quickly as possible, as ~	lladd (3)	reins	awennau
quickly (coming/going etc.)	prysur (3)	release, to ~	gollwng (2)
quickly, to (sell/fill up etc.) ~	slecs	reluctantly	ysgwydd (1)
quickly, to (walk/go etc.) ~	pydru (2)	relying on something/	
quid (pound of money)	punten, sgrîn	someone, there's no ~	dal (17)
quiet	distaw, diwedws	remains	ôl (1) (note)
quiet, on the ~	slei (1)-(2)	remember, I ~	cof (10)
quietly (surreptitiously)	distaw	remember, to ~	cofio
quite	cweit, eithaf, 'itha	remembrance	coffa
quite right	eithaf (3)	remembrance, in ~	cof (8), coffa
rabid	cynddeiriog	reminisce, to ~	hel (5), (16)(b)
rag	clwt	renown, of ~	bri (2)
raid, to ~	dwyn (1)	re-open old wounds, to ~	crachod
railway	lein (2)	replies, nonsense ~	paham (1)
railway, narrow gauge ~	lein (2) (note)	required, as ~	galw (3), gofyn (2)
rain, rhetorical name for ~	Ifan	repetitively	tiwn, tôn
rain, to ~	bwrw (8)	research one's background/	
rain cats and dogs, to ~	gwragedd	lineage, to ~	hel (2)
rain in the sunshine, to ~	haul (1)	research thoroughly, to ~	chwilio
rainbow, over the ~	fan (2)	reserve, in ~	cefn (10)
raise, to ~	codi (1), (4)	reserved	diwedws
raise my heckles, to ~	gwrychyn	respect	parch
rake, (garden) ~	cribin, rhaca	respected, highly-~	parch
ram	hwrdd, maharen	result	canlyniad
random, at ~	antur, hap (1)-(2)	result, as a ~	canlyniad
rapid	chwyrn	result of something/	
rascal	'deryn (2), cnaf	someone, as a ~	corn (b)
rascals	taclau (1)	rheumatism	crycmala, cryd
rather	braidd (3), go,		cymalau, gwynegon
	rhagor (3), cnaf	Rhos (in place names)	Appendix 18.06
ray of light	llygedyn	rhymester	bardd (1)-(2)
reach, to ~	cyrraedd, estyn (1)	rich, very ~	craig (2)
reach the mark, to ~	cyrraedd	Richard	Rhisiart
real	go (7), gwir (2), rêl (1)	riddance	gwared
reality, in ~	gwirionedd	riddance to you, good ~	gwynt (6)
really	gwir (4), (7)-(8), naw (1),	ride, to ~	brachga, reidio
	saff (4), sicr (2), siŵr (8),	ridicule someone, to ~	hwyl (5)
	wir (1), (3), (5), (7)	riffraff	gwehilion
really (adverb)	reit (1)	right (adjective)	iawn
really really (hard/nice etc.)	reit (8)	right (adverb)	reit (2)
rear (of building, street etc.)	bac	right, to be ~	iawn (1)
rear, to ~	magu	right a wrong, to ~	achub (2), unioni (1)
reason	rheswm	right next to each other	sownd (3)
reason to live	modd (5)	rightly or wrongly	cam (10)
reason with someone, to ~	dal (12)	ring, to ~	canu (3)
reason, within ~	rheswm	riot, to ~	cadw (9)
rebuke, to ~	sen	rise	codiad (1), cwnnad (1)
receive, to ~	cael (1)	rise, to ~	codi (1), cwnnu
recent	diweddar (1)	risqué	coch
recess	cil	river	
recognise, to ~	adnabod, 'nabod	(use of definite article with)	afon
record, on ~	cof (3)	road	ffordd, heol, hewl,
record, to ~	cadw (3)		lôn (2)
rectify, to ~	unioni	road, main ~	ffordd (3)-(4), heol,
refrain from			lôn (3), (5)
(laughing/going etc.), to ~	peidio (2)	road, middle-of-the- ~	diddrwg didda,
refuse, to ~	'cau, pallu (2)		symol (1)
refuse to go on, to ~	nogio	road, on the ~	pen (12)
regain my strength, to ~	cefn (5)	roar with laughter, to ~	chwerthin (2)
regard, have ~	cofio (1)	rock	craig

rock, as hard as ~	haearn	say, to ~	deud, dweud, gweud (1)
rock hard	haearn	say goodbye, to ~	canu (9)
rock-solid	craig (1)	say the least, to ~	a (4)(c)
roll, to ~	powlio, torchi	say, you don't ~	dweud (5), tewi (1)-(3)
roll up my (shirtsleeves/		saying a lot	dweud (2)
trousers etc.), to ~	torchi	says/said, as	
roof	cronglwyd	(mam/everyone etc.) ~	ys (1)
roof, under something/		scabs	crachod
someone's ~	cronglwyd	scapegoat	bwch
room for improvement,		scarcely	braidd (2), (5), go (1)
there's always ~	da (6)	scarecrow	bwgan
roost, to ~	clwydo	scaremonger, to ~	bwganod
root	gwreiddyn	scarper, to ~	sgrialu
root of something, at the ~	gwraidd	scarper off, to ~	bachu (3), baglu,
root of all evil, the ~	gwreiddyn		coedio, cymryd (6),
roots	gwraidd		gloywi, goleuo,
roots of my			gwadnu, gwân,
(ears/hair etc.), the ~	bôn (3)		heglu (1), miglo (1),
rope, to ~	rhaffu		'sbydu (2), siapio (1)
rot, to ~	pydru	scatter, to ~	chwalu (1)
rotten	drwg (2)	scatterbrain	Jac (3)
rough	eger (1), garw (1),	scattered	brith (2), chwâl (b),
	heger		gwasgar
roughly	bras (2)	scent	trywydd
roughly (read/note etc.), to ~	bras (1)	school	ysgol (1)
round	crwn	score, to ~	sgori
rub, to ~	rhygnu	Scotland and northern	
rub salt in the wound, to ~	halen	England, southern ~	gogledd
rubbish	cybôl, dwli, lol,	scrape a living, to ~	deupen, rhygnu (2),
	'nialwch, nonsens,		pen (21)
	rwtsh	scrape by, to ~	rhygnu (2)
rudely, to (swear/speak etc.) ~	hyll (3)	scrapheap, on the ~	tomen (2)
ruin	rhacsyn	scratch, to ~	crafu, cripio
ruin, to ~	rhacsio, 'strywo	scratch, you ~ my back	
ruined	chwâl (a), rhacs (1)	and I'll ~ yours	canu (6)
ruined, totally ~	rhacs (4)-(5)	scream	sgrech
rumour	swn	screech, to ~	sgrialu
run, in the long ~	pen (61)	scrutiny, under ~	sylw (1)
run, on the ~	ffo	scum of the earth	gwehilion
run, to ~ (physical sensation)	cerdded (2)	sea	môr
run-around	gwas (3)	seal	sêl
rut	rhigol	seal of approval	sêl
safe	jogel, saff (1)	search, to ~	chwilio
said, he ~	mo	season	tymor
said, the ~ (people/man etc.)	cyfryw (3)	season, in ~	tymor
sail, to ~	hwylio (1)	second	ail
Saint David	Dewi	second, a ~	munud (2)
sale	sêl	second, in a ~	chwinciad (1)-(2)
sale, for ~	gwerth (1)	second rate	pot
salt	halen	secret	dirgel
same, (just) the ~	math (5)	secret, in ~	dirgel
same, never the ~	math (1)	secure	sownd (2)
same, the ~	un (4)(b)	see, to ~	gweld
sanctimonious	sych (1)	see to, to ~	'morol (1)
sandwich	brechdan (1)	see, we'll ~	gweld (1)
sane	pwyll (3)-(4)	see, you ~	chwel(d), 'twel, 'chi
satisfied	bolon	see, you'll ~	gweld (2)
satisfy, to ~	bodloni	seething	berw (3)
save, to ~	achub, cynilo	seize, to ~	achub, bachu
save even in times of plenty,		seize the opportunity, to ~	achub (3), bachu (2),
it's necessary to ~	cynilo		dal (6)
say, as someone used to ~	chadal, chwedl	self	hun(an)
say, so I ~ etc.	Appendix 13.08(iv)	sell (very) well, to ~	mynd (5)
say, so you ~	dweud (5)	send, to ~	gyrru (2), hala (1)

send a shiver down	
my spine, to ~	**gyrru (5)**
send home, to ~	**hel (1)**
send regards to someone, to ~	**cofio (2)**
sense	**pwyll**
sense, to ~	**clywed (2)**
senseless	**dienaid (2)**
sensible	**call**
serious	**difrif, difrifol, prysur (2)**
seriously	**difrif (2)**
seriousness, in all ~	**difrif (1)**
servant	**gwas**
serve an apprenticeship, to ~	**prentisiaeth**
serves somebody, everybody ~	**meistr (1)**
serves you right	**eithaf (1), (4)**
service, chapel or church ~	**cwrdd**
set, to ~	**gosod**
set about, to ~	**bwrw (6), (12), mynd (4)**
set down roots, to ~	**magu (5)**
set off, to ~	**hel (11), pac**
settle an argument, to ~	**torri (7)**
settle something, to ~	**talcen (4)**
seven	**saith**
several	**llawer (4), sawl (2)**
several of something	**sawl (3)**
several people	**byd (1)**
several things	**byd (1)**
sex	**rhyw (1)**
sex-mad	**cocwyllt**
shack	**tŷ (4)**
shade	**arlliw**
shag	**sgŵd**
shagger	**hwrgi**
shake, to ~	**siglo, ysgwyd**
shame	**achlod, bechod (1), cywilydd, treni (2)**
shame, a great ~	**bechod (3), gresyn (1), piti (1)**
shame, for ~	**cywilydd (3)-(4)**
shame, great ~	**dagrau (1)**
shame someone, to ~	**cywilydd (1)**
shape	**siâp**
shape, to ~	**siapio**
shape and size, every ~	**lliw (4)**
sharp (breeze/wind etc.)	**main (1)**
shattered	**candryll**
she	**hon (2), honna, honno (2), 'nacw, Appendix 15**
shed	**cwt (2), cwtsh (2)**
shed (fur/skin etc.), to ~	**bwrw (7)**
sheepfold	**corlan, ffald, lloc**
shift, to ~	**rhoi (14), styrio**
shilling	**swllt**
shirtsleeves	**llewys**
shirtsleeves, in my ~	**llewys**
shit	**cachiad, dom**
shit, to ~	**cachu**
shit bricks, to ~	**cachu (2)**
shit-head	**cachgi, cachwr**
shit-hole	**twll (9)**
shit-hole in the world, biggest ~	**twll (10)**
shocking	**difrifol (2)**
shoe	**esgid**

shoelaces	**crïau (1)**
shoes	**esgidiau, 'sgidiau**
shoes, fancy ~	**esgidiau**
shop	**siop**
shore	**glan**
short	**byr**
shortly	**byr, byrder**
shortness	**byrder**
shot (of whisky etc.)	**jioch**
should	Appendix 13.01-13.02
shoulder	**ysgwydd**
shoulder to shoulder	**ysgwydd (2)**
shout, to ~	**gweiddi**
show, to ~	**dangos**
show-off	**pen (40)(a)**
show off, to ~	**dangos, lordio**
shred	**affliw**
shriek	**sgrech**
shrink, to ~	**cilydd (6), tynnu (7)**
shush	**hisht, ust**
shut it (threat)	**cau (5)**
shut the stable door after the	
horse has bolted, to ~	**pais (3)**
shut up	**cau (2)-(3)**
shut up, to ~	**cau (4)**
shut your mouth	**cau (2)-(3)**
sick	**anhwylus, cwla, sâl, tost**
sick as a pig	**swp (1)**
sick as a parrot	**swp (1)**
sickness	**salwch, tostrwydd**
side	**ochor, ochr, tu, ymyl**
side by side	**ochr (2)**
side of something, either ~	**poptu**
side (of something) to me,	
the other ~	**am (4)**
side, other ~	**tu (6)(b)**
sideburn	**locsyn**
sides	**ochrau**
sides, both ~	**poptu**
sideways	**wysg (2)**
sight	**golwg (1)**
sight, in ~	**golwg (7)**
sight, out of ~	**golwg (9)**
sign	**argoel**
sign, to ~	**torri (8)**
sign of something, no ~	**sinc**
silence is the best	**call (1)**
silence something/	
someone, to ~	**rhoi (13)**
silent, to be ~	**tewi**
silly	**ffôl (1)**
silver	**glas (4)**
similar	**tebyg (1)**
simultaneous(ly)	**pryd (time) (1)(b)**
since	**'ddar, er (3), oddi (2)(b), odd'ar**
since then	**hynny (7)**
sing, to ~	**canu (1), morio**
sing something/	
someone's praises, to ~	**canu (7)**
sing with gusto, to ~	**morio**
single one, (not) a ~	**'run un (1) (c)**
Siôn	**Siôn**

English	Welsh	English	Welsh
sit, to ~	eistedd, ishte, ista	snowball (figuratively)	caseg
sit an examination, to ~	sefyll (3)	Snowdon	Wyddfa
sit up, to ~	eistedd (2)	snub	sen
sitting up	eistedd (1)	so	fel (1), felly, 'lly, megis, so
six of one and half a dozen of the other	brawd	so and so	fel (4), hon (3)-(4), hwn (3)-(4), pwy (5)
size	seis	so many	shwd (2)
skill	dawn	so much	shwd (2)
skilled	deche, dansierus (2), peryglus (2)	soak, to ~ (clothes etc.)	mwydo, rhoi (15), socian, trochi
skin	croen	sob, to ~	beichio, igian
skive off, to ~	mitshio	sobriety ~	sobrwydd
sky-high	entrychion	socks	'sanau
slack	llac, slac	socks, in my ~	traed (12)
slacken, to ~	llaesu	socialise, to ~	hel (20)
slam the (door/window etc.) shut), to ~	cau (7)	soften something/ someone, to ~	llaw (7)
slant	gogwydd	sole, to ~	gwadnu
slant, at a ~	gogwydd	some	peth (2), rw, rhyw (2), (6)-(7)
slap-head ~	pen (50)		
slate	slaten	some (man/girl etc.) or other	ambell (1)
sleep, figurative person who takes you away to ~	Huwcyn, Siôn (4)	somehow	rhywsut
sleep, to ~	cysgu, huno (1)	someone	rhywun (1)
sleep nosily, to ~	rhochian	something	rwbath, rhywbeth (1)
slip of a (man/boy etc.)	sbrigyn	something totally worthless	rhech
slope	llether, llethr	somewhat	braidd (3)
slow	araf	somewhat (hard/strong etc.)	braidd (4)
slow but sure wins the race	pwyll (2)	somewhere	rwla, rhywle (1)
slow down, to ~	slofi	sons	meibion
slowly	araf (2), slo	soon	byr, byrder, cyn (1)
slowly and carefully	pwyll (1)(a)	sooner	cynt
slowly, very ~	araf (1)	sooner or later	hwyr (3)
slurp, to ~ (drinks etc.)	slochian	sooner the better, the ~	byd (6), cyntaf
sly, on the ~	slei (1)-(2)	sorry	edifar
small	bach (1), mân, twt (2)	sorry, I'm ~	blin (3), chwith (1), drwg (4), edifar, garw (4)
smart	deche, nêt, teidi		
smash up, to ~	malu (4)	sorry, I'm very ~	drwg (5)
smashed up	jibidêrs	sort, of the right ~	rhyw (5)
smattering	crap	sort of	rhyw (4)
smell	aroglau, gwynt (3), ogla, sawr	sort someone out, to ~	siglo (1)
smell, to ~	arogleuo, clywed (4), gwyntio, ogleuo, sawru	so-so	bethma (1)
		soul	enaid
smelt it dealt it, who ~ (breaking wind)	clywed (6), 'difaru (1)	soul-destroying	dienaid (1)
smile	gwên	soulmate	enaid (2)
smile, to ~	gwenu	sound, not a ~	siw, smic
smile, wry ~	gwên (1)	sound the horn, to ~	canu (10)
smile broadly, to ~	gwenu (1)	sound, without (saying/uttering etc.) a ~	
smile like a Cheshire cat, to ~	gwenu (1)		bw
smile wryly, to ~	gwenu (2)	soup	potes
smiling broadly	gwên (2)	sow	hwch
smithereens	sitrws	spadework	gwaith (work) (2)(b)
smoke	mwg	speak, to ~	siarad, wilia
smoker's pipe	cetyn (1), pib	speak lewdly, to ~	siarad (4)
smooth	llyfn, llyfyn	speak to someone, to ~	torri (5), (12)
snail	malwen, malwoden	special	arbennig, sbesial
sneer	ceg (1)	speech	llafar
snigger, to ~	piffian	speech, in everyday ~	llafar, tafod (1)
snob	trwyn (1)	Speech, Reported ~	Appendix 13.07-13.08
snog, to ~	lapswchan	speed, at full ~	carlam, gwib
snooze, to ~	cysgu, hepian, huno (3)	speed, at my own ~	pwysau (3)-(4)
snow, to ~	bwrw (8)	spell	cetyn (2), sbel(an)
		spell, for a ~	hyd (2), meitin

spend, to ~ (money)	hala (3)
spend, to ~ (time)	hala (2)
spend (time/ Christmas etc.), to ~	bwrw (4)
spider	corryn, pryf (2)
spider's, like a ~ (untidy handwriting)	baglau, traed (8)
spikes	pigau
spill over something, to ~	colli (5)
spirit	ysbryd
spit	poeriad
spit rain, to ~	pigo
spiteful	brwnt (2)
split, to ~	hollti
split hairs, to ~	hollti
spoil, to ~	dwnd(r)an, 'strywo
sport	camp
spot	man (place) (1)
spot (of fat, grease etc.)	llygad (2)
spot, the exact ~	fan (5)
spotted	brith (1)
spring to mind, to ~	brigo (1)-(2)
sprout, to ~	brigo
squatting	cwrcwd
stagger, to ~	honco
stairs	grisiau, staer, stâr
stallion	march, stalwyn
stalwarts	hoelion
stammer, to ~	atal
stand, to ~	aros (2), cynnig (3), dal (4), dioddef (2), sefyll (1)
stand stock still, to ~	aros (5), sefyll (4)
stand up, to ~	traed (5)
standstill, at a ~	stop
start, to ~	cychwyn, dechrau
start afresh, to ~	troi (9)
start again, to ~	troi (9)
start off, to ~	cychwyn (1)-(2), dechrau (1)
start raining, to ~	pigo
start things off, to ~	cwch
started, just ~	cychwyn (3), dechrau (2)
startle someone, to ~	rhoi (2)
starving	cythlwng, llwglyd
starving, to be ~	clemio, llwgu (1), starfio
state of excitement, in a ~	gafr
stay, to ~	aros (1), sefyll (2)
stay up, to ~ (overnight)	aros (3)
steady myself, to ~	traed (3)(a)
steady on	pwyll (1)(b)
steal, to ~	dwgyd, dwyn, jwgyd, twcyd
stem (tree)	bôn
step	cam (1), stepan
step by step	cam (7)
step, false ~	cam (8)(a)
step in, to ~	adwy
stepdaughter	llysferch, merch
stepfather	llystad, tad (5)
stepmother	llysfam, mam (3)
stepson	llysfab, mab gwyn

stick	ffon, sbrigyn
stick, to ~	glynyd
still	dal (5), hyd (13)(a)
stir things up, to ~	corddi, cynhyrfu, nyth (2)
stir up, to ~	cynhyrfu
stock	cyff
stock, laughing ~	cyff, testun (1)
stockings	'sanau
stomach	bocs, bol, bola
stone	carreg, maen
stone age, the ~ (rhetorically)	arth
stone dead	marw (4)-(5)
stone the crows	myn (1)
stool	stôl (1)
stoop	cwman
stooping	cwman, cwrcwd
stop	stop, wê
stop (imperative only)	cadw (2)
stop, at a ~	stop
stop, to ~	atal, nadu, peidio (1), stopi, stopio
stop dead, to ~	stopio
stop something, to ~	rhoi (11)
stopping me, there's no ~	dal (18)
straight	syth, union
straight, not ~	cam (4)(b)
straightaway	blaen (7), gair (1), man (time) (3), pen (13), reit (5), (7), syth, union (1), (3)-(4)
straighten, to ~	sythu (1)
strange	diarth, rhyfedd
straw	gwellt
street	heol, hewl
strength	cadernid, grym, nerth
stress	strach
stretch, at (my) full ~	hyd (5)
stretch, to ~	estyn (1)
stretched out	hyd (5)
strict	caeth
strictly correct	manwl
stride, a great ~	cam (6)
string	llinyn
string (sentences/lies etc.) together, to ~	rhaffu
stroke, to ~	maldodi, mwytho
stroke something, to ~	llaw (6)
stone	maen
strong	cryf
strong be cunning, if not ~	cryf
strongly against something	chwyrn
struggle, to ~	pwlffacan, straffaglu
strut, to ~	jiarffio
stubborn	pengaled, stwbwrn, ystyfnig
stuck	sownd (1)
student	stiwdent
stuff you	twll (7)
stumble, to ~	baglu
stunner (attractive woman)	slashen
stupid	dienaid (2), dwl, gwirion, hurt, myll

stupid, totally ~	**dwl (1)-(2), gwirion, hurt**	*Swansea Jack*	**Jac (1)**
stutter, to ~	**atal**	*swear, to ~*	**rhegi (1), taeru**
subject	**testun**	*swear black is white, to ~*	**taeru (1)**
subject of conversation	**testun (2)**	*swear blind, to ~*	**taeru (2)**
success	**glan (b)**	*sweat*	**chwys**
successful(ly), very ~	**canfed**	*sweat, dripping with ~*	**boddfa, chwys (1)-(8), laddar**
such	**cyfryw**		
such a (thing/accident/job etc.)	**ffasiwn, math (3), shwd (1)**	*sweat, to ~*	**chwysu**
		sweat buckets, to ~	**chwysu (1)-(3)**
such and such	**hon (3)-(4), hwn (3)-(4), Appendix 14.01**	*swede*	**rwden, swejen**
		swedes	**rwdins, swêj**
such, as ~	**cyfryw (2)**	*sweetness and light, all ~*	**mêl (2)**
suck up to someone, to ~	**crafu (1), ffalsio (2)**	*sweets*	**cisys, da-da, fferins, loshin, melysion, minciag, neisis, pethau da, taffins**
sudden	**ffwrbŵt, sydyn (1)**		
sudden(ly)	**handi**		
suddenly	**sydyn**		
suffer, to ~	**diodda, dioddef (1), goddef (1)**	*swift*	**chwyrn**
		swig (of whisky etc.)	**jioch**
suffer an injustice, to ~	**cam (5)**	*swim, to ~*	**mofiad, oifad**
suffice, to ~	**digoni (1), tro (turn) (3)(a)**	*sycophant*	**cynffonwr**
		sycophantically, behaving ~	**Dic**
sufficient	**digon**	*system*	**trefen, trefn**
sugar	**siwgir, siwgr, siwgwr**	*table*	**bord**
suit, to ~	**taro (2)**	*tail*	**cwt (3), cynffon**
sulk, to ~	**llyncu (1), pwdu, sorri**	*take, to ~*	**cymryd, dwyn, dwgyd, jwgyd, twcyd**
sum	**swm**		
sum, small ~	**cildwrn**	*take a photograph, to ~*	**llun (2)(b)**
sum total, the ~	**swm**	*take after someone, to ~*	**tynnu (2)**
summer	**haf**	*take care, to ~*	**cymryd (4)(a)**
summer, Indian ~	**haf**	*take charge, to ~*	**awenau (2)**
summit	**copa (1)**	*take control, to ~*	**awenau (2)**
sun	**haul**	*take for granted, to ~*	**cymryd (7)**
sun, in the ~	**llygad (8)**	*take hold of someone, to ~*	**dod (3), pen (24)**
sunbathe, to ~	**bolaheulo, torheulo**	*take it upon myself, to ~*	**cymryd (1)(b)**
Sunday	**Sul**	*take my fancy, to ~*	**bryd (2)**
sunny	**tesog**	*take off, to ~ (clothes)*	**tynnu (9)**
suntan	**lliw (2)**	*take something/ someone somewhere, to ~*	**mynd (2)**
support someone, to ~	**cynnal (2)**		
supportive of something/ someone, to be ~	**cefn (4)**	*take the initiative, to ~*	**cymryd (5)**
		take the lead, to ~	**cymryd (5)**
suppose, do you ~	**tybed**	*take the opportunity, to ~*	**achub (3), bachu (2), dal (6)**
suppose, I ~	**decini, gwybod, mwn, 'sbo, siawns (4)**		
		take time, to ~	**cymryd (4)(b)**
suppose not	**tebyg (4)**	*take to heart, to ~*	**cymryd (3)**
supposed to	**bod (3)(a)**	*take to something, to ~*	**cymryd (2)**
supposed to be	**bod (3)(b)**	*tale*	**chwedl**
sure	**saff (2), sicr, siŵr (1)**	*talent*	**dawn**
sure enough	**reit (4), (6), siŵr (5)**	*talk*	**sôn (1)**
sure, I'm ~	**siŵr (4)**	*talk, to ~*	**siarad, wilia**
sure, to be ~	**siŵr (3), Appendix 10.02(ii)(b)-(c)**	*talk about (fool, idiot etc.)*	**am (3)**
		talk about something, to ~	**sôn (3)**
		talk nonsense, to ~	**malu (1), siarad (1)-(2)**
surely not	**posibl (2)**	*talk, to soft ~*	**dandwn**
surface	**wyneb**	*tap*	**o bach**
surfeit	**syrffed**	*tape*	**llinyn**
surplus	**pen (29)(b)**	*target*	**cocyn**
surprise, to ~	**synnu**	*ta-ra*	**ta-ra, ta-ta**
surprised, I wouldn't be a bit ~	**synnu (1)-(3)**	*tart*	**hoeden, hwren**
surprised, to be pleasantly ~	**siomi**	*task*	**joban/job(yn)**
surreptitiously	**slei (1)-(2)**	*taste (figuratively and literally)*	**tast**
suspect, to ~	**amau (2)**	*taste, to ~*	**clywed (5)**
swagger, to ~	**jiarffio**	*taste, to my ~*	**dant**
swallow, to ~	**llyncu**	*taster*	**tamaid (5)(b)**
Swansea	**tref (2), Appendix 18.02**	*tatters*	**Jibidêrs**

tax	**treth (1)**	*there*	**dene, dyna, ene,**
teach, to ~	**dysgu**		**fan'na, fan'ny,**
teach your grandmother to			**man** (place) **(4)**, **'na (1)**,
suck eggs, to ~	**dysgu (2)**		**yna (1)**
teacher	**titshyr**	*there* (out of sight)	**fan'no**
tears	**dagrau**	*there and then*	**fan (6)**, **tin (1)**
tears, in ~	**dagrau (2)**	*there is/are*	Appendix 13.11-13.12
tedious	**syrffed**	*there is/are* (end of clause/	
tedious for someone, to be ~	**syrffed (1)**	sentence only)	**sydd (2)**
tee, to a ~	**blewyn (6)**	*there, there* (consolation)	**'na (4)**
teeth	**daint, dannedd**	*there's a good (boy/girl etc.)*	**da (3)**
teeth, false ~	**dannedd (1)-(2)**	*there's somebody for*	
tell someone, to ~	**dweud (3)**	*everybody* (marriage)	**brân (1)**
tell tales, to ~	**cario (1)-(2)**	*therefore*	**felly, hynny (8), 'lly, so**
tell the truth, to ~	**a** (and) **(4)(b)**	*these*	**hyn (3), rhain**
tell you, I ~ etc	Appendix 13.08(v)	*thick*	**bras, tew**
telling off	**llond (2), (12),**	*thick and thin, through ~*	**dŵr (3)**
	pryd (meal) **(2)**	*thickness*	**trwch**
temper	**natur (2)**	*thin*	**main**
temporary	**tro** (time) **(6)**	*thing*	**peth (1)**
Tense, The Future ~	Appendix 3	*thing, a good ~*	**peth (4)**
Tense, The Future-Present ~	Appendix 2	*thing, every single ~*	**dim (16)**
Tense, The Imperfect ~	Appendix 5	*thing, first ~* (in the morning	
Tense, The Imperfect Habitual ~	Appendix 6	after getting up)	**codiad (3)**
Tense, The Perfect ~	Appendix 7	*thing as a free lunch,*	
Tense, The Pluperfect ~	Appendix 8	*there's no such ~*	**diwedd (1)**
Tense, The Present ~	Appendix 1	*thing is bad for you,*	
Tense, The Simple Past ~	Appendix 4	*too much of a good ~*	**pwdin (2)**
tenterhooks, on ~	**pigau, pinnau (1)**	*thing, (not) much of a ~*	**peth (6)(a)**
terms	**telerau**	*thing, poor ~*	**caran, cradur,**
terribly (good/bad etc.)	**andros (1), cythreulig**		**cradures, creadur,**
terrify someone, to ~	**arswyd (2)**		**creadures, pŵr,**
terror	**arswyd, braw**		**tlawd (2), treni (1),**
test someone's patience, to ~	**gyrru (6)**		**truan (3)-(4)**
testicles	**ceilliau**	*thing, quite a ~*	**eithaf (2), tipyn (6)**
than	**na**	*thing, such a ~*	**peth (11), rotshiwn**
thanks	**diolch**	*things are tight financially*	**esgid**
thank goodness	**diolch (1)-(4)**	*things, how are ~?*	**ceibo, go (8)(c),**
thank heavens	**diolch (1)-(4),**		**hwyl (10), (12),**
	trugaredd (1)		**shwd (3), s'mae, sut (5)**
thank you very much	**diolch (5)-(8),**	*things, mutually understood ~*	**dalltings**
	thanciw (1)-(2)	*things, small ~*	**manion**
that	**bod (2), dene, dyna,**	*things, such ~*	**peth (11)** (note)
	ene, honna, honno (1),	*things get nasty*	**chwarae (3)**
	hwnna, hwnnw (1),	*thingumajig*	**bethma (2)**
	hynna, hynny (1)-(2),	*think so, I hardly ~*	**sgersli**
	'na (1)-(2), 'ny, y (3),	*think, I ~*	**glei, gwlei**
	yna (2), yr	*think so, I don't ~*	**sgersli**
that (emphatic clause)	**mai (1), 'na (2), nid (2),**	*think, to ~*	**hel (16)(a), meddwl**
	taw (1)	*think a lot of someone, to ~*	**meddwl (2)**
that's it	**'na (3)**	*thirst*	**syched**
that's right	**'na (3)**	*thirsty, I am ~*	**syched (2)**
thaw, to ~	**dadlaith, dadmer,**	*this*	**hon (1), hwn (1), hyn**
	meirioli		**(1)-(2), 'ma, yma (2)**
the	**y (1), yr**	*this and that*	**hon (3)-(4), hwn (3)-(4)**
them	**rhei'cw, rheina, rheiny,**	*this (matter/world/journey etc.)*	**hyn (7)**
	Appendix 15	*thorn*	**draenen**
then	**'de, dŵad, 'dwch,**		
	dwedwch, dwthwn,	*thorn in something/*	
	felly, 'lly, munud (4),	*someone's side, a ~*	**draenen**
	'ny, pryd (time) **(8),**	*those*	**hynny (3), rhei'cw,**
	pyr'ny, 'ta, 'te, yna (3),		**rheina, rheiny, sawl (4)**
	ynde	*thought, I ~*	**'ddylis i**

thousand	**mil**
thrash, to ~	**tresio**
thrashing	**cosfa, cot(en), crasfa, curfa, cweir, cwrbits, sgwrfa**
threads	**'dafedd**
threaten	
(rain/a storm etc.), to ~	**hel (4)**
threshold	**trothwy**
threshold (of a new period/ Christmas etc.), on the ~	**trothwy**
throat	**ffordd (10), gwddw, gwddwg, lôn (6)**
throat, sore ~	**dolur, gwddwg, llwnc**
throats	**gyddfau**
throats, at each other's ~	**gyddfau**
throb, to ~	**cosi, gwynegu**
throbbing	**cur**
through	**trwy**
through (adverb)	**trwodd, trwyddo**
through and through	**toriad, tro** (time) **(15), trwch (2), trwy (2)**
throughout	**hyd (4)(b), lledled, pen (16), trwy (2)**
throughout somewhere	**hyd (6)**
throughout (the year/the week etc.)	**gydol**
throw, to ~	**bwrw (2), taflyd, towlu, twlu**
throw off restraint, to ~	**cicio (1)**
thrust	**gwth**
thug	**labwst, llarp(ad), rafin**
thunder	**tranau**
tide	**llanw (1), teid**
tidy	**deche, nêt, teidi, twt (1)**
tidy, to ~	**cymoni, cymhennu, tacluso, teidio, twtio**
tie, to ~	**clymu**
tight	**sownd (2)**
timber, to ~	**coedio**
time	**adeg (1), amser, gwaith, pryd, tro** (time) **(1)**
time ago, a long ~	**dydd (1), 'stalwm, talwm, tro** (time) **(7)**
time after time	**tro** (time) **(13)**
time, all the ~	**amser (2), beunydd, hyd (13)(b), rownd (3), Sul (2)**
time, at the ~	**pryd** (time) **(1)(a)**
time, every ~	**amser (2), gafael (2)**
time, for a long ~	**ache, am (2), cantoedd, dydd (1), hydoedd (1)-(2), oes (2)-(4), 'stalwm, talwm, tro** (time) **(7)**
time being, for the ~	**tro** (time) **(2)**
time, from ~ to ~	**pryd** (time) **(7), tro** (time) **(11)**
time, high ~	**pryd** (time) **(4)**
time, in ~	**pryd** (time) **(6)**
time, in good ~	**pryd** (time) **(5)**
time, in next to no ~	**cyn (3), dim (13)(a), tro** (time) **(4)-(5), (8)-(10), (17)-(18)**

time, in my own ~	**pwysau (3)-(4)**
time, (one/two etc.) at a ~	**fesul (2), tro** (time) **(16)**
time immemorial, since ~	**cof (9)**
time, some ~	**pen (57), tro** (time) **(12)**
time, that ~	**pryd** (time) **(8), pyr'ny**
time, the odd ~	**tro** (time) **(3)**
time, this ~	**pryd** (time) **(8)**
time will tell	**amser (1)**
times	**troeon (1)**
times, at ~	**adeg (3), pryd** (time) **(2)**
times, behind the ~	**ôl (3)**
times lucky, three ~	**cynnig (4)**
times, many ~	**gwaith** (time) **(2)**
times, numerous ~	**gwaith** (time) **(2)**
times worse, ten ~	**saith**
timid	**llwfwr, llwfr, llywaeth**
tinker, to ~	**poetshio, potshan**
tint	**arlliw**
tip to toe, from ~	**corun**
tip(s) of my (tongue/ toes/shoes etc.), the ~	**blaen (3)**
tipple, to have a ~	**bys (3)**
tire, to ~	**danto, hario**
to	**wrth**
to my great (shame/ consternation/relief etc.)	**er (6)**
today	**heddi**
together	**cyd**
together, (to collect/ gather etc.) ~	**cilydd (4)**
toilet	**lle (5), tŷ (1)**
tolerate, to ~	**aros (2), cynnig (3), dal (4), dioddef (2)**
Tom, Dick and Harry, any old ~	**rhywun (4)**
tomorrow	**'fory, yfory**
tomorrow, like there's no ~	**lladd (3)**
tongue	**tafod**
tonne	**tunnell, tunnellt**
too much for someone	**trech (4)**
tooth	**dant**
toothcomb/toothpick/ top	**crib**
top	**brig, copa (1), pen (4)**
top, at the ~	**brig (1)**
top of each other, on ~	**traws**
top of (something), on ~	**pen (9)**
top of the world, on ~	**cefn (2)**
top, over the ~	**llestri**
top to bottom, from ~	**bon (4)**
topple, to ~	**'moelyd**
topsy-turvy	**strim-stram-strellach**
toss and turn, to ~ (while asleep)	**troi (3)-(4)**
total	**cwbl, cwbwl, cyfan**
totter, to ~	**simsan**
touch, to ~	**twtshiad, twtshio**
touch and go	**cael (5)**
touchstone	**maen (2)**
tough luck	**eithaf (1), (4)**
tour, on ~	**taith**
tourists	**fisitors**
towards	**sha, tua**
town	**tref**
trace	**arlliw**
track	**wysg**

trail	trywydd
trail of something/	
someone, on the ~	trywydd
trample, to ~	damsang, damshiel, sathru
trap (mouth)	hopran, pig (3)
Trawsfynydd	Appendix 18.02
treachery	brad
treated with respect,	
big enough to be ~	galw (1)
tree	colfen
trees	coed
trials and tribulations	hynt (2)
trick	cast
trick, mean ~	tro (turn) (8), (10)-(11)
tricks	castiau, giamocs, stranciau
trivialities	manion
trouble	gofid, straffig, trafferth, trwbwl, trybini
trouble, in ~	trafferth, trwbwl, trybini
trunk (tree)	bôn
true	gwir (1), (3), triw
true or false	gwir (5)
trunks, swimming ~	trôns
trust, to ~	hyderu
truth	gwirionedd
truth about it, the ~	gwir (6)
truth, the real ~	calon (1)
try, to ~	cynnig (1), treial
tumultuous	berw (3)
tune	tôn
turn	treigl, tro (turn) (1)
turn, to ~	troi
turn around, to ~	troi (5)
turn off, to ~	diffod, diffodd
turn one's nose up at	
someone/something, to ~	troi (16)
turn (out) for the better, to ~	troi (6), (8)
turn over a new leaf, to ~	troi (9)
turn things to my own	
advantage, to ~	troi (17)
turn, unlucky ~	tro (turn) (12)
turning (on path, road etc.)	tro (turn) (2)
turning, no ~ back	di-droi'n-ôl
turnip	erfinen, meipen
tut tut (disapproval)	twt (4)
twice	dwywaith
twilight	min (3)
twinkling	amrantiad
twinkling, in a ~	amrantiad (1)-(2)
twist, to ~	dirwyn
twist my ankle, to ~	troi (10), (13)
twist my mind, to ~	troi (12)
two	dau
two by two etc.	fesul (2)
(two/three/four etc.) of	
(us/you/them), the ~	dau (1), ill
two-bit	ceiniog (2)(a), dimai (1), (4)
two-thirds	deuparth
tyrant	teyrn

ugh	ych-â-fi
ugly	hyll, salw
unable to do something,	
to be ~	ffaelu (1), methu (3), pallu (3)
unanimous	unfryd
uncle	dewythr, wncwl, yncl
under	o dan
underhand	tin (2)
underneath	o dan
understand, to ~	dallt, deall
understanding,	
(to have it) on the ~	deall (1)
undress, to ~	'matryd
unfortunate, (I am) ~	tro (turn) (4)
unfortunately	modd (3)
unharmed	croen (3)
unhurt	croen (3)
union	undeb
unity is strength, in ~	undeb
University of Wales	
Aberystwyth	coleg (2)
University of Wales Bangor	coleg (1)
unless	onid, on'd
unlucky, (I am) ~	tro (turn) (4)
untidiness	annibendod, blerwch
untidy	anniben, blêr, sang (2)
untie, to ~	daffod
until	hyd (7)(a), (8)-(9)
until then	hynny (9)
unwilling(ly)	anfodd
unwillingness	anfodd
up	i fyny, lan
up above	oddi (7)
up to	hyd (7)(b)
up to me	ôl (7)
up to now	hyd (10)-(11)
up until now	hyd (10)-(11)
up yours	twll (5), (7)
upon me	gwarthaf
upset the applecart, to ~	troi (19)
upside-down	pen (45), (51), (53), traed (9), wyneb (3)
upstairs	grisiau, lofft, llofft (1), (3), staer, stâr
(up/down/back etc.)wards	sha (1)
use	iws
use, to ~	iwsio
use up, to ~	'sbydu (1)
use, what's the ~?	haws
useless	siâp (1)
usually	aml (2)
U-turn	tro (turn) (9)
utmost	gorau (1)
utmost, to the ~	eithaf (5), pen (33)
vain, to be in ~	gwellt
valleys	cymoedd
Valleys, the ~ (industrial valleys	
of South Wales)	cymoedd
value	gwerth
venture	antur
very	pen (29)(a), tu (9)(b)
very (angry/annoyed etc.)	cacwn (2)

very (first/biggest etc.), the ~	un (1)	want, (whatever/	
very good	reit (3)	wherever etc.) I ~	byd (2)
very (man/thing etc.), the ~	feri	wanted (advertisement etc.)	eisiau (2)
very well	boi (2), gorau (6)(a),	warm	cynnes, twym
	reit (3), siort	warm, to (get) ~	cnesu, cynhesu, twymo
vicarage	mans	warning	rhybudd
vicarage,		wasp	cacynen, gwenynen
(son/family etc.) of the ~	mans		farch, picwnen
vicinity of somewhere,		wasps	cacwn
from the ~	ochrau	waste, to ~	afradu, bradu,
view, into ~	golwg (6)		gwastraffu
view, out of ~	golwg (9)	watch	watsh
village, archetypal non-existent		watch, to ~	gwatsiad
Welsh ~	Cwmsgwt	water	dŵr
vinegar	finegr, fineg	water, rhetorical name for	
virtually	bron (1), jest (2)	anywhere under ~	cantref
virtually, I ~ (did something)	dim (14)	wave	ton
visit friends, to ~	hel (20)	wave to someone, to ~	llaw (1)
vogue, in ~	bri (1)	way	ffordd, hynt
voice	llais	way, by a long ~	digon (3), ffordd (9)
Voice, The Passive ~	Appendix 12	way, by the ~	llaw (2)
voluntarily	gwirfodd	way, down	
vomiting	cyfog	(Llanberis, Llanelli etc.) ~	tua
vote	pleidlais	way, no ~	perygl (2)
waccy-baccy	mwg (1)-(2)	way, no bloody ~	perygl (3)
waffle, to ~	malu (1), rwdlan	way, on the ~	pen (12)
wait, to ~	aros (1), disgwyl (3),	way around, the other ~	fel (5)
	gweitiad, sefyll (2)	way, to (gulp down/swallow etc.)	
wait a second	aros (4)	something the wrong ~	ffordd (8)
wait hand and foot on		way of, by ~	rhan (3)(a)
someone, to ~	dawnsio	way of, in the ~	rhan (3)(a)
wait is a long one, every ~	aros (6)	way of all flesh, the ~	ffordd (11)
wake of something, in the ~	sgil	ways, in many ~	ystyr
wake up, to ~	deffro, dihuno, di'uno	ways about it,	
Wales		there are no two ~	dau (2), dwywaith
(use of definite article with ~)	Cymru (1)	weak, very ~	brechdan (5), cath (3)
Wales, British ~	Appendix 22.05	weakling of a (man/boy etc.)	sbryddach
Wales, North ~	Gogland	weapon	arf
Wales, rhetorical Latinate		wear, to ~	gwisgo
name for ~	Gwalia (wen)	weather	tywydd
Wales, rhetorical name for ~	gwlad (1), (3), (5), (7)	weather, stormy ~	tywydd
		wee-wee	pi-pi
Wales, rural ~	cefn (8)	week	wsnos
Wales, South ~	sowth (1)	weigh, to ~	pwyso
Wales, the length and		weigh up, to ~	cloriannu, pwyso,
breadth of ~	Môn (2)		tafoli
Wales, Welsh ~	Appendix 22.04	weigh up something	
Walian, North ~	Gog	economically, to ~	llygad (3)
Walian, South ~	Hwntw	(weighing) scales	clorian, tafol
walk, to ~	cerdded (1), cer'ed	weight	pwys, pwysau (1)
walk off, to ~		Welsh, academic ~	Cymraeg (4)
(objects, possessions etc.)	traed (2)	Welsh and pertaining to	
walls have ears	moch (1)	Wales, in ~	Cymraeg (1)
wander around, to ~	hel (14)	Welsh, colloquial ~	Introduction
wane, on the ~	trai	Welsh of 1960s and 1970s,	
wank, to ~	halio, llawgnychu	artificial ~	Cymraeg (2)
wanker	cedor, cotsyn	Welsh culture, perceived	
want	eisiau	traditional components of ~	Pethe
want, d'you ~?	chishio, tishio	Welsh, literary ~	Introduction, Cymraeg (4)
want, to ~	am (1), ishe, isho,	Welsh, mistreatment of ~	brad
	'moyn (1),	Welsh, official ~	Introduction
	Appendix 13.03-13.04	Welsh, pidgin ~	Cymraeg (3)
want something, to really ~	sâl	Welsh, rhetorical name for ~	iaith (2), (4)
want, whatever I ~	mynnu (3)	Welsh speaker, archetypal ~	Mrs Jones Llanrug

Welsh-speaking couple, archetypal ~	**Rhisiart**	why	**be' (4), beth (2), paham, pam, pwy (2)**	
Welsh-speaking, non ~	**di-Gymraeg**	why is that?	**paham (2)**	
Welshman	**Cymro**	why not?	**paham (3)**	
Welshman is a Welshman away from home, the best ~	**Cymro**	why's that?	**paham (4)**	
Welshpool	Appendix 18.02	wide-eyed	**llo (1)-(2), llygaid**	
well done	**go (5)(c)**	wide open	**lled (2)**	
well I never	**clem (2), jiw (2), llwgu (2), uwd**	widow	**gwidw**	
		widowed	**gweddw**	
well, to (play/handle the ball etc.) ~	**pert**	width	**lled**	
		wild	**gwyllt**	
Wenglish	Introduction	will	**bodd, bryd, ewyllys**	
Western Mail, The ~	**llais**	will, against my ~	**anfodd, ewyllys**	
wet	**gwlyb, llinyn (2), llo (1)-(2)**	will there's a way, where there's a ~	**ceffyl (2)**	
		Will	**Wil**	
wet, dripping ~	**gwlyb (1)-(5)**	William	**Wil**	
wet, soaking ~	**gwlyb (1)-(5)**	willing	**bolon**	
what	**be', beth, pa, pwy (4), sut (2), y (4)**	willingly or unwillingly	**bodd (1)**	
		willy	**cal(a), coes (1), conyn, gwialen, pidlen, pisyn (3)**	
what (clause only)	**hyn (10)**			
what-do-you-call-it	**bechingalw**	win, to ~	**ennill, mynd (1)**	
what's got into someone?	**pen (19)**	wind	**gwynt (1)**	
what's-her/his-name	**pwy (5)**	wind, familiar term for the ~	**Morus**	
what's-its-name	**bechingalw**	wind, to ~	**dirwyn**	
what-not	**bethma (2)**	wind down, to ~	**dirwyn**	
what's what	**be' (1)**	window	**ffenest, ffenestr**	
whatever	**ta (1)(b)**	wipe (with a cloth/rag etc.), to ~	**tynnu (8)**	
whatsoever, (no idea/ purpose etc.) ~	**byd (7)**	wise	**call**	
		wisest to be quiet, it's ~	**call (1)**	
wheel	**rhod**	wishful thinking	**breuddwyd**	
wheel has come full circle, the ~	**rhod (1)**	with	**â, ag, efo, hefo, Appendix 13.05-13.06, wrth**	
wheelbarrow	**berfa, whilber**			
when (conjunction)	**pan**	(with)in	**ymhen**	
where (conjunction)	**lle (2)**	(with)in a (year/week etc.)	**cyn (2)**	
where (interrogative)	**lle (3)**	without	**heb**	
wherever	**ta (2)**	wives	**gwragedd**	
whet my appetite, to ~	**dŵr (4)**	wives' tale, old ~	**coel**	
whether	**p'un (1)**	woe	**och**	
whether ... or ...	**p'un (3)**	woe betide me [if I did] something	**fiw, gwiw**	
which	**pa, pwy (4)**	wolf down, to ~	**llowcio, sglaffio**	
which (relative pronoun)	**a, sydd (1), (3)**	woman	**dynes, merch, menyw**	
which aren't/doesn't	**sydd (4)**	woman, big ~	**pladres**	
which (one)	**p'run, p'un (2)**	woman looking for sex, crude reference to a ~	**cwna**	
while, after a ~	**tipyn (4), ymhen (1)-(2)**	woman who has a high regard of herself	**jiarffes**	
while, for a ~	**hyd (2), meitin**	women	**gwragedd**	
whim	**chwiw (2)**	wonder, I ~	**'sgwn i, tybed, ys (2)**	
whip	**lach**	wonder, no ~	**rhyfedd**	
whip, to ~	**chwipio**	wonderful	**rhyfedd**	
white	**gwyn**	wonky	**cam (4)(b)**	
white as a sheet, as ~	**calchen**	word	**gair**	
who (interrogative)	**pwy (1)**	word, on my ~	**llw**	
who (relative pronoun)	**a, sydd (1), (3)**	word is as good as a hundred, one ~	**gair (6)**	
who aren't/doesn't	**sydd (4)**	word to the wise	**gair (2)**	
whoaah	**wê**	word, without (saying/uttering etc) a ~	**bw, gair (5), pwmp**	
whoever	**ta (6)**			
whole	**cwbl, cwbwl, cyfa, cyfan**			
whole (day/minute etc.), a ~	**crwn**	work	**gwaith**	
whole, on the ~	**cilydd (3), cyfan (1), mwy**	work and play	**gŵyl**	
whore	**hwren**			

work, at ~	**gwaith** (work) **(1)**
work, boring ~	**gwaith** (work) **(2)(b)**
work, out of ~	**clwt (1)**
work, to ~	**gweithio (1)**, **gwitho**
worker	**gwithwr**
world	**byd**
world and his wife, the ~	**byd (9)-(10)**
world, around the ~	**rownd (1)**
world of good, a ~	**byd (4)**
world, the unattainable ideal ~	**fan (2)**
world, the whole wide ~	**byd (11)**
world, throughout the ~	**rownd (1)**
wormwood	**wermod**
worry, don't ~	Appendix 10.10(ii)(a)-(b)
worry, to ~	**becso, poeni**
worry greatly, to ~	**enaid**
worse	**gwaeth**
worse, for (the) ~	**er (2)**
worse off	**colled**
worth	**gwerth**
worth the whole wide world	**gwerth (2)**
worthless	**didda diddim**
would that ...	**o na (1)**
wreck	**rhacsyn**
wreck, to ~	**rhacsio**
wretched	**truan**

wrist	**garddwrn**
write, to ~	**sgwennu**
writing pen	**pin**
wrong	**cam (3)**, **chwith (4)**, **lle (6)**, **pen (56)**, **rong**
wrong, something ~	**drwg (3)**
wrong with someone, (there is) something ~	**bod (4)**
wrong-doings	**mistiminars**
wrongly	**cam (4)(a)**
yard	**cowt, llathen**
yardstick	**ffon (2), llinyn (1)**
yawn, to ~	**agor (3)**
year round, all ~	**rownd (2)**
year, this ~	**'leni**
yes (indirect questions)	**ia**
yes (perfect and simple past tenses)	**do**, Appendix 7.04
yesterday	**dwe, ddo', ddoe**
yet	**bellach (3), eto, 'to**
yob	**labwst, llarp(ad), rafin**
younger	**fengach**
youngest	**fenga**
youth	**ieuenctid**
zip (on trousers)	**balog, copish**